에듀윌과 함께 시작하면,
당신도 합격할 수 있습니다!

목표한 대학에 진학하기 위해
대학 입시를 준비하는 고등학생

졸업을 앞두고 취업을 하기 위해 시간을 쪼개어
ToKL국어능력인증시험 공부를 하는 취준생

원하는 일과 삶을 찾기 위해
회사생활과 병행하며 이직을 준비하는 직장인

누구나 합격할 수 있습니다.
해내겠다는 '열정' 하나면 충분합니다.

마지막 페이지를 덮으면,

에듀윌과 함께
ToKL국어능력인증시험 합격이 시작됩니다.

에듀윌 ToKL국어능력인증시험 합격 스토리

조O진 합격생

꼼꼼한 해설로 단기간에 고등급 취득!

공기업 취업을 위해 <에듀윌 ToKL국어능력인증시험 2주끝장>을 구매하였습니다. 단기간에 학습하기에 좋은 구성이 었는데, 그 중에서도 제가 잘 활용했던 부분은 '시험장 필수 아이템 압축노트'입니다. 얇은 부록임에도 내용이 알차게 들어 있어서 정독하기에 좋았습니다. 첨삭을 받을 수 없는 독학러였던 저는 주관식 파트의 꼼꼼한 해설에서도 많은 도움을 받았습니다. 암기가 필수인 어휘+어문규정+어법 부분에서 모르는 내용은 소리 내서 읽으며 공부한 결과, 어법과 쓰기 영역에서 만점을 받았답니다!

이O아 합격생

에듀윌 '2주 플랜'으로 목표 등급 달성!

저는 시험을 준비할 시간이 부족했기 때문에 2주 만에 시험을 대비할 수 있도록 만들어진 <에듀윌 ToKL국어능력인증시험 2주끝장>을 선택하였습니다. 교재에서 제가 최대 장점으로 꼽는 부분은 학습 플래너입니다. 학습 순서와 분량을 안내해 주는 플래너를 따라 '압축노트'의 여백에 이론을 다시 정리해 가며 공부하다 보니 자연스럽게 저만의 요약노트가 탄생했습니다. 그래서 시험장에는 '압축노트'만 가져가서 시험 직전에 훑어 보았고, 기분 좋게 목표했던 3급을 달성했습니다!

김O 합격생

시험 직전까지 활용할 수 있는 알찬 구성!

ToKL국어능력인증시험을 2주 앞두고 <에듀윌 ToKL국어능력인증시험 2주끝장>을 구매하였습니다. 저는 '2주 기본형 플랜'에 따라 학습을 시작한 후에 필수 암기가 필요한 어휘와 어문 규정, 어법은 '압축노트'에 수록된 내용 위주로 외우려고 노력하였습니다. 시험 전날에는 모의고사를 풀어 보며 어떤 부분이 취약한지 스스로 점검하고, 예시 답안을 통해 주관식 유형을 익혀 둔 것이 실제 시험장에서 문제를 푸는 데 도움이 되었습니다. 개인적인 일정과 공부를 병행하느라 걱정이 많았는데 스스로 만족할 수 있는 점수를 취득하여 뿌듯합니다. 여러분도 어휘와 표준 발음법 등에 조금 더 집중해서 학습한다면 분명히 고등급을 취득할 수 있을 것이라 확신합니다!

다음 합격의 주인공은 당신입니다!

자세한 내용이 궁금하다면 1600-6700

책갈피 2주 플래너

✂ 가위로 잘라서 책갈피로 사용하세요!

2주 기본형 플랜

	공부 범위	공부한 날	완료
1일	I. [1~13] 어휘 기출의 패턴을 벗기다 01 단어의 의미 관계	_ 월 _ 일	☐
2일	02 고유어	_ 월 _ 일	☐
3일	03 한자어	_ 월 _ 일	☐
4일	04 한자성어/속담/관용구	_ 월 _ 일	☐
5일	05 혼동하기 쉬운 어휘 06 다양한 어휘	_ 월 _ 일	☐
6일	II. [14~18] 어문 규정 기출의 패턴을 벗기다 01 표준어 규정/표준 발음법	_ 월 _ 일	☐
7일	02 한글 맞춤법	_ 월 _ 일	☐
8일	03 외래어/로마자 표기법	_ 월 _ 일	☐
9일	III. [19~57] 읽기 기출의 패턴을 벗기다 01 실용문 02 학술문	_ 월 _ 일	☐
10일	03 문학 – 현대시/현대소설/수필	_ 월 _ 일	☐
11일	IV. [1~13] 듣기 기출의 패턴을 벗기다 01 사실적 이해/추론/비판 [단독 문제] 02 사실적 이해/추론/비판 [통합 문제]	_ 월 _ 일	☐
12일	V. [14~18] 어법 기출의 패턴을 벗기다 01 문장 표현 02 높임법	_ 월 _ 일	☐
13일	VI. [19~23] 쓰기 기출의 패턴을 벗기다 01 쓰기 1 02 쓰기 2 VII. [주관식 1~10] 주관식 기출의 패턴을 벗기다 01 주관식 1 02 주관식 2	_ 월 _ 일	☐
14일	수준 & 실력점검 모의고사	_ 월 _ 일	☐

2주 출제비중 우선형 플랜

	공부 범위	공부한 날	완료
1일	III. [19~57] 읽기 기출의 패턴을 벗기다 01 실용문 02 학술문	_ 월 _ 일	☐
2일	03 문학 – 현대시/현대소설/수필	_ 월 _ 일	☐
3일	I. [1~13] 어휘 기출의 패턴을 벗기다 01 단어의 의미 관계	_ 월 _ 일	☐
4일	02 고유어	_ 월 _ 일	☐
5일	03 한자어	_ 월 _ 일	☐
6일	04 한자성어/속담/관용구	_ 월 _ 일	☐
7일	05 혼동하기 쉬운 어휘 06 다양한 어휘	_ 월 _ 일	☐
8일	II. [14~18] 어문 규정 기출의 패턴을 벗기다 01 표준어 규정/표준 발음법	_ 월 _ 일	☐
9일	02 한글 맞춤법	_ 월 _ 일	☐
10일	03 외래어/로마자 표기법	_ 월 _ 일	☐
11일	V. [14~18] 어법 기출의 패턴을 벗기다 01 문장 표현 02 높임법	_ 월 _ 일	☐
12일	VI. [19~23] 쓰기 기출의 패턴을 벗기다 01 쓰기 1 02 쓰기 2 IV. [1~13] 듣기 기출의 패턴을 벗기다 01 사실적 이해/추론/비판 [단독 문제] 02 사실적 이해/추론/비판 [통합 문제]	_ 월 _ 일	☐
13일	VII. [주관식 1~10] 주관식 기출의 패턴을 벗기다 01 주관식 1 02 주관식 2	_ 월 _ 일	☐
14일	수준 & 실력점검 모의고사	_ 월 _ 일	☐

2주가 부담스럽거나 시간이 없다면

책갈피 맞춤형 플래너

✂ 가위로 잘라서 책갈피로 사용하세요!

한달 신중형 플랜

	공부 범위	공부한 날	완료
1-2일	I. [1~13] 어휘 기출의 패턴을 벗기다 01 단어의 의미 관계	_ 월 _ 일	☐
3-4일	02 고유어	_ 월 _ 일	☐
5-6일	03 한자어	_ 월 _ 일	☐
7-8일	04 한자성어/속담/관용구	_ 월 _ 일	☐
9-10일	05 혼동하기 쉬운 어휘	_ 월 _ 일	☐
11-12일	06 다양한 어휘	_ 월 _ 일	☐
13-14일	II. [14~18] 어문 규정 기출의 패턴을 벗기다 01 표준어 규정/표준 발음법	_ 월 _ 일	☐
15-16일	02 한글 맞춤법	_ 월 _ 일	☐
17-18일	03 외래어/로마자 표기법	_ 월 _ 일	☐
19-20일	III. [19~57] 읽기 기출의 패턴을 벗기다 01 실용문	_ 월 _ 일	☐
21-22일	02 학술문	_ 월 _ 일	☐
23일	03 문학 – 현대시/현대소설/수필	_ 월 _ 일	☐
24일	IV. [1~13] 듣기 기출의 패턴을 벗기다 01 사실적 이해/추론/비판 [단독 문제]	_ 월 _ 일	☐
25일	02 사실적 이해/추론/비판 [통합 문제]	_ 월 _ 일	☐
26일	V. [14~18] 어법 기출의 패턴을 벗기다 01 문장 표현	_ 월 _ 일	☐
27일	02 높임법	_ 월 _ 일	☐
28일	VI. [19~23] 쓰기 기출의 패턴을 벗기다 01 쓰기 1 02 쓰기 2	_ 월 _ 일	☐
29일	VII. [주관식 1~10] 주관식 기출의 패턴을 벗기다	_ 월 _ 일	☐
	01 주관식 1 02 주관식 2	_ 월 _ 일	☐
30일	수준 & 실력점검 모의고사	_ 월 _ 일	☐

1주 벼락치기형 플랜

	공부 범위	공부한 날	완료
1일	I. [1~13] 어휘 기출의 패턴을 벗기다 01 단어의 의미 관계 02 고유어	_ 월 _ 일	☐
2일	03 한자어 04 한자성어/속담/관용구	_ 월 _ 일	☐
3일	05 혼동하기 쉬운 어휘 06 다양한 어휘	_ 월 _ 일	☐
4일	II. [14~18] 어문 규정 기출의 패턴을 벗기다 01 표준어 규정/표준 발음법 02 한글 맞춤법 03 외래어/로마자 표기법	_ 월 _ 일	☐
5일	III. [19~57] 읽기 기출의 패턴을 벗기다 01 실용문 02 학술문 03 문학 – 현대시/현대소설/수필	_ 월 _ 일	☐
6일	IV. [1~13] 듣기 기출의 패턴을 벗기다 01 사실적 이해/추론/비판 [단독 문제] 02 사실적 이해/추론/비판 [통합 문제] V. [14~18] 어법 기출의 패턴을 벗기다 01 문장 표현 02 높임법	_ 월 _ 일	☐
7일	VI. [19~23] 쓰기 기출의 패턴을 벗기다 01 쓰기 1 02 쓰기 2 VII. [주관식 1~10] 주관식 기출의 패턴을 벗기다 01 주관식 1 02 주관식 2 수준 & 실력점검 모의고사	_ 월 _ 일	☐

처음에는 당신이 원하는 곳으로
갈 수는 없겠지만,
당신이 지금 있는 곳에서
출발할 수는 있을 것이다.

– 작자 미상

에듀윌 ToKL 국어능력인증시험

2주끝장

Intro

머리말

언어 능력은 단기간의 집중 훈련을 통해 향상되지는 않습니다. 그러나 제 오랜 강의 경험에 비추어볼 때, 국어능력인증시험은 '실생활과 밀접한 국어'일 뿐만 아니라, 절대평가이기 때문에 학습량과 성취율이 비례하는 정직한 시험입니다.

국어능력인증시험은 국어 전문가를 선발하는 취지의 자격증 시험이 아닌 만큼, 문법적 지식을 일일이 암기하지 않아도, 독해 능력이 아주 뛰어나지 않더라도 급수 취득이 가능합니다.

다만, 일반적인 국어 시험들에 비해 문제 풀이 시간이 부족하기 때문에 충분한 학습을 바탕으로 실전 감각을 익히는 것이 중요합니다. 더불어 어휘력을 신장시키고 다양한 소재를 바탕으로 한 지문을 읽기에 가장 좋은 교과서는 신문입니다. 특히나 정해진 시간 내에 문제에서 요구하는 내용을 정해진 분량만큼 쓰는 것은 생각보다 어렵기 때문에, 국어능력인증시험의 특 · 장점인 서술형 대비를 위해서라도 신문을 매우 훌륭한 수험서로 활용해야 합니다. 그리고 철저한 기출 분석을 토대로, 빈출 유형과 적절한 문항, 난이도로 구성하여 토클 학습에 최적화된 본 교재를 통해 진짜 국어능력인증시험을 만나시기 바랍니다.

2주 동안 이 책과 함께 국어능력인증시험에 최선을 다해 준비하신다면 만족할 만한 결과를 얻으실 수 있을 것입니다.

송주연

시대가 달라지며 사람들이 인식하는 '좋은 말'과 '험한 말'의 경계도 달라지는 요즘입니다. 예전에는 입에 담지 못할 말이라고 여기던 것들이 어느 세대에서는 자연스러운 표현이 되기도 하고, 예전에는 아름답다고 느끼던 표현이 지금은 과한 표현으로 여겨지기도 합니다.

그런데도 기본적으로 알고 지켜야 할 것들은 여전히 굳건합니다. 많은 사람과 소통하며 함께하기 위해 올바른 언어를 사용해야 한다는 기본 정신입니다. 이 기본을 바탕으로 한 어문 규정과 어법을 근간으로 우리가 사용하는 어휘와 표현들이 자리를 잡습니다.

더 많은 사람과 소통하나, 소통의 깊이에 얕아지는 아쉬움도 있는 시대의 흐름 속에서 더 정확하게 오해 없는 표현을 구사하는 것만으로도 국어 공부의 가치가 있을 것입니다. 그 가치와, 수험의 목적까지 함께 달성하실 수 있는 여러분이 되기를 응원하며 개정 내용을 담았습니다.

궁정적인 매일, 노력만큼의 결과를 맺는 한 해 되시기를 응원합니다.

김지학

취업, 대입, 고입, 외국어로서의 한국어 학습 등 각자 목적은 다르지만, 모두가 인정하게 되는 한 가지 사실이 있습니다. 바로 '국어 역량'의 중요성입니다. 외국어 습득, 다양한 정보의 섭렵 등을 인재의 조건으로 여기던 시기를 넘어, 이제는 깊이 있는 사고와 이를 명확하고 논리적으로 표현할 수 있는 '국어 역량'이 그 어느 때보다 중요해진 것입니다.

어휘와 어법, 듣기와 쓰기, 읽기는 모두 우리의 일상생활과 매우 밀접한 부분입니다. 그러한 만큼 따로 공부하는 것이 막연하게 느껴집니다. 국어능력인증시험을 준비하면서 가장 중요한 것은 각 영역의 취지와 특징을 먼저 잘 이해하고, 우리가 사용하던 다양한 언어생활을 아우른다는 생각으로 접근하는 것입니다. 그리고 문제 유형을 익혀 각자의 취약한 부분을 보완한다면 국어능력인증시험 준비를 체계적으로 해 나갈 수 있을 것입니다. 더불어 제한된 시간 안에서 문제를 푸는 연습은 필수겠지요.

《ToKL국어능력인증시험 2주끝장》은 이처럼 단기간의 체계적인 시험 준비를 최대한 도울 수 있도록 설계된 수험서입니다. 단기간에 시험 유형을 분석하고, 연습을 통해 실력 향상을 할 수 있도록 도와드릴 것입니다.

ToKL국어능력인증시험으로 인한 국어 능력 향상이 각자의 꿈을 이루는 중요한 기틀이 될 수 있기를 소원합니다.

가혜연

2주끝장 사용법

STEP 1

최근기출 360문항 분석을 통한
개념 · 유형파악&기출변형 문제풀이

시험에 나오는 이론만 압축적으로, 유형파악부터 문제풀이까지 한번에 학습하세요!

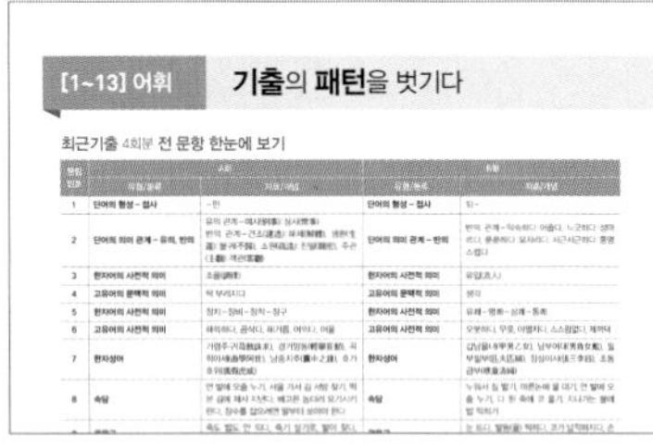

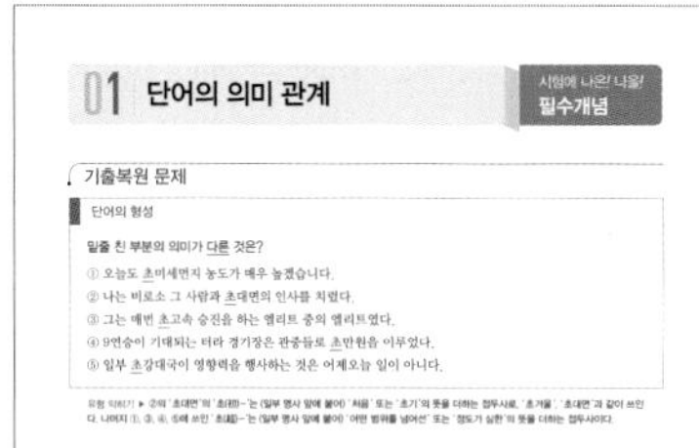

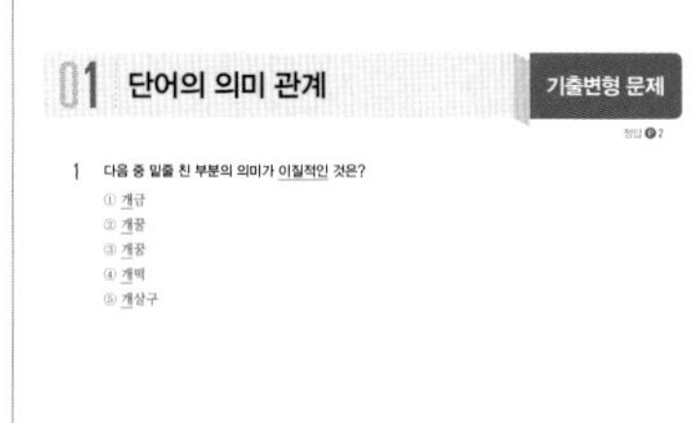

기출의 패턴을 벗기다
- 최근기출 4회분 360문항 분석 · 취합을 통한 기출 패턴 완벽 분석하기
- 고등급 공략법 파악하기

+ 시험에 나온! 나올! 필수개념
- 기출복원 문제로 유형 익히기
- BEST 기출&예상 개념 확인하기

+ 기억률 200% 바로확인 문제
- 어휘 · 어문 규정 부분의 기억률 200% 바로확인 문제로 바로바로 학습하기

+ 기출변형 문제
- 새로운 유형은 없다! 기출변형을 통한 유형 끝내기
- 출제비중 최고! 시간 부족 최고! 읽기 영역의 제한시간 장치로 훈련하기

STEP 2

고등급의 열쇠
주관식 영역 풀이

주관식 영역 풀이로 고등급 받으세요!

주관식 집중공략
- 영역별로 흩어진 주관식 문항을 한 곳에! 주관식 집중 공략하기
- 주관식 고등급 공략법 파악하기

+ 주관식 기출의 패턴을 벗기다
- 주관식 최근기출 4회분 전 문항 분석을 통한 기출패턴 정리하기
- BEST 기출&예상 개념 확인하기

+ 주관식 유형 마스터
- 기출복원 문제로 유형 익히기
- 기출변형 문제로 유형 끝내기

단기 고득급! 2주끝장이면 가능하다!

STEP 3 기출을 완벽 재현한 **모의고사 풀이**

학습 후 모의고사 풀이로 최종 실력을 점검하세요!

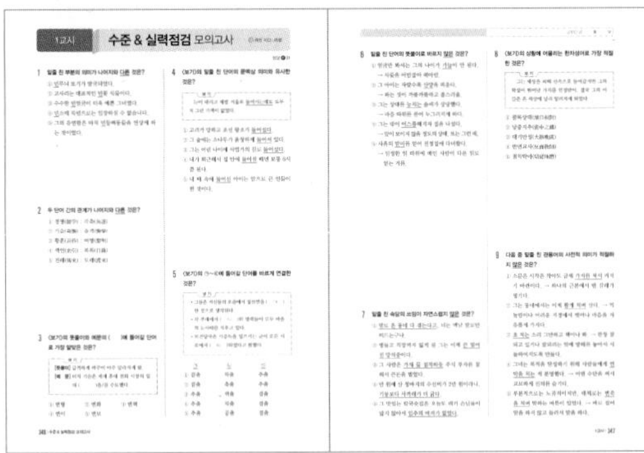

학습 전 수준과 약점을 파악하는 용도로 활용하세요!!

수준 & 실력점검 모의고사

- 기출을 완벽 재현한 모의고사로 빈틈없는 문제 풀기
- 약점 영역에 시간을 더 투자하면 고득급도 OK!
- 모의 답안지(OMR 카드) 제공

책갈피 플래너

시험까지 남은 시간에 맞는 플래너를 골라 활용하세요!

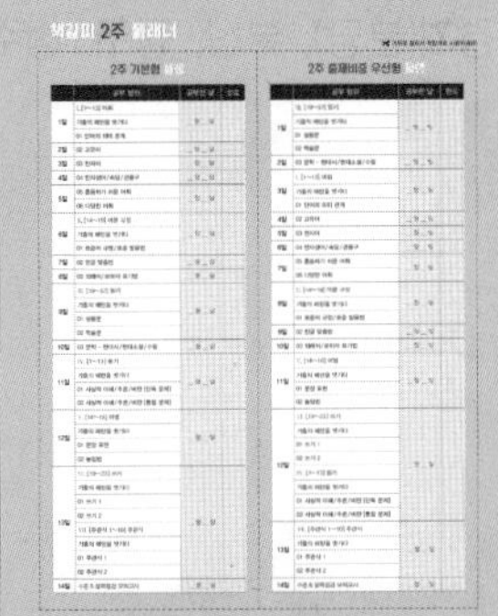

1주 ~ 한달 플래너

- 2주 기본형 플랜, 2주 출제비중 우선형 플랜, 한달 신중형 플랜, 1주 벼락치기형 플랜
- 언제, 어떻게, 얼마나 공부해야 하는지를 알려 주는 책갈피 플래너

시험의 모든 것

☑ **평가 대상:** 한국어를 모국어로 하는 학생 및 일반인

☑ **평가 목표**

① 말하기, 듣기, 읽기, 쓰기에 관한 종합적인 국어 사용 능력 평가
② 일상적 언어 생활과 밀접하게 연관된 실질적인 국어 사용 능력 측정
③ 합리적 의사소통 능력, 창조적 표현 능력, 유연한 언어 상황 적응력 평가

☑ **국어능력인증시험(ToKL)의 특징**

- 언어 기능 영역과 함께 이해, 추론, 비판, 창의의 모든 사고 영역을 종합 평가하는 문항 구성
- 서술형 주관식 평가 도입과 지문 유형의 다양화, 신규 문제 유형 개발을 통해 언어 사고력을 평가

☑ **평가 방법**

① 문항 구성: [문항 수] 90문항
[유형] 객관식 80문항(5지 택일형), 주관식 10문항
② 문항 배점: [총점] 200점(객관식 2점 – 동일 배점, 주관식 4점 – 차등 배점)

☑ **시험 시간:** 1교시 60분, 2교시 70분(총 130분, 듣기 평가 30분)

- 09:00 ~ 09:30 수험자 입실
- 10:00 ~ 11:00 1교시 평가/ 어휘, 어문 규정, 읽기(객관식 57문항)
- 11:10 ~ 12:20 2교시 평가/ 듣기, 어법, 쓰기(객관식 23문항, 주관식 10문항)
- 12:20 ~ 12:30 시험 종료/ 수험자 퇴실

☑ **시험 접수**

① 응시 접수: www.ToKL.or.kr
② 시행 장소: 전국의 주요 도시
③ 응시료: 38,000원
④ 시험 일정

- 코로나바이러스감염증 – 19 유행 이후 시험 일정이 대폭 조정되어 서울, 경기(분당), 부산, 광주, 청주 지역에서 상설고사장을 운영하고 있다.
- 정확한 시험 일정은 토클 사이트에서 확인할 수 있다.

국어능력인증시험(ToKL)은?

변화하는 국어 생활의 환경에 발맞추어 기존의 국어 교육 내용이나 방법의 한계를 극복하고 체계적인 사고 과정의 결과로 나타나는 말하고, 듣고, 읽고, 쓸 줄 아는 총체적인 언어 능력의 평가를 통해 국민의 국어 능력을 신장시키고, 나아가 학교 교육의 단계를 넘어 평생 학습의 단계로 인식하도록 하고자 개발된 시험입니다. 국어능력인증시험은 국어를 기반으로 종합적인 언어사고력을 측정하고 평가함으로써 바른 국어학습 방향을 위한 지침을 제시하고자 합니다.

☑ **성적에 따른 인증서의 유효기간:** 성적 발표일로부터 2년

☑ **점수별 급수 안내**

급수	총점
1급	200점 ~ 185점
2급	185점 미만 ~ 169점
3급	169점 미만 ~ 153점
4급	153점 미만 ~ 137점
5급	137점 미만 ~ 121점

※ 총점 121점 미만은 급수가 부여되지 않습니다.

※ 절대평가 방식을 적용하여 채점합니다.

[인증서 예시]

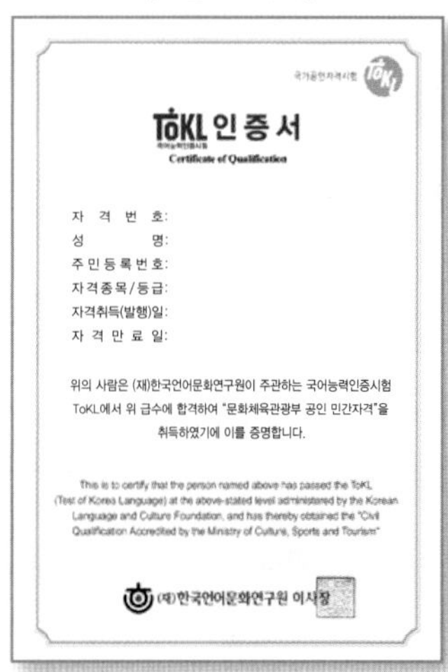

국가공인자격시험

ToKL 인 증 서

Certificate of Qualification

자 격 번 호:
성 명:
주민등록번호:
자격종목/등급:
자격취득(발행)일:
자 격 만 료 일:

위의 사람은 (재)한국언어문화연구원이 주관하는 국어능력인증시험 ToKL에서 위 급수에 합격하여 "문화체육관광부 공인 민간자격"을 취득하였기에 이를 증명합니다.

This is to certify that the person named above has passed the ToKL (Test of Korea Language) at the above-stated level administered by the Korean Language and Culture Foundation, and has thereby obtained the "Civil Qualification Accredited by the Ministry of Culture, Sports and Tourism"

(재)한국언어문화연구원 이사장

- 【고등학교】 고교 생활기록부 등재 / 입학사정관제 / 논술 & 서술형 대비
- 【학점은행제 / 독학사 학점 획득】 1급(10학점), 2급(8학점), 3급(5학점), 4급(3학점)
- 【대학교 및 대학원】 졸업자격, 졸업인증 또는 언어추론영역 대체
- 【공사 / 공기업 / 정부기관】 채용 & 승진 가산점
- 【언론사 및 기업】 채용 가산점

구분	활용처
고등학교	대일외국어고등학교, 한영외국어고등학교, 안양외국어고등학교, 고양외국어고등학교, 동두천외국어고등학교, 경남외국어고등학교, 현대청운고등학교, 상산고등학교
대학교 / 대학원	경인교육대학교, 춘천교육대학교, 청주대학교, 조선대학교, 의 · 치의학전문대학원
공사 / 공기업 / 정부기관	경찰청, 해양경찰청, 육군부사관, 한국전력공사, 한국전력KPS, 한국동서발전, 남동발전, 한국토지주택(LH)공사, 근로복지공단, 한국농어촌공사, 한국농촌경제연구원, 사회능력개발원, 제주도청, 충북도청, 청주시청, 제천시청
언론사 / 기업	세계일보, 한겨레신문, 경향신문, JTV전주방송, 홍익대학교(교직원)

※ 입시요강과 채용전형은 변동될 수 있습니다. 반드시 해당 학교 · 기관의 공고를 확인하시기 바랍니다.

• 평가 영역

국어능력인증시험(ToKL)은 언어 기초, 언어 기능, 사고력의 3가지 영역으로 나뉜다.

평가 영역	평가 내용
언어 기초 영역	수행기반능력(어휘), 언어규범능력(어법, 어문 규정)
언어 기능 영역	청해능력(듣기), 독해능력(읽기), 작문능력(쓰기)
사고력 영역	사실적 이해, 추론, 비판, 창의

사고력	주요 내용
이해	독해 또는 청해 과정에서 중심 내용을 확인하고, 글 또는 말의 구조를 파악하는 능력
추론	글의 구조 및 주어진 내용을 활용하여 필요한 정보를 추론하는 능력
비판	정보를 종합하여 비교 · 분석하고, 글 전체의 내용과 표현을 평가하는 능력
창의	정보를 재창출함은 물론 글쓴이의 의도를 파악하여 능동적으로 반응하고, 적절한 대안을 찾는 능력

• 문항 구성

국어능력인증시험(ToKL)의 문항은 객관식 80문항, 주관식 10문항으로 구성되어 있으며, 전체 문항 수는 90문항이다. 문항 배점은 총점 200점에 객관식의 경우 동일 배점(2점)으로 하며, 주관식은 수준에 따라 차등 배점(4점)한다.

영역	총 문항 수 (주관식)	주요 내용
어휘	15(2)	실생활에서 자주 사용하는 어휘의 활용 능력 평가
어법	5	정확하고도 경제적인 문장을 구사할 수 있는 능력 평가
어문 규정	5	효율적인 의사소통을 위한 규범 평가
듣기	15(2)	다양한 상황 설정을 통한 듣기 능력의 종합 평가
읽기	40(1)	매체 환경의 다양성을 반영하는 지문 선택을 통한 읽기 능력의 실질 평가
쓰기	10(5)	문장 생성 능력, 단락 전개 능력 등 실질적인 글쓰기 능력 중심의 평가
합계	90(10)	

기출분석의 모든 것

기출패턴 한눈에 보기

어휘+ 어문 규정+어법 28%

교시	문항 번호	영역(출제 비중)		유형	문항 수
1교시	1~13	어휘 17% (2교시 어휘 주관식 2문항 포함)		단어의 형성	1
				단어의 의미 관계	1
				고유어의 사전적 의미	1~2
				한자어의 사전적 의미	2~3
				고유어의 문맥적 의미	1~2
				한자어의 문맥적 의미	1
				용법	1~2
				한자성어	1
				속담	1
				관용구	1
	14~18	어문 규정 5.5%		표준어 규정	0~2
				한글 맞춤법	2~4
				외래어 표기법	0~1
				로마자 표기법	0~1
	19~57 (2교시 읽기 주관식 1문항 포함)	읽기 44%	실용문	사실적 이해 – 정보의 파악	8
				사실적 이해 – 구조의 파악	
				추론 – 정보의 추리	
				추론 – 상황의 추리	
			학술문	사실적 이해 – 정보의 파악	10~13
				사실적 이해 – 구조의 파악	
				추론 – 정보의 추리	6~8
				추론 – 상황의 추리	
				추론 – 태도와 관점의 추리	
				추론 – 과정의 추리	
				비판 – 종합적 분석	3~4
				비판 – 정보의 평가	
				비판 – 공감 및 감상	
			현대시	작품의 이해와 감상	3
				작품 간의 이해와 감상	
				시어의 의미와 기능	
				화자의 정서 및 태도	
			현대소설	작품의 이해와 감상	3
				사건의 전개 양상	
				인물의 심리 및 태도	
				소재의 의미와 기능	
				서술상의 특징 및 효과	
			수필	작품의 이해와 감상	2
				소재의 의미와 기능	
				서술상의 특징 및 효과	
				글쓴이의 정서 및 태도	
2교시	1~13/ 주관식 2문항	듣기 17%		사실적 이해	6~9
				추론	2~5
				비판	1~3
				창의(주관식)	2
	14~18	어법 5.5%		문장 표현	4~5
				높임법	0~1
	19~23/ 주관식 5문항	쓰기 11%		주제 설정	0~1
				자료의 수집과 정리	1~2
				구성 – 개요	0~1
				전개	0~1
				고쳐쓰기	1~2
				어휘(주관식) – 십자말풀이, 짧은 글짓기	2
				읽기(주관식)	1

[1교시 1~13 / 주관식 2문항] PART Ⅰ 어휘

17%

어휘의 정확한 쓰임을 위해서는 사전적 의미를 파악하는 것이 중요하다. 감각적으로 체득하는 문맥적 의미의 어휘만을 파악하는 것은 고득점을 받기 어렵다. 특히, 어휘의 상당수가 한자어인 우리말의 특성상 한자의 뜻을 올바르게 파악하는 것이 중요하다.

[1교시 14~18] PART Ⅱ 어문 규정

5.5%

우리가 일상생활에서 흔히 잘못 쓰고 있는 표현들이 출제된다. 따라서 단어의 표기가 비슷하거나 발음이 비슷해서 잘못 쓰는 어휘들, 단어의 뜻과 쓰임이 다른데도 혼용해 쓰고 있는 어휘들을 중심으로 정리해 두는 것이 필요하다.

[1교시 19~57 / 주관식 1문항] PART Ⅲ 읽기

44%

가장 많은 수의 문항이 출제되는 영역이다. 실용문, 학술문, 문학(시, 소설, 수필) 등의 장르가 출제되며, 지문의 길이가 길고 꼼꼼히 읽어야 답할 수 있는 문제가 많으므로 텍스트를 빠르게 분석하는 능력이 필요하다.

[2교시 1~13 / 주관식 2문항] PART Ⅳ 듣기

17%

강연, 대화, 토론 등 다양한 유형의 텍스트가 듣기 지문으로 출제된다. 단 한 번밖에 들을 수 없기 때문에 다시 생각해 볼 시간적 여유가 없다. 따라서 듣기 전 선택지를 보고 들을 내용을 추측하거나, 들은 내용을 간략히 메모를 한 후에 푸는 것이 좋다.

[2교시 14~18] PART Ⅴ 어법

5.5%

호응, 중의성 등의 문장 표현, 높임법 등이 출제된다. 어법의 전 영역이 혼합되어 출제되는 경우가 많아 대체로 난도가 높은 편이다.

[2교시 19~23 / 주관식 5문항] PART Ⅵ 쓰기

11%

주제 설정, 자료의 수집과 정리, 구성-개요, 전개, 고쳐쓰기 문항으로 출제된다. 특히 주관식 문항이 5문항 출제되는데, 제시된 조건에 맞게만 쓰면 점수를 얻을 수 있으며 일부 조건만 충족해도 부분 점수를 받을 수 있다.

차례

나무는 위로 열매 맺기 전에
반드시 아래로 먼저 깊이 뿌리를 내립니다.

– 조정민, 『고난이 선물이다』, 두란노

1 교시

Ⅰ. 어휘(1～13)

Ⅱ. 어문 규정(14～18)

Ⅲ. 읽기(19～57)

I 어휘

어휘 영역 출제 비중

17%

어휘 학습 전략

국어능력인증시험은 별도의 학습 범위가 정해져 있지 않고 전반적인 국어 능력을 평가하는 시험이기 때문에 단순히 글을 읽어 나갈 수 있는 수준의 어휘력만으로는 좋은 점수를 받기 어려우며, 어휘의 사전적 의미를 명확히 알고 그 쓰임을 구분할 수 있어야 한다.

국어능력인증시험에서 어휘 영역의 문항 수는 총 15문항으로 1교시에 객관식 13문항, 2교시에 주관식 2문항이 출제된다. 이 영역은 고유어와 한자어, 한자성어와 속담 및 관용구 등 국어의 모든 어휘 영역을 다루고 있으며 유형도 다양하게 출제되어 폭넓은 학습이 요구된다. 실생활에서의 활용도가 높은 어휘를 중심으로 어휘의 실제 활용에 초점을 두고 있으므로 이를 참고하여 개인의 능력에 따라 학습의 범위와 방향을 정리해 볼 수 있다.

어휘의 정확한 쓰임을 알기 위해서는 사전적 의미를 파악하는 것이 중요하므로, 감각적으로 체득하는 어휘의 문맥적 의미뿐만이 아니라 어휘의 사전적 의미와 그 용법도 학습해야 한다. 특히, 어휘의 상당수가 한자어인 우리말의 특성상 한자의 뜻을 올바르게 파악하는 것도 중요하다.

본 교재에 실린 어휘들을 기준 삼아 어휘의 뜻을 완벽히 이해하면서 그 예문도 반드시 함께 보아 자신의 어휘로 만드는 것이 좋다.

[1~13] 어휘 기출의 패턴을 벗기다

최근기출 4회분 전 문항 한눈에 보기

문항 번호	A회		B회	
	유형/분류	자료/개념	유형/분류	자료/개념
1	단어의 형성 – 접사	–민	단어의 형성 – 접사	되–
2	단어의 의미 관계 – 유의, 반의	유의 관계–예사(例事):상사(常事) 반의 관계–건조(建造):해체(解體), 생환(生還):불귀(不歸), 소원(疏遠):친밀(親密), 주관(主觀):객관(客觀)	단어의 의미 관계 – 반의	반의 관계–익숙하다:어줍다, 느긋하다:성마르다, 푼푼하다:모자라다, 사근사근하다:퉁명스럽다
3	한자어의 사전적 의미	조율(調律)	한자어의 사전적 의미	유입(流入)
4	고유어의 문맥적 의미	딱 부러지다	고유어의 문맥적 의미	생각
5	한자어의 사전적 의미	장치–장비–장착–장구	한자어의 사전적 의미	유쾌–명쾌–상쾌–통쾌
6	고유어의 사전적 의미	해쓱하다, 곰삭다, 해거름, 여의다, 여울	고유어의 사전적 의미	오붓하다, 무릇, 야멸차다, 스스럼없다, 제꺼덕
7	한자성어	가렴주구(苛斂誅求), 경거망동(輕擧妄動), 곡학아세(曲學阿世), 낭중지추(囊中之錐), 호가호위(狐假虎威)	한자성어	갑남을녀(甲男乙女), 남부여대(男負女戴), 필부필부(匹夫匹婦), 장삼이사(張三李四), 초동급부(樵童汲婦)
8	속담	언 발에 오줌 누기, 서울 가서 김 서방 찾기, 떡 본 김에 제사 지낸다, 배고픈 놈더러 요기시키란다, 장수를 잡으려면 말부터 쏘아야 한다	속담	누워서 침 뱉기, 마른논에 물 대기, 언 발에 오줌 누기, 다 된 죽에 코 풀기, 지나가는 불에 밥 익히기
9	관용구	죽도 밥도 안 되다, 죽기 살기로, 발이 잦다, 눈이 핑핑 돌다, 차 떼고 포 떼다	관용구	눈 뜨다, 발등(을) 찍히다, 코가 납작해지다, 손(이) 여물다, 귀가 번쩍 뜨이다
10	용법 – 바꿔 쓰기	재다–재빠르다	용법 – 바꿔 쓰기	판별하다–가려내다
11	한자어의 문맥적 의미	산출(算出), 엄습(掩襲), 고유(固有), 절멸(絕滅), 정제(整齊)	한자어의 문맥적 의미	수반(隨伴), 타개(打開), 사자후(獅子吼), 분수령(分水嶺), 선정(選定)
12	용법 – 바꿔 쓰기	예리하다–날카롭다	용법 – 바꿔 쓰기	어둑하고 희미하다–어슴푸레하다, 불분명하게 대충 하다–얼버무리다, 가볍게 흔들리다–나부끼다, 보살피고 돌보다–건사하다, 엄격하게 나무라다–꾸짖다
13	한자어의 사전적 의미	부침(浮沈), 추호(秋毫), 교감(交感), 조악(粗惡), 수반(隨伴)	한자어의 사전적 의미	구축(構築), 불온(不穩), 연대(連帶), 반추(反芻), 첨예(尖銳)

기출패턴 정리하기 _ 최근기출 4회분 총 360문항 전 문항 분석 결과

영역	유형	문항 수	세부 유형
[1~13] 어휘 (출제 비중 17%)	단어의 형성	1	접두사, 접미사
	단어의 의미 관계	1	유의어, 반의어, 다의어, 동음이의어, 연어, 상하 관계
	고유어의 사전적 의미	1~2	
	한자어의 사전적 의미	2~3	
	고유어의 문맥적 의미	1~2	
	한자어의 문맥적 의미	1	
	용법	1~2	유의어
	한자성어	1	
	속담	1	
	관용구	1	

문항 번호	C회		D회	
	유형/분류	자료/개념	유형/분류	자료/개념
1	**단어의 형성 – 접사**	초-	**단어의 형성 – 접사**	-내기
2	**단어의 의미 관계 – 유의, 반의**	유의 관계-농축(濃縮):압축(壓縮), 문화(文化):문명(文明), 압제(壓制):속박(束縛), 인지(認知):지각(知覺) 반의 관계-감가(減價):할증(割增)	**단어의 의미 관계 – 유의**	한자어와 한자어 관계-피(避)하다:모면(謀免)하다 고유어와 한자어 관계-지키다:보호(保護)하다, 꾸미다:가장(假裝)하다, 모으다:집중(集中)하다, 끝내다:완성(完成)하다
3	**한자어의 사전적 의미**	사유(思惟)	**한자어의 사전적 의미**	알력(軋轢)
4	**고유어의 문맥적 의미**	빠지다	**고유어의 문맥적 의미**	발
5	**한자어의 사전적 의미**	표명-규명-변명-해명	**한자어의 사전적 의미**	분리-분양-분할
6	**고유어의 사전적 의미**	자못, 간들간들, 뒤미치다, 모로, 곧추다	**고유어의 사전적 의미**	노닥노닥, 손어림, 에돌다, 노둣돌, 한들한들
7	**한자성어**	갑남을녀(甲男乙女), 남부여대(男負女戴), 필부필부(匹夫匹婦), 장삼이사(張三李四), 초동급부(樵童汲婦)	**한자성어**	곡학아세(曲學阿世), 금과옥조(金科玉條), 임기응변(臨機應變), 자업자득(自業自得), 정문일침(頂門一鍼)
8	**속담**	언 발에 오줌 눈다, 떡 본 김에 제사 지낸다, 목마른 사람이 우물 판다, 서울 가서 김 서방 찾는다, 장수를 잡으려면 말부터 쏘아야 한다	**속담**	말이 씨가 된다, 방귀 뀐 놈이 성낸다, 목마른 놈이 우물 판다, 하룻강아지 범 무서운 줄 모른다, 집에서 새는 바가지는 밖에서도 샌다
9	**관용구**	코웃음(을) 치다, 진(을) 치다, 가지(를) 치다, 연막(을) 치다, 초(를) 치다	**관용구**	박 터지다, 코피 터지다, 복장을 뒤집다, 눈을 뒤집다, 심장이 터지다
10	**용법 – 바꿔 쓰기**	두루 쓰이는-통용되는	**고유어의 문맥적 의미**	잡다
11	**한자어의 문맥적 의미**	겸장(兼掌), 사자후(獅子吼), 타개(打開), 분수령(分水嶺), 선정(選定)	**한자어의 문맥적 의미**	일종(一種), 일체(一切), 일반(一般), 일대(一帶), 일개(一介)
12	**용법 – 바꿔 쓰기**	즉각-당장, 쇄도해-한꺼번에 몰려, 적출할-끄집어낼, 요원한-까마득한	**용법 – 바꿔 쓰기**	너절한-지저분한, 더부룩하게-무성하게, 아물리고-끝내고, 설피니까-서투르니까, 시새우기-시기하기
13	**한자어의 사전적 의미**	교착(膠着), 노련(老鍊), 상서(祥瑞), 감면(減免), 정점(頂點)	**한자어의 사전적 의미**	진원지(震源地), 윤색(潤色), 종용(慫慂), 무마(撫摩), 면죄부(免罪符)

문항 순서별 고정 유형과 출제된 개념 한눈에 파악하기

- ☑ 어휘 영역 객관식 13문항 가운데 3문항 이상 틀리면 3급은 기대하기 어렵다.
- ☑ 실생활 어휘를 중심으로 출제되며 실생활에서 드물게 활용되는 어휘들은 출제되지 않는다.
- ☑ 한자어의 출제 비율이 가장 높고, 그에 비해 고유어의 출제 비율은 낮다.
- ☑ 한자어의 활용(용법) 문항은 선택지의 고난도 어휘 2개가 정답을 가른다.
- ☑ 한자성어, 속담 문항은 각 1문항씩 평이하게 출제되고, 관용어(구) 문항은 1문항이지만 난도가 높다.

고등급 공략

- 고유어나 한자어 모두 고난도 어휘들에 집중하기보다 한 번쯤 들어 본 익숙한 단어들의 정확한 사전적 · 문맥적 의미와 활용에 집중해야 한다.
- 문제 유형은 비교적 고정된 형태로 출제되고 있으므로, 유형을 익혀 이를 바탕으로 문제 풀이 시간을 줄이도록 하자.

01 단어의 의미 관계

시험에 나온! 나올! **필수개념**

기출복원 문제

단어의 형성

밑줄 친 부분의 의미가 다른 것은?

① 오늘도 초미세먼지 농도가 매우 높겠습니다.
② 나는 비로소 그 사람과 초대면의 인사를 치렀다.
③ 그는 매번 초고속 승진을 하는 엘리트 중의 엘리트였다.
④ 9연승이 기대되는 터라 경기장은 관중들로 초만원을 이루었다.
⑤ 일부 초강대국이 영향력을 행사하는 것은 어제오늘 일이 아니다.

유형 익히기 ▶ ②의 '초대면'의 '초(初)-'는 (일부 명사 앞에 붙어) '처음' 또는 '초기'의 뜻을 더하는 접두사로, '초겨울', '초대면'과 같이 쓰인다. 나머지 ①, ③, ④, ⑤에 쓰인 '초(超)-'는 (일부 명사 앞에 붙어) '어떤 범위를 넘어선' 또는 '정도가 심한'의 뜻을 더하는 접두사이다.

유의 / 반의 / 상하 관계

두 단어 간의 관계가 나머지와 다른 것은?

① 비축(備蓄) : 저장(貯藏)
② 지속(持續) : 단절(斷絕)
③ 생환(生還) : 불귀(不歸)
④ 기황(饑荒) : 포식(飽食)
⑤ 부상(浮上) : 추락(墜落)

유형 익히기 ▶ ①의 '비축(備蓄)'은 '만약의 경우를 대비하여 미리 갖추어 모아 두거나 저축함.'의 의미이며, '저장(貯藏)'은 '물건이나 재화 따위를 모아서 간수함.'의 의미이므로, 이 둘은 유의 관계에 해당한다. 나머지는 반의 관계이다.

다의 / 동음이의 관계

〈보기〉의 밑줄 친 말과 문맥적 의미가 가장 유사한 것은?

보기
그 소리를 듣는 순간 온몸에서 힘이 쑥 빠졌다.

① 그는 넋이 빠진 채 멍하니 앉아 있었다.
② 앞니가 빠진 아이의 모습이 귀여워 보였다.
③ 그놈은 쥐도 새도 모르게 뒷길로 빠져 달아났다.
④ 그의 실력은 절대로 다른 경쟁자들에게 빠지지 않는다.
⑤ 여동생은 요즘 얼굴이며 몸이 너무 빠져 보여서 걱정이다.

유형 익히기 ▶ 다의어가 가지고 있는 다양한 의미를 구별할 수 있는지를 평가하는 유형이다. 〈보기〉와 ①의 '빠지다'는 '정신이나 기운이 줄거나 없어지다.'의 의미로 문맥상 같은 의미로 쓰였다.
② 박힌 물건이 제자리에서 나오다. ③ 일정한 곳에서 다른 데로 벗어나다. ④ 남이나 다른 것에 비해 뒤떨어지거나 모자라다. ⑤ 살이 여위다.

BEST 기출&예상 개념

국어능력인증시험에서 단어의 의미 관계는 '유의 관계, 반의 관계, 상하 관계, 다의 관계, 동음이의 관계' 등을 평가한다. 유의어나 반의어는 고정적이라기보다 문맥에 따라 달라질 수 있으므로, 문맥상의 유의어나 반의어를 골라내는 능력은 해당 어휘의 사전적 의미나 문맥적 의미를 찾아내는 능력과 크게 다르지 않다. 그러나 최근의 기출 경향을 보면, 문맥적 의미와 무관하게 제시된 단어들의 짝을 통해 다른 의미 관계를 형성하고 있는 것을 고르는 문제로 출제되고 있다. 또한 한자어로 출제되는 경우가 대부분이므로, 이를 공략하여 준비하는 것도 효율적인 방법이다.

1. 단어의 형성 원리

- **형태소: 뜻을 가진 가장 작은 말의 단위**
  더 이상 나누면 그 의미를 상실하게 되는 '뜻을 가진 최소의 단위'를 뜻한다.
- **낱말: 자립하여 쓰일 수 있는 말의 단위**
  뜻을 가지고 홀로 쓰일 수 있는 말을 뜻하는 것으로 의미와 자립성을 동시에 지닌다.

(1) 단어(낱말)의 구조

단어는 구성 성분에 따라 단일어와 복합어로 나눌 수 있다.

단일어(형태소 하나)	복합어(둘 이상의 형태소)	
	합성어(어근+어근)	파생어(어근+접사)
바다, 하늘, 밥, 시나브로	솜이불, 돌다리, 논밭, 검붉다	햇밤, 지우개, 치솟다, 새파랗다

(2) 단어(낱말)의 형성 – 합성법과 파생법

복합어는 형성 과정에 따라 합성어와 파생어로 구분할 수 있다. 두 개 이상의 어근으로 만들어진 단어를 합성어라 하며, 어근과 접사가 결합하여 만들어진 단어를 파생어라 한다. 이때, 어근은 실질적 의미를 나타내는 부분이고, 접사는 개별 어휘에 비해 어휘적 의미가 부족하며, 어근에 붙어 그 뜻을 제한하는 주변 부분이다.

① **어근**: 단어에서 실질적 의미를 나타내는 부분을 뜻한다.

② **접사**: 둘 이상의 형태소의 결합으로 이루어진 복합어에서 실질적인 의미를 지닌 어근의 의미를 제한하는 역할을 하는 부분. 접사의 위치에 따라 접두사와 접미사로 나뉜다.

- **접두사**: 어근의 앞에 붙는 접사
  예 맏아들: 맏–('맏이'를 뜻하는 접두사) + 아들('남자로 태어난 자식'을 의미하는 어근)
- **접미사**: 어근의 뒤에 붙는 접사
  예 덮개: 덮('덮다'의 어근) + –개(도구를 나타내는 접미사)

(3) 자주 출제되는 접두사/접미사

① **접두사(接頭辭)**: 어근이나 단어의 앞에 붙어서 특정한 뜻을 더하거나 강조하면서 새로운 단어를 만드는 역할을 한다. 접두사는 어근의 품사를 바꾸지 않는다.

구분	의미	예
개-	야생 상태의, 질이 떨어지는, 흡사하지만 다른	개꿀, 개떡, 개머루, 개살구
	헛된, 쓸데없는	개꿈, 개나발, 개죽음
	정도가 심한	개꼴, 개망신, 개망나니, 개판
날-	말리거나 익히거나 가공하지 않은	날것, 날고기, 날기와, 날김치, 날장작
	지독한	날강도, 날건달, 날도둑
되-	도로	되돌아가다, 되찾다, 되팔다
	도리어, 반대로	되깔리다, 되넘겨짚다
	다시	되살리다, 되새기다, 되씹다, 되풀다
뒤-	마구, 몹시, 온통	뒤꼬다, 뒤끓다, 뒤덮다, 뒤섞다, 뒤엉키다, 뒤흔들다
	반대로, 뒤집어	뒤바꾸다, 뒤엎다, 뒤받다
들-	야생으로 자라는	들개, 들국화, 들소, 들장미, 들쥐
	무리하게 힘을 들여, 마구, 몹시	들끓다, 들볶다, 들쑤시다
민-	꾸미거나 딸린 것이 없는	민가락지, 민낯, 민저고리
	그것이 없음, 그것이 없는 것	민꽃, 민등뼈, 민무늬, 민소매
	미리 치른, 미리 데려온	민값, 민며느리
빗-	기울어진, 기울어지게	빗금, 빗면, 빗대다, 빗뚫다, 빗물다
	잘못	빗나가다, 빗듣다, 빗디디다, 빗맞다
알-	겉을 덮어 싼 것이나 딸린 것을 다 제거한	알곡, 알몸, 알바늘, 알토란
	작은	알바가지, 알요강, 알항아리
	진짜, 알짜	알가난, 알거지, 알건달, 알부자
암-	새끼를 배거나 열매를 맺는	암꽃, 암노루, 암놈, 암컷, 암탉, 암탕나귀
	오목한 형태를 가진, 상대적으로 약한	암나사, 암단추, 암키와, 암톨쩌귀
외-	혼자인, 하나인, 한쪽에 치우친	외갈래, 외곬, 외기러기, 외길, 외떡잎, 외아들
	홀로	외따로, 외떨어지다
초-	어떤 범위를 넘어선, 정도가 심한	초강대국, 초고속, 초만원, 초미세먼지
	처음, 초기	초겨울, 초대면, 초여름, 초하루
풋-	덜 익은, 처음 나온	풋고추, 풋콩, 풋사과, 풋가지, 풋과일, 풋나물
	미숙한, 깊지 않은	풋내기, 풋솜씨, 풋사랑, 풋잠
한-	정확한, 한창인	한가운데, 한복판, 한겨울, 한낮
	큰	한걱정, 한길, 한밑천, 한시름, 한아름
	바깥	한데, 한뎃잠
휘-	마구, 매우 심하게	휘갈기다, 휘날리다, 휘말다, 휘몰아치다, 휘젓다
	매우	휘넓다, 휘둥그렇다, 휘둥글다

② **접미사(接尾辭)**: 어근이나 단어의 뒤에 붙어서 새로운 단어를 만드는 역할을 한다. 접미사는 단어를 형성할 뿐만 아니라 품사를 바꾸기도 한다. '달리(다)'라는 동사에 '-기'라는 접미사가 붙어서 '달리기'라는 명사를 형성하기도 하고, '많-'이라는 형용사에 '-이'라는 접미사가 붙어서 '많이'라는 부사로 바뀌기도 한다.
그러나 '녹음'이라는 명사에 접미사 '-기'가 붙어도 명사 그대로 품사가 유지되는 것처럼, 접미사가 항상 품사를 바꾸는 것은 아니다.

구분	의미	예
-기	(일부 동사나 형용사 어간 뒤에 붙어) 명사로 만듦	달리기, 던지기, 크기, 조르기
	기운, 느낌, 성분	시장기, 소금기, 기름기, 화장기
	기록	여행기, 옥중기, 유람기, 일대기
-꾼	어떤 일을 전문적으로 하거나 잘하는 사람	살림꾼, 소리꾼
	어떤 일을 습관적으로 하거나 즐겨 하는 사람	낚시꾼, 난봉꾼
	어떤 일 때문에 모인 사람	구경꾼, 일꾼, 장꾼
-내기	그 지역에서 태어나고 자라서 그 지역 특성을 지니고 있는 사람	서울내기, 시골내기
	그런 특성을 지닌 사람	신출내기, 여간내기, 풋내기, 보통내기
-발	기세, 힘	끗발, 말발
	효과	약발, 화장발
	그 시간에 떠남, 그곳에서 떠남	세 시발, 런던발, 서울발
-배기	그 나이를 먹은 아이	두 살배기, 다섯 살배기
	그것이 들어 있거나 차 있음	나이배기
	그런 물건	공짜배기, 대짜배기, 진짜배기
-보	그것을 특성으로 지닌 사람	꾀보, 잠보, 털보
	그러한 행위를 특성으로 지닌 사람	먹보, 울보, 째보
	그러한 특징을 지닌 사람	땅딸보, 뚱뚱보
	그것이 쌓여 모인 것	심술보, 울음보, 웃음보
-붙이	같은 겨레	살붙이, 피붙이, 일가붙이
	어떤 물건에 딸린 같은 종류	쇠붙이, 금붙이, 고기붙이
-족	민족	라오족, 만주족, 여진족
	그런 특성을 가지는 무리나 그 무리에 속한 사람	얌체족, 제비족
-치	물건	날림치, 당년치, 중간치, 버림치
	값	기대치, 최고치, 평균치, 한계치
-화	그렇게 만들거나 됨	기계화, 대중화, 자동화, 전문화
	그림	수채화, 정물화, 풍경화
	신발	숙녀화, 신사화, 운동화

2. 유의 / 반의 / 상하 관계

어휘들의 의미 사이에 밀접한 연관성을 갖는 관계를 밝혀 '의미 관계'라 한다. 이러한 어휘의 의미 관계에는 유의 관계, 반의 관계, 상하 관계 등이 있다. 이 외에도 구체적인 문맥 속에서 다양한 의미 관계를 형성하므로 전후 문맥을 살펴 단어들 사이의 연관성을 따져 관계를 파악할 수 있어야 한다.

(1) 유의(類義) 관계

둘 이상의 단어가 서로 음성(音聲)은 다르지만 의미가 거의 같거나 비슷한 관계를 유의 관계라 하고, 이러한 관계에 해당하는 어휘를 유의어(類義語)라 한다. 흔히 동의어(同義語)라고 부르기도 하지만, 의미가 완전히 똑같은 단어의 쌍은 존재하지 않는다고 보기 때문에 '소리는 다르지만 의미가 비슷한 단어'로 보아 유의어라고 부르는 경우가 더 많다. 이러한 관계의 단어들은 단어마다 그 의미가 서로 비슷하기는 하지만, 상황에 따라 쓰임이 다르거나, 가리키는 대상의 범위가 다른 경우가 있고, 미묘한 느낌의 차이를 보이기도 한다.

예 물고기 : 생선(生鮮)　　치밀(緻密) : 세밀(細密)　　아버지 – 부친(父親) – 선친(先親)

결정적 힌트!

유의 관계 속 고유어와 한자어 구별하기

국어능력인증시험에서 '유의 관계'는 어휘의 의미 관계를 묻는 것뿐만 아니라, 나아가 그 어휘들이 '고유어'인지 '한자어'인지를 묻기도 합니다. 이러한 유형은 주로 문항이 '고유어 : 한자어', '한자어 : 고유어' 등으로 구성되어 있고, 이 중에서 '한자어 : 한자어', '고유어 : 고유어'로 된 문항이 오답이 됩니다. 다음 문제를 살펴보겠습니다.

> 단어 간의 관계가 다른 것과 이질적인 것은?
> ① 군말 : 췌언　　② 밥 : 반식　　③ 마련 : 장만　　④ 잔치 : 연회　　⑤ 잘못 : 불찰
>
> ①, ②, ③, ④, ⑤ 모두 유의 관계입니다. 즉, 이 문제는 단어 간의 의미 관계뿐만 아니라, 고유어와 한자어 관계를 구별하는 유형인 것입니다. 답은 ③입니다. '마련'과 '장만'은 모두 '필요한 것을 헤아려서 갖춤.'을 뜻하는 고유어입니다. 따라서 ③은 '고유어 : 고유어' 관계입니다. 나머지 ①, ②, ④, ⑤는 '고유어 : 한자어' 관계입니다.

(2) 반의(反義) 관계

둘 이상의 단어에서 의미가 서로 대립되는 관계를 반의 관계라 하며, 이러한 관계에 놓인 어휘들을 반의어(反義語)라 한다. 한 쌍의 단어가 반의어가 되려면, 그 둘 사이에 공통적인 의미 요소가 있으면서도 한 개의 요소만 달라야 한다. 예를 들어, '할머니'와 '할아버지'는 성별이라는 의미 요소 하나만 다르므로 반의어가 되지만 '청년'과 '할머니'는 성별 이외에 나이까지 다르므로 '청년'과 '할머니'는 반의어가 될 수 없다. 이처럼 의미 요소에 따라 반의 관계가 형성되므로, 하나의 단어에 대해 여러 개의 단어들이 대립되는 경우도 있다.

예 열다 : 닫다, 막다, 잠그다　　벗다 : 입다(옷), 신다(신발), 쓰다(모자), 끼다(장갑)

(3) 상하(上下) 관계

둘 이상의 단어의 관계에서 한 단어의 의미가 다른 단어에 포함될 때의 관계를 상하 관계라 하며, 이를 포함 관계라고 하기도 한다. 상하 관계에 있는 단어들은 계층적 구조 속에 있는데, 계층적으로 상위에 있는 단어, 즉 다른 단어의 의미를 포함하는 단어를 상의어(上義語)라 한다. 반대로 계층적으로 하위에 있는 단어, 다른 단어의 의미에 포함되는 단어를 하의어(下義語)라고 한다. 상하 관계를 형성하는 단어들은 상의어일수록 일반적이고 포괄적인 의미를 지니며, 하의어일수록 구체적이고 한정적인 의미를 지닌다.

예 나무 : 소나무, 잣나무, 오동나무　　예술 : 문학, 음악, 미술

3. 다의 / 동음이의 관계

(1) 다의(多義) 관계

하나의 어휘에 두 가지 이상의 다른 뜻이 대응하는 복합적인 의미 관계를 다의 관계라 하고, 다의 관계를 이루는 단어들을 다의어(多義語)라고 한다. 일반적으로 사전을 찾아보았을 때, 단어의 의미 풀이가 두 가지 이상 실려 있는 단어를 말한다. 다의어의 의미 사이에는 상호 연관성이 있으며, 하나의 중심 의미(가장 기본적 의미)와 여러 개의 주변 의미(중심적 의미가 확장된 의미)로 이루어진다.

예 두 손 모아 기도하다. – 사람의 팔목 끝에 달린 부분.(중심 의미)
요즘이 제일 바쁠 때라 손이 부족하다. – 일손.(주변 의미)
할머니의 손에서 자랐다. – 어떤 일을 하는 데 드는 사람의 힘이나 노력, 기술.(주변 의미)
일의 성패는 네 손에 달려 있다. – 어떤 사람의 영향력이나 권한이 미치는 범위.(주변 의미)

(2) 동음이의(同音異義) 관계

한자어를 많이 사용하는 우리말의 특징 때문에 쉽게 찾아볼 수 있는 의미 관계이다. 단어의 음성(音聲)은 같으나 의미가 전혀 다른 관계로, 단어들 간의 의미 사이에는 상호 연관성이 없다. 즉, 서로 다른 두 개 이상의 단어가 단지 소리만 같은 것이다. 따라서 문장이나 이야기의 맥락과 상황을 통해 그 의미를 쉽게 구별할 수 있으며, 경우에 따라서는 발음의 장단(長短)으로 의미를 구별하기도 한다. 또한 사전을 찾아보았을 때, 각기 다른 의미의 단어이므로 각각의 표제어를 갖는다.

예 굴(窟)[굴:] – 자연적으로 땅이나 바위가 안으로 깊숙이 패어 들어간 곳.
굴[굴] – 굴과의 연체동물을 통틀어 이르는 말. 석화(石花).

예 할머니가 손자의 손에 용돈을 쥐여 주었다. – 사람의 팔목 끝에 달린 부분.
우리 집에는 늘 자고 가는 손이 많다. – 다른 곳에서 찾아온 사람(손님).

(3) 사전에서 찾아본 동음이의어와 다의어의 차이

눈01 [명사]
1. 빛의 자극을 받아 물체를 볼 수 있는 감각 기관.
2. 시력(視力).
3. 사물을 보고 판단하는 힘.
4. ('눈으로' 꼴로 쓰여) 무엇을 보는 표정이나 태도.
5. 사람들의 눈길.
6. 태풍에서, 중심을 이루는 부분.

눈02 [명사]
자 · 저울 · 온도계 따위에 표시하여 길이 · 양(量) · 도수(度數) 따위를 나타내는 금. 눈금.

눈03 [명사]
1. 그물 따위에서 코와 코를 이어 이룬 구멍.
2. 당혜(唐鞋), 운혜(雲鞋) 따위에서 코와 뒤울의 꾸밈새.
3. 바둑판에서 가로줄과 세로줄이 만나는 점.

눈04[눈:] [명사]
대기 중의 수증기가 찬 기운을 만나 얼어서 땅 위로 떨어지는 얼음의 결정체.

눈05 [명사]
『식물』 새로 막 터져 돋아나려는 초목의 싹. 꽃눈, 잎눈 따위.

유형 익히기 ▶ 눈01~눈05의 관계는 사전에서 각기 다른 의미의 단어이므로 각각의 표제어를 갖는 동음이의 관계이나, 눈01의 1~6은 하나의 표제어인 눈01에 대한 다의 관계이다.

4.  빈출 다의어와 동음이의어

ㄱ

가다01

① 한곳에서 다른 곳으로 장소를 이동하다.
  예 아버지는 아침 일찍 서울로 가셨다.
② 직업이나 학업, 복무 따위로 해서 다른 곳으로 옮기다.
  예 군대에 가다.
③ 물건이나 권리 따위가 누구에게 옮겨지다.
  예 나한테는 세 개가 왔는데, 너에게는 다섯 개가 갔구나.
④ 관심이나 눈길 따위가 쏠리다.
  예 자꾸 눈길이 가다.
⑤ 말이나 소식 따위가 알려지거나 전하여지다.
  예 기별이 가다.
⑥ 금, 줄, 주름살, 흠집 따위가 생기다.
  예 금이 간 유리.
⑦ ('시간' 따위와 함께 쓰여) 지나거나 흐르다.
  예 가을이 가고 봄이 오다.
⑧ ('물', '맛' 따위의 말과 함께 쓰여) 원래의 상태를 잃고 상하거나 변질되다.
  예 김치 맛이 갔다.
⑨ (기간을 나타내는 '며칠' 따위와 함께 쓰여) 어떤 현상이나 상태가 유지되다.
  예 새 신발이 한 달을 못 가다니. / 이 구두라면 3년은 가겠지.

가다듬다

① 정신, 생각, 마음 따위를 바로 차리거나 다잡다.
  예 정신을 가다듬고 다시 한번 해 봐.
② 태도나 매무새 따위를 바르게 하다.
  예 어른께 인사드리기 전에는 옷매무새를 가다듬어라.
③ 목청을 고르다.
  예 그는 목을 가다듬고 힘차게 노래를 불렀다.
④ 숨을 안정되게 고르다.
  예 그녀는 달려왔는지, 가쁜 호흡을 가다듬으며 기쁜 소식을 전했다.
⑤ 흐트러진 조직이나 대열을 바로 다스리고 꾸리다.
  예 선생님은 붓을 가다듬어 붓꽂이에 꽂으셨다.

가르다

① 쪼개거나 나누어 따로따로 되게 하다.
  예 편을 셋으로 가르다.
② 물체가 공기나 물을 양옆으로 열며 움직이다.
  예 화살이 과녁을 향하여 바람을 가르고 날아갔다.
③ 옳고 그름을 따져서 구분하다.
  예 잘잘못을 가르다.
④ 승부나 등수 따위를 서로 겨루어 정하다.
  예 경기 시작 무렵에 터진 골이 이날의 승부를 갈랐다.
⑤ 양쪽으로 열어젖히다.
  예 생선의 배를 가르고 내장을 뺐다.

갈다01

① 이미 있는 사물을 다른 것으로 바꾸다.
  예 고장 난 전등을 빼고 새것으로 갈아 끼웠다.
② 어떤 직책에 있는 사람을 다른 사람으로 바꾸다.
  예 임원을 새 인물로 갈다.

갈다02

① 날카롭게 날을 세우거나 표면을 매끄럽게 하기 위하여 다른 물건에 대고 문지르다.
  예 칼을 갈다.
② 잘게 부수기 위하여 단단한 물건에 대고 문지르거나 단단한 물건 사이에 넣어 으깨다.
  예 녹두를 갈다.
③ 먹을 풀기 위하여 벼루에 대고 문지르다.
  예 벼루에 먹을 갈다.

같다

① 서로 다르지 않고 하나이다.
  예 그와 나는 고향이 같다.
② 다른 것과 비교하여 그것과 다르지 않다.
  예 백옥 같은 피부.
③ ('같은' 꼴로 체언 뒤에 쓰여) 그런 부류에 속한다는 뜻을 나타내는 말.
  예 여행을 할 때엔 반드시 신분증 같은 것을 가지고 다녀야 한다.
④ ('같으면' 꼴로 쓰여) '-라면'의 뜻을 나타내는 말(조건이나 가정).
  예 그런 상황에서 너 같으면 어떻게 하겠니?
⑤ ('같은' 꼴로 동일 명사 사이에 쓰여) '기준에 합당한'의 뜻을 나타내는 말.
  예 어디, 사람 같은 사람이라야 상대를 하지.
⑥ ('같아서(는)' 꼴로 '마음', '생각' 따위의 명사 뒤에 쓰여) '지금의 마음이나 형편에 따르자면'의 뜻으로 쓰여 실제로는 그렇지 못함을 나타내는 말.
  예 마음 같아서는 물에 뛰어들고 싶은데.
⑦ ('같아서는' 꼴로 일부 시간을 나타내는 명사 뒤에 쓰여) '그 시간에 벌어진 일이나 상황 따위가 계속된다면'의 뜻으로 쓰여 그러한 상황이 지속되지 않기를 바라는 마음을 나타내는 말.
  예 요즘 같아서는 살맛이 안 난다.
⑧ ('같으니(라고)' 꼴로 욕하는 말 뒤에 쓰여) 혼잣말로 남을 욕할 때, 그 말과 다름없다는 뜻을 나타내는 말.
  예 철없는 사람 같으니라고!
⑨ ('-ㄴ/는 것', '-ㄹ/을 것' 뒤에 쓰여) 추측, 불확실한 단정을 나타내는 말.
  예 내일이면 다 마칠 것 같다.

길01

① 사람이나 동물 또는 자동차 따위가 지나갈 수 있게 땅 위에 낸 일정한 너비의 공간.
  예 길이 시원하게 뚫리다.
② 물 위나 공중에서 일정하게 다니는 곳.
  예 배가 다니는 길.
③ 걷거나 탈것을 타고 어느 곳으로 가는 노정(路程).
  예 천 리나 되는 길.

④ 시간의 흐름에 따라 개인의 삶이나 사회적 · 역사적 발전 따위가 전개되는 과정.
예 우리 민족이 걸어온 길.
⑤ 사람이 삶을 살아가거나 사회가 발전해 가는 데에 지향하는 방향, 지침, 목적이나 전문 분야.
예 강대국으로 가는 길.
⑥ 어떤 자격이나 신분으로서 주어진 도리나 임무.
예 자식으로서의 길.
⑦ (주로 '-는/을 길' 구성으로 쓰여) 방법이나 수단.
예 타협할 길이 없다.
⑧ (주로 '-는 길로' 구성으로 쓰여) 어떤 행동이 끝나자마자 즉시.
예 경찰에서 풀려나는 길로 그를 만나러 갔다.
⑨ ('-는 길에', '-는 길이다' 구성으로 쓰여) 어떠한 일을 하는 도중이나 기회.
예 퇴근하는 길에 가게에 들렀다.
⑩ (일부 명사 뒤에 붙어) '과정', '도중', '중간'의 뜻을 나타내는 말.
예 그는 어제 산책길에 만났던 그녀와 다시 마주쳤다.

나누다
① 하나를 둘 이상으로 가르다.
예 사과를 세 조각으로 나누다.
② 여러 가지가 섞인 것을 구분하여 분류하다.
예 토론을 하다 보면 자기편과 상대편을 나눌 수 있다.
③ 나눗셈을 하다.
예 20을 5로 나누면 4가 된다.
④ 몫을 분배하다.
예 이익금을 모두에게 공정하게 나누어야 불만이 생기지 않는다.
⑤ 음식 따위를 함께 먹거나 갈라 먹다.
예 우리 차라도 한잔 나누면서 이야기를 합시다.
⑥ 말이나 이야기, 인사 따위를 주고받다.
예 고향 친구와 이야기를 나누는 일은 언제나 즐겁다.
⑦ 즐거움이나 고통, 고생 따위를 함께하다.
예 그들은 슬픔과 기쁨을 함께 나누며 산다.
⑧ 같은 핏줄을 타고나다.
예 나는 그와 피를 나눈 형제이다.

나다01
① 신체 표면이나 땅 위에 솟아나다.
예 여드름이 나다. / 새싹이 나다.
② 신문, 잡지 따위에 어떤 내용이 실리다.
예 기사가 신문에 나다.
③ 농산물이나 광물 따위가 산출되다.
예 이 지방에서는 고추가 많이 난다.
④ 어떤 현상이나 사건이 일어나다.
예 화재가 나다.
⑤ 인물이 배출되다.
예 우리 고장에서 학자가 많이 났다.
⑥ 이름이나 소문 따위가 알려지다.
예 이름이 나다. / 소문이 나다.
⑦ 흥미, 짜증, 용기 따위의 감정이 일어나다.
예 화가 나다.
⑧ 구하던 대상이 나타나다.
예 취직 자리가 나다.
⑨ 생명체가 태어나다.
예 나는 부산에서 나서 서울에서 자랐다.
⑩ 어떤 나이에 이르다.
예 세 살 난 아이.
⑪ 생각, 기억 따위가 일다.
예 생각이 나다.
⑫ 어떤 작용에 따른 효과, 결과 따위의 현상이 이루어져 나타나다.
예 결론이 나다. / 능률이 나다.
⑬ 철이나 기간을 보내다.
예 겨울을 나다.

다루다
① 일거리를 처리하다.
예 무역 업무를 다루다. / 이 병원은 피부병만을 다루고 있다.
② 어떤 물건을 사고파는 일을 하다.
예 이 상점은 주로 전자 제품만을 다룬다.
③ 기계나 기구 따위를 사용하다.
예 악기를 다루다. / 그는 공장에서 기계를 다룬다.
④ 가죽 따위를 매만져서 부드럽게 하다.
예 짐승의 가죽을 다루어서 옷 따위를 만드는 일은 주로 여자들이 맡아 하였다.
⑤ 어떤 물건이나 일거리 따위를 어떤 성격을 가진 대상 혹은 어떤 방법으로 취급하다.
예 농부들은 농산물을 자식처럼 다룬다. / 요즘 아이들은 학용품을 소홀히 다루는 경향이 있다.
⑥ 사람이나 짐승 따위를 부리거나 상대하다.
예 아이들을 너무 엄격하게 다루면 오히려 역효과가 날 수 있다.
⑦ 어떤 것을 소재나 대상으로 삼다.
예 그는 다음 소설에서 이념 문제를 주제로 다룰 예정이다.

닿다01
① 어떤 물체가 다른 물체에 맞붙어 사이에 빈틈이 없게 되다.
예 발에 닿는 흙의 보드라움.
② 어떤 곳에 이르다.
예 5분 후면 그녀의 집에 닿는다.
③ 소식 따위가 전달되다.
예 그에게 기별이 닿도록 조치를 취해야 한다.
④ 어떤 대상에 미치다.
예 그녀는 키가 작아 머리가 그의 어깨에 겨우 닿을까 말까 한다.
⑤ 기회, 운 따위가 긍정적인 범위에 도달하다.
예 기회가 닿으면 연락하겠습니다.
⑥ 정확히 맞다.
예 그의 말은 이치에 닿는다.
⑦ 글의 의미가 자연스럽게 통하다.
예 그 글은 뜻이 잘 닿지 않는다.
⑧ 서로 관련이 맺어지다.
예 그 사람은 경제인 단체에 줄이 닿아 있다.

돌다

① 물체가 일정한 축을 중심으로 원을 그리면서 움직이다.
 예 선풍기가 돈다.
② 일정한 범위 안에서 차례로 거쳐 가며 전전하다.
 예 술잔이 한 바퀴 돌다.
③ 기능이나 체제가 제대로 작용하다.
 예 공장이 무리 없이 잘 돌고 있다.
④ 돈이나 물자 따위가 유통되다.
 예 불경기라 돈이 잘 돌지 않는다.
⑤ 기억이나 생각이 얼른 떠오르지 아니하다.
 예 그 사람의 이름이 혀끝에서 뱅뱅 돌 뿐 얼른 생각나지 않았다.
⑥ 눈이나 머리 따위가 정신을 차릴 수 없도록 아찔하여지다.
 예 술을 과하게 마셨는지 머리가 핑 돌았다.
⑦ (속되게) 정신에 이상이 생기다.
 예 머리가 돌았는지 헛소리만 한다.
⑧ 어떤 기운이나 빛이 겉으로 나타나다.
 예 푸른빛이 도는 검은색 옷감.
⑨ 술이나 약의 기운이 몸속에 퍼지다.
 예 약기운이 도는지 속이 메스껍다.
⑩ 방향을 바꾸다.
 예 뒤로 돌아 10m 이동하시오.
⑪ 가까운 길을 두고 멀리 비켜 가다.
 예 이 길로 가면 먼 길을 돌게 되니 지름길로 가자.

들다01

① 밖에서 속이나 안으로 향해 가거나 오거나 하다.
 예 사랑에 들다. / 숲속에 드니 공기가 훨씬 맑았다.
② 빛, 볕, 물 따위가 안으로 들어오다.
 예 이 방에는 볕이 잘 든다.
③ 방이나 집 따위에 있거나 거처를 정해 머무르게 되다.
 예 어제 호텔에 든 손님. / 새집에 들다.
④ 길을 택하여 가거나 오다.
 예 컴컴한 골목길에 들고부터는 그녀의 발걸음이 빨라졌다.
⑤ 수면을 취하기 위한 장소에 가거나 오다.
 예 이불 속에 들다.
⑥ 어떤 일에 돈, 시간, 노력, 물자 따위가 쓰이다.
 예 잔치 음식에는 품이 많이 든다.
⑦ 물감, 색깔, 물기, 소금기가 스미거나 배다.
 예 설악산에 단풍이 들다.
⑧ 어떤 범위나 기준, 또는 일정한 기간 안에 속하거나 포함되다.
 예 반에서 5등 안에 들다.
⑨ 안에 담기거나 그 일부를 이루다.
 예 그 글에는 이런 내용이 들어 있다.

뜨다03

① 다른 곳으로 가기 위하여 있던 곳에서 다른 곳으로 떠나다.
 예 고향에서 뜨다. / 그는 병으로 이승을 뜨게 되었다.
② (속되게) 몰래 달아나다.
 예 그녀는 밤중에 몰래 이 마을을 떴다.

맞다01

① 문제에 대한 답이 틀리지 아니하다.
 예 네 답이 맞는다.
② 말, 육감, 사실 따위가 틀림이 없다.
 예 엄마는 항상 맞는 말씀만 하신다.
③ (앞 사람의 말에 동의하는 데 쓰여) '그렇다' 또는 '옳다'의 뜻을 나타내는 말.
 예 다시 생각해 보니 네 말이 맞는다.
④ 어떤 대상이 누구의 소유임이 틀림이 없다.
 예 이것도 네 것이 맞니?
⑤ 어떤 대상의 내용, 정체 따위의 무엇임이 틀림이 없다.
 예 네가 바로 그 학생 맞지?
⑥ 어떤 대상의 맛, 온도, 습도 따위가 적당하다.
 예 음식 맛이 내 입에 맞는다.
⑦ 크기, 규격 따위가 다른 것의 크기, 규격 따위와 어울리다.
 예 반지가 내 손가락에 꼭 맞는다.
⑧ 어떤 행동, 의견, 상황 따위가 다른 것과 서로 어긋나지 아니하고 같거나 어울리다.
 예 나의 의견이 그의 생각과 맞을 것이라고 확신한다.
⑨ 모습, 분위기, 취향 따위가 다른 것에 잘 어울리다.
 예 그것은 나의 분위기와는 절대로 맞지 않는다.

맞다02

① 오는 사람이나 물건을 예의로 받아들이다.
 예 손님을 맞다.
② 적이나 어떤 세력에 대항하다.
 예 토벌대를 맞아 싸우다.
③ 시간이 흐름에 따라 오는 어떤 때를 대하다.
 예 생일을 맞다.
④ 자연 현상에 따라 내리는 눈, 비 따위의 닿음을 받다.
 예 눈을 맞다.
⑤ 점수를 받다.
 예 100점을 맞다.
⑥ 어떤 좋지 아니한 일을 당하다.
 예 선생님께 야단을 맞다.
⑦ 가족의 일원으로 예를 갖추어 데려오다.
 예 그는 친구의 여동생을 아내로 맞았다.

맞다03

① 외부로부터 어떤 힘이 가해져 몸에 해를 입다.
 예 어머니께 매를 맞았다.
② 침, 주사 따위로 치료를 받다.
 예 팔에 예방 주사를 맞다.
③ 쏘거나 던지거나 한 물체가 어떤 물체에 닿다. 또는 그런 물체에 닿음을 입다.
 예 화살을 어깨에 맞았다.

맺다

① 열매나 꽃망울 따위가 생겨나거나 그것을 이루다.
 예 장미가 빨간 봉오리를 맺었다.
② 끄나풀, 실, 노끈 따위를 얽어 매듭을 만들다.
 예 그물을 맺다.
③ 하던 일을 끝내다.

예 그 연극은 주인공의 독백으로 끝을 맺었다.
④ 관계나 인연 따위를 이루거나 만들다.
예 사돈 관계를 맺다. / 협정을 맺다.

무르다03 (형용사)
① 여리고 단단하지 않다.
예 무른 살.
② 마음이 여리거나 힘이 약하다.
예 그는 마음이 물러서 남에게 모진 소리를 못한다.

바르다01
① 풀칠한 종이나 헝겊 따위를 다른 물건의 표면에 고루 붙이다.
예 아이들 방에 벽지를 발랐다.
② 차지게 이긴 흙 따위를 다른 물체의 표면에 고르게 덧붙이다.
예 흙을 벽에 바르다.
③ 물이나 풀, 약, 화장품 따위를 물체의 표면에 문질러 묻히다.
예 도자기에 유약을 바르다.

바르다02
① 껍질을 벗기어 속에 들어 있는 알맹이를 집어내다.
예 밤을 바르다. / 씨를 바르다.
② 뼈다귀에 붙은 살을 긁거나 가시 따위를 추려 내다.
예 생선 가시를 발라서 버리다.

발01
① 사람이나 동물의 다리 맨 끝부분.
예 발에 꼭 맞는 신.
② 가구 따위의 밑을 받쳐 균형을 잡고 있는, 짧게 도드라진 부분.
예 장롱의 발.
③ '걸음'을 비유적으로 이르는 말.
예 발이 빠른 선수.
④ 한시(漢詩)의 시구 끝에 다는 운자(韻字).
예 발을 달다.
⑤ (수량을 나타내는 말 뒤에 쓰여) 걸음을 세는 단위.
예 서너 발을 물러서다.

발03[발:]
가늘고 긴 대를 줄로 엮거나, 줄 따위를 여러 개 나란히 늘어뜨려 만든 물건. 주로 무엇을 가리는 데 쓴다.
예 문에 발을 걸다.

발07[발:]
길이의 단위. 한 발은 두 팔을 양옆으로 펴서 벌렸을 때 한쪽 손끝에서 다른 쪽 손끝까지의 길이이다.
예 두 발 둘레의 고목.

벌어지다01
① 갈라져서 사이가 뜨다.
예 벽의 틈이 벌어지다.
② 가슴이나 어깨, 등 따위가 옆으로 퍼지다.
예 남자의 키는 작달막하나 가슴은 딱 벌어졌다.
③ 막힌 데가 없이 넓게 탁 트이다.
예 눈앞에 벌어진 초원.
④ 사람의 사이에 틈이 생기다.
예 둘의 사이가 벌어지다.

벌어지다02
어떤 일이 일어나거나 진행되다.
예 수해 복구 사업이 벌어지다.

보다01
① 눈으로 대상의 존재나 형태적 특징을 알다.
예 날아가는 새를 보다.
② 눈으로 대상을 즐기거나 감상하다.
예 영화를 보다.
③ 대상의 내용이나 상태를 알기 위하여 살피다.
예 현미경을 보다.
④ 일정한 목적 아래 만나다.
예 자네를 보러 왔지.
⑤ 맡아서 보살피거나 지키다.
예 아이를 보다. / 집을 보다.
⑥ 상대편의 형편 따위를 헤아리다.
예 그의 사정을 보니 딱하게 되었다.
⑦ ('시험'을 뜻하는 목적어와 함께 쓰여) 자신의 실력이 나타나도록 치르다.
예 시험을 보다.
⑧ 어떤 일을 맡아 하다.
예 친목회의 일을 보다.
⑨ 어떤 결과나 관계를 맺기에 이르다.
예 합의를 보다.
⑩ 음식상이나 잠자리 따위를 채비하다.
예 손님이 오셨으니 상을 좀 보아라.
⑪ 어떤 관계의 사람을 얻거나 맞다.
예 손자를 보다. / 며느리를 보다.
⑫ 어떤 일을 당하거나 겪거나 얻어 가지다.
예 이익을 보다. / 손해를 보다.
⑬ ('장' 또는 '시장'과 같은 목적어와 함께 쓰여) 물건을 팔거나 사다.
예 시장을 보다.

서다01
① 사람이나 동물이 발을 땅에 대고 다리를 쭉 뻗으며 몸을 곧게 하다.
예 차렷 자세로 서다.
② 처져 있던 것이 똑바로 위를 향하여 곧게 되다.
예 너무나 놀라 머리카락이 쭈뼛쭈뼛 서는 것 같다.
③ 계획, 결심, 자신감 따위가 마음속에 이루어지다.
예 결심이 서다.
④ 무딘 것이 날카롭게 되다.
예 칼날이 시퍼렇게 서다.
⑤ 질서나 체계, 규율 따위가 올바르게 있게 되거나 짜이다.
예 교통질서가 서다.
⑥ 아이가 배 속에 생기다.
예 아이가 서는지 입덧이 심하다.
⑦ 줄이나 주름 따위가 두드러지게 생기다.
예 바지 주름이 서다.

⑧ 물품을 생산하는 기계 따위가 작동이 멈추다.
　예 갑자기 기계가 선 이유는 정비 불량이었다.
⑨ 나라나 기관 따위가 처음으로 이루어지다.
　예 산골에도 학교가 서다.
⑩ 사람이 어떤 위치나 처지에 있게 되거나 놓이다.
　예 반대 입장에 서다.
⑪ 장이나 씨름판 따위가 열리다.
　예 이곳에는 오일장이 선다.
⑫ 어떤 모양이나 현상이 이루어져 나타나다.
　예 멍울이 서다.
⑬ 체면 따위가 바로 유지되다.
　예 그는 직장을 잃고 나서 가족에게 위신이 서지 않아서 괴로웠다.
⑭ 어떤 역할을 맡아서 하다.
　예 보증을 서다.

쓰다03
① 어떤 일을 하는 데에 재료나 도구, 수단을 이용하다.
　예 설탕을 적게 썼군요.
② 사람에게 어떤 일을 하게 하다.
　예 일꾼을 쓰다.
③ 어떤 일에 마음이나 관심을 기울이다.
　예 그 일에 신경 쓰지 마.
④ 어떤 일을 하는 데 시간이나 돈을 들이다.
　예 돈을 흥청망청 쓰다.
⑤ 힘이나 노력 따위를 들이다.
　예 그는 회사를 살리려고 안간힘을 썼다.

옮기다
① 어떤 곳에서 다른 곳으로 자리를 바꾸게 하다.
　예 책상을 창가로 옮기다.
② 발걸음을 한 걸음 한 걸음 떼어 놓다.
　예 집으로 발걸음을 옮기다.
③ 관심이나 시선 따위를 하나의 대상에서 다른 대상으로 돌리다.
　예 다른 사업으로 관심을 옮기다.
④ 어떠한 사실을 표현법을 바꾸어 나타내다.
　예 여행의 감흥을 글로 옮기다.
⑤ 한 나라의 말이나 글을 다른 나라의 말이나 글로 바꾸다(번역하다).
　예 한문으로 된 고전들을 우리말로 옮기다.
⑥ 어떠한 일을 다음 단계로 진행시키다.
　예 오랜 구상을 실행에 옮기다.
⑦ 한 곳에 자라던 식물을 다른 곳에다 심다.
　예 나무를 양지바른 데로 옮겼다.
⑧ 불길이나 소문 따위를 한 곳에서 다른 곳으로 번져 가게 하다.
　예 소문을 옮기다.
⑨ 병 따위를 다른 이에게 전염시키다.
　예 독감을 옮기다.

이르다01
① 어떤 장소나 시간에 닿다.
　예 목적지에 이르다.
② 어떤 정도나 범위에 미치다.
　예 결론에 이르다.

이르다03 (형용사)
대중이나 기준을 잡은 때보다 앞서거나 빠르다.
예 이른 아침.

잡다01
① 손으로 움키고 놓지 않다.
　예 밧줄을 잡고 올라가다.
② 붙들어 손에 넣다.
　예 범인을 잡다.
③ 권한 따위를 차지하다.
　예 주도권을 잡다.
④ 돈이나 재물을 얻어 가지다.
　예 한밑천을 잡다.
⑤ 실마리, 요점, 단점 따위를 찾아내거나 알아내다.
　예 일의 실마리를 잡다.
⑥ 계획, 의견 따위를 정하다.
　예 우리는 최종 입장을 찬성으로 잡았다.
⑦ 어림하거나 짐작하여 헤아리다.
　예 대강 마지기당 벼 한 섬으로 잡다. / 시간이 얼마나 걸릴지 잡아 보아라.

재다02
① 자, 저울 따위의 계기를 이용하여 길이, 너비, 높이, 깊이, 무게, 온도, 속도 따위의 정도를 알아보다.
　예 길이를 재다. / 너비를 재다.
② 여러모로 따져 보고 헤아리다.
　예 그는 일의 앞뒤를 재기만 하고 실행을 못한다.

치다02
① 손이나 손에 든 물건으로 세게 부딪게 하다.
　예 날아오는 공을 치다.
② 손이나 물건 따위를 부딪쳐 소리 나게 하다.
　예 피아노를 치다.
③ 카드나 화투 따위의 패를 고루 섞다. 또는 카드나 화투를 즐기다.
　예 친구들끼리 모여서 트럼프를 쳤다.
④ 떡을 차지게 하기 위하여 떡메로 반죽을 두들기다.
　예 설을 맞아 집집마다 떡 치는 소리가 한창이다.
⑤ 날개나 꼬리 따위를 세차게 흔들다.
　예 개는 주인을 보자 반갑게 꼬리를 쳤다.
⑥ 날이 있는 물체를 이용하여 물체를 자르다.
　예 망나니가 죄인의 목을 쳤다. / 머리를 짧게 쳐 주세요.
⑦ 상대편에게 피해를 주기 위하여 공격을 하다.
　예 적군의 뒤에서 치다.
⑧ 웃음을 얼굴에 나타내다.
　예 그녀는 눈웃음을 치며 인사했다.
⑨ 가늘게 썰거나 저미다.
　예 김치에 넣으려고 무를 칼로 치고 있다.

⑩ 달아나거나 빨리 움직이다.
예 그녀는 종종걸음을 치며 가 버렸다.
⑪ 속이는 짓이나 짓궂은 짓, 또는 좋지 못한 행동을 하다.
예 사기를 치다.
⑫ 시험을 보다.
예 입학시험을 치다.
⑬ 점괘로 길흉을 알아보다.
예 점을 치다.

타다01
① 불씨나 높은 열로 불이 붙어 번지거나 불꽃이 일어나다.
예 벽난로에서 장작이 활활 타고 있었다.
② 피부가 햇볕을 오래 쬐어 검은색으로 변하다.
예 땡볕에 얼굴이 새까맣게 탔다.
③ 뜨거운 열을 받아 검은색으로 변할 정도로 지나치게 익다.
예 다른 일을 하는 사이에 밥이 타 버렸다.
④ 마음이 몹시 달다.
예 그리움으로 속이 타다.
⑤ 물기가 없어 바싹 마르다.
예 오랜 가뭄으로 농작물이 다 타 버렸다.

타다07
① 먼지나 때 따위가 쉽게 달라붙는 성질을 가지다.
예 이 옷은 때를 잘 탄다.
② 몸에 독한 기운 따위의 자극을 쉽게 받다.
예 옻을 타다.
③ 부끄럼이나 노여움 따위의 감정이나 간지럼 따위의 육체적 느낌을 쉽게 느끼다.
예 노여움을 타다. / 간지럼을 타다. / 부끄럼을 타다.
④ 계절이나 기후의 영향을 쉽게 받다.
예 계절을 타다. / 추위를 타다.

흐르다01
① 시간이나 세월이 지나가다.
예 그와 헤어진 지 십 년이 흘렀다.
② 액체 따위가 낮은 곳으로 내려가거나 넘쳐서 떨어지다.
예 시냇물이 강으로 흐르다.
③ 어떤 한 방향으로 치우쳐 쏠리다.
예 이야기가 엉뚱한 방향으로 흐르고 있다.
④ 공중이나 물 위에 떠서 미끄러지듯이 움직이다.
예 하늘에 흐르는 흰 구름.
⑤ 기운이나 상태 따위가 겉으로 드러나다.
예 얼굴에 열정이 흐르다.
⑥ 윤기, 광택 따위가 번지르르하게 나다.
예 잎사귀에 윤기가 흐른다.
⑦ 빛, 소리, 향기 따위가 부드럽게 퍼지다.
예 방 안 가득히 흐르는 노랫소리.
⑧ 피, 땀, 눈물 따위가 몸 밖으로 넘쳐서 떨어지다.
예 눈에서 눈물이 흐르다.
⑨ 새어서 빠지거나 떨어지다.
예 꽃병 아래로 물이 흐른다.

5. 그 외 중요 다의어와 동음이의어

가리다01
보이거나 통하지 못하도록 막히다.
예 안개에 가려서 앞이 잘 안 보인다.

가리다03
① 여럿 가운데서 하나를 구별하여 고르다.
예 이 글에서 잘못된 문장을 가리시오.
② 낯선 사람을 대하기 싫어하다.
예 낯을 가리다.
③ 잘잘못이나 좋은 것과 나쁜 것 따위를 따져서 분간하다.
예 시비를 가리다.
④ 똥오줌을 눌 곳에 누다.
예 그 아이는 아직 대소변을 못 가린다.
⑤ 치러야 할 셈을 따져서 갚아 주다.
예 셈을 가리다.
⑥ 음식을 골라서 먹다.
예 음식을 가리다.
⑦ 자기 일을 알아서 스스로 처리하다.
예 그는 자기 앞도 못 가리는 처지라 결혼은 꿈도 못 꾼다.

거두다01
① 벌여 놓거나 차려 놓은 것을 정리하다.
예 모든 살림을 거두어 고향으로 떠났다.
② 하던 일을 멈추거나 끝내다.
예 무얼 찾겠다는 생각을 거두고 말았다.
③ 말, 웃음 따위를 그치거나 그만두다.
예 그만 눈물을 거두고 자초지종을 얘기해 주세요.
④ 관심, 시선 따위를 보내기를 그치다.
예 시선을 거두다.

거두다02
① 곡식이나 열매 따위를 따서 담거나 한데 모으다.
예 곡식을 거두다.
② 흩어져 있던 물건 따위를 한데 모으다.
예 빨래를 거둬라.
③ 좋은 결과나 성과 따위를 얻다.
예 좋은 성적을 거두다.
④ 시체, 유해 따위를 수습하다.
예 시신을 거두다.

⑤ 고아, 식구 따위를 보살피다.
예 남의 자식을 친자식처럼 거두어 키웠다.
⑥ 여러 사람에게서 돈이나 물건 따위를 받아들이다.
예 세금을 거두었다.

걸다02
① 벽이나 못 따위에 어떤 물체를 떨어지지 않도록 매달아 올려 놓다.
예 옷걸이에 옷을 걸다.
② 자물쇠, 문고리를 채우거나 빗장을 지르다.
예 자물쇠를 걸다.
③ 솥이나 냄비를 이용할 수 있도록 준비하여 놓다.
예 아궁이에 냄비를 걸다.
④ 기계 따위가 작동하도록 준비하여 놓다.
예 인쇄물을 윤전기에 걸다.
⑤ 기계 장치가 작동되도록 하다.
예 자동차의 시동을 걸다.
⑥ 돈 따위를 계약이나 내기의 담보로 삼다.
예 승부에 금품을 걸다.
⑦ 의논이나 토의의 대상으로 삼다.
예 문제를 전체 토의에 걸다.
⑧ 앞으로의 일에 대한 희망 따위를 품거나 기대하다.
예 국가의 장래를 청소년에게 걸다.
⑨ 다른 사람을 향해 먼저 어떤 행동을 하다.
예 싸움을 걸다.

나가다
① 일정한 지역이나 공간의 범위와 관련하여 그 안에서 밖으로 이동하다.
예 조용히 있고 싶으니 모두 마당에 나가서 놀아라.
② 말이나 사실, 소문 따위가 널리 알려지다.
예 광고가 방송에 나가다.
③ 모임에 참여하거나, 운동 경기에 출전하거나, 선거 따위에 입후보하다.
예 대회에 나가다.
④ 일정한 지역이나 공간에서 벗어나거나 집이나 직장 따위를 떠나다.
예 김부장이 회사를 나갔다.
⑤ 값이나 무게 따위가 어느 정도에 이르다.
예 이 그림은 값이 무려 3천만 원이나 나간다.
⑥ 월급이나 비용 따위가 지급되거나 지출되다.
예 인건비가 한 달에 천만 원이 나가게 되면서 회사의 경영은 어려워졌다.
⑦ 옷이나 신, 양말 따위가 해지거나 찢어지다.
예 축구를 했더니 구두가 다 나갔다.
⑧ 의식이나 정신이 없어지다.
예 정신 나간 사람.
⑨ 전기 공급이 끊어지거나 전깃불이 꺼지다.
예 고장이 났는지 형광등이 자꾸 들어왔다 나갔다 한다.
⑩ (주로 '잘, 많이, 안' 따위의 부사와 함께 쓰여) 물건이 잘 팔리거나 유행하다.
예 김 사장! 잘 나가는 스웨터로 몇 벌 뽑아 봐.

남다01 (자동사)
① 다 쓰지 않거나 정해진 수준에 이르지 않아 나머지가 있게 되다.
예 시험 문제가 쉬워서 시간이 남는다.
② 들인 밑천이나 제 값어치보다 얻는 것이 많다. 또는 이익을 보다.
예 장사는 이익이 남아야 한다.
③ 나눗셈에서, 나누어 떨어지지 않고 나머지가 얼마 있게 되다.
예 5를 2로 나누면 1이 남는다.
④ 다른 사람과 함께 떠나지 않고 있던 그대로 있다.
예 우리는 이곳에 남아서 뒷정리를 하고 가자.
⑤ 잊히지 않거나 뒤에까지 전하다.
예 그의 첫인상이 나에게 오래도록 남았다.
⑥ 어떤 상황의 결과로 생긴 사물이나 상태 따위가 다른 사람이나 장소에 있다.
예 그 문제는 아직도 우리들에게는 수수께끼로 남아 있다.

놓다
① 손으로 무엇을 쥐거나 잡거나 누르고 있는 상태에서 손을 펴거나 힘을 빼서 잡고 있던 물건이 손 밖으로 빠져나가게 하다.
예 잡고 있던 멱살을 놓다.
② 걱정이나 근심, 긴장 따위를 잊거나 풀어 없애다.
예 한시름 놓다.
③ ('…을 놓고' 구성으로 쓰여) 논의의 대상으로 삼다.
예 이 문제를 놓고 토론을 하였다.
④ 잡거나 쥐고 있던 물체를 일정한 자리에 두다.
예 가방은 책상 위에 놓아라.
⑤ 일정한 곳에 기계나 장치, 구조물 따위를 설치하다.
예 전화를 놓다.
⑥ 무늬나 수를 새기다.
예 장롱에 자개를 놓다.
⑦ 불을 지르거나 피우다.
예 아궁이에 불을 놓다.
⑧ 치료를 위하여 주사나 침을 찌르다.
예 팔에 예방 주사를 놓다.
⑨ 상대에게 어떤 행동을 하다.
예 으름장을 놓다.
⑩ 집이나 돈, 쌀 따위를 세나 이자를 받고 빌려주다.
예 전세를 놓다.
⑪ ('말을 놓다' 구성으로 쓰여) 말을 존대하지 않고 맞상대하거나 낮춰서 말하다.
예 말을 놓다.

눈01
① 빛의 자극을 받아 물체를 볼 수 있는 감각 기관.
예 눈이 초롱초롱하다. / 눈을 부라리다.
② 물체의 존재나 형상을 인식하는 눈의 능력. **= 시력(視力)**
예 눈이 좋다. / 눈이 나빠 안경을 쓴다.
③ 사물을 보고 판단하는 힘.
예 그는 보는 눈이 정확하다.
④ ('눈으로' 꼴로 쓰여) 무엇을 보는 표정이나 태도.
예 의심하는 눈으로 보다.
⑤ 사람들의 눈길.
예 다른 사람의 눈을 의식하다. / 사람들의 눈이 무서운 줄 알아라.

⑥ 태풍에서, 중심을 이루는 부분.
예 태풍의 눈.

눈02

자 · 저울 · 온도계 따위에 표시하여 길이 · 양(量) · 도수(度數) 따위를 나타내는 금. = **눈금**

예 저울의 무게를 가리키는 눈이 얼마인지 보아라.

눈03

① 그물 따위에서 코와 코를 이어 이룬 구멍.
② 당혜(唐鞋), 운혜(雲鞋) 따위에서 코와 뒤울의 꾸밈새.
③ 바둑판에서 가로줄과 세로줄이 만나는 점.

눈04[눈:]

대기 중의 수증기가 찬 기운을 만나 얼어서 땅 위로 떨어지는 얼음의 결정체.

예 눈 쌓인 겨울 산이 하얗다.

눈05

『식물』 새로 막 터져 돋아나려는 초목의 싹. 꽃눈, 잎눈 따위이다.

예 눈이 트다.

대다01

① 정해진 시간에 닿거나 맞추다.
예 간신히 기차 시간에 대다.
② 무엇을 어디에 닿게 하다.
예 수화기를 귀에 대다.
③ 돈이나 물건 따위를 마련하여 주다.
예 그는 그동안 남몰래 가난한 이웃에게 양식을 대 왔다.
④ 사람을 구해서 소개해 주다.
예 아들에게 변호사를 대다.
⑤ 어떤 곳에 물을 끌어 들이다.
예 논에 물을 대다.
⑥ 잇닿게 하거나 관계를 맺다.
예 고객에게 전화를 대어 주다.
⑦ 서로 견주어 비교하다.
예 아이들은 서로 신발의 크기를 대어 보았다.
⑧ 이유나 구실을 들어 보이다.
예 핑계를 대다.
⑨ 어떤 사실을 드러내어 말하다.
예 증거를 대다.

되다01

① 새로운 신분이나 지위를 가지다.
예 커서 의사가 되고 싶다.
② 다른 것으로 바뀌거나 변하다.
예 얼음이 물이 되다.
③ 어떤 때나 시기, 상태에 이르다.
예 이제는 계절이 봄이 되었다.
④ 일정한 수량에 차거나 이르다.
예 이 안에 찬성하는 사람이 50명이 되었다.
⑤ 어떤 대상의 수량, 요금 따위가 얼마이거나 장소가 어디이다.
예 내릴 곳은 서울역이 되겠습니다.
⑥ 사람으로서의 품격과 덕을 갖추다.
예 그는 제대로 된 사람이다.
⑦ 어떤 형태나 구조로 이루어지다.
예 첨성대의 몸체는 27단으로 되어 있다.
⑧ 어떤 사물이나 현상이 생겨나거나 만들어지다.
예 밥이 맛있게 되다.
⑨ 작물 따위가 잘 자라다.
예 곡식이 알차게 되다.
⑩ (용언의 '−면' 꼴 다음에 쓰여) 괜찮거나 바람직하다.
예 어찌 됐든 나는 집에만 가면 된다. / 사람은 착하면 된다.

되다04 (형용사)

① 반죽이나 밥 따위가 물기가 적어 빡빡하다.
예 밥이 너무 되다.
② 줄 따위가 단단하고 팽팽하다.
예 줄을 너무 되게 맸다.
③ 일이 힘에 벅차다.
예 일이 되거든 쉬어 가며 해라.

떼다01

① 붙어 있거나 잇닿은 것을 떨어지게 하다.
예 벽에서 벽보를 떼다.
② 전체에서 한 부분을 덜어 내다.
예 월급에서 1%를 떼다.
③ 어떤 것에서 마음이 돌아서다.
예 이간질하여 형제의 정을 떼다.
④ 봉한 것을 뜯어서 열다.
예 편지 봉투를 떼어 보다.
⑤ 걸음을 옮기어 놓다.
예 발걸음을 떼다.
⑥ 말문을 열다.
예 입을 떼다.
⑦ 배우던 것을 끝내다.
예 천자문을 떼다.
⑧ 권리를 없애거나 직위를 그만두게 하다.
예 관직을 떼다.

떼다02

남에게서 빌려 온 돈 따위를 돌려주지 않다.

예 그녀에게 어떻게 하면 돈을 안 갚고 뗀단 말인가.

마르다01

① 물기가 다 날아가서 없어지다.
예 날씨가 맑아 빨래가 잘 마른다.
② 입이나 목구멍에 물기가 적어져 갈증이 나다.
예 뜨거운 태양 아래서 달리기를 했더니 목이 몹시 마르다.
③ 살이 빠져 야위다.
예 공부를 하느라 몸이 많이 말랐다.
④ 강이나 우물 따위의 물이 줄어 없어지다.
예 가뭄에도 우물은 마르지 않는다.
⑤ 돈이나 물건 따위가 다 쓰여 없어지다.
예 돈이 마르다. / 씨가 마르다.
⑥ 감정이나 열정 따위가 없어지다.
예 애정이 마르다.

말01

① 사람의 생각이나 느낌 따위를 표현하고 전달하는 데 쓰는 음성 기호. 곧 사람의 생각이나 느낌 따위를 목구멍을 통하여 조직적으로 나타내는 소리를 가리킨다.
  예 멀리 떨어져 있어서 말이 제대로 안 들린다.

② 음성 기호로 생각이나 느낌을 표현하고 전달하는 행위. 또는 그런 결과물.
  예 고운 말과 바른 말.

③ 일정한 주제나 줄거리를 가진 이야기.
  예 말을 건네다.

④ 단어, 구, 문장 따위를 통틀어 이르는 말.
  예 내 사전에 불가능이란 말은 없다.

⑤ 소문이나 풍문 따위를 이르는 말.
  예 널 두고 말이 많으니 조심해라.

⑥ ('-(으)라는/-다는 말이다' 구성으로 쓰여) 다시 강조하거나 확인하는 뜻을 나타내는 말.
  예 나보고 이런 것을 먹으란 말이냐?

⑦ ('-으니/-기에 말이지' 구성으로 쓰여) '망정이지'의 뜻을 나타내는 말.
  예 집에서 조금 일찍 나왔으니 말이지 하마터면 차를 놓칠 뻔했다.

⑧ ('-을 말이면', '-을 말로는', '-을 말로야' 구성으로 쓰여) '-을 것 같으면'의 뜻을 나타내는 말.
  예 자네가 장가들 말이면 내게 미리 귀띔을 했어야지.

⑨ ('-어(아)야 말이지' 구성으로 쓰여) 어떤 행위가 잘 이루어지지 않음을 탄식하는 말.
  예 차를 사고 싶은데 돈이 있어야 말이지.

⑩ (주로 '말이냐', '말이야' 꼴로 명사 뒤에 쓰여) 앞에서 언급한 사실을 강조하여 말하는 뜻을 나타내는 말.
  예 돈이라니, 며칠 전에 네가 내게 준 돈 말이냐?

⑪ (주로 '말이야', '말이죠', '말이지', '말인데' 꼴로 쓰여) 어감을 고르게 할 때 쓰는 군말. 상대편의 주의를 끌거나 말을 다짐하는 뜻을 나타낸다.
  예 그런데 말이야. / 하지만 말이죠.

말03

① 곡식, 액체, 가루 따위의 분량을 되는(헤아리는) 데 쓰는 원기둥 모양의 그릇.
  예 쌀을 말로 되다.

② 부피의 단위. 곡식, 액체, 가루 따위의 부피를 잴 때 쓴다.
  예 쌀 한 말.

말05

십이지에서 '오(午)'를 상징적으로 나타내는 말.

말07

① 『식물』 물속에 나는 은화식물을 통틀어 이르는 말.

② 『식물』 가랫과의 여러해살이 수초(水草).
  예 말은 물고기의 보금자리 역할을 한다.

맵다

① 고추나 겨자와 같이 맛이 알알하다.
  예 빨간 고추를 먹으면 매우 맵다.

② 성미가 사납고 독하다.
  예 어머니는 매운 시집살이를 하셨다.

③ 날씨가 몹시 춥다.
  예 해가 서쪽으로 기울어지며 냇가로 매운 바람이 불어온다.

④ 연기 따위가 눈이나 코를 아리게 하다.
  예 주인댁이 불을 때느라고 매운 연기가 난다.

⑤ 결기가 있고 야무지다.
  예 저 녀석은 하는 일마다 맵게 잘 처리해서 마음에 든다.

머리01

① 사람이나 동물의 목 위의 부분. 눈, 코, 입 따위가 있는 얼굴을 포함하며 머리털이 있는 부분을 이른다. 뇌와 중추 신경 따위가 들어 있다.
  예 그는 아무 말 없이 머리를 아래로 숙였다.

② 생각하고 판단하는 능력.
  예 그는 머리가 영리하고 우수한 소년이었다.

③ 머리에 난 털. = **머리털**
  예 봄이 되면 어쩐지 머리가 잘 빠진다.

④ 한자에서 글자의 윗부분에 있는 부수.

⑤ 단체의 우두머리.
  예 구성원의 머리가 되려면 용기와 지혜가 필요하다.

⑥ 사물의 앞이나 위를 비유적으로 이르는 말.
  예 저만치에서 돌의 머리만 보였다. / 그는 달려오는 차 머리에 치였다.

⑦ 일의 시작이나 처음을 비유적으로 이르는 말.
  예 머리도 끝도 없이 일이 뒤죽박죽이 되었다.

먹다02

① 음식 따위를 입을 통하여 배 속에 들여보내다.
  예 밥을 먹다.

② 연기나 가스 따위를 들이마시다.
  예 연탄가스를 먹다.

③ 어떤 마음이나 감정을 품다.
  예 그렇게 할 마음을 먹다.

④ 일정한 나이에 이르거나 나이를 더하다.
  예 아홉 살 먹은 아이.

⑤ 욕, 핀잔 따위를 듣거나 당하다.
  예 욕을 먹다.

⑥ 수익이나 이문을 차지하여 가지다.
  예 남은 이익을 모두 내가 먹었다.

⑦ 물이나 습기 따위를 빨아들이다.
  예 종이가 물을 먹다.

⑧ 어떤 등급을 차지하거나 점수를 따다.
  예 달리기에서 1등을 먹다.

⑨ 구기 경기에서, 점수를 잃다.
  예 우리 편이 두 골을 먹었다.

⑩ 날이 있는 도구가 소재를 깎거나 자르거나 갈거나 하는 작용을 하다.
  예 대패가 잘 먹다.

⑪ 바르는 물질이 배어들거나 고루 퍼지다.
  예 물감이 잘 먹다.

⑫ 벌레, 균 따위가 파 들어가거나 퍼지다.
  예 벌레가 먹은 과일.

⑬ 돈이나 물자 따위가 들거나 쓰이다.
  예 공사에 철근이 생각보다 많이 먹어 걱정이다.

바람01

① 기압의 변화 또는 사람이나 기계에 의하여 일어나는 공기의 움직임.
예 바람이 불다. / 선풍기의 바람이 너무 세다.
② 공이나 튜브와 같이 속이 빈 곳에 넣는 공기.
예 바람이 빠진 축구공.
③ 몰래 다른 이성과 관계를 가짐.
예 바람이 나다. / 바람을 피우다.
④ 작은 일을 불려서 크게 말하는 일.
예 바람이 센 그의 말을 믿기는 어려운 일이다.
⑤ 사회적으로 일어나는 일시적인 유행이나 분위기 또는 사상적인 경향.
예 투기 바람이 불다. / 교육계에 새 바람이 불다.
⑥ ('-는 바람에' 구성으로 쓰여) 뒷말의 근거나 원인을 나타내는 말.
예 급히 서두는 바람에 서류를 놓고 왔다.
⑦ (주로 의복을 나타내는 명사 뒤에 '바람으로' 꼴로 쓰여) 그 옷차림의 뜻을 나타내는 말. 주로 몸에 차려야 할 것을 차리지 않고 나서는 차림을 이를 때 쓴다.
예 셔츠 바람으로 손님을 맞다.

바람02

어떤 일이 이루어지기를 기다리는 간절한 마음.
예 남북 통일은 우리 겨레 모두의 바람이다.

바람03 (의존 명사)

길이의 단위. 한 바람은 실이나 새끼 따위 한 발 정도의 길이이다.
예 한 바람의 노끈.

밟다

① 발을 들었다 놓으면서 어떤 대상 위에 대고 누르다.
예 발을 밟다.
② 어떤 일을 위하여 순서나 절차를 거쳐 나가다.
예 법적 절차를 밟다.
③ (주로 '뒤'를 목적어로 하여) 어떤 이의 움직임을 살피면서 몰래 뒤를 따라가다.
예 혐의자의 뒤를 밟다.
④ 어떤 일을 겪고 행하다.
예 타락의 길을 밟다.
⑤ (비유적으로) 어떤 곳에 도착하다.
예 남극 대륙을 밟다.

버리다

① 가지거나 지니고 있을 필요가 없는 물건을 내던지거나 쏟거나 하다.
예 쓰레기를 버리다.
② 가정이나 고향 또는 조국 따위를 떠나 스스로 관계를 끊다.
예 그는 가정과 고향을 버리고 독립운동의 대열에 뛰어들었다.
③ 직접 깊은 관계가 있는 사람과의 사이를 끊고 돌보지 아니하다.
예 조강지처를 버리다.
④ 품었던 생각을 스스로 잊다.
예 돈으로 모든 것을 하려고 하는 생각을 버려라.
⑤ 본바탕을 상하게 하거나 더럽혀서 쓰지 못하게 망치다.
예 그는 술을 너무 많이 마셔 몸을 버렸다.

부치다01

모자라거나 미치지 못하다.
예 힘에 부치는 일.

새기다01

① 글씨나 형상을 파다.
예 도장을 새기다.
② 잊지 아니하도록 마음속에 깊이 기억하다.
예 약속을 마음에 꼭 새기다.
③ 적거나 인쇄하다.
예 그는 자신의 이름을 새긴 책을 출간하였다.

새기다02

① 글이나 말의 뜻을 알기 쉽게 풀이하다.
예 논어의 뜻을 새길 테니 잘 들어 보시오.
② 다른 나라의 말이나 글을 우리말로 번역하여 옮기다.
예 영문을 우리말로 새기다.

새기다03

소나 양 따위의 반추 동물(한번 삼킨 먹이를 다시 입속으로 되올려 씹어서 삼키는 동물)이 먹은 것을 되내어서 다시 씹다.

생각01

① 사물을 헤아리고 판단하는 작용.
예 생각을 짜내다.
② 어떤 사람이나 일 따위에 대한 기억.
예 고향 생각. / 어머니 생각.
③ 어떤 일을 하고 싶어 하거나 관심을 가짐. 또는 그런 일.
예 술 생각이 간절하다.
④ 어떤 일을 하려고 마음을 먹음. 또는 그런 마음.
예 그만둘 생각이다.
⑤ 앞으로 일어날 일에 대하여 상상해 봄. 또는 그런 상상.
예 10년 후의 네 모습을 생각해 봐.
⑥ 어떤 일에 대한 의견이나 느낌을 가짐. 또는 그 의견이나 느낌.
예 쓸쓸한 생각. / 자신만이 옳다는 생각을 버려야 한다.
⑦ 어떤 사람이나 일에 대하여 성의를 보이거나 정성을 기울임. 또는 그런 일.
예 한 번 더 생각해 주시오.
⑧ 사리를 분별함. 또는 그런 일.
예 그는 생각이 깊다.

속01

① 거죽이나 껍질로 싸인 물체의 안쪽 부분.
예 수박 속 / 연필 속.
② 일정하게 둘러싸인 것의 안쪽으로 들어간 부분.
예 건물 속으로 들어가다.
③ 사람의 몸에서 배의 안 또는 위장.
예 속이 메스껍다.
④ 사람이나 사물을 대하는 자세나 태도.
예 속이 넓다.

⑤ 품고 있는 마음이나 생각.
예 속이 검다. / 속이 꽉 찬 사람.
⑥ 어떤 현상이나 상황, 일의 안이나 가운데.
예 무관심 속에 악화되어 가는 주변 환경.

손01
① 사람의 팔목 끝에 달린 부분. 손등, 손바닥, 손목으로 나뉘며 그 끝에 다섯 개의 손가락이 있어, 무엇을 만지거나 잡거나 한다.
예 손에 잔을 들다.
② 손가락.
예 손에 반지를 끼다.
③ 일을 하는 사람. = **일손**
예 많은 손이 필요한 토목 공사.
④ 어떤 일을 하는 데 드는 사람의 힘이나 노력, 기술.
예 그 일은 손이 많이 간다.
⑤ 어떤 사람의 영향력이나 권한이 미치는 범위.
예 그 일은 선배의 손에 떨어졌다.
⑥ 사람의 수완이나 꾀.
예 그의 손에 놀아나다.

싸다01
① 물건을 안에 넣고 보이지 않게 씌워 가리거나 둘러 말다.
예 선물을 예쁜 포장지에 싸다.
② 어떤 물체의 주위를 가리거나 막다.
예 경호원들이 겹겹이 싸고 있다.

싸다04
① 걸음이 재빠르다.
예 걸음이 싸다.
② (입을 주어로 하여) 들은 말 따위를 진중하게 간직하지 아니하고 잘 떠벌리다.
예 입이 싸다.

싸다05
① 물건값이나 사람 또는 물건을 쓰는 데 드는 비용이 보통보다 낮다.
예 물건을 싸게 팔다.
② ('-어(도)'와 함께 쓰여) 저지른 일 따위에 비추어서 받는 벌이 마땅하거나 오히려 적다.
예 그 사람은 욕을 먹어도 싸다.

안다
① 두 팔을 벌려 가슴 쪽으로 끌어당기거나 그렇게 하여 품 안에 있게 하다.
예 아기를 안다.
② 바람이나 비, 눈, 햇빛 따위를 정면으로 받다.
예 바람을 안고 달리다.
③ 손해나 빚 또는 책임을 맡다.
예 친구의 은행 빚을 안다.
④ 새가 알을 까기 위하여 가슴이나 배 부분으로 알을 덮다.
예 둥우리에는 암탉이 알을 안고 있다.
⑤ 생각이나 감정 따위를 마음속에 가지다.
예 기쁨을 안고 돌아오다.

오르다
① 사람이나 동물 따위가 아래에서 위쪽으로 움직여 가다.
예 계단을 오르다.
② 지위나 신분 따위를 얻게 되다.
예 장관 자리에 오르다.
③ 탈것에 타다.
예 가마에 오르다.
④ 길을 떠나다.
예 이민 길에 오르다.
⑤ 몸 따위에 살이 많아지다.
예 얼굴에 살이 오르다.
⑥ 식탁, 도마 따위에 놓이다.
예 귀한 음식이 잔칫상에 오르다.
⑦ 남의 이야깃거리가 되다.
예 구설수에 오르다. / 화제에 오르다.
⑧ 기록에 적히다.
예 호적에 오르다.
⑨ 값이나 수치, 온도, 성적 따위가 이전보다 많아지거나 높아지다.
예 물가가 오르다. / 성적이 오르다.
⑩ 기운이나 세력이 왕성하여지다.
예 인기가 오르다.
⑪ 실적이나 능률 따위가 높아지다.
예 하반기 실적이 오르다.
⑫ 어떤 감정이나 기운이 퍼지다.
예 술기운이 오르다.
⑬ 때가 거죽에 묻다.
예 까맣게 때가 오르다.

일다01
① 없던 현상이 생기다.
예 유행이 일다.
② 희미하거나 약하던 것이 왕성하여지다.
예 불길이 일다.
③ 겉으로 부풀거나 위로 솟아오르다.
예 거품이 일다.

일다02
① 곡식이나 사금 따위를 그릇에 담아 물을 붓고 이리저리 흔들어서 쓸 것과 못 쓸 것을 가려내다.
예 쌀을 일다. / 사금(砂金)을 일다.
② 곡식 따위를 키나 체에 올려놓고 흔들거나 까불러서 쓸 것과 못 쓸 것을 가려내다.
예 어머니는 종일 키로 참깨를 일고 계셨다.

입다
① 옷을 몸에 꿰거나 두르다.
예 한복을 입다.
② (도움, 손해 따위와 같은 말을 목적어로 하여) 받거나 당하다.
예 피해를 입다. / 은혜를 입다.

주다01

① 물건 따위를 남에게 건네어 가지거나 누리게 하다.
예 일거리를 주다.

② 남에게 어떤 자격이나 권리, 점수 따위를 가지게 하다.
예 외국인에게 투표권을 주다.

③ 남에게 어떤 일이나 감정을 겪게 하거나 느끼게 하다.
예 피해를 주다. / 사랑을 주다.

④ 실이나 줄 따위를 풀리는 쪽으로 더 풀어 내다.
예 닻을 주다.

⑤ 시선이나 관심 따위를 어떤 곳으로 향하다.
예 대문 위로 눈을 주니, 가시철사가 치어져 있었다.

⑥ 주사나 침 따위를 놓다.
예 손등에 침을 주다.

⑦ 속력이나 힘 따위를 내다.
예 손에 힘을 더 줘라.

⑧ 다른 사람에게 정이나 마음을 베풀거나 터놓다.
예 마음을 주다.

⑨ (동사 뒤에서 '-어 주다' 구성으로 쓰여) 앞 동사의 행위가 다른 사람의 행위에 영향을 미침을 나타내는 말.
예 물건을 팔아 주다. / 책을 읽어 주다.

찾다

① 현재 주변에 없는 것을 얻거나 사람을 만나려고 여기저기를 뒤지거나 두루 살피다. 또는 그것을 얻거나 그 사람을 만나다.
예 범인을 찾다. / 어머니가 빗자루를 찾는다.

② 모르는 것을 알아내고 밝혀내려고 애쓰다. 또는 그것을 알아내고 밝혀내다.
예 글의 핵심을 찾다.

③ 잃거나 빼앗기거나 맡기거나 빌려주었던 것을 돌려받아 가지게 되다.
예 잃었던 책을 찾다. / 은행에 예금한 돈을 찾다.

④ 어떤 사람을 만나거나 어떤 곳을 보러 그와 관련된 장소로 옮겨 가다.
예 집주인을 찾아 사정을 이야기하다. / 주말에 산이나 바다를 찾다.

⑤ 어떤 것을 구하다.
예 어떤 손님들은 일부러 국산품을 찾는다.

펴다

① 접히거나 개킨 것을 젖히어 벌리다.
예 날개를 펴다. / 책을 펴다. / 우산을 펴다.

② 구김이나 주름 따위를 없애어 반반하게 하다.
예 이마의 주름살을 펴다. / 다리미로 구김살을 펴다.

③ 굽은 것을 곧게 하다. 또는 움츠리거나 구부리거나 오므라든 것을 벌리다.
예 허리를 펴다. / 구부러진 철사를 펴다.

④ 생각, 감정, 기세 따위를 얽매임 없이 자유롭게 표현하거나 주장하다.
예 기를 펴다. / 뜻을 펴다.

⑤ 넓게 늘어놓거나 골고루 헤쳐 놓다.
예 방바닥에 이불을 펴다.

⑥ 어떤 것을 널리 공포하여 실시하거나 베풀다.
예 법령을 펴다. / 선정(善政)을 펴다.

⑦ 세력이나 작전, 정책 따위를 벌이거나 그 범위를 넓히다.
예 세력을 북방으로 펴다. / 수사망을 펴다.

풀다

① 묶이거나 감기거나 얽히거나 합쳐진 것 따위를 그렇지 아니한 상태로 되게 하다.
예 보따리를 풀다. / 신발 끈을 풀다.

② 일어난 감정 따위를 누그러뜨리다.
예 분을 풀다. / 그가 사과해서 화를 풀기로 했다.

③ 마음에 맺혀 있는 것을 해결하여 없애거나 품고 있는 것을 이루다.
예 소원을 풀다. / 평생의 한을 풀다.

④ 모르거나 복잡한 문제 따위를 알아내거나 해결하다.
예 궁금증을 풀다. / 수학 문제를 풀다.

⑤ 금지되거나 제한된 것을 할 수 있도록 터놓다.
예 구금을 풀다. / 통행금지를 풀다.

⑥ 피로나 독기 따위를 없어지게 하다.
예 여행을 다녀오느라 힘들었을 텐데 푹 쉬면서 피로를 풀도록 하여라.

⑦ 사람을 동원하다.
예 사람을 풀어 수소문하다.

⑧ 콧물을 밖으로 나오게 하다.
예 코를 풀다.

⑨ 꿈, 이름, 점괘 따위를 판단하여 내다.
예 꿈을 풀어 주다.

⑩ 어려운 것을 알기 쉽게 바꾸다.
예 어려운 말은 알아들을 수 있게 풀어서 이야기하겠습니다.

⑪ 긴장된 상태를 부드럽게 하다.
예 막내도 자기가 잘못했다고 하니 이제 그만 얼굴 푸세요.

⑫ 액체에 다른 액체나 가루 따위를 섞다.
예 팔팔 끓는 물에 된장을 풀다.

기억률 200% 바로확인 문제

[1~3] 유의 관계 | 단어 간의 관계가 유의 관계끼리 묶인 것은 O, 아니면 X 표시하시오.

1 치밀(緻密) : 세밀(細密) (○/×)
눈 : 안목 (○/×)
나무 : 소나무 (○/×)

2 부치다 : 보내다 (○/×)
바느질 : 시침질 (○/×)
농후하다 : 짙다 (○/×)

3 각축(角逐) : 경합(競合) (○/×)
견지(見地) : 관점(觀點) (○/×)
식사(食事) : 아침 (○/×)

[4~5] 반의 관계 | 단어 간의 관계가 반의 관계끼리 묶인 것은 O, 아니면 X 표시하시오.

4 운율(韻律) : 내재율(內在律) (○/×)
기황(饑荒) : 포복(飽腹) (○/×)
경정(逕庭) : 호각(互角) (○/×)

5 열다 : (수도꼭지를) 잠그다 (○/×)
열다 : (뚜껑을) 덮다 (○/×)
열다 : (자물쇠를) 채우다 (○/×)

[6~7] 상하 관계 | 단어 간의 관계가 상하 관계끼리 묶인 것은 O, 아니면 X 표시하시오.

6 나무 : 사과나무 (○/×)
잘못 : 불찰 (○/×)
예술 : 문학 (○/×)

7 발 : 발가락 (○/×)
귓바퀴 : 귓불 (○/×)
눈언저리 : 눈두덩 (○/×)

정답
[1~3] 1 ○, ○, × 2 ○, ×, ○ 3 ○, ○, × [4~5] 4 ×, ○, ○ 5 ○, ○, ○
[6~7] 6 ○, ×, ○ 7 ×, ×, ×

[8~10] 다의/동음이의 관계 | 다음 밑줄 친 단어의 의미 풀이로 적절한 것을 연결하시오.

8

보다

① 그는 연극을 보는 재미로 극장에서 일한다.
② 소년은 집을 보다가 잠이 들었다.
③ 그의 사정을 보니 딱하게 되었다.
④ 오랜 회의 끝에 합의를 보았다.
⑤ 손해를 보면서 물건을 팔 사람은 없다.
⑥ 보던 신문을 끊고 다른 신문으로 바꾸었다.
⑦ 기회를 봐서 부모님께 말씀드리는 게 좋겠다.
⑧ 사람을 보고 결혼해야지 재산을 보고 결혼해서야 되겠니?

㉠ 어떤 일을 당하거나 겪거나 얻어 가지다.
㉡ 어떤 결과나 관계를 맺기에 이르다.
㉢ 상대편의 형편 따위를 헤아리다.
㉣ 맡아서 보살피거나 지키다.
㉤ 눈으로 대상을 즐기거나 감상하다.
㉥ 무엇을 바라거나 의지하다.
㉦ 기회, 때, 시기 따위를 살피다.
㉧ 신문, 잡지 따위를 구독하다.

9

하다

① 운동을 하다.
② 어두운 얼굴을 하다.
③ 그 곳은 한정식을 하는 집이야.
④ 그녀는 이번 대회에서 우승을 했다.
⑤ 너도 놀지만 말고 밥값이라도 해야지.
⑥ 뱃머리를 남쪽으로 해서 항해를 계속했다.
⑦ 내 친구는 이번에 서울 하고도 강남에 집을 샀다.

㉠ 표정이나 태도 따위를 짓거나 나타내다.
㉡ 어떠한 결과를 이루어 내다.
㉢ 어떠한 방향으로 두다.
㉣ 기대에 걸맞은 일을 행동으로 나타내다.
㉤ 사람이나 동물, 물체 따위가 행동이나 작용을 이루다.
㉥ 어떤 직업이나 분야에 종사하거나 사업체 따위를 경영하다.
㉦ '그것에 그치지 않고 거기에 더하여'의 의미를 나타내는 말.

정답 [8~10] 8 ①-㉤, ②-㉣, ③-㉢, ④-㉡, ⑤-㉠, ⑥-㉧, ⑦-㉦, ⑧-㉥
9 ①-㉤, ②-㉠, ③-㉥, ④-㉡, ⑤-㉣, ⑥-㉢, ⑦-㉦

10

있다

① 그는 가진 것도 없으면서 있는 체한다.

② 합격자 명단에는 내 이름도 있었다.

③ 나에게는 아내와 자식들이 있다.

④ 그는 내일 집에 있는다고 했다.

⑤ 우리 모두 함께 있자.

⑥ 나는 그와 만난 적이 있다.

⑦ 오늘 회식이 있으니 모두 참석하세요.

㉠ 사람이나 동물이 어느 곳에서 떠나거나 벗어나지 아니하고 머물다.

㉡ 사람이나 동물이 어떤 상태를 계속 유지하다.

㉢ 어떤 사실이나 현상이 현실로 존재하는 상태이다.

㉣ 어떤 일이 이루어지거나 벌어질 계획이다.

㉤ 재물이 넉넉하거나 많다.

㉥ 개인이나 물체의 일부분이 일정한 범위나 전체에 포함된 상태이다.

㉦ 일정한 관계를 가진 사람이 존재하는 상태이다.

정답 **10** ①-㉤, ②-㉥, ③-㉦, ④-㉠, ⑤-㉡, ⑥-㉢, ⑦-㉣

01 단어의 의미 관계

기출변형 문제

정답 P 2

1 다음 중 밑줄 친 부분의 의미가 이질적인 것은?

① 개금
② 개꿀
③ 개꿈
④ 개떡
⑤ 개살구

2 다음 중 밑줄 친 부분의 의미가 다른 것은?

① 그런 것은 일부 몰지각한 사람들의 행동일 뿐이다.
② 그들은 무거운 긴장과 몰인정 속에 서서히 지쳐 갔다.
③ 그 후보는 당지지자들의 몰표에도 불구하고 낙선하고 말았다.
④ 대부분의 사람들은 그 모녀가 몰상식하기로 유명했다며 수군댔다.
⑤ 그는 과학이 객관성을 지니기 위해서는 몰가치해야 한다고 주장했다.

3 두 단어 간의 관계가 나머지와 다른 것은?

① 첩경(捷徑) : 지름길
② 저간(這間) : 요즈음
③ 반추(反芻) : 새김질
④ 기우(杞憂) : 노파심
⑤ 졸가(拙家) : 우리집

4 두 단어 간의 관계가 나머지와 <u>다른</u> 것은?

① 진취(進取) : 퇴영(退嬰)
② 건조(建造) : 해체(解體)
③ 고관(高官) : 말직(末職)
④ 예사(例事) : 상사(常事)
⑤ 선경(仙境) : 속세(俗世)

5 두 단어 간의 관계가 다른 것과 <u>이질적인</u> 것은?

① 견지(見地) : 관점(觀點)
② 은닉(隱匿) : 은폐(隱蔽)
③ 납득(納得) : 수긍(首肯)
④ 당착(撞着) : 모순(矛盾)
⑤ 감가(減價) : 할증(割增)

6 다음 중 〈보기〉의 밑줄 친 말과 문맥적 의미가 가장 유사한 것은?

보기
악당의 <u>손</u>이 미치지 않는 곳으로 피신했다.

① 나는 할머니 <u>손</u>에서 자랐다.
② 아기가 <u>손</u>을 흔들며 인사를 했다.
③ 문어발식으로 여러 사업에 <u>손</u>을 뻗고 있다.
④ 봉사자의 <u>손</u>을 빌려 가을걷이를 무사히 할 수 있었다.
⑤ 내 친구는 바보처럼 사기꾼 <u>손</u>에 놀아나는 걸 모르고 있다.

7 **다음 중 〈보기〉의 밑줄 친 단어의 문맥적 의미와 가장 유사한 의미로 사용된 것은?**

> 보기
>
> 사람은 자기 나름대로 생각과 느낌을 가지고 살아간다.

① 그는 어머니 생각에 잠겼다.
② 이번에 그녀에게 청혼할 생각이다.
③ 그렇게 생각 없이 일을 처리하지 마라.
④ 그는 오랜 생각 끝에 조심스럽게 대답했다.
⑤ 우리 수영장 갈 건데 너도 생각이 있으면 같이 가자.

8 **다음 중 〈보기〉의 밑줄 친 단어의 문맥적 의미와 가장 유사한 의미로 사용된 것은?**

> 보기
>
> 그는 아무 배움이 없었지만 속이 깊고 심성이 착했다.

① 뿌리 깊은 나무는 흔들리지 않는 법이다.
② 밤이 깊어지자, 그의 시름도 늘어만 갔다.
③ 그녀는 도예가지만, 문학에도 조예가 깊었다.
④ 그는 한번 깊은 잠에 빠지면 일어날 줄 몰랐다.
⑤ 아버지는 그의 생각이 깊지 못하다며 화를 내셨다.

9 **다음 중 〈보기〉의 밑줄 친 말과 문맥적 의미가 가장 유사한 것은?**

> 보기
>
> 현대인은 진리나 사실 자체보다는 자신이 그러한 사실에 접근했을 때 생길 수 있는 개인적 가치나 효용을 따진다.

① 관계 당국에 사고의 원인을 따지다.
② 우리 회사는 학력 같은 것은 안 따진다.
③ 득실을 따져 보고 그 일을 시작하도록 하자.
④ 그는 내게 어제 도대체 어디 갔었느냐고 따졌다.
⑤ 회사의 매출액으로 따지면 20위 정도는 될 것이다.

02 고유어

시험에 나온! 나올! **필수개념**

기출복원 문제

고유어의 사전적 의미

밑줄 친 단어의 뜻풀이로 적절하지 않은 것은?

① 해거름이 되니 추워진다. → 해가 서쪽으로 넘어가는 일.
② 무릇 법도란 지키기 위해 존재하는 것이다. → 대체로 헤아려 생각하건대.
③ 오후 한 시가 넘도록 마수걸이도 못 했다. → 맨 처음으로 물건을 파는 일.
④ 그는 남 얘기엔 그저 트레바리이다. → 이유 없이 남의 말에 따라 움직임.
⑤ 상자 안의 종이 뭉치는 손어림으로 대략 백 장은 되어 보였다. → 손으로 만지거나 들어 보아 대강 헤아림.

유형 익히기 ▶ 일상생활에서 사용하는 고유어의 사전적 의미를 파악하고 있는지를 묻는 문항이다. ④의 '트레바리'는 '이유 없이 남의 말에 반대하기를 좋아함. 또는 그런 성격을 지닌 사람.'을 의미한다.

고유어의 문맥적 의미

밑줄 친 부분의 단어를 대치할 표현으로 적절한 것은?

> 오가는 사람이 별로 없는 호숫가는 한적하다 못해 쓸쓸하게 느껴졌다.

① 가직하게 ② 수선스레 ③ 암팡지게
④ 오붓하게 ⑤ 호젓하게

유형 익히기 ▶ ⑤의 '호젓하게'는 '매우 홀가분하여 쓸쓸하고 외롭다.'의 의미를 가진 '호젓하다'의 부사어이다.
① 가직하다: 거리가 조금 가깝다. ② 수선스럽다: 정신이 어지럽게 떠들어 대는 듯하다. ③ 암팡지다: 몸은 작아도 힘차고 다부지다. ④ 오붓하다: 홀가분하면서 아늑하고 정답다.

고유어의 쓰임(용법)

밑줄 친 단어의 쓰임이 적절하지 않은 것은?

① 저 대신 집안 식구들을 잘 건사해 주십시오.
② 그 소식이 너무나 충격적이어서 그는 잠시 몽따고 있었다.
③ 조카가 생긴다고 생각하니 오달진 마음에 춤이라도 출 것 같았다.
④ 아내는 장작 패는 솜씨가 설피니까 힘만 들고 속도는 느린 것이라고 타박했다.
⑤ 그는 미욱한 것 같으면서도 그만한 감각은 있기에 함부로 할 수 없는 사람이었다.

유형 익히기 ▶ 문맥이나 실제 대화에서 고유어의 다양한 쓰임을 파악하고 구별할 수 있는지를 평가하는 문항이다. ② '몽따다'는 '알고 있으면서 일부러 모르는 체하다.'의 의미를 지닌다. 예 그는 이미 사실을 알고 있었으면서도 몽따고 되물었다.
① 건사하다: 제게 딸린 것을 잘 보살피고 돌보다. ③ 오달지다: 마음에 흡족하게 흐뭇하다. ④ 설피다: 솜씨가 거칠고 서투르다. ⑤ 미욱하다: 하는 짓이나 됨됨이가 매우 어리석고 미련하다.

BEST 기출&예상 개념

국어능력인증시험에서 고유어는 한자어보다 출제 비율이 높지 않다. 국어능력인증시험의 취지가 실제 생활에 필요한 국어 실력을 평가하기 위한 것인 만큼, 고유어는 실생활의 의사소통에서 널리 쓰이는 어휘와 문학 작품을 감상하거나 이해하는 데 필요한 수준을 가늠하는 정도로만 출제되고 있다. 그렇다고 해서 고유어를 간과해서는 안 된다. 어휘의 활용(용법)이나 문맥적 의미에 대한 문항에서 선택지로 한자어와 고유어가 섞여 제시되기 때문이다. 또한 사전적 의미를 묻는 경우가 많으므로 사전적 의미에 기초한 학습이 별도로 요구된다. 문맥상 대강 이해하고 지나치던 습관을 고치도록 하자.

1. 빈출 고유어

감바리 잇속을 노리고 약삭빠르게 달라붙는 사람.
예 부동산 투기하는 곳에 가면 감바리 같은 사람이 많다.

걱실걱실하다 성질이 너그러워 말과 행동이 시원스럽다.
예 누이는 성품이 걱실걱실하기 때문에 앞뒤 다른 소리를 할 사람이 아니다.

걸태질 염치나 체면을 차리지 않고 재물 따위를 마구 긁어모으는 일을 낮잡아 이르는 말.
예 세상이 달라졌다고 해도 윗분들의 탐욕스러운 걸태질은 변함이 없구나.

겯고틀다 시비나 승부를 다툴 때에, 서로 지지 않으려고 버티어 겨루다.
예 소라와 나는 중학교를 졸업할 때까지 전교 1등 자리를 놓고 겯고틀던 사이였다.

결딴나다
① 어떤 일이나 물건 따위가 아주 망가져서 도무지 손을 쓸 수 없는 상태가 되다.
　예 아이가 장난감을 집어 던져 결딴났다.
② 살림이 망하여 거덜 나다.
　예 사업 실패로 집안이 완전히 결딴났어.

고갱이
① 『식물』 풀이나 나무의 줄기 한가운데에 있는 연한 심.
　예 배추 고갱이.
② 사물의 중심이 되는 부분을 비유적으로 이르는 말.
　예 그녀의 삶의 기준에는 종교라는 고갱이가 있었다.

곰삭다
① 옷 따위가 오래되어서 올이 삭고 질이 약해지다.
　예 곰삭아 너덜너덜해진 옷.
② 젓갈 따위가 오래되어서 푹 삭다.
　예 새우젓은 곰삭아야 제맛이 난다.

괴발개발 고양이의 발과 개의 발이라는 뜻으로, 글씨를 되는대로 아무렇게나 써 놓은 모양을 이르는 말.
예 화장실 벽에 괴발개발 해 놓은 낙서는 내 동생이 한 짓이 분명하다.
= **개발새발** 개의 발과 새의 발이라는 뜻으로, 글씨를 되는대로 아무렇게나 써 놓은 모양을 이르는 말.(2011년 표준어로 등재)

그악하다
① 장난 따위가 지나치게 심하다.
　예 이제 갓 결혼한 신랑을 거꾸로 매달아 놓고 그 발바닥을 그악하게 쳐 댔다.
② 모질고 사납다.
　예 형과 달리 동생은 어쩜 그리 그악한지 모르겠다.
③ 끈질기고 억척스럽다.
　예 박 씨는 그악해서 늘그막에는 재산을 좀 모을 수 있었다.

깜냥 스스로 일을 헤아림. 또는 헤아릴 수 있는 능력.
예 이 일은 내 깜냥으로는 너무 벅차다.

깨단하다 오랫동안 생각해 내지 못하던 일 따위를 어떠한 실마리로 말미암아 깨닫거나 분명히 알다.
예 그는 또다시 연인과 헤어지고 나서야 그 이유를 깨단했다.

너절하다 허름하고 지저분하다.
예 사내는 수염도 깎지 않은 너절한 차림으로 대문을 열고 들어섰다.

넌더리 지긋지긋하게 몹시 싫은 생각.
예 어릴 때 익사할 뻔한 기억 때문인지 그는 수영이라는 말만 꺼내도 넌더리를 쳤다.

노그라지다 지쳐서 맥이 빠지고 축 늘어지다.
예 그는 격무에 지쳐 노그라졌다.

노둣돌 말에 오르거나 내릴 때에 발돋움하기 위하여 대문 앞에 놓은 큰 돌.
예 하인은 말과 함께 노둣돌 옆에서 전쟁에 나갈 주인마님을 기다리고 있다.

뇌까리다
① 아무렇게나 되는대로 마구 지껄이다.
예 그는 말도 안 되는 소리를 뇌까렸다.
② 불쾌하다고 생각되는 상대편의 말이나 행동, 태도에 대하여 불쾌하다는 뜻을 담은 말을 거듭해서 자꾸 말하다.
예 정희는 만나는 사람마다 불평을 늘어놓으며 똑같은 말을 뇌까리기도 했다.

느껍다 어떤 느낌이 마음에 북받쳐서 벅차다.
예 나에게 목도리를 둘러 주는 민정이의 마음 씀씀이가 느꺼워 가슴이 뭉클해졌다.

는개 안개비보다는 조금 굵고 이슬비보다는 가는 비.
예 골짜기에는 는개가 피어오르는 것 같았다.

다잡다
① 다그쳐 단단히 잡다.
예 철수는 다시금 도끼를 다잡았다.
② 들뜨거나 어지러운 마음을 가라앉혀 바로잡다.
예 동생은 며칠 남지 않은 시험을 위해 마음을 다잡고 공부를 시작했다.
③ 단단히 다스리거나 잡도리하다.
예 큰일일수록 처음부터 잘 다잡고 시작해야 한다.

달포 한 달이 조금 넘는 기간.
예 고작 달포 사이에 그의 얼굴이 많이 상했다.

대중없다 짐작을 할 수가 없다.
예 그녀의 행동은 대중없어서 비위를 맞추기가 어렵다.

데면데면하다 사람을 대하는 태도가 친밀감이 없이 예사롭다.
예 그들의 시선은 서로 전혀 모르는 사이처럼 데면데면하다.

둥개다 일을 감당하지 못하고 쩔쩔매다.
예 그 정도 일을 가지고 하루 종일 둥개고 있는 게냐?

뒤둥그러지다
① 뒤틀려서 마구 우그러지다.
예 솜을 두니 앞섶이 뒤둥그러졌다.
② 생각이나 성질이 비뚤어지다.
예 무엇이 마음에 안 드는지 잔뜩 뒤둥그러진 목소리로 말했다.

뒤스르다
① 몸을 이리저리 뒤척이다.
② 일이나 물건을 가다듬느라고 이리저리 바꾸거나 뒤적거리다.
예 그는 항상 일을 뒤슬러 놓기만 하고 매듭을 짓지 못한다.

드티다
① 밀리거나 비켜나거나 하여 약간 틈이 생기다. 또는 그렇게 하여 틈을 내다.
예 힘주어 미니까 바위가 약간 드티는 것 같다.
② 예정하였거나 약속하였던 것이 어그러져 연기되다. 또는 그렇게 연기하다.
예 기일이 드티면 손해를 보게 된다.

마뜩하다 (주로 '않다', '못하다'와 함께 쓰여) 제법 마음에 들 만하다.
예 나는 그의 행동이 마뜩하지 않다.

마수걸이 맨 처음으로 물건을 파는 일. 또는 거기서 얻은 소득.
예 아침에 물건을 살 때는 마수걸이인 경우가 많아, 값을 깎으려면 장사꾼들이 화를 낸다.

맵자하다 모양이 제격에 어울려서 맞다.
예 그 옷을 입으니 맵자하니 예쁘다.

모질다
① 마음씨가 몹시 매섭고 독하다.
예 죽는 날까지 복수나 일삼고 앉았을 만큼 천성이 모질지는 못하다.
② 기세가 몹시 매섭고 사납다.
예 어머니는 모질게 내 종아리를 때리셨다.

몽니 받고자 하는 대우를 받지 못할 때 내는 심술.
관용어 **몽니(가) 사납다** 몽니가 매우 세다.
예 너무 몽니 사납게 굴지 마. 벌 받아.

몽따다 알고 있으면서 일부러 모르는 체하다.
예 하연이는 시어머니의 질문에 몽따고 되묻기를 반복했다.

무람없다 예의를 지키지 않으며 삼가고 조심하는 것이 없다.
예 우리 아이의 행동이 버릇없고 무람없었다면 용서하십시오.

물색없다 말이나 행동이 형편이나 조리에 맞는 데가 없다.
예 나 혼자 김칫국 마시며 물색없이 좋아했구나!

미립 경험을 통하여 얻은 묘한 이치나 요령.
예 그가 길눈이 어두운 대신 운전을 하는 데는 미립이 환하다.

버금 으뜸의 바로 아래. 또는 그런 지위에 있는 사람이나 물건.
예 의사에게는 환자를 잘 살피는 마음이 으뜸이요, 의술은 버금이다.

벼리다
① 무디어진 연장의 날을 불에 달구어 두드려서 날카롭게 만들다.
예 일을 하기 전에 우선 연장부터 벼리었다.
② 마음이나 의지를 가다듬고 단련하여 강하게 하다.
예 투지를 벼리다.

참고 **벼르다01** 어떤 일을 이루려고 마음속으로 준비를 단단히 하고 기회를 엿보다.
예 너, 엄마가 벼르고 있는 거 알지?

비설거지 비가 오려고 하거나 올 때, 비에 맞으면 안 되는 물건을 치우거나 덮는 일.
예 널어 둔 빨래를 걷는 것 외에는 달리 비설거지를 할 게 없었다.

사북
① 접었다 폈다 하는 부채의 아랫머리나 가위다리의 교차된 곳에 박아 돌쩌귀처럼 쓰이는 물건.
예 부채 사북.
② 가장 중요한 부분을 비유적으로 이르는 말.
예 그 틈에 자신은 사북 노릇을 하고 있다고 생각하며 빙긋이 웃었다.

설피다
① 짜거나 엮은 것이 거칠고 성기다.
예 설핀 삼베로 지은 옷이라서 여름에도 시원하다.
② 솜씨가 거칠고 서투르다.
예 장작 패는 솜씨가 설피니까 힘만 들고 속도는 느리지.

성기다 = 성글다
① 물건의 사이가 뜨다.
예 곡식은 일부러라도 성기게 심어야 한다.
② 반복되는 횟수나 도수(度數)가 뜨다.
예 매일같이 만나던 두 사람이 요즘 들어서는 만남이 성기다.
③ 관계가 깊지 않고 서먹하다.
예 그렇게 붙어 다니더니 요즘 둘 사이가 성긴 것 같다.

손사래 어떤 말이나 사실을 부인하거나 남에게 조용히 하라고 할 때 손을 펴서 휘젓는 일.
관용어 **손사래(를) 치다** 거절이나 부인을 하며 손을 펴서 마구 휘젓다.

손어림 손으로 만지거나 들어 보아 대강 헤아림. 또는 그런 분량.
예 가방 안에 든 돈은 손어림으로 대략 백만 원은 되어 보였다.
유의어 **손짐작**

쌩이질 한창 바쁠 때에 쓸데없는 일로 남을 귀찮게 구는 짓.
예 남 일하는데 왜 쌩이질을 놓는지, 저 심보를 모르겠어.
본말 **씨양이질**

아울리다
① 여럿이 모여 한 덩어리나 한 판이 되다. '아우르다(여럿을 모아 한 덩어리나 한 판이 되게 하다)'의 피동사.
예 풀 끝에 깃든 이슬들이 소리 없이 아울리며 더욱 영롱하게 반짝인다.
② 여럿이 서로 조화되어 자연스럽게 보이다.
예 중년 여인에게 아울리지 않는 옷차림을 보니 머리가 아프기 시작했다.

알겨먹다 남의 재물 따위를 좀스러운 말과 행위로 꾀어 빼앗아 가지다.
예 겉으로는 위하는 척하면서 속으로는 알겨먹으려는 나쁜 사람이야.

애면글면 몹시 힘에 겨운 일을 이루려고 갖은 애를 쓰는 모양.
예 그가 떠나고 나니 애면글면 모은 재산도 다 부질없어 보였다.

앵돌아지다
① 노여워서 토라지다.
예 남편이 외박한 것 때문에 희영이가 단단히 앵돌아졌다.
② 홱 틀려 돌아가다.
예 계획했던 일은 이미 앵돌아져 버린 것 같다.

어름01
① 두 사물의 끝이 맞닿은 자리.
예 눈두덩과 광대뼈 어름에 시커먼 멍이 들었다.
② 물건과 물건 사이의 한가운데.
③ 구역과 구역의 경계점.
예 어제 지갑을 잃어버린 곳이 책상과 창틀 어름이다.
④ 시간이나 장소나 사건 따위의 일정한 테두리 안. 또는 그 가까이.

어림 대강 짐작으로 헤아림. 또는 그런 셈이나 짐작.
예 어림으로 계산해 보아도 큰돈이 남았다.

얼추
① 어지간한 정도로 대충.
예 헤아려 보니 모인 사람이 얼추 100명은 넘어 보였다.
② 어떤 기준에 거의 가깝게.
예 도착할 시간이 얼추 다 되었다.

엉겁결 (흔히 '엉겁결에' 꼴로 쓰여) 미처 생각하지 못하거나 뜻하지 아니한 순간.
예 하도 정신이 없어 엉겁결에 그 일을 허락해 버렸다.

에돌다 곧바로 선뜻 나아가지 아니하고 멀리 피하여 돌다.
예 길이 너무 질어서 다른 길로 에돌았다.

여북 '얼마나', '오죽', '작히나'의 뜻으로 정도가 매우 심하거나 상황이 좋지 않을 때 쓰는 말. = **여북이나**
예 제가 여북하면 이렇게까지 부탁드리겠어요?

여우볕 비나 눈이 오는 날 잠깐 났다가 숨어 버리는 볕.
속담 **여우볕에 콩 볶아 먹는다** 행동이 매우 민첩함을 비유적으로 이르는 말.

여우비 볕이 나 있는 날 잠깐 오다가 그치는 비.
예 여우비가 온 끝이라 개울가의 풀들이나 물빛이 더욱 뚜렷하였다.

여울 강이나 바다 따위의 바닥이 얕거나 폭이 좁아 물살이 세게 흐르는 곳.
예 오늘 오후에 여울에 몰린 은어 떼를 잡으러 가기로 했다.

오달지다 = 오지다, 올지다
① 마음에 흡족하게 흐뭇하다.
② 허술한 데가 없이 알차다.
예 오히려 그런 일이 아람 밤톨같이 오달진 일이다.

우수리
① 물건값을 제하고 거슬러 받는 잔돈.
예 우수리는 심부름값으로 줄 테니, 아이스크림이라도 사 먹으렴.
② 일정한 수나 수량에 차고 남는 수나 수량.
예 한 사람 앞에 2개씩 주었더니 우수리가 3개가 되었다.

이르집다
① 흙 따위를 파헤치다.
예 호미로 언제 그 넓은 밭을 이르집겠느냐?
② 오래전의 일을 들추어내다.
예 이미 몇 년 전 일인데, 이르집지 말고 눈감아 주렴.
③ 없는 일을 만들어 말썽을 일으키다.
④ 껍질이나 여러 겹으로 된 물건 따위를 뜯어내다.

이슥하다 밤이 꽤 깊다.
예 아버지는 밤이 이슥해서야 집에 돌아오셨다.

자발없다 행동이 가볍고 참을성이 없다.
속담 **자발없는 귀신은 무랍도 못 얻어먹는다** 너무 경솔하게 굴면 푸대접을 받고 마땅히 얻어먹을 것도 못 얻어먹음을 이르는 말.

자작하다 액체가 잦아들어 적다.
예 국물을 자작하게 졸였다.

재까닥거리다 작고 단단한 물건이 가볍게 빨리 맞부딪치거나 부러지는 소리가 자꾸 나다. 또는 그런 소리를 자꾸 내다.
= 재까닥대다
예 창틀 사이에 끼운 쇠막대기가 바람에 재까닥거려 신경을 거슬리게 했다.
유의어 **바가닥거리다** 작고 단단한 물건이 맞닿아 문질리다가 그칠 때 나는 소리가 자꾸 나다. 또는 그런 소리를 자꾸 내다.
참고 **제꺼덕거리다** 크고 단단한 물건이 가볍게 빨리 맞부딪치거나 부러지는 소리가 자꾸 나다. 또는 그런 소리를 자꾸 내다.
= 제꺼덕대다

재다01 잘난 척하며 으스대거나 뽐내다.
예 그는 좀 잘했다 싶으면 주위 사람들에게 너무 재서 탈이다.
재다02 여러모로 따져 보고 헤아리다.
예 일을 너무 재다가는 아무것도 못한다.
재다03 물건을 차곡차곡 포개어 쌓아 두다. **= 쟁이다**
예 어머니는 철 지난 옷들을 옷장에 차곡차곡 재어 놓았다.

저어하다01 염려하거나 두려워하다.
예 그 사람은 남의 눈을 저어하기는커녕 도리어 당당하게 일을 저질렀다.

조리차하다 알뜰하게 아껴 쓰다.
예 그녀는 살림을 조리차해서 벌써 저축도 꽤 했다.

줄레줄레01
① 꺼불거리며 경망스럽게 행동하는 모양.
② 무질서하게 줄줄 뒤따르는 모양.
예 소독차가 나타나자 동네 꼬마들이 신기한 듯 줄레줄레 따라갔다.

지분거리다01 짓궂은 말이나 행동 따위로 자꾸 남을 귀찮게 하다. **= 지분대다01**
예 아내는 딸한테 지분거리는 사내를 경찰에 신고했다.

짐짓01 마음으로는 그렇지 않으나 일부러 그렇게.
예 그녀는 짐짓 범인을 모른 척하고 있다.

짜장 과연 정말로.
예 그는 짜장 사실인 것처럼 이야기를 한다.

짬짜미 남모르게 자기들끼리만 짜고 하는 약속이나 수작.
예 저희들끼리 짬짜미를 하고 나에게 술래를 시키려는 요량이 분명했다.
유의어 **짝짜꿍이** 끼리끼리만 내통하거나 어울려서 손발을 맞추는 일.
참고 **짬짬이** 짬이 나는 대로 그때그때.
예 문수는 직장에 다니면서도 짬짬이 아버지가 하시는 일을 돕는 효자였다.

책씻이 글방 따위에서 학생이 책 한 권을 다 읽어 떼거나 다 베껴 쓰고 난 뒤에 선생과 동료들에게 한턱내는 일. **= 책거리**
예 얘들아, 내일 이 책 다 끝내고 책씻이하자!

초름하다
① 넉넉하지 못하고 조금 모자라다.
예 양을 좀 더 넉넉하게 준비해 오면 좋았을 것을, 초름하니 서로 눈치만 살피고 있다.
② 마음에 차지 않아 내키지 않다.

추레하다
① 겉모양이 깨끗하지 못하고 생기가 없다.
예 옷차림이 영 추레하다.
② 태도 따위가 너절하고 고상하지 못하다.
예 추레한 몰골이며 태도를 보면 부잣집 아들처럼 보이지는 않는다.

치신없다 말이나 행동이 경솔하여 위엄이나 신망이 없다.
= 채신없다, 처신없다
예 어른들 앞에서 치신없게 굴지 않도록 조심하여라.
참고 **채신머리** '처신'을 속되게 이르는 말.('체신머리'는 잘못된 표기)
예 채신머리가 없어 보일 만큼 언동이 무질서해지고 있었다.

카랑하다
① 목소리가 쇳소리처럼 맑고 높다.

예 그녀의 카랑한 목소리는 더욱 매력 있다.
② 하늘이 맑고 밝으며 날씨가 차다.
예 구름 한 점 없이 카랑한 하늘.

톳02 김을 묶어 세는 단위. 한 톳은 김 100장을 이른다.
예 김 한 톳이 40장인 줄 알았더니 100장이나 되더라.

트레바리 이유 없이 남의 말에 반대하기를 좋아함. 또는 그런 성격을 지닌 사람.
예 넌 그 트레바리 같은 성질 좀 고쳐야 해.

푸지다 매우 많아서 넉넉하다.
예 5월의 햇살이 무척이나 푸지구나.

함초롬하다 젖거나 서려 있는 모습이 가지런하고 차분하다.
예 풀잎이 이슬에 함초롬하게 젖어 있다.

해거름 해가 서쪽으로 넘어가는 일. 또는 그런 때. = **해름**
예 해거름이면 땅거미가 가득하다.
참고 **땅거미** 해가 진 뒤 어스레한 상태. 또는 그런 때.
예 회색빛 땅거미가 젖어 들고 있었다.

해사하다01
① 얼굴이 희고 곱다랗다.
예 그는 곱게 자라서 그런지 해사한 얼굴이다.
② 표정, 웃음소리 따위가 맑고 깨끗하다.
예 내 이상형은 해사하게 웃는 여자이다.
③ 옷차림, 자태 따위가 말끔하고 깨끗하다.
예 나이는 어린 듯하나 해사한 맵시가 무척 아름다웠다.

해쓱하다 얼굴에 핏기나 생기가 없어 파리하다.
예 오랜만에 만난 그는 부모님의 오랜 병구완에 지쳤는지 얼굴이 해쓱했다.
유의어 **떼꾼하다, 때꾼하다** 눈이 쑥 들어가고 생기가 없다.

해찰하다
① 마음에 썩 내키지 아니하여 물건을 부질없이 이것저것 집적거려 해치다.
예 안 살 거면서 진열해 놓은 물건들을 해찰하는 사람들 때문에 힘들어요.
② 일에는 마음을 두지 아니하고 쓸데없이 다른 짓을 하다.
예 아이들은 공부만 하자 하면 한눈팔고 해찰하기 일쑤다.

허닥하다 모아 둔 물건이나 돈 따위를 헐어서 쓰기 시작하다.
예 열심히 일할 생각은 않고, 집안 재산을 허닥할 생각만 하는구나.

허방 땅바닥이 움푹 패어 빠지기 쉬운 구덩이.
예 허방에 빠지다.
관용어 **허방(을) 치다** 바라던 일이 실패로 돌아가다.
예 그렇게 처리했다가는 모든 일을 허방 치고 말 것이다.
참고 **허방다리** 함정(陷穽).
예 사기꾼의 허방다리에 걸려 재산을 다 날렸다.

허울 실속이 없는 겉모양.
관용어 **허울 좋다** 실속은 없으면서 겉으로는 번지르르하다.
예 그깟 허울 좋은 사장자리, 형님이나 하시구려!

헛물켜다 애쓴 보람 없이 헛일로 되다.
예 그는 여러 군데에 입사 원서를 내고 면접을 보러 다녔지만 번번이 헛물켰다.

헤식다
① 바탕이 단단하지 못하여 헤지기 쉽다. 또는 차진 기운이 없이 푸슬푸슬하다.
예 헤식은 보리밥이지만, 너와 함께 먹으면 찰밥보다 맛있게 느껴진다.
② 맺고 끊는 데가 없이 싱겁다.
예 그녀는 헤식은 데가 있어 오해를 많이 받는다.

화수분01 재물이 계속 나오는 보물단지. 그 안에 온갖 물건을 담아 두면 끝없이 새끼를 쳐 그 내용물이 줄어들지 않는다는 설화상의 단지를 이른다.
예 그 땅은 해마다 돈을 낳는, 그야말로 화수분이지.

희떱다
① 실속은 없어도 마음이 넓고 손이 크다.
예 제 살림도 없으면서 없는 사람 사정 봐줄라 치면 희떱게 굴 줄도 알았다.
② 말이나 행동이 분에 넘치며 버릇이 없다.
예 그는 번연히 갚지 못할 것을 갚을 듯이 희떠운 소리만 한다.

2. 그 외 중요 고유어

가납사니 쓸데없는 말을 지껄이기 좋아하는 수다스러운 사람.
예 가납사니 같은 도시 사람들은 제멋대로 그럴싸한 소문을 퍼뜨리곤 한다.

가년스럽다 보기에 가난하고 어려운 데가 있다.
예 그 가난한 고학생의 옷차림새는 늘 가년스러웠다.
참고 **가린스럽다** 다랍고 인색하다.

가늠
① 목표나 기준에 맞고 안 맞음을 헤아려 봄. 또는 헤아려 보는 목표나 기준.
예 떡 반죽은 가늠을 알맞게 해야 송편을 빚기가 좋다.
② 사물을 어림잡아 헤아림.
예 막연한 가늠으로 사업을 하다가는 실패하기 쉽다.

가래다
① 맞서서 옳고 그름을 따지다.
예 철모르는 어린이들을 데리고 가래 보았자 무슨 소용이 있겠나?
② 남의 일을 방해하거나 남을 해롭게 하다.
예 왜 남의 일을 사사건건 가래는 거야?

가멸다 재산이나 자원 따위가 넉넉하고 많다.
예 명수네는 원래 가멸었는데, 형이 사업을 하다 실패해서 지금은 겨우 목구멍에 풀칠만 한다.

가뭇없다 보이던 것이 전혀 보이지 않아 찾을 곳이 감감하다.
예 그녀는 홍수로 다 떠내려가 버린 가뭇없는 집터에서 눈물만 짰다.

가분하다01
① 들기 좋을 정도로 가볍다.
예 그녀는 쓸모없는 짐을 줄여 가방을 가분하게 만들었다.
② 말이나 행동 따위가 가볍다.
③ 몸의 상태가 가볍고 상쾌하다.
④ 마음에 부담이 없이 가볍고 편안하다.
예 복잡한 도시를 벗어나 맑은 공기를 마시니 마음이 한결 가분하다.
센말 **가뿐하다**

가붓하다 조금 가벼운 듯하다.
예 긴 머리카락을 짧게 자르고 나니 조금 가붓해졌다.

가없다 끝이 없다.
예 가없는 어머니의 은혜에 그는 눈물을 흘렸다.

-가웃 앞말이 가리키는 단위에 그 절반 정도를 더 보태는 뜻을 더하는 접미사.
예 책상 길이가 석 자가웃 정도 될 거야.

가직하다 거리가 조금 가깝다.
예 여기서 가직한 거리에 상점이 하나 있다.

가탈01
① 일이 순조롭게 나아가는 것을 방해하는 조건.
예 처음 하는 일이라 여기저기서 가탈이 많이 생긴다.
② 이리저리 트집을 잡아 까다롭게 구는 일.
예 내 동생은 음식 가탈이 너무 심하다.
센말 **까탈**

간들간들
① 바람이 가볍고 부드럽게 살랑살랑 부는 모양.
예 봄바람이 간들간들 불다.
② 사람이 간드러진 태도로 조금 되바라지게 행동하는 모양.
예 전에는 간들간들 까불던 애가 요즘은 점잖아졌다.

갈래다
① 혼란하여 갈피를 잡지 못하게 되다.
예 그 사람이 하도 이랬다저랬다 하니 정신이 갈래다.
② 섞갈려 바른길을 찾기 어렵게 되다.
③ 짐승이 갈 바를 모르고 왔다 갔다 하다.
예 밤중에는 짐승들이 갈래니 밖에 돌아다니지 않는 것이 좋다.

갈마보다 양쪽을 번갈아 보다.
예 그는 두 사람을 갈마보며 화해할 것을 청했다.
참고 **갈마들다** 서로 번갈아들다.
예 우리의 인생은 슬픔과 기쁨이 갈마들기 마련이다.

갈무리
① 물건 따위를 잘 정리하거나 간수함.
예 겨울 동안 갈무리를 했던 토란잎을 내다 팔 작정이었다.
② 일을 처리하여 마무리함.
예 오늘 하루 일과를 갈무리하고 자리에 누우니까 참 기분이 편하다.

갈음하다 다른 것으로 바꾸어 대신하다.
예 컴퓨터를 갈음하고 나니까, 한결 속도가 빨라졌다.

감사납다
① 생김새나 성질이 억세고 사납다.
예 그는 감사납게 생긴 얼굴 때문에 오해를 많이 받는다.
② 논밭 따위가 일하기 힘들게 험하고 거칠다.
예 잡초가 우거진 감사나운 밭.
유의어 **감때사납다** 사람이 억세고 사납다. 사물이 험하고 거칠다.

강샘 질투.
속어 **강짜** (주로 '강짜를 부리다'의 형태로 쓰임.)

개평01 노름이나 내기 따위에서 남이 가지게 된 몫에서 조금 얻어 가지는 공것.
예 꼬맹이는 옆에 잠자코 앉아 있다가 개평을 얻어 가지곤 했다.

객쩍다 행동이나 말, 생각이 쓸데없고 싱겁다.
예 그런 객쩍은 소리 하지 말고, 빨리 일에 집중해라.

거식하다01 말하는 중에 표현하려는 동사나 형용사가 얼른 생각이 나지 않거나 바로 말하기 곤란할 때에, 그 대신으로 쓰는 말.
예 힘들면 앉아서 거식해라. / 옷 색깔이 좀 거식해서 입고 나가기가 영 거식하다.

건사하다
① 제게 딸린 것을 잘 보살피고 돌보다.
예 저 대신 저희 집안 식구들을 잘 건사해 주셔서 감사합니다.
② 물건을 잘 거두어 보호하다.
예 이것은 우리 집안의 가보이니 잘 건사해 두어라.

겅성드뭇하다 많은 수효가 듬성듬성 흩어져 있다.
예 집회에 참가하기 위해 농민들이 여의도 광장에 겅성드뭇하게 모여 있다.

겨끔내기 서로 번갈아 하기.
예 두 사람이 겨끔내기로 내게 질문을 퍼부었다.

고리삭다 젊은이다운 활발한 기상이 없고 하는 짓이 늙은이 같다.
예 여태 연애 한 번 못 해 보다니 천생 고리삭은 샌님 같다.

고빗사위 매우 중요한 단계나 대목 가운데서도 가장 아슬아슬한 순간.
예 그는 처세에 능해 매번 고빗사위를 잘 넘겨 왔다.

고삭부리
① 음식을 많이 먹지 못하는 사람.
예 준식이는 밥 한 그릇도 다 못 비우는 고삭부리라서 몸무게가 50kg도 안 나간다.
② 몸이 약하여서 늘 병치레를 하는 사람.
예 정훈이는 어릴 적에 몸이 약해서 늘 고삭부리로 불리었다.

고수레01 주로 흰떡을 만들 때에, 반죽을 하기 위하여 쌀가루에 끓는 물을 훌훌 뿌려서 물이 골고루 퍼져 섞이게 하는 일.
고수레02 『민속』 민간 신앙에서, 산이나 들에서 음식을 먹을 때나 무당이 굿을 할 때, 귀신에게 먼저 바친다는 뜻으로 음식을 조금 떼어 던지는 일.
예 어제 성묘를 갔더니 남은 음식을 짐승들에게 준다고 고수레를 하더라.

고즈넉하다 고요하고 아늑하다.
예 고즈넉한 산사를 걸으니 마음마저 아늑해지는 것 같았다.

곧추다 굽은 것을 곧게 바로잡다.
예 목을 곧추고 응시하다.
부사 **곧추** 굽히거나 구부리지 아니하고 곧게.
예 짐을 들 때는 허리를 곧추 펴고 들어야 한다.
참고 **곧추뜨다** 눈을 위로 향하여 뜨다. 눈을 부릅뜨다.

곬 한쪽으로 트여 나가는 방향이나 길.
예 제 곬으로만 흐르는 강물. / 이것저것 건드리지 말고 한 곬으로만 파고들어야 성공한다.

곰비임비 물건이 거듭 쌓이거나 일이 계속 일어남을 나타내는 말.
예 선배가 주는 대로 술을 곰비임비 먹었더니, 머리가 깨질 것같이 아프다.
유의어 **연거푸, 자꾸자꾸**

곰살궂다 태도나 성질이 부드럽고 친절하다.
예 경민이는 날카로운 외모에 비해 성격이 정이 많고 곰살궂다.

곰상스럽다
① 성질이나 행동이 싹싹하고 부드러운 데가 있다.
예 그녀는 곰상스럽게 그를 타일렀다.
② 성질이나 행동이 잘고 꼼꼼한 데가 있다.
예 그 사람은 곰상스러워 실수하는 일이 없다.

곰파다 사물이나 일의 속내를 알려고 자세히 찾아보고 따지다.
예 그 사람은 호기심이 많아서 무엇이든 곰파는 성격이야.

괘다리적다
① 사람됨이 멋없고 거칠다.
② 성미가 무뚝뚝하고 퉁명스럽다.
예 임 교수님께서는 괘다리적어 보이시지만, 알고 보면 진짜 좋은 분이시다.

괴괴하다01 쓸쓸한 느낌이 들 정도로 아주 고요하다.
예 비 오는 밤거리는 으스스한 기분이야. 정말 괴괴하다. 그렇지?

괴란쩍다 얼굴이 붉어지도록 부끄러운 느낌이 있다.
예 한 입 두 입 건너는 동안에 소문은 별별 괴란쩍고 망측스러운 형상을 갖추게 되었다.

구듭 (주로 '치다'와 함께 쓰여) 귀찮고 힘든 남의 뒤치다꺼리.
예 영감은 괜히 남의 일을 버르집어 쓸데없이 구듭 치고 있었다.

구메농사
① 『농업』 농사 형편이 고르지 못하여 곳에 따라 풍작과 흉작이 같지 않은 농사.
예 작년 농사는 여기저기가 다 구메농사여서 이 주변은 다 흉년이었고 남쪽은 수확이 웬만했다.
② 『농업』 작은 규모로 짓는 농사.

구쁘다 배 속이 허전하여 자꾸 먹고 싶다.
예 식사를 안 한 것도 아닌데 속이 구쁘다.

구순하다 서로 사귀거나 지내는 데 사이가 좋아 화목하다.
예 새사람이 잘 들어와서 모처럼 집안이 구순해졌다.

구완 아픈 사람이나 해산한 사람을 간호함.
예 그 집은 병자 구완 때문에 재산을 다 써 버렸다.

국으로 제 생긴 그대로. 또는 자기 주제에 맞게.
예 국으로 굿이나 보고 떡이나 먹어라. / 국으로 있으면 중간이라도 가지.

군드러지다 몹시 피곤하거나 술에 취하여 정신없이 푹 쓰러져 자다.

예 그는 오늘도 술에 만취하여 집에 오자마자 군드러졌다.
작은말 **곤드라지다**
참고 **곤드레만드레** 술이나 잠에 몹시 취하여 정신을 차리지 못하고 몸을 못 가누는 모양.

그느르다
① 돌보고 보살펴 주다.
예 누나라고 어린 동생을 그느르는 걸 보면 조그만 녀석이 보통이 아니다.
② 흠이나 잘못을 덮어 주다.
예 제가 한 일이라고 친구의 잘못을 그느르고 있었다.

그루터기
① 풀이나 나무 따위의 아랫동아리. 또는 그것들을 베고 남은 아랫동아리.
예 소나무 그루터기에 걸터앉았다.
참고 **등걸** 줄기를 잘라 낸 나무의 밑동.
② 물체의 아랫동아리, 밑바탕이나 기초를 비유적으로 이르는 말.
예 산 그루터기에서부터 이미 숨이 차올랐다.

금새 물건의 값. 또는 물건값의 비싸고 싼 정도.
예 온실 속의 화초처럼 자란 그녀는 금새도 모르고 마냥 저렴하다고 했다.

까치놀 석양을 받은 먼바다의 수평선에서 번득거리는 노을.
예 먼바다의 까치놀을 등지고 서 있는 그녀의 모습.

깡그리다 일을 수습하여 마무리하다.
예 오늘은 하던 일을 대강 깡그리고 다 같이 회식이나 합시다.

꽃샘 이른 봄, 꽃이 필 무렵에 갑자기 날씨가 추워짐. 또는 그런 추위.
예 개화 소식이 전해지자마자 쌀쌀한 꽃샘이 목덜미로 스며든다.

꿰미 물건을 꿰는 데 쓰는 끈이나 꼬챙이 따위. 또는 거기에 무엇을 꿴 것.
예 시장에서 명태를 꿰미로 샀다.

끄나풀
① 길지 아니한 끈의 나부랭이.
예 그녀는 끄나풀로 야무지게 동여맸다.
② 남의 앞잡이 노릇을 하는 사람을 낮잡아 이르는 말.
예 그는 자신은 경찰 끄나풀이 아니라고 억울함을 호소했다.

끌밋하다 모양이나 차림새 따위가 매우 깨끗하고 훤칠하다.
예 우리 아버님은 풍채가 워낙 끌밋하셔서 어떤 옷이든 잘 어울리신다.

나부끼다 천, 종이, 머리카락 따위의 가벼운 물체가 바람을 받아서 가볍게 흔들리다. 또는 그렇게 하다.
예 바람에 국기가 나부끼다.
유의어 **너울거리다, 흔들리다, 나풀거리다**
참고 '나부끼다'는 얇은 천이나 종이 따위가 자꾸 흔들리는 모양인 '나붓나붓'과 관련되어 보이나 '나붓'을 제외한 '기다'가 무엇인지 분명하지 않으므로 원형을 밝히어 적지 않고 '나부끼다'로 적는다. '나붓기다'는 잘못이다.

나부대다 얌전히 있지 못하고 철없이 촐랑거리다. = **나대다**
예 어른들 앞에서는 나부대지 말고 얌전히 있어야 한다.

남새01 밭에서 기르는 농작물. = **채소**
예 그녀는 가을 남새를 다듬고 있었다.

남우세 남에게 비웃음과 놀림을 받게 됨. 또는 그 비웃음과 놀림.
예 그렇게 허술하게 차리고 나갔다가는 남우세를 받기 딱 좋겠다.
참고 **남우세스럽다** 남에게 놀림과 비웃음을 받을 듯하다.
= **남사스럽다**(2011년 표준어 등재)

낫잡다 금액, 나이, 수량, 수효 따위를 계산할 때에, 조금 넉넉하게 치다.
예 경비를 낫잡았더니 돈이 조금 남았다.

내리사랑 손윗사람이 손아랫사람을 사랑함. 또는 그런 사랑. 특히 자식에 대한 부모의 사랑을 이른다.
반의어 **치사랑** 손아랫사람이 손위사람을 사랑함. 또는 그런 사랑.
속담 **내리사랑은 있어도 치사랑은 없다** 윗사람이 아랫사람을 사랑하기는 하여도 아랫사람이 윗사람을 사랑하기는 좀처럼 어렵다는 말.

내숭 겉으로는 순해 보이나 속으로는 엉큼함.
예 내숭을 떨다. / 내숭을 피우다.

냅뜨다
① 일에 기운차게 앞질러 나서다.
예 홍철이는 매사에 남보다 먼저 냅뜨는 성미이다.
② 관계도 없는 일에 불쑥 참견하여 나서다.
예 어른들 대화에 냅뜨지 말아라.

너나들이 서로 너니 나니 하고 부르며 허물없이 말을 건넴. 또는 그런 사이.
예 그와는 너나들이로 지내는 처지이다.

너스레02 수다스럽게 떠벌려 늘어놓는 말이나 짓.
예 그녀의 걸쭉한 너스레에 우리 모임은 항상 화기애애하다.

넉살 부끄러운 기색이 없이 비위 좋게 구는 짓이나 성미.
예 그는 넉살이 좋아 어디 가서도 굶지는 않을 것 같다.

노닥노닥01 조금 수다스럽게 자꾸 재미있는 말을 늘어놓는 모양.
예 그는 친구와 노닥노닥 이야기를 나누었다.

놀금 물건을 살 때에, 팔지 않으려면 그만두라고 썩 낮게 부른 값.
예 우리 어머니께서는 시장에서 물건을 살 때, 짐짓 놀금을 부르신다.

눈썰미 한두 번 보고 곧 그대로 해내는 재주.

예 그는 눈썰미가 있어서 무슨 일이든 금방 배운다.

느닷없다 나타나는 모양이 아주 뜻밖이고 갑작스럽다.
예 그의 질문이 너무 느닷없어서 순간 당황했다.

늘비하다 질서 없이 여기저기 많이 늘어서 있거나 놓여 있다.
예 산 위에서 마을을 바라보니 집들이 늘비하다.
참고 **즐비하다(櫛比−−)** 빗살처럼 줄지어 빽빽하게 늘어서 있다.

능갈치다
① 교묘하게 잘 둘러대는 재주가 있다.
② 아주 능청스럽다.
예 배 부장은 능갈치게 코웃음을 치며 기다렸단 듯이 대답했다.

늦깎이
① 나이가 많이 들어서 어떤 일을 시작한 사람.
예 늦깎이로 시작한 학업이었던 만큼 그 길이 순탄치 않았다.
② 남보다 늦게 사리를 깨치는 일. 또는 그런 사람.
예 우리 애는 다른 애들에 비해 늦깎이인데, 잘 따라갈 수 있을까 걱정이야.

다따가 난데없이 갑자기.
예 이민이라니, 다따가 무슨 말인지 모르겠다.

다락같다
① 물건값이 매우 비싸다.
② 덩치나 규모 정도가 매우 크고 심하다.
예 하루하루 물가가 오르는 것이 다락같아 살 수가 없다.

다붓하다01 매우 가깝게 붙어 있다.
예 앞쪽이 많이 좁으니 뒤쪽 분들은 다붓하게 서 주세요.
다붓하다02 조용하고 호젓하다.
예 손자들이 제집으로 돌아가고 나니 집 안이 다붓해졌다.

닦아세우다 꼼짝 못 하게 휘몰아 나무라다.
예 김 부장은 부하 직원을 면전에서 닦아세우는 버릇이 있었다.
유의어 **닦달하다** 남을 단단히 윽박질러서 혼을 내다.

대근하다 견디기가 어지간히 힘들고 만만하지 않다.
예 오르막길에 들어서자 입을 벌리기도 대근하여 이야기는 한동안 끊겼다.

댓바람
① ('댓바람에', '댓바람으로' 꼴로 쓰여) 일이나 때를 당하여 서슴지 않고 당장.
예 만나기만 하면 댓바람에 멱살부터 잡아 줄 테다.
② ('댓바람에' 꼴로 쓰여) 일이나 때를 당하여 단 한 번.
예 놈을 댓바람에 때려눕혔다.
③ ('댓바람에', '댓바람부터' 꼴로 쓰여) 아주 이른 시간.
예 아침 댓바람부터 마수걸이가 제법 짭짤해서 신이 난 터였다.

댕기다 불이 옮아 붙다. 또는 그렇게 하다.
예 그의 마음에 불이 댕겼다. / 바싹 마른 나무가 불이 잘 댕긴다.

더끔더끔 어떤 것에 조금씩 자꾸 더하는 모양. '더금더금'보다 센 느낌을 준다.
예 밤이 되자, 눈이 녹지 않고 더끔더끔 쌓이기 시작했다.

더뻑거리다 앞뒤를 헤아리지 않고 자꾸 불쑥불쑥 행동하다.
= **더뻑대다**
예 김패기 군은 매사에 패기만 넘치고 더뻑거려 결과가 좋지 못할 때가 많다.

덖다01 때가 올라 몹시 찌들거나 때가 덕지덕지 묻다.
예 그는 축구를 얼마나 했는지 운동화가 덖어서 빨아도 때가 지워지지 않았다.
덖다02 물기가 조금 있는 고기나 약재, 곡식 따위를 물을 더하지 않고 타지 않을 정도로 볶아서 익히다.
예 요즈음은 집에서 직접 차를 덖기도 한다.

덤터기
① 남에게 넘겨씌우거나 남에게서 넘겨받은 허물이나 걱정거리.
예 남의 빚보증을 잘못 서는 바람에 덤터기로 남의 빚을 대신 갚아야 할 판이다.
② 억울한 누명이나 오명.
예 엉뚱한 사람에게 덤터기를 씌우지 마라.

덧거리
① 정해진 수량 이외에 덧붙이는 물건. = **곁들이**
예 배보다 배꼽이 크다더니 제 몫보다 덧거리가 더 많다.
② 사실에 보태어 없는 일을 덧붙여서 말함. 또는 그렇게 덧붙이는 말.
예 요즘 예민해서 그런지, 별것 아닌 덧거리 말에도 남모르게 속이 뒤집힌다.
참고 **덤** 제 값어치 외에 거저로 조금 더 얹어 주는 일. 또는 그런 물건.

데퉁스럽다 말과 행동이 거칠고 미련한 데가 있다.
예 그는 내가 무엇을 물어볼 때마다 얼굴을 찡그리며 데퉁스럽게 대꾸한다.

도두보다 실상보다 좋게 보다.
예 첫인상만 생각하고 사람을 도두보면 나중에 실망하기 십상이다.
참고 **도두치다** 실제보다 많게 셈을 치다.
예 값을 도두쳐 바가지를 씌워도 모르는 사람을 흔히들 '호구'라고 부른다.

도린곁 사람이 별로 가지 않는 외진 곳.
예 어렵사리 찾아간 그 사람의 집은 해변 후미진 도린곁에 있었다.

돈바르다 성미가 너그럽지 못하고 까다롭다.
예 윗사람이 돈바르면 아랫사람이 힘들다.

동그마니 사람이나 사물이 외따로 오뚝하게 있는 모양.
예 지영이는 왠지 자기 혼자만 동그마니 남는 것 같은 외로움 때문에 눈물이 날 것 같았다.

되알지다
① 힘주는 맛이나 억짓손이 몹시 세다.
예 그는 마음을 먹으면, 되알지게 밀어붙인다.
② 힘에 겨워 벅차다.
예 며칠째 계속된 일정으로 오늘은 매우 되알지게 느껴진다.
③ 몹시 올차고 야무지다.
예 벼 이삭이 되알지게 여물었다.

되통스럽다 찬찬하지 못하거나 미련하여 일을 잘 저지를 듯하다.
예 온 식구들이 모인 자리니, 되통스럽게 굴지 말고 얌전히 앉아 있어라.

된바람
① 매섭게 부는 바람. = **높바람**
예 갑자기 된바람이 불어와 담벼락을 무너뜨렸다.
② 뱃사람들의 말로, '북풍(北風)'을 이르는 말. = **뎬바람**

된서리
① 늦가을에 아주 되게 내리는 서리.
예 된서리 때문에 벼 수확에 지장이 생겼다.
참고 **무서리** 늦가을에 처음 내리는 묽은 서리.
② 모진 재앙이나 타격을 비유적으로 이르는 말.
예 이번 사건을 계기로 그동안 부정을 일삼던 관리들에게 된서리가 내릴 전망이다.

될성부르다 잘될 가망이 있어 보이다.
속담 **될성부른 나무는 떡잎부터 알아본다** 잘될 사람은 어려서부터 남달리 장래성이 엿보인다는 말로, 좋은 결과가 기대되는 일은 처음부터 잘됨을 비유적으로 이르는 말.

둔덕 가운데가 솟아서 불룩하게 언덕이 진 곳.
예 그는 강을 내려다보려고 둔덕에 올라섰다.

둔치 물가의 언덕.
예 한여름에는 한강 둔치에서 휴식을 취하는 사람들이 많다.

뒤란 집 뒤 울타리의 안.
예 집 뒤란에 여러 가지 꽃이 피어 있다.

뒷갈망 일의 뒤끝을 맡아서 처리함. = **뒷감당**
예 준하는 뒷갈망도 못하면서 일만 벌인다.

드레 인격적으로 점잖은 무게.
예 영어 선생님은 퍽 드레가 있어 보인다.

들고나다
① 남의 일에 참견하다.
예 괜히 남의 싸움에 들고나다 얻어맞지나 마라.
② 집 안의 물건을 팔려고 가지고 나가다.
예 이번 홍대 알뜰 장터에 들고나려고 쓸 만한 물건을 챙겼다.

들머리 들어가는 맨 첫머리. = **들목**
예 여기가 강원도로 들어가는 들머리이다.

따따부따 딱딱한 말씨로 따지고 다투는 소리. 또는 그 모양.
예 왜 사사건건 따따부따 남의 일에 참견이냐?

따지기 얼었던 흙이 풀리려고 하는 초봄 무렵.
예 따지기 무렵, 땅에서는 아지랑이가 올라오기 마련이다.
유의어 **해토머리(解土--)**

떠세 재물이나 힘 따위를 내세워 젠체하고 억지를 씀. 또는 그런 짓.
예 부잣집에 시집을 가더니 떠세가 지나치다.

뜨악하다 마음이 선뜻 내키지 않아 꺼림칙하고 싫다.
예 선애는 별로 탐탁스럽지가 않다는 듯 뜨악한 얼굴로 흘겨보았다.

뜸직하다 말이나 행동이 매우 속이 깊고 무게가 있다.
예 그 학생은 나이에 어울리지 않게 뜸직한 구석이 있어 호감이 간다.

마디다
① 쉽게 닳거나 없어지지 아니하다.
예 요즘 유행하는 향초는 마디게 타고 향기도 더 좋아졌다.
반의어 **헤프다** 쓰는 물건이 쉽게 닳거나 빨리 없어지는 듯하다.
② 자라는 속도가 더디다.

마름03 지주를 대리하여 소작권을 관리하는 사람.
예 〈동백꽃〉에서 점순이는 마름의 딸로, '나'는 소작인의 아들로 설정되어 있다.

마파람 뱃사람들의 은어로, '남풍(南風)'을 이르는 말.
속담 **마파람에 게 눈 감추듯** 음식을 빨리 먹어 버리는 모습을 비유적으로 이르는 말.

만무방 염치가 없이 막된 사람.
예 하은이는 선생님에 대한 예의도 모르는 만무방이다.

말결
① 말의 법칙.
예 아이들에게 언어를 가르칠 때에는 우리말의 말결에 맞게 쓰도록 지도해야 한다.
② (주로 '말결에' 꼴로 쓰여) 어떤 말을 할 때를 이르는 말.
예 정연이는 지나가는 말결에 결혼 이야기를 했던 것뿐이었다.

망석중 나무로 다듬어 만든 인형의 하나. 팔다리에 줄을 매어 그 줄을 움직여 춤을 추게 한다.
속담 **망석중 놀리듯** 사람을 자기 마음대로 부추겨 조롱함을 비유적으로 이르는 말.

매개01 일이 되어 가는 형편.
관용어 **매개(를) 보다** 일이 되어 가는 형편을 살피다.

매나니 무슨 일을 할 때 아무 도구도 가지지 아니하고 맨손뿐인 것.
예 삽이라도 있어야 땅을 파지 매나니로야 어떻게 하겠나?

매몰차다 인정이나 싹싹한 맛이 없고 아주 쌀쌀맞다.
예 매몰차게 돌아서다.

매캐하다 연기나 곰팡이 따위의 냄새가 약간 맵고 싸하다.
예 모처럼 불을 넣는 구들이라 방 안엔 연기가 매캐하다.

머드러기
① 과일이나 채소, 생선 따위의 많은 것 가운데서 다른 것들에 비해 굵거나 큰 것.
예 할인 판매가 시작되자, 주부들이 수북한 참외 더미 속에서 머드러기를 고르려고 몰려들었다.
② 여럿 가운데서 가장 좋은 물건이나 사람을 비유적으로 이르는 말.

머츰하다 계속해서 내리던 눈이나 비 따위가 잠시 잦아들어 멎는 듯하다.
예 아침이 되니 밤새 내리던 빗발이 머츰하다.

멀쑥하다
① 지저분함이 없이 훤하고 깨끗하다.
예 멀쑥한 옷차림.
② 멋없이 키가 크고 물러 옹골찬 데가 없다.
예 몸이 형편없이 야위었고 키만 멀쑥했다.
참고 **말쑥하다** 지저분함이 없이 말끔하고 깨끗하다. 세련되고 아담하다.

멧부리 산등성이나 산봉우리의 가장 높은 꼭대기.
예 뾰족뾰족한 멧부리에 구름이 걸쳐 있다.

멱차다
① 더 이상 할 수 없는 한도에 이르다.
예 유은이는 처음 해 보는 물놀이에 숨쉬기가 멱찼는지 물 밖으로 나가려고 바동거렸다.
② 일이 끝나다.

모개01 (주로 '모개로' 꼴로 쓰여) 죄다 한데 묶은 수효.
예 파장이라 싸게 드릴 테니, 이것들 모개로 사 가십시오.

모꼬지 놀이나 잔치 또는 그 밖의 일로 여러 사람이 모이는 일.
예 우리 과는 이번 주에 강촌으로 모꼬지를 떠난다.

모르쇠 아는 것이나 모르는 것이나 다 모른다고 잡아떼는 것.
관용어 **모르쇠(를) 잡다[대다]** 아무것도 모르는 체하거나 모른다고 잡아떼다.

모지라지다 물건의 끝이 닳아서 없어지다.
예 내 칫솔은 1개월을 쓰면 모지라진다.

모집다 허물이나 결함 따위를 명백하게 지적하다.
예 선생님께서는 학생들의 태도에 대해 정확하게 모집으셨다.

몰강스럽다 인정이 없이 억세며 성질이 악착같고 모질다.
예 그들은 그 비싼 이자를 몰강스럽게 다 챙겨 간다.

몽글리다02
① 어려운 일을 당하게 하여 단련시키다.
예 이런 때일수록 더욱 마음을 몽글려야 한다.
② 옷맵시를 가뜬하게 차려 모양을 내다.
예 오랜만에 정장을 입으며 몽글렸더니 조금 어색한 느낌이다.

무논
① 물이 괴어 있는 논.
예 무논에 안개가 자주 낀다.
② 물을 쉽게 댈 수 있는 논.
예 이곳 논들은 다 가뭄을 모르는 무논이다.

무드럭지다 '무덕지다(한데 수북이 쌓여 있거나 뭉쳐 있다.)'의 본말.
예 산에 눈이 무드럭지게 덮여 있다.
준말 **무덕지다**

무릇02 대체로 헤아려 생각하건대.
예 부모가 물려주는 거만의 유산은 무릇 불행을 낳기 쉽다.

묵정이 묵어서 오래된 물건.
예 우리 집 냉장고는 10년 된 묵정이다.

물꼬
① 논에 물이 넘어 들어오거나 나가게 하기 위하여 만든 좁은 통로.
예 가뭄이 몇 달째 계속되자 급기야 이웃 간에 물꼬 싸움이 붙었다.
② 어떤 일의 시작을 비유적으로 이르는 말.
예 남북 교류의 물꼬를 트다.

뭉근하다 세지 않은 불기운이 끊이지 않고 꾸준하다.
예 조림이나 미역국은 뭉근한 불로 오래 끓여야 맛이 난다.

미대다
① 하기 싫은 일이나 잘못된 일의 책임을 남에게 밀어 넘기다.
예 자기 일을 남에게 미대는 것도 일종의 버릇이다.
② 일을 제때에 하지 않고 오래 질질 끌다.
예 간단한 일을 왜 그리 미대고 있는지 모르겠다.

미쁘다 믿음성이 있다.
예 맡은 일에 대해 책임을 지는 수경이의 모습이 미쁘다.

미욱하다 하는 짓이나 됨됨이가 매우 어리석고 미련하다.
예 미욱한 것 같으면서도 그만한 감각은 있는 사람이니 믿어 보거라.

미주알고주알 아주 사소한 일까지 속속들이.
예 말하기 싫어하는 걸 굳이 미주알고주알 캐묻는 걸 보면 그 사람은 진짜 눈치가 없다.

민낯 화장을 하지 않은 얼굴.
예 그녀는 민낯으로 다녀도 얼굴이 참 곱더라.

유의어 **민얼굴** 꾸미지 않은 얼굴.

민틋하다 울퉁불퉁한 곳이 없이 평평하고 비스듬하다.
예 이발하고 온 남편의 뒷머리가 민틋하니 깨끗하다.

밍밍하다
① 음식 따위가 제맛이 나지 않고 몹시 싱겁다.
예 아버지는 국이 너무 밍밍하다며 간장으로 간을 맞추었다.
② 술이나 담배의 맛이 독하지 않고 몹시 싱겁다.
예 맥주는 너무 밍밍하니 소주로 마시자.
③ 마음이 몹시 허전하고 싱겁다.
예 그 둘은 오늘따라 밍밍해 보이는 게 꼭 남남처럼 굴더라.

바잡다
① 마음이 자꾸 끌리어 참기 어렵다.
예 몇 달 전부터 손을 꼽아 기다리던, 즐겁고 바잡던 그날이 왔다.
② 두렵고 염려스러워 조마조마하다.
예 성적 발표일이 다가오자 현준이는 마음이 바잡고 예민해졌다.

바장이다
① 부질없이 짧은 거리를 오락가락 거닐다.
② 마음에 걸리는 것이 있어서 머뭇머뭇하다.
예 공연히 이리저리 바장이다가 집으로 내려가는 길이야.

바투01
① 두 대상이나 물체의 사이가 썩 가깝게.
예 말에서 떨어지지 않으려면 고삐를 바투 잡아라.
② 시간이나 길이가 아주 짧게.
예 날짜를 너무 바투 잡은 거 아니니?

반색 매우 반가워함. 또는 그런 기색.
예 할머니는 놀러 온 외손자를 반색을 하며 안았다.

반지빠르다 말이나 행동 따위가 어수룩한 맛이 없이 얄미울 정도로 민첩하고 약삭빠르다.
예 은주는 반지빠르게 굴어서 정이 가지 않는다.

발보이다
① 남에게 자랑하기 위하여 자기가 가진 재주를 일부러 드러내 보이다.
예 그녀가 SNS에 발보이는 꼴이 싫어서 친구 차단을 해 버렸다.
② 무슨 일을 극히 적은 부분만 잠깐 드러내 보이다.
예 그 일은 좋은 것은 함께 나누고 싶어 하는 그녀의 성정이 발보이게 된 사건이다.

배냇짓 갓난아이가 자면서 웃거나 눈, 코, 입 따위를 쫑긋거리는 짓.
예 배냇짓을 하다가 잠든 아기는 세상모르고 자고 있었다.

버르집다
① 파서 헤치거나 크게 벌려 놓다.
예 동생은 속옷을 찾는다고 개어 둔 빨래를 몽땅 버르집었다.
② 숨겨진 일을 밖으로 들추어내다.
③ 작은 일을 크게 부풀려 떠벌리다.
예 언론은 대단치도 않은 일을 버르집는 나쁜 습성이 있다.

버성기다 벌어져서 틈이 있다.
예 문을 하도 잡아당겼더니 버성겨졌다.

번대다 쉬이 따르지 않고 고집스럽게 버티다.
예 그렇게 번대다가는 나중에 후회할 것이다.

벌충 손실이나 모자라는 것을 보태어 채움.
예 그녀는 간헐적 단식을 한다더니, 그동안 먹지 못한 것을 벌충이라도 하듯 마구 먹어 댔다.

벼리
① 그물의 위쪽 코를 꿰어 놓은 줄.
예 이제 벼리 당기는 일만 남았구나.
② 일이나 글의 뼈대가 되는 줄거리.
예 벼리도 파악하지 못했으면서 큰소리치지 마라.

볼멘소리 서운하거나 성이 나서 퉁명스럽게 하는 말투.
예 그녀의 말이라면 고분고분하던 주연이가 오늘은 무슨 일인지 볼멘소리를 했다.

볼모 약속 이행의 담보로 상대편에 잡혀 두는 사람이나 물건.
예 그것을 볼모로 잡고 수작을 부리고 있다.

부대끼다 사람이나 일에 시달려 크게 괴로움을 겪다.
예 출퇴근길 만원 버스에 부대끼다 지친 민경 씨는 드디어 새 차를 구입했다.

부전부전 남의 사정은 돌보지 아니하고 자기가 하고 싶은 일에만 서두르는 모양.
예 종국의 부전부전 재촉하는 소리에는 아랑곳없이, 광수는 속도를 낮추어 걷기 시작했다.

북새01 많은 사람이 야단스럽게 부산을 떨며 법석이는 일.
예 그 북새 속에서도 재민이는 공부에 열중했다.
참고 **북새통, 북새틈**

붙박다 움직이거나 다른 곳으로 옮겨 가지 못하도록 꼭 붙이거나 박아 놓다.
예 그는 천장에 전등을 붙박아 놓았다.
참고 **붙박이** 어느 한 자리에 정한 대로 박혀 있어서 움직임이 없는 상태. 또는 그런 사물이나 사람.

비나리 남의 환심을 사려고 아첨함.
예 그 여자는 비나리를 치는 일에 능숙하다.

빌미 재앙이나 탈 따위가 생기는 원인.
예 서운하게 들리겠지만, 나는 네가 빌미를 제공했다고 생각해.

빙충맞다 똘똘하지 못하고 어리석으며 수줍음을 타는 데가 있다.
예 젊은 애가 그런 빙충맞은 생각을 하고 그러니.

빙퉁그러지다
① 하는 짓이 꼭 비뚜로만 나가다.
② 성질이 싹싹하지 못하고 뒤틀어지다.
예 도영이는 하는 말마다 빙퉁그러져서 미움을 받는다.

사달 사고나 탈.
예 조마조마하더니만 결국 사달이 났구나.

사람멀미
① 많은 사람이 있는 곳에서 느끼는, 머리가 아프고 어지러운 증세.
예 오랜만에 명동으로 외출했더니, 사람멀미가 날 지경이었다.
② 여러 사람에게 부대끼고 시달려서 머리가 아프고 어지러운 증세.

사분사분하다02 성질이나 마음씨 따위가 부드럽고 너그럽다.
예 인선이는 사분사분해서 유치원 선생님이 되면 잘 어울릴 것이다.

사위다 불이 사그라져서 재가 되다.
예 바람이 심해서 숯불이 쉽게 사위었다.

사위스럽다 마음에 불길한 느낌이 들고 꺼림칙하다.
예 그런 사위스러운 예감은 왜 꼭 현실이 되는 걸까?

사재기 매점01(물건값이 오를 것을 예상하고 폭리를 얻기 위하여 물건을 몰아서 사들임.)을 일상적으로 이르는 말.
예 전쟁에 대한 불안감 때문에 라면과 생수 등을 사재기하는 사람들이 늘어나 품귀 현상이 일어났다.

사품 (흔히 '사품에' 꼴로 쓰여) 어떤 동작이나 일이 진행되는 바람이나 겨를.
예 낭떠러지에서 떨어지는 사품에 그만 정신을 잃고 말았다.

삭신 몸의 근육과 뼈마디.
예 삭신이 쑤시다. / 삭신이 느른하다.

삭정이 살아 있는 나무에 붙어 있는, 말라 죽은 가지.
예 산에 가서 땔감으로 쓸 삭정이 좀 주워 오너라.

살갑다
① 집이나 세간 따위가 겉으로 보기보다는 속이 너르다.
② 마음씨가 부드럽고 상냥하다.
예 계장님은 살가워서 장모님의 사랑을 듬뿍 받을 것 같다.
③ 닿는 느낌 같은 것이 가볍고 부드럽다.
④ 물건 따위에 정이 들다.

살피
① 땅과 땅 사이의 경계선을 간단히 나타낸 표.
예 고속 도로 공사 현장에 가면 차선을 구분 짓는 살피가 박혀 있다.
② 물건과 물건 사이를 구별 지은 표.
예 책들 사이에 살피를 끼워 참고서와 문학 서적을 구분하였다.

새물내 빨래하여 이제 막 입은 옷에서 나는 냄새.
예 요즘엔 자연스러운 향이 유행이라, 새물내 나는 향수도 있대.

새치부리다 몹시 사양하는 척하다.
예 신랑은 술을 무척 잘 마시는 술고래이지만, 결혼식 날인 오늘은 예의를 차리는지 계속 새치부렸다.

샛바람 뱃사람들의 은어로, '동풍(東風)'을 이르는 말.
예 그는 동해의 파도 소리와 샛바람 소리를 들으며 어린 시절을 보냈다.

생무지01 어떤 일에 익숙하지 못하고 서투른 사람.
예 생무지인 박 대리에게 이런 일을 맡겼으니 사달이 나지.

서름하다
① 남과 가깝지 못하고 사이가 조금 서먹하다.
예 그녀에게 고백을 한 후로 사이가 더 서름해졌다.
② 사물 따위에 익숙하지 못하고 서툴다.
예 내 차인데도 나는 아직도 서름하다.

선웃음 우습지도 않은데 꾸며서 웃는 웃음.
예 그녀는 솔직한 성격 탓에 선웃음조차 티가 난다.

섣부르다 솜씨가 설고 어설프다.
예 약점을 잡힐 수 있으니, 괜히 섣부른 짓 하지 마라.

설멍하다 옷이 몸에 맞지 않고 짧다.
예 그 배우가 입은 바지는 아무리 유행이라고 해도 내 눈에 설멍해 보일 뿐이다.

설핏하다 사이가 촘촘하지 않고 듬성듬성하다.
예 천막에서 떨어지는 추녀 물이 닿는 자리에 잡초가 설핏하게 자랐다.

섬돌 집채의 앞뒤에 오르내릴 수 있게 놓은 돌층계.
예 섬돌 위에 놓인 크고 작은 고무신 세 켤레.

성마르다 참을성이 없고 성질이 조급하다.
예 이거 원, 성마른 사람은 숨넘어가겠다.

소담하다01
① 생김새가 탐스럽다.
예 마당의 라일락이 소담하게 피었다.
② 음식이 풍족하여 먹음직하다.
예 손끝도 야무지고, 음식도 소담하게 담는구나.

소소리바람 이른 봄에 살 속으로 스며드는 듯한 차고 매서운 바람.

예 이렇게 매서운 찬바람이 이름은 안 어울리게 소소리바람이래.

솎다 촘촘히 있는 것을 군데군데 골라 뽑아 성기게 하다.
예 나무들은 적당히 솎아 주어야 볕을 잘 받아 더 잘 자란다.

손방01 아주 할 줄 모르는 솜씨.
예 윤희는 요즘 아이들답지 않게 컴퓨터 게임에는 영 손방이다.

손씻이 남의 수고에 보답하는 마음으로 적은 물건을 주는 일. 또는 그 물건.
예 이번 논문 연구에 수고한 조교들에게 손씻이로 상품권이라도 돌리는 게 어떨까요?

수굿하다 고개를 조금 숙이다.
예 영철이는 수굿하여 있던 고개를 쳐들며 힘차게 대답했다.

숫사람 거짓이 없고 순진하여 어수룩한 사람.
예 그녀의 맑은 얼굴엔 '숫사람'이라고 씌어 있는 것 같다.

슴벅이다 눈꺼풀이 움직이며 눈이 감겼다 떠졌다 하다. 또는 그렇게 되게 하다.
예 은혜는 자꾸 눈을 슴벅여 졸음을 깨려고 노력했다.

습습하다 마음이나 하는 짓이 활발하고 너그럽다.
예 하는 짓이 얼마나 습습한지 영락없이 사내아이였다.

승겁들다 힘을 들이지 않고 저절로 이루다.
예 겉보기에 그녀는 하는 일마다 승겁드는 것 같아, 사람들로부터 질투를 받았다.

시나브로 모르는 사이에 조금씩 조금씩.
예 그는 도박으로 지난 1년 동안 재산을 시나브로 잃었다.

시르죽다
① 기운을 차리지 못하다.
예 약 기운이 퍼져서인지 아이는 시르죽은 고양이처럼 웅크리고 잠들었다.
② 기를 펴지 못하다.

시름없다
① 근심과 걱정으로 맥이 없다.
예 그는 시름없는 얼굴로 힘겹게 터벅터벅 걷는다.
② 아무 생각이 없다.

시새우다 자기보다 잘되거나 나은 사람을 공연히 미워하고 싫어하다.
예 남이 잘되는 것을 시새우다.

시쁘다
① 마음에 차지 아니하여 시들하다.
예 달라는 대로 주었는데도 시쁜 표정이다.
② 껄렁하여 대수롭지 않다.
예 그런 시쁜 일에는 끼어들지 않겠어.

시적거리다 힘들이지 아니하고 느릿느릿 행동하거나 말하다.
예 그렇게 시적거리지 말고, 성의껏 좀 해라.
유의어 **시적대다, 시적시적하다**

실랑이
① 이러니저러니, 옳으니 그르니 하며 남을 못살게 굴거나 괴롭히는 일.
예 오늘도 빚쟁이들이 찾아와 실랑이를 하고 돌아갔다.
② 서로 자기주장을 고집하며 옥신각신하는 일. **= 승강이(昇降-)**
예 층간 소음 문제로 매일같이 옆집 사람들은 아래층 사람들과 실랑이를 벌였다.

실팍하다 사람이나 물건 따위가 보기에 매우 실하다.
예 그는 실팍한 몸집인데도 팔씨름 한번을 못 이겼다.

심드렁하다
① 마음에 탐탁하지 아니하여서 관심이 거의 없다.
예 속으로는 기뻤지만 일부러 심드렁한 표정을 지어 보였다.
② 병이 중하지 않고 오래 끌면서 그만저만하다.
예 어머님 병환은 악화되지는 않지만, 그렇다고 나아질 기미가 보이지도 않고 심드렁하다.

쏘개질 있는 일 없는 일을 얽어서 일러바치는 짓.
예 그 아줌마는 이웃들 간에 쏘개질을 해 가며 싸움을 붙이는 데 일등이다.

아귀차다
① 휘어잡기 어려울 만큼 벅차다.
② 마음이 굳세어 남에게 잘 꺾이지 아니하다. **= 아귀세다**
예 승원이는 얌전하면서도 아귀차서 일처리를 야무지게 한다.

아름드리 둘레가 한 아름이 넘는 것을 나타내는 말.
예 마을 한가운데에는 아름드리 느티나무가 당당한 모습으로 서 있었다.

아우르다 여럿을 모아 한 덩어리나 한 판이 되게 하다.
예 이번 문제는 팀원들의 의견을 아울러서 해결해야 한다.

아퀴01
① 일을 마무르는 끝매듭.
② 일이나 정황 따위가 빈틈없이 들어맞음을 이르는 말.
관용어 **아퀴(를) 짓다** 일이나 말을 끝마무리하다.

안갚음 자식이 커서 부모를 봉양하는 일. **= 반포(反哺)**
예 내리사랑에 대한 자식의 도리를 안갚음이라 한다.

안다미 남의 책임을 맡아 짐. 또는 그 책임. **= 안담(按擔)**
예 우리가 맡지도 않았던 그 일까지 왜 우리가 안다미를 써야 하나요?

안차다 겁이 없고 야무지다.
예 그 애는 워낙 안차서 제 할 말을 다 하고 기도 안 죽는다.

알심
① 은근히 동정하는 마음.
예 그녀는 태연한 체하는 동생을 보니 알심이 생겨 더 잘해 주려고 하였다.
② 보기보다 야무진 힘.
예 철수는 알심이 있어 수박도 맨손으로 쪼갰다.

알음장 눈치로 은밀히 알려 줌.
예 무턱대고 왜냐고 묻는 그녀에게 알음장을 주었지만, 그녀는 알아차리지 못했다.

알짬 여럿 가운데에 가장 중요한 내용.
예 참고서의 알짬만 뽑아서 따로 갈무리했다.

앙금01
① 녹말 따위의 아주 잘고 부드러운 가루가 물에 가라앉아 생긴 층.
예 앙금이 가라앉다.
② 마음속에 남아 있는 개운치 아니한 감정을 비유적으로 이르는 말.
예 그녀는 아직도 앙금이 가시지 않았는지 여전히 뾰로통해 있다.

애오라지
① '겨우'를 강조하여 이르는 말.
예 주머니에 애오라지 500원밖에 없어.
② '오로지'를 강조하여 이르는 말.
예 제가 원하는 것은 애오라지 천 원짜리 한 장입니다.

애잔하다
① 몹시 가냘프고 약하다.
예 그녀는 애잔해 보일 만큼 살이 쏙 빠졌다.
② 애처롭고 애틋하다.
예 그는 꼬부라진 할머니 모습이 되어 버린 어머니를 애잔한 눈빛으로 보았다.

야멸차다 자기만 생각하고 남의 사정을 돌볼 마음이 거의 없다.
예 우리는 마당에 내버려 두고 자기만 안으로 들어가는 걸 보니 참 야멸차구나.
참고 '야멸차다'는 본래 '야멸치다'의 비표준어였으나 2011년 8월 국립국어원에서 '야멸치다'와 어감에 차이가 있는 것으로 판단하여 표준어로 인정하였다.

야지랑스럽다 얄밉도록 능청맞고 천연스럽다.
예 누리꾼들은 야지랑스럽게도 근거 없는 추문(醜聞)을 만들어 내고 있다.
참고 **이지렁스럽다** 능청맞고 천연스럽다.

얌생이 남의 물건을 조금씩 슬쩍슬쩍 훔쳐 내는 짓을 속되게 이르는 말.
예 다른 사람의 저작물을 제 것인 양 사용하다니, 너무 얌생이인데?

어깃장 짐짓 어기대는 행동.
예 남녀 사이의 사랑은 제삼자가 어깃장을 놓는 경우가 많다.
참고 **어기대다** 순순히 따르지 아니하고 못마땅한 말이나 행동으로 뻗대다.

어엿하다 행동이 거리낌 없이 아주 당당하고 떳떳하다.
예 그로부터 20년이 지난 후 만난 내 첫사랑은 어엿한 두 아이의 아버지가 되어 있었다.

어지간하다
① 수준이 보통에 가깝거나 그보다 약간 더하다.
예 수학 성적은 어지간하게 올랐으니 이젠 국어 성적에 신경 좀 써라.
② 정도나 형편이 기준에 크게 벗어나지 아니한 상태에 있다.
예 어지간하면 네가 참아라.

어줍다
① 말이나 행동이 익숙지 않아 서투르고 어설프다.
예 아이들은 고사리 같은 손을 모아 어줍은 몸짓으로 절을 했다.
② 몸의 일부가 자유롭지 못하여 움직임이 자연스럽지 않다.
예 입이 얼어 발음이 어줍다.
③ 어쩔 줄을 몰라 겸연쩍거나 어색하다.
예 그는 나에게 어줍은 자세로 손을 내밀었다.

언걸
① 다른 사람 때문에 당하는 괴로움이나 해(害).
② 큰 고생.
예 그는 보증을 잘못 서서 언걸을 당하게 되었다.

언구럭 교묘한 말로 떠벌리며 남을 농락하는 짓.
예 그의 너스레는 음흉스러운 언구럭이 틀림없다.

엉너리 남의 환심을 사기 위하여 어벌쩡하게 서두르는 짓.
예 분위기가 험악해지자 민경이가 우스갯소리를 하면서 엉너리를 부렸다.

에누리
① 물건값을 받을 값보다 더 많이 부르는 일. 또는 그 물건값.
예 진짜 에누리 없이 원가에 파는 거예요.
② 값을 깎는 일.
예 그래도 에누리를 좀 해 주셔야 다음에 또 오지요.

에다01
① 칼 따위로 도려내듯 베다.
예 계곡의 밤바람이 코끝을 에어 낼 것처럼 휘몰아치고 있었다.
② 마음을 몹시 아프게 하다.
예 갑자기 가슴을 에는 듯한 슬픔이 몰아쳤다.

에두르다
① 에워서 둘러막다.
예 경찰이 집을 에두르고 범인에게 자수하기를 권했다.
② 바로 말하지 않고 짐작하여 알아듣도록 둘러대다.
예 너무 에둘러 말하는 통에 무슨 말인지 알아듣기가 어렵다.

여의다
① 부모나 사랑하는 사람이 죽어서 이별하다.
예 그는 일찍이 부모를 여의고 고아로 자랐다.
② 딸을 시집보내다.
예 막내딸을 여의다.

역성01 옳고 그름에는 관계없이 무조건 한쪽 편을 들어 주는 일.
예 어머니께서는 장남이라고 무조건 형의 역성만 드셨다.

열고나다
① 몹시 급하게 서두르다.
예 은미가 오늘따라 유독 열고나며 성화여서 다들 서두를 수밖에 없었다.
② 몹시 급한 일이 생기다.

열없다 좀 겸연쩍고 부끄럽다.
예 그는 가만히 앉아 있기가 열없어서 잔심부름이라도 할까 싶어 서성거렸다.

영절스럽다 아주 그럴듯하다.
예 지영이는 겉으로는 영절스럽지만 실천하는 건 하나도 없어서 탈이야.

오롯이01 모자람이 없이 온전하게.
예 이 책에는 옛 성인들의 가르침이 오롯이 담겨 있다.
오롯이02 고요하고 쓸쓸하게.
예 작은 별 하나가 오롯이 빛나고 있다.

오롯하다 모자람이 없이 온전하다.
부사 **오롯이**
예 할머니의 오롯한 사랑에 소녀는 구김살 없이 밝게 자랐다.

오붓하다 홀가분하면서 아늑하고 정답다.
예 우리 둘만 남은 시간은 진지한 대화를 나누기에 오붓해서 좋았다

오종종하다
① 잘고 둥근 물건들이 한데 빽빽하게 모여 있다.
예 그녀의 외모처럼 오종종한 글씨가 엽서에 빼곡히 찼다.
② 얼굴이 작고 옹졸한 데가 있다.
예 연예인들은 대부분 이목구비가 오종종하다.

오지랖 웃옷이나 윗도리에 입는 겉옷의 앞자락.
관용어 **오지랖이 넓다** 쓸데없이 지나치게 아무 일에나 참견하는 면이 있다.

옷깃차례 일의 순서가 오른쪽으로 돌아가는 차례. 한복 옷깃의 왼 자락이 오른 자락 위로 가게 입는 데서 유래한다.

옹골지다 실속이 있게 속이 꽉 차 있다.
예 책을 쓰는 일은 고되긴 하지만, 공부하는 재미가 옹골지다.

옹이
① 나무의 몸에 박힌 가지의 밑부분.
예 옹이를 밟고 올라가면 나무 타기가 쉽다.
② '굳은살'을 비유적으로 이르는 말.
예 손바닥에 옹이가 박히도록 일해도, 비룟값도 안 남는 농사를 계속 지어야 할지 고민이다.
③ 가슴에 맺힌 감정 따위를 비유적으로 이르는 말.

왜자하다
① 소문이 온 동네에 널리 퍼져 요란하다. = **왁자하다**
예 홀연히 나타난 그 사람에 대한 소문이 온 동네에 왜자하다.
② 왁자지껄하게 떠들썩하여 시끄럽다.

용심01 남을 시기하는 심술궂은 마음.
예 혼기가 꽉 찬 친구들은 저보다 먼저 결혼하는 그녀에게 괜히 용심을 부린다.

우두망찰하다 정신이 얼떨떨하여 어찌할 바를 모르다.
예 순발력이 없는 그녀는 갑작스러운 그의 고백에 우두망찰해 버렸다.

우렁잇속
① 내용이 복잡하여 헤아리기 어려운 일을 비유적으로 이르는 말.
예 지시가 하루에도 서너 번씩 바뀌니 도대체 일을 종잡을 수가 없어 우렁잇속이 되어 버렸어.
② 품은 생각을 모두 털어놓지 아니하는 의뭉스러운 속마음을 비유적으로 이르는 말.

우련하다 형태가 약간 나타나 보일 정도로 희미하다.
예 달빛 아래 벚꽃나무의 고운 자태가 우련하게 드러났다.
참고 **아련하다** 똑똑히 분간하기 힘들게 아렴풋하다.
예 가까운 산등성이에는 아련한 대로 제법 푸른 기가 돋아나고 있었다.

울력 여러 사람이 힘을 합하여 일함. 또는 그런 힘.
예 이번 환경 미화상은 우리 반 학생들의 울력으로 이뤄 낸 결과이다.

웅숭그리다 춥거나 두려워 몸을 궁상맞게 몹시 웅그리다.
예 열쇠를 잃어버린 아이가 문 앞에 몸을 잔뜩 웅숭그린 채 떨고 있었다.

윤슬 햇빛이나 달빛에 비치어 반짝이는 잔물결.
예 고향 땅의 봄 바다에 반짝이는 윤슬은 아름답다.

으르다01 물에 불린 쌀 따위를 방망이로 으깨다.
예 요즘에는 힘들여 방망이로 으르는 대신 믹서기나 착즙기를 사용한다.
으르다02 상대편이 겁을 먹도록 말이나 행동으로 위협하다.
예 강도가 칼을 들고 집주인을 으르자 집주인은 기절하였다.
참고 **을러대다** 위협적인 언동으로 을러서 남을 억누르다.
= 을러메다
예 아버지의 을러대는 소리에 나는 항변조차 할 수 없었다.
으름장 말과 행동으로 위협하는 짓.

을씨년스럽다 보기에 날씨나 분위기 따위가 몹시 스산하고 쓸쓸한 데가 있다.
예 하늘이 을씨년스러운 게 금방이라도 비가 쏟아질 것 같다.

의뭉하다 겉으로는 어리석은 것처럼 보이면서 속으로는 엉큼하다.
예 그는 어린아이가 돈을 갖고 있으면 안 좋은 법이라며, 의뭉한 수법으로 아이들의 코묻은 돈을 알겨먹었다.

이악하다
① 달라붙는 기세가 굳세고 끈덕지다.
예 그녀는 실연의 상처를 치유하기 위해 이악하게 일에 매달렸다.
② 이익을 위하여 지나치게 아득바득하는 태도가 있다.

예 십 원 한 장 손해 보지 않으려는 듯한 그녀의 이악한 태도는 사람들을 질리게 만든다.

이울다
① 꽃이나 잎이 시들다.
예 이른 서리에 꽃들이 죄다 이울었다.
② 점점 쇠약하여지다.
예 여러 사건으로 국운이 이우는 것이 아닌가 하는 우려 섞인 목소리가 커졌다.
③ 해나 달의 빛이 약해지거나 스러지다.

이지러지다
① 한쪽 귀퉁이가 떨어져 없어지다.
예 이리저리 깎이고 닳아서 이지러진 조약돌들이 보석처럼 반짝였다.
② 달 따위가 한쪽이 차지 않다.
예 좀 이지러지긴 했지만 제법 밝은 달이 비치고 있었다.
③ 불쾌한 감정 따위로 얼굴이 일그러지다.
예 성희는 기분이 좋지 않은지 표정이 이지러져 있었다.
④ 성격, 생각, 행동 따위가 바르지 못하고 비뚤어지다.

입찬말 자기의 지위나 능력을 믿고 지나치게 장담하는 말.
= 입찬소리
예 입찬말을 한 만큼 약속도 지켜야 할 텐데.

자닝하다 애처롭고 불쌍하여 차마 보기 어렵다.
예 화마에 자식을 잃은 어미의 모습은 차마 눈 뜨고는 볼 수 없을 정도로 자닝했다.

자리끼 밤에 자다가 마시기 위하여 잠자리의 머리맡에 준비하여 두는 물.
예 어머님께서는 항상 할머니 이부자리 위편에 자리끼를 놓으신다.

자리보전 병이 들어서 자리를 깔고 몸져누움.
예 외할머니께서는 방문을 굳이 닫고 그대로 자리보전을 하시고 드러누워 버리셨다.

자못 생각보다 매우.
예 친척들도 그녀의 옷차림이 자못 불만이었던 모양이다.

자빡01 결정적인 거절.
관용어 **자빡(을) 대다[치다]** 아주 딱 잘라 거절하다.
예 안 된다고 조심스레 얘기해도 될 것을 그렇게 무정스럽게 자빡을 치고 그래.

자투리 『복식』 자로 재어 팔거나 재단하다가 남은 천의 조각.
예 자투리를 잘 모아서 이어 붙이면 그 또한 멋진 작품이 되기도 한다.

잔달음 발걸음을 좁게 자주 떼면서 바삐 뛰어 달려가는 걸음.
예 그녀는 길고 폭이 좁은 치마 때문에 잔달음 칠 수밖에 없었다.

잡도리
① 단단히 준비하거나 대책을 세움. 또는 그 대책.
예 결심을 한 듯 그녀는 잡도리를 다 해 놓았던 것이다.
② 잘못되지 않도록 엄하게 단속하는 일.
예 비밀이 새지 못하게 잡도리를 단단히 해라.
③ 아주 요란스럽게 닦달하거나 족치는 일.
참고 **단도리** '채비', '단속'을 속되게 이르는 일본어로, '채비' 또는 '단속(團束)'으로 순화해서 사용해야 한다.

잡을손 일을 다잡아 해내는 솜씨.
관용어 **잡을손(이) 뜨다** 일을 다잡아 하지도 않고, 한다 해도 매우 굼뜨다.

잣다02
① 물레 따위로 섬유에서 실을 뽑다.
예 명주실을 잣다.
② 양수기나 펌프 따위로 낮은 데 있는 물을 빨아 올리다.
예 펌프는 처음에 물을 넣고 여러 번 자아야 물이 올라온다.

재우치다 빨리 몰아치거나 재촉하다.
예 뒤에서 따라오는 발소리에 불안해진 여자는 발걸음을 더욱 재우쳤다.

제꺼덕01 어떤 일을 아주 시원스럽게 빨리 해치우는 모양.
예 교수의 주문에 응해서 우리는 제꺼덕 몸을 놀렸다.

제출물에 저 혼자서 절로.
예 제출물에 그리 되었으니 누구를 탓할 수도 없다.

조라떨다 일을 망치도록 경망스럽게 굴다.
예 작은아버지는 아버지의 성공이 배가 아픈지 일부러 조라떠는 것 같았다.

조촐하다 = 조하다
① 아담하고 깨끗하다.
예 반찬은 없지만 조촐한 밥상이다.
② 행동, 행실 따위가 깔끔하고 얌전하다.
예 그 사람은 미남은 아니지만, 조촐한 태도 때문에 매력적으로 느껴졌다.
③ 외모나 모습 따위가 말쑥하고 맵시가 있다.
④ 호젓하고 단출하다.

족대기다
① 다른 사람을 견디지 못할 정도로 볶아치다.
예 그들이 어디에 숨어 있는지 대라고 족대겼다.
유의어 **족치다**
② 마구 두들겨 패다.
예 그는 부아가 났다 하면 세간이라는 세간은 모조리 족대겨 없애곤 했다.

졸가리
① 잎이 다 떨어진 나뭇가지.
예 겨울이 되니 나무들이 졸가리만 앙상하게 드러내고 있다.
② 사물의 군더더기를 다 떼어 버린 나머지의 골자.
예 우선은 졸가리부터 처리하고 자잘한 일들을 정리해 가도록 하자.

종요롭다 없어서는 안 될 정도로 매우 긴요하다.
예 이번 사안은 우리 회사를 키우는 데 종요로운 일이므로 모두의 적극적인 협조를 바랍니다.

주전부리
① 때를 가리지 아니하고 군음식을 자꾸 먹음. 또는 그런 입버릇.
예 주전부리를 많이 해 입맛이 없다.
② 맛이나 재미, 심심풀이로 먹는 음식.
예 최근에는 견과류를 주전부리로 많이 먹는다.

지다위
① 남에게 등을 대고 의지하거나 떼를 씀.
예 아이가 엄마에게 지다위를 하며 보챈다.
② 자기의 허물을 남에게 덮어씌움.
예 이게 지금 누구에게 지다위를 하려는 수작이야?

지질하다01 보잘것없고 변변하지 못하다.
예 그의 지질한 행동들을 보니 같이 일하고 싶지가 않다.
지질하다02 싫증이 날 만큼 지루하다.
예 그 드라마는 지질하게 계속 이야기를 끌고 있다.

지청구
① 아랫사람의 잘못을 꾸짖는 말. = **꾸지람**
예 제 잘못이니 누구를 지청구할 수도 없었다.
② 까닭 없이 남을 탓하고 원망함.
예 시도 때도 없이 깜박깜박하는 바람에 아내에게 지청구를 들었다.

찌그렁이
① 남에게 무턱대고 억지로 떼를 쓰는 짓. 또는 그런 사람.
예 안 된다고 하는데 왜 자꾸 찌그렁이를 부리냐?
② 제대로 여물지 못하여 찌그러진 열매.

찜부럭 몸이나 마음이 괴로울 때 걸핏하면 짜증을 내는 짓.
예 아이는 잠투정으로 찜부럭을 부렸다.

책상물림 책상 앞에 앉아 글공부만 하여 세상일을 잘 모르는 사람을 낮잡아 이르는 말.
예 현장 사람들은 사무직을 책상물림이라고 신뢰하지 않는 눈치였다.

천둥벌거숭이 철없이 두려운 줄 모르고 함부로 덤벙거리거나 날뛰는 사람을 비유적으로 이르는 말.
예 하룻강아지 범 무서운 줄 모른다더니, 이 천둥벌거숭이를 어쩌면 좋지?

천량 개인 살림살이의 재산.
예 그는 천량이 제법 있어도 물려줄 일가붙이 하나 없어 처량하기만 했다.

추지다 물기가 배어 눅눅하다.
예 비를 맞아 추진 몸이 금세 오슬오슬해진다.

치레01
① 잘 손질하여 모양을 냄.
예 치레에 정신없이 바쁘다.
② 무슨 일에 실속 이상으로 꾸미어 드러냄.
예 요즘 돌잔치는 의미 없이 치레로 흐르는 분위기이라 달갑잖다.

칠칠하다
① 나무, 풀, 머리털 따위가 잘 자라서 알차고 길다.
예 흔히들 말하는 '삼단 같은 머리'는 검고 칠칠한 머리를 말하는 것이다.
② (주로 '못하다', '않다'와 함께 쓰여) 주접이 들지 아니하고 깨끗하고 단정하다.
예 호필이는 자신의 칠칠치 못한 차림에 대한 사람들의 시선을 느꼈다.
③ (주로 '못하다', '않다'와 함께 쓰여) 성질이나 일 처리가 반듯하고 야무지다.
예 그는 매사에 칠칠치 않았다.

켕기다
① 단단하고 팽팽하게 되다.
예 그는 켕긴 연줄을 힘껏 당겼다가 다시 놓았다.
② 마음속으로 겁이 나고 탈이 날까 불안해하다.
예 큰소리치지만 속으로는 켕기는 것이 있는 모양이군.
③ 마주 버티다.
예 그들은 서로 켕기어 양보할 줄을 모른다.

코숭이
① 산줄기의 끝. = **산코숭이**
예 해가 떠오르는 것을 보려고 새벽같이 뒷산의 코숭이에 올랐다.
② 물체의 뾰족하게 내민 앞의 끝부분.
예 그의 손에는 신발 코숭이가 비죽이 내보이는 꾸러미가 들려 있었다.

콩케팥케 사물이 뒤섞여서 뒤죽박죽된 것을 이르는 말.
예 정리되지 않은 이삿짐 때문에 집 안이 콩케팥케이다.

킷값 키에 알맞게 하는 행동을 낮잡아 이르는 말.
예 야, 너는 킷값도 못하고, 도대체 어쩌자는 것이냐?

ㅌ

타끈하다 치사하고 인색하며 욕심이 많다.
예 놀부는 동생인 흥부에게조차 타끈하게 굴었다.

타울거리다 어떤 일을 이루려고 바득바득 애를 쓰다.
= **타울대다**
예 재산이란 지키려고 아등바등 타울거리기만 한다고 지켜지는 것이 아니었다.

톡탁치다 옳고 그름을 가리지 아니하고 모두 쓸어 없애다.
예 그는 앞뒤 가리지 않고 톡탁칠 기세였다.

투미하다 어리석고 둔하다.
예 지금은 똑 부러지지만, 예전에 그녀는 너무 투미해서 별명이 '돌부처'였다.

튼실하다 튼튼하고 실하다.
예 윤희는 보기에도 튼실하게 생겼다.

틀거지 듬직하고 위엄이 있는 겉모양.
예 박 회장은 허우대며 틀거지가 그럴듯했다.

티격나다 서로 뜻이 맞지 아니하여 사이가 벌어지다.
예 서로 절친이라더니 별거 아닌 일로 티격났대.
참고 **티격태격** 서로 뜻이 맞지 아니하여 이러니저러니 시비를 따지며 가리는 모양.
예 그 둘은 그렇게 티격태격하더니 미운 정이 들었나 보더라.

푹하다 겨울 날씨가 퍽 따뜻하다.
예 한겨울인데 날씨가 푹하니 갑자기 개나리가 피었다.

푼더분하다
① 생김새가 두툼하고 탐스럽다.
예 진주는 푼더분하게 생겨서인지 맏며느리감이라고들 한다.
② 여유가 있고 넉넉하다.
예 아버님께서는 맞지도 않는 옷을 푼더분하게 입고 계셨다.
③ 사람의 성품 따위가 옹졸하지 아니하고 활달하다.
예 재형이는 걱실걱실하고 푼더분하다.

풀치다 맺혔던 생각을 돌려 너그럽게 용서하다.
예 그녀는 책망하던 마음을 풀쳐 버리려고 애썼다.

하늬바람 서쪽에서 부는 바람. 주로 농촌이나 어촌에서 이르는 말이다.
예 그리 세지 않은 하늬바람에 흔들리는 나뭇가지에서 가끔 눈가루가 날린다.

하리놀다 남을 헐뜯어 윗사람에게 일러바치다.
예 혹시라도 속내를 이야기했다가 누가 하리놀면 불이익을 당할까 싶었기 때문이다.

하릴없이
① 달리 어떻게 할 도리가 없이.
예 학교 일진의 협박에 하릴없이 돈을 뜯겼다.
② 조금도 틀림이 없이.

한풀 기세나 기운이 어느 정도로.
예 서릿발같이 호통을 치시던 어머니께서도 나이가 드셨는지 한풀 꺾이신 것 같아 마음이 아팠다.

함함하다01
① 털이 보드랍고 반지르르하다.
② 소담하고 탐스럽다.
예 포도가 함함하게 열렸다.
속담 **고슴도치도 제 새끼는 함함하다고 한다** 어버이 눈에는 제 자식은 다 예뻐 보인다는 뜻으로 이르는 말.

행짜 심술을 부려 남을 해롭게 하는 행위.
예 행짜를 부리다. / 행짜를 거두지 않을 작정인 듯했다.

허발 몹시 굶주려 있거나 궁하여 체면 없이 함부로 먹거나 덤빔.
예 출세하러 갔던 이몽룡은 그동안 얼마나 굶었는지 가져다 주는 대로 허발을 하며 먹어 치웠다.

허섭스레기 좋은 것이 빠지고 난 뒤에 남은 허름한 물건.
= 허접쓰레기(2011년 표준어로 등재)
예 너에게는 이것이 허섭스레기처럼 보일지 몰라도 나에게는 추억이 담긴 물건이야!

허수하다01
① 마음이 허전하고 서운하다.
예 막내딸마저 시집가고 나니 허수한 마음을 감출 수 없었다.
② 짜임새나 단정함이 없이 느슨하다.
예 명품이라고 하기엔 영 허수해서 감정을 받아 보니 역시 가품이었다.

헤살 일을 짓궂게 훼방함. 또는 그런 짓.
예 도와주기는커녕 헤살을 놓는 바람에 일을 다 망쳤다.

흐드러지다
① 매우 탐스럽거나 한창 성하다.
예 흐드러지게 핀 꽃을 보니 완연한 봄이라는 생각이 들었다.
② 매우 흐뭇하거나 푸지다.
예 그의 흐드러지는 익살에 웃음꽃이 피었다.

희나리 채 마르지 아니한 장작.
예 희나리가 타면서 내는 탁탁거리는 소리는 분위기를 무르익게 했다.

기억률 200% 바로확인 문제

[1~5] 다음 단어들의 뜻을 바르게 연결하고, (　　)에 들어갈 적절한 단어를 고르시오.

새사람이 들어와서 모처럼 (　　) 집안에 평지풍파 일으키지 말게.

1 가붓한 • 　　• ㉠ 조금 가벼운 듯하다.
2 구순한 • 　　• ㉡ 모자람이 없이 넉넉하다.
3 끌밋한 • 　　• ㉢ 마음이 허전하고 서운하다.
4 푼푼한 • 　　• ㉣ 서로 사귀거나 지내는 데 사이가 좋아 화목하다.
5 허수한 • 　　• ㉤ 모양이나 차림새 따위가 매우 깨끗하고 훤칠하다.

[6~10] 다음 단어들의 뜻을 바르게 연결하고, (　　)에 들어갈 적절한 단어를 고르시오.

아이가 엄마에게 (　　)을/를 하며 보챘다.

6 갈무리 • 　　• ㉠ 귀찮고 힘든 남의 뒤치다꺼리.
7 구듭 • 　　• ㉡ 일을 짓궂게 훼방함. 또는 그런 짓.
8 지다위 • 　　• ㉢ 물건 따위를 잘 정리하거나 간수함.
9 허발 • 　　• ㉣ 남에게 등을 대고 의지하거나 떼를 씀.
10 헤살 • 　　• ㉤ 몹시 굶주려 있거나 궁하여 체면 없이 함부로 먹거나 덤빔.

[11~15] 다음 단어들의 뜻을 바르게 연결하고, (　　)에 들어갈 적절한 단어를 고르시오.

일이 몹시 (　　) 체력이 달린다.

11 되알져 • 　　• ㉠ 힘에 겨워 벅차다.
12 뒤슬러서 • 　　• ㉡ 몸을 이리저리 뒤척이다.
13 사위스러워 • 　　• ㉢ 한쪽 귀퉁이가 떨어져 없어지다.
14 알겨먹어 • 　　• ㉣ 마음에 불길한 느낌이 들고 꺼림칙하다.
15 이지러져 • 　　• ㉤ 남의 재물 따위를 좀스러운 말과 행위로 꾀어 빼앗아 가지다.

정답
[1 ~ 5] 구순한 1 ㉠ 2 ㉣ 3 ㉤ 4 ㉡ 5 ㉢ [6 ~ 10] 지다위 6 ㉢ 7 ㉠ 8 ㉣ 9 ㉤ 10 ㉡
[11 ~ 15] 되알져 11 ㉠ 12 ㉡ 13 ㉣ 14 ㉤ 15 ㉢

[16~20] 다음 고유어의 뜻을 바르게 연결하고, (　　)에 들어갈 적절한 단어를 고르시오.

그가 살아온 길지 않은 세월 중에서 가장 (　　) 걱정이 없었던 때는…….

16 무람없고 • • ㉠ 마음에 차지 아니하여 시들하다.

17 가뭇없고 • • ㉡ 허술한 데가 없이 알차다.

18 오달지고 • • ㉢ 보이던 것이 전혀 보이지 않아 찾을 곳이 감감하다.

19 시쁘고 • • ㉣ 주접이 들지 아니하고 깨끗하고 단정하다.

20 칠칠하고 • • ㉤ 예의를 지키지 않으며 삼가고 조심하는 것이 없다.

[21~25] 다음 고유어의 뜻을 바르게 연결하고, (　　)에 들어갈 적절한 단어를 고르시오.

우리가 쓸 수 있는 물자가 (　　) 이것밖에 남지 않았단 말이냐?

21 드레 • • ㉠ 생각보다 매우.

22 손방 • • ㉡ 인격적으로 점잖은 무게.

23 애오라지 • • ㉢ 아주 할 줄 모르는 솜씨.

24 여북 • • ㉣ '겨우'를 강조하여 이르는 말.

25 자못 • • ㉤ '얼마나', '오죽'의 뜻으로 안타까운 마음을 나타냄.

[26~30] 다음 고유어의 뜻을 바르게 연결하고, (　　)에 들어갈 적절한 단어를 고르시오.

이번 기술 제휴는 우리 회사를 키우는 데 (　　) 일이므로 모두가 성심을 다해야 한다.

26 다붓한 • • ㉠ 없어서는 안 될 정도로 매우 긴요하다.

27 바장이는 • • ㉡ 마음이나 하는 짓이 활발하고 너그럽다.

28 습습한 • • ㉢ 마음에 걸리는 것이 있어서 머뭇머뭇하다.

29 종요로운 • • ㉣ 매우 가깝게 붙어 있다. 조용하고 호젓하다.

30 해찰한 • • ㉤ 마음에 썩 내키지 아니하여 물건을 부질없이 이것저것 집적거려 해치다.

정답

[16 ~ 20] 오달지고 16 ㉤ 17 ㉢ 18 ㉡ 19 ㉠ 20 ㉣
[21 ~ 25] 애오라지 21 ㉡ 22 ㉢ 23 ㉣ 24 ㉤ 25 ㉠
[26 ~ 30] 종요로운 26 ㉣ 27 ㉢ 28 ㉡ 29 ㉠ 30 ㉤

02 고유어

기출변형 문제

정답 P 2

1 다음 (   )에 들어갈 단어로 적절한 것은?

> 그는 대단치도 않은 일을 낱낱이 들춰내고 (   ) 나쁜 습성 때문에 사람들에게서 멀어졌다.

① 갈마드는
② 알겯는
③ 나부끼는
④ 마무르는
⑤ 버르집는

2 다음 중 〈보기〉의 ㉠~㉢에 들어갈 단어를 바르게 나열한 것은?

> 보 기
> • 그 사람은 키는 작아도 몸은 제법 (㉠) 편이라 미쁘다.
> • 창업을 한 지 넉 달째부터 매출이 (㉡) 늘고 있다.
> • 그녀는 어려서부터 (㉢) 집안에서 넉넉하게 자라서인지 매우 너그럽다.

	㉠	㉡	㉢
①	실팍한	팍팍하게	쏠쏠한
②	실팍한	쏠쏠하게	푼푼한
③	쏠쏠한	실팍하게	푼푼한
④	팍팍한	쏠쏠하게	실팍한
⑤	팍팍한	실팍하게	쏠쏠한

3 다음 중 〈보기〉의 뜻풀이를 참고했을 때, (   )에 들어갈 알맞은 단어는?

> 보 기
> [뜻풀이] 성질이 까다롭지 아니하여 순하고 무던하다.
> [예　문] 사람이란 (   ) 어수룩한 맛이 있어야지.

① 곰살궂고
② 사분사분하고
③ 깔밋하고
④ 수더분하고
⑤ 유순하고

4 다음 중 〈보기〉의 ㉠~㉤의 의미에 대해 잘못 이해한 것은?

보기

- 초행길이라 ㉠길라잡이인 셰르파가 앞장서도록 했다.
- 밖에는 ㉡땅거미가 묽은 안개 퍼지듯 내리고 있었다.
- 동물들의 등을 간질이듯 내리다 마는 ㉢여우비가 지나갔다.
- 나뭇결에 따라 이따금 박혀 있는 ㉣옹이는 그 나무의 역사이기도 했다.
- 저희들끼리 ㉤짬짜미를 하고 나에게 술래를 시키려는 요량이 분명했다.

① ㉠은 문맥으로 보아 '길을 인도해 주는 사람'이라는 뜻일 것이다.
② ㉡은 한자어로 '황혼(黃昏)'으로 바꾸어 쓸 수 있다.
③ ㉢은 '잠깐 오다가 그치는 비'를 뜻하므로 문맥에 따라 '소나기'로 바꾸어 써도 무방하다.
④ ㉣은 '손바닥에 옹이가 박혔다.'와 같이 '굳은살'을 비유하는 표현으로도 쓰인다.
⑤ ㉤은 문맥에 따라 '끼리끼리만 내통하거나 어울려서 손발을 맞추는 일'인 '짝짜꿍이'로 바꾸어도 된다.

5 다음 중 〈보기〉의 밑줄 친 부분의 문맥적 의미로 적절하지 않은 것은?

보기

나는 그들과 함께하는 것이 스스러운 일이었음에도 불구하고 그들이 나에게 스스럼없이 대하는 것이 불편했다.

① 낯설다
② 막막하다
③ 어색하다
④ 서먹서먹하다
⑤ 조심스럽다

6 다음 중 밑줄 친 부분의 단어를 대치할 표현으로 가장 적절한 것은?

그는 계획한 대로 오늘 행사를 앙그러지게 꾸며 놓았다.

① 달성(達成)
② 부족(不足)
③ 손상(損傷)
④ 와해(瓦解)
⑤ 조화(調和)

7 **다음 중 밑줄 친 단어의 뜻풀이가 바르지 않은 것은?**

① 뒤곁은 다붓하니 조용했다. → 조용하고 호젓하다.

② 사장은 마뜩지 않다는 듯 잔뜩 인상을 썼다. → 제법 마음에 들 만하다.

③ 그 사람은 돈에는 이악스럽기 그지없다. → 이익을 위하여 지나치게 아득바득하는 태도가 있다.

④ 스스로가 미욱하게 느껴져서 속이 상했다. → 하는 짓이나 됨됨이가 매우 어리석고 미련하다.

⑤ 서로에 대한 그들의 열정은 아주 헤식게 풀어졌다. → 자신도 모르는 사이에 조금씩.

8 **밑줄 친 부분을 비슷한 의미의 다른 단어로 바꾼 것 중 바르지 않은 것은?**

① 그 물건은 좀체 구할 수가 없다. → 여간해서

② 그렇게 해 주시면 작히나 좋겠습니까? → 여북

③ 내 친구는 자못 심각한 목소리로 내게 물었다. → 줄곧

④ 걱정했던 일이 별 큰일이 아니구나 싶어 적이 안심이 되었다. → 다소

⑤ 언니는 이미 다 알면서도 동생의 얘기에 짐짓 놀라는 표정을 지었다. → 일부러

9 **다음 중 밑줄 친 부분의 쓰임이 바르지 <u>않은</u> 것은?**

① 그는 핀잔을 듣고 <u>고까운</u> 표정을 지었다.
② 그의 입가에는 엷은 미소가 <u>어리고</u> 있었다.
③ 그녀의 개입으로 잘되던 일이 뒤엎어져 <u>곤죽</u>이 되었다.
④ 딸아이는 누구에게나 <u>곰살궂게</u> 굴어 어른들에게 예쁨을 받았다.
⑤ 그는 뭐 하나 빠지는 것 없이 <u>반드레해서</u> 주변 사람들에게 인기가 좋다.

03 한자어

시험에 나온! 나올!
필수개념

기출복원 문제

한자어의 사전적 의미

다음 중 〈보기〉의 뜻풀이를 참고했을 때, (   )에 들어갈 알맞은 단어는?

> 보기
>
> [뜻풀이] 뜻밖의 사고가 생기지 않도록 조심하여 단속함.
> [예　문] 겨울철에는 특히 교통사고 예방을 위한 (   )를 게을리해서는 안 된다.

① 감시(監視)　② 경계(警戒)　③ 대비(對備)
④ 보호(保護)　⑤ 주의(注意)

유형 익히기 ▶ 한자어의 사전적 의미와 문맥적 의미를 동시에 확인하는 유형으로, 정답은 ② 경계(警戒)이다.
① 단속하기 위하여 주의 깊게 살핌. ③ 앞으로 일어날지도 모르는 어떠한 일에 대응하기 위하여 미리 준비함. 또는 그런 준비.
④ 위험이나 곤란 따위가 미치지 아니하도록 잘 보살펴 돌봄. ⑤ 마음에 새겨 두고 조심함. 또는 경고나 훈계의 뜻으로 일깨움.

한자어의 문맥적 의미

다음 중 밑줄 친 한자어를 다른 표현으로 바꾼 것 중 적절하지 않은 것은?

① 그의 이야기로 일순(一瞬)에 상황이 뒤바뀌었다. → 단 한순간에
② 그 어르신께서는 전 재산을 모교에 기탁(寄託)하셨다. → 맡기셨다
③ 어머니께서는 지금처럼 유여(裕餘)한 살림을 해 보신 적이 없다. → 구차한
④ 박 교수가 부쩍 서예에 열을 올리는 것은 근자(近者)의 일이다. → 요 얼마 동안의
⑤ 그녀는 투박하고 조악(粗惡)한 싸구려 옷장을 일부러 가져다 두었다. → 거칠고 나쁜

유형 익히기 ▶ ③의 '유여(裕餘)하다'는 '모자라지 않고 넉넉하다.'의 의미를 지니므로 '구차하다'와는 어울리지 않는다. '구차하다'는 '살림이 몹시 가난하다.'의 의미이므로, 문맥상 '유여(裕餘)한'은 '넉넉한'으로 대체하는 것이 적절하다.
⑤ '조악(粗惡)하다'의 사전적 의미는 '거칠고 나쁘다.'이다.

한자어의 쓰임(용법)

다음 중 문맥상 밑줄 친 부분의 쓰임이 올바른 것은?

① 이번 참사로 온 국민이 기탄(忌憚)을 금치 못했다.
② 이미 정해진 방침을 우리 마음대로 반복(反復)할 수는 없다.
③ 그 생각은 그저 그 시절에 대한 헛된 반추(反芻)에 지나지 않았다.
④ 버스와 뒤따라오던 자동차 네 대가 부딪치는 오중 충돌(衝突)이 일어났다.
⑤ 군대를 제대한 그는 복학 이후의 학교생활에 대해 막역(莫逆)한 두려움을 느꼈다.

유형 익히기 ▶ 한자어가 문장에서 의미에 맞게 제대로 활용되었는지를 묻는 문항이다. ③ '반추(反芻)'는 '어떤 일을 되풀이하여 음미하거나 생각함. 또는 그런 일.'을 의미하므로 문맥에 바르게 쓰였다.

BEST 기출&예상 개념

국어능력인증시험에서 한자어는 출제 비중이 매우 높다. 일상생활에서 쓰이는 우리말의 60% 이상이 한자어인 만큼 출제 비중도 상당할 수밖에 없다. 한자어를 묻는 문항에서는 기본적으로 사전적 의미와 문맥적 의미가 주로 다루어지고, 특히 한자어의 활용과 관련된 문제들이 많이 출제된다. 그중에서도 주어진 어휘의 문맥적 의미를 파악한 후 다른 단어로 대체하는 문제는 가장 대표적인 빈출 유형이며, 비교적 고난도로 출제되고 있으므로 주의해야 한다. 한자어 영역을 대비하기 위해서는 평소 일상생활에서 많이 쓰이는 한자어, 신문 등의 실용문에서 자주 등장하는 한자어들에 대해 확실하게 학습해 둘 필요가 있다.

1. 빈출 한자어

가공(架空)
① 어떤 시설물을 공중에 가설함.
② 이유나 근거가 없이 꾸며 냄. 또는 사실이 아니고 거짓이나 상상으로 꾸며 냄.
예 해태는 가공의 동물이다.

각설(却說) 말이나 글 따위에서, 이제까지 다루던 내용을 그만 두고 화제를 다른 쪽으로 돌림.
예 이제 그만 각설하고, 당신의 계획이나 들어 봅시다.

간과(看過) 큰 관심 없이 대강 보아 넘김.
예 간과할 수 없는 문제.

간헐적(間歇的) 얼마 동안의 시간 간격을 두고 되풀이하여 일어나는 것.
예 간헐적인 발작 증세를 보이기도 합니다.

격의(隔意) 서로 터놓지 않는 속마음.
예 지금 이 시간에는 격의 없이 서로의 감정을 이야기할 수 있습니다.

고견(高見)
① 뛰어난 의견이나 생각.
② 남의 의견을 높여 이르는 말.
예 이번 안건에 대한 선생님의 고견을 듣고 싶습니다.

고답적(高踏的) 속세에 초연하며 현실과 동떨어진 것을 고상하게 여기는 것.
예 나는 그의 고답적인 자세에 거부감이 들었다.

고적(孤寂) 외롭고 쓸쓸함.
예 새소리조차 나지 않아 산중의 고적을 실감할 수 있었다.

공전(空前) (주로 '공전의' 꼴로 쓰여) 비교할 만한 것이 이전에는 없음.
예 티켓 발매가 시작되자마자 매진되는 공전의 대성공을 거둔 작품이다.

구미(口味) 음식을 먹을 때 입에서 느끼는 맛에 대한 감각. = **입맛**
관용어
구미가 당기다[돌다] 욕심이나 관심이 생기다.
구미가 동하다 무엇을 차지하고 싶은 마음이 생기다.

기착지(寄着地) 목적지로 가는 도중에 잠깐 들르는 곳.
예 부산에 도착하기 전 마지막 기착지는 구미였다.

난항(難航)
① 폭풍우와 같은 나쁜 조건으로 배나 항공기가 몹시 어렵게 항행함.
예 악천후로 난항이 예상된다.
② 여러 가지 장애 때문에 일이 순조롭게 진행되지 않음을 비유적으로 이르는 말.
예 난항을 겪다. / 협상이 난항을 거듭하고 있다.
유의어
역경(逆境) 일이 순조롭지 않아 매우 어렵게 된 처지나 환경.
난관(難關) 일을 하여 나가면서 부딪치는 어려운 고비.

노정01(勞政) 노동 문제와 관련된 정책이나 행정.
노정06(露呈) 겉으로 다 드러내어 보임.
예 그의 주장은 여러 가지 논리적 모순을 노정하고 있다.

누기(漏氣) 눅눅하고 축축한 기운.
예 장마철을 앞두고, 누기를 없애 준다는 제습기의 판매량이 치솟고 있다.

눌변(訥辯) 더듬거리는 서툰 말솜씨.
반의어 **달변(達辯)** 능숙하여 막힘이 없는 말.

단견(短見)
① 짧은 생각이나 의견. = **국견(局見)**
예 내 생각이 단견이 아닌가 하고 그분 앞에서는 주눅이 들곤 했다.
② 자기의 생각이나 의견을 겸손하게 이르는 말.
예 그럼 저의 단견을 말씀드리겠습니다.

대물림(代ㅡㅡ) 사물이나 가업 따위를 후대의 자손에게 남겨 주어 자손이 그것을 이어 나감. 또는 그런 물건.
예 우리 집은 대물림으로 이어받은 땅이 많았다.
참고 '되물림'은 '대물림'의 잘못된 표현이다.

대응(對應)
① 어떤 일이나 사태에 맞추어 태도나 행동을 취함.
예 법적 대응.
② 어떤 두 대상이 주어진 어떤 관계에 의하여 서로 짝이 되는 일.

대처(對處) 어떤 정세나 사건에 대하여 알맞은 조치를 취함.
예 미온적인 대처 방안.

도포(塗布) 약 따위를 겉에 바름.
예 상처 부위에 연고를 도포하다.

마각(馬脚)
① 말의 다리.
② 가식하여 숨긴 본성이나 진상(眞相).
관용어 **마각을 드러내다** 말의 다리로 분장한 사람이 자기 모습을 드러낸다는 뜻으로, 숨기고 있던 일이나 정체를 드러냄을 이르는 말.

마멸(磨滅) 갈려서 닳아 없어짐.
예 브레이크 패드가 마멸되어 새로 갈았다.

막후(幕後)
① 막의 뒤.
② 겉으로 드러나지 않은 뒷면.
예 그는 막후에서 실질적인 영향력을 행사하는 사람이었다.
유의어 **배후(背後)** 등의 뒤. 어떤 일의 드러나지 않은 이면.
참고 **흑막(黑幕)** 검은 장막(帳幕). 겉으로 드러나지 아니한 음흉한 내막을 비유적으로 이르는 말.

망발(妄發) 망령이나 실수로 그릇된 말이나 행동을 함. 또는 그 말이나 행동.
예 감히 그런 망발을 지껄이다니 겁이 없는 놈이로구나.

멸시(蔑視) 업신여기거나 하찮게 여겨 깔봄.
예 멸시의 눈초리.
유의어 **괄시(恝視)** 업신여겨 하찮게 대함.

몰각01(沒却) 아주 없애 버림.
예 그것은 인정이 몰각한 사회의 단면이다.
몰각03(沒覺) 깨달아 인식하지 못함.

묘령(妙齡) (흔히 '묘령의' 꼴로 쓰여) 스무 살 안팎의 여자 나이.
예 묘령의 여인이 다녀갔다고 했다.

묵과(默過) 잘못을 알고도 모르는 체하고 그대로 넘김.
예 부정 행위를 보고 묵과할 수는 없다.

미시적(微視的) 사물이나 현상을 전체적인 면에서가 아니라 개별적으로 포착하여 분석하는. 또는 그런 것.
반의어 **거시적(巨視的)** 사물이나 현상을 전체적으로 분석 · 파악하는. 또는 그런 것.

미증유(未曾有) 지금까지 한 번도 있어 본 적이 없음.
예 역사 이래 미증유의 사건.
유의어 **초유(初有)** 처음으로 있음.

반추(反芻)
① 『동물』 한번 삼킨 먹이를 다시 게워 내어 씹음. 또는 그런 일.
예 소는 그 큰 입을 오물오물 반추만 일삼고 있었다.
② 어떤 일을 되풀이하여 음미하거나 생각함. 또는 그런 일.
예 그 일로 인한 회한은 더 깊어지고 곰곰 반추에 반추를 거듭해야 할 것이다.

방조03(傍助) 곁에서 도와줌.
예 유복이가 불출이와 일군의 방조를 받아서 시체를 위아래까지 상포로 감고…. 출처 《홍명희, 임꺽정》
방조06(幇助/幫助) 『법률』 형법에서, 남의 범죄 수행에 편의를 주는 모든 행위. 정범(正犯)의 범죄 행위에 대한 조언, 격려, 범행 도구의 대여, 범행 장소 및 범행 자금의 제공 따위가 있다.
예 그녀도 범인의 도피를 도와 방조한 혐의로 체포되었다.

방증(傍證) 사실을 직접 증명할 수 있는 증거가 되지는 않지만, 주변의 상황을 밝힘으로써 간접적으로 증명에 도움을 줌. 또는 그 증거.
참고 **반증(反證)** 어떤 사실이나 주장이 옳지 아니함을 그에 반대되는 근거를 들어 증명함. 또는 그런 증거.
예 우리에겐 그 사실을 뒤집을 만한 반증이 없다.

백안시(白眼視) 남을 업신여기거나 무시하는 태도로 흘겨봄.
예 그는 고향에 돌아와 사람들로부터 받은 백안시를 잊지 않고 있었다.

복권(復權) 한 번 상실한 권세를 다시 찾음.
예 정치적 복권을 꾀하다.

봉착(逢着) 어떤 처지나 상태에 부닥침.
예 새로운 국면에 봉착하다.

부가(附加) 주된 것에 덧붙임.
예 부가 정보.

부침(浮沈)
① 물 위에 떠올랐다 물속에 잠겼다 함.
② 세력 따위가 성하고 쇠함을 비유적으로 이르는 말.
예 강물만이 변함이 없어 인간사의 부침도 아랑곳없이 흐름을 그치지 않았던 것이다.

불세출(不世出) (주로 '불세출의' 꼴로 쓰여) 좀처럼 세상에 나타나지 아니할 만큼 뛰어남. '매우 뛰어남'으로 순화.
예 그보다 더 불세출한 사람을 역사에서 찾아내기도 어렵다.

불온(不穩)
① 온당하지 않음.
② (일부 명사 앞에 쓰여) 사상이나 태도 따위가 통치 권력이나 체제에 순응하지 않고 맞서는 성질이 있음.
예 불온 단체./ 불온 대자보.

불원간(不遠間) (주로 '불원간', '불원간에' 꼴로 쓰여) 앞으로 오래지 아니한 동안.
예 월세가 오랫동안 밀려서 불원간 쫓겨날 것 같다.

비견(比肩) 서로 비슷한 위치에서 견줌. 또는 견주어짐.
예 그와 비견할 만한 사람이 없다.

비축(備蓄) 만약의 경우를 대비하여 미리 갖추어 모아 두거나 저축함.
예 군사 작전에서는 군량미의 비축이 중요하다.
유의어 **저장(貯藏)** 물건이나 재화 따위를 모아서 간수함.
축장(蓄藏) 모아서 감추거나 거두어 둠.

산재(散在) 여기저기 흩어져 있음.
참고 **편재(偏在)** 한곳에 치우쳐 있음.

식언(食言) 한번 입 밖에 낸 말을 도로 입 속에 넣는다는 뜻으로, 약속한 말대로 지키지 아니함을 이르는 말.
예 그는 식언하기를 밥 먹듯 해서 친구들 사이에 신의를 잃은 지 오래다.

신산(辛酸)
① 맛이 맵고 심.
② 세상살이가 힘들고 고생스러움을 비유적으로 이르는 말.
예 어릴 때부터 신산을 겪어 온 그는 젊은이답지 않게 참을성이 대단했다.

아집(我執) 자기중심의 좁은 생각에 집착하여 다른 사람의 의견이나 입장을 고려하지 아니하고 자기만을 내세우는 것.
예 아집이 세다. / 아집을 버리지 못하다.

알력(軋轢) 수레바퀴가 삐걱거린다는 뜻으로, 서로 의견이 맞지 아니하여 사이가 안 좋거나 충돌하는 것을 이르는 말.
예 보수파와 개혁파 사이에 알력이 심하다.

애증(愛憎) 사랑과 미움을 아울러 이르는 말.
유의어 **애오(愛惡), 증애(憎愛)**

와전(訛傳) 사실과 다르게 전함.
예 말이라는 건 입을 건너갈수록 와전되기 십상이다.

용렬하다(庸劣——) 사람이 변변하지 못하고 졸렬하다.
예 그는 매사에 하는 행동이 용렬하기 짝이 없다.

용훼(容喙) 간섭하여 말참견을 함.
예 그는 자세히 알지도 못하면서 용훼하기를 잘한다.

융화(融和) 서로 어울려 갈등이 없이 화목하게 됨.
예 세대 간의 융화.

은닉(隱匿)
① 남의 물건이나 범죄인을 감춤.
예 수배자의 은닉을 도와준 사람은 처벌 대상이 된다.
② 『법률』 물건의 효용을 잃게 하는 행위.
유의어 **은폐(隱蔽)** 덮어 감추거나 가리어 숨김.

일갈(一喝) 한 번 큰 소리로 꾸짖음. 또는 그런 말.
예 스승의 벽력같은 일갈에 제자는 주춤하였다.

작금(昨今)
① 어제와 오늘을 아울러 이르는 말.
② 바로 얼마 전부터 이제까지의 무렵. = **요즈음**
예 고향 사람 하나는, 상경하고 이십여 년 동안 갖은 고생을 다 하고 작금에도 근근이 입에 풀칠이나 하는 처지이다.

저장(貯藏) 물건이나 재화 따위를 모아서 간수함.
예 훈제법은 주로 고기나 생선의 저장에 이용되는 방법이다.
유의어 **갈무리** 물건 따위를 잘 정리하거나 간수함. 일을 처리하여 마무리함.

전교(轉交) 다른 사람의 손을 거쳐 편지나 서류 따위를 교부함.

절창(絕唱)
① 뛰어나게 잘 지은 시.
② 뛰어나게 잘 부름. 또는 그런 노래.
③ 아주 뛰어난 명창.

조악하다(粗惡——) 거칠고 나쁘다.
예 그 제품은 얼핏 보기에도 품질이 조악하여 선뜻 손이 가지 않았다.

조우(遭遇) 우연히 서로 만남.
예 그는 적들과의 조우를 피하여 적진을 멀리 돌아갔다.

조장(助長) 바람직하지 않은 일을 더 심해지도록 부추김.
예 사행심 조장. / 과소비 조장.

진수(眞髓) 사물이나 현상의 가장 중요하고 본질적인 부분.
예 이것이 바로 문학의 진수이다.

질시(嫉視) 시기하여 봄.
예 사촌이 땅을 사면 배가 아프다더니, 타인의 행복을 질시하는 사람들이 많다.

척결(剔抉)
① 살을 도려내고 뼈를 발라냄.
② 나쁜 부분이나 요소들을 깨끗이 없애 버림.
예 비리의 척결. / 부정부패 척결.

천착(穿鑿) 어떤 원인이나 내용 따위를 따지고 파고들어 알려고 하거나 연구함.
예 세밀한 관찰과 다양한 실험을 통해 우리가 세운 가설에 대한 천착을 계속하다.

첨예하다(尖銳——)
① 날카롭고 뾰족하다. = **첨리하다**
예 첨예한 칼끝에 손을 찔렸다.
② 상황이나 사태 따위가 날카롭고 격하다.
예 양측의 대립이 첨예하다.

촉망(屬望/囑望) 잘되기를 바라고 기대함. 또는 그런 대상.
예 그 분야에서 그는 가장 촉망을 받는 인재이다.

추호(秋毫)
① 가을철에 털갈이하여 새로 돋아난 짐승의 가는 털.
② 매우 적거나 조금인 것을 비유적으로 이르는 말. = **분호(分毫)**
예 당신을 모욕할 생각은 추호도 없었습니다.

축출(逐出) 쫓아내거나 몰아냄.
예 강제 축출.

친전(親展)
① 몸소 펴 봄.
② 편지를 받을 사람이 직접 펴 보라고 편지 겉봉에 적는 말.
예 그의 손에 '유재석 님 친전'이라고 쓰인 편지 봉투가 들려 있었다.

타개(打開) 매우 어렵거나 막힌 일을 잘 처리하여 해결의 길을 엶.
예 경제 불황 타개를 위한 각종 대안이 제시되고 있다.

파겁(破怯) 익숙하여 두려움이나 부끄러움이 없어짐.
예 그녀도 이제는 파겁이 되었는지 아무 거리낌 없이 밀림 속으로 걸어갔다.

편력(遍歷)
① 이곳저곳을 널리 돌아다님. = **편답(遍踏)**
② 여러 가지 경험을 함.
예 이런 시기에 여러 곳의 직장을 편력하는 것은 도움이 되지 않을 수 있다.

폄훼(貶毁) 남을 깎아내려 헐뜯음.
예 작품이 신파극이나 친일극으로 획일적으로 폄훼되어 연구조차 되지 않는 것은 옳지 않다.

폐부(肺腑) 마음의 깊은 속.
예 그녀의 송곳 같은 말은 그의 폐부를 뚫을 듯했다.

피폐(疲弊) 지치고 쇠약하여짐.
예 고도의 발전으로 인해 오히려 피폐해지는 사회.

함의(含意) 말이나 글 속에 어떠한 뜻이 들어 있음. 또는 그 뜻.
유의어 **내포(內包)** 어떤 성질이나 뜻 따위를 속에 품음.

해후(邂逅) 오랫동안 헤어졌다가 뜻밖에 다시 만남.
예 감격적인 해후.

허가(許可) 행동이나 일을 하도록 허용함.

형안(炯眼)
① 빛나는 눈. 또는 날카로운 눈매.
② 사물에 대한 뛰어난 관찰력을 비유적으로 이르는 말.

환원(還元) 본디의 상태로 다시 돌아감. 또는 그렇게 되게 함. '되돌림'으로 순화.

회자(膾炙) 회와 구운 고기라는 뜻으로, 칭찬을 받으며 사람의 입에 자주 오르내림을 이르는 말.
예 그 노래는 오늘날까지 많은 사람 사이에 널리 회자되고 있다.

2. 혼동하기 쉬운 한자어

가시(可視) (주로 일부 명사 앞에 쓰여) 눈으로 볼 수 있는 것.
예 가시 현상.
응시(凝視) 눈길을 모아 한 곳을 똑바로 바라봄.
예 그녀는 한참 동안 천장의 한 곳을 응시만 하고 있었다.
좌시(坐視) 참견하지 아니하고 앉아서 보기만 함. '그냥 보고만 있음', '보고만 있음'으로 순화.
예 민재의 태도를 더 이상 좌시할 수는 없다.
직시(直視)
① 정신을 집중하여 어떤 대상을 똑바로 봄.
예 그는 나의 얼굴을 뚫어져라 직시하고 있다.
② 사물의 진실을 바로 봄.
예 현실을 직시하라.
투시(透視) 막힌 물체를 환히 꿰뚫어 봄. 또는 대상의 내포된 의미까지 봄.
예 그는 정세를 파악하고 투시하는 능력이 뛰어나다.

가장(假裝)
① 태도를 거짓으로 꾸밈.
예 그는 우연을 가장하여 나에게 접근했다.
② 얼굴이나 몸차림 따위를 알아보지 못하게 바꾸어 꾸밈.
예 손님으로 가장하다.
변장(變裝) 본래의 모습을 알아볼 수 없게 하기 위하여 옷차림이나 얼굴, 머리 모양 따위를 다르게 바꿈.
예 변장에 능하다.
분장(扮裝) 『연기』 등장인물의 성격, 나이, 특징 따위에 맞게 배우를 꾸밈. 또는 그런 차림새.
예 나는 노인으로 분장하고 무대에 올라갔다.
위장(僞裝) 본래의 정체나 모습이 드러나지 않도록 거짓으로 꾸밈. 또는 그런 수단이나 방법.
예 위장 결혼.
치장(治粧) 잘 매만져 곱게 꾸밈.
예 봄을 맞아 집을 새롭게 치장했다.

가호(加護)
① 보호하여 줌.
② 신 또는 부처가 힘을 베풀어 보호하고 도와줌.
예 가호를 빌다.
보호(保護)
① 위험이나 곤란 따위가 미치지 아니하도록 잘 보살펴 돌봄.
예 보호를 받다.
② 잘 지켜 원래대로 보존되게 함.
예 민족 유산의 보호.
비호(庇護) 편들어서 감싸 주고 보호함.
예 그의 탈출은 권력의 비호를 받지 않고서는 일어날 수 없다.
수호(守護) 지키고 보호함.
예 민족 문화 수호 운동.
우호(友好) 개인끼리나 나라끼리 서로 사이가 좋음.
예 우호 관계.

간주(看做) 상태, 모양, 성질 따위가 그와 같다고 봄. 또는 그렇다고 여김.
예 위험한 인물로 간주되다.
결정(決定) 행동이나 태도를 분명하게 정함. 또는 그렇게 정해진 내용.
예 결정을 내리다.
예상(豫想) 어떤 일을 직접 당하기 전에 미리 생각하여 둠. 또는 그런 내용.
예 예상 문제.
인지(認知) 어떤 사실을 인정하여 앎.
예 실태를 인지하다.
추리(推理) 알고 있는 것을 바탕으로 알지 못하는 것을 미루어서 생각함.
예 추리 과정.

감수(甘受) 책망이나 괴로움 따위를 달갑게 받아들임.
예 전체를 위해서 개인의 희생이 감수될 수 있다는 생각은 옳지 않다.
고수(固守) 차지한 물건이나 형세 따위를 굳게 지킴.
예 강경 노선 고수.
사수(死守) 죽음을 무릅쓰고 지킴.
예 고지 사수.
엄수(嚴守) 명령이나 약속 따위를 어김없이 지킴. '꼭 지킴'으로 순화.
예 교칙 엄수.
준수(遵守) 전례나 규칙, 명령 따위를 그대로 좇아서 지킴.
예 안전 수칙 준수.

개각(改閣) 내각을 개편함.
예 개각 발표.
개체(改替) 고치어 바꿈.
예 낡은 기계를 새 기계로 개체하다.
경질(更迭/更佚) 어떤 직위에 있는 사람을 다른 사람으로 바꿈.
예 임원 경질.
교체(交替/交遞) 사람이나 사물을 다른 사람이나 사물로 대신함.
예 부상당한 선수가 다른 선수로 교체되었다.
대체(代替) 다른 것으로 대신함. '바꿈'으로 순화.
예 대체 방안.

개정(改定) 이미 정하였던 것을 고쳐 다시 정함.
예 대회 날짜 개정.
개조(改造) 고쳐 만들거나 바꿈.
예 노후 건물 개조.
교정02(校正) 『매체』 교정쇄와 원고를 대조하여 오자, 오식, 배열, 색 따위를 바르게 고침.
교정03(校定) 『매체』 출판물의 글자나 글귀를 검토하여 바르게 정하는 일.
교정04(校訂) 남의 문장 또는 출판물의 잘못된 글자나 글귀 따위를 바르게 고침.
교정06(敎正) 가르쳐서 바르게 함.
보수(補修) 건물이나 시설 따위의 낡거나 부서진 것을 손보아 고침.

예 하수도 보수.

수정(修正) 바로잡아 고침.

예 궤도의 수정.

격려(激勵) 용기나 의욕이 솟아나도록 북돋워 줌.

예 격려의 말.

고려(考慮) 생각하고 헤아려 봄.

예 그 문제는 아직 고려 중이다.

배려(配慮) 도와주거나 보살펴 주려고 마음을 씀.

예 특별 배려.

사려(思慮) 여러 가지 일에 대하여 깊게 생각함. 또는 그런 생각.

예 사려가 부족하다.

염려(念慮) 앞일에 대하여 여러 가지로 마음을 써서 걱정함. 또는 그런 걱정.

예 염려를 놓다.

결투(決鬪) 승패를 결정하기 위하여 벌이는 싸움.

예 결투를 벌이다.

암투(暗鬪) 서로 적의를 품고 드러나지 아니하게 다툼.

예 권력 암투.

언쟁(言爭) 말로 옳고 그름을 가리는 다툼. = **말다툼**

예 언쟁이 벌어지다.

투쟁(鬪爭)

① 어떤 대상을 이기거나 극복하기 위한 싸움.

예 인류는 자연과 투쟁하면서도 조화를 이루기 위해 노력해 왔다.

② 사회 운동, 노동 운동 따위에서 무엇인가를 쟁취하고자 견해가 다른 사람이나 집단 간에 싸우는 일.

혈투(血鬪) 죽음을 무릅쓰고 치열하게 싸움. 또는 그런 싸움.

예 혈투를 벌이다.

경유(經由) 어떤 곳을 거쳐 지남.

예 일본 경유.

정지(停止)

① 움직이고 있던 것이 멎거나 그침. 또는 중도에서 멎거나 그치게 함.

예 운행 정지.

② 하고 있던 일을 그만둠. '멈춤'으로 순화.

고양(高揚)

① 높이 쳐들어 올림.

② 정신이나 기분 따위를 북돋워서 높임.

예 풍부한 어휘력은 인간 정신의 고양과 정서 함양에 크게 기여한다.

고조(高潮) 감정이나 기세가 극도로 높은 상태.

고취(鼓吹)

① 힘을 내도록 격려하여 용기를 북돋움. = **고무(鼓舞)**

예 사장은 사원들의 사기 고취 차원에서 거하게 회식을 준비했다.

② 의견이나 사상 따위를 열렬히 주장하여 불어넣음.

누출(漏出)

① 액체나 기체 따위가 밖으로 새어 나옴. 또는 그렇게 함.

예 가스 누출.

② 비밀이나 정보 따위가 밖으로 새어 나감.

예 개인 정보 누출.

방출(放出)

① 비축하여 놓은 것을 내놓음.

예 쌀의 방출.

② 『물리』 입자나 전자기파의 형태로 에너지를 내보냄.

배출(排出)

① 안에서 밖으로 밀어 내보냄.

예 가스 배출.

② 『생물』 동물이 섭취한 음식물을 소화하여 항문으로 내보내는 일.

유출(流出)

① 밖으로 흘러 나가거나 흘려 내보냄.

예 원유 유출.

② 귀중한 물품이나 정보 따위가 불법적으로 나라나 조직의 밖으로 나가 버림. 또는 그것을 내보냄.

예 문화재 유출.

추출(抽出) 전체 속에서 어떤 물건, 생각, 요소 따위를 뽑아냄.

예 이 보고서는 사원들이 제출한 자료에서 핵심만 추출한 것입니다.

대면(對面) 서로 얼굴을 마주 보고 대함.

예 첫 대면.

상봉(相逢) 서로 만남.

예 이산가족 상봉.

조우(遭遇) 우연히 서로 만남.

예 그는 적들과의 조우를 피하여 적진을 멀리 돌아갔다.

회동(會同) 일정한 목적으로 여러 사람이 한데 모임.

예 회동을 가지다.

회합(會合) 토론이나 상담을 위하여 여럿이 모이는 일. 또는 그런 모임.

예 이곳은 마을 사람들의 회합 장소이다.

말소(抹消) 기록되어 있는 사실 따위를 지워서 아주 없애 버림. '지움', '지워 없앰'으로 순화.

예 등기 말소.

박탈(剝奪) 남의 재물이나 권리, 자격 따위를 빼앗음.

예 소유권 박탈.

압수(押收)

① 『법률』 물건의 점유를 취득하는 강제 처분. 압류 · 영치(領置) · 제출 명령이 있다. '거둬 감'으로 순화.

예 출판물을 압수하다.

② 물건 따위를 강제로 빼앗음.

예 선생님은 만화책을 모조리 압수해 가셨다.

착취(搾取) 계급 사회에서 생산 수단을 소유한 사람이 생산 수단을 갖지 않은 직접 생산자로부터 그 노동의 성과를 무상으로 취득함. 또는 그런 일.

예 경제적 착취.

탈취(奪取) 빼앗아 가짐.

예 총기 탈취 사고.

묵인(默認) 모르는 체하고 하려는 대로 내버려 둠으로써 슬며시 인정함. '넘겨 버림', '알고도 넘겨 버림'으로 순화.

예 상급자의 묵인 아래 부정을 저지르다.

수용(受容) 어떠한 것을 받아들임.

예 근대 문명 수용.

용납(容納)
① 너그러운 마음으로 남의 말이나 행동을 받아들임.
예 너의 그런 무례한 행동은 도저히 용납을 할 수 없다.
② 어떤 물건이나 상황을 받아들임.

인가(認可)
① 인정하여 허가함. = **인허**
예 인가 신청.
② 『법률』 제삼자의 법률 행위를 보충하여 그 효력을 완성하는 일. 법인 설립의 인가, 사업 양도의 인가 따위이다.

허용(許容) 허락하여 너그럽게 받아들임.
예 허용 기준.

밀착(密着)
① 빈틈없이 단단히 붙음.
예 밀착 취재.
② 서로의 관계가 매우 가깝게 됨.

인접(鄰接) (일부 명사 앞에 쓰여) 이웃하여 있음. 또는 옆에 닿아 있음.
예 인접 도시.

번영(繁榮) 번성하고 영화롭게 됨.
예 민족의 번영.

융성(隆盛) 기운차게 일어나거나 대단히 번성함.
예 근래 의학계를 보면 성형과 관련한 분야의 융성은 놀라울 정도이다.

진흥(振興) 떨치어 일어남. 또는 떨치어 일으킴.
예 쇠락해 가는 문예를 위해 진흥 사업에 힘쓰고 있다.

발전(發展) 더 낫고 좋은 상태나 더 높은 단계로 나아감.
예 과학의 발전에 기여하다.

접근(接近)
① 가까이 다가감.
예 접근 금지.
② 친밀하고 밀접한 관계를 가짐.
예 나는 그에게 접근을 시도했다.

접속(接續) 서로 맞대어 이음.
예 글을 쓸 때 문장끼리의 접속에는 무리가 없어야 한다.

접촉(接觸)
① 서로 맞닿음.
예 접촉 사고.
② 가까이 대하고 사귐.
예 그는 법조인들과 접촉이 잦다.

보관(保管) 물건을 맡아서 간직하고 관리함.
예 보관에 주의하다.

보유(保有) 가지고 있거나 간직하고 있음.
예 핵무기 보유.

소유(所有)
① 가지고 있음. 또는 그 물건.
예 버려진 땅을 개간한 토지는 그의 소유가 되었다.
② 『법률』 물건을 전면적 · 일반적으로 지배하는 일.

점유(占有) 물건이나 영역, 지위 따위를 차지함.
예 점유 공간.

지참(持參) 무엇을 가지고서 모임 따위에 참여함. '지니고 옴'으로 순화.
예 도시락 지참.

부지(扶持/扶支) 상당히 어렵게 보존하거나 유지하여 나감.
예 목숨이 부지되다.

유지(維持) 어떤 상태나 상황을 그대로 보존하거나 변함없이 계속하여 지탱함.
예 질서 유지.

의지(依支)
① 다른 것에 몸을 기댐. 또는 그렇게 하는 대상.
예 벽을 의지로 삼아 간신히 서 있다.
② 다른 것에 마음을 기대어 도움을 받음. 또는 그렇게 하는 대상.
예 항상 의지가 되는 사람.

지지(支持) 어떤 사람이나 단체 따위의 주의 · 정책 · 의견 따위에 찬동하여 이를 위하여 힘을 씀. 또는 그 원조.
예 그는 대중의 전폭적인 지지를 얻었다.

지탱(支撐) 오래 버티거나 배겨 냄.
예 산소 호흡기로 목숨이 지탱되다.

숙지(熟知) 익숙하게 또는 충분히 앎.
예 면접 진행 과정을 숙지할 필요가 있다.

인지(認知) 어떤 사실을 인정하여 앎.
예 연습을 통해 인지 기능 개선이 가능하다는 것을 확인했다.

주지(周知) 여러 사람이 두루 앎.
예 겉으로 드러내지 않을 뿐, 그것은 이미 주지의 사실이다.

탐지(探知) 드러나지 않은 사실이나 물건 따위를 더듬어 찾아 알아냄.
예 비밀 탐지.

시야(視野)
① 시력이 미치는 범위.
예 시야가 탁 트이다.
② 현미경, 망원경, 사진기 따위의 렌즈로 볼 수 있는 범위.
예 망원경으로 시야가 닿는 수평선 안의 해면을 보았다.
③ 사물에 대한 식견이나 사려가 미치는 범위.
예 그는 여러 곳을 다니며 시야를 넓혔다.

식견(識見) 학식과 견문이라는 뜻으로, 사물을 분별할 수 있는 능력을 이르는 말.
예 식견이 높다 .

심미안(審美眼) 아름다움을 살펴 찾는 안목.

안목(眼目) 사물을 보고 분별하는 견식.
예 안목이 있다.

혜안(慧眼) 사물을 꿰뚫어 보는 안목과 식견.
예 아마도 형은 앞날을 내다볼 줄 아는 혜안을 갖고 있었던 것 같았다.

인증(認證) 『법률』 어떠한 문서나 행위가 정당한 절차로 이루어졌다는 것을 공적 기관이 증명함.
예 품질 규격 인증.

조인(調印)
① 서로 약속하여 만든 문서에 도장을 찍음.
예 조인 날짜를 정하다.
② 『법률』 국제법상 조약 체결 때 조약 당사국의 대표자가 조약문에 동의하여 서명하는 일.

예 일부 국가들은 핵 실험 금지 협약에 조인을 거부했다.

체결(締結)
① 얽어서 맺음.
② 계약이나 조약 따위를 공식적으로 맺음.
예 양국 조약 체결.

타결(妥結) 의견이 대립된 양편에서 서로 양보하여 일을 마무름.
예 타결을 보다.

합의(合意)
① 서로 의견이 일치함. 또는 그 의견.
예 합의 사항.
② 『법률』 둘 이상의 당사자의 의사가 일치함. 또는 그런 일.
예 고소를 취하하기로 합의를 보다.

절박(切迫) 어떤 일이나 때가 가까이 닥쳐서 몹시 급하다.
예 절박한 사태.

촉박(促迫) 기한이 바싹 닥쳐와서 가까움.
예 차 시간이 촉박하다.

육박(肉薄) 바싹 가까이 다가붙음.
예 5만 명에 육박한 관중들.

주거(住居) 일정한 곳에 머물러 삶. 또는 그런 집.
예 주거 문화.

주재(駐在)
① 한곳에 머물러 있음.
② 직무상으로 파견되어 한곳에 머물러 있음.
예 정부는 세계 각국에 주재하고 있는 외교관들에게 긴급 훈령을 보냈다.

체류(滯留) 객지에 가서 머물러 있음.
예 체류 일정.

증가01(增加) 양이나 수치가 늚.

증가02(增價) 값이 오름. 또는 값을 올림.

증진(增進) 기운이나 세력 따위가 점점 더 늘어 가고 나아감.
예 그는 열심히 운동을 한 덕분에 체력이 증진되었다.

침잠(沈潛)
① 겉으로 드러나지 아니하게 물속 깊숙이 가라앉거나 숨음.
② 마음을 가라앉혀서 깊이 생각하거나 몰입함.
예 자기 침잠의 세계.

침윤(浸潤)
① 수분이 스며들어 젖음.
예 오랜 기간 비가 오니 건물 내벽이 침윤으로 얼룩이 졌다.
② 사상이나 분위기 따위가 사람들에게 번져 나감.
예 퇴폐한 외래 풍조의 급격한 침윤.

침식(侵蝕) 외부의 영향으로 세력이나 범위 따위가 점점 줄어듦.
예 국적 불명의 외래문화에 우리의 전통문화가 침식을 당하고 있다.

침투(浸透) 어떤 사상이나 현상, 정책 따위가 깊이 스며들어 퍼짐. '스밈'으로 순화.
예 아직 사상적인 면까지는 침투가 안 된 상태이다.

3. 중요 한자어

ㄱ

간파(看破) 속내를 꿰뚫어 알아차림.
예 남의 속셈을 간파하다.

개재(介在) 어떤 것들 사이에 끼여 있음. '끼어듦', '끼여 있음'으로 순화.
예 판단에 편견이 개재되다.

참고 **게재(揭載)** 글이나 그림 따위를 신문이나 잡지 따위에 실음.
예 그는 논문을 유명 학술지에 게재하였다.

견지02(見地) 어떤 사물을 판단하거나 관찰하는 입장.
예 예술가의 견지로 보면 하찮은 돌멩이도 훌륭한 작품 소재가 된다.

견지03(堅持)
① 어떤 견해나 입장 따위를 굳게 지니거나 지킴.
예 그 안건에 대해 반대 입장을 견지하다.
② 굳게 지지함.

결연(決然) 마음가짐이나 행동에 있어 태도가 움직일 수 없을 만큼 확고함.
예 그의 결연한 의지를 꺾을 수 없어 보였다.

경계(鏡戒) 분명히 타일러 다시는 같은 잘못을 저지르지 않도록 함.

계발(啓發) 슬기나 재능, 사상 따위를 일깨워 줌.
예 좋은 성적을 거두는 것만큼 자신의 소질 계발도 중요하다.

고무(鼓舞)
① 북을 치고 춤을 춤.
② 힘을 내도록 격려하여 용기를 북돋움. = **고취(鼓吹)**
예 박수로 선수들을 고무하다.

고사(固辭) 제의나 권유 따위를 굳이 사양함. '거절함', '굳이 사양함'으로 순화.
예 출마하라는 주위의 권유를 끝내 고사하다.

고찰(考察) 어떤 것을 깊이 생각하고 연구함.
예 문화에 대한 고찰 없이 인간의 삶을 이해하는 것은 불가능하다.

공생(共生) 서로 도우며 함께 삶.
예 경제적 공생

관조(觀照) 고요한 마음으로 사물이나 현상을 관찰하거나 비추어 봄.
예 여행자에게는 평정하고 관조적인 유유한 태도가 필요하다.

괴리(乖離) 서로 어그러져 동떨어짐.
예 기성세대와 신세대 간의 괴리를 좁히려는 노력이 필요하다.

구명(究明) 사물의 본질, 원인 따위를 깊이 연구하여 밝힘.
예 아직 구명되지 않은 문제가 있다.

구비(具備) 있어야 할 것을 빠짐없이 다 갖춤.
예 서류가 구비된 사람만 나와서 접수하십시오.
유의어 **완비(完備)** 빠짐없이 완전히 갖춤.

구연(口演)
① 동화, 야담, 만담 따위를 여러 사람 앞에서 말로써 재미있게 이야기함.
예 동화 구연 대회.
② 문서에 의하지 않고 입으로 사연을 말함.

구현(具現/具顯) 어떤 내용이 구체적인 사실로 나타나게 함.
예 희곡은 무대에서 구현되는 문학이다.

규명(糾明) 어떤 사실을 자세히 따져서 바로 밝힘.
예 책임을 규명하다.

급조(急造) 급히 만듦.
예 공장에서는 촉박한 마감 날짜 때문에 물품을 급조해야 했다.

기여(寄與) 도움이 되도록 이바지함.
예 그는 팀 승리에 결정적인 기여를 한 선수이다.

기피(忌避) 꺼리거나 싫어하여 피함.
예 그 가수는 병역을 기피하다가 국민들로부터 질타를 받았다.

나포(拿捕)
① 죄인을 붙잡음.
② 사람이나 배, 비행기 등을 사로잡음.
예 우리나라 영해를 침범해 조업 중이던 외국 어선이 해경에 나포되었다.

낙마(落馬) 말에서 떨어짐.
예 그 기수는 낙마 사고로 다리를 다쳤다.

논박(論駁) 어떤 주장이나 의견에 대하여 그 잘못된 점을 조리 있게 공격하여 말함.
예 당시 그들의 주장은 기존 학계의 논박의 대상이 되었다.

대담02(大膽) 담력이 크고 용감함.
예 대담한 행동.

대담03(對談) 마주 대하고 말함. 또는 그런 말.

대비(對備) 앞으로 일어날지도 모르는 어떠한 일에 대응하기 위하여 미리 준비함. 또는 그런 준비.
예 노후 대비.

대항(對抗) 굽히거나 지지 않으려고 맞서서 버티거나 항거함. '맞서 싸움'으로 순화.
예 그들은 송전탑 공사를 진행하려는 정부와 한전에 거세게 대항했다.

도래(到來) 어떤 시기나 기회가 닥쳐옴.
예 새 시대의 도래를 알리는 우렁찬 함성 소리가 퍼진다.

도모(圖謀) 어떤 일을 이루기 위하여 대책과 방법을 세움.
예 진희는 머릿속으로 이 위기를 피할 길을 도모했다.

도야(陶冶)
① 도기를 만드는 일과 쇠를 주조하는 일. 또는 그런 일을 하는 사람.
② 훌륭한 사람이 되도록 몸과 마음을 닦아 기름을 비유적으로 이르는 말.
예 많은 정진과 도야와 노력을 거쳐야 너그러운 성품을 갖게 되는 것이다.

도외시(度外視) 상관하지 아니하거나 무시함.
예 이번 일이 도외시되어서는 안 된다.
반의어 **문제시(問題視)** 논의하거나 해결해야 할 문제의 대상으로 삼음.

도출01(挑出) 시비나 싸움을 걺.
도출02(導出) 판단이나 결론 따위를 이끌어 냄.
예 국민적 합의의 도출.

도피(逃避)
① 도망하여 몸을 피함.
예 그는 해외로 도피 여행을 떠났다.
② 적극적으로 나서야 할 일에서 몸을 사려 빠져나감.

망신(亡身) 말이나 행동을 잘못하여 자기의 지위, 명예, 체면 따위를 손상함.
예 망신을 당하다.

매진(邁進) 어떤 일을 전심전력을 다하여 해 나감.
예 그는 오로지 목표 달성을 위해 매진하고 있었다.
유의어 **맥진(驀進)** 좌우를 돌아볼 겨를이 없이 힘차게 나아감.

면피(免避) 면하여 피함.
예 그는 책임에서 면피하기 위해 모른 척 시치미를 떼고 있었다.

모색(摸索) 일이나 사건 따위를 해결할 수 있는 방법이나 실마리를 더듬어 찾음.
예 외국 진출을 모색하다.

모호하다(模糊――) 말이나 태도가 흐리터분하여 분명하지 않다.
예 그는 모호한 대답을 해서 그녀의 속을 뒤집어 놓곤 했던 것이다.

몽매(蒙昧) 어리석고 사리에 어두움.
유의어 **암우(暗愚), 이매(夷昧), 무지몽매(無知蒙昧)**

무뢰배(無賴輩) 무뢰한(無賴漢: 성품이 막되어 예의와 염치를 모르며, 일정한 소속이나 직업이 없이 불량한 짓을 하며 돌아다니는 사람)의 무리.
예 시정의 무뢰배와 어울려 다니더니 사람이 못쓰게 되었다.

무상(無相)
① 『불교』 모든 사물은 공(空)이어서 일정한 형상이 없음.
② 『불교』 차별과 대립을 초월하여 무한하고 절대적인 상태.
반의어 **유상(有相)**

문외한(門外漢)
① 어떤 일에 직접 관계가 없는 사람.
② 어떤 일에 전문적인 지식이 없는 사람.

미답(未踏) 아직 아무도 밟지 않음.
예 이 분야는 아직 우리나라에서도 개척되지 않은 미답의 땅이다.

미만(未滿) 정한 수효나 정도에 차지 못함. 또는 그런 상태. 기준이 수량으로 제시될 경우에는, 그 수량이 범위에 포함되지 않으면서 그 아래인 경우를 가리킨다.

미봉책(彌縫策) 눈가림만 하는 일시적인 계책(計策).

미시03(微示) 분명히 말하지 않고 슬쩍 그 뜻을 비침.
미시05(微視) (일부 명사와 함께 쓰여) 작게 보임. 또는 작게 봄.

미온적(微溫的) 태도가 미적지근한. 또는 그런 것.
예 상대측의 반응이 미온적이다.

반발(反撥)
① 탄력이 있는 물체가 퉁겨져 일어남.
② 어떤 상태나 행동 따위에 대하여 거스르고 반항함.
예 정부에서 발표한 정책에 대하여 국민들의 반발이 심하다.

반영(反映) 다른 것에 영향을 받아 어떤 현상이 나타남. 또는 어떤 현상을 나타냄.
예 대학 입시에서 내신의 반영 비율이 높아졌다.

반의01(反意) 일정한 뜻을 반대하거나 어김.
예 그들은 내 생각에 반의를 표명했다.
반의03(叛意) 배반하려고 하는 마음.

반향(反響) 어떤 사건이나 발표 따위가 세상에 영향을 미치어 일어나는 반응.
예 그의 입장 발표는 대단한 반향을 불러일으켰다.

방관(傍觀) 어떤 일에 직접 나서서 관여하지 않고 곁에서 보기만 함.
참고 **수수방관(袖手傍觀)** 팔짱을 끼고 보고만 있다는 뜻으로, 간섭하거나 거들지 아니하고 그대로 버려둠을 이르는 말. '내버려 둠', '보고만 있음'으로 순화.

방만하다(放漫――) 맺고 끊는 데가 없이 제멋대로 풀어져 있다.
예 공식 석상에서 그렇게 방만하게 굴다니.
유의어 **헤식다** 맺고 끊는 데가 없이 싱겁다.

방비(防備) 적의 침입이나 피해를 막기 위하여 미리 지키고 대비함. 또는 그런 설비.

방심(放心)
① 마음을 다잡지 아니하고 풀어 놓아 버림.
② 모든 걱정을 떨쳐 버리고 마음을 편히 가짐. = **안심(安心)**

방어(防禦) 상대편의 공격을 막음.
예 순간적인 기습으로 아군은 방어할 새도 없이 무너졌다.

방책(方策) 방법과 꾀를 아울러 이르는 말.
예 방책을 강구하다.

배격(排擊) 어떤 사상, 의견, 물건 따위를 물리침.
예 자기 생각과 다르다고 해서 무조건 배격을 하는 건 옳지 않다.

배치01(背馳) 서로 반대로 되어 어그러지거나 어긋남.
예 이론과 실제가 배치되다.
배치02(配置) 사람이나 물자 따위를 일정한 자리에 나누어 둠.
배치03(排置) 일정한 차례나 간격에 따라 벌여 놓음.

백미(白眉) 흰 눈썹이라는 뜻으로, 여럿 가운데에서 가장 뛰어난 사람이나 훌륭한 물건을 비유적으로 이르는 말.
예 이번 연주회의 백미는 단연 피아노 독주였다.

변경(變更) 다르게 바꾸어 새롭게 고침. = **변개(變改)**
예 계획을 불가피하게 변경해야 했다.

변조(變造) 이미 이루어진 물체 따위를 다른 모양이나 다른 물건으로 바꾸어 만듦.
참고 **위조(僞造)** 어떤 물건을 속일 목적으로 꾸며 진짜처럼 만듦.

변질(變質) 성질이 달라지거나 물질의 질이 변함. 또는 그런 성질이나 물질(주로 부정적 의미로 쓰임).
예 식료품의 변질을 막기 위해서는 개봉 즉시 섭취하시고, 재냉동하지 마십시오.

변천(變遷) 세월의 흐름에 따라 바뀌고 변함. = **변이(變移)**
예 시대가 변천하면서 연상 연하 커플이 많아졌다.

변화(變化) 사물의 성질, 모양, 상태 따위가 바뀌어 달라짐.

부각(浮刻) 어떤 사물을 특징지어 두드러지게 함.
예 그 색깔은 주위의 모든 다른 색깔에 비해 단연 부각된다.

부의(賻儀) 상가(喪家)에 부조로 보내는 돈이나 물품. 또는 그런 일.

부합01(附合) 서로 맞대어 붙임.
부합02(符合) 부신(符信)이 꼭 들어맞듯 사물이나 현상이 서로 꼭 들어맞음.
참고 **부신(符信)** 『역사』 나뭇조각이나 두꺼운 종이에 글자를 기록하고 증인(證印)을 찍은 뒤에, 두 조각으로 쪼개어 한 조각은 상대자에게 주고 다른 한 조각은 자기가 가지고 있다가 나중에 서로 맞추어서 증거로 삼던 물건.

분란(紛亂) 어수선하고 소란스러움.

분수령(分水嶺) 어떤 사실이나 사태가 발전하는 전환점 또는 어떤 일이 한 단계에서 전혀 다른 단계로 넘어가는 전환점을 비유적으로 이르는 말.
예 외국에서 지낸 5년이 그의 인생에 있어 중요한 분수령이 되었다.

불찰(不察) 조심해서 잘 살피지 아니한 탓으로 생긴 잘못.

불후(不朽) (주로 '불후의' 꼴로 쓰여) 썩지 아니함이라는 뜻으로, 영원토록 변하거나 없어지지 아니함을 비유적으로 이르는 말.
예 요즘 '불후의 명곡'이라는 TV 프로그램이 인기이다.

비결(祕訣) 세상에 알려져 있지 않은 자기만의 뛰어난 방법.
예 그렇게 좋은 피부를 유지하는 비결이 뭔가요?
참고 **비법(祕法)** 공개하지 않고 비밀리에 하는 방법.

비난(非難) 남의 잘못이나 결점을 책잡아서 나쁘게 말함.

비판(批判) 현상이나 사물의 옳고 그름을 판단하여 밝히거나 잘못된 점을 지적함.
참고 **힐책(詰責)** 잘못된 점을 따져 나무람. '꾸짖음'으로 순화.

사자후(獅子吼) 사자의 우렁찬 울부짖음이란 뜻으로, 크게 부르짖어 열변을 토하는 연설을 이르는 말.
예 그의 열성에 가득 찬 사자후에 관중은 뜨거운 박수를 보냈다.

사장(死藏) 사물 따위를 필요한 곳에 활용하지 않고 썩혀 둠.
예 쓸 만한 물건들을 집에 두고 사장하는 것도 아깝고 해서 죄다 기부를 했다.

사주(使嗾) 남을 부추겨 좋지 않은 일을 시킴. = **사촉(唆囑)**
예 그는 적의 사주를 받아 내부의 기밀을 염탐했다.

산출01(産出) 물건을 생산하여 내거나 인물 · 사상 따위를 냄.
예 비용의 증가분은 산출 수준에 따라 다르다.
산출02(算出) 계산하여 냄.
예 성적 산출./ 생산량 산출./ 산출 방식.

상충(相衝) 맞지 아니하고 서로 어긋남.
예 의견이 서로 상충되다.

섭렵(涉獵) 물을 건너 찾아다닌다는 뜻으로, 많은 책을 널리 읽거나 여기저기 찾아다니며 경험함을 이르는 말.
예 그는 이미 고대사 문헌을 섭렵했다.

세태(世態) 사람들의 일상생활, 풍습 따위에서 보이는 세상의 상태나 형편. = **세상(世相)**

소급(遡及) 과거에까지 거슬러 올라가서 미치게 함.
예 인류의 기원은 200만 년 전으로 소급해 올라간다.

손상(損傷)
① 물체가 깨지거나 상함.
예 도자기에 손상이 가다.
② 병이 들거나 다침.
예 뇌에 손상을 입다.
③ 품질이 변하여 나빠짐.
예 옷감이 손상되지 않는다.
④ 명예나 체면, 가치 따위가 떨어짐.
예 그는 실언을 해서 품위를 손상시켰다.

쇄신(刷新) 그릇된 것이나 묵은 것을 버리고 새롭게 함.
예 국민들의 의식이 쇄신될 필요도 있다.

쇠퇴(衰退/衰頹) 기세나 상태가 쇠하여 전보다 못하여 감.
예 나이가 들면 기억력의 쇠퇴가 오기 마련이다.
유의어 **감퇴(減退)** 기운이나 세력 따위가 줄어 쇠퇴함.
예 시력 감퇴.

시국(時局) 현재 당면한 국내 및 국제 정세나 대세.
예 시국이 불안정하다.

시류(時流) 그 시대의 풍조나 경향. '시대 흐름'으로 순화.
예 시류에 편승하여 외국어 공부에만 열을 올리는 것은 바람직하지 않다.

시사(示唆) 어떤 것을 미리 간접적으로 표현해 줌.
예 그 사건이 시사하는 바가 크다.

신망(信望) 믿고 기대함. 또는 그런 믿음과 덕망.
예 신망이 두텁다.

실수(失手)
① 조심하지 아니하여 잘못함. 또는 그런 행위.
예 사소한 실수.

② 말이나 행동이 예의에 벗어남. 또는 그런 말이나 행동. = **실례(失禮)**

실언(失言) 실수로 잘못 말함. 또는 그렇게 한 말. '말실수'로 순화.

실재(實在) 실제로 존재함.
예 그것이 실재하는지 의심스러울 지경이었다.

실패(失敗) 일을 잘못하여 뜻한 대로 되지 아니하거나 그르침. = **실타(失墮)**

심혈(心血)
① 심장의 피.
② 마음과 힘을 아울러 이르는 말.
예 심혈을 기울인 사업이 시류에 휩쓸려 실패하고 말았다.

야기(惹起) 일이나 사건 따위를 끌어 일으킴.
예 그의 발언은 혼란을 야기했다.

양양하다(洋洋ㅡㅡ)01 사람의 앞날이 한없이 넓어 발전의 여지가 많다.
예 전도가 양양한 청년들이 일자리를 찾지 못해 안타깝다.
양양하다(揚揚ㅡㅡ)02 뜻한 바를 이룬 만족한 빛을 얼굴과 행동에 나타내는 면이 있다.
예 그의 의기는 매우 양양해 보였다.
참고 **득의양양(得意揚揚)** 뜻한 바를 이루어 우쭐거리며 뽐냄.

억압(抑壓) 자기의 뜻대로 자유로이 행동하지 못하도록 억지로 억누름.
예 언론의 자유를 억압해서는 안 된다.

언급(言及) 어떤 문제에 대하여 말함.
예 그는 이번 일에 대하여 아무런 언급이 없다.

여담(餘談) 이야기하는 과정에서 본 줄거리와 관계없이 흥미로 하는 딴 이야기.
예 여담을 늘어놓다.

역설01(力說) 자기의 뜻을 힘주어 말함. 또는 그런 말.
역설02(逆說) 어떤 주의나 주장에 반대되는 이론이나 말.
예 영어 공부를 하면 할수록 역설적으로 우리말을 공부해야겠다는 생각이 더 든다.

영락(零落) 세력이나 살림이 줄어들어 보잘것없이 됨.
예 영락과 부패. / 영락을 거듭하다.

오만(傲慢) 태도나 행동이 건방지거나 거만함. 또는 그 태도나 행동.

오인(誤認) 잘못 보거나 잘못 생각함.
예 사람들은 동생을 형으로 오인하는 경우가 많다.

왜곡(歪曲) 사실과 다르게 해석하거나 그릇되게 함.
예 왜곡 보도를 자제해 주세요.

외경(畏敬) 공경하면서 두려워함. = **경외(敬畏)**

유리(遊離) 따로 떨어짐.
예 대중으로부터 유리된 문학은 설 자리를 잃어가고 있다.

유추(類推) 같은 종류의 것 또는 비슷한 것에 기초하여 다른 사물을 미루어 추측하는 일.

일가견(一家見) 어떤 문제에 대하여 독자적인 경지나 체계를 이룬 견해.
예 일가견을 피력하다. / 그는 요리에 대해서 일가견이 있다.

잔존(殘存) 없어지지 아니하고 남아 있음.
예 잔존 병력.

잠재(潛在) 겉으로 드러나지 않고 속에 잠겨 있거나 숨어 있음.
예 잠재 능력.

장벽(障壁)
① 가리어 막은 벽.
② 둘 사이의 관계를 순조롭지 못하게 가로막는 장애물.
③ 장애가 되는 것이나 극복하기 어려운 것.
예 언어의 장벽.

장쾌하다(壯快ㅡㅡ) 가슴이 벅차도록 장하고 통쾌하다.
예 드디어 쌍둥이 팬 모두가 기다리고 기다리던 장쾌한 홈런을 김재현 선수가 해냈습니다.

저돌적(豬突的) 앞뒤를 생각하지 않고 내닫거나 덤비는. 또는 그런 것.
예 그 사람은 대담하고 저돌적인 추진력을 지니고 있었다.

전가(轉嫁) 잘못이나 책임을 다른 사람에게 넘겨씌움.
예 그는 책임을 면피하기 위해 대리에게 전가했다.

전도06(前途)
① 앞으로 나아갈 길.
② 앞으로의 가능성이나 전망. = **장래**
예 전도가 양양하다. / 전도가 유망한 청년.
전도18(顚倒)
① 엎어져 넘어지거나 넘어뜨림.
② 차례, 위치, 이치, 가치관 따위가 뒤바뀌어 원래와 달리 거꾸로 됨. 또는 그렇게 만듦.
예 주객(主客)이 전도되다.

참고 **주객전도(主客顚倒)** 주인과 손의 위치가 서로 뒤바뀐다는 뜻으로, 사물의 경중 · 선후 · 완급 따위가 서로 뒤바뀜을 이르는 말.

전락(轉落)
① 아래로 굴러떨어짐.
② 나쁜 상태나 타락한 상태에 빠짐.
예 그는 급기야 천덕꾸러기로 전락하고 말았다.

절멸(絕滅) 아주 없어짐. 또는 아주 없앰.
예 바이러스는 인류 절멸의 위험을 내포한 공포의 대상이 되었다.

제재(制裁) 일정한 규칙이나 관습의 위반에 대하여 제한하거나 금지함. 또는 그런 조치.
예 여론(輿論)의 제재를 받다.

조소(嘲笑) 흉을 보듯이 빈정거리거나 업신여기는 일. 또는 그렇게 웃는 웃음. = **비웃음**
예 조소의 대상이 되다.

조응(照應)
① 둘 이상의 사물이나 현상 또는 말과 글의 앞뒤 따위가 서로 일치하게 대응함.
예 이 작품은 여러 가지 구성 요소가 균형 있게 잘 조응되어 있다.
② 원인에 따라서 결과가 생김.

조짐(兆朕) 좋거나 나쁜 일이 생길 기미가 보이는 현상.
예 심상치 않은 조짐이 보인다.

지양(止揚) 더 높은 단계로 오르기 위하여 어떠한 것을 하지 아니함. '피함', '하지 않음'으로 순화.
예 이러한 방식은 지양하고 새로운 방식을 살려 보도록 합시다.

지엽(枝葉) 본질적이거나 중요하지 아니하고 부차적인 부분.
예 지엽적인 문제에만 매달려 본질적인 문제들은 망각하고 있었다.

지향(指向) 작정하거나 지정한 방향으로 나아감. 또는 그 방향.

차출(差出) 어떤 일을 시키기 위하여 인원을 선발하여 냄. '뽑아냄'으로 순화.
예 이번 사태를 수습하기 위해 마을에서 필요한 인원을 차출했다.

책망(責望) 잘못을 꾸짖거나 나무라며 못마땅하게 여김.
유의어 **힐책(詰責)** 잘못된 점을 따져 나무람.

초연하다(超然ㅡㅡ)
① 어떤 현실 속에서 벗어나 그 현실에 아랑곳하지 않고 의젓하다.
예 암 말기 선고를 받고서도 그는 죽음에 대해 초연한 듯 보였다.
② 보통 수준보다 훨씬 뛰어나다.

촉진(促進) 다그쳐 빨리 나아가게 함.
예 정부는 경제 활성화를 촉진하기 위한 다양한 정책을 내놓았다.

추세(趨勢) 어떤 현상이 일정한 방향으로 나아가는 경향.
예 요즘 엔화가 지속적으로 하락하는 추세이다.

추이(推移) 일이나 형편이 시간의 경과에 따라 변하여 나감. 또는 그런 경향.
예 사태의 추이가 주목된다.
유의어 **귀추(歸趨)** 일이 되어 가는 형편.

취지(趣旨) 어떤 일의 근본이 되는 목적이나 긴요한 뜻. = **취의(趣意)**
예 글의 서두에서 글을 쓴 취지를 밝혀 놓았다.

타락(墮落) 올바른 길에서 벗어나 잘못된 길로 빠지는 일.

타파(打破) 부정적인 규정, 관습, 제도 따위를 깨뜨려 버림.
예 우리 사회에 뿌리 깊이 박힌 악습(惡習)을 타파해야 한다.

토로(吐露) 마음에 있는 것을 죄다 드러내어서 말함.
예 심정을 토로하다.

투항(投降) 적에게 항복함.

파급(波及) 어떤 일의 여파나 영향이 차차 다른 데로 미침.
예 불매 운동이 전국적으로 파급되었다.

파기(破棄)
① 깨뜨리거나 찢어서 내버림.
예 문서를 파기할 때는 반드시 문서 파기 규정에 따라야 한다.
② 계약, 조약, 약속 따위를 깨뜨려 버림.
예 계약금을 포기하고 계약을 파기했다.

폭언(暴言) 난폭하게 말함. 또는 그런 말.
예 폭언을 퍼붓다.
유의어 **폭설(暴說)**

풍조(風潮) 시대에 따라 변하는 세태.
예 과소비 풍조.

폐지(廢止) 실시하여 오던 제도나 법규, 일 따위를 그만두거나 없앰.

피력(披瀝) 생각하는 것을 털어놓고 말함.
예 그는 자신의 견해를 역설적으로 피력했다.

한계(限界) 사물이나 능력, 책임 따위가 실제 작용할 수 있는 범위. 또는 그런 범위를 나타내는 선.
예 거대한 조직 사회 안에서 개인의 힘이란 한계가 있기 마련이다.

함양(涵養) 능력이나 품성 따위를 길러 쌓거나 갖춤.
예 독서는 학생들의 지식과 정서 함양에 크게 이바지한다.

형언(形言) (뒤에 오는 '어렵다, 없다, 못 하다' 따위의 부정어와 함께 쓰여) 형용하여 말함.
예 그때의 벅찬 감정은 형언조차 하기 어려웠다.

호도(糊塗) 풀을 바른다는 뜻으로, 명확하게 결말을 내지 않고 일시적으로 감추거나 흐지부지 덮어 버림을 비유적으로 이르는 말.
예 어떤 외압에 의해서건 사건의 진상을 호도하는 것은 옳지 못하다.

호소(呼訴) 억울하거나 딱한 사정을 남에게 간곡히 알림.

혼돈(混沌/渾沌) 마구 뒤섞여 있어 갈피를 잡을 수 없음. 또는 그런 상태.
예 외래문화의 무분별한 수입은 가치관의 혼돈을 초래하였다.

혼동(混同) 구별하지 못하고 뒤섞어서 생각함.
예 잠이 다 깨지 않았는지 그는 현실과 꿈 사이에서 혼동을 일으켰다.

회의03(會議) 여럿이 모여 의논함. 또는 그런 모임.
회의04(懷疑) 의심을 품음. 또는 마음속에 품고 있는 의심.
예 지금까지 해 온 일이 과연 옳은 일인지 회의가 느껴진다.

회포(懷抱) 마음속에 품은 생각이나 정(情).

횡행(橫行) 아무 거리낌 없이 제멋대로 행동함.
예 사회 기강은 해이해지고 국민의 생활은 처참하여 각지에서 도적이 횡행하였다.

힐난(詰難) 트집을 잡아 거북할 만큼 따지고 듦.

힐책(詰責) 잘못된 점을 따져 나무람. '꾸짖음'으로 순화.

4. 그 외 기출 한자어

한자어	의미
강퍅하다 (剛愎--)	성격이 까다롭고 고집이 세다. 예 그는 평소에도 강퍅하다.
괴괴하다 (怪怪--)	정상적이지 않고 별나며 괴상하다. = 이상야릇하다. 예 괴괴한 취미.
교교하다 (姣姣--)	재주와 지혜가 있다. 예 그녀는 교교해서 주위의 찬탄을 받았다.
난삽하다 (難澁--)	글이나 말이 매끄럽지 못하면서 어렵고 까다롭다. 예 난삽한 문장.
낭랑하다 (朗朗--)	소리가 맑고 또랑또랑하다. 예 낭랑한 목소리로 노래를 부르다.
노회하다 (老獪--)	경험이 많고 교활하다. 예 노회한 책략.
담백하다 (淡白--)	① 욕심이 없고 마음이 깨끗하다. 예 솔직하고 담백한 성격. ② 아무 맛이 없이 싱겁다. 예 이 집의 반찬 맛은 담백하다. ③ 음식이 느끼하지 않고 산뜻하다. 예 담백한 음식. ④ 빛깔이 진하지 않고 산뜻하다. 예 담백한 색의 옷.
두루춘풍 (--春風)	누구에게나 좋게 대하는 일. 또는 그런 사람을 비유적으로 이르는 말. 예 그 사람은 원래 두루춘풍이라 미움받을 일이 없다.
소슬하다 (蕭瑟--)	으스스하고 쓸쓸하다. 예 어느덧 가을도 소슬하게 짙어 가고 있다.
심심하다 (甚深--)	(주로 '심심한' 꼴로 쓰여) 마음의 표현 정도가 매우 깊고 간절하다. 예 심심한 감사를 드립니다.
졸렬하다 (拙劣--)	옹졸하고 천하여 서투르다. 예 졸렬한 수단.
중동무이 (中---)	하던 일이나 말을 끝내지 못하고 중간에서 흐지부지 그만두거나 끊어 버림. 예 미처 생각을 정리하지 못한 그는 중동무이하고 말았다.
처연하다 (悽然--)	애달프고 구슬프다. 예 처연한 신세.
한적하다 (閑寂--)	한가하고 고요하다. 예 한적한 시골.

기억률 200% 바로확인 문제

[1~5] 다음 단어들의 뜻을 바르게 연결하고, (　　)에 들어갈 적절한 단어를 고르시오.

공연의 분위기가 (　　)되자, 관객 모두가 열광했다.

1 고양(高揚) •
2 고조(高調) •
3 고취(鼓吹) •
4 증가(增加) •
5 증진(增進) •

• ㉠ 양이나 수치가 늚.
• ㉡ 정신이나 기분 따위를 북돋워서 높임.
• ㉢ 의견이나 사상 따위를 열렬히 주장하여 불어넣음.
• ㉣ 기운이나 세력 따위가 점점 더 늘어 가고 나아감.
• ㉤ 사상이나 감정, 세력 따위가 한창 무르익거나 높아짐. 또는 그런 상태.

[6~10] 다음 단어들의 뜻을 바르게 연결하고, (　　)에 들어갈 적절한 단어를 고르시오.

그는 상급자의 (　　) 아래 수차례 부정을 저질렀다.

6 묵인(默認) •
7 수용(受容) •
8 용납(容納) •
9 인가(認可) •
10 허용(許容) •

• ㉠ 인정하여 허가함.
• ㉡ 어떠한 것을 받아들임.
• ㉢ 허락하여 너그럽게 받아들임.
• ㉣ 너그러운 마음으로 남의 말이나 행동을 받아들임.
• ㉤ 모르는 체하고 하려는 대로 내버려 둠으로써 슬며시 인정함.

[11~15] 다음 단어들의 뜻을 바르게 연결하고, (　　)에 들어갈 적절한 단어를 고르시오.

가구와 집기 따위가 주로 형수의 취향과 (　　)에 따라 골라진 것들이었다.

11 시야(視野) •
12 식견(識見) •
13 심미안(審美眼) •
14 안목(眼目) •
15 혜안(慧眼) •

• ㉠ 아름다움을 살펴 찾는 안목.
• ㉡ 사물을 꿰뚫어 보는 안목과 식견.
• ㉢ 사물을 보고 분별하는 견문과 학식.
• ㉣ 시력이 미치는 범위. 사물에 대한 식견이나 사려가 미치는 범위.
• ㉤ 학식과 견문. 사물을 분별할 수 있는 능력.

정답 [1 ~ 5] 고조 1 ㉡ 2 ㉤ 3 ㉢ 4 ㉠ 5 ㉣ [6 ~ 10] 묵인 6 ㉤ 7 ㉡ 8 ㉣ 9 ㉠ 10 ㉢
[11 ~ 15] 안목 11 ㉣ 12 ㉤ 13 ㉠ 14 ㉢ 15 ㉡

[16~21] 다음 ( ) 안에 들어갈 한자어를 〈보기〉에서 고르시오.

보기

① 배제(排除) ② 저촉(抵觸) ③ 유착(癒着) ④ 입안(立案)
⑤ 파탄(破綻) ⑥ 문책(問責)

16 그 사건은 정치권과 ( )되었다.

17 잘못된 기안에 대하여 담당자를 ( )하다.

18 남편의 외도로 결혼 생활이 ( )에 이르렀다.

19 부장을 이 일에서 ( )하지 않고서는 결코 성공할 수 없다.

20 사원들을 무작정 쫓아내는 것은 노동법에 ( )되는 행위이다.

21 국회에서는 특별법의 ( )을/를 담당할 소위원회를 새로이 구성했다.

[22~31] 다음 한자어들과 대응하는 고유어를 〈보기〉에서 고르시오.

보기

① 만들다 ② 말리다 ③ 머무르다 ④ 말하다 ⑤ 버리다
⑥ 맞추다 ⑦ 모으다 ⑧ 무겁다 ⑨ 떨어지다 ⑩ 맞다

22 논평(論評)하다 ( )

23 유숙(留宿)하다 ( )

24 만류(挽留)하다 ( )

25 근절(根絕)하다 ( )

26 조립(組立)하다 ( )

27 조성(造成)하다 ( )

28 채집(採集)하다 ( )

29 막중(莫重)하다 ( )

30 적중(的中)하다 ( )

31 실추(失墜)되다 ( )

[32~39] 밑줄 친 부분의 문맥적 의미에 해당하는 한자어를 〈보기〉에서 고르시오.

보기

① 평정(平定)하다 ② 희생(犧牲)하다 ③ 하달(下達)하다 ④ 용해(鎔解)되다
⑤ 감퇴(減退)하다 ⑥ 결성(結成)하다 ⑦ 상통(相通)하다 ⑧ 조정(調整)하다

32 시력이 갑자기 <u>떨어졌다</u>. ( )

33 나는 목숨을 <u>내놓고</u> 싸웠다. ( )

34 그는 나와 마음이 잘 <u>맞는다</u>. ( )

35 초콜릿이 <u>녹아서</u> 흘러내렸다. ( )

36 등산 동호회를 <u>만들기로</u> 했다. ( )

37 모두 철거하라는 명령을 <u>내렸다</u>. ( )

38 그는 가차 없이 반란을 <u>다스렸다</u>. ( )

39 현미경은 초점을 잘 <u>맞추어야</u> 한다. ( )

정답
[16~21] 16 ③ 17 ⑥ 18 ⑤ 19 ① 20 ② 21 ④
[22~31] 22 ④ 23 ③ 24 ② 25 ⑤ 26 ⑥ 27 ① 28 ⑦ 29 ⑧ 30 ⑩ 31 ⑨
[32~39] 32 ⑤ 33 ② 34 ⑦ 35 ④ 36 ⑥ 37 ③ 38 ① 39 ⑧

03 한자어

기출변형 문제

정답 P 3

1 **다음 중 〈보기〉의 뜻풀이를 참고했을 때, 예문의 (　　)에 들어갈 알맞은 단어는?**

> 보기
>
> **[뜻풀이]** 중요한 내용이나 줄거리를 대강 추려 냄.
>
> **[예　문]** 그는 최근 1960년대 이후의 우리 문학사를 (　　　)하는 글에서 이 문제를 다룬 적이 있다.

① 개관(槪觀)　② 개괄(槪括)　③ 골자(骨子)
④ 맹점(盲點)　⑤ 포괄(包括)

2 **다음 중 〈보기〉의 뜻풀이를 참고했을 때, 예문의 (　　)에 들어갈 알맞은 단어는?**

> 보기
>
> **[뜻풀이]** 사물들이 서로 깊은 관계를 가지고 결합하여 있음.
>
> **[예　문]** 우리 경제의 건전성을 회복하기 위해 무엇보다 필요한 것은 경제 단체들과 정치권의 오래된 (　　　) 관계를 조속하게 근절하는 것이다.

① 결탁(結託)　② 담합(談合)　③ 상생(相生)
④ 연합(聯合)　⑤ 유착(癒着)

3 **밑줄 친 부분을 유사한 의미의 한자어로 바꿀 때, 가장 적절한 단어의 기본형은?**

> 드디어 민주 정부가 <u>서게</u> 되었다.

① 기립(起立)하다　② 확립(確立)하다　③ 수립(樹立)하다
④ 건립(建立)하다　⑤ 창립(創立)하다

4 **다음 중 〈보기〉의 밑줄 친 단어들과 바꾸어 쓸 수 없는 것은?**

보기

㉠ 그는 깊은 생각에 잠겨 있었다.
㉡ 그가 무슨 생각을 하는지 모르겠다.
㉢ 지난 일은 다시 생각하고 싶지 않다.
㉣ 그 사람은 새로운 발명품을 생각해 냈다.

① 고찰(考察) ② 기억(記憶) ③ 상념(想念)
④ 의향(意向) ⑤ 창안(創案)

5 **밑줄 친 한자어의 사전적 뜻풀이로 옳지 않은 것은?**

① 사적 감정의 개재(介在)가 이 일의 변수이다. → 어떤 것들 사이에 끼여 있음.
② 불행한 사태의 재연(再演)을 막으려면 모두가 노력해야 한다. → 다시 나타남. 또는 다시 나타냄.
③ 수십 년 쌓아 온 그의 아성(牙城)을 무너뜨릴 수는 없었다. → 아주 중요한 근거지를 비유적으로 이르는 말.
④ 그에 대한 일화는 아직도 많은 사람들 사이에 회자(膾炙)되고 있다. → 칭찬을 받으며 사람의 입에 자주 오르내림.
⑤ 이번 대회에는 기량이 월등한 선수들만 참가하므로 전 종목 석권(席卷)이 가능하다. → 빠른 기세로 영토를 휩쓸거나 세력 범위를 넓힘.

6 **밑줄 친 한자어를 다른 표현으로 바꾸려 할 때, 적절하지 않은 것은?**

① 그해가 나에게는 하나의 분수령(分水嶺)이 되었다고 할 수 있겠다. → 전환점
② 안팎식구가 법석을 하며 새 사위를 영접(迎接)하기에 분주하였다. → 받다
③ 대량 살상 무기가 투입된다면 인류가 절멸(絕滅)하는 위험에 대비해야 할 것이다. → 아주 없어지다
④ 지나간 50년을 곰곰 반추(反芻)하여 보니 후회되는 일이 허다하다. → 되새기다
⑤ 나이는 들었어도 그의 집필에 대한 의욕은 조금도 감퇴(減退)하지 않았다. → 떼다

7 **다음 밑줄 친 단어들을 바꿔 쓰려고 할 때 적절하지 않은 것은?**

① 진아는 조금 전 사건 때문에 어색해진 분위기를 바꾸어 보려고 애썼다. → 전환(轉換)
② 까다롭기로 소문난 김 작가는 마음에 들 때까지 원고의 내용을 바꾸었다. → 교체(交替)
③ 인천 공항으로 들어오려던 여객기는 기상 악화로 인해 진로를 바꾸었다. → 전타(轉舵)
④ 정부는 이번 사상 초유의 정전 사태에 대한 책임을 물어 관계 부서 장관을 바꾸었다.
→ 경질(更迭)
⑤ 경기 악화로 많은 사람들이 알뜰 장터를 찾아, 자신의 물건을 필요한 물건으로 바꾸었다.
→ 교환(交換)

8 **밑줄 친 부분의 한자어가 바르게 쓰인 것은?**

① 그는 평생 한 가지 일을 천착(穿鑿)하였습니다.
② 그가 기존의 학설을 옳지 않다고 불식(拂拭)한 것은 아니다.
③ 문화 산업은 근래에 창궐(猖獗)하는 정보 통신 분야가 이끌고 있다.
④ 그 안건은 과반수의 찬성을 얻지 못하여 이미 계류(繫留)한 안건이다.
⑤ 기대했던 바와 달리, 통신과 정보 수단의 발달로 지역 간의 차이는 더 벌어져 서로 비견(比肩)하게 되었다.

9 **밑줄 친 부분이 바르게 사용된 것은?**

① 그는 금품을 착취(搾取)하고, 폭력을 행사한 혐의를 받고 있다.
② 그 해결책은 자신이 처음 야기(惹起)한 것이라고 사장은 자랑하였다.
③ 우리는 평소에 자별(自別)히 지내는 사이라서 서로에 대한 관심이 없다.
④ 그녀는 놀라고 당황한 나머지, 자신의 입장에 대한 충분한 소명(疏明)을 못하고 말았다.
⑤ 보건 당국은 수입 쇠고기를 검사한 결과, 모든 시료에서 세균이 추출(抽出)되었다고 발표했다.

10 밑줄 친 단어의 쓰임이 바르지 않은 것은?

① 주민 등록증 변조(變造)는 중대한 범죄이다.
② 이 소설은 사회의 구조적 모순을 첨예(尖銳)하게 보여 주고 있다.
③ 무직인 그는 자신이 대통령 비서관이라고 빙자(憑藉)하여 사기를 쳤다.
④ 고전 문학을 두루 섭렵(涉獵)한 그는 역사서에 관심을 가지기 시작했다.
⑤ 제도의 근본적인 개혁을 역설하던 그의 연설은 만인의 피를 들끓게 할 정도의 사자후(獅子吼)였다.

11 다음 중 〈보기〉의 ㉠~㉢에 들어갈 단어를 순서대로 나타낸 것은?

보기
- 정부가 시행 시기를 (㉠)하고 있는 승용차 강제 10부제가 시행될 경우 위반 과태료는 10만 원이 될 전망이다.
- 그는 그 화학 반응 원리를 (㉡)하는 데에 평생을 바쳤다.
- 그간의 미온적 태도를 (㉢)하고 적극적인 자세로 임할 때가 왔다.

① 도모(圖謀) – 규명(糾明) – 자각(自覺)
② 조율(調律) – 규명(糾明) – 자각(自覺)
③ 도모(圖謀) – 구명(究明) – 자성(自省)
④ 조율(調律) – 구명(究明) – 자성(自省)
⑤ 조율(調律) – 규명(糾明) – 자성(自省)

12 다음 중 〈보기〉의 ㉠~㉣에 들어갈 단어를 순서대로 나타낸 것은?

보기
- 잘 알아보지도 않고 미리 (㉠)을 하는 것은 금물이다.
- 그는 다른 사람과 상의 없이 (㉡)으로 일을 처리하곤 한다.
- 시간에 쫓겨서 서두르다 보면 신중치 못하게 (㉢)하기 쉽다.
- 지금은 구시대적인 관행을 깨뜨리는 (㉣)이 필요한 시기이다.

① 속단(速斷) – 독단(獨斷) – 예단(豫斷) – 용단(勇斷)
② 속단(速斷) – 용단(勇斷) – 독단(獨斷) – 예단(豫斷)
③ 예단(豫斷) – 독단(獨斷) – 용단(勇斷) – 속단(速斷)
④ 예단(豫斷) – 독단(獨斷) – 속단(速斷) – 용단(勇斷)
⑤ 예단(豫斷) – 용단(勇斷) – 독단(獨斷) – 속단(速斷)

04 한자성어 / 속담 / 관용구

시험에 나온! 나올!
필수개념

기출복원 문제

한자성어의 쓰임

다음 밑줄 친 한자성어의 사용이 적절하지 않은 것은?

① 두호는 자강불식(自强不息)의 태도로 학문에 전념하여 마침내 대학에 수석 합격하였다.
② 이달 들어 시작한 관련 법안을 또 고치려 하다니, 조변석개(朝變夕改)도 정도가 있어야지.
③ 정부는 서민들의 고통을 해결해 주려는 시늉만 냈을 뿐 실효성이 전혀 없어 격화소양(隔靴搔癢)일 뿐이다.
④ 잘난 척은 혼자 다하는 소정이는 낭중지추(囊中之錐) 같아서 언젠가는 형편없는 실력이 드러나고 말 거야.
⑤ 그는 자존심이 아주 강한 사람이었지만 모르는 것이 있을 때에는 불치하문(不恥下問)할 줄 아는 사람이었다.

유형 익히기 ▶ ④ '낭중지추(囊中之錐)'는 '주머니 속의 송곳'이라는 뜻으로, '재능이 뛰어난 사람은 숨어 있어도 저절로 남의 눈에 띄게 됨을 이르는 말.'로 문맥과는 어울리지 않는다.
① 스스로 힘써 몸과 마음을 가다듬어 쉬지 아니함. ② 아침저녁으로 뜯어고친다는 뜻으로, 계획이나 결정 따위를 일관성이 없이 자주 바꿈을 이르는 말. ③ 신을 신고 발바닥을 긁는다는 뜻으로, 성에 차지 않거나 철저하지 못한 안타까움을 이르는 말. ⑤ 손아랫사람이나 지위나 학식이 자기만 못한 사람에게 모르는 것을 묻는 일을 부끄러워하지 아니함.

한자성어의 쓰임

다음 중 〈보기〉의 (　　)에 알맞은 한자성어는?

보 기

다국적 기업의 저가 물량 공세가 날이 갈수록 심해지자, 정부와 관련 기관은 국민들의 애국심을 고취하여 국민들로 하여금 국내 제품을 쓰도록 유도하겠다는 정책을 내놓고 있다. 그러나 이는 (　　　) 식의 대책으로 국민들에게 비판을 받고 있다.

① 가렴주구(苛斂誅求)
② 고식지계(姑息之計)
③ 다기망양(多岐亡羊)
④ 전대미문(前代未聞)
⑤ 초동급부(樵童汲婦)

유형 익히기 ▶ 정부의 정책은 근본적인 문제 해결을 기대할 수 있는 대책이 아닌, 당장 눈앞의 상황을 수습하기 위한 계책에 불과하다. 따라서 '우선 당장 편한 것만을 택하는 꾀나 방법. 한때의 안정을 얻기 위하여 임시로 둘러맞추어 처리하거나 이리저리 주선하여 꾸며 내는 계책.'을 이르는 ② '고식지계(姑息之計)'가 적절하다.
① 세금을 가혹하게 거두어들이고, 무리하게 재물을 빼앗음. ③ 갈림길이 많아 잃어버린 양을 찾지 못한다는 뜻으로, 두루 섭렵하기만 하고 전공하는 바가 없어 끝내 성취하지 못함을 이르는 말. ④ 이제까지 들어 본 적이 없음. ⑤ 땔나무를 하는 아이와 물을 긷는 아낙네라는 뜻으로, 평범한 사람을 이르는 말.

속담의 쓰임

다음 중 밑줄 친 속담을 상황에 맞게 사용하지 않은 것은?

① 굳은 땅에 물이 괸다고, 여유가 있을 때에도 헤프게 쓰지 말고 아껴야 해.
② 말로 온 동네를 다 겪는다고, 너는 정말 척하니 알아듣고 모든 일을 다 해결하는구나.
③ 누울 자리를 보고 발을 뻗으랬다고, 아무리 탐나도 네가 도맡아 하기엔 무리인 것 같지 않았니?
④ 지혜는 충치 치료를 제때에 받지 않아서 이를 뽑게 되었으니, 호미로 막을 것을 가래로 막은 격이다.
⑤ 아무리 '나는 바담 풍 해도 너는 바람 풍 해라.' 한다지만, 정작 자신은 책 한 권 안 읽으면서 아이들에게는 책 읽으라 강요하는 부모들을 보면 씁쓸한 기분을 감출 수 없다.

유형 익히기 ▶ ② '말로 온 동네를 다 겪는다.'는 '음식이나 물건으로는 힘이 벅차서 많은 사람을 다 대접하지 못하므로 언변으로나마 잘 대접한다는 말.'로 일을 잘 해결하는 것과는 무관하며, 오히려 말로만 남을 대접한다는 의미이므로 제시된 상황과 어긋난다.
① 헤프게 쓰지 않고 아끼는 사람이 재산을 모으게 됨을 비유적으로 이르는 말. ③ 어떤 일을 할 때 그 결과가 어떻게 되리라는 것을 생각하여 미리 살피고 일을 시작하라. ④ 커지기 전에 처리하였으면 쉽게 해결되었을 일을 방치하여 두었다가 나중에 큰 힘을 들이게 된 경우를 비유적으로 이르는 말. ⑤ 자신은 잘못된 행동을 하면서 남보고는 잘하라고 요구하는 말.

관용구의 쓰임

다음 밑줄 친 관용구의 쓰임과 뜻풀이가 적절하지 않은 것은?

① 엎드려 잤더니 얼굴에 자리가 났다. – 자취나 흔적이 남다.
② 열심히 산에 올랐더니 맥이 난다. – 힘이 빠지거나 의욕이 떨어지다.
③ 나는 이제 이런 종류의 논쟁에는 신물이 난다. – 매우 익숙하여 당연하게 여기다.
④ 그 일이라면 이제 이골이 나서 눈 감고도 할 수 있다. – 어떤 일에 완전히 길이 들다.
⑤ 그는 눈에 불이 나도록 사내의 뒤통수를 후려쳤다. – 머리를 얻어맞거나 하여 눈에 불이 이는 듯하다.

유형 익히기 ▶ ③ '신물이 나다'는 '하기 싫은 일을 오래 하여 지긋지긋하고 진절머리가 나다.'의 의미이다.

BEST 기출&예상 개념

국어능력인증시험에서 관용적 표현은 일상생활에서 많이 쓰는 한자성어나 속담, 관용어의 의미를 직접적으로 묻거나, 선택지에서 문맥이나 상황에 맞게 사용했는지 판단하는 유형으로 출제된다. 그러나 실제로는 일상생활에서는 흔히 쓰지 않는 어휘들도 많이 출제되는 등 비교적 까다롭게 출제되므로, 별도의 학습이 반드시 필요한 영역이다. 특히, 관용어는 교과 학습 과정에서 암기한 수준으로는 문제를 해결하기 어려울 정도로 익숙지 않은 표현들도 출제되고 있으므로 유의하여 대비해야 한다.

1. 중요 한자성어

가담항설(街談巷說) 길거리나 항간에 떠도는 소문. '뜬소문'으로 순화.

가렴주구(苛斂誅求) 세금을 가혹하게 거두어들이고, 무리하게 재물을 빼앗음.

각골난망(刻骨難忘) 남에게 입은 은혜가 뼈에 새길 만큼 커서 잊히지 아니함.

각주구검(刻舟求劍) 융통성 없이 현실에 맞지 않는 낡은 생각을 고집하는 어리석음을 이르는 말.

간담상조(肝膽相照) 서로 속마음을 털어놓고 친하게 사귐.

감언이설(甘言利說) 귀가 솔깃하도록 남의 비위를 맞추거나 이로운 조건을 내세워 꾀는 말.

감탄고토(甘呑苦吐) 달면 삼키고 쓰면 뱉는다는 뜻으로, 자신의 비위에 따라서 사리의 옳고 그름을 판단함을 이르는 말.

객반위주(客反爲主) 손이 도리어 주인 노릇을 한다는 뜻으로, 부차적인 것을 오히려 더 중요하게 여김을 이르는 말.

거안사위(居安思危) 평안할 때에도 위험과 곤란이 닥칠 것을 생각하며 잊지 말고 미리 대비해야 함을 이르는 말.

건곤일척(乾坤一擲) 주사위를 던져 승패를 건다는 뜻으로, 운명을 걸고 단판걸이로 승부를 겨룸을 이르는 말.

격세지감(隔世之感) 오래지 않은 동안에 몰라보게 변하여 아주 다른 세상이 된 것 같은 느낌.

견강부회(牽强附會) 이치에 맞지 않는 말을 억지로 만들어 붙여서 자기에게 유리하게 함.

견물생심(見物生心) 어떠한 실물을 보게 되면 그것을 가지고 싶은 욕심이 생김.

결자해지(結者解之) 맺은 사람이 풀어야 한다는 뜻으로, 자기가 저지른 일은 자기가 해결하여야 함을 이르는 말.

결초보은(結草報恩) 죽어서라도 잊지 않고 은혜를 갚음.

경거망동(輕擧妄動) 경솔하여 망령되게 행동함.

계란유골(鷄卵有骨) 달걀에도 뼈가 있다는 뜻으로, 운수가 나쁜 사람은 모처럼 좋은 기회를 만나도 역시 일이 잘 안됨을 이르는 말.

고담준론(高談峻論) 뜻이 높고 바르며 엄숙하고 날카로운 말.

고식지계(姑息之計) 우선 당장 편한 것만을 택하는 꾀나 방법.

고장난명(孤掌難鳴) 외손뼉만으로는 소리가 울리지 아니한다는 뜻으로, 혼자의 힘만으로 어떤 일을 이루기 어려움을 이르는 말.

고진감래(苦盡甘來) 고생 끝에 즐거움이 옴을 이르는 말.

곡학아세(曲學阿世) 바른길에서 벗어난 학문으로 세상 사람에게 아첨함.

관포지교(管鮑之交) 관중과 포숙의 사귐이란 뜻으로, 우정이 아주 돈독한 친구 관계를 이르는 말.

괄목상대(刮目相對) 눈을 비비고 상대편을 본다는 뜻으로, 남의 학식이나 재주가 놀랄 만큼 부쩍 늚을 이르는 말.

교각살우(矯角殺牛) 소의 뿔을 바로잡으려다가 소를 죽인다는 뜻으로, 잘못된 점을 고치려다 오히려 일을 그르침을 이르는 말.

교언영색(巧言令色) 아첨하는 말과 알랑거리는 태도.

구사일생(九死一生) 아홉 번 죽을 뻔하다 한 번 살아난다는 뜻으로, 죽을 고비를 여러 차례 넘기고 겨우 살아남을 이르는 말.

권토중래(捲土重來) 어떤 일에 실패한 뒤에 힘을 가다듬어 다시 그 일에 착수함을 비유하여 이르는 말.

근묵자흑(近墨者黑) 먹을 가까이하는 사람은 검어진다는 뜻으로, 나쁜 사람과 가까이 지내면 나쁜 버릇에 물들기 쉬움을 비유적으로 이르는 말.

금상첨화(錦上添花) 비단 위에 꽃을 더한다는 뜻으로, 좋은 일 위에 또 좋은 일이 더하여짐을 비유적으로 이르는 말.

금의환향(錦衣還鄕) 비단옷을 입고 고향에 돌아온다는 뜻으로, 출세를 하여 고향에 돌아가거나 돌아옴을 비유적으로 이르는 말.

금지옥엽(金枝玉葉) 금으로 된 가지와 옥으로 된 잎이라는 뜻으로, 임금의 가족을 높여 이르는 말. 귀한 자손을 이르는 말.

낙담상혼(落膽喪魂) 몹시 놀라거나 마음이 상해서 넋을 잃음.

남가일몽(南柯一夢) 꿈과 같이 헛된 한때의 부귀영화를 이르는 말.

남부여대(男負女戴) 남자는 지고 여자는 인다는 뜻으로, 가난한 사람들이 살 곳을 찾아 이리저리 떠돌아다님을 비유적으로 이르는 말.

낭중지추(囊中之錐) 주머니 속의 송곳이라는 뜻으로, 재능이 뛰어난 사람은 숨어 있어도 저절로 사람들에게 알려짐을 이르는 말.

내우외환(內憂外患) 나라 안팎의 여러 가지 어려움.

노승발검(怒蠅拔劍) 성가시게 구는 파리를 보고 성내어 칼을 빼다는 뜻으로, 사소한 일에 화를 내거나 또는 작은 일에 어울리지 않게 커다란 대책을 세움을 비유적으로 이르는 말.

노심초사(勞心焦思) 몹시 마음을 쓰며 애를 태움.

녹빈홍안(綠鬢紅顔) 젊고 아름다운 여자의 얼굴 또는 젊은 여자의 아름다움을 이르는 말.

누란지세(累卵之勢) 층층이 쌓아 놓은 알의 형세라는 뜻으로, 몹시 위태로운 형세를 비유적으로 이르는 말.

ㄷ

다기망양(多岐亡羊) 갈림길이 많아 잃어버린 양을 찾지 못한다는 뜻으로, 두루 섭렵하기만 하고 전공하는 바가 없어 끝내 성취하지 못함을 이르는 말.

다다익선(多多益善) 많으면 많을수록 더욱 좋음.

단기지계(斷機之戒) 학문을 중도에서 그만두면 짜던 베의 날을 끊는 것처럼 아무 쓸모 없음을 경계한 말.

대기만성(大器晩成) 크게 될 사람은 늦게 이루어짐을 이르는 말.

동가홍상(同價紅裳) 같은 값이면 다홍치마.

동고동락(同苦同樂) 괴로움도 즐거움도 함께함.

동병상련(同病相憐) 같은 병을 가진 사람끼리 서로 가엾게 여김.

동상이몽(同牀異夢) 한자리에서 자면서 다른 꿈을 꿈.

두문불출(杜門不出) 집에만 박혀 있고 사회나 관직에 나가지 않음.

등고자비(登高自卑) 높은 곳에 오르려면 낮은 데서부터 시작하는 것처럼 무슨 일이든 순서를 따라서 해야 한다는 말.

등하불명(燈下不明) 등잔 밑이 어둡다는 뜻으로, 가까이 있는 것이 도리어 알아내기 어려움.

등화가친(燈火可親) 등잔불을 가까이할 만하다는 뜻으로, 서늘한 가을밤은 등불을 가까이 하여 글 읽기에 좋음을 이르는 말.

마이동풍(馬耳東風) 말 귀에 봄바람처럼, 남의 말을 귀담아듣지 않음을 이르는 말.

만경창파(萬頃蒼波) 한없이 넓고 넓은 바다.

만고풍상(萬古風霜) 오랫동안 겪어 온 많은 고생.

만면수색(滿面愁色) 근심하는 빛이 얼굴에 가득 차 있음.

만시지탄(晩時之歎/晩時之嘆) 때 늦은 한탄.

망극지은(罔極之恩) 끝없이 베풀어 주는 혜택이나 고마움.

망양보뢰(亡羊補牢) 양을 잃고 우리를 고친다는 뜻으로, 어떤 일을 실패한 뒤에 뉘우쳐도 아무 소용이 없음을 이르는 말.

망양지탄(亡羊之歎/亡羊之嘆) 갈림길이 매우 많아 잃어버린 양을 찾을 길이 없음을 탄식한다는 뜻으로, 학문의 길이 여러 갈래여서 한 갈래의 진리도 얻기 어려움을 이르는 말.

면종복배(面從腹背) 겉으로는 따르는 체하고 속으로는 배반함.

명경지수(明鏡止水) 맑은 거울과 잔잔한 물.

명약관화(明若觀火) 불을 보듯 분명하고 뻔함.

명재경각(命在頃刻) 곧 숨이 끊어질 지경에 이름.

목불식정(目不識丁) 아주 간단한 글자인 '丁' 자를 보고도 그것이 '고무래'인 줄을 알지 못한다는 뜻으로, 아주 까막눈임을 이르는 말.

목불인견(目不忍見) 눈으로 차마 볼 수가 없음.

무아도취(無我陶醉) 자신의 존재를 완전히 잊고 흠뻑 취함.

무용지물(無用之物) 쓸 데가 없는 물건이나 사람.

무위도식(無爲徒食) 하는 일 없이 놀고먹음.

문경지교(刎頸之交) 생사를 같이할 만한 아주 가까운 사이, 또는 그런 친구를 이르는 말.

문일지십(聞一知十) 한 가지를 듣고 열 가지를 미루어 짐작함.

문전성시(門前成市) 찾아오는 사람이 많아 집 문 앞이 시장을 이루다시피 함을 이르는 말.

물아일체(物我一體) 외물과 자아가 어울려 하나가 됨.

박리다매(薄利多賣) 이익을 적게 보고 많이 파는 것.

반신불수(半身不隨) 병이나 사고로 몸의 절반이 마비되는 일. 또는 그런 사람.

발본색원(拔本塞源) 좋지 않은 일의 근원이 되는 요소를 완전히 없애 버려서 다시는 그러한 일이 생길 수 없도록 함. 뿌리를 뽑고 원천을 막아 버림.

배수지진(背水之陣) 어떤 일을 성취하기 위하여 더 이상 물러설 수 없음을 비유적으로 이르는 말.

배은망덕(背恩忘德) 남에게 입은 은혜를 저버리고 배반함.

백년대계(百年大計) 먼 앞날을 내다보고 세우는 크고 중요한 계획.

백년해로(百年偕老) 부부가 되어 한평생을 사이좋게 지내고 즐겁게 함께 늙음.

백면서생(白面書生) 글만 읽고 세상일에 경험이 없는 사람.

백척간두(百尺竿頭) 백 자나 되는 높은 장대 위에 올라섰다는 뜻으로, 몹시 어렵고 위태로운 지경을 이르는 말.

부전자전(父傳子傳) 아들의 성격이나 생활 습관 따위가 아버지로부터 대물림된 것처럼 같거나 비슷함.

부지기수(不知其數) 헤아릴 수가 없을 만큼 많음.

부지불각(不知不覺) 자신도 모르는 결.

부화뇌동(附和雷同) 줏대 없이 남의 말에 따라 움직임.

불가항력(不可抗力) 사람의 힘으로는 저항할 수 없는 힘.

불문곡직(不問曲直) 옳고 그른 것을 따지지 아니함.

불철주야(不撤晝夜) 어떤 일에 몰두하여 밤낮을 가리지 아니함.

불치하문(不恥下問) 아랫사람에게 묻는 것을 꺼리지 않음.

비분강개(悲憤慷慨) 슬프고 분하여 마음이 북받침.

사면초가(四面楚歌) 아무에게도 도움을 받지 못하는, 외롭고 곤란한 지경에 빠진 형편을 이르는 말.

사상누각(沙上樓閣) 모래 위에 세운 누각이라는 뜻으로, 기초가 튼튼하지 못하여 오래 견디지 못할 일이나 물건을 이르는 말.

사색불변(辭色不變) 너무 태연하여 말과 얼굴빛이 변하지 않음.

사생결단(死生決斷) 죽고 사는 것을 돌보지 않고 끝장을 내려고 함.

사필귀정(事必歸正) 모든 일은 반드시 바른길로 돌아감.

살기충천(殺氣衝天) 살기가 하늘을 찌를 듯함. 전투 직전의 긴장이 고조된 상태.

살신성인(殺身成仁) 자기의 몸을 희생하여 인(仁)을 이룸.

삼고초려(三顧草廬) 인재를 맞아들이기 위하여 참을성 있게 노력함.

삼순구식(三旬九食) 삼십 일 동안 아홉 끼니밖에 먹지 못한다는 뜻으로, 몹시 가난함을 이르는 말.

상전벽해(桑田碧海) 뽕나무밭이 푸른 바다가 되듯이 세상일의 변천이 심함을 비유적으로 이르는 말.

선견지명(先見之明) 어떤 일이 일어나기 전에 미리 알아차리는 밝은 지혜.

선입지견(先入之見) 어떤 대상에 대하여 이미 마음속에 가지고 있는 고정적인 관념이나 관점. **= 선입관(先入觀)**

설상가상(雪上加霜) 눈 위에 서리가 덮인다는 뜻으로, 불행한 일이 잇따라 일어남.

소탐대실(小貪大失) 작은 것을 탐내다가 큰 것을 잃음.

속수무책(束手無策) 어찌할 도리가 없어 꼼짝 못 함.

속전속결(速戰速決) 속히 싸워서 끝장을 냄. 어떤 일을 빨리 진행하여 빨리 끝냄을 비유적으로 이르는 말.

수문수답(隨問隨答) 묻는 대로 거침없이 대답함.

수미상응(首尾相應) 머리와 꼬리가 서로 응함. 양쪽 끝이 서로 응하여 도와주어 잘 어울림.

수불석권(手不釋卷) 손에서 책을 놓지 않고 항상 글을 읽음.

수주대토(守株待兎) 한 가지 일에만 얽매여 발전을 모르는 어리석은 사람을 비유적으로 이르는 말.

순망치한(脣亡齒寒) 입술이 없어지면 이가 시리다는 뜻으로, 둘 중에 하나가 없어지면 다른 하나도 온전치 못하게 됨.

승승장구(乘勝長驅) 싸움에 이긴 형세를 타고 계속 몰아침.

시비곡직(是非曲直) 옳고 그르고 굽고 곧음.

시시비비(是是非非) 옳고 그름을 따지며 다툼.

시종일관(始終一貫) 일 따위를 처음부터 끝까지 한결같이 함. **= 수미일관(首尾一貫)**

식자우환(識字憂患) 학식이 있는 것이 도리어 근심을 사게 됨.

실사구시(實事求是) 사실에 토대를 두고 진리를 탐구하는 일.

심기일전(心機一轉) 어떤 동기가 있어 이제까지 가졌던 마음가짐을 버리고 완전히 달라짐.

심사숙고(深思熟考) 깊이 잘 생각함.

십상팔구(十常八九) 열에 여덟이나 아홉 정도로 거의 예외가 없음.

아비규환(阿鼻叫喚) 아비지옥과 규환지옥을 아울러 이르는 말. 여러 사람이 비참한 지경에 빠져 울부짖는 참상을 비유적으로 이르는 말.

아전인수(我田引水) 자기 논에 물 대기. 자기에게 이로운 대로만 함.

안면부지(顔面不知) 얼굴을 모름. 또는 얼굴도 모르는 사람.

안빈낙도(安貧樂道) 가난함을 편히 여기고 도를 즐김.

안하무인(眼下無人) 방자하고 교만하여 사람을 업신여김.

암중모색(暗中摸索) 어두운 데서 물건을 더듬어 찾음. 어림으로 무엇을 알아내거나 찾아내려 함.

약육강식(弱肉強食) 약한 것이 강한 것에게 먹힘.

양두구육(羊頭狗肉) 양의 머리를 걸어 놓고 개고기를 판다는 뜻으로, 겉으로는 훌륭한 것을 내세우지만 속은 변변하지 않음을 이르는 말.

어부지리(漁夫之利) 두 사람이 이해관계로 서로 싸우는 사이에 엉뚱한 사람이 애쓰지 않고 가로챈 이익을 이르는 말.

어불성설(語不成說) 말이 조금도 사리에 맞지 아니함.

언중유골(言中有骨) 말 속에 뼈가 있다는 뜻으로, 예사로운 말 속에 또 다른 뜻이 있음을 이르는 말.

여리박빙(如履薄氷) 살얼음을 밟는 것처럼 위태로움.

역지사지(易地思之) 처지를 바꾸어서 생각함.

연목구어(緣木求魚) 나무에 올라가서 물고기를 구한다는 뜻으로, 공연히 되지 않을 일을 무리하게 하려 함을 비유한 말.

영고성쇠(榮枯盛衰) 성하고 쇠함이 서로 바뀌는 일.

오리무중(五里霧中) 오 리나 되는 안개 속과 같이 희미하고 애매하여 길을 찾기 어려움을 이르는 말.

오매불망(寤寐不忘) 자나 깨나 잊지 못함.

오비삼척(吾鼻三尺) 내 코가 석 자라는 뜻으로, 자기의 처지가 궁하여 남의 사정을 돌볼 겨를이 없음을 이르는 말.

오비이락(烏飛梨落) 아무 관계도 없이 한 일이 공교롭게도 때가 같아 억울하게 의심을 받거나 난처한 위치에 서게 됨을 이르는 말.

오월동주(吳越同舟) 서로 적의를 품은 사람들이 한자리에 모이거나 협력해야 하는 상황.

온고지신(溫故知新) 옛것을 익히고 그것을 미루어서 새로운 것을 알아냄.

와신상담(臥薪嘗膽) 불편한 섶에 몸을 눕히고 쓸개를 맛본다는 뜻으로, 마음먹은 일을 이루려고 괴로움과 어려움을 참고 견딤을 이르는 말.

욕속부달(欲速不達) 일을 빨리하려고 하면 도리어 이루지 못함.

용두사미(龍頭蛇尾) 용의 머리에 뱀의 꼬리라는 뜻으로, 처음은 왕성하나 끝이 부진한 현상을 이르는 말.

용호상박(龍虎相搏) 용과 범이 서로 싸운다는 뜻으로, 강자의 승부 대결을 비유적으로 이르는 말.

우후죽순(雨後竹筍) 비가 온 뒤에 여기저기 솟는 죽순이라는 뜻으로, 어떠한 일이 한때에 많이 일어남을 비유적으로 이르는 말.

월만즉휴(月滿則虧) 달도 차면 기운다는 뜻으로, 무슨 일이든지 성하면 반드시 쇠하게 됨을 이르는 말.

유구무언(有口無言) 입은 있어도 말은 없음.

유명무실(有名無實) 이름만 그럴듯하고 실속은 없음.

유방백세(流芳百世) 꽃다운 이름을 후세에 길이 전함.

유비무환(有備無患) 준비가 되어 있으면 걱정이 없음.

유유상종(類類相從) 같은 무리끼리 서로 왕래하여 상종함.

유일무이(唯一無二) 오직 하나뿐이고 둘도 없음.

유종지미(有終之美) 한번 시작한 일을 끝까지 잘하여 끝맺음이 좋음.

은인자중(隱忍自重) 괴로움을 참고 몸가짐을 조심함.

의기소침(意氣銷沈) 기운이 없어지고 풀이 죽음.

의기양양(意氣揚揚) 뜻한 바를 이루어 만족한 마음이 얼굴에 나타난 모양.

이구동성(異口同聲) 입은 다르나 소리는 같음.

이율배반(二律背反) 서로 모순되어 양립할 수 없는 두 개의 명제.

이심전심(以心傳心) 마음과 마음으로 서로 뜻이 통함.

이해득실(利害得失) 이로움과 해로움 그리고 얻음과 잃음.

이해타산(利害打算) 이해관계를 따져 셈함.

인과응보(因果應報) 좋은 원인에는 좋은 결과가 나오고 나쁜 원인에는 나쁜 결과가 나오는 것.

인면수심(人面獸心) 사람의 얼굴을 하고 있으나 마음은 짐승과 같다는 뜻으로, 마음이나 행동이 몹시 흉악함.

인명재천(人命在天) 사람의 목숨은 하늘에 달려 있음.

인산인해(人山人海) 사람이 헤아릴 수 없이 많이 모인 모양.

인지상정(人之常情) 사람이면 누구나 가지는 보통의 마음.

일거양득(一擧兩得) 한 가지 일을 하여 두 가지 이익을 얻음.

일망타진(一網打盡) 한 번 그물을 쳐서 고기를 다 잡는다는 뜻으로, 한꺼번에 모조리 다 잡음을 이르는 말.

일사불란(一絲不亂) 한 오리 실도 엉키지 아니함이란 뜻으로, 질서가 정연하여 조금도 흐트러지지 아니함을 이르는 말.

일사천리(一瀉千里) 강물이 쏟아져 단번에 천 리까지 다다름. 어떤 일이 거침없이 빨리 진행됨을 이르는 말.

일석이조(一石二鳥) 돌 한 개를 던져 새 두 마리를 잡는다는 뜻으로, 동시에 두 가지 이득을 봄을 이르는 말.

일심동체(一心同體) 굳게 결합된 한마음과 한 몸.

일어탁수(一魚濁水) 한 마리의 고기가 물을 흐림.

일엽편주(一葉片舟) 한 척의 조그마한 배.

일자무식(一字無識) 글자를 한 자도 모를 정도로 무식함.

일장일단(一長一短) 장점도 있고 단점도 있음.

일장춘몽(一場春夢) 한바탕의 봄꿈처럼 헛된 영화나 덧없는 일.

일촉즉발(一觸卽發) 한 번 건드리기만 해도 폭발할 것같이 위급한 상태.

일취월장(日就月將) 나날이 다달이 자라거나 발전함.

일편단심(一片丹心) 한 조각의 붉은 마음이라는 뜻으로, 진심에서 우러나오는 변치 아니하는 마음을 이르는 말.

일희일구(一喜一懼) 한편으로는 기쁘고 다른 한편으로는 두려움.

임기응변(臨機應變) 그때그때 처한 사태에 맞추어 즉각 대처하여 처리함.

입추지지(立錐之地) 송곳 하나 세울 만한 땅이란 뜻으로, 매우 좁아 조금의 여유도 없음을 이르는 말.

ㅈ

자가당착(自家撞着) 같은 사람의 말이나 행동이 앞뒤가 서로 맞지 아니하고 모순됨.

자강불식(自強不息) 스스로 힘써 쉬지 아니함.

자격지심(自激之心) 자기가 한 일에 대하여 자기 스스로 미흡하게 여기는 마음.

자문자답(自問自答) 스스로 묻고 스스로 대답함.

자승자박(自繩自縛) 제 줄로 제 몸을 옭아 묶는다는 말로, 자기가 한 말과 행동에 자기 자신이 옭혀 곤란하게 됨을 이르는 말.

자업자득(自業自得) 자기가 저지른 일의 결과를 자기가 받음.

자중지란(自中之亂) 같은 편끼리 하는 싸움.

자화자찬(自畫自讚) 자기가 한 일을 스스로 자랑함.

작심삼일(作心三日) 결심이 사흘을 가지 못함.

적반하장(賊反荷杖) 도둑이 도리어 매를 든다는 뜻으로, 잘못한 사람이 아무 잘못도 없는 사람을 나무람을 이르는 말.

적자생존(適者生存) 환경에 적응하는 생물만이 살아남고, 그렇지 못한 것은 도태되어 멸망하는 현상.

적재적소(適材適所) 알맞은 인재를 알맞은 자리에 씀.

전무후무(前無後無) 과거에도 없었고 앞으로도 없음.

전전반측(輾轉反側) 이리저리 뒤척이며 잠을 이루지 못함.

전화위복(轉禍爲福) 재앙과 근심, 걱정이 바뀌어 도리어 복이 됨.

절차탁마(切磋琢磨) 옥이나 돌 따위를 갈고 닦아서 빛을 낸다는 뜻으로, 부지런히 학문과 덕행을 닦음을 이르는 말.

점입가경(漸入佳境) 들어갈수록 점점 재미가 있음.

정문일침(頂門一鍼) 정수리에 침을 한 방 놓는다는 뜻으로, 따끔한 충고나 교훈을 이르는 말.

조변석개(朝變夕改) 아침저녁으로 뜯어고친다는 뜻으로, 계획이나 결정 따위를 일관성이 없이 자주 고침을 이르는 말.

조삼모사(朝三暮四) 간사하고 교활한 꾀로 남을 우롱하고 속이는 일.

종횡무진(縱橫無盡) 자유자재로 행동하여 거침이 없는 상태.

좌불안석(坐不安席) 마음이 불안하고 초조하여 한군데 오래 앉아 있지 못함.

좌정관천(坐井觀天) 우물에 앉아서 하늘을 본다는 뜻으로, 사람의 견문이 매우 좁음을 이르는 말.

주객전도(主客顚倒) 주인과 손의 위치가 서로 뒤바뀐다는 뜻으로, 사물의 경중 · 선후 · 완급 따위가 서로 뒤바뀜을 이르는 말.

주경야독(晝耕夜讀) 낮에는 농사짓고 밤에는 글을 읽음.

주마가편(走馬加鞭) 달리는 말에 채찍질을 한다는 뜻으로, 부지런하고 성실한 사람을 더 격려함을 이르는 말.

주마간산(走馬看山) 말을 타고 달리며 산천을 구경한다는 뜻으로, 자세히 살피지 아니하고 대충대충 보고 지나감을 이르는 말.

주야장천(晝夜長川) 밤낮으로 쉬지 않고 연달아.

죽마지우(竹馬之友) 어릴 때부터 같이 놀고 자란 친구. = **죽마고우(竹馬故友)**

중구난방(衆口難防) 뭇사람의 말은 막기가 어려움.

진수성찬(珍羞盛饌) 푸짐하게 잘 차린 맛있는 음식.

진퇴양난(進退兩難) 이러지도 저러지도 못하는 어려운 처지.

진퇴유곡(進退維谷) 이러지도 저러지도 못하고 꼼짝할 수 없는 궁지.

진합태산(塵合泰山) 티끌 모아 태산.

ㅊ

차일피일(此日彼日) 이날 저 날 하고 자꾸 기한을 미루는 모양.

천고마비(天高馬肥) 하늘이 높고 말이 살찐다는 뜻으로, 하늘이 맑아 높푸르게 보이고 온갖 곡식이 익는 가을철을 이르는 말.

천기누설(天機漏洩) 천상의 기밀(중대한 기밀)이 새어 나감.

천려일득(千慮一得) 천 번을 생각하여 하나를 얻는다는 뜻으로, 어리석은 사람도 많은 생각을 하면 그중 한 가지쯤은 좋은 생각이 있을 수 있음을 이르는 말.

천변만화(千變萬化) 끝없이 변화함.

천신만고(千辛萬苦) 천 가지 매운 것과 만 가지 쓴 것이라는 뜻으로, 갖은 고생을 하고 애를 쓰는 것을 이르는 말.

천양지차(天壤之差) 하늘과 땅 사이와 같이 엄청난 차이.

천우신조(天佑神助) 하늘이 돕고 신령이 도움.

천인공노(天人共怒) 하늘과 사람이 함께 노한다는 뜻으로, 누구나 분노할 만큼 증오스럽거나 도저히 용납할 수 없음을 이르는 말.

천재일우(千載一遇) 천 년 동안 단 한 번 만난다는 뜻으로, 좀처럼 만나기 어려운 좋은 기회를 이르는 말.

천편일률(千篇一律) 여러 시문의 글귀가 거의 비슷하여 개별적 특성이 없음.

청산유수(靑山流水) 푸른 산에 흐르는 맑은 물이라는 뜻으로, 막힘없이 잘하는 말을 비유적으로 이르는 말.

청약불문(聽若不聞) 듣고도 못 들은 체함.

청천벽력(靑天霹靂) 맑게 갠 하늘에서 치는 날벼락이라는 뜻으로, 뜻밖에 일어난 큰 변고나 사건을 비유적으로 이르는 말.

청출어람(靑出於藍) 쪽에서 뽑아낸 푸른 물감이 쪽보다 푸르다는 뜻으로, 제자가 스승을 능가한다는 말.

초동급부(樵童汲婦) 땔나무를 하는 아이와 물을 긷는 아낙네라는 뜻으로, 평범한 사람을 이르는 말.
= **갑남을녀(甲男乙女), 장삼이사(張三李四), 필부필부(匹夫匹婦)**

초지일관(初志一貫) 처음에 세운 뜻을 끝까지 밀고 나감.

추풍낙엽(秋風落葉) 가을바람에 떨어지는 나뭇잎.

칠전팔기(七顚八起) 일곱 번 넘어지고 여덟 번 일어난다는 뜻으로, 여러 번 실패하여도 굴하지 아니하고 꾸준히 노력함을 이르는 말.

침불안석(寢不安席) 걱정이 많아 잠을 편히 자지 못함.

침소봉대(針小棒大) 조그마한 일을 크게 불려서 말함.

타산지석(他山之石) 다른 산의 나쁜 돌일지라도 자신의 산의 옥돌을 가는 데에 쓸 수 있다는 뜻으로, 본이 되지 않은 남의 말이나 행동도 자신의 지식과 인격을 수양하는 데에 도움이 될 수 있음을 비유적으로 이르는 말.

탁상공론(卓上空論) 현실성이 없는 허황된 이론이나 논의.

태산북두(泰山北斗) 태산과 북두칠성. 사람들이 존경하는 훌륭한 인물.

태평세계(太平世界) 잘 다스려서 평안한 세상.

토사구팽(兎死狗烹) 토끼를 다 잡으면 사냥개를 삶는다는 뜻으로, 요긴한 때는 소중히 여기다가도 쓸모가 없게 되면 버리는 것을 이르는 말.

퇴폐풍조(頹廢風潮) 정신적 · 사회적 · 문화적으로 어지럽고 문란한 생활 기풍.

파안대소(破顔大笑) 매우 즐거운 표정으로 활짝 웃음.

파죽지세(破竹之勢) 대를 쪼개는 기세라는 뜻으로, 적을 거침없이 물리치고 쳐들어가는 기세를 이르는 말.

팔면부지(八面不知) 어느 면으로 보나 안면이 전혀 없는 사람.

패가망신(敗家亡身) 집안의 재산을 다 써 없애고 몸을 망침.

평지풍파(平地風波) 평온한 땅에서 일어나는 풍파라는 뜻으로, 뜻밖에 분쟁이 일어남을 이르는 말.

포복절도(抱腹絶倒) 배를 그러안고 넘어질 정도로 몹시 웃음.

표리부동(表裏不同) 마음이 음흉하여 겉과 속이 같지 않음.

풍비박산(風飛雹散) 바람처럼 날아가고 우박처럼 흩어짐.

풍수지탄(風樹之歎/風樹之嘆) 나무는 고요하게 있고자 하나 바람이 그쳐 주지 않는다는 탄식으로, 효도를 다하지 못한 채 어버이를 여읜 자식의 슬픔을 이르는 말.

풍전등화(風前燈火) 바람 앞의 등불이라는 뜻으로, 매우 위태로운 형세를 이르는 말.

하대명년(何待明年) 어떻게 명년을 기다리냐는 뜻으로, 기다리기가 몹시 지루함을 이르는 말.

하석상대(下石上臺) 아랫돌 빼서 윗돌 괴고 윗돌 빼서 아랫돌 괸다는 뜻으로, 임시변통으로 이리저리 둘러맞춤을 이르는 말.

학수고대(鶴首苦待) 학처럼 목을 길게 늘이고 몹시 기다림.

한강투석(漢江投石) 한강에 돌 던지기라는 뜻으로, 지나치게 미미하여 아무런 효과를 미치지 못함을 이르는 말.

한담설화(閑談屑話) 심심풀이로 하는 자질구레한 말.

함구무언(緘口無言) 입을 다물고 말이 없음.

함흥차사(咸興差使) 심부름을 가서 오지 아니하거나 늦게 온 사람을 이르는 말.

허장성세(虛張聲勢) 실속은 없으면서 큰소리치거나 허세를 부림.

형설지공(螢雪之功) 반딧불 · 눈[雪]과 함께하는 노력이란 뜻으로, 고생을 하면서 부지런하고 꾸준하게 공부하는 자세.

호가호위(狐假虎威) 남의 권세를 빌려 위세를 부림.w

호구지책(糊口之策) 가난한 살림에 그저 겨우 먹고살아 가는 방책.

호사다마(好事多魔) 좋은 일에는 방해가 되는 일이 많음.

호사유피(虎死留皮) 호랑이는 죽어서 가죽을 남긴다는 뜻으로, 사람은 죽어서 이름(명예)을 남겨야 함을 이르는 말.

호언장담(豪言壯談) 호기롭고 자신 있게 말함.

혼연일체(渾然一體) 생각, 행동, 의지 따위가 완전히 하나가 됨.

화룡점정(畫龍點睛) 무슨 일을 하는 데 가장 중요한 부분을 맞추어서 완성시킴.

화중지병(畫中之餠) 그림의 떡.

확고부동(確固不動) 확실하고 튼튼하여 마음이 움직이지 않음.

환골탈태(換骨奪胎) 사람이 보다 나은 방향으로 변하여 전혀 딴사람처럼 됨.

후생가외(後生可畏) 후배들의 발전을 두렵게 생각함.

후안무치(厚顔無恥) 낯가죽이 두꺼워 부끄러운 줄을 모름.

후회막급(後悔莫及) 후회를 해도 어찌할 수 없음.

흥진비래(興盡悲來) 즐거운 일이 다하면 슬픈 일이 온다는 뜻으로, 세상일은 순환되는 것임을 이르는 말.

2. 중요 속담

가게 기둥에 입춘 보잘것없는 가겟집 기둥에 '입춘대길(立春大吉)'이라 써 붙인다는 뜻으로, 옷이나 지닌 물건이 제격에 맞지 않아 어울리지 않는다는 말.

가난한 집 제사 돌아오듯 살아가기도 어려운 집에 제삿날이 자꾸 돌아와서 그것을 치르느라 어려움을 겪는다는 뜻으로, 힘든 일이 자꾸 닥쳐옴을 비유적으로 이르는 말.

가는 날이 장날 우연히 갔다가 뜻하지 않은 일을 공교롭게 당함을 비유적으로 이르는 말.

가는 말에 채찍질 잘하거나 잘되어 가는 일을 더 잘하거나 잘되도록 부추기거나 몰아침을 이르는 말.

가는 말이 고와야 오는 말이 곱다 자기가 먼저 남에게 잘 대해 주어야 남도 자기에게 잘 대해 준다는 말.

가는 방망이 오는 홍두깨 남에게 해를 끼치면 그보다 더 큰 화가 돌아온다는 말.

가는 토끼 잡으려다 잡은 토끼 놓친다 너무 크게 욕심을 부려 한꺼번에 여러 가지를 하려다가 도리어 이미 이룬 일까지 실패로 돌아가고 하나도 성취하지 못한다는 말.

가랑비에 옷 젖는 줄 모른다 아무리 사소한 것이라도 그것이 거듭되면 무시하지 못할 정도로 크게 됨을 비유적으로 이르는 말.

가랑잎에 불붙듯 성미가 급하고 도량이 좁아 걸핏하면 발끈하고 화를 잘 내는 것을 비유적으로 이르는 말.

가재는 게 편 모양이나 형편이 비슷하고 서로 인연이 있는 것끼리 잘 어울리고, 감싸 주기 쉬움을 비유적으로 이르는 말.

가지 많은 나무 바람 잘 날이 없다 자식을 많이 둔 부모는 자식을 위하는 걱정이 끊이지 않고 또 일도 많아 편할 날이 없다는 말.

감기 고뿔도 남을 안 준다 감기까지도 남을 안 줄 정도로 몹시 인색하다는 말.

감나무 밑에 누워서 홍시 (입 안에) 떨어지기를 기다린다 아무런 노력도 하지 않고 좋은 결과가 이루어지기만 바람을 이르는 말.

갓 사러 갔다가 망건 산다 본래의 의도를 잊어버리고 다른 일에 정신이 팔려 있는 것을 이름.

개구리 올챙이 적 생각을 못 한다
① 미천하던 사람이 높은 지위에 올랐을 때, 지난날을 생각지 않는다는 말.
② 일을 배워서 익숙하게 되면 그 전의 서투르던 때를 생각하지 않는다는 말.

개 꼬리 삼 년 두어도 황모(黃毛) 되지 않는다 본바탕이 좋지 아니한 것은 어떻게 하여도 본질이 좋아지지 아니함.

개똥도 약에 쓰려면 없다 아무리 보잘것없고 흔히 있는 것일지라도 정작 쓸 데가 있어 찾으면 드물고 귀하다는 뜻.

개 발에 (주석) 편자 옷차림이나 지닌 물건이 제격에 맞지 않아 도리어 흉할 때를 이르는 말.

개밥에 도토리 사람들과 어울리지 못하고 따돌림을 당하는 외로운 처지를 이르는 말.

게 등에 소금 치기 아무리 해도 쓸데없는 짓을 이르는 말.

고양이 목에 방울 달기
① 간절히 바라기는 하나 실행은 불가능한 일.
② 실행하지 못할 일을 공연히 의논함.

곧은 나무가 먼저 꺾인다
① 능력이 있는 사람이 먼저 뽑혀 쓰이거나 일찍 죽음.
② 겉으로는 강직한 듯한 사람이 의외로 약하여 잘 굴복함.

구슬이 서 말이라도 꿰어야 보배
① 아무리 좋은 것이라도 쓸모 있는 물건으로 만들지 않으면 그 가치가 나타나지 않는다는 말.
② 여럿을 모아 하나로 크게 완성하는 일이 중요하다는 말.

굴러 온 돌이 박힌 돌 뺀다 딴 곳에서 들어온 사람이 본래부터 있던 사람을 내쫓는다는 말.

굼벵이도 구르는 재주가 있다
① 아무 능력이 없는 사람이 남의 이목을 끌 만한 일을 함을 놀림조로 이르는 말.
② 무능한 사람도 한 가지 재주는 있음을 비유적으로 이르는 말.

굿이나 보고 떡이나 먹지 남의 일에 쓸데없이 간섭하지 말고 자기 이익이나 얻도록 하라는 말.

기둥보다 서까래가 더 굵다 주(主)가 되는 것과 그것에 따른 것이 뒤바뀌어 사리에 어긋남을 비유적으로 이르는 말.

기름 먹인 가죽이 부드럽다 뇌물을 쓰면 일이 순조롭게 됨을 비유적으로 이르는 말.

까마귀 날자 배 떨어진다 아무 관계없이 한 일이 공교롭게도 때가 같아 어떤 관계가 있는 것처럼 의심을 받게 됨을 비유적으로 이르는 말.

꿩 대신 닭 자기가 쓰려던 것이 없으면 그와 비슷한 것을 대신 쓸 수도 있다는 말.

끈 떨어진 뒤웅박 의지할 곳 없는 사람을 비유함.

나는 바담 풍(風) 해도 너는 바람 풍(風) 해라 자신은 잘못된 행동을 하면서도 남보고는 잘하라고 요구하는 말.

나무도 쓸 만한 것이 먼저 베인다
① 똑똑한 사람이 제일 먼저 뽑혀 쓰임을 이르는 말.
② 능력 있는 사람이 일찍 죽음을 비유적으로 이르는 말.

남에게 매 맞고 개 옆구리 찬다 앞에서는 감히 반항하지 못하고 있다가 아무 상관도 없는 만만한 대상에게 화풀이함을 비유적으로 이르는 말.

남의 다리 긁는다 애써서 해 온 일이 남을 위한 일이 되고 말았을 때 이르는 말.

남의 떡에 설 쉰다 남의 덕택으로 거저 이익을 보게 됨을 비유적으로 이르는 말.

남의 염병이 내 고뿔만 못하다 남의 큰 걱정이나 위험보다 제 작은 근심거리가 더 절박하게 느껴진다는 말.

남의 잔치[제사]에 감 놓아라 배 놓아라 한다 쓸데없이 남의 일에 참견함을 이르는 말.

남의 장단에 춤춘다 자기 주견이 없이 남이 하는 대로 따라 함을 비유적으로 이르는 말.

남이 장 간다고 하니 거름 지고 나선다 남이 무슨 일을 한다고 하면 주견 없이 덩달아 따라서 행동함을 이르는 말.

낮말은 새가 듣고 밤말은 쥐가 듣는다
① 아무도 안 듣는 데서도 말조심해야 한다는 말.
② 아무리 비밀리에 한 말도 반드시 드러나게 된다는 말.

놓친 고기가 더 크다 사람은 흔히 잃어버린 것을 애석하게 여기고, 현재 가지고 있는 것보다 이전의 것이 더 좋았다고 생각한다는 뜻.

누울 자리 봐 가며 발을 뻗어라 다가올 결과를 생각해 가면서 모든 것을 미리 살피고 일을 시작하라는 뜻.

누워서 떡 먹기 매우 간단하고 쉬운 일이라는 뜻.

누워서 침 뱉기 남을 해치려다가 도리어 자기가 해를 입음.

누이 좋고 매부 좋다 양쪽에게 다 이롭고 좋다는 말.

눈 가리고 아웅 결코 넘어가지 않을 얕은수로 남을 속이려 한다는 말.

다 된 죽에 코 풀기 제대로 잘되어 가는 일을 망쳐 버리는 주책없는 행동을 비유적으로 이르는 말.

달도 차면 기운다 세상의 모든 것이 한번 성하면 쇠퇴해짐을 이름.

닭 쫓던 개 지붕 쳐다보듯 한참 하려고 애쓰던 일이 실패로 돌아가거나, 같이 애쓰다가 남에게 뒤떨어져 어찌할 도리가 없어 민망하게 됨.

대들보 썩는 줄 모르고 기왓장 아끼는 격 장차 크게 손해 볼 것은 모르고 당장 돈이 좀 든다고 사소한 것을 아끼는 어리석은 행동을 이름.

도둑이 제 발 저리다 죄지은 사람이 그것이 드러날까 두려워하여 알지 못하는 가운데 그것을 나타내고 만다는 뜻.

도둑질은 내가 하고 오라는 네가 져라 자기가 한 일에 대한 책임을 남에게 떠넘긴다는 말.

도랑 치고 가재 잡는다
① 한 번의 노력으로 두 가지 소득을 얻는다는 말.
② 일의 순서가 뒤바뀌었기 때문에 애쓴 보람이 나타나지 않음.

돈만 있으면 개도 멍첨지라 천한 사람도 돈만 있으면 다른 사람들이 귀하게 대접함을 비유적으로 이르는 말.

돌다리도 두드려 보고 건너라 비록 잘 알아서 틀림이 없는 일이라도 조심하라는 말.

되로 주고 말로 받는다 조금 주고 그 대가로 받는 것이 훨씬 크거나 많음.

될성부른 나무는 떡잎부터 알아본다 장래성이 있는 사람은 어릴 때부터 남다른 데가 있다는 말.

두부 먹다 이 빠진다
① 마음 놓은 데서 실수가 생기는 것이니 항상 조심하라는 뜻.
② 틀림없는 데서 뜻밖의 실수를 하였다는 말.

뒷간에 갈 적 마음 다르고 올 적 마음 다르다
① 자기에게 필요할 때에는 다급하게 애쓰다가도 자기 할 일만 다 하면 쌀쌀하게 됨을 이르는 말.
② 사람의 마음이 이익에 따라 자주 변함을 이르는 말.

등잔 밑이 어둡다
① 자기에게 너무 가까운 일은 먼 데 일보다 오히려 모른다는 뜻.
② 남의 일은 잘 알 수 있으나 자기 일은 잘 모른다는 말.

떡 본 김에 제사 지낸다 우연히 운 좋은 기회에, 하려던 일을 해치운다는 말.

떡 줄 사람은 꿈도 안 꾸는데 김칫국부터 마신다 해 줄 사람은 생각도 않는데 다 된 것처럼 미리부터 기대한다는 뜻.

똥 묻은 개가 겨 묻은 개 나무란다 자기는 더 큰 허물이 있으면서 도리어 남의 작은 흉을 본다는 뜻.

뛰는 놈 위에 나는 놈 있다 잘난 사람이 있으면 그보다 더 잘난 사람이 또 있다는 말.

ㅁ

마른 논에 물대기 일이 매우 힘들거나 힘들여 해 놓아도 성과가 없는 경우를 이르는 말.

마파람에 게 눈 감추듯 음식을 어느 결에 먹었는지 모를 만큼 빨리 먹어 버림을 이르는 말.

말로 온 동네 다 겪는다 실천은 하지 않고 모든 것을 말만으로 해결하려 듦을 이르는 말.

말 많은 집은 장맛도 쓰다 집안에 잔말이 많으면 살림이 잘 안 된다는 말.

말 안 하면 귀신도 모른다 마음속으로만 애태울 것이 아니라 말을 하여야 한다는 뜻.

말은 해야 맛이요 고기는 씹어야 맛이다 하고 싶은 말이나 해야 할 말은 다 해야 좋다는 말.

말이 고마우면 비지 사러 갔다 두부 사 온다 말하는 상대방의 태도가 마음에 들고 뜻이 고마우면 제가 예정했던 것보다 훨씬 후하게 해 준다는 말.

말이 씨 된다 늘 말하던 것이 마침내 결과로서 실현되었을 때 하는 말.

말 타면 경마 잡히고 싶다 사람의 욕심이란 한이 없다는 말.

말 한마디에 천 냥 빚도 갚는다 말만 잘하면 어떤 어려움도 해결할 수 있다는 말.

맑은 물에 고기 안 논다 사람이 너무 깔끔하고 청렴하면 남이 따르지 않는다는 말.

망둥이가 뛰니까 꼴뚜기도 뛴다 아무것도 모르고 남이 하니까 따라한다는 말.

메뚜기도 유월이 한철이다 제때를 만난 듯 날뛰는 자를 비꼬는 말.

모난 돌이 정 맞는다 두각을 나타내는 사람이 남에게 미움을 받게 된다는 말.

모로 가도 서울만 가면 된다 무슨 방법으로라도 처음의 목적을 이루면 된다는 말.

못된 송아지 엉덩이에 뿔이 난다 되지못한 것이 엇나가는 짓만 한다는 말.

무른 땅에 말뚝 박기 매우 하기 쉽다는 말.

묵은장 쓰듯 조금도 아끼지 않고 헤프게 쓴다는 뜻.

물 밖에 난 고기
① 제 능력을 발휘할 수 없는 처지에 몰린 사람을 이르는 말.
② 운명이 이미 결정 나 벗어날 수 없음을 비유적으로 이르는 말.

물은 흘러도 여울은 여울대로 있다
① 세상의 모든 것은 돌고 변하여도 변하지 않는 것이 있다는 말.
② 무슨 일이 있더라도 제 본심이야 변할 리 있겠느냐는 말.

물이 깊어야 고기가 모인다 덕망이 있어야 사람이 따른다는 말.

물이 깊을수록 소리가 없다 깊은 물이 소리 없이 흐르는 것과 같이, 덕이 높고 생각이 깊은 사람은 겉으로 잘난 체하거나 뽐내지 않는다는 말.

미꾸라지 한 마리가 온 웅덩이를 흐려 놓는다 한 사람의 좋지 않은 행동이 그 집단 전체나 여러 사람에게 나쁜 영향을 미침을 비유적으로 이르는 말.

미운 아이 떡 하나 더 준다 미운 사람일수록 잘해 주고 감정을 쌓지 않아야 한다는 말.

믿는 도끼에 발등 찍힌다 믿고 있던 사람으로부터 해를 입게 된다는 말.

밑 빠진 독에 물 붓기
① 아무리 애써 하더라도 아무 보람이 없는 경우를 이르는 말.
② 아무리 벌어도 쓸 곳이 많아 항상 모자라는 경우를 이르는 말.

ㅂ

바늘구멍으로 황소바람 들어온다 추울 때에는 바늘구멍 같은 작은 구멍에도 엄청나게 센 찬 바람이 들어온다는 뜻.

바늘 도둑이 소도둑 된다
① 처음에는 하찮은 것을 손댔으나 차차 큰 것까지 도둑질하게 된다는 말.
② 나쁜 행실일수록 처음에 바로잡지 않으면 점점 더 심하게 된다는 말.

바지랑대로 하늘 재기 기껏 길어야 두어 발밖에 안 되는, 빨랫줄을 받치는 바지랑대로 무한한 하늘을 잰다는 뜻으로, 도저히 불가능한 일을 하려 함을 비유하는 말.

반풍수 집안 망친다 잘 알지도 못하면서 서투른 재주를 부리다가 도리어 그 일을 그르친다는 말.

배고픈 놈더러 요기시키라 한다 자기 배도 채우지 못하고 굶고 있는 사람에게 시장기를 겨우 면할 정도로 조금 먹여 달란다는 뜻으로, 제 앞가림도 못하는 사람에게 어려운 일을 요구함을 비유적으로 이르는 말.

백지장도 맞들면 낫다 아무리 쉬운 일이라도 혼자 하는 것보다 서로 힘을 합쳐서 하면 더 쉽다는 뜻.

뱁새가 황새를 따라가면 다리가 찢어진다 힘에 겨운 일을 억지로 하면 도리어 해만 입는다는 말.

번개가 잦으면 천둥을 한다 어떤 일의 징조가 잦으면 반드시 그 일이 생기고 만다는 뜻.

범 없는 골에 토끼가 스승이라 잘난 사람이 없는 곳에서 못난 사람이 잘난 체함을 비유적으로 이르는 말.

범에게 물려 가도 정신만 차리면 산다 아무리 위험한 지경에 이르러도 정신만 잘 차리면 살아날 도리가 생긴다는 말.

벙어리 냉가슴 앓듯 답답한 사정이 있어도 남에게 말하지 못하고 혼자 애태우는 경우를 이르는 말.

벼룩도 낯짝이 있다 몹시 뻔뻔스러운 사람에게 하는 말.

부뚜막의 소금도 집어넣어야 짜다 아무리 손쉬운 일이나 기회도 힘들여 이용하지 않으면 이루어지지 않는다는 말.

불난 데 풀무질한다 남의 잘못된 일을 더 잘못되게 충동질하거나 성난 사람을 더욱 성나게 충동질한다는 말.

비단옷 입고 밤길 가기 생색이 나지 않는 공연한 일에 애쓰고도 보람이 없을 때 이르는 말.

비 온 뒤에 땅이 굳어진다 풍파를 겪은 뒤에 더 강해짐을 이르는 말.

빈대 잡으려고 초가삼간 태운다 손해를 크게 볼 것을 생각지 않고 자기에게 마땅치 않은 것을 없애려고 덤빈다는 뜻.

빈 수레가 요란하다 실속이 없는 사람이 겉으로 더 떠듦.

빛 좋은 개살구 보기에는 그럴듯하나 실속이 없는 것을 이르는 말.

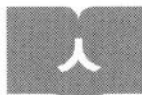

사공이 많으면 배가 산으로 간다 주관하는 사람, 참견하는 사람이 많으면 일을 이루기가 어렵다는 말.

사돈 남 나무란다 제 일은 제쳐 놓고 남의 잘못만 나무람을 이르는 말.

사촌이 땅을 사면 배가 아프다 남이 잘되는 것을 시기함을 이르는 말.

산보다 골이 더 크다 무슨 일이 사리에 맞지 않음을 이르는 말.

산이 높아야 골이 깊다 품은 뜻이 높고 커야 그 품은 포부나 생각도 크다는 말.

산 진 거북이요 돌 진 가재[자라]라 등이 납작하여 넘어질 위험이 없는 거북이와 가재, 또는 자라가 산과 돌을 각각 지었다는 뜻으로, 의지할 근거가 든든한 상태임을 이르는 말.

서당 개 삼 년에 풍월을 읊는다 여러 방면에 아는 것이 없는 사람도 그 방면에 오래 끼어 있으면 어느 정도 익히게 된다는 말.

서 발 막대 거칠 것 없다
① 서 발이나 되는 긴 막대를 휘둘러도 아무것도 거치거나 걸릴 것이 없다는 뜻으로, 가난한 집안에 아무 세간도 없음을 이르는 말.
② 아무것도 거리낄 것 없고 두려워할 사람이 없음을 이르는 말.

서투른 무당이 장구만 나무란다 능력이 부족한 사람이 자신의 능력은 모르고 도구만 탓한다는 말.

선무당이 사람 잡는다 미숙한 사람이 잘하는 체하다가 일을 그르친다는 말.

섶을 지고 불로 들어가려 한다 짐짓 그릇된 짓을 하여 화를 자초하려 한다는 말.

소금 먹은 놈이 물 켠다 무슨 일이든 반드시 그렇게 된 까닭이 있음을 비유적으로 이르는 말.

소 닭 보듯[닭 소 보듯] 전혀 상관없다는 듯이 관심을 나타내어 보이지 않는 태도를 두고 이르는 말.

소도 언덕이 있어야 비빈다 사람도 의지할 데가 있어야 일을 이룰 수 있다는 말.

소문난 잔치에 먹을 것 없다 세상 소문은 실제와 일치하지 않는 경우가 많아 좋다고 소문난 것이 오히려 대단치 않은 편이 더 많다는 말.

소 잃고 외양간 고친다 이미 일을 그르친 뒤에는 뉘우쳐도 소용없다는 말.

속 빈 강정 겉만 그럴듯하고 실속이 없다는 뜻.

손톱 곪는 줄은 알아도 염통 곪는 줄은 모른다 눈앞의 작은 이해관계에는 예민해도 드러나지 않은 큰 문제는 깨닫지 못한다는 말.

송충이는 솔잎을 먹어야 한다 제 분수대로 처신해야 한다는 말.

쇠귀에 경(經) 읽기 둔한 사람은 아무리 가르치고 일러 주어도 알아듣지 못함.

쇠뿔도 단김에 빼랬다 어떤 일을 하려고 생각하였으면 망설이지 말고 바로 실행에 옮겨야 한다는 뜻.

술 익자 체 장수 간다 일이 공교롭게 잘 맞아 감.

식은 죽도 불어 가며 먹어라 하기 쉽고 확실한 일도 조심해야 실수가 없다는 말.

싼 것이 비지떡 값이 싼 물건은 당연히 그 품질도 나쁘다는 말.

쌀독에서 인심 난다 살림에 여유가 있어야 인정도 베풀 수 있다는 말.

아닌 밤중에 홍두깨 (내밀듯) 뜻하지 않은 말을 불쑥 꺼내거나 별안간 엉뚱한 말이나 행동을 함을 비유하여 이르는 말.

아랫돌 빼서 윗돌 괴고 윗돌 빼서 아랫돌 괴기 임시변통으로 이리저리 돌려서 겨우 유지하여 감. **= 하석상대(下石上臺)**

안되면 조상 탓 자기 잘못을 남에게 전가한다는 말.

앉아 주고 서서 받는다 빌려주기는 쉬우나 돌려받기는 어려움을 비유적으로 이르는 말.

앉은 자리에 풀도 안 나겠다 사람이 몹시 냉정하고 쌀쌀맞음.

양반은 얼어 죽어도 짚불[겻불]은 안 쬔다 아무리 다급한 때에라도 체면을 지키는 것에 애쓴다는 뜻.

언 발에 오줌 누기 언 발을 녹이려고 오줌을 누어 봤자 효력이 별로 없다는 뜻으로, 임시변통은 될지 모르나 그 효력이 오래가지 못할 뿐만 아니라 결국에는 사태가 더 나빠짐을 비유적으로 이르는 말.
= 동족방뇨(凍足放尿), 임시변통(臨時變通)

열 길 물속은 알아도 한 길 사람의 속은 모른다 사람의 속마음을 알아내기가 매우 어렵다는 말.

오르지 못할 나무는 쳐다보지도 마라 가능성이 없는 일은 처음부터 바라지 말라는 말.

외손뼉이 소리 날까
① 상대 없는 분쟁은 없다는 뜻.
② 일은 혼자서만 해서는 잘되는 것이 아니라는 뜻.

우는 아이 젖 준다 무슨 일에 있어서나 자기가 요구해야 쉽게 구할 수 있다는 말.

우물에 가 숭늉을 찾는다 일의 순서도 모르고 성급히 덤빈다는 뜻.

우선 먹기는 곶감이 달다 앞일은 생각해 보지도 아니하고 당장 좋은 것만 취하는 경우를 이르는 말.

울며 겨자 먹기 하기 싫은 일을 마지못해 함을 이르는 말.

원님 덕에 나팔 분다 남의 덕으로 분에 넘치는 대접을 받음.

원숭이도 나무에서 떨어진다 아무리 익숙하고 잘하는 사람이라도 혹 실수하는 경우가 있다는 말.

이불 속에서 활개 친다 남이 보지 않는 곳에서만 큰소리치고 잘난 체함을 이르는 말.

자는 범 코침 주기 공연히 잘못 건드려서 일을 저질러 위험을 산다는 말.

자라 보고 놀란 가슴 솥뚜껑 보고 놀란다 무엇에 놀라면, 그와 비슷한 것만 보아도 겁이 난다는 말.

잘되면 제 탓 못되면 조상 탓 무엇이든 잘되면 제 공으로 돌리고, 잘못되면 남의 탓으로 돌리는 태도를 이르는 말.

장독보다 장맛이 좋다 겉모양은 보잘것없으나 속 내용은 매우 좋다는 뜻.

장수를 잡으려면 말부터 쏘아야 한다 말 탄 장수를 잡기 위해서는 먼저 그가 타고 있는 말을 쏘아 넘어지게 해야 한다는 뜻으로, 모든 싸움에서 이기려면 상대편이 직접적으로 의존하고 있는 것을 공격하는 것이 좋음을 이르는 말.

재주는 곰이 넘고 돈은 되놈[주인/호인]이 받는다 정작 수고한 사람은 대가를 못 받고, 엉뚱한 사람이 가로챈다는 뜻.

종로에서 뺨 맞고 한강에 가서 눈 흘긴다 욕을 당한 데서는 감히 말을 못하고 엉뚱한 데 가서 화풀이를 한다는 말.

주머니에 들어간 송곳이라 재능이 뛰어난 사람은 숨어 있어도 저절로 사람들에게 알려짐을 이르는 말.

주머니 털어 먼지 안 나오는 사람 없다 누구나 결점을 찾으려고 뜯어보면 조금도 허물이 없는 사람은 없다는 뜻.

죽 쑤어 개 좋은 일 하였다 애써서 만들어 놓은 일이 남에게 이로운 결과가 되었음을 이르는 말.

죽은 자식 나이 세기 이왕 그릇된 일은 더 이상 생각해도 쓸데없다는 말.

쥐구멍에도 볕 들 날 있다 몹시 고생하는 사람도 좋은 때를 만나 운(運)이 트일 날이 있다는 말.

지나가는 불에 밥 익히기
① 일부러 어떤 사람을 위하여 한 것은 아니지만 결과적으로 그 사람에게 은혜가 됨을 비유적으로 이르는 말.
② 우연한 기회를 잘 잡아 이용함을 비유적으로 이르는 말.

집에서 새는 바가지는 들에 가도 샌다 본성(本性)이 나쁜 것은 어디를 가나 좋아질 수 없다는 말.

찬밥 두고 잠 아니 온다 대수롭지 않은 일에 마음이 끌려서 단념하지 못한다는 말.

찬밥에 국 적은 줄만 안다 가난한 살림에는 없는 것이 당연한 것인 줄 모르고 무언가 부족하다고 하여 마음을 씀.

책력(冊曆) 보아 가며 밥 먹는다 밥을 매일 먹을 수 없어 길일(吉日)을 택하여 밥을 먹는다는 것으로, 가난하여 끼니를 자주 굶는다는 말.

처삼촌 뫼에 벌초하듯 일을 정성 들여 하지 않고 건성건성 함을 이르는 말.

천 리 길도 한 걸음부터 아무리 큰 일이라도 처음 시작은 작은 것이니 착실히 해야 한다는 말.

첫술에 배부르랴
① 무슨 일이나 단번에 성과를 거둘 수 없다는 말.
② 적은 힘을 들이고 많은 성과를 바랄 수 없다는 말.

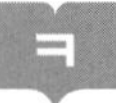

콩 심어라 팥 심어라 한다 대수롭지 않은 일을 가지고 세세한 구별을 짓거나, 시비를 가려 지나친 간섭을 한다는 뜻.

콩 심은 데 콩 나고 팥 심은 데 팥 난다 모든 일은 원인에 따라 결과가 생긴다는 말.

콩으로 메주를 쑨다 하여도 곧이듣지 않는다
① 남의 말을 그대로 믿지 않는다는 뜻.
② 거짓말 잘하는 사람의 말은 다 거짓말같이 들린다는 뜻.

큰 고기는 깊은 물속에 있다 훌륭한 인물은 많은 사람들 속에 섞여 있어 잘 드러나지 않는다는 말.

큰 방죽도 개미 구멍으로 무너진다 작은 결함이라도 미리 손을 쓰지 않으면 일 전체를 망칠 수도 있다는 말.

태산을 넘으면 평지를 본다 고생을 이겨 내면 즐거운 일이 생긴다는 말.

태산이 평지 된다 시대의 변천이 매우 심함을 이르는 말.

틈 난 돌이 깨지고 태 먹은 독이 깨진다 앞에 무슨 징조가 보인 일은 반드시 후에 그대로 나타나고야 만다는 뜻.

티끌 모아 태산 아무리 적은 것이라도 모이면 큰 것이 될 수 있다는 말.

팔이 들이굽지 내굽나 사람은 조금이라도 자기와 가까운 사람에게 정이 쏠린다는 뜻.

평안 감사도 저 싫으면 그만이다 아무리 좋은 일이라도 제 마음에 들지 않으면 억지로 시키기 힘들다는 말.

핑계 없는 무덤이 없다 어떤 일이라도 반드시 핑계가 있다는 말.

하늘로 호랑이 잡기 권력이 많으니 원하는 것이면 다 얻을 수 있다는 말.

하늘 보고 침 뱉기 자기 스스로가 자기를 욕보임을 이르는 말.

하룻강아지 범 무서운 줄 모른다 철모르고 함부로 덤비는 것을 가리키는 말.

하품에 딸꾹질
① 어려운 일이 공교롭게 계속됨.
② 공교롭게도 일마다 잘 안된다는 뜻.

한번 엎지른 물은 주워 담지 못한다 한번 저지른 잘못을 아무리 돌이키려 해도 다시 고쳐 회복할 수 없다는 뜻.

행차 뒤에 나팔 일이 다 끝난 다음의 쓸데없는 언행을 이르는 말.

호랑이 굴에 가야 호랑이 새끼를 잡는다 뜻하는 성과를 얻으려면 반드시 그에 마땅한 일을 하여야 함을 이르는 말.

호랑이도 제 말 하면 온다 어떤 자리에서, 마침 이야기에 오른 바로 그 사람이 나타났을 때에 이르는 말.

호미로 막을 것을 가래로 막는다 일이 크게 벌어지기 전에 미리 처리했더라면 그렇게 애쓰지 않아도 될 것을 처음에 내버려 두었다가 큰 손해를 보거나 수고를 한다는 뜻.

호박에 말뚝 박기
① 심술궂고 가혹한 짓을 함을 가리키는 말.
② 아주 하기 쉬운 일을 비유적으로 이르는 말. = **호박에 침주기**

황소 뒷걸음치다가 쥐 잡는다
① 어리석은 사람이 미련한 행동을 하다가 뜻밖에 좋은 성과를 얻었을 때 하는 말.
② 이따금 우연히 알아맞히거나 일을 이루었을 때 하는 말.

3. 의미가 통하는 한자성어와 속담 엮어 외우기

한자성어	속담
감탄고토(甘呑苦吐)	달면 삼키고 쓰면 뱉는다
고식지계(姑息之計) =동족방뇨(凍足放尿)	언 발에 오줌 누기
고장난명(孤掌難鳴)	두 손뼉이 맞아야 소리가 난다
교각살우(矯角殺牛)	빈대 잡으려고 초가삼간 태운다. 쇠뿔 잡다가 소 죽인다
권불십년(權不十年)	달도 차면 기운다
낭중지추(囊中之錐)	주머니에 들어간 송곳이라
당구풍월(堂狗風月)	서당 개 삼 년에 풍월을 읊는다
당랑거철(螳螂拒轍)	하룻강아지 범 무서운 줄 모른다
동가홍상(同價紅裳)	같은 값이면 다홍치마
득롱망촉(得隴望蜀)	말 타면 경마 잡히고 싶다
등고자비(登高自卑)	천 리 길도 한 걸음부터
망양보뢰(亡羊補牢)	소 잃고 외양간 고친다
백문불여일견 (百聞不如一見)	열 번 듣는 것이 한 번 보는 것만 못하다
부화뇌동(附和雷同)	숭어가 뛰니까 망둥이도 뛴다
설상가상(雪上加霜)	하품에 딸꾹질

한자성어	속담
순망치한(脣亡齒寒)	입술이 없으면 이가 시리다
십시일반(十匙一飯)	열의 한 술 밥이 한 그릇 푼푼하다. 열이 어울러 밥 찬 한 그릇
아전인수(我田引水)	제 논에 물 대기
오비삼척(吾鼻三尺)	내 코가 석 자
오비이락(烏飛梨落)	까마귀 날자 배 떨어진다
욕속부달(欲速不達)	우물에 가 숭늉 찾는다
정저지와(井底之蛙)	우물 안 개구리
종과득과(種瓜得瓜) =종두득두(種豆得豆)	콩 심은 데 콩 나고 팥 심은 데 팥 난다
주마가편(走馬加鞭)	달리는 말에 채찍질, 가는 말에 채찍질
주마간산(走馬看山)	수박 겉 핥기
표리부동(表裏不同)	겉 다르고 속 다르다
풍전등화(風前燈火)	바람 앞의 등불
하석상대(下石上臺)	아랫돌 빼서 윗돌 괴고 윗돌 빼서 아랫돌 괴기
호가호위(狐假虎威)	원님 덕에 나팔 분다

4. 중요 관용구

가닥을 잡다 분위기, 상황, 생각 따위를 이치나 논리에 따라 바로잡다.

가슴이 미어지다
① 마음이 슬픔이나 고통으로 가득 차 견디기 힘들게 되다.
② 큰 기쁨이나 감격으로 마음속이 꽉 차다.

가시가 돋치다 공격의 의도나 불평불만이 있다.

간담이 서늘하다 몹시 놀라서 섬뜩하다.

간을 꺼내어 주다 비위를 맞추기 위해 중요한 것을 아낌없이 주다.

간을 태우다 너무 근심스럽고 안타까워 걱정을 심하게 하다.

간이라도 빼어 줄 듯 무엇이라도 아낌없이 내줄 듯한 태도.

간장을 녹이다
① 감언이설, 아양 따위로 상대편의 환심을 사다.
② 몹시 애타게 하다.

검은 마수를 뻗치다 사람을 속여 이용하거나 해치려고 음흉하고 흉악한 속셈으로 접근하다.

고갯방아를 찧다 서거나 앉은 채로 잠이 와서 조느라고 무의식중에 고개를 끄덕끄덕하다.

국물도 없다 돌아오는 몫이나 이득이 아무것도 없다.

군침을 삼키다 이익, 재물을 보고 몹시 탐을 내다.

궁둥이에 좀이 쑤시다 가만히 앉아 있지 못하고 자주 일어서거나 하다.

귀가 따갑다 너무 여러 번 들어서 듣기가 싫다.

귀가 여리다 속는 줄도 모르고 남의 말을 그대로 잘 믿다.

귀가 질기다
① 둔하여 남의 말을 잘 이해하지 못하다.
② 말을 싹싹하게 잘 듣지 않고 끈덕지다.

귀에 못이 박히다 같은 말을 여러 번 듣다.

귓등으로 듣다 듣고도 들은 체 만 체 하다.

기가 차다 하도 어이가 없어 말이 나오지 않다.

꽁무니를 따라다니다 이익을 바라고 부지런히 바싹 따라다니다.

꽁무니를 빼다 슬그머니 피하여 물러나다.

나 몰라라 하다 어떤 일에 무관심한 태도로 상관하지도 않고 간섭하지도 아니하다.

나사(를) 죄다 해이해진 마음을 가다듬고 정신을 다잡다.

나사가 풀리다 정신 상태가 해이하다.

난장을 치다 함부로 마구 떠들다.

노린내가 나다 매우 인색하고 이해타산이 많은 사람의 태도가 나타나다.

눈 뜨고 볼 수 없다 눈앞의 광경이 참혹하거나 민망할 정도로 아니꼬워 차마 볼 수 없다.

눈먼 돈
① 임자 없는 돈.
② 우연히 생긴 공돈.

눈 밖에 나다 신임을 잃고 미움을 받게 되다.

눈썹도 까딱하지 않다 놀라기는커녕 아주 태연하다.

눈에 넣어도 아프지 않다 매우 귀엽다.

눈에 모가 서다[모를 세우다] 성난 눈매로 노려보다.

눈에 밟히다 자꾸 생각나다.

눈에 보이는 것이 없다 사리 분별을 못하다.

눈에 불을 켜다
① 몹시 욕심을 내거나 관심을 기울이다.
② 화가 나서 눈을 부릅뜨다.

눈에 아른거리다 어떤 사람이나 일 따위에 관한 기억이 떠오르다.

눈에 익다 여러 번 보아서 익숙하다.

눈에 흙이 들어가다[덮이다] 죽어 땅에 묻히다.

눈(을) 뒤집다 주로 좋지 않은 일에 열중하여 제정신을 잃다.

눈이 가매지게[가매지도록] 몹시 기다리는 모양을 비유적으로 이르는 말.

눈이 높다
① 정도 이상의 좋은 것만 찾는 버릇이 있다.
② 안목이 높다.

눈이 맞다 두 사람의 마음이나 눈치가 서로 통하다.

눈치가 다르다 태도나 하는 짓이 이상스럽다.

눈치를 보다 남의 마음과 태도를 살피다.

눈치코치도 모르다 도무지 남의 생각이나 태도를 알아차리지 못하다.

눈코 뜰 사이[새] 없다 정신 못 차리게 몹시 바쁘다.

눈 하나 깜짝 안 하다 태도나 기색이 아무렇지도 않은 듯이 예사롭게 굴다.

ㄷ

다리가 짧다 흠이 있거나 지체가 낮다.

다리를 건너다 말이나 물건 따위가 어떤 한 사람을 거쳐 다른 사람에게 넘어가다.

다리를 놓다 상대편과 관련을 짓기 위하여 중간에 다른 사람을 넣다.

다리를 잇다 끊어진 관계를 다시 맺어 통하게 되다.

다리 뻗고[펴고] 자다 마음 놓고 편히 자다.

닭 물 먹듯 무슨 일이든 그 내용도 모르고 건성으로 넘기는 모양.

닭이 헤집어 놓은 것 같다 몹시 어지럽고 무질서하게 널려 있다.

돈을 굴리다 돈을 여기저기 빌려주어 이익을 늘리다.

떡이 되다 크게 곤욕을 당하거나 매를 많이 맞다.

떡이 생기다 뜻밖에 이익이 생기다.

떡 주무르듯 하다 저 하고 싶은 대로 마음대로 다루다.

똥을 밟다 재수가 없다.

똥줄이 타다 몹시 힘이 들거나 마음을 졸이다.

마른침을 삼키다 몹시 긴장하거나 초조해하다.

말이 물 흐르듯 하다 말이 거침없이 술술 잘 나오다.

머리가 굳다
① 사고방식이나 사상 따위가 완고하다.
② 기억력 따위가 무디다.

머리가 (잘) 돌아가다 임기응변으로 생각이 잘 떠오르거나 미치다.

머리가 무겁다 기분이 좋지 않거나 골이 띵하다.

머리가 수그러지다 존경하는 마음이 일어나다.

머리가 크다 어른처럼 생각하거나 판단하게 되다.

머리를 굴리다 머리를 써서 생각해 내다.

머리를 깎다
① 승려가 되다.
② 교도소에 복역하다.

머리를 맞대다 어떤 일을 의논하거나 결정하기 위하여 서로 마주 대하다.

머리를 싸매다 있는 힘을 다하여 노력하다.

머리를 쓰다 어떤 일에 대하여 이모저모 깊게 생각하거나 아이디어를 찾아내다.

머리를 쥐어짜다 몹시 애를 써서 궁리하다.

머리를 흔들다 강한 거부의 의사를 표현하거나 진저리를 치다.

머리에 서리가 앉다 머리가 희끗희끗하게 세다. 또는 늙다.

머리에 피도 안 마르다 아직 어른이 되려면 멀었다. 또는 나이가 어리다.

머리 위에[꼭대기에] 앉다[올라앉다]
① 상대방의 생각이나 행동을 꿰뚫다.
② 잘난 체하며 남을 업신여기다.

머리칼이 곤두서다 무섭거나 놀라서 날카롭게 신경이 긴장되다.

먹물을 먹다 책을 읽어 글공부를 하다.

목구멍에 풀칠하다 굶지 않고 겨우 살아가다.

목에 힘을 주다 거드름을 피우거나 남을 깔보는 듯한 태도를 취하다.

목이 빠지게 기다리다 애타게 기다리다.

물 끓듯 하다 여러 사람이 몹시 술렁거리다.

물로 보다 사람을 하찮게 보거나 쉽게 생각하다.

물 만난 고기 어려운 지경에서 벗어나 크게 활약할 판을 만나다.

물 쓰듯 총 쓰듯 말이 되건 안 되건 입에서 나오는 대로 마구 떠들어 대다.

물 쓰듯 물건을 헤프게 쓰거나, 돈 따위를 흥청망청 낭비하다.

물에 물 탄 것 같다 아무 맛도 없고 싱겁다.

물 위의 기름 서로 어울리지 못하여 겉도는 사이.

물인지 불인지 모르다 사리를 분간하지 못하거나 따져 보지 않고 함부로 행동하다.

미역국을 먹다 시험에 떨어지다.

바가지를 긁다 주로 아내가 남편에게 생활의 어려움에서 오는 불평과 잔소리를 심하게 하다.

바가지를 쓰다
① 요금이나 물건값을 실제 값보다 비싸게 지불하다.
② 어떤 일에 부당한 책임을 억울하게 지게 되다.

바람을 넣다 남을 부추겨서 무슨 행동을 하려는 마음이 생기게 만들다.

발길에 채다[차이다] 천대받고 짓밟히다.

발 디딜 틈이 없다 복작거리어 혼잡스럽다.

발 벗고 나서다 적극적으로 나서다.

발을 빼다[씻다] 어떤 일에서 관계를 완전히 끊고 물러나다.

발을 뻗다[펴다] 걱정되거나 애쓰던 일이 끝나 마음을 놓다.

발이 길다 음식 먹는 자리에 우연히 가게 되어 먹을 복이 있다.

발이 넓다 사귀어 아는 사람이 많아 활동하는 범위가 넓다.

발이 닳다 매우 분주하게 많이 다니다.

발이 떨어지지 않다 애착, 미련, 근심, 걱정 따위로 마음이 놓이지 아니하여 선뜻 떠날 수가 없다.

발이 뜸하다 자주 다니던 것이 한동안 머춤하다.

발이 묶이다 몸을 움직일 수 없거나 활동할 수 없는 형편이 되다.

발이 손이 되도록 빌다 손만으로는 부족하여 발까지 동원할 정도로 간절히 빌다.

발이 잦다 어떤 곳에 자주 다니다.

발이 짧다 먹는 자리에 남들이 다 먹은 뒤에 나타나다.

밥 먹듯 하다 예사로 자주 하다.

밥술이나 뜨다[먹다] 사는 형편이 쏠쏠하여 어지간히 산다.

배가 등에 붙다 먹은 것이 없어서 배가 홀쭉하고 몹시 허기지다.

배에 기름이 오르다 살림이 넉넉해지다.

뱃가죽이 두껍다 염치가 없어 뻔뻔스럽거나 배짱이 세다.

뱃가죽이 등에 붙다 '배가 등에 붙다'를 속되게 이르는 말.

변덕이 죽 끓듯 하다 말이나 행동을 몹시 이랬다저랬다 하다.

봄을 타다
① 봄철에 입맛이 없어지거나 몸이 나른해지고 파리해지다.
② 봄기운 때문에 마음을 안정하지 못하여 기분이 들뜨다.

빈손 털다
① 들인 재물이나 노력이 허사로 되어 아무것도 얻은 것이 없이 되다.
② 가지고 있던 것을 몽땅 털어 내다.

뼈가 휘도록 오랫동안 육체적 고통을 견디어 내면서 힘겨운 일을 치러 나가는 것.

뼈도 못 추리다 상대와 싸움의 적수가 안 되어 손실만 보고 전혀 남는 것이 없다.

뼈를 묻다 단체나 조직에 평생토록 헌신하다.

뼈에 사무치다 원한이나 고통 따위가 뼛속에 파고들 정도로 깊고 강하다.

산통을 깨다 다 잘되어 가던 일을 이루지 못하게 뒤틀다.

살을 깎고 뼈를 갈다 몸이 야윌 만큼 몹시 고생하며 애쓰다.

살을 붙이다 바탕에 여러 가지를 덧붙여 보태다.

성에 차다 흡족하게 여기다.

소 먹듯 하다 = 소같이 먹다 엄청나게 많이 먹다.

손바닥을 뒤집듯
① 태도를 갑자기 또는 노골적으로 바꾸기를 아주 쉽게.
② 일하기를 매우 쉽게.

손사래를 치다 거절이나 부인을 하며 손을 펴서 마구 휘젓다.

손에 걸리다
① 너무 흔하여 어디나 다 있다.
② 어떤 사람의 손아귀에 잡혀 들다.

손에 땀을 쥐다 아슬아슬하여 마음이 조마조마하도록 몹시 애달다.

손을 벌리다 = 손을 내밀다 무엇을 달라고 요구하거나 구걸하다.

손을 뻗치다
① 이제까지 하지 아니하던 일까지 활동 범위를 넓히다.
② 적극적인 도움, 요구, 침략, 간섭 따위의 행위가 멀리까지 미치게 하다.

손을 씻다 부정적인 일에 대하여 관계를 청산하다.

손이 나다 어떤 일에서 조금 쉬거나 다른 것을 할 틈이 생기다.

손이 놀다 일거리가 없어 쉬는 상태에 있다.

손이 닿다
① 힘이나 능력이 미치다.
② 연결이 되거나 관계가 맺어지다.

손이 맵다
① 일하는 것이 빈틈없고 매우 야무지다. **= 손이 여물다**
② 손으로 슬쩍 때려도 몹시 아프다.

손이 크다
① 씀씀이가 후하고 크다.
② 수단이 좋고 많다.

숨을 넘기다 숨을 더 이상 쉬지 못하고 죽다.

숨을 돌리다
① 가쁜 숨을 가라앉히다.
② 잠시 여유를 얻어 휴식을 취하다.

숨이 가쁘다
① 어떤 일이 몹시 힘에 겹거나 급박하다.
② 짓눌리어 매우 답답하다.

숨이 막히다
① 숨을 쉴 수 없을 정도로 답답함을 느끼다.
② 어떤 상황이 심한 긴장감이나 압박감을 주다.

시치미를 떼다 자기가 하고도 하지 아니한 체하거나 알고 있으면서도 모르는 체하다.

심장이 크다 겁이 없고 대담하며 통이 크다.

안경을 쓰다 있는 그대로 보지 않고 선입견을 가지다.

앉아서 뭉개다
① 앞으로 나아가지 못하고 제자리에서 발전이 없다.
② 일을 제대로 하지 못하고 우물쭈물하다.

약이 오르다 비위가 상하여 언짢거나 은근히 화가 나다.

어깨가 올라가다 칭찬을 받거나 하여 기분이 으쓱해지다.

어깨가 움츠러들다 떳떳하지 못하거나 창피하고 부끄러운 기분을 느끼다.

어깨를 견주다 = 어깨를 겨누다[겨루다] 서로 비슷한 지위나 힘을 가지다.

어깨를 들이밀다 어떤 일에 몸을 아끼지 아니하고 뛰어들다.

어깨를 짓누르다 의무나 책임, 제약 따위가 중압감을 주다.

어깨에 힘이 들어가다 거만한 태도를 취하게 되다.

어안이 벙벙하다 뜻밖에 놀랍거나 기막힌 일을 당하여 어리둥절하다.

업어 가도 모르다 잠이 깊이 들어 웬만한 소리나 일에는 깨어나지 아니하는 상태이다.

연막을 치다 어떤 수단을 써서 교묘하게 진의를 숨기다.

오지랖이 넓다 눈치 없이 쓸데없는 일에 참견하는 면이 있다.

입에 담다 무엇에 대해 말하다.

입에 대다 음식을 먹거나 마시다. 또는 담배를 피우다.

입에 발리다 남의 비위를 맞추기 위해 아부하다.

입에 침이 마르다 = 침이 마르다 다른 사람이나 물건에 대하여 거듭해서 말하다.

입에 풀칠하다 근근이 살아가다.

입을 모으다 여러 사람이 같은 의견을 말하다.

입이 귀밑까지 찢어지다[이르다] 기쁘거나 즐거워 입이 크게 벌어지다.

입이 달다 입맛이 당기어 음식이 맛있다.

입이 도끼날 같다 바른말을 매우 날카롭게 거침없이 하다.

입이 떨어지다 입에서 말이 나오다.

입이 (딱) 벌어지다 매우 놀라거나 좋아하다.

ㅈ

자리를 걷고[털고] 일어나다 아파서 누워 있던 사람이 일어나서 활동하다.

자리를 보다 잠을 자려고 이부자리에 드러눕다.

잠귀가 엷다[열다] 웬만한 소리에 잠이 깰 정도로 신경이 예민하다.

젖비린내가 나다 정신적으로나 육체적으로 성숙하지 못한 태도나 기색이 보이다.

제 눈에 안경 보잘것없는 물건이라도 제 마음에 들면 좋게 보인다는 말.

좀이 쑤시다 마음이 들뜨거나 초조하여 가만히 있지 못하다.

주머니가 가볍다 가지고 있는 돈이 적다.

주머니를 털다
① 가지고 있는 돈을 모두 내놓다.
② 강도질을 하다.

죽 끓듯 하다 화나 분통 따위의 감정을 참지 못하여 마음속이 부글부글 끓어오르다.

죽도 밥도 안 되다 어중간하여 이것도 저것도 안 되다.

죽을 쑤다 어떤 일을 망치거나 실패하다.

죽이 맞다 서로 뜻이 맞다.

쪽박을 차다 거지가 되다.

차 떼고 포 떼다 귀중하고 요긴한 것을 다 빼다.

찬물을 끼얹다 좋은 분위기에 끼어들어 분위기를 망치거나 흐리게 하다.

찬바람을 일으키다 차갑고 냉담한 태도를 드러내다.

찬밥 더운밥 가리다 어려운 형편에 있으면서 배부른 행동을 하다.

철판을 깔다 체면이나 염치를 돌보지 아니하다.

침을 삼키다
① 음식 따위를 몹시 먹고 싶어 하다.
② 자기 소유로 하고자 몹시 탐내다.

침이 마르다 다른 사람이나 물건에 대하여 거듭해서 말하다.

코가 꿰이다 약점이 잡히다.

코가 납작해지다 몹시 무안을 당하거나 기가 죽어 위신이 뚝 떨어지다.

코가 높다 잘난 체하고 뽐내는 기세가 있다.

코가 빠지다 근심에 싸여 기가 죽고 맥이 빠지다.

코가 세다 남의 말을 잘 듣지 않고 고집이 세다.

코가 솟다 뽐낼 일이 있어 우쭐해지다.

코 묻은 돈 어린아이가 가진 적은 돈.

코 아래 입 매우 가까운 것.

코 큰 소리 잘난 체하는 소리.

콧대가 높다 잘난 체하고 뽐내는 태도가 있다.

탈을 벗다 거짓으로 꾸민 모습을 버리고 본래의 모습을 드러내다.

탈을 쓰다
① 본색이 드러나지 않게 가장하다.
② 생김새나 하는 짓이 누구를 꼭 닮다.

태깔이 나다 맵시 있는 태도가 보이다.

토를 달다 어떤 말 끝에 그 말에 대하여 덧붙여 말하다.

ㅍ

파김치가 되다 몹시 지쳐서 기운이 아주 느른하게 되다.

팔을 걷어붙이다 = 팔소매를 걷다 어떤 일에 뛰어들어 적극적으로 일할 태세를 갖추다.

피가 거꾸로 솟다 피가 머리로 모인다는 뜻으로, 매우 흥분한 상태.

피가 끓다
① 기분이나 감정 따위가 북받쳐 오르다.
② 젊고 혈기가 왕성하다.

피가 되고 살이 되다 큰 도움이 되다.

피도 눈물도 없다 조금도 인정이 없다.

핏대를 세우다[내다/돋우다/올리다] 목의 핏대에 피가 몰려 얼굴이 붉어지도록 화를 내거나 흥분하다.

하늘 높은 줄 모르다
① 자기의 분수를 모르다.
② 출세 가도를 치달리다.

하늘에 닿다 무엇이 매우 크거나 높거나 많다.

하늘에 맡기다 운명에 따르다.

하늘을 지붕 삼다
① 한데서 기거하다.
② 정처 없이 떠돌아다니다.

하늘을 찌르다
① 매우 높이 솟다.
② 기세가 몹시 세차다.

하늘이 노랗다
① 지나친 과로나 상심으로 기력이 몹시 쇠하다.
② 큰 충격을 받아 정신이 아찔하다. **= 하늘이 캄캄하다**

하늘이 두 쪽이 나도 아무리 큰 어려움이 있더라도.

하품만 하고 있다 경기(景氣)가 없거나 할 일이 없다.

한 팔을 잃다 도움이 되는 가장 중요한 사람을 잃다.

허리를 굽히다
① 남에게 겸손한 태도를 취하다.
② 정중히 인사하다.
③ 남에게 굴복하다.

허파에 바람 들다 실없이 행동하거나 지나치게 웃어 대다.

기억률 200% 바로확인 문제

[1~10] 한자성어 | 다음 (　　)에 들어갈 한자성어를 〈보기〉에서 고르시오.

보기

① 파죽지세(破竹之勢)　② 견강부회(牽強附會)　③ 백년하청(百年河淸)　④ 전대미문(前代未聞)
⑤ 일취월장(日就月將)　⑥ 견물생심(見物生心)　⑦ 칠전팔기(七顚八起)　⑧ 불편부당(不偏不黨)
⑨ 반신반의(半信半疑)　⑩ 발본색원(拔本塞源)

1 그녀는 이 일에서 (　　　)하여 결국 성공했다.

2 아군은 (　　　)로 적군을 이 땅에서 몰아냈다.

3 공무원은 항상 (　　　)의 자세를 지녀야 한다.

4 (　　　)(이)라고, 금을 보고 그대로 둘 사람이 누구랴.

5 그가 한번 마음을 먹고 공부에 전념하니 (　　　)(이)었다.

6 그는 친구의 말을 (　　　)하면서도 관심은 있는 눈치였다.

7 그는 자신에게 유리하게 하기 위해 (　　　)하는 것으로 악명이 높다.

8 유흥가에 기생하는 폭력 조직을 (　　　)하기 위해서 수많은 경찰이 투입되었다.

9 우리 회사에서 이번에 새로 계획한 사업은 (　　　)의 새로운 도전이라 할 만하다.

10 밤낮 부두에만 매달려 보았자 (　　　)(이)고, 뭐니 뭐니 해도 장삿길밖에 없을 것 같다.

[11~16] 속담 | 다음 (　　)에 들어갈 속담을 〈보기〉에서 고르시오.

보기

① 녹비에 가로왈　② 우물을 파도 한 우물을 파라　③ 망건 쓰자 파장
④ 개밥에 도토리　⑤ 장독보다 장맛이 좋다　⑥ 서투른 무당이 장구만 나무란다

11 난 언제나 친구들 사이에서 (　　　) 신세였다.

12 (　　　)(이라)고, 겉모습만 보고 사람을 평가하면 안 돼.

13 자기가 필요할 때마다 '(　　　)' 하는 정치인은 신뢰할 수 없다.

14 (　　　)(이라)더니, 큰맘 먹고 오늘에서야 왔는데 하필이면 오늘 문을 닫았네.

15 (　　　)(이라)고, 바이올린 연주 대회에서 상을 타지 못한 게 왜 바이올린 때문이니?

16 (　　　)(이라)더니, 힘든 순간에도 흔들리지 않고 그 일에만 몰두하더니 결국 성공하는구나.

정답
[1~10] 1 ⑦　2 ①　3 ⑧　4 ⑥　5 ⑤　6 ⑨　7 ②　8 ⑩　9 ④　10 ③
[11~16] 11 ④　12 ⑤　13 ①　14 ③　15 ⑥　16 ②

[17~26] 한자성어와 속담 | 다음 한자성어와 유사한 의미의 속담을 연결하시오.

17 고장난명(孤掌難鳴) •
18 낭중지추(囊中之錐) •
19 망양보뢰(亡羊補牢) •
20 설상가상(雪上加霜) •
21 순망치한(脣亡齒寒) •
22 욕속부달(欲速不達) •
23 좌정관천(坐井觀天) •
24 주마가편(走馬加鞭) •
25 표리부동(表裏不同) •
26 호가호위(狐假虎威) •

• ① 우물 안 개구리.
• ② 달리는 말에 채찍질.
• ③ 겉 다르고 속 다르다.
• ④ 눈 위에 서리 친다.
• ⑤ 소 잃고 외양간 고친다.
• ⑥ 원님 덕에 나팔 분다.
• ⑦ 우물에 가서 숭늉 찾는다.
• ⑧ 두 손뼉이 맞아야 소리가 난다.
• ⑨ 입술이 없으면 이가 시리다.
• ⑩ 주머니에 들어간 송곳이라.

[27~36] 관용구 | 다음 뜻풀이에 해당하는 관용구를 〈보기〉에서 고르시오.

보기

① 귀에 못이 박히다	② 눈 밖에 나다	③ 눈에 차다	④ 마른침을 삼키다
⑤ 목에 힘을 주다	⑥ 발을 끊다	⑦ 배를 불리다	⑧ 손톱도 안 들어가다
⑨ 얼굴이 넓다	⑩ 코가 빠지다		

27 흡족하게 마음에 들다. ( )
28 같은 말을 여러 번 듣다. ( )
29 사귀어 아는 사람이 많다. ( )
30 오가지 않거나 관계를 끊다. ( )
31 신임을 잃고 미움을 받게 되다. ( )
32 몹시 긴장하거나 초조해하다. ( )
33 사람됨이 몹시 야무지고 인색하다. ( )
34 근심에 싸여 기가 죽고 맥이 빠지다. ( )
35 거드름을 피우거나 남을 깔보는 듯한 태도를 취하다. ( )
36 재물이나 이득을 많이 차지하여 사리사욕을 채우다. ( )

정답
[17~26] 17 ⑧ 18 ⑩ 19 ⑤ 20 ④ 21 ⑨ 22 ⑦ 23 ① 24 ② 25 ③ 26 ⑥
[27~36] 27 ③ 28 ① 29 ⑨ 30 ⑥ 31 ② 32 ④ 33 ⑧ 34 ⑩ 35 ⑤ 36 ⑦

04 한자성어 / 속담 / 관용구

기출변형 문제

정답 P 4

1 다음 중 밑줄 친 한자성어와 의미가 유사한 것은?

> 국경 문제를 놓고 두 나라에 일촉즉발(一觸卽發)의 위기감이 감돌고 있다.

① 무위도식(無爲徒食)
② 고장난명(孤掌難鳴)
③ 침소봉대(針小棒大)
④ 누란지세(累卵之勢)
⑤ 호사다마(好事多魔)

2 다음 중 〈보기〉의 (　　)에 들어갈 한자성어로 가장 적절한 것은?

> 보기
>
> 올해 들어 '유령 주식'과 '유령 계좌'에 시달려 온 금융감독 당국이 후속 조치 마련에 분주하다. 이미 지난해, 금융감독원은 한 회사가 은행이 발행하는 '은행 예금조회서'를 위조해 분식(粉飾) 회계를 한 사실에 놀란 적이 있다. 이 정도의 사고와 징후가 있었는데도 금융감독 당국은 제대로 허점을 보완하지 못했던 것이다. 최근 이러한 금융감독 당국의 움직임을 보면 (　　　)(이)라는 한자성어가 떠오른다.

① 경거망동(輕擧妄動)
② 망양보뢰(亡羊補牢)
③ 단기지계(斷機之戒)
④ 속수무책(束手無策)
⑤ 풍수지탄(風樹之嘆)

3 다음 중 밑줄 친 한자성어의 쓰임이 바르지 않은 것은?

① 어떤 사람이 독화살을 맞고 명약관화(明若觀火)에 이르렀다.
② 그들은 죄 없는 사람들을 불문곡직(不問曲直)하고 잡아가고 있다.
③ 탁상공론(卓上空論)만 하지 말고 실질적인 타개책을 찾아야 한다.
④ 그는 피나는 노력의 결과 기타 연주 실력이 괄목상대(刮目相對)했다.
⑤ 아버지는 문을 굳게 닫고 사람들과의 접촉을 끊은 채 두문불출(杜門不出)이시다.

4 다음 중 속담을 상황에 맞게 사용하지 않은 것은?

① 경제가 계속 어려운데, 취업률이 좋기를 바라는 것은 지나가는 불에 밥 익히는 것이다.
② 새도 가지를 가려서 앉는다고 저런 사람들과 어울리는 것은 너에게도 좋지 않아.
③ 틈 난 돌이 터지고 태 먹은 독이 깨진다잖아. 어차피 일어날 일은 일어나게 돼 있어.
④ 우리 장모님은 나를 진짜 극진히 챙겨 주셔서 난 처갓집에 송곳 차고 간다는 말을 이해해.
⑤ 아무리 네 실력이 뛰어나다지만, 도끼 가진 놈이 바늘 가진 놈을 못 당한다고 상대를 얕보면 안 돼.

5 다음 중 〈보기〉의 ( ) 안에 들어갈 속담으로 옳은 것은?

보기
"( )"라는 말처럼, 말이란 언중들의 호응을 얻으면 살아남고 호응을 얻지 못하면 사라지고 만다. 그래서 일반 대중들이 이해하기 쉽도록 고속 도로 옆길을 가리키는 말을 '노견(路肩)'에서 '갓길'로 바꾸었더니 지금은 어려운 한자어인 '노견(路肩)'보다는 쉬운 우리말인 '갓길'을 더욱 많이 쓴다.

① 달도 차면 기운다.
② 백지장도 맞들면 낫다.
③ 배고픈 놈더러 요기시키라 한다.
④ 구슬이 서 말이라도 꿰어야 보배다.
⑤ 외손뼉이 못 울고, 한 다리로 못 간다.

6 다음 중 〈보기〉의 질문에 대한 답으로 가장 적절한 것은?

보기
강연자가 '빈대 잡으려고 초가삼간 태운다.'와 같은 상황이 일어나면 안 된다는 주장을 펼쳤다. 그런데 그 주장과 반대되는 의견을 내세우고자 할 때, 어떤 속담을 인용해야 적절하게 자신의 주장을 뒷받침할 수 있을까?

① 한강에 돌 던지기.
② 말 단 집 장맛 쓰다.
③ 망건 쓰고 세수한다.
④ 쥐 잡으려다가 쌀독 깬다.
⑤ 구더기 무서워 장 못 담글까.

7 밑줄 친 한자성어와 의미가 유사한 속담을 연결한 것 중 적절하지 않은 것은?

① 어차피 하지도 못할 거면서 묘두현령(猫頭懸鈴)하지 마라. → 하룻강아지 범 무서운 줄 모른다
② 이럴 때 유비무환(有備無患)의 정신이 필요하다. → 감나무 밑에 누워도 삿갓 미사리를 대어라
③ 그는 내가 아는 사람 중에 손꼽히는 허장성세(虛張聲勢)하는 사람이다. → 냉수 먹고 이 쑤시기
④ 재난 극복을 위해 국민 모두가 십시일반(十匙一飯)의 마음으로 성금을 내었다. → 울력걸음에 봉충다리 건듯
⑤ 아무리 도도하다지만, 마부위침(磨斧爲針)이라고 언젠가는 내게 마음을 열어 줄 거야. → 열 번 찍어 아니 넘어가는 나무 없다

8 다음 중 밑줄 친 관용어의 뜻풀이로 적절하지 않은 것은?

① 경쟁사 사장님의 제안에 귀가 번쩍 뜨였다. – 들리는 말에 선뜻 마음이 끌리다.
② 그녀는 친구가 옆에서 하는 말에 귀가 질기다는 듯한 태도였다. – 듣고도 들은 체 만 체 하다.
③ 아침마다 운전 조심하라는 말씀을 하셔서, 귀에 딱지가 앉을 지경이다. – 같은 말을 여러 번 듣다.
④ 친구는 기차 화통을 삶아 먹었는지 목소리가 너무 커서 귀가 따갑다. – 소리가 날카롭고 커서 듣기에 괴롭다.
⑤ 네가 1등을 했다는 말을 듣다니, 귀를 의심하지 않을 수 없다. – 믿기 어려운 이야기를 들어 잘못 들은 것이 아닌가 생각하다.

9 다음 중 밑줄 친 관용어의 사전적 의미로 적절하지 않은 것은?

① 우리 할머니는 큰며느리라는 멍에를 메고 고통 속에서 사셨다. – 마음대로 행동할 수 없도록 얽매이다.
② 그렇게 변죽만 울리지 말고 하고 싶은 말이 있으면 속 시원하게 해 봐. – 바로 집어 말을 하지 않고 둘러서 말을 하다.
③ 내 자리를 그가 먼저 차지하고 있으니, 나야말로 다리를 들린 셈이다. – 미리 손쓸 기회를 빼앗기다.
④ 어린 청년이 어른한테 버릇없이 굴어서, 한번 따끔하게 본때를 보여 주었다. – 잘못이나 위험을 미리 경계하여 주의를 환기시키다.
⑤ 기부 천사로 알려진 그는 어려운 이웃을 보면 그냥 지나치지 못하고 바지까지 내어 준다. – 도저히 내어 줄 수 없거나 양보할 수 없는 것까지 자신의 모든 것을 다 넘겨주다.

10 **다음 중 관용어의 쓰임이 적절하지 <u>않은</u> 것은?**

① 여유가 있다고 <u>차 떼고 포 떼고</u> 하면 지게 되지 않을까?
② 이성을 잃었는지, 그 사람도 <u>눈을 뒤집고</u> 싸움판에 끼어들어 일이 너무 커졌다.
③ 시간이 지나자 그들은 차츰 흉악한 <u>마각을 드러내기</u> 시작했다.
④ 너도 교장 선생님이셨던 아버지의 <u>전철을 밟아서</u> 꼭 훌륭한 사람이 되어야 한다.
⑤ 학문에 대한 문답에서 말문이 막힌 이 교수가 결국 낭패를 당해 <u>코가 납작해졌다지</u>?

05 혼동하기 쉬운 어휘

시험에 나온! 나올! **필수개념**

기출복원 문제

혼동하기 쉬운 어휘를 바르게 활용하지 못한 것은?

① 작열(灼熱)하는 사막의 전쟁터에서 수류탄이 작렬(炸裂)하였다.
② 도둑의 뒤를 쫓던 경찰관은 늘 명예를 좇는 사람이었다.
③ 그는 단단한 돌을 맨손으로 뻐개더니 자신의 힘을 은근히 뻐기고 있다.
④ 그는 노동자들의 용기를 돋구는 글을 쓰기 위해 안경의 도수를 돋우었다.
⑤ 자유와 방종이 혼동(混同)되어서 나는 결국 가치관의 혼돈(混沌)에 빠지고 말았다.

유형 익히기 ▶ 형태와 발음이 유사하여 혼동하여 쓰기 쉬운 어휘를 각각 구별하여 적절하게 사용할 수 있는지를 묻는 유형이 출제된다. ④ '돋우다'와 '돋구다'는 대표적인 빈출 단어이다. '돋우다'는 'ⓐ 위로 높아지게 하다. 예 땅을 돋우다. ⓑ 감정을 자극하여 상기하게 하다. 예 분위기를 돋우다.'의 의미로 주로 쓰이고, '돋구다'는 '안경의 도수 따위를 더 높게 하다.'의 의미로만 쓰인다. 따라서 제시된 문맥에 따르면 '용기를 돋우는 글을 쓰기 위해 안경의 도수를 돋구었다.'가 올바른 표현이다.

BEST 기출&예상 개념

혼동하기 쉬운 어휘(또는 구별해서 써야 할 어휘)는 각각의 쓰임이 엄연히 다른데, 발음이나 형태가 유사하여 잘못 사용하기 쉬운 어휘를 뜻한다. 이는 국어능력인증시험에서 매 회차마다 빠지지 않고 출제되는 영역이므로 별도의 학습을 해 둘 필요가 있다.

1. 혼동하기 쉬운 어휘

가늠 목표나 기준에 맞고 안 맞음을 헤아려 봄. 또는 헤아려 보는 목표나 기준. 사물을 어림잡아 헤아림.
예 이번 성적을 가늠해 보아라. / 사무실의 면적을 먼저 가늠해 보고 들일 물건을 배치해야 한다.

가름 쪼개거나 나누어 따로따로 되게 하는 일. 승부나 등수 따위를 정하는 일.
예 지역에 따라 편을 가름하는 일은 그만두어라.

갈음 다른 것으로 바꾸어 대신함.
예 그는 웃음으로 답변을 갈음했다.

헷갈리지 마세요

'가늠'과 '가름', '갈음'은 발음이 유사하여 헷갈리기 쉬운 어휘들입니다. 그러나 '가늠'은 '목표에 맞고 안 맞음을 헤아리는 기준'으로 '헤아림'이 주된 의미라면, '가름'은 '가르다'의 활용(가르-+-ㅁ)으로 '나누다, 분류하다'의 의미로 쓰입니다. '갈음'은 '갈다'의 활용(갈-+-음)으로 '바꾸다, 대신하다'의 의미로 쓰입니다.

가르치다 지식이나 기능, 이치 따위를 깨닫게 하거나 익히게 하다.
예 은경이는 동생에게 운전을 가르치려다가 싸우기만 했다.

가리키다 손가락 따위로 어떤 방향이나 대상을 집어서 보이거나 말하거나 알리다.
예 그는 손가락으로 친구들이 있는 곳을 가리켰다.

가없다 끝이 없다.
예 저 멀리 펼쳐진 옥색 바다는 가없어 보였다.

가엾다 마음이 아플 만큼 안되고 처연하다.
예 그는 세상에 의지할 곳 없는 가엾은 존재이다.

결정적 힌트!

헷갈리지 마세요

'가없다'는 '한도가 없다'는 의미로 쓰이는 표현으로, 발음이 유사한 '가엾다'와는 구별해서 사용해야 합니다. 더불어, '가없다'를 '가이 없다(어머님의 은혜는 가이 없어라.)'로 쓰는 경우가 많은데, '가이 없다'는 표준어가 아니므로 '가없다'로 쓰는 것이 올바른 표현입니다. 또한 '가엾다'의 경우, '가엽다'와 같은 의미로 널리 쓰여, 함께 쓸 수 있는 복수 표준어입니다.

가죽 동물의 몸을 감싸고 있는 껍질. 혹은 동물의 몸에서 벗겨낸 껍질을 가공해서 만든 물건.

예 쇠가죽은 비싼 값에 거래되고 있다.

거죽 사물의 겉 부분.

예 어머니의 손때 묻은 성경책은 거죽이 이미 다 닳아 있었다.

갑절 어떤 수나 양을 두 번 합한 만큼.

예 집값이 전보다 두 배, 딱 갑절만큼 올랐다.

곱절 배수(倍數)를 세는 단위. 일정한 수나 양이 어떤 수만큼 거듭됨.

예 새로운 기술을 도입하면 연간 소득이 지금보다 몇 곱절 높아진다.

갱신(更新) 이미 있던 것을 고쳐 새롭게 함. 법률관계의 존속기간이 끝났을 때 그 기간을 연장하는 일.

예 운전면허증은 취득한 지 10년이 지나면 갱신해야 한다.

경신(更新) 이제까지 있던 것을 고쳐 새롭게 함. 종전의 기록을 깨뜨림.

예 박태환은 이번 올림픽에서 다시 신기록을 경신했다.

걷잡다 한 방향으로 치우쳐 흘러가는 형세 따위를 붙들어 잡다. 일반적으로 '걷잡을 수 없이~'의 형태로 쓰인다.

예 세찬 바람으로 불길이 걷잡을 수 없이 번졌다.

겉잡다 겉으로 보고 대강 짐작하여 헤아리다.

예 이번 추돌 사고로 차량 수리 비용이 겉잡아도 몇 백만 원은 나올 듯하다.

결재 결정권이 있는 사람이 어떤 안건에 대해 허가하거나 승인하다.

예 이 사안은 부장님께 결재를 받으면 된다.

결제 금전적 거래 관계를 끝내는 일.

예 어음 결제일이 내일입니다.

곤욕(困辱) 심한 모욕, 또는 참기 힘든 일.

예 그 여배우는 이번에도 근거 없는 열애설 때문에 곤욕을 당했다며 억울함을 토로했다.

곤혹(困惑) 뜻밖의 곤란한 일을 당해 어찌할 바를 모름.

예 나는 그녀의 갑작스런 질문에 곤혹을 느꼈다.

그저 변함없이 이제까지.

예 우리 집 강아지는 어디가 아픈지 아침부터 그저 잠만 자고 있다.

거저 아무것도 가지지 않고 빈손으로.

예 축하하러 가는 자리에 거저 갈 수는 없다.

껍데기 달걀이나 조개 따위의 겉을 싸고 있는 단단한 물질.

예 삶은 달걀의 껍데기를 쉽게 벗기려면, 달걀을 삶을 때 소금을 약간 넣으면 된다.

껍질 딱딱하지 않은 물체의 겉을 싸고 있는 질긴 물질의 켜.

예 이 배는 껍질도 얇고 수분도 많은 걸 보니 참 잘 익었구나.

결정적 힌트!

헷갈리지 마세요

일반적으로 '껍데기'는 딱딱하고 '껍질'은 말랑말랑한 것으로 생각하기 쉬우나, 수박 껍질과 같이 딱딱한 껍질도 있으므로 주의해야 합니다. '껍질'은 사람의 피부처럼 겹겹이 포개어져 있는 물질의 가장 바깥면[외피]으로 속의 물질과 쉽게 분리되지 않는 반면, '껍데기'는 속의 물질을 보호하기 위한 별도의 물질로 속의 물질과 쉽게 분리됩니다. 따라서 '게 껍질, 돼지 껍데기'는 틀린 표현입니다.

너비 평면이나 넓은 사물의 가로를 잰 거리. 폭(幅).

예 주민들은 도로의 너비를 늘여야 한다고 주장했다.

넓이 평면의 공간이나 범위의 크기. 면적(面積).

예 방은 고작 한 평 남짓한 넓이였다.

느리다 어떤 일이 이루어지는 과정이나 기간이 길다. 동작을 하는 데 걸리는 시간이 길다.

예 그 사람은 행동이 너무 느려서 일의 진행이 더디다.

늘이다 본디보다 더 길어지게 하다.

예 그는 기분이 언짢은 듯 말의 꼬리를 길게 늘였다.

늘리다 '늘다(수나 분량, 시간 따위가 본디보다 많아지다.)'의 사동사.

예 그는 수업의 수강생 수를 늘리기 위해 노력했다.

결정적 힌트!

이렇게 외워 보세요

'느리다'와 '늘이다', '늘리다'는 발음은 비슷하나, '느리다'는 속도[빠르기]에, '늘이다'는 길이에, '늘리다'는 부피나 양, 시간에 관련되어 쓰입니다.

닫치다 문짝이나 서랍 따위를 꼭꼭 또는 세게 닫다.

예 그는 무엇에 쫓기는 사람처럼 황급히 들어오자마자 문을 닫쳤다.

닫히다 '닫다(열린 문이나 서랍 따위를 제자리로 가도록 하여 막다.)'의 피동사.

예 바람이 세게 분 탓에 문이 저절로 닫혔다.

결정적 힌트!

'-치-/-히-'가 붙은 단어의 의미 구별

'(닫다) 닫치다/닫히다', '(부딪다) 부딪치다/부딪히다' 등과 같이 본래 단어에 '-치-'와 '-히-'가 더하여 의미의 변화를 일으키는 것들을 볼 수 있습니다. 이때, 일반적으로 '-치-'는 '강조'의 의미를 가져 본래 단어보다 '센, 강한'의 의미를 지니는데, '-히-'는 '행위를 입게 되는' 피동의 의미를 갖기 때문에 구별해서 써야 합니다.

-대 남의 말을 전달할 때 쓰는 종결 어미. '-다고 해'가 줄어든 말.
예 사람들 말로는 그 여자 벌써 결혼했대.
-데 예전에 직접 경험한 내용을 현재에 전달할 때 쓰는 종결 어미.
예 그 아이는 투정 없이 음식을 참 잘 먹데.

'-대/-데'의 차이
'-대'는 '-다고 해'를 줄인 말로 남이 말한 내용을 간접적으로 전달할 때 쓰이고, '-데'는 직접 경험했던 사실을 나중에 전달할 때 쓰이는 말로 '-더라'와 같이 쓰입니다. 그 외에 '-대'는 주로 '어떤 사실을 주어진 것으로 치고 그에 대한 놀람, 못마땅하게 여김 등의 감정을 섞어 의문을 나타냄.'의 의미로 쓰여 '아직 4월인데 왜 이리 덥대?'와 같이 쓰이기도 합니다.

돋구다 안경의 도수 따위를 더 높게 하다.
예 시력이 더 나빠져서 안경 도수를 돋구어야 한다.
돋우다 '돋다(위로 끌어 올려 도드라지거나 높아지게 하다. 입맛이 당기다. 감정이나 기색 따위가 생겨나다.)'의 사동사.
예 등잔불의 심지를 돋우다. / 입맛을 돋우다. / 화를 돋우다. / 명수의 신명나는 노래가 잔치 분위기를 돋우었다.

두껍다 두께가 보통의 정도보다 크다.
예 날씨가 추워져서 이불장에서 두꺼운 이불을 꺼냈다.
두텁다 신뢰, 믿음, 관계, 인정 따위가 굳고 깊다.
예 그들의 친분은 오래전부터 이어져 매우 두텁다.

드러내다 '드러나다(가려 있거나 보이지 않던 것이 보이게 되다. 알려지지 않은 사실이 널리 밝혀지다.)'의 사동사
예 어깨를 드러내는 옷차림. / 본색을 드러내다.
들어내다 어떤 대상을 안에서 밖으로 옮기다.
예 생선의 배를 갈라 내장을 밖으로 들어냈다.

띠다 직책, 사명 따위를 지니다. 빛깔이나 색채를 가지다. 감정이나 기운 따위를 나타내다.
예 그는 사명감을 띠고 업무에 임했다. / 태희는 부끄러운 듯 뺨에 홍조를 띠었다. / 그는 미소를 띠며 말했다.
띄다 '뜨이다(눈에 보이다. 남보다 훨씬 두드러지다.)'의 준말. '띄우다(사이를 뜨게 하다.)'의 준말
예 그녀는 어디에서나 눈에 띄었다. / 한글 맞춤법에 따라 띄어 쓰도록 해라.

-러 어떤 행동의 목적을 나타냄.
예 영화 보러 간다. / 콩나물을 사러 시장에 갔다.
-려 '-려고'의 준말. 어떤 행동에 대한 의도를 나타냄.
예 그는 집으로 돌아가려 했다. / 가기 전에 너를 한 번 더 보고 가려 한다.

(으)로서 어떤 지위나 자격, 신분을 나타내는 부사격 조사.
예 학생으로서 의무를 다하기 위해 노력했다.
(으)로써 재료나 도구, 수단임을 나타내거나 셈에 넣는 기준을 나타냄.
예 오해는 부드럽게 대화로써 풀어야 한다. / 이 일을 시작한 지 올해로써 20년이 되었다.

맞히다 문제에 대해 옳게 답하다. 겨냥한 지점에 맞게 하다.
예 열 문제 중에 여덟 문제를 맞혔다. / 활로 과녁을 잘 맞혔다.
맞추다 일정한 대상들을 놓고 비교하여 살피다. 정해진 것에 맞게 하다.
예 정답지를 펴 놓고 답을 맞춰 보았다. / 몇 번이나 계산을 맞춰 봐도 돈이 남는다.

매다 끈이나 줄 따위의 두 끝을 서로 감아 풀어지지 아니하게 마디를 만들다. 움직이지 않게 묶다.
예 그녀는 리본을 예쁘게 맸다. / 해적들은 인질을 의자에 앉혀 밧줄로 매었다.
메다 어깨에 걸치거나 올려놓다. 어떤 장소에 가득 차다. 감정이 북받쳐 목소리가 잘 나지 않다.
예 그는 쌀 한 섬을 메고는 돌아서서 가 버렸다. / 길이 메어지도록 구경꾼들이 모여들었다. / 목이 메어 말이 나오지 않았다.

명쾌하다(明快——) 말이나 글 따위의 내용이 명백하여 시원하다.
예 그의 말은 명쾌하여 한 점의 의심도 남기지 않았다.
상쾌하다(爽快——) 느낌이 시원하고 산뜻하다. = **상활하다(爽闊——)**
예 목욕을 하고 나니 온몸이 날아갈 듯 상쾌하였다.
유쾌하다(愉快——) 즐겁고 상쾌하다.
예 우리 가족은 탁 트인 바닷가에 가서 유쾌한 시간을 보낼 수 있었다.
통쾌하다(痛快——) 아주 즐겁고 시원하여 유쾌하다.
예 나는 이번에 그를 누른 것이 그지없이 통쾌하였다.

반복(反復) 같은 일을 거듭하여 되풀이함.
예 단조로운 작업의 반복은 지루하기만 하다.
번복(飜覆/翻覆) (입장이나 진술 따위를) 이리저리 뒤집고 고침.
예 올림픽 최초로 판정을 번복하는 일이 일어났다.

받히다 '받다(세게 부딪치다.)'의 피동사.
예 길가에 서 있던 은혜는 과속 차량에 받혀 중상을 입었다.
받치다 어떤 물건의 밑이나 옆에 다른 물체를 올리거나 대다.
예 공책에 책받침을 받치고 쓰면 글씨가 더 잘 써진다.
밭치다 '밭다(액체에 건더기가 있는 것을 체나 거르는 장치로 액체만을 따로 걸러내다.)'를 강조하는 말.
예 젓국을 밭쳐 국물만 따로 얻었다.

발달(發達) 신체, 지능 따위가 성장함. 기술이나 학문 따위가 보다 높은 수준에 이름.
예 통신 산업의 발달로 무선 인터넷 사용이 쉬워졌다.
발전(發展) 더 좋은 상태나 더 높은 단계로 나아감.
예 새로 시작하는 사업이 나날이 발전하시길 바랍니다.

결정적 힌트!

이렇게 외워 보세요

'발달'과 '발전'은 '더 나아지다.'라는 공통의 의미를 지닙니다. 그러나 '발달'은 '높은 수준에 이른 상태'를 의미하는 데 비해, '발전'은 '더 좋은 상태나 높은 단계로 넘어가는 과정'의 의미를 갖습니다. 따라서 '발전'은 '현재 이룬 상태'가 아닌 '이루어 가는 과정'이라는 점에서 '발달'과는 다르므로, '발달'과 '발전'이 함께 쓰일 수 있는 경우도 많지만 문맥에 따라서는 구별할 필요가 있습니다.

배다 스며들거나 스며 나오다. 버릇이 되어 익숙해지다.
예 슬며시 웃음이 배어 나왔다. / 어느새 욕이 입에 배어서 고쳐지질 않는다.

베다 날이 있는 연장 따위로 자르거나 가르다. 상처를 내다.
예 당근을 베려다가 잘못해서 손가락을 베었다.

벼르다 어떤 일을 이루려고 마음속으로 준비를 단단히 하고 기회를 엿보다.
예 이 씨는 과거의 일에 대해 복수를 하려고 벼르고 있었다.

벼리다 연장의 날을 불에 달구어 두드려 날카롭게 만들다. 마음, 의지를 단련하여 긴장시키다.
예 그는 나무를 하러 가기 전에 연장을 벼리었다. / 지영이는 시험장에 들어가며 마음을 벼리었다.

보전(保全) 온전하게 보호하여 유지함.
예 우리는 문화 유적 보전에 힘써야 한다.

보존(保存) 잘 간수하여 상하지 않게 남김.
예 현장은 행정 담당자가 올 때까지 다행히 잘 보존되어 있었다.

이렇게 외워 보세요

'보전'과 '보존'은 둘 다 '어떤 대상을 보호하고 지킴.'의 의미를 지닙니다. 다만, '보전'은 현재의 상태를 지켜서 '앞으로도 현재와 같은 상태에 있게 함.'의 의미가 있는 반면, '보존'은 '훼손될 우려가 큰 대상을 지킴.'의 의미만을 지녀 앞으로의 상태에 대한 관심은 나타나지 않습니다. 따라서 '보전'과 '보존'은 같이 쓸 수 있는 경우가 대부분이나 문맥에 따라 구별해서 사용할 필요가 있으므로 주의해야 합니다.

붇다 수효나 양이 많아지다. 물에 불어 부피가 커지다.
예 열심히 일하는 만큼 재산이 붇는다. / 가을에는 체중이 좀 붇는다. / 삶은 국수가 시간이 지나 불었다.

붓다 살가죽이나 어떤 기관이 부풀어 오르다. 다른 곳에 담다.
예 라면을 먹고 자면 얼굴이 퉁퉁 붓는다. / 쌀을 넘겨 받아 쌀독에 붓는 일을 하였다.

삭이다 '삭다(긴장, 분노, 화 등의 감정이 풀려 마음이 가라앉다.)'의 사동사.
예 승원이는 자신의 감정을 삭이기 위해 조용히 기도를 하곤 한다.

삭히다 '삭다(음식물이 발효되어 맛이 들다.)'의 사동사.
예 새우젓은 제법 오랫동안 삭혀야 제맛이다.

살지다 과실이나 식물, 동물 따위가 살이 많고 튼실하다.
예 가을이 되면 살진 과일들이 참 탐스럽다.

살찌다 살이 필요 이상으로 많아지다.
예 너무 살찌면 보기에도 좋지 않지만, 건강에도 매우 해롭다.

썩이다 '썩다(걱정이나 근심 따위로 마음이 몹시 괴로운 상태가 되다.)'의 사동사.
예 이제 부모님 속을 그만 썩일 때도 되지 않았니?

썩히다 '썩다(물건이나 사람, 재능 따위가 제대로 쓰이지 못하는 상태에 있다.)'의 사동사.
예 그는 시골 구석에서 재능을 썩히기에는 아까운 인재이다.

어느 둘 이상의 것 가운데 꼭 집어 말할 필요가 없는 막연한 사물이나 사람을 이를 때 쓰는 말.
예 옛날 어느 마을에 마음 착한 농부가 살았습니다.

여느 다른 보통의.
예 그들도 여느 형제들처럼 사이좋게 지내고 있었다.

어귀 들어오고 나가는 목(장소나 길 따위)의 첫머리.
예 고향의 동네 어귀로 들어서자 마음이 놓이기 시작했다.

언저리 둘레나 경계에 가까운 바깥쪽 부분.
예 그 할머니의 생선 가게 언저리에는 늘 고양이들이 머물러 있다.

어름 두 사물의 끝이 맞닿은 부분. 구역과 구역의 경계.
예 두 개의 천(川)이 합쳐지는 어름에는 다양한 물고기가 많다.

얼음 물이 얼어서 굳어진 물질.
예 폭설로 인해 채 녹지 않은 눈[雪]이 얼음이 되었다.

얽히다 '얽다(이리저리 관련이 되게 하다.)'의 피동사.
예 그는 이번 사건에 분명하게 얽혀 있다.

엉기다 한 무리를 이루거나 떼 지어 달라붙다. 뭉쳐 한 덩어리가 되면서 굳어지다.
예 강아지들이 서로 엉겨 놀고 있다. / 프라이팬에 쓰다 남은 기름이 엉겼다.

왠지 왜 그러한지 모르게. 또는 뚜렷한 이유 없이.
예 그는 가게를 찾는 손님이 많아지자 왠지 오히려 불길한 느낌이 들었다.

웬 어찌 된. 어떠한.
예 마른하늘에 날벼락이라더니 이게 웬 난리래? / 문밖에 웬 놈이 서 있다.

운영(運營) 조직이나 기구, 사업체 따위를 목적에 맞게 잘 경영함.
예 회사의 규모가 커지면 운영 방식도 달라져야 한다.

운용(運用) 무엇을 움직이게 하거나 쓰임에 맞게 부리어 씀.
예 지방 자치 단체의 예산 운용에는 문제가 있다.

결정적 힌트!

이렇게 외워 보세요

'운영'이나 '운용'은 '무엇을 움직여 나감.'에 대한 의미는 공통적으로 쓰일 수 있으나 문맥과 대상에 따라 구별되어야 합니다. '운영'은 보통의 경우 사람들이 모인 집단을 대상으로 '어떤 집단을 목적에 따라 통제하고 이끌어 감.'의 의미이며, '운용'은 규칙, 기금, 물품, 예산, 제도 따위를 대상으로 '적절하게 사용함.'의 의미로 사용됩니다.

으슥하다 공포를 느낄 만큼 깊숙하고 구석지다.
예 으슥한 골목길로 들어서자 머리카락이 곤두서는 듯했다.
이슥하다 밤이 꽤 깊다.
예 고민이 많은 길동이는 밤이 이슥하도록 의자에 앉아 있었다.

이따가 조금 지난 후에.
예 이따가 손님들 오시면 부지런히 상을 차려야 한다.
있다가 '있다(사람이나 동물이 어느 곳에 머물다.)'의 활용.
예 수경이는 방안에 한참을 있다가 갑자기 나갔다.

결정적 힌트!

이렇게 외워 보세요

'이따가'는 '시간'의 개념과 관계된 표현이고, '있다가'는 '공간'의 개념과 관계된 표현입니다.

일절(一切) 아주, 전혀, 절대로의 의미로 행위나 사물에 대한 금지, 부정의 의미로 쓰는 말.
예 그는 자신의 가족에 대한 이야기는 일절 하지 않았다.
일체(一切) 모든 것, 전부, 통틀어.
예 박 부장은 그 사건에 대한 일체의 책임을 지기로 나와 약속했다. / 부식(副食) 일체 준비되어 있습니다.

잃다 소유물이 자신도 모르게 없어져 그것을 갖지 아니한 상태가 되다. 길을 못 찾게 되다.
예 지갑을 잃어서 집까지 걸어왔다. / 깊은 산속에서 길을 잃었다.
잊다 알았던 것을 기억하지 못하거나 생각해 내지 못하다.
예 중요한 약속을 깜박 잊어서 낭패를 보았다.

결정적 힌트!

헷갈리지 마세요

'잃다'는 일반적으로 '물건이나 사람, 관계, 기회 따위가 없어지다.'의 의미로 쓰이는 데 비해, '잊다'는 '기억이나 생각 따위를 못하다.'의 의미로 쓰입니다. '길을 잃다.'는 돌아오는 길을 모르는 것이므로 '잊다'의 표현이 옳은 것으로 오해하는 경우가 종종 있는데, '잃다'의 사전적 의미인 '길을 못 찾거나 방향을 분간하지 못하다.'에 따라 '길을 잃다.'로 쓰는 것이 바른 표현입니다.

장치(裝置)
① 어떤 목적에 따라 기능하도록 기계, 도구 따위를 그 장소에 설치함. 또는 그 기계, 도구, 설비.
예 환자들의 재활을 돕기 위해 진동 장치를 개발하였다.
② 어떤 일을 원만하게 수행하기 위하여 설정한 조직 구조나 규칙 따위를 비유적으로 이르는 말.
예 원만한 기술 이전을 위한 제도적 장치 마련이 시급하다.
장비(裝備) 갖추어 차림. 또는 그 장치와 설비.
예 장비가 노후하고 시설이 뒤떨어져 있어서 일일이 곡괭이로 찍어 내고 삽으로 퍼내지 않으면 안 되었다.

젖히다 '젖다(뒤로 기울다)'의 사동사. 안쪽이 겉으로 나오게 하다.
예 좌석을 뒤로 젖히면 좀 더 자세가 편안하다. / 이불을 젖히고 일어나다.
제치다 거치적거리지 않게 처리하다. 상대보다 나은 위치에 서다(앞지르다).
예 그는 막아서는 상대 선수를 제치고 골을 넣었다. / 우리 팀이 상대편을 제치고 3연승을 올렸다.

졸이다 물을 증발시켜 분량이 작아지게 하다. 속을 태우다시피 초조해하다.
예 국물이 너무 멀거니까 조금 졸여라. / 그를 오늘 만나지 못할까 가슴을 졸였다.
조리다 고기나 생선, 채소 따위를 양념하여 국물이 거의 없게 바짝 끓이다.
예 멸치를 조릴 때에는 호두나 땅콩 같은 견과류를 넣으면 더 맛있다.

결정적 힌트!

이렇게 외워 보세요

'졸이다'나 '조리다'는 둘 다 '끓여서 양이 줄게 하다.'의 의미는 같습니다. 그러나 '졸이다'는 '물의 양을 줄이기 위한 목적에서 끓이는 것'이고, '조리다'는 '간이 배거나 양념이 스며들도록 하기 위해 끓이는 것'으로 목적이 다른 표현입니다.

좇다 목표, 이상, 행복 따위를 지향하다. 타인의 말이나 사상, 사회 규범 등을 따르다.
예 사람은 본래 편한 것을 좇기 마련이다. / 그의 유언을 좇아 그의 전 재산을 학교에 기부하도록 했다.
쫓다 어떤 대상을 잡기 위하여 급히 뒤를 따르다. 자리에서 몰아내다.
예 사냥꾼은 핏자국을 따라 노루를 쫓았다. / 모기를 쫓기 위해 모기향을 피웠다.

-째 '그대로', '전부'의 뜻을 더함.
예 송미는 배가 많이 고팠는지 그릇째로 먹을 기세였다.
채 이미 있는 상태 그대로 있음.
예 그 사람은 신발도 벗지 않은 채 마루에 올라섰다.

추기다 다른 사람을 꾀어 무엇을 하도록 하다.
예 그는 원래 남들이 조금만 추겨 주면 쉽게 부화뇌동하는 사람이라 꾀기 쉽다.
축이다 물 따위를 적시어 축축하게 하다.
예 어머니는 수건을 축여서 아이의 얼굴을 닦아 주었다.
추키다 힘 있게 위로 끌어 올리거나 채어 올리다.
예 길거리에서 연신 허리춤을 추키는 아저씨를 보았다.

푼푼이 한 푼씩 한 푼씩.
예 우리는 푼푼이 모은 회비로 후배들에게 약소하게나마 장학금을 전달했다.
푼푼히 모자람이 없이 넉넉하게.
예 성적도 올랐는데 오늘은 용돈 좀 푼푼히 주세요.

한참 시간이 상당히 지나는 동안.
예 그들은 폐허가 된 집터를 한참이나 멍하니 바라보았다.
한창 어떤 일이 가장 활기 있고 왕성하게 일어나는 때. 또는 어떤 상태가 가장 무르익은 때.
예 추석(秋夕)이 지나면 가을 추수가 한창이다.

해어지다 닳아서 닳고 떨어지다.
예 그는 다 해어진 옷을 입고 다녀서 다른 사람들의 눈총을 받았다.
헤어지다 모여 있던 사람들이 따로따로 흩어지다.
예 우리는 어제 일찍 헤어진 것이 서운해서 내일 다시 만나기로 하였다.

햇볕 해가 내리쬐는 기운.
예 따사로운 햇볕도 받을 겸 산책을 나가자.
햇빛 해의 빛.
예 햇빛에 눈이 부시다.

혼돈(混沌/渾沌) 마구 뒤섞여 구별을 할 수 없음. 또는 그런 상태.
예 가치관 혼돈의 시대에 살고 있다.
혼동(混同) 구별하지 못하고 뒤섞어 생각함.
예 잠이 채 깨지 않아서 현실과 꿈이 혼동되었다.

결정적 힌트!

이렇게 외워 보세요
'혼돈'은 주로 '마구 뒤섞여 판단하기 어려운 대상의 상태'를 의미하는 경우에 쓰이고, '혼동'은 대상의 상태보다 '주체 스스로가 잘못 생각하는 것'으로 '착각'을 의미하는 것입니다.

기억률 200% 바로확인 문제

[1~20] 다음 중 문맥상 가장 적절한 단어를 고르시오.

1 그들은 전부터 [아름 / 알음]이 있는 사이였다.

2 어제 일어난 시간보다 [빨리 / 일찍] 일어났다.

3 학원 가는 길에 편의점에 [들러 / 들려] 커피를 샀다.

4 그 궁사는 화살을 정확히 과녁에 [맞췄다 / 맞혔다].

5 아이들은 부모의 모습을 [본따기 / 본뜨기] 마련이다.

6 그들은 사안이 사안인 만큼 표결에 [붙이기로 / 부치기로] 했다.

7 그들은 2등과의 격차를 [벌리기 / 벌이기] 위해 사력을 다했다.

8 한 선생은 자신의 현실은 무시한 채, 이상만 [좇아 / 쫓아]가고 있었다.

9 그의 작품에는 우리 민족의 생활과 [사상(思想) / 사유(思惟)]와/과 감정이 담겨 있다.

10 충성을 [바쳤던 / 받혔던] 나라가 망하자 그는 설움에 [받쳐 / 받혀] 통곡했다.

11 나는 또래보다 늦게 구구단을 [깨우쳤다 / 깨쳤다].

12 그녀는 딸이 집으로 돌아오기만을 [벼르고 / 벼리고] 있었다.

13 수박 [껍데기 / 껍질]은/는 음식물 쓰레기로 분류해서 버려야 합니다.

14 나머지 식구들의 생계를 책임지려니 힘이 [달린다 / 딸린다].

15 미처 피하지 못하고 달려오던 친구에게 [부딪쳐 / 부딪혀] 넘어졌다.

16 너는 언제까지 이 촌구석에서 재능을 [썩이고 / 썩히고] 있을 거니?

17 그는 화가 났는지 오자마자 문을 세게 [닫치고 / 닫히고] 들어가 버렸다.

18 정국은 최악의 국면으로 치달아 [걷잡을 / 겉잡을] 수 없는 지경이 되었다.

19 고추장으로 [무친 / 묻힌] 나물을 먹다가 흰 옷에 양념을 [무쳤다 / 묻혔다].

20 여행을 다녀왔더니 햇볕에 [그슬린 / 그을린] 피부 때문에 신경이 쓰인다.

정답
[1~20] **1** 알음 **2** 일찍 **3** 들러 **4** 맞혔다 **5** 본뜨기 **6** 부치기로 **7** 벌리기 **8** 좇아 **9** 사상(思想) **10** 바쳤던, 받쳐 **11** 깨쳤다 **12** 벼르고 **13** 껍질 **14** 달린다 **15** 부딪혀 **16** 썩히고 **17** 닫치고 **18** 걷잡을 **19** 무친, 묻혔다 **20** 그을린

05 혼동하기 쉬운 어휘

기출변형 문제

정답 P 6

1 **혼동하기 쉬운 단어를 구별하여 사용한 예로 잘못된 것은?**

① 이 자리를 빌려 감사의 말씀을 드립니다.
그들 부부는 집집마다 다니며 밥을 빌었다.
② 어머니는 커다란 냄비에 물을 붓고 끓였다.
재산이 붇는 재미에 힘든 줄을 모르고 산다.
③ 다리지 않은 와이셔츠라 온통 구김살이 가 있다.
그가 방금 달인 차는 그때 딴 찻잎으로 우려낸 것이다.
④ 그녀는 무엇이 그리 궁금한지 자꾸만 의자를 뒤로 젖혔다.
우리 팀은 상대 팀을 가볍게 제치고 2연승을 올렸다.
⑤ 그는 자기 가족에 관한 이야기를 어느 누구에게도 일체 하지 않기로 유명했다.
이번 사태를 해결하기 위한 비용은 일절 회사가 부담한다고 공식 발표했다.

2 **혼동하기 쉬운 단어를 구별하여 사용한 예로 잘못된 것은?**

① 조금만 기다려 봐. 내가 금방 갈게.
나이 탓인지 방금 전에 들은 것도 생각이 안 나.
② 매몰됐던 인부를 나흘 만에 구조했다고 합니다.
인류를 구원하는 것이 우리 종교의 최대 목표이다.
③ 난 이미 어제 일은 잊어버렸으니까 걱정하지 마.
산속에서 길을 잃어버린 사람들이 119에 신고했다고 한다.
④ 바쁘지 않으면 집에 가는 길에 잠시 들렀다 가렴.
그녀는 집에 온 손님에겐 무엇이든 들려 보내야 하는 사람이다.
⑤ 우리 선조들은 남녀 간에 식별이 있어야 한다고 생각했다.
달빛이 밝아서 멀리 있는 사람도 흐릿하게나마 분별이 가능했다.

3 **다음 중 밑줄 친 어휘를 바르게 구사하지 않은 것은?**

① 그는 폭력으로 돈을 뺏는 어둠의 세계에서 발을 뺐다.
② 입장료가 곱절로 올랐는데도 관객 수는 오히려 세 갑절로 늘었다.
③ 김치가 맛있게 담가져서 작은 통에 나누어 담아서 친척들과 나누어 먹었다.
④ 명절 때 가벼운 놀음으로 화투를 치는 것은 괜찮지만, 노름은 절대 안 된다.
⑤ 넓은 앞마당이 딸린 멋진 이층집을 얻고 싶었지만, 자금이 달려 그럴 수가 없었다.

4 **다음 밑줄 친 단어를 구별하여 사용한 것으로 적절하지 않은 것은?**

① 수재민들은 대책을 세우기 위해, 밤을 새우며 회의를 계속했다.
② 창고의 재고품을 들어내는 과정에서 담당자의 횡령 사실이 드러났다.
③ 그들은 서로의 실력을 겨루기 위해, 정신을 집중하고 과녁을 겨누었다.
④ 이미 사건이 걷잡을 수 없을 정도로 벌어져서, 겉잡아 몇 백 명의 부상자가 나올 듯하다.
⑤ 우리 며느리는 아직 홑몸이지만, 부모님을 잃고 홀몸으로 지낸 시간이 길어서 빨리 아기를 가질 계획이래.

5 **다음 밑줄 친 단어를 구별하여 사용한 것으로 적절하지 않은 것은?**

① 엄마는 화를 삭이며, 삭힌 젓갈을 찾으러 자리를 뜨셨다.
② 판정을 번복하는 일이 반복되면 심판에 대한 신뢰가 떨어진다.
③ 회사의 운영 방식이 달라지면서 예산 운용 방식 또한 달라졌다.
④ 한참을 가만히 있다가 이따가 도착할 아들 생각에 벌떡 일어났다.
⑤ 노래를 할 때, 소리를 얼마나 잘 매기고 받느냐를 보고 심사 위원은 참가자들의 점수를 메긴다.

06 다양한 어휘

시험에 나온! 나올!
필수개념

기출복원 문제

단위어의 쓰임

다음 단위를 나타내는 명사의 쓰임이 적절하지 않은 것은?

① 바늘 한 쌈은 스물네 개를 일컫는다.
② 어머니는 시장에서 북어 한 쾌를 사 오셨다.
③ 날이 추워서 아이에게 양말 한 켤레를 덧신겼다.
④ 그녀는 간을 맞추기 위해 소금을 한 자밤 더 넣었다.
⑤ 오늘 하굣길에 여섯 칸짜리 지하철을 타서 몹시 혼잡했다.

유형 익히기 ▶ 수량을 헤아리는 기준이 되거나 분량의 표준이 되는 단위를 이르는 단위어를 적절하게 사용할 수 있는지를 평가하는 문제가 출제된다. ⑤ 전철이나 열차의 차량을 세는 단위로는 '량(輛)'을 사용한다. '칸'은 일반적으로 '건물, 기차 안, 책장 따위에서 일정한 규격으로 둘러막아 생긴 공간.'을 의미하며, 수량을 나타내는 말 뒤에서는 '집의 칸살의 수효를 세는 단위.'로 쓰인다.

호칭어 / 지칭어의 쓰임

다음 친족어에 대한 뜻풀이로 적절하지 않은 것은?

① 백부(伯父) – 큰아버지
② 영애(令愛) – 윗사람의 딸을 높여 이르는 말
③ 영윤(令胤) – 윗사람의 아들을 높여 이르는 말
④ 자당(慈堂) – 남의 살아 계신 어머니를 높여 이르는 말
⑤ 춘부장(春府丈) – 남의 돌아가신 아버지를 높여 이르는 말

유형 익히기 ▶ 친족어를 중심으로 한 다양한 호칭어/지칭어를 상황에 맞게 사용할 수 있는지를 묻는 유형이다. ⑤ '춘부장'은 '남의 아버지를 높여 이르는 말.'로, 주로 생존해 계시는 경우에 쓴다. '남의 돌아가신 아버지를 높이는 말.'로는, 주로 '선대인(先大人)'을 쓰고, '자신의 돌아가신 아버지.'를 칭하는 말로는 '선친(先親)'을 쓴다.

순화어

다음 밑줄 친 부분을 같은 뜻의 다른 용어로 순화한 것이다. 적절하지 않은 것은?

① 정책이 성공하려면 타이밍이 중요하다. → 적기
② 자정이 넘어서 택시를 타게 되면 할증료를 내야 한다. → 웃돈
③ 요즘에는 바코드 인식만으로 제품을 선별할 수 있다. → 막대 표시
④ 최근 우리 사회에서는 노동자들의 실직 문제가 사회적 이슈로 떠올랐다. → 요점
⑤ 리프트를 타실 때에는 안전 로프를 허리에 매신 후 이용하시기 바랍니다. → 밧줄

유형 익히기 ▶ ④의 이슈(issue)는 '서로 다투는 중심이 되는 점.'으로 '논점, 쟁점'으로 순화한다.

BEST 기출&예상 개념

1. 단위어

단위는 길이, 무게, 수효, 시간 따위의 수량을 수치로 나타낼 때 기초가 되는 일정한 기준을 말하는데, 이 단위를 나타내는 말이 단위어이다.

가리 곡식, 장작의 더미를 세는 단위. 한 가리는 스무 단.
예 장작 한 가리.

-가웃 되, 말, 자의 수를 셀 때, 그 단위의 반에 해당하는 분량을 보태는 뜻을 더하는 접미사.

갈이 소 한 마리가 하루에 갈 만한 논밭의 면적. 약 2,000평.

갓 말린 식료품(굴비, 고사리 따위)의 열 모숨을 한 줄로 엮은 것.
예 조기 세 갓.

강다리 쪼갠 장작을 묶어 세는 단위. 한 강다리는 100개비.

거리 오이, 가지 따위의 50개를 한 단위로 이르는 말. 따라서 두 거리가 한 접이 된다.

고리 소주 10사발을 한 단위로 일컫는 말.

고팽이 새끼, 줄 따위를 사려 놓은 돌림을 세는 단위.

길
① 길이의 단위. 여덟 자 또는 열 자로 약 2.4미터 또는 3미터.
② 길이의 단위. 사람 키 정도의 길이.

꾸러미 짚으로 길게 묶어 사이사이를 동여맨 달걀 10개의 단위.

낱 낱개의 사물을 하나씩 셀 경우에 쓰는 말.(요즘은 '개(個)'를 많이 씀.)
예 그릇 세 낱. / 빗자루 두 낱.

닢 잎이나 쇠붙이로 만든 얇은 물건을 낱낱의 단위로 세는 말.

단 푸성귀, 짚, 땔나무 따위의 한 묶음.

단보(段步) 논밭의 넓이. 1단보는 300평임.

담불 벼를 100섬씩 묶어 세는 단위.

대 가늘고 긴 물건을 셀 때에 쓰는 단위.

동 '묶음'을 세는 단위. 한 동은 붓 10자루, 생강 10접, 백지 100권, 볏짚 100단, 땅 100뭇, 먹 10정, 곶감 100접, 조기 1,000마리, 청어 2,000마리.

되가웃 한 되 반(半)쯤 되는 분량.

되들이 한 되를 담을 수 있는 분량.

되사 말로 되고 남은 한 되가량.

되지기 씨앗 또는 볍씨 한 되의 모를 뿌릴 만한 논밭의 넓이. 한 마지기(논은 약 150~300평, 밭은 약 100평)의 10분의 1.

두름 물고기를 짚으로 한 줄에 열 마리씩 두 줄로 엮은 것. 또는 산나물을 열 모숨 정도로 엮은 것.
예 청어 한 두름.

땀 바느질에서 바늘로 한 번 뜬 자국을 세는 단위.

리(里) 거리의 단위. 1리는 약 0.4km(0.393km).

리(釐/厘) 비율을 나타내는 단위. 1리는 전체 수량의 1,000분의 1로, 1푼의 10분의 1.

마리 물고기나 짐승의 수효를 세는 단위.

마장 십 리나 오 리가 못 되는 거리. 리(里) 대신에 씀.

마지기 논밭의 넓이의 단위(논은 약 150~300평, 밭은 약 100평).

마투리 한 가마니나 한 섬에 차지 못하고 남은 양.

매 맷고기나 살담배를 작게 갈라 동여매어 놓고 팔 때, 그 한 덩어리를 세는 단위.

모 두부나 묵 따위와 같이 모난 물건의 수량을 나타내는 단위.
예 두부 한 모. / 묵 세 모.

모금 액체나 기체를 입 안에 한 번 머금은 분량.

모숨 가늘고 긴 물건이 한 줌 안에 들 만한 분량.

모태 떡판에 놓고 한 차례에 칠 만한 떡의 분량.

무지 무더기로 쌓여 있는 더미를 세는 단위.

뭇
① 장작이나 채소 따위의 한 묶음을 이르는 단위.
예 장작 한 뭇.
② 볏단을 세는 단위.
③ 한 뭇은 생선 10마리, 미역 10장.

ㅂ

바람 실이나 새끼 같은 것의 한 발쯤 되는 길이.

바리
① 소나 말 따위의 등에 잔뜩 실은 짐을 세는 말.
예 나무 한 바리. / 곡식 한 바리.
② 윷놀이에서 말 한 개를 이르는 말.

반보(反步) 땅 넓이의 단위. 1반보=300평=0.1정보.

발 길이를 잴 때 두 팔을 펴 벌린 길이.

버렁 물건이 차지한 둘레나 일의 범위.

벌 옷이나 그릇의 짝을 이룬 단위.
예 치마저고리 한 벌.

볼 발, 구두 따위의 너비.

부룻 무더기로 쌓아 놓은 물건의 부피.

사리 국수, 새끼 같은 것을 동그랗게 포개어 감아 놓은 것을 세는 단위.

새 피륙의 날을 세는 단위. 한 새는 날실 80올.

섬 곡식, 액체의 부피를 나타내는 단위. 한 섬은 약 180리터.

섭수 볏짚, 땔나무의 수량 단위.

세뚜리 새우젓 따위를 나눌 때에 한 독을 세 몫으로 나눈 분량.

손 한 손에 잡을 만한 분량. 조기, 고등어 따위 생선 2마리. 배추는 2통. 미나리, 파 따위는 한 줌.

수동이 광석 무게를 나타내는 단위. 37.5kg.

쌈
① 바늘을 묶어 세는 단위. 한 쌈은 바늘 24개.
예 바늘 한 쌈.
② 금의 무게를 나타내는 단위. 금 100냥쭝.

알 작고 둥근 것을 셀 때 쓰는 말.
예 사과 한 알. / 달걀 두 알.

우리 기와를 세는 단위. 기와 2,000장이 1우리.

잎 이파리를 세는 단위.

자[척(尺)] 길이의 단위. 한 자는 한 치의 10배로 약 30.3cm.

자루 기름하게 생긴 필기도구나 연장, 무기 따위를 세는 단위.

자밤 양념이나 나물 같은 것을 손가락 끝으로 집을 만한 분량.

장(張) 종이나 유리 따위의 얇고 넓적한 물건을 세는 단위.

장(丈) 길이의 단위. 한 장은 한 자(尺)의 10배로 약 3m.

점(點)
① 성적을 나타내는 단위.
예 백 점을 맞다.
② 옷이나 작품의 가짓수.
예 의류 세 점.
③ 아주 적은 양을 나타내는 말.
예 구름 한 점 없다.
④ 고기나 물건의 작은 조각.
예 돼지고기 서너 점.
⑤ 바둑판의 눈이나 돌의 수.
예 넉 점 반 바둑.

접 감, 마늘, 무, 배추와 같은 채소나 과일을 세는 단위. 100개.

제(劑) 한방약 20첩.

조짐 사방 6자 부피로 쌓은 쪼갠 장작 더미를 세는 단위.

죽 옷이나 그릇 등의 10벌을 한 단위로 말하는 것.
예 버선 한 죽. / 그릇 한 죽.

채 집, 이불, 가마 등을 세는 단위. 인삼 100근.

첩(貼) 약봉지에 싼 약의 뭉치를 세는 단위.

촉 난초의 포기 수를 세는 단위.

축 오징어 20마리.

치 한 자의 10분의 1. 또는 약 3.03cm.

ㅋ

칸 면적을 나눈 개수를 세는 단위.

켤레 신, 버선, 방망이 따위의 두 짝을 한 벌로 세는 단위.
예 구두 두 켤레.

코 뜨개질할 때 눈마다 생겨나는 매듭을 세는 단위.

쾌
① 북어 20마리를 한 단위로 세는 말.
　예 북어 한 쾌.
② 엽전 10냥을 한 단위로 셀 때 쓰는 말.

타래 실이나 고삐를 감아서 틀어 놓은 분량의 단위.
예 뜨개질 두 타래. / 철사 세 타래.

테 서려 놓은 실의 묶음을 세는 단위.
예 실 한 테 혹은 두 테.

토리 실뭉치를 세는 단위.

톨 밤, 도토리, 마늘 등 곡식의 낱알을 세는 단위.
예 밤 세 톨. / 도토리 네 톨.

톳 김 100장을 한 묶음으로 세는 단위.

통 배추나 박 따위를 세는 단위.

ㅍ

평 땅 넓이의 단위. 한 평은 여섯 자의 제곱으로 3.3058m^2.

푼 비율을 나타내는 단위. 1푼은 전체 수량의 100분의 1로, 1할의 10분의 1.

필(疋) 일정한 길이로 말아 놓은 피륙을 세는 단위.

필(匹) 말이나 소를 세는 단위.

할 비율을 나타내는 단위. 1할은 전체 수량의 10분의 1로, 1푼의 10배.

홉 한 되의 10분의 1. 약 180mL.

홰 새벽에 닭이 올라앉은 나무 막대를 치며 우는 횟수를 세는 말.

2. 호칭어 / 지칭어

호칭은 특정한 사람을 가리켜 말하는 명칭이다. 상대의 주의력을 한곳으로 유도하거나, 자기를 상대에게 인식시키거나, 대화 중에 특정 대상에 대한 인식을 높이기 위해 쓰인다. 따라서 호칭은 상대의 유형에 따라 다르고, 같은 사람이라도 누구에게 그 사람을 말하느냐에 따라 달라진다. 우리나라는 다른 나라에 비해 호칭이 상대나 대상, 경우에 따라 세분되기 때문에 복잡한 것 같지만, 매우 합리적이며 예의를 존중하는 민족성을 지니고 있다. 고유어 호칭과 한자어 호칭이 함께 쓰이고 있는데, 여기에서는 고유어 호칭을 주로 공부하고 한자어 호칭은 많이 쓰이는 것만을 공부하기로 한다.

(1) 친족어

친족 호칭은 한 사회의 친족 제도의 발달과 직결된 것으로 직계 존비속, 내종 간의 촌수, 외가에 대한 계보, 사돈 간에 대한 호칭 등이 있다. 옛날에 쓰던 호칭이 지금은 없어져 가는 것이 있으나, 아직도 일상생활에 필요한 것이 많으므로 정확히 알아야 한다.

◉ 친가 식구들에 대한 호칭어/지칭어

관계	자기		타인	
	산 사람	죽은 사람	산 사람	죽은 사람
할아버지	조부(祖父), 왕부(王父)	선조부(先祖父)	왕대인(王大人), 왕존장(王尊丈)	선조부장(先祖父丈)
할머니	조모(祖母), 왕모(王母)	선조모(先祖母), 선왕모(先王母)	존왕대부인 (尊王大夫人)	선조비(先祖妣)
아버지	가친(家親), 엄친(嚴親), 부주(父主)	선친(先親), 선고(先考)	춘부장(春府丈), 춘장(椿丈/春丈), 춘당(椿堂/春堂), 영존(令尊)	선대인(先大人), 선고장(先考丈), 선장(先丈)
어머니	자친(慈親), 모주(母主), 가자(家慈)	선비(先妣), 선자(先慈)	자당(慈堂), 훤당(萱堂), 북당(北堂), 모당(母堂), 모부인(母夫人), 대부인(大夫人)	선대부인(先大夫人), 선부인(先夫人)
아들	가아(家兒), 가돈(家豚), 돈아(豚兒)		영식(令息), 영윤(令胤), 영랑(令郎)	
딸	여식(女息)		영양(令孃), 영애(令愛), 영교(令嬌), 영원(令媛)	

◉ 시댁 식구들에 대한 호칭어/지칭어

관계	호칭어	지칭어			
		남편에게	시부모님께	시댁 식구들에게	주변 사람들에게
시아버지	아버님	아버님	아버님	아버님	시아버님
시어머니	어머님	어머님	어머님	어머님	시어머님
남편	여보, 당신	당신, ☆☆ 씨	아범, 애비, 그 사람, 그이	아범, 애비	남편, 그이, 애 아빠, 바깥양반
남편의 형	아주버님, 시숙님	아주버님, 시숙님	아주버님	아주버님	시아주버님
남편의 누나	형님	형님	형님	형님	시누이, ◇◇ 고모
남편의 남동생	도련님, 서방님	도련님, 서방님	도련님, 서방님	도련님, 서방님	도련님, 서방님, 시동생
남편의 누이	아가씨	아가씨	아가씨	아가씨	시누이, ◇◇ 고모
남편 형의 아내	형님	형님	형님	형님	형님, 큰동서, ◇◇ 큰어머니
남편 누나의 남편	아주버님	아주버님, ◇◇ 고모부	아주버님	아주버님	◇◇ 고모부
남편 남동생의 아내	동서	동서	동서	동서	동서, ◇◇ 작은어머니
남편 누이의 남편	서방님	☆☆ 서방님, ◇◇ 고모부	☆☆ 서방님	☆☆ 서방님	☆☆ 고모부
☆☆: 지역이나 성(姓) 또는 이름, ◇◇: 자녀의 이름					

◉ 처가 식구들에 대한 호칭어 / 지칭어

관계	호칭어	지칭어			
		아내에게	처부모님께	처가 식구들에게	주변 사람들에게
장인	장인어른, 아버님	아버님, 장인어른	아버님, 장인어른	아버님, 장인어른	장인어른, ◇◇ 외할아버지
장모	장모님, 어머님	장모님, 어머님	장모님, 어머님	장모님, 어머님	장모님, ◇◇ 외할머니
아내	여보, 당신	당신, ☆☆ 씨	◇◇ 엄마, 집사람	◇◇ 엄마, 집사람	◇◇ 엄마, 처, 집사람, 아내
아내의 오빠	형님	형님	형님	형님	처남
아내의 언니	처형	처형	처형	처형	처형
아내의 남동생	처남	처남	처남	처남	처남
아내의 여동생	처제	처제	처제	처제	처제
아내 오빠의 아내	아주머니	처남댁	처남댁	처남댁	처남댁
아내 언니의 남편	형님, 동서(연하)	형님, 동서(연하)	형님, 동서(연하)	형님, 동서(연하)	형님, ◇◇ 이모부
아내 남동생의 아내	처남댁	처남댁	처남댁	처남댁	처남댁, ◇◇ 외숙모
아내 여동생의 남편	동서, ☆ 서방	동서, ☆ 서방	동서, ☆ 서방	동서, ☆ 서방	동서, ◇◇ 이모부
☆☆: 지역이나 성(姓) 또는 이름, ◇◇: 자녀의 이름					

빈출

◉ 형제자매의 배우자에 대한 호칭어 / 지칭어

아주머니	형의 아내를 직접 부를 때
아지미, 형수	형의 아내를 집안 어른에게 말할 때
형수씨	형의 아내를 남에게 말할 때
존형수씨	남에게 그의 형수를 말할 때
제수씨 · 수씨	동생의 아내를 직접 부를 때
제수	집안 어른에게 제수를 말할 때
제수씨	제수를 남에게 말할 때
영제수씨	남에게 그의 제수를 말할 때
올케, 새댁, 자네	시누이가 남동생의 아내를 부를 때
매부	아래위 누이의 남편을 통틀어 말할 때
자형, 매형	손위 누이의 남편을 말할 때
매제	손아래 누이의 남편을 말할 때

(2) 기타 호칭어

◉ 사돈 간의 호칭

① '사돈'의 의미

혈족 남자의 아내가 된 여자 친정 친족과 혈족 여자의 시댁 친족을 사돈이라 한다. 즉 며느리, 형 · 제수의 친정 친족도 사돈이고, 딸이나 자매의 시댁 친족도 사돈이다.

② 사돈 간 호칭

사장어른	위 세대 사돈을 부르거나 말할 때의 호칭. 딸의 시조부모, 자매의 시부모 이상, 며느리의 친정 조부모, 형 · 제수의 친정 부모 이상과 같이 자기보다 위 세대에 해당되는 사돈을 말할 때의 호칭
사돈	같은 세대의 동성 사돈 간의 호칭. 시집간 여자의 친정 아버지와 시어머니, 친정 어머니와 시아버지, 친정 형제자매와 시댁 형제자매들은 같은 세대지만 이성 간에는 '어른'을 붙임
사돈양반	아래 세대의 사돈이라도 기혼의 이성은 '양반'을 붙임. 시아버지가 며느리의 자매나 올케를 말할 때와 시어머니가 며느리의 친정 기혼 남자 형제들을 말할 때의 호칭
사돈도령, 사돈총각	아래 세대인 사돈 미혼 남자의 호칭
사돈처녀, 사돈아가씨	아래 세대인 사돈 미혼 여자의 호칭
사돈아가씨, 사돈아기	사돈의 어린아이에 대한 호칭

◉ 사회생활에서의 호칭

① 아는 사람에 대한 호칭

어르신네	부모의 친구 또는 부모같이 나이가 많은 어른
선생님	학교의 선생님이나 존경하는 어른
노형	11년 이상 15년까지의 연상자
형	6년 이상 10년까지의 연상자. 또는 아직 친구 사이가 되지 못한 아래위로 10년 이내에 드는 상대
이름, 자네	아래위로 10년 이내의 나이 차로 친구같이 지내는 사이
○○○ 씨	친숙한 관계가 아닌 10년 이내의 연상자와 기혼 · 성년의 연하자
○○님	상대가 위치한 직책 명이나 직급 명을 알면 직책 · 직급 명에 '-님'을 붙인다.(사장님, 박사님, 교수님)
○○ 아버님, ○○ 어머님	친구의 부모는 친구의 이름에 아버님, 어머님을 붙임
○○ 형님, ○○ 누님	친구의 형이나 누이도 친구의 이름을 붙여 말함

② 모르는 사람에 대한 호칭

노인어른, 노인장	할아버지, 할머니같이 나이가 많은 어른
어르신네	부모같이 나이가 많은 어른
선생님	존경할 만큼 점잖거나 나이가 많은 어른
노형, 선생	자기보다 10년 이상 연상자인 상대(남자끼리)
형씨	자기보다 아래위로 10년 이내에 드는 상대(남자끼리)
부인	자기의 부모보다는 젊은 기혼의 여자
댁	같은 또래(10년 이내)의 남자와 여자
젊은이, 청년	자기보다 15년 이하의 청년
총각	미성년인 남자
아가씨	미성년인 여자 또는 미혼인 젊은 여자
학생	학생 신분의 남녀
소년, 얘	초등학생 이하의 아이들

(3) 그 외 상황에 따른 호칭어/지칭어

◉ 아버지의 친구를 일컬을 때

아버지의 친구를 부르는 말은 어린이의 말과 어른의 말이 다르다. 어린이의 말은 '(지역 이름) 아저씨',

'○○ 아버지'라 하고, 어른의 말은 '(지역 이름) 아저씨', '어르신', '선생님', '○○ 과장님(직함)'이라 한다. 지칭어도 호칭어와 같다.

◉ **아내가 친구에게 자기 남편을 지칭할 때**

자신의 친구들에게는 '그이', '우리 남편', '애 아버지', '애 아빠'로 쓸 수 있다. 신혼 초에는 '우리 신랑', 나이가 들어서는 '우리 영감'이라고 써도 무방하나, 남편의 직함을 붙여 '우리 사장', '우리 장관', '우리 선생', '우리 부장' 등으로 지칭해서는 안 된다.

◉ **식당에 가서 종업원을 부를 때**

식당 등 영업소의 남자 종업원을 부를 때와 당사자를 지칭할 때는 '아저씨', '젊은이', '총각'을 상황에 따라 적절히 쓴다. 일반적으로 어느 경우에나 '여보세요'를 쓸 수도 있다. 다른 사람에게 지칭할 때는 '(남자) 종업원'을 쓴다. 여자 종업원을 부를 때와 당사자를 지칭할 때는 '아주머니', '아가씨'를 쓴다. '아줌마'는 상대방을 높이는 느낌이 들지 않으므로 말하는 사람보다 나이가 아주 적거나 친근한 경우가 아니면 삼가야 할 표현이다. 연세가 드신 분들이 나이 어린 여자 종업원을 '언니'라고 부르는 경우가 있는데, 쓰지 말아야 한다. 다른 사람에게 지칭할 때는 '(여자) 종업원'을 쓴다.

◉ **직장에서 직함이 없는 동료를 부를 때**

직함이 없는 동료끼리는 남녀를 불문하고 '○○○ 씨', 상황에 따라 이름만으로 '○○ 씨'라고 부르고, 직종에 따라서는 '선생님' 또는 '○ 선생(님)', '○○○ 선생(님)'으로 부르는 것이 좋다. '○ 선배', '○ 선배님'은 같은 직급이라 할지라도 나이가 많아 '○○○ 씨'라고 하기가 곤란한 경우 쓸 수 있도록 하였다. 남자 직원이 동료 남자 직원을 '○ 형'으로 부를 수 있다. 그러나 그냥 '형' 하거나 '○○ 형' 또는 '○○○ 형'이라고 하는 것은 지나치게 사적인 인상을 주므로 쓰지 않도록 하였다. 여자 직원이 남자 직원을 '○ 형'이라고 부를 수는 없다. 여자 직원이 여자 직원을 부르는 경우는 '언니'나 '○○ 언니'라고 할 수도 있다. 그러나 '○ 언니' 또는 '미스 ○ 언니'처럼 부르는 것은 좋지 않다.

3. 순화어

순화어란 불순한 요소를 없애고 깨끗하고 바르게 다듬은 말로, 지나치게 어려운 말이나 비규범적인 말, 외래어 따위를 알기 쉽고 규범적인 상태로 또는 고유어로 순화한 말을 이른다. 시대의 흐름에 따라 지나치게 외래어가 많이 쓰이거나 신조어가 범람하는 현실을 고려하여, 국립국어원에서는 '우리말 다듬기' 운동을 통해 꾸준히 순화어 개발에 힘써 오고 있다.

순화 대상어	어원	순화어	의미
갈라쇼	gala show	**뒤풀이 공연**	큰 경기나 공연이 끝나고 나서, 축하하여 벌이는 큰 규모의 오락 행사.
거버넌스	governance	**정책, 행정, 관리, 민관 협력**	보다 효율적인 공공 서비스의 실현을 위해 정부, 민간 기업, 지역 주민 등이 업무를 분담하는 협력 관계.
~게이트	gate	**~의혹 사건**	정치가·정부 관리와 관련된, 비리 의혹에 싸여 있는 사건.
그라피티	graffiti	**길거리 그림**	길거리 여기저기 벽면에 낙서처럼 그리거나 페인트를 분무기로 내뿜어서 그리는 그림.
그린슈머	green consumer	**녹색 소비자**	녹색을 뜻하는 '그린(green)'과 소비자를 뜻하는 '컨슈머(consumer)'가 합쳐진 말로, 다음 세대의 환경을 생각하여 친환경 제품과 유기농 제품 등을 선호하는 소비자.
글램핑	glamping	**귀족 야영**	비용이 많이 들어가는 고급스러운 야영을 뜻함.

내비게이션	navigation	길 도우미, 길 안내기	지도를 보이거나 지름길을 찾아 주어 자동차 운전을 도와주는 장치나 프로그램.
네고하다	negotiation	(가격)협상하다	거래 당사자 간에 가격을 조정하다.
네티즌	netizen	누리꾼	정보 통신망이 제공하는 새로운 세계에서 마치 그 세계의 시민처럼 활동하는 사람.
노미네이트	nominate	후보 지명	흔히 '노미네이트되다'라고 표현하는데, 이는 시상 행사와 관련해 '어떤 상의 후보자로 지명되다.'라는 뜻을 지님.
노블레스 오블리주	Noblesse Oblige	지도층 의무	사회 고위층 인사에게 요구되는 높은 수준의 도덕적 의무.
뉴타운	new town	새누리촌	도시 개발 정책의 일환으로 지방 자치 단체나 정부가 지정하여 재개발하는 도시 속의 도시를 뜻함.
니즈	needs	수요, 바람	꼭 필요한 것, 요구 조건을 의미.
다크서클	dark circle	눈 그늘	눈 아랫부분이 거무스름하게 그늘이 지는 것을 가리킴.
더치페이	dutch pay	각자 내기	비용을 각자 부담하는 것.
드레스 코드	dress code	옷차림 약속	어떤 모임의 목적, 시간, 만나는 사람 등등에 따라 갖추어야 할 옷차림새를 가리킴.
디엠(DM)	DM (Direct Message)	쪽지	누리 소통망(SNS) 사용자들이 각각의 서비스에서 제공하는 통신 기능을 활용하여 서로 주고받는 말.
랜드마크	landmark	마루지, 상징물	산마루처럼 우뚝한 지형지물이나 도시 경관.
러브 라인	love line	사랑 구도	영화, 드라마, 소설 따위에서, 등장인물 간의 연애 분위기가 그려지는 구성 또는 앞으로 사랑이 진행되는 과정을 가리켜 이르는 말.
러브 샷	love shot	사랑 건배	두 사람이 서로 팔을 엇갈리게 걸고 건배하는 일을 이르는 말. [참고] '사랑 건배' 외에 '사랑 맞잔', '사랑 축배', '팔걸이 건배', '잉꼬 건배'도 순화어 후보로 제안된 바 있음.
레시피	recipe	조리법	음식의 조리법을 뜻하는 요리 용어를 가리켜 이르는 말.
렌트 푸어	rent poor	세입 빈곤층	소득의 대부분을 주택 임대 비용에 쓰느라 저축할 여력도 없이 사는 사람을 일컫는 말.
로고 송	logo song	상징 노래	특정 상품, 회사, 개인의 상징적 이미지를 심어 주고 널리 알리기 위하여 사용하는 노래.
로드킬	roadkill	동물 찻길 사고, 동물 교통사고	찻길에서 동물이 당하는 교통사고를 가리킴.
로밍	roaming	어울통신	통신 회사끼리 제휴를 맺어 서로의 통신망에 접속할 수 있도록 하여 어느 곳에서든 품질 좋은 서비스를 제공하는 일. '어울'은 '어울다'의 어간, '어울다'는 '어우르다'의 옛말.
로하스 (LOHAS)	Lifestyle Of Health And Sustainability	친환경살이	'건강과 환경의 지속 가능성을 생각하고 실천하는 생활 방식'을 이르는 말.
론칭 쇼	launching show	신제품 발표회	어떤 제품이나 상표의 공식적인 출시를 알리는 행사를 이르는 말.
롤 모델	role model	본보기상	존경하며 본받고 싶도록 모범이 될 만한 사람 또는 자기의 직업, 업무, 임무, 역할 따위의 본보기가 되는 대상을 이르는 말.
리메이크	remake	(원작) 재구성	'예전에 있던 영화, 음악, 드라마 따위를 새롭게 다시 만드는 것'을 이르는 말.
리얼 버라이어티	real variety	생생 예능	짜인 각본대로만 하지 않고 출연자들을 다양한 상황 속에 놓이게 하여 매우 자연스러운 대사나 행동이 진행되는 연예 오락 프로그램의 한 장르.
리유저블 컵	reusable cup	다회용 컵	외관은 포장 구매용 종이컵과 같지만 재질이 특수하여 반영구적으로 사용할 수 있는 컵.
리콜	recall	결함 보상, 결함 보상제	회사 측이 제품의 결함을 발견하여 보상해 주는 소비자 보호 행위나 제도를 통틀어 이르는 말.

리퍼브	refurbished	손질 상품	불량 제품, 매장에서 전시되었던 제품, 소비자의 변심으로 반품된 제품 등을 다시 손질하여 소비자에게 정품보다 싸게 파는 것을 가리킴.
리플	reply의 준말	댓글	인터넷의 통신 공간에서 게시판에 올라 있는 글에 대해 덧붙이거나, 대답하거나, 비판하는 등의 짤막한 글을 가리켜 이르는 말.
마스터 플랜	master plan	기본 설계, 종합 계획	기본이 되는 계획. 또는 그런 설계.
마일리지	mileage	이용 실적(점수)	고정 고객 확보를 위한 기업의 판매 촉진 방법으로 손님의 이용 실적을 적립하여 돌려주는 여러 가지 혜택.
만전을 기하다	만전(萬全)	빈틈없이 하다, 틀림없이 하다	만전(萬全): 조금도 허술함이 없이 아주 완전함.
머스트 해브	must have	필수품	'머스트 해브'는 필수로 가져야 할 물건이나 제품을 가리키는 외래어 '머스트 해브 아이템'의 줄임말. 반드시 필요한 물건을 의미함.
멀티탭	multi-tap	모둠 꽂이	여러 개의 플러그를 꽂을 수 있게 만든 이동식 콘센트.
메세나	mécénat	문예 후원	특별한 대가를 바라지 않고 문화 예술 활동을 지원하는 기업이나 개인, 또는 그러한 활동을 이르는 말로 기본적으로 문화 예술 활동을 뒤에서 도와주는 일을 가리킴.
메신저	messenger	쪽지창	'인터넷에서 실시간으로 문자와 자료를 주고받을 수 있는 프로그램'을 뜻함.
멘토	mentor	(인생) 길잡이	새로운 인생 설계를 위해 도움을 주는 조언자, 또는 후견인을 가리켜 이르는 말.
무빙워크	moving walk	자동길	평지나 약간 비탈진 곳의 한쪽에서 다른 쪽으로 사람이 이동할 수 있게 끔 자동으로 움직이는 길 모양의 기계 장치.
미션	mission	임무, 중요 임무	보통 '목표/목적', '임무/과업/의무', '중요한 일' 따위의 뜻으로 쓰임.
바리스타	barista	커피 전문가	커피에 대한 높은 수준의 지식과 다양한 경험을 지니고 즉석에서 커피를 만드는 전문가.
바우처 제도	voucher 制度	상품권 제도, 이용권 제도	일반 국민의 복지 증진을 위하여 주로 하위 계층의 소비자(수요자)에게 정부가 보증하는 증표나 서비스 이용권을 지급하여 어떤 특정한 재화나 서비스 등을 좀 더 싸고 편리하게 소비하거나 이용할 수 있게 하는 제도.
박스오피스	box office	흥행 수익	영화나 연극 따위에서의 흥행 수익을 뜻함.
발레파킹	valet parking	대리 주차	'주차 도우미가 손님의 차를 대신 주차하고 볼일이 끝나면 가져다 주는 일'을 통틀어 이르는 말.
벤치마킹	benchmarking	본따르기	경쟁 업체의 경영 방식을 면밀히 분석하여 자사의 경영과 생산에 응용하고 따라잡는 경영 전략.
보이스 피싱	voice phishing	사기 전화	음성[voice]과 개인 정보[private data], 낚시[fishing]를 합성한 용어로, '전화를 통해 불법적으로 개인 정보를 빼내서 범죄에 사용하는 범죄'를 가리켜 이르는 말.
북 마스터	book master	책 길잡이	사람들에게 좋은 책을 골라 주거나 도서나 독서와 관련된 정보를 알려 주는 일을 전문으로 하는 사람.
북 카페	book cafe	책 카페	서점 카페.
뷰파인더	viewfinder	보기 창	카메라에서, 눈을 대고 피사체를 보는 부분, 촬영할 사진의 구도나 초점 상태를 미리 볼 수 있도록 한 창을 가리켜 이르는 말.
브랜드 파워	brand power	상표 경쟁력	기업체의 상표가 가지는 힘을 뜻함.
브런치	brunch	어울참	아침과 점심을 겸하여 먹는 음식, 일찍 먹는 점심. '어울참'의 '참'은 '일을 하다가 잠시 쉬는 동안이나 끼니때가 되었을 때에 먹는 음식'을 가리키는 순우리말임.
블랙 컨슈머	black consumer	악덕 소비자	'구매한 상품을 문제 삼아 피해를 본 것처럼 꾸며 악의적 민원을 제기하거나 보상을 요구하는 소비자'를 이르는 말.

블루 오션	blue ocean	대안 시장	경쟁이 치열한 기존의 시장을 대체하는 시장을 가리키는 말로, '새로 개척하여 이윤을 많이 남길 수 있는, 경쟁이 거의 없는 시장'을 가리킴.
비트 박스	beat box	입소리손장단	입으로 소리를 내고 손으로 장단을 맞추어 강한 악센트의 리듬을 만들어 내는 일.
샘플러	sampler	맛보기묶음	미리 경험할 수 있도록 대표적인 것 몇몇을 따로 골라서 모아 놓은 것.
선루프	sunroof	지붕창	바깥의 빛이나 공기가 차 안으로 들어오도록 조절할 수 있는 승용차의 지붕.
선팅	sunting	빛가림	창문, 자동차 등의 창유리로 들어오는 햇빛을 막기 위해 유리에 덧댄 검은색의 얇은 필름. 또는 그런 필름을 덧대는 일을 가리킴.
세고시	せごし	뼈째회	작은 생선을 손질하여 통째로 잘게 썰어 낸 생선회.
소셜 네트워크 서비스(SNS)	Social Network Service	누리 소통망(서비스), 사회 관계망(서비스)	온라인에서 인적 관계망 또는 사회적 관계망의 형성과 소통을 도와주는 서비스.
소셜 커머스	social commerce	공동 할인구매	누리 소통망 서비스(소셜 네트워크 서비스, SNS)를 이용한 전자 상거래의 일종.
스크린 도어	screen door	안전문	기차나 지하철을 타는 사람이 찻길에 떨어지거나, 열차와 타는 곳 사이에 발이 끼는 따위의 사고를 막기 위해서 설치하는 문.
스토리텔링	storytelling	이야기하기	'스토리(story) + 텔링(telling)'의 합성어.
아카이브	archive	① 자료 보관소, 자료 저장소, 기록 보관 ② 자료 전산화	소장품이나 자료 등을 디지털화하여 한데 모아서 관리할 뿐만 아니라 그것들을 손쉽게 검색할 수 있도록 하는 일.
언박싱	unboxing	개봉(기)	상자를 열어 상품을 개봉하는 과정을 보여주는 것. 혹은 그런 과정을 촬영한 영상.
원샷	one shot	한입털이	술자리에서 가득 채운 술잔을 한번에 남김없이 다 마시는 일.
웹 서핑	web surfing	누리 검색, 웹 검색, 인터넷 검색	흥밋거리를 찾아 인터넷에 개설된 여러 사이트에 이리저리 접속하는 일을 가리켜 이르는 말.
인프라	Infrastructure	기반(시설), 기간 시설	생산이나 생활의 기반을 형성하는 중요한 구조물.
커뮤니티 맵	community map	마을지도	도시 지도.
커플 룩	couple look	짝꿍차림	옷, 장신구, 신발 등을 남들이 보기에 짝(커플)으로 비춰질 수 있도록 상대방과 똑같이 맞춰 입거나 갖추는 것.
트레이드마크	trademark	등록 상표, 상표	사람이나 사물을 상징하는 특징이나 특성.
패셔니스타	fashionista	맵시꾼	패션에 관심이 많아 유행하는 맵시를 선호하거나 추구하는 사람.
패키지 상품	package 商品	① 꾸러미 상품 ② 기획 상품	여러 연관성 있는 상품들을 한 묶음으로 꾸려 놓은 상품을 가리켜 이르는 말.
풀 옵션	full option	모두 갖춤	승용차, 주택, 여행 상품, 장비 따위에 추가될 수 있는 장치를 모두 갖춘 것.
피처링	featuring	돋움 연주	다른 가수의 연주나 노래에 참여하여 도와주는 일로, 주로 대중음악 분야에서, '어떤 악기를 중심으로 한 노래나 음악에서 특별한 인상을 주도록 노래하거나 연주하는 일'을 가리키는 말.
핫이슈	hot issue	주요 쟁점	주된 논점이나 주된 관심사를 뜻함.
힐링	healing	치유	육체의 피로, 고민 · 괴로움 등을 푸는 것.

4. 나이를 일컫는 한자어

나이	한자어	의미
2~3세	해제(孩提)	어린아이.
15세	계년(笄年)	여자 15세. 여자가 처음 비녀를 꽂던 나이.
15세	지학(志學)	15세가 되어야 학문에 뜻을 둔다는 뜻. ※ 육척(六尺): 주(周)나라의 척도에 1척(尺)은 두 살 반 나이의 아이 키를 의미하여 6척은 15세를 뜻함. ※ 삼척동자(三尺童子): 키가 석 자 정도밖에 되지 않는 어린아이. 철없는 어린아이를 일컬음.
16세	과년(瓜年)	결혼 적령기의 여자아이. 과(瓜) 자를 파자(破字)하면 '八八'이 되므로 여자 나이 16세를 나타내고 결혼 적령기를 의미함.
20세	약관(弱冠)	남자는 스무 살에 관례를 치르어 성인이 된다는 뜻.
20세	방년(芳年)	여자 20세 전후의 한창 젊은 꽃다운 나이.
30세	이립(而立)	서른 살쯤에 가정과 사회에 모든 기반을 닦는다는 뜻.
40세	불혹(不惑)	공자가 40세가 되어서야 세상일에 미혹함이 없었다는 데서 나온 말.
50세	지천명(知天命)	쉰 살에 드디어 천명(天命)을 알게 된다는 뜻.
60세	이순(耳順)	육순(六順). 《논어》에서 나온 말로 나이 예순에는 생각하는 모든 것이 원만하여 무슨 일이든 들으면 곧 이해가 된다는 뜻.
60세	하수(下壽)	60세의 나이. 또는 그 나이가 된 노인. 장수한 것을 상 · 중 · 하로 나누었을 때 가장 적은 나이를 이르는 말.
61세	환갑(還甲)	만 60세. 회갑 (回甲). 즉 61세가 되는 해의 생일.
62세	진갑(進甲)	회갑 이듬해. 만 61세. 즉 62세가 되는 해의 생일.
70세	고희(古稀)	두보의 〈곡강시〉에 나오는 '인생칠십고래희(人生七十古來稀, 사람이 일흔 살까지 살기란 예로부터 드문 일)'에서 유래된 말.
70세	종심(從心)	일흔 살을 달리 이르는 말. 공자가 '칠십이종심소욕불유구(七十而從心所欲不踰矩, 일흔에 마음이 하고자 하는 바를 따라 행동해도 법도를 넘지 않았다)'라고 한 것에서 유래된 말.
71세	망팔(望八)	여든을 바라본다는 뜻으로 일흔한 살을 이르는 말.
77세	희수(喜壽)	오래 살아 기쁘다는 뜻. '喜'자의 약자가 '七'자로 이루어져 77을 뜻함.
80세	중수(中壽)	보통 사람보다 꽤 많은 나이. 80세의 나이. 또는 그 나이가 된 노인. 장수한 것을 상 · 중 · 하로 나누었을 때 중간에 해당하는 나이를 이르는 말.
81세	망구(望九)	사람의 나이가 아흔을 바라본다는 뜻으로, 여든한 살을 이르는 말.
88세	미수(米壽)	여든여덟 살의 생일. '米'자는 '八十八'로 이루어진 말임.
90세	졸수(卒壽)	'졸(卒)' 자를 구와 십의 파자로 해석[= 구질(九秩): 아흔 살을 이르는 말].
91세	망백(望百)	백(百)을 바라본다는 뜻으로, 나이 아흔한 살을 이르는 말.
99세	백수(白壽)	아흔아홉 살. '百'에서 '一'을 빼면 99가 되고 '白' 자가 되는 데서 유래된 말.
100세	상수(上壽)	나이가 보통 사람보다 썩 많음. 또는 그 나이. 100세의 나이. 또는 그 나이가 된 노인. 장수한 것을 상 · 중 · 하로 나누었을 때 가장 많은 나이를 이르는 말.
100세	기이지수(期頤之壽)	백 살의 나이. 또는 그 나이의 사람. 몸이 늙어 기거를 마음대로 할 수 없어 다른 사람에게 의탁한다는 뜻.

기억률 200% 바로확인 문제

[1~3] 단위어 | 밑줄 친 단어의 쓰임이 옳으면 O, 아니면 X 표시하시오.

1 김치를 담그기 위해 배추 10동을 사왔다. (○ / ×)

2 오이 10개를 묶어 한 거리로 들고 옆집을 방문했다. (○ / ×)

3 상점에 가서 미역 100장을 묶은 한 뭇을 가지고 집으로 왔다. (○ / ×)

[4~5] 호칭어/지칭어 | 밑줄 친 단어의 쓰임이 옳으면 O, 아니면 X 표시하시오.

4 살아 계신 친구의 어머니를 지칭하는 말은 선대부인(先大夫人)이다. (○ / ×)

5 요즘은 남편을 '오빠'라고 부르는 것도 허용한다. (○ / ×)

[6~8] 순화어 | 다음에 설명하는 상황에서 사용하기 적절한 단어를 고르시오.

6 스크린 도어를 설치해도 서두르는 문화 때문에 안전사고가 끊이질 않는다. → [유리문 / 안전문]

7 내일 부산 여행을 가기 위해 내비게이션을 업데이트해야 한다. → [길 도우미 / 이동 지도]

8 이번 주 현장 르포의 주제는 북촌 마을의 실태이다. → [취재기 / 기행기]

[9~10] 나이를 일컫는 한자어 | 밑줄 친 단어의 쓰임이 옳으면 O, 아니면 X 표시하시오.

9 할머니의 희수(喜壽)를 맞이하여, 케이크와 초 77개를 준비했다. (○ / ×)

10 올해로 100세가 되신 할아버지의 백수(白壽) 생신을 축하해드리기 위해 시골에 내려가는 길이었다. (○ / ×)

정답

[1~3] 1 × 2 × 3 ×
[4~5] 4 × 5 ×
[6~8] 6 안전문 7 길 도우미 8 취재기
[9~10] 9 ○ 10 ×

06 다양한 어휘

기출변형 문제

정답 P 6

1 **다음 단위를 나타내는 명사의 쓰임이 적절하지 않은 것은?**

① 어머니께서 시장에서 굴비 열 축을 사오셨다.
② 상점에 가서 김 세 톳을 사 오너라. 300장이란다.
③ 이번 명절에는 선물로 조기 두름이 많이 들어왔다.
④ 그는 장에서 생선 몇 마리와 명태 한 꿰미를 사서 바구니에 얹었다.
⑤ 곳간 한쪽에는 얼핏 봐도 100섬쯤 되어 보이는 벼 한 담불이 쌓여 있었다.

2 **밑줄 친 단어의 쓰임이 바르지 않은 것은?**

① 새끼줄 한 타래를 꼬았다.
② 두루마기 두 갓을 한 보따리에 넣었다.
③ 오징어 한 축 정도면 한 달은 충분해.
④ 요새 더위를 너무 많이 타서 보약 한 제 먹어야겠다.
⑤ 옛날 우리 할아버지는 콩 두 바리를 싣고 장사를 다니셨다.

3 **다음은 어느 두 집안의 가족 관계도이다. 각자에 대한 소개가 옳지 않은 것은?**

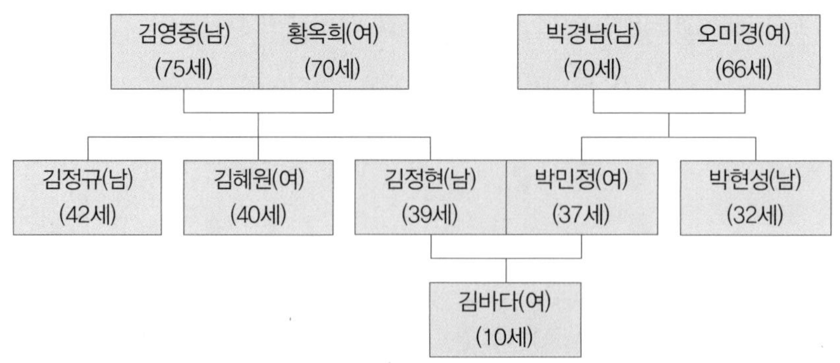

① 김바다: 김정규 씨는 나의 백부(伯父)이다.
② 박현성: 김정현 씨는 나의 매형(妹兄)이다.
③ 김정현: 황옥희 씨는 나의 자친(慈親)이다.
④ 김영중: 박경남 씨는 나의 사돈(査頓)이다.
⑤ 김정규: 김영중 씨는 나의 춘부장(椿府丈)이다.

4 **다음 중 호칭어에 대한 설명으로 잘못된 것은?**

① 남편의 형은 '아주버님'이라고 부른다.
② 누나의 남편을 부르는 말은 '매형(妹兄)'이다.
③ 남편의 미혼인 남동생은 '서방님'이라고 부른다.
④ 언니가 여동생의 남편을 부를 때는 '제부(弟夫)'라고 한다.
⑤ 남편의 결혼한 남동생의 아내는 '동서(同壻)'라고 부른다.

5 **밑줄 친 외래어를 우리말로 순화한 것 중 바르지 않은 것은?**

① 난 그의 말이 납득이 되지 않는다. → 이해
② 김연아의 갈라 쇼는 늘 매진이다. → 뒤풀이 공연
③ 월드컵 로고 송이 여기저기 울려퍼지고 있다. → 알림노래
④ 나래는 유도리 있게 일 잘하는 것으로 유명하다. → 융통성
⑤ 출퇴근 시간은 러시아워여서 길이 막히는 것은 피할 수가 없다. → 혼잡 시간

6 **다음 밑줄 친 외래어를 바르게 순화하지 못한 것은?**

① 관련 마스터 플랜을 이달 말까지 작성해 주십시오. → 기본 도면
② 우리나라의 베이비 카 시트 장착률은 매우 낮은 수준이다. → 아이 안전 의자
③ 그 음식점은 발레파킹이 무료라서 좋다. → 대리 주차
④ 악성 코드 때문인지 모니터에 계속해서 팝업 창이 뜬다. → 알림 창
⑤ 패키지 상품은 저렴하긴 하지만, 그만큼 잘 살펴보아야 한다. → 꾸러미 상품

7 **다음 중 나이를 나타낸 말과 그 설명이 옳은 것은?**

① 망칠(望七): 69세
② 졸수(卒壽): 100세
③ 산수(傘壽): 80세
④ 충년(沖年): 스무 살 안팎
⑤ 과년(瓜年): 여자 나이 20세 전후

II

어문 규정

어문 규정 영역 출제 비중

5.5%

어문 규정 학습 전략

국어능력인증시험의 어문 규정 영역에서는 객관식 5문항이 출제된다. 이 영역에서 다루는 유형은 표준어 규정, 표준 발음법, 한글 맞춤법, 외래어 표기법, 로마자 표기법 등으로 ≪한국 어문 규정집≫의 내용을 바탕으로 실제 용례들을 확인하며 공부해야 한다. 어문 규정의 범위는 매우 넓지만, 시험에 출제되는 것은 어느 정도 정해져 있다.

국어능력인증시험에 출제되는 어문 규정에 관한 문제들은 우리가 일상생활에서 흔히 잘못 쓰고 있는 표현들이다. 따라서 단어의 표기가 비슷하거나 발음이 비슷해서 잘못 쓰는 어휘들, 단어의 뜻과 쓰임이 다른데도 혼용해 쓰고 있는 어휘들을 중심으로 정리해 두는 것이 필요하다.

또한 일상생활에 자주 적용되는 규정은 반드시 숙지하고, 규정을 이해하여 적용하는 능력도 길러야 한다. 아울러 예문들을 통해 문법 지식 내용을 해석해 받아들인 후, 자신이 다른 예문을 만들어 내는 연습이 필요하다.

[14~18] 어문 규정 기출의 패턴을 벗기다

최근기출 4회분 전 문항 한눈에 보기

문항 번호	A회		B회	
	유형/분류	자료/개념	유형/분류	자료/개념
14	**한글 맞춤법**	얽히다, 돋우다, 붙이다, 걸리다, 고치다	**한글 맞춤법**	햅쌀, 살코기, 안팎, 접때, 입보이다
15	**표기법**	굵주림, 손놀림, 딴살림, 낯가림, 대물림	**표기법**	달이다, 졸이다, 간질이다, 건드리다, 늘이다
16	**한글 맞춤법**	만만찮게, 남부럽잖게, 그렇잖아도	**한글 맞춤법**	-더라, -던(과거)/-든지(선택)
17	**외래어 표기법**	데스크, 옐로카드, 헤드라이트, 인디언, 차트	**로마자 표기법**	양재천[Yangjaecheon], 선릉[Seolleung], 신사동[Sinsa-dong], 명동[Myeong-dong], 덕수궁[Deoksugung]
18	**표기법**	나부끼다, 움츠러들다, 굳세다, 흠집, 조치	**표기법**	북적이다

기출패턴 정리하기 _ 최근기출 4회분 총 360문항 전 문항 분석 결과

영역	유형	문항 수	세부 유형
[14~18] 어문 규정 (출제 비중 5.5%)	표준어 규정	0~2	
	한글 맞춤법	2~4	
	외래어 표기법	0~1	
	로마자 표기법	0~1	

문항 번호	C회		D회	
	유형/분류	자료/개념	유형/분류	자료/개념
14	**한글 맞춤법**	구름양, 역력하다, 기량, 투고란, 무뢰배	**한글 맞춤법**	바쳐, 뱉어, 매겨, 잇는, 주워들은
15	**한글 맞춤법**	밉보이다, 다독이다, 지껄이다, 되뇌이다, 길들이다	**표기법**	일쑤, 바싹, 함부로, 알맹이, 일부러
16	**한글 맞춤법**	누누이, 냉랭하다, 적나라하다, 짭짤하다, 쓱싹쓱싹	**표기법**	삼계탕, 육개장, 김칫국, 청국장, 잡채밥
17	**로마자 표기법**	인왕산[Inwangsan], 광화문[Gwanghwamun], 월암[Woram], 사직[Sajik], 부암동[Buam-dong]	**한글 맞춤법**	쓱싹쓱싹, 퍼덕퍼덕, 엉금엉금
18	**한글 맞춤법**	미덥다, 바깥, 나부끼다, 치르다, 앙증맞다	**외래어 표기법**	페루, 마추픽추, 잉카, 미라, 아마존

문항 순서별 고정 유형과 출제된 개념 한눈에 파악하기

- ☑ 어문 규정은 표준어와 한글 맞춤법이 연계되어 4문항, 외래어 표기법과 로마자 표기법이 교차로 1문항씩 출제된다.
- ☑ 표준 발음법은 받침의 발음과 규정에 포함된 예외 규정('다만, ~' 또는 '단, ~'), 'ㄴ' 첨가 현상이 주로 출제되었고, 최근에는 출제 빈도수가 줄었다.
- ☑ 한글 맞춤법의 띄어쓰기는 출제 빈도가 낮은 편이다.
- ☑ 외래어 표기법과 로마자 표기법은 유형의 특성상 〈보기〉에 규정이 제시되어 출제된다.

고등급 공략

- 어문 규정 영역은 규정의 내용보다는 해당 어휘들 위주로 암기하는 것이 효율적이다.
- 표준어와 한글 맞춤법은 규정의 내용이나 표기의 영역에 구분을 두지 말고, 아울러 포괄적으로 학습하도록 한다.
- 빈출 규정과 해당 예문, 실생활에서 많이 쓰이는 어휘 위주로 관련 규정을 이해하고 외우는 것이 가장 현실적인 방안이다.
- 규정의 내용 가운데, '붙임', '다만, ~' 또는 '단, ~'과 같이 시작하는 예외 규정이나 예외에 해당하는 몇 가지 단어들이 있다면 이는 반드시 외워 두도록 한다.
- 외래어 · 로마자 표기법은 규정의 내용을 외울 필요는 없지만, 규정의 내용을 적용하는 데 시간이 걸리는 만큼 많은 어휘의 표기를 알아 두는 것이 시간을 줄이는 데 도움이 된다.
- 표준어 개정이 이루어진 시점을 기준으로 표준어 문항 출제가 두드러지고 있으므로, 개정 표준어에 주목하자.

01 표준어 규정 / 표준 발음법

시험에 나온! 나올!
필수개념

기출복원 문제

표준어 규정

다음 밑줄 친 단어 중 표준어인 것은?

① 고향 집 뒤안에는 우물이 있다.

② 담배꽁초는 재털이에 버려 주세요.

③ 수염소는 성질이 드세서 다루기 어렵다.

④ 비도 오는데 얼큰하게 육계장 한 그릇 먹고 들어갑시다.

⑤ 오늘 보니 저 사람은 접때보다 더 건강하고 씩씩해진 것 같다.

유형 익히기 ▶ 주로 문장의 특정 어휘에 밑줄을 긋고, 해당 어휘가 표준어 규정에 부합하는지를 판단하는 유형이다. ⑤의 '접때'는 표준어가 아닌 것 같은 어감을 주는 어휘로, 주로 '지난번, 저번'등의 표현으로 돌려 사용하는 경우가 많다. 그러나 '접때'는 '오래지 아니한 과거의 어느 때를 이르는 말'로 표준어 규정 제25항 "'접때'의 의미로 '저즈막, 저즘, 저즘께'를 쓰는 경우가 있으나 '접때'만 표준어로 삼는다."에 따라 표준어에 해당한다.

① '뒤안'은 '뒤꼍(집 뒤에 있는 뜰이나 마당)'의 잘못으로 비표준어이다. ② '담뱃재를 떨어 놓는 그릇'은 '재떨이'로 표현하는 것이 올바르다. ③ 표준어 규정 제7항에 따라 '염소의 수컷'은 '숫염소'로 쓴다. 보통의 경우 '수컷'은 '수'로 통일하여 사용하기 때문에 빈출 규정이다. ④ 표준어 규정 제17항에 따라 '육개장'의 의미로 '육계장, 육게장'을 쓰는 경우가 있으나 '육개장'만 표준어로 삼는다. '육개장'은 '쇠고기를 삶아서 알맞게 뜯어 넣고, 얼큰하게 갖은양념을 하여 끓인 국.'이다.

표준 발음법

다음 중 밑줄 친 부분의 발음이 표준 발음법에 어긋나는 것은?

① 어서 닭을[달글] 풀어 주어라.

② 값을[갑쓸] 적당하게 깎았어야지.

③ 오늘따라 얼굴이 유독 넓죽하다[널쭈카다].

④ 기가 막혀서 헛웃음[허두슴]밖에 안 나온다.

⑤ 무릎에[무르페] 무리가 가지 않도록 조심해야 한다.

유형 익히기 ▶ 표준 발음법에서는 자음과 모음의 발음, 소리의 길이, 받침의 발음, 소리의 동화, 된소리되기, 소리의 첨가에 관한 문제가 출제된다. ③ 표준 발음법 제10항 '겹받침 'ㄳ', 'ㄵ', 'ㄼ, ㄽ, ㄾ', 'ㅄ'은 어말 또는 자음 앞에서 각각 [ㄱ, ㄴ, ㄹ, ㅂ]으로 발음한다.'에 따르면 [널쭈카다]가 표준 발음 같지만, 이 규정에는 '다만, '밟-'은 자음 앞에서 [밥]으로 발음하고, '넓-'은 다음과 같은 경우(넓죽하다[넙쭈카다], 넓둥글다[넙뚱글다])에 [넙]으로 발음한다.'라는 예외 규정이 있다. 따라서 '넓죽하다'는 [넙쭈카다]가 표준 발음이다.

BEST 기출&예상 개념

1. 표준어 규정

〈표준어 사정 원칙 제1장 제1항〉

표준어는 교양 있는 사람들이 두루 쓰는 현대 서울말로 정함을 원칙으로 한다.

사회적 기준 시대적 / 지역적 기준

표준어 사정(査定)의 원칙이다. '교양 있는 사람들'이라 정하는 것은 국민 누구나가 공통적으로 쓸 수 있게 마련한 공용어(公用語)이므로, 공적(公的) 활동을 하는 이들이 표준어를 익혀 올바르게 사용하는 것은 너무나 당연한 필수적 교양인 것이다. 또한 이렇게 정함으로써 앞으로는 표준어를 못하면 교양 없는 사람이 된다는 점의 강조도 포함된 것이다. 아울러 역사의 흐름과 실생활에서의 효용을 고려하여 '현대'라는 시대적 조건이 설정되었고, '서울말'은 '서울에서 쓰이는 말'로 서울 지역에서 가장 보편적으로 쓰이는 말을 의미한다. 이는 지방에서 새로 편입해 온 어린이가 얼마 안 가 그 흐름에 동화되는 예를 자주 볼 수 있는데, 이러한 공통적인 큰 흐름이 바로 서울말인 것이다.

(1) 자음에 관한 규정

제3항 다음 단어들은 거센소리를 가진 형태를 표준어로 삼는다.

빈출 끄나풀, 나팔꽃, 빈출 동녘(들녘, 새벽녘, 동틀 녘), 빈출 살쾡이, 칸

제5항 어원에서 멀어진 형태로 굳어져서 널리 쓰이는 것은, 그것을 표준어로 삼는다.

강낭콩(강남콩×), 고삿(고샅×), 사글세(= 월세 / 삭월세×)

제6항 다음 단어들은 의미를 구별함이 없이, 한 가지 형태만을 표준어로 삼는다.

돌(돐×), 둘째(두째×), 셋째(세째×), 빌리다('빌려주다'의 의미○, 빌다×)

제7항 수컷을 이르는 접두사는 '수-'로 통일한다.

수꿩, 수놈, 수소, 수은행나무

다만 1. 다음 단어에서는 접두사 다음에서 나는 거센소리를 인정한다. 접두사 '암-'이 결합되는 경우에도 이에 준한다.

수캉아지, 수탉, 수탕나귀, 수퇘지, 수평아리 / 암캉아지, 암탉, 암탕나귀, 암퇘지, 암평아리

다만 2. 다음 단어의 접두사는 '숫-'으로 한다.

숫양, 숫염소, 숫쥐

(2) 모음에 관한 규정

제8항 양성 모음이 음성 모음으로 바뀌어 굳어진 다음 단어는 음성 모음 형태를 표준어로 삼는다.

빈출 깡충깡충, -둥이, 발가숭이, 뻗정다리, 오뚝이, 주추(기둥 밑에 괴는 돌 따위의 물건)

다만, 어원 의식이 강하게 작용하는 다음 단어에서는 양성 모음 형태를 그대로 표준어로 삼는다.
빈출 부조(扶助), 사돈(査頓), 삼촌(三寸)

제9항 'ㅣ' 역행 동화 현상에 의한 발음은 원칙적으로 표준 발음으로 인정하지 아니하되, 다만 다음 단어들은 그러한 동화가 적용된 형태를 표준어로 삼는다.
-내기(시골내기, 빈출 풋내기), 냄비, 동댕이치다

[붙임 2] 기술자에게는 '-장이', 그 외에는 '-쟁이'가 붙는 형태를 표준어로 삼는다.
빈출 미장이, 유기장이, 담쟁이덩굴, 멋쟁이, 소금쟁이

제10항 다음 단어는 모음이 단순화한 형태를 표준어로 삼는다.
빈출 괴팍하다, 미루나무, 빈출 으레, 빈출 케케묵다, 빈출 허우대, 허우적허우적(허위적허위적×)

제11항 다음 단어에서는 모음의 발음 변화를 인정하여, 발음이 바뀌어 굳어진 형태를 표준어로 삼는다.
~구료(×) → ~구려(○) 나무래다(×) → 나무라다(○) 바래다(×) → 바라다(○)
상치(×) → 상추(○) 빈출 허드래(×) → 허드레(○)

참고 **모음에 관한 규정**
제12항 '웃-' 및 '윗-'은 명사 '위'에 맞추어 '윗-'으로 통일한다.
윗넓이, 윗눈썹, 윗니, 윗배
다만 1. 된소리나 거센소리 앞에서는 '위-'로 한다.
위쪽, 위채, 빈출 위층
다만 2. '아래, 위'의 대립이 없는 단어는 '웃-'으로 발음되는 형태를 표준어로 삼는다.
웃돈, 빈출 웃어른

(3) **준말에 관한 규정**

제14항 준말이 널리 쓰이고 본말이 잘 쓰이지 않는 경우에는, 준말만을 표준어로 삼는다.
또아리(×) → 똬리(○) 무우(×) → 무(○) 새앙쥐(×) → 생쥐(○) 빈출 소리개(×) → 솔개(○)
온가지(×) → 온갖(○)

제15항 준말이 쓰이고 있더라도, 본말이 널리 쓰이고 있으면 본말을 표준어로 삼는다.
귀개(×) → 귀이개(○) 빈출 낌(×) → 낌새(○) 뒝박(×) → 뒤웅박(○) 막잡이(×) → 마구잡이(○)
부럼(×) → 부스럼(○)

제16항 준말과 본말이 다 같이 널리 쓰이면서 준말의 효용이 뚜렷이 인정되는 것은, 두 가지를 다 표준어로 삼는다.
거짓부리-거짓불 노을-놀 막대기-막대 머무르다-머물다 서두르다-서둘다
오누이-오뉘/오누 외우다-외다 이기죽거리다-이죽거리다 찌꺼기-찌끼(찌꺽지×)

(4) 발음 변화에 따른 단수/복수 표준어

제17항 비슷한 발음의 몇 형태가 쓰일 경우, 그 의미에 아무런 차이가 없고, 그중 하나가 더 널리 쓰이면, 그 한 형태만을 표준어로 삼는다.

구워박다(×) → 구어박다(○) 꼭둑각시(×) → 꼭두각시(○) 얌냠거리다(×) → 냠냠거리다(○)
대싸리(×) → 댑싸리(○) 봉숭화(×) → 봉숭아/봉선화(○) 빈출 짓물다(×) → 짓무르다(○)
천정(×) → 천장(○)

결정적 힌트!

수량을 나타내는 '서[三], 너[四]'와 '석[三], 넉[四]'의 구별
단위어 중 '돈, 말, 발, 푼' 앞에서는 '서[三], 너[四]'를 쓰고, '냥, 되, 섬, 자' 앞에서는 '석[三], 넉[四]'을 씁니다.

제18항 다음 단어는 ㄱ을 원칙으로 하고, ㄴ도 허용한다.

ㄱ	ㄴ
네	예
쇠고기	소고기
쐬다	쏘이다
죄다	조이다

제19항 어감의 차이를 나타내는 단어 또는 발음이 비슷한 단어들이 다 같이 널리 쓰이는 경우에는, 그 모두를 표준어로 삼는다.

빈출 거슴츠레하다 – 게슴츠레하다 고까 – 꼬까 고린내 – 빈출 코린내 꺼림하다 – 께름하다 나부랭이 – 너부렁이

(5) 어휘 선택에 관한 규정

◉ 고어

제20항 사어(死語)가 되어 쓰이지 않게 된 단어는 고어로 처리하고, 현재 널리 사용되는 단어를 표준어로 삼는다.

설겆다(×) → 설거지하다(○) 머귀나무(×) → 오동나무(○) 빈출 애닯다(×) → 애달프다(○)

◉ 한자어

제21항 고유어 계열의 단어가 널리 쓰이고 그에 대응되는 한자어 계열의 단어가 용도를 잃게 된 것은, 고유어 계열의 단어만을 표준어로 삼는다.

노닥다리(×) → 늙다리(○) 말약(×) → 가루약(○) 맹눈(×) → 까막눈(○) 방돌(×) → 구들장(○)
백말/부루말(×) → 흰말(○) 사래답(×) → 사래논(○) 잎초(×) → 잎담배(○) 화곽(×) → 성냥(○)

제22항 고유어 계열의 단어가 생명력을 잃고 그에 대응되는 한자어 계열의 단어가 널리 쓰이면, 한자어 계열의 단어를 표준어로 삼는다.

개다리밥상(×) → 개다리소반(○) 빈출 둥근파(×) → 양파(○) 뜸단지(×) → 부항단지(○)
맞상(×) → 겸상(○) 민주스럽다(×) → 민망스럽다/면구스럽다(○) 빈출 알타리무/알무(×) → 총각무(○)
빈출 잇솔(×) → 칫솔(○)

◉ 방언

제23항　방언이던 단어가 표준어보다 더 널리 쓰이게 된 것은, 그것을 표준어로 삼는다. 이 경우, 원래의 표준어는 그대로 표준어로 남겨 두는 것을 원칙으로 한다.

빈출 멍게－우렁쉥이　물방개－선두리　애순－어린순

제24항　방언이던 단어가 널리 쓰이게 됨에 따라 표준어이던 단어가 안 쓰이게 된 것은, 방언이던 단어를 표준어로 삼는다.

귓머리(×) → 귀밑머리(○)　까무느다(×) → 까뭉개다(○)　빈자떡(×) → 빈대떡(○)
빈출 역스럽다(×) → 역겹다(○)　코보(×) → 코주부(○)

(6) 어휘 선택에 따른 단수/복수 표준어

제25항　의미가 똑같은 형태가 몇 가지 있을 경우, 그중 어느 하나가 압도적으로 널리 쓰이면, 그 단어만을 표준어로 삼는다.

겯땀내(×) → 암내(○)　광우리(×) → 광주리(○)　길앞잡이(×) → 길잡이/길라잡이(○)
낫우다(×) → 고치다(○)　뒤꼭지치다(×) → 뒤통수치다(○)　등칡(×) → 등나무(○)
부끄리다(×) → 부끄러워하다(○)　부스럭지(×) → 부스러기(○)　빈출 새벽별(×) → 샛별(○)
술꾸러기/술보/술부대/술푸대(×) → 술고래(○)　빈출 안절부절하다(×) → 안절부절못하다(○)
어린벌레(×) → 애벌레(○)　열심으로 → 열심히(○)　우미다(×) → 매만지다(○)
전선대(×) → 전봇대(○)　쪽밤(×) → 쌍동밤(○)　참감자(×) → 고구마(○)

제26항　한 가지 의미를 나타내는 형태 몇 가지가 널리 쓰이며 표준어 규정에 맞으면, 그 모두를 표준어로 삼는다.

가락엿/가래엿　가뭄/가물　가엾다/가엽다　게을러빠지다/게을러터지다　고깃간/푸줏간
관계없다/상관없다　깃저고리/배내옷/배냇저고리　넝쿨/덩굴　녘/쪽　빈출 되우/된통/되게　뒷갈망/뒷감당
빈출 딴전/딴청　－뜨리다/－트리다(깨－/떨어－/쏟－)　마파람/앞바람　멀찌감치/멀찌가니/멀찍이
모쪼록/아무쪼록　빈출 벌레/버러지　보조개/볼우물　보통내기/여간내기/예사내기　살쾡이/삵
서럽다/섧다　성글다/성기다　－(으)세요/－(으)셔요　신/신발　아무튼/어떻든/어쨌든/하여튼/여하튼
어금버금하다/어금지금하다　언덕바지/언덕배기　여쭈다/여쭙다　여태/입때(여직×)
여태껏/이제껏/입때껏(여직껏×)　역성들다/역성하다　연달다/잇달다　빈출 우레/천둥
의심스럽다/의심쩍다　－이에요/－이어요　자리옷/잠옷　자물쇠/자물통
좀처럼/좀체　쪽/편(오른~/왼~)　척/체(모르는 ~/잘난 ~)　한턱내다/한턱하다

2. 새로 추가된 주요 표준어 목록

(1) 2016년 추가 표준어 / 표준형

◉ 별도 표준어: 현재 표준어와 뜻이 다른 표준어로 인정한 것

추가 표준어	기존 표준어	뜻 차이
걸판지다		① 매우 푸지다. ② 동작이나 모양이 크고 어수선하다.
	거방지다	① 몸집이 크다. ② 하는 짓이 점잖고 무게가 있다. ③ = 걸판지다①.
겉울음		① 드러내 놓고 우는 울음. ② 마음에도 없이 겉으로만 우는 울음.
	건울음	= 강울음. ※ 강울음: 눈물 없이 우는 울음. 또는 억지로 우는 울음.
까탈스럽다		① 조건, 규정 따위가 복잡하고 엄격하여 적응하거나 적용하기에 어려운 데가 있다. '가탈스럽다①'보다 센 느낌. ② 성미나 취향 따위가 원만하지 않고 별스러워 맞춰 주기에 어려운 데가 있다. ※ 같은 계열의 '가탈스럽다'도 표준어로 인정함.
	까다롭다	① 조건 따위가 복잡하거나 엄격하여 다루기에 순탄하지 않다. ② 성미나 취향 따위가 원만하지 않고 별스럽게 까탈이 많다.
실뭉치		실을 한데 뭉치거나 감은 덩이.
	실몽당이	실을 풀기 좋게 공 모양으로 감은 뭉치.

◉ 복수 표준형: 현재 표준적인 활용형과 용법이 같은 활용형으로 인정한 것

추가 표준형	기존 표준형	비고
엘랑	에는	'엘랑, -고설랑' 등은 단순한 조사/어미 결합형이므로 사전 표제어로는 다루지 않음.
주책이다	주책없다	'주책이다'는 단순한 명사+조사 결합형이므로 사전 표제어로는 다루지 않음.

(2) 2015년 추가 표준어 / 표준형

◉ 복수 표준어: 현재 표준어와 같은 뜻을 가진 표준어로 인정한 것

추가 표준어	기존 표준어	비고
마실	마을	'마실'은 '이웃에 놀러 다니는 일'의 의미에 한하여 표준어로 인정함. '여러 집이 모여 사는 곳'의 의미로 쓰인 '마실'은 비표준어임. ※ '마실꾼, 마실방, 마실돌이, 밤마실'도 표준어로 인정함.
이쁘다	예쁘다	'이쁘장스럽다, 이쁘장스레, 이쁘장하다, 이쁘디이쁘다'도 표준어로 인정함.
찰지다	차지다	사전에서 〈'찰지다'는 '차지다'의 원말〉로 풀이함.
-고프다	-고 싶다	사전에서 '-고프다'는 〈'-고 싶다'가 줄어든 말〉로 풀이함.

◉ 별도 표준어

추가 표준어	기존 표준어	뜻 차이
꼬리연		긴 꼬리를 단 연.
	가오리연	가오리 모양으로 만들어 꼬리를 길게 단 연. 띄우면 오르면서 머리가 아래위로 흔들린다.

의론	어떤 사안에 대하여 각자의 의견을 제기함. 또는 그런 의견. ※ '의론되다, 의론하다'도 표준어로 인정함.
의논	어떤 일에 대하여 서로 의견을 주고받음.
이크	당황하거나 놀랐을 때 내는 소리. '이키'보다 큰 느낌을 준다.
이키	당황하거나 놀랐을 때 내는 소리. '이끼'보다 거센 느낌을 준다.
잎새	나무의 잎사귀. 주로 문학적 표현에 쓰인다.
잎사귀	낱낱의 잎. 주로 넓적한 잎을 이른다.
푸르르다	'푸르다'를 강조할 때 이르는 말. ※ '푸르르다'는 '으 불규칙 용언'으로 분류함.
푸르다	맑은 가을 하늘이나 깊은 바다, 풀의 빛깔과 같이 밝고 선명하다.

◉ 복수 표준형

추가 표준형	기존 표준형	비고
노랗네 동그랗네 조그맣네 …	노라네 동그라네 조그마네 …	• ㅎ 불규칙 용언이 어미 '-네'와 결합할 때는 어간 끝의 'ㅎ'이 탈락하기도 하고 탈락하지 않기도 함. • '그렇다, 노랗다, 동그랗다, 뿌옇다, 어떻다, 조그맣다, 커다랗다' 등등 모든 ㅎ 불규칙 용언의 활용형에 적용됨.
말아 말아라 말아요	마 마라 마요	'말다'에 명령형 어미 '-아', '-아라', '-아요' 등이 결합할 때는 어간 끝의 'ㄹ'이 탈락하기도 하고 탈락하지 않기도 함.

(3) 2014년 추가 표준어 / 표준형

◉ 복수 표준어

추가 표준어	기존 표준어	비고
구안와사	구안괘사	
굽신	굽실	※ '굽신'이 표준어로 인정됨에 따라, '굽신거리다, 굽신대다, 굽신하다, 굽신굽신, 굽신굽신하다' 등도 표준어로 함께 인정됨.
눈두덩이	눈두덩	
삐지다	삐치다	
초장초	작장초	

◉ 별도 표준어

추가 표준어 / 기존 표준어	뜻 차이
개기다	(속되게) 명령이나 지시를 따르지 않고 버티거나 반항하다.
개개다	성가시게 달라붙어 손해를 끼치다.
꼬시다	'꾀다'를 속되게 이르는 말.
꾀다	그럴듯한 말이나 행동으로 남을 속이거나 부추겨서 자기 생각대로 끌다.
놀잇감	놀이 또는 아동 교육 현장 따위에서 활용되는 물건이나 재료.
장난감	아이들이 가지고 노는 여러 가지 물건.
딴지	(주로 '걸다, 놓다'와 함께 쓰여) 일이 순순히 진행되지 못하도록 훼방을 놓거나 어기대는 것.
딴죽	이미 동의하거나 약속한 일에 대하여 딴전을 부림을 비유적으로 이르는 말.

사그라들다	삭아서 없어져 가다.
사그라지다	삭아서 없어지다.
섬찟	갑자기 소름이 끼치도록 무시무시하고 끔찍한 느낌이 드는 모양. ※ '섬찟'이 표준어로 인정됨에 따라, '섬찟하다, 섬찟섬찟, 섬찟섬찟하다' 등도 표준어로 함께 인정됨.
섬뜩	갑자기 소름이 끼치도록 무섭고 끔찍한 느낌이 드는 모양.
속앓이	① 속이 아픈 병. 또는 속에 병이 생겨 아파하는 일. ② 겉으로 드러내지 못하고 속으로 걱정하거나 괴로워하는 일.
속병	① 몸속의 병을 통틀어 이르는 말. ② '위장병01'을 일상적으로 이르는 말. ③ 화가 나거나 속이 상하여 생긴 마음의 심한 아픔.
허접하다	허름하고 잡스럽다.
허접스럽다	허름하고 잡스러운 느낌이 있다.

3. 표준 발음법

표준 발음법에 대한 문제는 비교적 무난한 난도로 출제되고 빈출 규정이 규칙적인 편이다. 음절의 끝소리 규칙과 관련된 규정과 겹받침의 발음, 'ㄴ' 첨가 현상이 빈출 규정이며, 규정 내의 예외 규정 또한 자주 출제된다. 현실 발음과 큰 차이를 보이는 경우도 자주 출제되므로, 이러한 규정들의 원리를 이해하여 실생활에 적용하는 연습을 해야 한다.

표준 발음법 총칙

제1항 표준 발음법은 표준어의 실제 발음을 따르되, 국어의 전통성과 합리성을 고려하여 정함을 원칙으로 한다.

표준 발음법은 한글의 발음에 관한 규칙으로, '표준어의 실제 발음'을 기준으로 하기 때문에 '교양 있는 사람들이 두루 쓰는 현대 서울말의 발음'으로 여기고 이를 따르도록 원칙을 정한 것이다.('표준어 규정'의 제2부에 수록) 또한 현대 서울말에서조차 실제의 발음에서는 여러 형태로 발음하는 경우가 있어서 그러한 경우에는 '국어의 전통성과 합리성을 고려하여 표준 발음을 정한다.'라는 조건을 제시한 것이다. 이것은 한글 맞춤법의 규정에서 어법에 맞춘다는 것과 비슷한 조건이다. 국어의 규칙 내지는 법칙에 따라서 표준 발음을 합리적으로 정한다는 뜻으로, 실제 발음을 따르면서 어법상의 합리성을 고려하자는 의미이다. 표준 발음법의 내용은 자음과 모음의 각각의 발음과 소리의 길이, 받침의 발음, 소리의 동화, 된소리되기, 소리의 첨가 등에 대한 내용이다.

(1) 자음과 모음

제2항 표준어의 자음은 다음 19개로 한다.

ㄱ ㄲ ㄴ ㄷ ㄸ ㄹ ㅁ ㅂ ㅃ ㅅ ㅆ ㅇ ㅈ ㅉ ㅊ ㅋ ㅌ ㅍ ㅎ

제3항 표준어의 모음은 다음 21개로 한다.

ㅏ ㅐ ㅑ ㅒ ㅓ ㅔ ㅕ ㅖ ㅗ ㅘ ㅙ ㅚ ㅛ ㅜ ㅝ ㅞ ㅟ ㅠ ㅡ ㅢ ㅣ

제4항 'ㅏ, ㅐ, ㅓ, ㅔ, ㅗ, ㅚ, ㅜ, ㅟ, ㅡ, ㅣ'는 단모음으로 발음한다.
※ 단모음: 소리를 내는 도중에 입술 모양이나 혀의 위치가 고정되어 처음과 나중이 달라지지 않는 모음

[붙임] 'ㅚ, ㅟ'는 이중 모음으로 발음할 수 있다.

제5항 'ㅑ, ㅒ, ㅕ, ㅖ, ㅘ, ㅙ, ㅛ, ㅝ, ㅞ, ㅠ, ㅢ'는 이중 모음으로 발음한다.

다만 1. 용언의 활용형에 나타나는 '져, 쪄, 쳐'는 [저, 쩌, 처]로 발음한다.
빈출 가지어 → 가져[가저] 찌어 → 쪄[쩌] 다치어 → 다쳐[다처]

다만 2. '예, 례' 이외의 'ㅖ'는 [ㅔ]로도 발음한다.
계시다[계:시다/게:시다] 개폐[개폐/개페](開閉) 혜택[혜:택/헤:택](惠澤) 지혜[지혜/지헤](智慧)

다만 3. 자음을 첫소리로 가지고 있는 음절의 'ㅢ'는 [ㅣ]로 발음한다.
무늬[무니] 빈출 띄어쓰기[띠어쓰기] 희망[히망] 유희[유히]

다만 4. 단어의 첫음절 이외의 '의'는 [ㅣ]로, 조사 '의'는 [ㅔ]로 발음함도 허용한다.
빈출 주의[주의/주이] 빈출 우리의[우리의/우리에] 강의의[강:의의/강:이에]

(2) **음의 길이**

제6항 모음의 장단을 구별하여 발음하되, 단어의 첫음절에서만 긴소리가 나타나는 것을 원칙으로 한다.

① 눈보라[눈:보라] 말씨[말:씨] 밤나무[밤:나무]
많다[만:타] 멀리[멀:리] 벌리다[벌:리다]
② 첫눈[천눈] 참말[참말] 쌍동밤[쌍동밤]
수많이[수:마니] 눈멀다[눈멀다] 떠벌리다[떠벌리다]

다만, 합성어의 경우에는 둘째 음절 이하에서도 분명한 긴소리를 인정한다.
반신반의[반:신바:늬/반:신바:니] 재삼재사[재:삼재:사]

[붙임] 용언의 단음절 어간에 어미 '-아/-어'가 결합되어 한 음절로 축약되는 경우에도 긴소리로 발음한다.
보아 → 봐[봐:] 기어 → 겨[겨:] 되어 → 돼[돼:] 하여 → 해[해:]

다만, '오아 → 와, 지어 → 져, 찌어 → 쪄, 치어 → 쳐' 등은 긴소리로 발음하지 않는다.

참고 **꼭 알아야 할 장·단음 구별**

① 굴01: 굴과의 연체동물을 통틀어 이르는 말.
굴03(窟)[굴:]: 자연적으로 땅이나 바위가 안으로 깊숙이 패어 들어간 곳. 산이나 땅 밑을 뚫어 만든 길.
② 눈01: 빛의 자극을 받아 물체를 볼 수 있는 감각 기관.
눈04(雪)[눈:]: 대기 중의 수증기가 찬 기운을 만나 얼어서 땅 위로 떨어지는 얼음의 결정체.
③ 말04(馬): 말과의 포유류.
말01(言)[말:]: 사람의 생각이나 느낌 따위를 표현하고 전달하는 데 쓰는 음성 기호.
④ 밤01(夜): 해가 져서 어두워진 때부터 다음 날 해가 떠서 밝아지기 전까지의 동안.
밤02(栗)[밤:]: 밤나무의 열매.
⑤ 배01: 사람이나 동물의 몸에서 위장, 창자, 콩팥 따위의 내장이 들어 있는 곳.
배02: 사람이나 짐 따위를 싣고 물 위로 떠다니도록 나무나 쇠 따위로 만든 물건.
배03: 배나무의 열매.
배08(倍)[배:]: 어떤 수나 양을 두 번 합한 만큼.
⑥ 벌01: 넓고 평평하게 생긴 땅.
벌02: 옷이나 그릇 따위가 두 개 또는 여러 개 모여 갖추는 덩어리.
벌03[벌:]: 벌목의 곤충 가운데 개미류를 제외한 곤충을 통틀어 이르는 말.
벌06(罰): 잘못하거나 죄를 지은 사람에게 주는 고통.
⑦ 묻다01: 가루, 풀, 물 따위가 그보다 큰 다른 물체에 들러붙거나 흔적이 남게 되다.
묻다02: 물건을 흙이나 다른 물건 속에 넣어 보이지 않게 쌓아 덮다.
묻다03[묻:따]: 무엇을 밝히거나 알아내기 위하여 상대편의 대답이나 설명을 요구하는 내용으로 말하다.

(3) 받침의 발음

◉ 음절의 끝소리 규칙

제8항 받침소리로는 'ㄱ, ㄴ, ㄷ, ㄹ, ㅁ, ㅂ, ㅇ'의 7개 자음만 발음한다.

제9항 받침 'ㄲ, ㅋ', 'ㅅ, ㅆ, ㅈ, ㅊ, ㅌ', 'ㅍ'은 어말 또는 자음 앞에서 각각 대표음 [ㄱ, ㄷ, ㅂ]으로 발음한다.
닦다[닥따] 키읔[키윽] 옷[옫] 젖[젇] 꽂[꼳] 솥[솓] 뱉다[밷:따] 앞[압]

제10항 겹받침 'ㄳ', 'ㄵ', 'ㄼ, ㄽ, ㄾ', 'ㅄ'은 어말 또는 자음 앞에서 각각 [ㄱ, ㄴ, ㄹ, ㅂ]으로 발음한다.
넋[넉] 앉다[안따] 빈출 여덟[여덜] 외곬[외골] 핥다[할따] 값[갑] 빈출 없다[업:따]

다만, '밟-'은 자음 앞에서 [밥]으로 발음하고, '넓-'은 다음의 경우에 [넙]으로 발음한다.
① 밟고[밥:꼬] 밟다[밥:따] 빈출 ② 넓-죽하다[넙쭈카다] 넓-둥글다[넙뚱글다]

제11항 겹받침 'ㄺ, ㄻ, ㄿ'은 어말 또는 자음 앞에서 [ㄱ, ㅁ, ㅂ]으로 발음한다.
닭[닥] 맑다[막따] 삶[삼:] 젊다[점:따] 읊고[읍꼬] 읊다[읍따]

다만, 용언의 어간 말음 'ㄺ'은 'ㄱ' 앞에서 [ㄹ]로 발음한다.
맑게[말께] 묽고[물꼬]

제12항 받침 'ㅎ'의 발음은 다음과 같다.

1. 'ㅎ(ㄶ, ㅀ)' 뒤에 'ㄱ, ㄷ, ㅈ'이 결합되는 경우에는, 뒤 음절 첫소리와 합쳐서 [ㅋ, ㅌ, ㅊ]으로 발음한다.

놓고[노코] 빈출 좋던[조:턴] 쌓지[싸치] 많고[만:코] 닳지[달치]

2. 'ㅎ(ㄶ, ㅀ)' 뒤에 'ㅅ'이 결합되는 경우에는, 'ㅅ'을 [ㅆ]으로 발음한다.

닿소[다:쏘] 많소[만:쏘] 싫소[실쏘]

3. 'ㅎ' 뒤에 'ㄴ'이 결합되는 경우에는, [ㄴ]으로 발음한다.

놓는[논는] 쌓네[싼네]

[붙임] 'ㄶ, ㅀ' 뒤에 'ㄴ'이 결합되는 경우에는, 'ㅎ'을 발음하지 않는다.

않는[안는] 뚫네[뚤네 → 뚤레]('뚫네[뚤네 → 뚤레]'에 대해서는 제20항 참조)

◉ 연음 현상

제13항 홑받침이나 쌍받침이 모음으로 시작된 조사나 어미, 접미사와 결합되는 경우에는, 제 음가대로 뒤 음절 첫소리로 옮겨 발음한다.

깎아[까까] 있어[이써] 낮이[나지] 빈출 꽂을[꼬즐] 밭에[바테] 앞으로[아프로]

제14항 겹받침이 모음으로 시작된 조사나 어미, 접미사와 결합되는 경우에는, 뒤엣것만을 뒤 음절 첫소리로 옮겨 발음한다.(이 경우, 'ㅅ'은 된소리로 발음함.)

넋이[넉씨] 빈출 닭을[달글] 젊어[절머] 빈출 곬이[골씨] 핥아[할타] 읊어[을퍼]

제15항 받침 뒤에 모음 'ㅏ, ㅓ, ㅗ, ㅜ, ㅟ'들로 시작되는 실질 형태소가 연결되는 경우에는, 대표음으로 바꾸어서 뒤 음절 첫소리로 옮겨 발음한다.

빈출 밭 아래[바다래] 늪 앞[느밥] 빈출 맛없다[마덥따] 겉옷[거돋] 헛웃음[허두슴]

다만, '맛있다, 멋있다'는 [마싣따], [머싣따]로도 발음할 수 있다.

◉ 구개음화 현상

제17항 받침 'ㄷ, ㅌ(ㄾ)'이 조사나 접미사의 모음 'ㅣ'와 결합되는 경우에는, [ㅈ, ㅊ]으로 바꾸어서 뒤 음절 첫소리로 옮겨 발음한다.

곧이듣다[고지듣따] 빈출 굳이[구지] 땀받이[땀바지] 밭이[바치]

[붙임] 'ㄷ' 뒤에 접미사 '히'가 결합되어 '티'를 이루는 것은 [치]로 발음한다.

굳히다[구치다] 닫히다[다치다] 묻히다[무치다]

◉ 자음 동화 현상

제18항 받침 'ㄱ(ㄲ, ㅋ, ㄳ, ㄺ), ㄷ(ㅅ, ㅆ, ㅈ, ㅊ, ㅌ, ㅎ), ㅂ(ㅍ, ㄼ, ㄿ, ㅄ)'은 'ㄴ, ㅁ' 앞에서 [ㅇ, ㄴ, ㅁ]으로 발음한다.

국물[궁물] 긁는[긍는] 빈출 붙는[분는] 밟는[밤:는] 읊는[음는]

[붙임] 두 단어를 이어서 한 마디로 발음하는 경우에도 이와 같다.

책 넣는다[챙넌는다]

제19항 받침 'ㅁ, ㅇ' 뒤에 연결되는 'ㄹ'은 [ㄴ]으로 발음한다.

담력[담:녁] 침략[침:냑] 항로[항:노]

[붙임] 받침 'ㄱ, ㅂ' 뒤에 연결되는 'ㄹ'도 [ㄴ]으로 발음한다.

막론(莫論)[막논 → 망논] 석류[석뉴 → 성뉴] 빈출 협력[협녁 → 혐녁] 법리[법니 → 범니]

제20항 'ㄴ'은 'ㄹ'의 앞이나 뒤에서 [ㄹ]로 발음한다.

① 신라[실라] 광한루[광:할루] 대관령[대:괄령]
② 빈출 줄넘기[줄럼끼]

[붙임] 첫소리 'ㄴ'이 'ㅀ', 'ㄾ' 뒤에 연결되는 경우에도 이에 준한다.

닳는[달른] 핥네[할레]

빈출 **다만, 다음과 같은 단어들은 'ㄹ'을 [ㄴ]으로 발음한다.**

의견란[의:견난] 임진란[임:진난] 생산량[생산냥] 결단력[결딴녁] 공권력[공꿘녁]
동원령[동:원녕] 이원론[이:원논] 상견례[상견녜] 횡단로[횡단노] 입원료[이붠뇨]

제22항 다음과 같은 용언의 어미는 [어]로 발음함을 원칙으로 하되, [여]로 발음함도 허용한다.

되어[되어/되여] 피어[피어/피여]

[붙임] '이오, 아니오'도 이에 준하여 [이요, 아니요]로 발음함을 허용한다.

◉ 경음화(된소리되기)

제23항 받침 'ㄱ(ㄲ, ㅋ, ㄳ, ㄺ), ㄷ(ㅅ, ㅆ, ㅈ, ㅊ, ㅌ), ㅂ(ㅍ, ㄼ, ㄿ, ㅄ)' 뒤에 연결되는 'ㄱ, ㄷ, ㅂ, ㅅ, ㅈ'은 된소리로 발음한다.

국밥[국빱] 넋받이[넉빠지] 닭장[닥짱] 있던[읻떤] 빈출 낯설다[낟썰다] 덮개[덥깨] 값지다[갑찌다]

제24항 어간 받침 'ㄴ(ㄵ), ㅁ(ㄻ)' 뒤에 결합되는 어미의 첫소리 'ㄱ, ㄷ, ㅅ, ㅈ'은 된소리로 발음한다.

신고[신:꼬] 더듬지[더듬찌] 젊지[점:찌]

다만, 피동, 사동의 접미사 '-기-'는 된소리로 발음하지 않는다.

안기다[안기다] 굶기다[굼기다]

제25항 어간 받침 'ㄼ, ㄾ' 뒤에 결합되는 어미의 첫소리 'ㄱ, ㄷ, ㅅ, ㅈ'은 된소리로 발음한다.

넓게[널께] 빈출 핥소[할쏘]

제27항 관형사형 '-(으)ㄹ' 뒤에 연결되는 'ㄱ, ㄷ, ㅂ, ㅅ, ㅈ'은 된소리로 발음한다.
할 것을[할꺼슬] 갈 곳[갈꼳] 만날 사람[만날싸람]

다만, 끊어서 말할 적에는 예사소리로 발음한다.

◉ 빈출 음의 첨가 – 'ㄴ' 첨가 현상

제29항 합성어 및 파생어에서, 앞 단어나 접두사의 끝이 자음이고 뒤 단어나 접미사의 첫음절이 '이, 야, 여, 요, 유'인 경우에는, 'ㄴ' 음을 첨가하여 [니, 냐, 녀, 뇨, 뉴]로 발음한다.
꽃-잎[꼰닙] 내복-약[내:봉냑] 늑막-염[능망념] 막-일[망닐] 백분-율[백뿐뉼]
색-연필[생년필]

다만, 다음과 같은 말들은 'ㄴ' 음을 첨가하여 발음하되, 표기대로 발음할 수 있다.
이죽-이죽[이중니죽/이주기죽] 검열[검:녈/거:멸] 금융[금늉/그뮹]

[붙임 1] 'ㄹ' 받침 뒤에 첨가되는 'ㄴ' 음은 [ㄹ]로 발음한다.
솔-잎[솔립] 물-약[물략]

다만, 다음과 같은 단어에서는 'ㄴ(ㄹ)' 음을 첨가하여 발음하지 않는다.
6·25[유기오] 3·1절[사밀쩔] 송별-연[송:벼련] 빈출 등-용문[등용문]

참고 2017년 개정 표준 발음

구분	개정 내용
감언이설	[가먼니설]만 표준 발음 → [가먼니설] / [가머니설]
강약	[강약]만 표준 발음 → [강약] / [강냑]
관건02	[관건]만 표준 발음 → [관건] / [관껀]
교과01	[교:과]만 표준 발음 → [교:과] / [교:꽈]
괴담이설	[괴:담니설] / [궤:담니설] → [괴:담니설] / [궤:다미설]
반값	[반:갑]만 표준 발음 → [반:갑] / [반:깝]
밤이슬	[밤니슬]만 표준 발음 → [밤니슬] / [바미슬]
분수06	[분쑤]만 표준 발음 → [분쑤] / [분수]
불법01	[불법]만 표준 발음 → [불법] / [불뻡] * 단 불교의 법도를 뜻하는 '불법(佛法)'은 [불법]만 표준 발음
순이익	[순니익]만 표준 발음 → [순니익] / [수니익]
안간힘	[안깐힘]만 표준 발음 → [안깐힘] / [안간힘]
연이율	[연니율]만 표준 발음 → [연니율] / [여니율]
영영01	[영:영]만 표준 발음 → [영:영] / [영:녕]
의기양양	[의:기양양]만 표준 발음 → [의:기양양] / [의:기양냥]
인기척	[인끼척]만 표준 발음 → [인끼척] / [인기척]
점수06	[점쑤]만 표준 발음 → [점쑤] / [점수]
함수04	[함:쑤]만 표준 발음 → [함:쑤] / [함:수]
효과01	[효:과]만 표준 발음 → [효:과] / [효:꽈]

기억률 200% 바로확인 문제

[1~25] 표준어 | ㉠~㉡ 중 표준어에 ○하시오.

	㉠	㉡
1	울력성당	위력성당
2	셋째	세째
3	신출나기	신출내기
4	아지랑이	아지랭이
5	수꿩	숫꿩
6	점쟁이	점장이
7	여늬	여느
8	미수가루	미숫가루
9	허드레	허드래
10	윗사람	웃사람
11	윗어른	웃어른
12	위층	윗층
13	온가지	온갖
14	개이다	개다
15	바퀴살	바퀫살

정답 [1~25] 1 ㉠(떼 지어 으르고 협박함.) 2 ㉠ 3 ㉡ 4 ㉠ 5 ㉠ 6 ㉠ 7 ㉡ 8 ㉡ 9 ㉠ 10 ㉠ 11 ㉡ 12 ㉠ 13 ㉡ 14 ㉡ 15 ㉡

	㉠	㉡
16	꺼림직하다	꺼림칙하다
17	주책없다	주책이다
18	출렁거리다	출렁대다
19	눈대중	눈짐작
20	들락날락	들랑날랑
21	되게	된통
22	오손도손	오순도순
23	으레	으례
24	애닯다	애달프다
25	벌레	벌러지

[26~30] 표준 발음법 | 표준 발음으로 적절한 것에 ○하시오.

26 서울역[서울력 / 서울녁]에서 만나자.

27 월요일[워료일 / 월료일]에는 유독 피곤하다.

28 한여름[한녀름 / 한여름]에 웬 솜바지를 입었니?

29 밭이랑[바디랑 / 반니랑]에는 옥수수를 심는 게 좋겠다.

30 옆구리가 아파서 병원에 갔더니 늑막염[능망념 / 능마겸]이래.

정답

16. ㉠, ㉡ 17 ㉠, ㉡ 18 ㉠, ㉡ 19 ㉠, ㉡ 20 ㉠, ㉡ 21 ㉠, ㉡ 22 ㉠, ㉡ 23 ㉠
24 ㉡ 25 ㉠
[26~30] 26 서울력 27 워료일 28 한녀름 29 반니랑 30 능망념

01 표준어 규정 / 표준 발음법

기출변형 문제

정답 P 7

1 다음 중 표준어로만 짝지어진 것은?

① 마당발, 서둘다, 여쭙다
② 깡충깡충, 오손도손, 괴팍하다
③ 이지러지다, 얼레빗, 숫평아리
④ 우렁쉥이, 꼭두각시, 알타리무
⑤ 웃도리, 역스럽다, 냠냠거리다

2 다음 중 밑줄 친 단어가 표준어가 아닌 것은?

① 엉터리없는 수작을 할 생각도 말거라.
② 제 방 청소를 하라고 하니 딴전을 부리고 있다.
③ 자리를 다 메우고도 뒤에 서 있는 하객들이 꽤 많았다.
④ 할머니께서는 항상 옛스럽게 한복을 차려입고 다니신다.
⑤ 막냇동생은 최종 합격자 발표를 기다리며 안절부절못하고 있다.

3 다음 중 밑줄 친 단어가 표준어가 아닌 것은?

① 감기가 들어서 코멘소리를 하였다.
② 너는 시험이 코앞인데 맨날 놀기만 하니?
③ 내가 보기에 어차피 그 둘은 도찐개찐이야.
④ 비가 오려는지 날씨는 무더웠고 바람도 후텁지근했다.
⑤ 자기 지방 출신 국회 의원 이름을 마치 친구나 되듯 아무개가 어쩌고 하면서 으스대는 꼴을 보기가 싫다.

4 다음 중 밑줄 친 단어가 표준어인 것은?

① 여직 못 만났다고?
② 그 여자는 까탈스럽기로 유명하다.
③ 미류나무 꼭대기에 조각구름이 걸려있네.
④ 여인의 눈썹은 초생달 같아야 예쁘다고들 한다.
⑤ 과제물을 이렇게 짜집기해 오면 모를 줄 알았니?

5 다음 중 밑줄 친 단어가 표준어가 아닌 것은?

① 얌체같이 새치기하지 말고 줄을 서자.
② 묏자리를 잘 써야 자손들이 잘된다더라.
③ 그는 재산을 둘로 노나서 자식들에게 주었다.
④ 박수 소리가 가득하고, 선수들은 감독을 헹가래 쳤다.
⑤ 그는 병원장까지 쥐락펴락할 정도로 끝발이 있는 사람이다.

6 다음 밑줄 친 단어 중 표준어가 아닌 것은?

① 덩굴과 넝쿨은 복수 표준어이다.
② 누런 구렁이가 똬리를 틀고 있다.
③ 아물아물 아지랑이가 피어오른다.
④ 자질구레한 허드래까지 다 챙겨두고 있다.
⑤ 정부의 늑장 대응이 또다시 문제가 되었다.

7 다음 밑줄 친 부분이 바르지 않은 것은?

① 그 뒤엣것 좀 다오.
② 돌뿌리에 걸려 넘어지지 않도록 조심해라.
③ 그 사람은 절대로 그런 겁쟁이가 아닙니다.
④ 그녀는 그의 등쌀에 못살겠다고 하소연하곤 했다.
⑤ 그는 무슨 일이 생겼을 때 싹쓸이를 할 수 있는 사람이다.

8 다음 밑줄 친 단어 중 표준어가 아닌 것은?

① 눈 깜짝할 동안에 후딱 시간이 지났어.
② 숨겨놓은 내 과자가 깡그리 없어졌어.
③ 지훈이가 며칠간 몸살로 되게 앓았대.
④ 가뭄이 들어 알이 들어차지 않아서 쭉쟁이들이야.
⑤ 그러잖아도 속이 상해 있는데 너까지 한소리 하면 어떡하니?

9 밑줄 친 부분의 발음이 표준 발음에 맞지 않는 것은?

① 아직 닳지도 않았는데 왜 버린 거야? → [달치도]
② 문득 그녀 생각이 나서 코끝이 찡했다. → [문득]
③ 그녀는 갑작스런 인기척에 깜짝 놀랐다. → [인끼척]
④ 그녀의 아들은 얼굴형이 약간 넓둥글다. → [넙뚱글다]
⑤ 그들은 엄청난 입원료를 감당할 힘이 없었다. → [이붤료]

10 다음 밑줄 친 단어의 발음이 표준 발음이 아닌 것은?

① 꽃밭에 앉지 마세요. → [꼳빠테]
② 그 사람은 마음이 참 넓다. → [널따]
③ 먼지가 쌓이면 닦아 놨어야지. → [싸히면]
④ 맛있게 요리하는 방법을 생각 중이오. → [마딛께]
⑤ 그럼에도 불구하고 공권력이 무너져서는 안 된다. → [공꿘녁]

11 다음 밑줄 친 단어의 발음이 표준 발음에 맞는 것은?

① 다음 정차할 역은 선릉[선능]입니다.
② 안팎으로[안파크로] 나라가 뒤숭숭하다.
③ 설익은[서리근] 과일을 먹고 배탈이 났다.
④ 이번엔 진짜 효과[효꽈]가 있기를 바랍니다.
⑤ 전학 온 지 하루밖에 안 되어서 선생님과 반 친구들이 모두 낯설다[나썰다].

12 밑줄 친 단어의 발음 중 표준 발음법에 맞지 않는 것은?

① 이 비밀은 무덤 속까지 가져[가져]가야 한다.
② 요즘엔 과일도 깨끗이 씻어서[씨서서] 먹어야 해.
③ 웃자고 한 소리를 곧이듣고[고지듣꼬] 서운해하기는.
④ 검찰까지 나서서 쫓는[쫀는] 데도 그는 유유히 사라졌다.
⑤ 이 일에 대해서는 더 이상의 뒷공론[뒫꽁논]이 없도록 잘 처리하세요.

13 밑줄 친 부분의 발음 중 표준 발음법에 맞지 않는 것은?

① 이번에도 그러긴 싫네요[신네요].
② 이런 몰상식[몰쌍식]한 인간 같으니라고!
③ 너도 상견례[상견녜]에 간다고 예쁘게 입었구나.
④ 지대가 낮은 지역이라 장마철마다 물난리[물랄리]다.
⑤ 잠자리[잠짜리]에 들기 전엔 반드시 양치질을 해야 한다.

02 한글 맞춤법

시험에 나온! 나올!
필수개념

기출복원 문제

한글 맞춤법

다음 중 밑줄 친 부분이 한글 맞춤법에 맞는 것은?

① 어따대고 반말부터 하십니까?
② 진짜 대책 없는 골치덩어리구나.
③ 생각치도 못한 선물에 코끝이 아려왔다.
④ 그녀는 그와의 약속을 철썩같이 믿고 있었다.
⑤ 그녀가 웃을 때 콧등에 생기는 잗다란 주름마저 매력적으로 보인다.

유형 익히기 ▶ 한글 맞춤법 규정에 대한 이해를 바탕으로, 일상생활 어휘들의 정확한 표기를 구별할 수 있는지를 묻는 문제가 출제된다. ⑤ '잗다랗다'는 '꽤 잘다. 아주 자질구레하다.'의 의미를 갖는 표현이다. 관련 규정을 보면, 한글 맞춤법 제29항 '끝소리가 'ㄹ'인 말과 딴 말이 어울릴 적에 'ㄹ' 소리가 'ㄷ' 소리로 나는 것은 'ㄷ'으로 적는다.'에 따라, 어원의 형태를 밝히지 아니하고 적는다는 것이다. '크기가 작다.'는 의미의 '잘다'와 '그 정도가 꽤 뚜렷함.'의 뜻을 더하는 접미사인 '-다랗다'의 결합으로 이루어진 '잘+다랗다'는 그 발음에 따라 '잗다랗다'로 적는다.

띄어쓰기

다음 중 밑줄 친 부분의 띄어쓰기가 바르지 않은 것은?

① 좀더 큰것을 원합니다.
② 가진 게 옷 한벌 뿐입니다.
③ 집에서만이라도 편히 쉬고 싶다.
④ 과식하지 말고 먹을 만큼 먹어라.
⑤ 그 사람이 회사를 나가자 이 차장님이 그 일까지 도맡았다

유형 익히기 ▶ 한글 맞춤법 규정 중의 하나인 띄어쓰기에 대해 정확하게 파악하고 있는지를 평가하는 문항으로, 최근에는 거의 출제되지 않아 출제 빈도가 낮은 편이다. ② 옷을 세는 단위인 '벌'은 의존 명사로 앞말과 띄어 쓴다.

BEST 기출&예상 개념

한글 맞춤법은 어문 규정 영역에서 출제되는 5문항 가운데 가장 출제 비중이 높다. 한글 맞춤법에는 한글의 올바른 표기와 관련한 여러 가지 규범과 띄어쓰기 등이 포함된다. 그러나 띄어쓰기의 경우, 실질적으로 출제 비중이 매우 적다. 그 외 한글의 표기에 관한 여러 가지 규정은 표준어 규정과 더불어 다양하게 출제되므로 이에 대비한 학습이 필요하다. 특히, 실생활에서 구어적으로 많이 쓰이는 말들의 표기를 신경 써서 보도록 하자.

1. 한글 맞춤법

한글 맞춤법은 한글로 우리말을 표기하는 규칙으로, 한국어를 한국 언어 사회의 규범이 되도록 어법에 맞게 표기하는 방법을 의미한다.

> 한글 맞춤법 총칙
> 제1항 한글 맞춤법은 표준어를 소리대로 적되, 어법에 맞도록 함을 원칙으로 한다.

'표준어를 소리대로 적는다.'라는 근본 원칙에 '어법에 맞도록 한다.'라는 조건이 붙은 것으로 한글 맞춤법을 정의하고 있다. 이는 표준어의 실제 발음 형태대로 적었을 때에 그 뜻이 능률적으로 전달되지 못하는 경우가 있어 뜻을 파악하기 쉽도록 하기 위하여 각 형태소의 본 모양을 밝히어 적는다는 의미이다.

예 구름[구름], 구름에[구르메], 구름을[구르믈], 구름이[구르미]

◉ 한글 맞춤법 규정

(1) 한글 자모의 이름과 순서

제4항 한글 자모의 수는 스물넉 자로 하고, 그 순서와 이름은 다음과 같이 정한다.

> • 자음 ㄱ(기역) ㄴ(니은) ㄷ(디귿) ㄹ(리을) ㅁ(미음) ㅂ(비읍) ㅅ(시옷) ㅇ(이응)
> ㅈ(지읒) ㅊ(치읓) ㅋ(키읔) ㅌ(티읕) ㅍ(피읖) ㅎ(히읗)
> • 모음 ㅏ(아) ㅑ(야) ㅓ(어) ㅕ(여) ㅗ(오) ㅛ(요) ㅜ(우) ㅠ(유) ㅡ(으) ㅣ(이)

한글 복합 자모의 수는 열여섯 자로 하고, 그 순서와 이름은 다음과 같이 정한다.

> ㄲ(쌍기역) ㄸ(쌍디귿) ㅃ(쌍비읍) ㅆ(쌍시옷) ㅉ(쌍지읒)
> ㅐ(애) ㅒ(얘) ㅔ(에) ㅖ(예) ㅘ(와) ㅙ(왜) ㅚ(외) ㅝ(워) ㅞ(웨) ㅟ(위) ㅢ(의)

(2) 된소리

제5항 한 단어 안에서 뚜렷한 까닭 없이 나는 된소리는 다음 음절의 첫소리를 된소리로 적는다.

1. 두 모음 사이에서 나는 된소리 : 가끔, 소쩍새, 어깨, 으뜸, 기쁘다, 해쓱하다

2. 'ㄴ, ㄹ, ㅁ, ㅇ' 받침 뒤에서 나는 된소리 : 움찔, 몽땅, 살짝, 잔뜩, 훨씬, 산뜻하다

다만, 'ㄱ, ㅂ' 받침 뒤에서 나는 된소리는, 같은 음절이나 비슷한 음절이 겹쳐 나는 경우가 아니면 된소리로 적지 아니한다.

국수, 빈출 깍두기, 딱지, 색시, 빈출 싹둑(~싹둑), 몹시, 빈출 법석, 빈출 뚝배기

(3) 구개음화

제6항 'ㄷ, ㅌ' 받침 뒤에 종속적 관계를 가진 '-이(-)'나 '-히-'가 올 적에는, 그 'ㄷ, ㅌ'이 'ㅈ, ㅊ'으로 소리 나더라도 'ㄷ, ㅌ'으로 적는다.

굳이[구지], 맏이[마지], 같이[가치], 닫히다[다치다], 빈출 핥이다[할치다]

(4) 'ㄷ' 소리 받침의 표기

제7항 'ㄷ' 소리로 나는 받침 중에서 'ㄷ'으로 적을 근거가 없는 것※은 'ㅅ'으로 적는다.

무릇, 사뭇, 얼핏, 자칫하면, 덧저고리, 돗자리

필살개념

※ 'ㄷ'으로 적을 근거가 없는 것: 본래의 형태소가 'ㄷ' 받침을 가지지 않는 것을 말한다. 즉, '걷-잡다(거두어 붙잡다), 돋-보다(←도두 보다)' 등과 같이 본디 'ㄷ' 받침을 가지고 있는 것과 달리, '자칫, 덧저고리, 돗자리' 따위는 본래의 형태소가 'ㄷ' 받침을 가지지 않는 것이다. 이것은 '표준어를 소리대로 적는다.'는 원칙을 적용하면 '자칟, 덛저고리, 돋자리'처럼 적어야 할 것이지만, 본래의 관용 형식에 따라 'ㅅ'으로 적기로 한 것이다.

(5) 모음의 표기

제8항 '계, 례, 몌, 폐, 혜'의 'ㅖ'는 'ㅔ'로 소리 나는 경우가 있더라도 'ㅖ'로 적는다.

계수(桂樹), 사례(謝禮), 핑계, 폐품(廢品), 혜택(惠澤)

다만, 다음 말은 본음대로 적는다.

게송(偈頌), 게시판(揭示板), 휴게실(休憩室)

(6) 두음 법칙

제10항 한자음 '녀, 뇨, 뉴, 니'가 단어 첫머리에 올 적에는, 두음 법칙에 따라 '여, 요, 유, 이'로 적는다.

녀자(女子) → 여자, 뉴대(紐帶) → 유대, 닉명(匿名) → 익명

제11항 한자음 '랴, 려, 례, 료, 류, 리'가 단어의 첫머리에 올 적에는, 두음 법칙에 따라 '야, 여, 예, 요, 유, 이'로 적는다.

량심(良心) → 양심, 류행(流行) → 유행, 례의(禮儀) → 예의

[붙임 1] 단어의 첫머리 이외의 경우에는 본음대로 적는다.

남녀(男女), 만년(晩年), 당뇨(糖尿), 은닉(隱匿), 개량(改良), 수력(水力), 사례(謝禮), 급류(急流)

한자어 '렬, 률'의 표기

병렬(竝列), 결렬(決裂), 법률(法律), 합격률(合格率), 출석률(出席率)

다만, 모음이나 'ㄴ' 받침 뒤에 이어지는 '렬, 률'은 '열, 율'로 적는다.

나열(羅列), 분열(分列), 규율(規律), 비율(比率), 실패율(失敗率), 백분율(百分率)

[붙임 4] 접두사처럼 쓰이는 한자가 붙어서 된 말이나 합성어에서, 뒷말의 첫소리가 'ㄴ' 또는 'ㄹ' 소리로 나더라도 두음 법칙에 따라 적는다.

신여성(新女性), 남존여비(男尊女卑), 졸업연도(卒業年度), 해외여행(海外旅行)

[붙임 5] 둘 이상의 단어로 이루어진 고유 명사를 붙여 쓰는 경우나 십진법에 따라 쓰는 수(數)도 [붙임 4]에 준하여 적는다.

한국여자대학, 신흥이발관, 육천육백육십육(六千六百六十六)

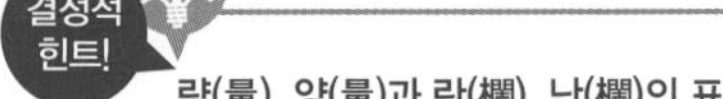

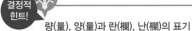

량(量), 양(量)과 란(欄), 난(欄)의 표기

- **량(量) 또는 란(欄)**
  한자어 명사 뒤에 붙어 분량이나 수량을 나타낼 때, 한자어 명사 뒤에 붙어 '구분된 지면'의 뜻을 나타낼 때
  예 노동량, 강수량, 감소량, 독자란, 투고란
- **양(量) 또는 난(欄)**
  고유어나 외래어 명사 뒤에 붙어 분량이나 수량을 나타낼 때, 고유어나 외래어 명사 뒤에 붙어 '구분된 지면'의 뜻을 나타낼 때(두음 법칙 적용)
  예 구름양, 알칼리양, 벡터양, 어린이난, 빈출 가십(gossip)난

(7) 첩어(疊語)의 표기

제13항 한 단어 안에서 같은 음절이나 비슷한 음절이 겹쳐 나는 부분은 같은 글자로 적는다.

꼿꼿하다, 눅눅하다, 똑딱똑딱, 쌕쌕하다, 쓱싹쓱싹, 씁쓸하다, 짭짤하다
연연불망(戀戀不忘), 유유상종(類類相從)

그러나 그 밖의 경우는 (제2음절 이하에서) 본음대로 적는 것이 원칙이다.

낭랑(朗朗)하다, 냉랭(冷冷)하다, 녹록(錄錄)하다, 역력(歷歷)하다, 연년생(年年生)

(8) 종결 어미와 연결 어미

제15항 [붙임 2] 종결형에서 사용되는 어미 '-오'는 '요'로 소리 나는 경우가 있더라도 그 원형을 밝혀 '오'로 적는다.

이것은 책이오.(책이요×) / 이리로 오시오.(오시요×)

[붙임 3] 연결형에서 사용되는 '이요'는 '이요'로 적는다.

이것은 책이요, 저것은 붓이요, 또 저것은 먹이다.

(9) 접미사가 붙어서 된 말

제19항 어간에 '-이'나 '-음/-ㅁ'이 붙어서 명사로 된 것과 '-이'나 '-히'가 붙어서 부사로 된 것은 그 어간의 원형을 밝히어 적는다.

1. **'-이'가 붙어서 명사로 된 것:** 길이, 깊이, 다듬이, 땀받이, 미닫이, 살림살이
2. **'-음/-ㅁ'이 붙어서 명사로 된 것:** 걸음, 믿음, 앎, 얼음, 울음, 죽음
3. **'-이'가 붙어서 부사로 된 것:** 같이, 굳이, 길이, 높이, 많이, 실없이, 짓궂이
4. **'-히'가 붙어서 부사로 된 것:** 밝히, 익히, 작히

다만, 어간에 '-이'나 '-음'이 붙어서 명사로 바뀐 것이라도 그 어간의 뜻과 멀어진 것은 원형을 밝히어 적지 아니한다.

굽도리, 다리[髢], 목거리(목병), 무녀리, 거름(비료), 고름[膿], 노름(도박)

[붙임] 어간에 '-이'나 '-음' 이외의 모음으로 시작된 접미사가 붙어서 다른 품사로 바뀐 것은 그 어간의 원형을 밝히어 적지 아니한다.

1. **명사로 바뀐 것:** 귀머거리, 까마귀, 너머, 마개, 무덤, 주검, 쓰레기, 올가미

2. 부사로 바뀐 것: 거뭇거뭇, 너무, 도로, 자주, 바투, 불긋불긋, 비로소, 차마
3. 조사로 바뀌어 뜻이 달라진 것: 나마, 부터, 조차

제20항 명사 뒤에 '－이'가 붙어서 된 말은 그 명사의 원형을 밝히어 적는다.
1. 부사로 된 것: 곳곳이, 낱낱이, 몫몫이, 샅샅이, 앞앞이, 집집이
2. 명사로 된 것: 곰배팔이, 삼발이, 애꾸눈이, 육손이, 절뚝발이/절름발이

[붙임] '－이' 이외의 모음으로 시작된 접미사가 붙어서 된 말은 그 명사의 원형을 밝히어 적지 아니한다.
꼬락서니, [빈출]끄트머리, 모가치, 바가지, 사타구니, 싸라기, 지붕, [빈출]지푸라기, 짜개

제23항 '－하다'나 '－거리다'가 붙는 어근에 '－이'가 붙어서 명사가 된 것은 그 원형을 밝히어 적는다.
깔쭉이, 꿀꿀이, 배불뚝이, 삐죽이, 살살이, 쌕쌕이, 오뚝이, 홀쭉이

[붙임] '－하다'나 '－거리다'가 붙을 수 없는 어근에 '－이'나 또는 다른 모음으로 시작되는 접미사가 붙어서 명사가 된 것은 그 원형을 밝히어 적지 아니한다.
개구리, 귀뚜라미, 기러기, 동그라미, 두드러기, 빼꾸기, [빈출]얼루기, 매미, [빈출]부스러기

제25항 '－하다'가 붙는 어근에 '－히'나 '－이'가 붙어서 부사가 되거나, 부사에 '－이'가 붙어서 뜻을 더하는 경우에는 그 어근이나 부사의 원형을 밝히어 적는다.
급히, 꾸준히, 도저히, 딱히, 어렴풋이, 깨끗이, 곰곰이, 더욱이, 오뚝이, 일찍이

⑽ 음운의 변동 － 'ㄹ' 탈락과 'ㄷ' 받침
제28항 끝소리가 'ㄹ'인 말과 딴 말이 어울릴 적에 'ㄹ' 소리가 나지 아니하는 것은 아니 나는 대로 적는다.
다달이(달－달－이), 따님(딸－님), 마소(말－소), 무자위(물－자위), 바느질(바늘－질), [빈출]싸전(쌀－전), [빈출]우짖다(울－짖다), 화살(활－살)

제29항 끝소리가 'ㄹ'인 말과 딴 말이 어울릴 적에 'ㄹ' 소리가 'ㄷ' 소리로 나는 것은 'ㄷ'으로 적는다.
반짇고리(바느질~), 이튿날(이틀~), [빈출]사흗날(사흘~), 섣달(설~), 숟가락(술~), [빈출]섣부르다(설~), 잗다랗다(잘~)

⑾ 음운의 첨가 － 사이시옷 규정
제30항 사이시옷은 다음과 같은 경우에 받치어 적는다.
1. 순우리말로 된 합성어로서 앞말이 모음으로 끝난 경우
① 뒷말의 첫소리가 된소리로 나는 것
귓밥, 나뭇가지, 냇가, 맷돌, 머릿기름, 바닷가, 선짓국, 쇳조각, [빈출]조갯살, 핏대
② 뒷말의 첫소리 'ㄴ, ㅁ' 앞에서 'ㄴ' 소리가 덧나는 것
멧나물, 아랫니, 잇몸, 냇물, 빗물, 아랫마을, 뒷머리, 깻묵, 텃마당
③ 뒷말의 첫소리 모음 앞에서 'ㄴㄴ' 소리가 덧나는 것
뒷일, 뒷입맛, [빈출]베갯잇, 나뭇잎, 깻잎, 댓잎, 두렛일

2. 순우리말과 한자어로 된 합성어로서 앞말이 모음으로 끝난 경우

① 뒷말의 첫소리가 된소리로 나는 것

귓병, 아랫방, 빈출 자릿세, 전셋집, 찻잔, 탯줄, 텃세, 핏기, 햇수, 뱃병, 콧병

② 뒷말의 첫소리 'ㄴ, ㅁ' 앞에서 'ㄴ' 소리가 덧나는 것

곗날, 제삿날, 훗날, 툇마루, 양칫물

③ 뒷말의 첫소리 모음 앞에서 'ㄴㄴ' 소리가 덧나는 것

빈출 예삿일, 훗일, 가욋일, 사삿일

3. 두 음절로 된 다음 한자어

곳간(庫間), 빈출 셋방(貰房), 숫자(數字), 찻간(車間), 툇간(退間), 횟수(回數)

시험에 자주 출제되는 단어

– 규정엔 없지만 사이시옷이 들어가는 빈출단어

갈빗대, 고깃국, 들깻가루, 등굣길, 만둣국, 머릿돌, 북엇국, 송홧가루, 여윳돈, 우윳빛, 장맛비, 하굣둑 등

– 발음상 혼동되지만 사이시옷을 사용하면 안 되는 빈출단어

머리말(머리글), 인사말(인사글), 대가(代價), 초점(焦點), 마구간(馬廏間) 등

⑿ 모음의 탈락과 축약

제32항 단어의 끝모음이 줄어지고 자음만 남은 것은 그 앞의 음절에 받침으로 적는다.

기러기야 – 기럭아, 빈출 어제저녁 – 엊저녁, 디디고 – 딛고, 가지지 – 갖지

제37항 'ㅏ, ㅕ, ㅗ, ㅜ, ㅡ'로 끝난 어간에 '–이–'가 와서 각각 'ㅐ, ㅖ, ㅚ, ㅟ, ㅢ'로 줄 적에는 준 대로 적는다.

싸이다 – 쌔다, 누이다 – 뉘다, 펴이다 – 폐다, 뜨이다 – 띄다, 보이다 – 뵈다, 쓰이다 – 씌다

제38항 'ㅏ, ㅗ, ㅜ, ㅡ' 뒤에 '–이어'가 어울려 줄어질 적에는 준 대로 적는다.

빈출 누이어 – 뉘어/누여, 뜨이어 – 띄어/뜨여, 쏘이어 – 쐬어/쏘여, 트이어 – 틔어/트여

참고 '뜨이어'의 경우, '간격을 뜨이어'의 의미인 경우 '띄어'로만 준다.

제39항 어미 '–지' 뒤에 '않–'이 어울려 '–잖–'이 될 적과 '–하지' 뒤에 '않–'이 어울려 '–찮–'이 될 적에는 준 대로 적는다.

그렇지 않은 – 그렇잖은, 적지 않은 – 빈출 적잖은, 만만하지 않다 – 만만찮다, 변변하지 않다 – 변변찮다

제40항 어간의 끝음절 '하'의 'ㅏ'가 줄고 'ㅎ'이 다음 음절의 첫소리와 어울려 거센소리로 될 적에는 거센소리로 적는다.

간편하게 – 간편케, 연구하도록 – 연구토록, 정결하다 – 정결타, 흔하다 – 흔타

[붙임 2] 어간의 끝음절 '하'가 아주 줄 적에는 준 대로 적는다.

거북하지 – 거북지, 생각하건대 – 빈출 생각건대, 못하지 않다 – 못지않다, 생각하다 못해 – 생각다 못해, 익숙하지 않다 – 빈출 익숙지 않다

[붙임 3] 다음과 같은 부사는 소리대로 적는다.

결코, 기필코, 무심코, 빈출 아무튼, 요컨대, 정녕코, 필연코, 하마터면, 하여튼, 한사코

이렇게 외워 보세요

- 제39항의 핵심은 '-지 않-', '-치 않-'이 줄어지면 '잖, 찮'이 된다는 것입니다. 복잡해 보이지만, 본래 단어가 '-다'인지, '-하다'인지만 판단하면 쉽게 해결할 수 있습니다.
  예 두렵다 - 두렵지 않다 → 두렵잖다 / 성실하다 - 성실하지 않다 → 성실찮다
- 제40항의 핵심은 어간의 끝음절 '하'의 줄임입니다. 본항과 [붙임 2]의 내용을 참고했을 때, '하'의 'ㅏ'만 줄일지, '하'를 통째로 줄일지가 핵심입니다. 규정에는 드러나 있지 않지만, 예를 통해 정리해 보면, '-하다'의 '하'의 앞 음절의 끝소리가 울림소리(모음, ㄴ, ㄹ, ㅁ, ㅇ)이면 'ㅏ'만 줄고, '하' 앞의 음절의 끝소리가 안울림소리(울림소리를 제외한 나머지 자음)이면 '하'가 완전히 줄어드는 것을 확인할 수 있습니다.

⒀ 부사의 끝음절 '이'와 '히'

제51항 부사의 끝음절이 분명히 '이'로만 나는 것은 '-이'로 적고, '히'로만 나거나 '이'나 '히'로 나는 것은 '-히'로 적는다.

1. '이'로만 나는 것

가붓이, 깨끗이, 나붓이, 느긋이, 둥긋이, 따뜻이, 반듯이, 버젓이, 산뜻이, 의젓이, 날카로이, 대수로이, 번거로이, 적이, 헛되이, 겹겹이, 번번이, 일일이, 틈틈이

2. '히'로만 나는 것

극히, 급히, 딱히, 속히, 작히, 족히, 특히, 엄격히, 정확히

3. '이, 히'로 나는 것

솔직히, 가만히, 간편히, 각별히, 소홀히, 쓸쓸히, 정결히, 과감히, 꼼꼼히, 심히, 열심히, 급급히, 답답히, 능히, 당당히, 분명히, 상당히, 조용히, 간소히, 도저히

이렇게 외워 보세요

제51항 규정의 내용을 보면 학습의 기준이 적절하게 마련되어 있지 않습니다. 실제 음성 환경은 사람마다 다를 수 있기 때문입니다. 따라서 '이'로 적는 경우에는 다음과 같은 규칙성이 있다는 것을 알아 두세요.

▶ '이'로 적는 경우

① 첩어, 준첩어인 명사 뒤 예 겹겹이, 번번이, 다달이
② 'ㅅ' 받침 뒤 예 나긋이, 지긋이, 깨끗이
③ 'ㅂ' 불규칙 용언의 어간 뒤 예 가벼이, 번거로이, 새로이
④ 부사 뒤 예 더욱이, 곰곰이, 일찍이
⑤ 'ㄱ' 받침으로 끝나는 고유어 뒤 예 깊숙이, 멀찍이

⒁ 어미의 표기

제53항 다음과 같은 어미는 예사소리로 적는다.

-(으)ㄹ걸, 빈출 -(으)ㄹ게(요), -(으)ㄹ수록, -(으)ㄹ지라도, -(으)ㄹ진대, -올시다

다만, 의문을 나타내는 다음 어미들은 된소리로 적는다.

-(으)ㄹ까?, 빈출 -(으)ㄹ꼬?, -(스)ㅂ니까?, -(으)리까?, -(으)ㄹ쏘냐?

⑮ **된소리 접미사**

제54항 다음과 같은 접미사는 된소리로 적는다.

심부름꾼, 익살꾼, 일꾼, 장꾼, 지게꾼, 귀때기, 볼때기, 판자때기, 뒤꿈치, 팔꿈치,
이마빼기, 빈출 코빼기, 때깔, 빛깔, 성깔, 빈출 객쩍다, 겸연쩍다

제54항 보충

① -꾼: 일꾼, 사기꾼, 구경꾼, 사냥꾼, 심부름꾼
② -깔: 때깔, 빛깔, 성깔, 맛깔
③ -때기: 귀때기, 볼때기, 판자때기, 거적때기
④ -꿈치: 발꿈치, 팔꿈치
⑤ -빼기: 코빼기, 이마빼기, 대갈빼기, 곱빼기, 고들빼기
([배기]로 발음되는 것은 '배기'로 적고, [빼기]로 발음되는 것은 '빼기'로 적는다.) 다만, '뚝배기'와 같이 'ㄱ, ㅂ' 받침 뒤에서 [빼기]로 발음되는 것은 '배기'로 적는다.
⑥ -쩍다: 객쩍다, 겸연쩍다, 맥쩍다, 멋쩍다
([적다]로 발음되는 것은 '적다'로 적고, [쩍다]로 발음되더라도 '적다(少)'의 의미가 유지되고 있는 합성어의 경우는 '적다'로 적는다. 그러나 '적다[少]'의 뜻이 없이, [쩍다]로 발음되는 것은 '쩍다'로 적는다.)

⑯ **'-던'과 '-든'의 표기**

제56항 '-더라, -던'과 '-든지'는 다음과 같이 적는다.

1. 지난 일을 나타내는 어미는 '-더라, -던'으로 적는다.

지난겨울은 몹시 춥더라. / 그 사람 말 잘하던데! / 그때는 얼마나 놀랐던지.

2. 물건이나 일의 내용을 가리지 아니하는 뜻을 나타내는 조사와 어미는 '(-)든지'로 적는다.

배든지 사과든지 마음대로 먹어라. / 가든지 오든지 마음대로 해라.

2. 띄어쓰기 규정

> 한글 맞춤법 총칙
> 제2항 문장의 각 단어는 띄어 씀을 원칙으로 한다.

단어(單語)는 제 홀로 의미를 갖고 독립적으로 쓰이는 말의 단위이기 때문에 단어, 즉 품사(品詞)별로 띄어 쓰는 것은 문장의 의미 전달 기능과 가독성을 고려할 때 매우 합리적인 방식이다. 다만, 조사는 예외적으로 앞말에 붙여 쓴다. 조사는 접미사 범주에 포함시키기 어려운 것이어서 하나의 단어로 다루어지고 있으나, 형식 형태소이며 의존 형태소이므로, 그 앞의 단어에 붙여 씀으로써 문장에서 각 단어의 관계를 정리하는 역할을 한다.

참고 국어의 품사

품사란 '낱말을 공통된 성질을 가진 것끼리 분류해 놓은 갈래'를 뜻하는 것으로, 국어의 품사에는 9가지가 있다.

① 명사(이름씨): 사람이나 사물의 이름을 나타내는 말 예 사과, 책상
② 대명사(대이름씨): 이름을 대신하여 사람, 사물, 장소 등을 가리키는 말 예 그녀, 이것, 저기
③ 수사(셈씨): 수량이나 차례를 나타내는 말 예 하나, 첫째
④ 조사(토씨): 명사, 대명사, 수사 뒤에 붙어 다른 말과의 관계를 표시해 주는 말 예 영수는 학생이다.
⑤ 동사(움직씨): 동작을 나타내는 말 예 먹다, 가다
⑥ 형용사(그림씨): 상태나 성질을 나타내는 말 예 느리다, 예쁘다
⑦ 관형사(매김씨): 명사, 대명사, 수사를 꾸며 주는 말 예 새 옷, 순 살코기
⑧ 부사(어찌씨): 동사, 형용사를 꾸며 주는 말 예 활짝 피었다.
⑨ 감탄사(느낌씨): 놀람, 느낌, 부름, 응답 등을 나타내는 말 예 아이쿠, 어머나!

(1) 조사

제41항 조사는 그 앞말에 붙여 쓴다.

꽃이, 꽃밖에, 꽃마저, 꽃입니다, 꽃에서부터

[붙임] 조사가 둘 이상 겹쳐지거나, 조사가 어미 뒤에 붙는 경우에도 붙여 쓴다.

학교에서만이라도, 여기서부터입니다.

(2) 의존 명사*

제42항 의존 명사는 띄어 쓴다.

아는 것이 힘이다. 나도 할 수 있다. 먹을 만큼 먹어라.
아는 이를 만났다. 네가 뜻한 바를 알겠다. 그가 떠난 지가 오래다.

필살개념

* 의존 명사: 의존 명사는 의미적 독립성은 없기 때문에 겉보기에는 조사와 비슷해 보이지만, 다른 단어 뒤에 의존하여 명사적 기능을 담당하므로 하나의 단어로 다루어진다. 따라서 앞말과 띄어 쓴다.
예 것, 내, 대로, 데, 바, 수, 줄, 터

(3) 단위성 의존 명사

제43항 단위를 나타내는 명사는 띄어 쓴다.

차 한 대 소 한 마리 옷 한 벌 연필 한 자루 빈출 집 한 채

다만, 순서를 나타내는 경우나 숫자와 어울리어 쓰이는 경우에는 붙여 쓸 수 있다.

삼학년 오백원 16동 502호 1446년 10월 9일 80초

다만, 수효를 나타내는 '개년, 개월, 일(간), 시간' 등은 붙여 쓰지 않는다.

빈출 삼 (개)년 육 개월 이십 일(간) 체류하였다.

아라비아 숫자 뒤에 붙는 의존 명사는 모두 붙여 쓸 수 있다.

26그램 3년 6개월 20일간 8시간

(4) 숫자의 표기

제44항 수를 적을 적에는 '만(萬)' 단위로 띄어 쓴다.

빈출 십이억 삼천사백오십육만 칠천팔백구십팔 / 12억 3456만 7898(1,234,567,898)

(5) 열거하는 말

제45항 두 말을 이어 주거나 열거할 적에 쓰이는 다음의 말들은 띄어 쓴다.

빈출 국장 겸 과장 열 내지 스물 청군 대 백군 빈출 책상, 걸상 등

제46항 단음절로 된 단어가 연이어 나타날 적에는 붙여 쓸 수 있다.

그때 그곳 빈출 좀더 큰것 이말 저말 빈출 한잎 두잎

결정적 힌트!

단음절 단어의 붙여쓰기

이 규정은 '좀 더 큰 이 새 집'처럼 띄어 쓰면 기록하기에도 불편할 뿐 아니라, 의미를 이해하는 데에도 비효율적이기 때문에 '좀더 큰 이 새집'처럼 붙여 쓸 수 있도록 한 것입니다. 이 경우, 단음절어인 관형사와 명사, 부사와 부사가 연결되는 경우와 같이, 자연스럽게 의미적으로 한 덩이를 이룰 수 있는 구조에 적용되는 것입니다.

예 훨씬 더 큰 새 집 → 훨씬 더큰 새집(×)
꽤 안 온다 → 꽤안 온다(×)

(6) 보조 용언

제47항 보조 용언은 띄어 씀을 원칙으로 하되, 경우에 따라 붙여 씀도 허용한다.(ㄱ을 원칙으로 하고, ㄴ을 허용함.)

ㄱ	ㄴ
불이 꺼져 간다.	불이 꺼져간다.
내 힘으로 막아 낸다.	내 힘으로 막아낸다.
어머니를 도와 드린다.	어머니를 도와드린다.
그릇을 깨뜨려 버렸다.	그릇을 깨뜨려버렸다.
비가 올 듯하다.	비가 올듯하다.
그 일은 할 만하다.	그 일은 할만하다.
일이 될 법하다.	일이 될법하다.
비가 올 성싶다.	비가 올성싶다.
잘 아는 척한다.	잘 아는척한다.

다만, 앞말에 조사가 붙거나 앞말이 합성 동사인 경우, 그리고 중간에 조사가 들어갈 적에는 그 뒤에 오는 보조 용언은 띄어 쓴다.

예 잘도 놀아만 나는구나!
네가 덤벼들어 보아라.
그가 올 듯도 하다.
책을 읽어도 보고…….
강물에 떠내려가 버렸다.
잘난 체를 한다.

> 참고 여기서 말하는 보조 용언은, ① '-아/-어' 뒤에 연결되는 보조 용언, ② 의존 명사에 '-하다'나 '-싶다'가 붙어서 된 보조 용언을 가리킨다.

(7) **이름의 표기**

제48항 성과 이름, 성과 호 등은 붙여 쓰고, 이에 덧붙는 호칭어, 관직명 등은 띄어 쓴다.

서화담(徐花潭) 빈출 채영신 씨 최치원 선생 충무공 이순신 장군

제49항 성명 이외의 고유 명사는 단어별로 띄어 씀을 원칙으로 하되, 단위별로 띄어 쓸 수 있다.

대한 중학교(대한중학교) 한국 대학교 사범 대학(한국대학교 사범대학)

빈출 서울 대공원 관리 사업소 동물 관리과(서울대공원관리사업소 동물관리과)

(8) **전문 용어**

제50항 전문 용어는 단어별로 띄어 씀을 원칙으로 하되, 붙여 쓸 수 있다.

만성 골수성 백혈병(만성골수성백혈병) 빈출 손해 배상 청구(손해배상청구)

여름 채소 가꾸기(여름채소가꾸기) 관상 동맥 경화증(관상동맥경화증)

관형사형이 체언을 꾸며 주는 구조, 두 개 이상의 체언이 조사로 연결되는 구조의 전문 용어도 붙여 쓸 수 있다.

따뜻한 구름(따뜻한구름) 강조의 허위(강조의허위)

두 개 이상의 전문 용어가 접속 조사로 이어지는 경우는 전문 용어 단위로 붙여 쓸 수 있다.

자음 동화와 모음 동화(자음동화와 모음동화)

3. 주의해야 할 표기(한글 맞춤법 제6장 그 밖의 것)

바른 표기(○)	틀린 표기(×)
가르마	가리마
(날씨가) 개다	개이다
객쩍다	객적다
거친	거칠은
-게 마련이다	-기 마련이다
게시판	계시판
겨레	겨례
겸연쩍다	겸연적다
고깔	꼬깔
고이	고히
-고자 함	-고저 함

바른 표기(○)	틀린 표기(×)
부조금	부주금
비계	비개
비비다	부비다
삼가다	삼가하다
서슴지(~않다)	서슴치(~않다)
설레다	설레이다
셋째	세째
(김치)소박이	소배기
소싯적	소실적
승낙	승락
십상이다	쉽상이다

곱빼기	곱배기
괴로워	괴로와
구레나룻	구렛나루
구태여	구태어
굽이굽이	구비구비
금세	금새
급랭	급냉
깔때기	깔대기
껍질째	껍질채
끔찍이	끔찍히
나무라다	나무래다
널따랗다	넓다랗다
널빤지	널판지
널찍하다	넓직하다
눈살	눈쌀
닦달하다	닥달하다
-더라도	-드라도
덤터기	덤테기
딱따구리	딱다구리
뚜렷이	뚜렷히
뜨개질	뜨게질
-(으)ㄹ걸	-(으)ㄹ껄
-(으)ㄹ게	-(으)ㄹ께
-(으)ㄹ는지	-(으)ㄹ런지
머리말	머릿말
머지않아	멀지않아
멋쩍다	멋적다
메밀	모밀
며칠 동안	몇일 동안
목돈	뭇돈
미숫가루	미싯가루
발자국	발자욱
번번이	번번히 (부사 '번번히'는 맞는 표현)

아무튼	아뭏든
안절부절못하다	안절부절하다
애꿎은	애궂은
애초에	애저녁에
어떡해	어떻해
어쨌든	어쨋든, 어쨋던
얼루기	얼룩이
역할	역활
예부터	옛부터
예삿일	예사일
오랜만	오랫만
오랫동안	오랜동안
왠지	웬지
외곬으로	외골수로
요컨대, 예컨대	요컨데, 예컨데
육개장	육계장
웬일이니	왠일이니
일찍이	일찌기
잠갔다	잠궜다
재떨이	재털이
절체절명	절대절명
조그마하다	조그만하다
짜깁기	짜집기
초승달	초생달
치르다	치루다
통째로	통채로
하려고	할려고
하마터면	하마트면
한갓	한것
해코지	해꼬지
허구한 날	허구헌 날
헤매다	헤메다
휴게실	휴계실

기억률 200% 바로확인 문제

[1~40] 다음 중 문맥상 적절한 단어에 ○하시오.

1 그만 [닥달 / 닦달]해.

2 점점 [가까와 / 가까워] 온다.

3 [거친 / 거칠은] 벌판으로 달려가자.

4 보자마자 [넙죽 / 넙쭉] 절부터 했다.

5 오후에는 날씨가 [갤 / 개일] 것입니다.

6 저 꽃의 이름이 [무엇일고 / 무엇일꼬]?

7 홍수로 온 동네가 [결단났다 / 결딴났다].

8 고추바람이 [귓볼 / 귓불]을 에는 듯하다.

9 기가 막혀 [까무라칠 / 까무러칠] 뻔했다.

10 [늦깍이 / 늦깎이] 공부에 재미를 들렸다.

11 그럼, [뚝배기 / 뚝빼기]보다야 장맛이지.

12 내일까지 [곰곰이 / 곰곰히] 생각해 보세요.

13 썩은 [널빤지 / 널판지]를 떼어 내야 합니다.

14 그럴 생각은 [눈곱 / 눈꼽]만큼도 없다.

15 그저 당신을 [만나러 / 만나려] 왔을 뿐입니다.

16 그녀는 마뜩잖은 듯 [눈살 / 눈쌀]을 찌푸렸다.

17 동화 '[나무꾼 / 나뭇꾼]과 선녀'를 제일 좋아했다.

18 그 가수는 [구레나룻 / 구렛나루](으)로 유명해졌다.

19 이 자리에는 [내노라 / 내로라]하는 사람들이 다 모였다.

20 [넉넉지 / 넉넉치] 않은 형편이지만, 우리 가족은 행복하다.

정답 [1~40] 1 닦달 2 가까워 3 거친 4 넙죽 5 갤 6 무엇일꼬 7 결딴났다 8 귓불 9 까무러칠 10 늦깎이 11 뚝배기 12 곰곰이 13 널빤지 14 눈곱 15 만나러 16 눈살 17 나무꾼 18 구레나룻 19 내로라 20 넉넉지

21 난 그런 일에 [익숙지 / 익숙치] 않다.

22 [어줍짢게 / 어쭙잖게] 나서지 말거라.

23 [허구한 / 허구헌] 날 놀기만 하는구나.

24 정신이 [해이해졌구나 / 헤이해졌구나].

25 동창들을 [오랜만에 / 오랫만에] 만났다.

26 그의 [성대모사 / 성대묘사]는 일품이다.

27 보고도 못 본 [채 / 체]하며 딴전을 부렸다.

28 나중에 [해꼬지 / 해코지]를 하지는 않겠지?

29 [성공률 / 성공율]을 높이기 위해 노력했다.

30 시험 대비를 하느라 밤을 [새웠다 / 세웠다].

31 그건 [예부터 / 옛부터] 이어진 전통입니다.

32 그녀는 얌체같이 [살고기 / 살코기]만 빼어 먹었다.

33 그 카페의 아름다운 [선률 / 선율]이 발길을 잡았다.

34 [제사상 / 제삿상]을 준비할 때에는 더욱 조심스럽다.

35 요즘엔 [전세집 / 전셋집] 구하기가 하늘의 별따기이다.

36 너무 오래 걸어서인지 발이 죄다 [진물렀다 / 짓물렀다].

37 [하노라고 / 하느라고] 했는데 마음에 드실지 모르겠어요.

38 태풍이 온다니까 창문이나 문 등을 단단히 [잠가라 / 잠궈라].

39 그렇게 [하던지 말던지 / 하든지 말든지] 신경 쓰지 않을 것이다.

40 감을 따려고 손을 한껏 [내빼쳐 / 내뻗쳐] 보았으나 닿지 않았다.

정답

21 익숙지 **22** 어쭙잖게 **23** 허구한 **24** 해이해졌구나 **25** 오랜만에 **26** 성대모사 **27** 체
28 해코지 **29** 성공률 **30** 새웠다 **31** 예부터 **32** 살코기 **33** 선율 **34** 제사상 **35** 전셋집
36 짓물렀다 **37** 하노라고 **38** 잠가라 **39** 하든지 말든지 **40** 내뻗쳐

02 한글 맞춤법

기출변형 문제

정답 P 9

1 다음 맞춤법에 대한 설명 중 바른 것은?

① 하루날: ㄴ이 덧나 [하룬날]로 발음되므로 '하룻날'로 써야 한다.
② 이튿날: 어원을 따져 보면 '이틀 + 날'이므로 '이틀날'로 써야 한다.
③ 열흘날: '사흗날, 나흗날'과 대등하게 되도록 '열흗날'로 써야 한다.
④ 스무날: 어원을 따져 보면 '스물 + 날'이므로 '스물날'로 써야 한다.
⑤ 몇 월 며칠: '월(月)'과 '일(日)'이 대등해지도록 '몇 월 몇 일'로 써야 한다.

2 다음 중 한글 맞춤법 규정에 따라 바르게 쓰인 것끼리 짝지어진 것은?

㉠ 구태어	㉡ 뒤치닥거리	㉢ 맹세컨대	㉣ 범상치 않다
㉤ 암튼	㉥ 얼룩이	㉦ 여닫이	㉧ 절대값

① ㉠, ㉡, ㉢, ㉦　② ㉠, ㉡, ㉢, ㉣　③ ㉢, ㉣, ㉤, ㉦
④ ㉢, ㉣, ㉤, ㉥　⑤ ㉤, ㉥, ㉦, ㉧

3 〈보기〉의 (　　) 안에 들어갈 표기가 바른 것끼리 짝지어진 것은?

보기

• 아무리 취했어도 (㉠) 집으로 돌아갔다.
• 그는 분을 (㉡) 못하고 뛰쳐나갔다.
• 너무 (㉢) 굴지 마라.
• (㉣)라서 흥겨운 분위기가 한창이다.

	㉠	㉡	㉢	㉣
①	말짱이	삭히지	째째하게	연말년시
②	말짱이	삭히지	쩨쩨하게	연말년시
③	말짱이	삭이지	쩨쩨하게	연말년시
④	말짱히	삭이지	쩨쩨하게	연말연시
⑤	말짱히	삭이지	째째하게	연말연시

4 **다음 중 표기가 바른 것끼리 짝지어진 것은?**

① 관여치 않다, 북엇국, 메밀, 끼여들기
② 넉넉지 않다, 장맛비, 뇌졸중, 거지반
③ 연구토록, 댓가, 요컨대, 삐그덕거리다
④ 서슴치 않다, 초점, 당췌, 구시렁거리다
⑤ 확실치 않다, 등굣길, 초생달, 느즈막하다

5 **다음 중 밑줄 친 준말을 줄기 전의 형태로 쓴 것 중, 바르지 않은 것은?**

① 아무리 바빠도 도시락은 갖고 가야지. → 가지고
② 산 전체에 갖가지 색으로 단풍이 곱게 들었다. → 가지가지
③ 이 산은 가파르지 않아 아이들도 오를 수 있다. → 아니하여
④ 칼국수가 맛이 있으려면 밀반죽이 잘돼야 한다. → 밀가루 반죽
⑤ 암튼 애들은 틈만 나면 말썽 일으킬 것만 찾는 것 같다. → 아뭏든

6 **다음 중 밑줄 친 단어의 표기가 바르지 않은 것은?**

① 신랑이 어쩜 이렇게 잘생겼대?
② 윤희가 이번 주말에 결혼한다던데?
③ 내가 듣기로는 그 사람 실력이 보통이 아니래.
④ 꼭 그런 마음을 먹었대서 하는 말은 아닙니다.
⑤ 이럴 줄 알았으면 아까 말이라도 걸어 보는 거였는대.

7 **다음 중 밑줄 친 부분의 맞춤법이 옳은 것은?**

① 내 말을 새겨듣고, 유념도록 해라.
② 동네 피잣집이지만 벌이가 제법 쏠쏠하다.
③ 그녀는 결심한 듯 머리카락을 싹뚝 잘랐다.
④ 밤새 내린 비 때문에 여기저기 물웅덩이가 패여 있었다.
⑤ 그녀는 머릿결이 좋아 보인다는 칭찬에 기분이 좋아졌다.

8 **다음 중 밑줄 친 부분의 맞춤법이 옳지 않은 것은?**

① 쟤는 유독 잘 삐치는 성격이다.
② 나에게 무슨 억하심정이 있어 이러는 것이냐?
③ 마음이 착잡해서 집에 가만히 있을 수가 없었습니다.
④ 아기의 배냇저고리를 준비하며, 기대감으로 한껏 부풀은 것 같다.
⑤ 열심히 정리했다는 게 고작 이렇게 들쑥날쑥하게 얹어 놓는 것이냐?

9 **다음 중 밑줄 친 부분에 대한 설명으로 바르지 않은 것은?**

① 지난주에 중요한 시험을 치뤘다. → '치르다'에 과거 시제 '–었–'이 결합하면 '치렀다'로 활용된다.
② 남의 작품을 본따서 그린 그림은 가치가 없다. → '본뜨다'의 의미로 '본따다'를 쓰는 경우가 있으나 '본뜨다'만 표준어로 삼으므로 '본떠서'로 표기해야 맞다.
③ 그들은 가니 마니 하며 시간을 잡아먹었다. → '이러하기도 하고, 저러하기도 하다.'를 뜻하는 연결 어미로는 '–느니'를 사용하므로, '가느니 마느니'로 표현해야 올바르다.
④ 친구 결혼식에 부주를 했다. → 표준어 규정 제8항에 따라 양성 모음이 음성 모음으로 굳어진 경우에는 음성 모음으로 쓰도록 되어 있지만, 이 경우는 어원이 강하게 작용하는 경우이므로 '부조(扶助)'로 써야 한다.
⑤ 하늘이 매우 푸르어서 밖으로 나가고 싶었다. → '이르다, 누르다, 푸르다' 따위의 경우에는 '–아/–어'의 어미가 결합되면 이 어미가 분명히 [러]로 발음되기 때문에 예외적인 형태인 '–러'로 적어 '푸르러서'로 쓴다.

10 **밑줄 친 부분의 표기가 표준어 규정이나 한글 맞춤법에 맞지 않는 것은?**

① 그는 원서를 가방에 욱여넣었다.
② 술과 노름으로 세월을 허송치 마라.
③ 낙엽이 질 때면 괜시리 가슴이 울렁거린다.
④ 틈틈이 사들인 책이 어느새 삼천 권을 헤아리게 되었다.
⑤ 두 사람 모두 엔간히 술에 취한 듯 걸음걸이가 비틀거렸다.

11 다음 중 밑줄 친 단어의 표기가 어문 규정에 어긋남이 없는 것은?

① 그녀는 허드랫일도 군말 없이 하곤 했다.
② 나는 웬지 불안감에 그의 제안을 거절하고 싶었다.
③ 오랜 좌식 생활 때문에 복숭아뼈에 굳은살이 생겼다.
④ 생떼같은 자식을 하루아침에 잃은 그 심정이야 오죽할까.
⑤ 여기서 계속 노래를 부르던지 춤을 추던지 간에 네 맘대로 해라.

12 밑줄 친 부분의 표기가 바른 것은?

① 사건의 원인은 여전히 안개속이다.
② 그는 수첩에 뭔가를 끼적이고 있었다.
③ 그는 고생에 찌들린 아내의 얼굴을 안쓰러운 듯 쳐다보았다.
④ 강남 일대의 건물들이 공실율이 30%에 육박하는 것으로 나타났다.
⑤ 오늘은 구름량이 제법 많고 온도 차가 커서 나들이 옷차림에 신경 쓰셔야겠습니다.

13 다음 중 띄어쓰기가 바르지 않은 것은?

① 꽃잎이 한잎 두잎 떨어진다.
② 논의했던 지역은 여기서부터이다.
③ 그가 떠난 지는 이미 한참 되었다.
④ 고마워하기는 커녕 아는 체조차도 않더라.
⑤ 충무공 이순신 장군을 기리기 위한 추모제가 한창이다.

03 외래어 / 로마자 표기법

시험에 나온! 나올!
필수개념

기출복원 문제

외래어 표기법

다음 중 외래어 표기가 적절하지 않은 것은?

① 불도그는 입마개를 해야 한다.
② 포클레인 한 대로 흙을 파헤치다.
③ 어제는 종일 아웃렛을 돌아다녔다.
④ 요즘에는 리더쉽 교육 강의도 인기가 있다.
⑤ 이번 겨울에는 꼭 스노보드를 배울 생각이다.

유형 익히기 ▶ 외래어 표기법 제1절 제3항에 따라 마찰음[ʃ]는 어말에서는 '시'로 적고, 자음 앞의 [ʃ]는 '슈'로, 모음 앞의 [ʃ]는 뒤따르는 모음에 따라 '샤', '섀', '셔', '셰', '쇼', '슈', '시'로 적는다. 따라서 ④는 '리더십'이 바른 표기이다.

로마자 표기법

〈보기〉의 로마자 표기법에 따를 때 잘못 표기한 것은?

보기
'ㄱ, ㄷ, ㅂ, ㅈ'이 'ㅎ'과 합하여 거센소리로 소리 나는 경우는 변화의 결과에 따라 적고, 체언에서 'ㄱ, ㄷ, ㅂ' 뒤에 'ㅎ'이 따를 때에는 'ㅎ'을 밝혀 적는다. 하지만 된소리되기는 표기에 반영하지 않는다.

① 쌓다 → ssata
② 맏형 → matyeong
③ 닫히다 → dachida
④ 낙동강 → Nakdonggang
⑤ 집현전 → Jiphyeonjeon

유형 익히기 ▶ 로마자 표기법은 인명이나 지명 등 고유 명사 등을 로마자로 표기할 수 있는지 묻는 문항이 출제된다. 로마자 표기법의 기본 원리인 전음법(소리 나는 대로 적는 방식)에 대한 이해를 바탕으로 단어를 로마자로 표기할 수 있어야 한다. ② 체언에서 'ㄱ, ㄷ, ㅂ' 뒤에 'ㅎ'이 따를 때에는 'ㅎ'을 밝혀 적으므로, '맏형'은 'mathyeong'로 적는다.

BEST 기출&예상 개념

외래어 표기법과 로마자 표기법은 다른 어문 규정 영역에 비해 난이도가 무난하여 기본적인 규정의 내용만 알면 충분히 풀 수 있으므로 관련 규정에 익숙해지도록 한다. 또한 최근에는 관련 규정이 제시되는 〈규정 제시형〉 문항으로 유형이 바뀌어 출제되고 있는데, 규정의 내용 자체가 어려운 만큼 빈출 규정을 알아 두면 문제 풀이 시 시간을 절약할 수 있다.

1. 외래어 표기법

외래어 표기법은 외래어를 한글로 적는 방식을 일정하게 정해 놓은 규칙이다. 다른 언어에 대한 표기인 만큼 각 나라별 언어와 발음을 존중하다 보니 표기법이 매우 복잡하다. 그래서 현재 국어능력인증시험 출제 경향을 보면, 외래어 표기법 규정의 내용을 〈보기〉로 주고 이에 적용하도록 하여, 기본 규정의 내용만 익히면 충분히 해결할 수 있도록 출제하고 있다.

제1장 표기의 기본 원칙

제1항 외래어는 국어의 현용 24 자모만으로 적는다.
제2항 외래어의 1 음운은 원칙적으로 1 기호로 적는다.
제3항 받침에는 'ㄱ, ㄴ, ㄹ, ㅁ, ㅂ, ㅅ, ㅇ'만을 쓴다.
제4항 파열음 표기에는 된소리를 쓰지 않는 것을 원칙으로 한다.
제5항 이미 굳어진 외래어는 관용을 존중하되, 그 범위와 용례는 따로 정한다.

◉ 표기 원칙 해설

제1항 외래어는 국어의 현용 24 자모만으로 적는다.

한국어에는 없는 외래어의 소리를 표현하기 위해 맞춤법에서 정한 24 자모 이외의 특수 문자나 기호를 사용하지 않는다는 것이다. 왜냐하면 외래어 표기법은 우리나라 사람들이 한국어로 일상적인 의사소통을 하는 데 표준 표기법을 제공하기 위한 것이지, 외국어를 말할 때에도 그대로 발음하라는 것은 아니기 때문이다. 다만, 원어의 발음을 존중하여 최대한 정해진 한글 자모 안에서 실현하도록 노력하고 있다.

제2항 외래어의 1 음운은 원칙적으로 1 기호로 적는다.

이 조항에는 외국어에서 하나의 소리는 우리말에서도 같은 하나의 소리로 대응시켜, 사용하는 데 편리하게 하려는 뜻이 있다.

[ɔ] – contents(콘텐츠)　　concert(콘서트)

그러나 국어에 들어와 음성 환경에 따라 다르게 실현될 경우에는 다르게 적는 경우를 인정한다.

[p] – sharp(샤프)　　shop(숍)

제3항 받침에는 'ㄱ, ㄴ, ㄹ, ㅁ, ㅂ, ㅅ, ㅇ'만을 쓴다.

외래어를 적을 때, 받침에는 'ㄱ, ㄴ, ㄹ, ㅁ, ㅂ, ㅅ, ㅇ'의 7개 자음 이외의 다른 글자들은 쓸 수 없다.

cap[kæp] 캪 → 캡　　racket[rækit] 라켙 → 라켓

제4항 파열음 표기에는 된소리를 쓰지 않는 것을 원칙으로 한다.

국어의 파열음은 같은 위치에서 평음(ㅂ, ㄷ, ㄱ), 경음(ㅃ, ㄸ, ㄲ), 격음(ㅍ, ㅌ, ㅋ)의 세 가지로 구분된다. 그러나 영어, 독일어, 프랑스어, 이탈리아어 등 대부분의 외래어는 파열음이 무성음(p, t, k), 유성음(b, d, g) 두 가지로만 구분된다. 외국어의 유성 파열음을 가장 가깝게 나타낼 수 있는 표기는 평음이므로 [g]는 'ㄱ'으로, [d]는 'ㄷ'으로, [b]는 'ㅂ'으로 표기한다. 그리고 무성 파열음은 격음으로 표기할 수밖에 없다.

유성 파열음(b, d, g)은 평음(ㅂ, ㄷ, ㄱ)으로, 무성 파열음(p, t, k)은 격음(ㅍ, ㅌ, ㅋ)으로 적는다.
예 아뜰리에 → 아틀리에　　삐에로 → 피에로　　까페 → 카페　　빠리 → 파리

단, 된소리로 적는 것이 굳어진 것은 예외적으로 된소리를 표기하는 것을 인정한다.

pao 빵　　gum 껌　　partizan 빨치산

제5항　이미 굳어진 외래어는 관용을 존중하되, 그 범위와 용례는 따로 정한다.

'radio'는 [reidiou]로 발음되지만 '레이디오'가 아니라 '라디오'로, 'camera[kæmərə]'는 '캐머러'가 아니라 '카메라'로 적는다.

제3장　표기 세칙

빈출 규정

제1항　무성 파열음([p], [t], [k])

1. 짧은 모음 다음의 어말 무성 파열음([p], [t], [k])은 받침으로 적는다.

gap[gæp] 갭　　cat[kæt] 캣　　book[buk] 북

2. 짧은 모음과 유음·비음([l], [r], [m], [n]) 이외의 자음 사이에 오는 무성 파열음([p], [t], [k])은 받침으로 적는다.

apt[æpt] 앱트　　setback[setbæk] 셋백　　act[ækt] 액트

3. 위 경우 이외의 어말과 자음 앞의 [p], [t], [k]는 '으'를 붙여 적는다.

stamp[stæmp] 스탬프　　part[pɑ:t] 파트　　desk[desk] 데스크　　mattress[mætris] 매트리스

빈출 규정

제2항　유성 파열음([b], [d], [g])

어말과 모든 자음 앞에 오는 유성 파열음은 '으'를 붙여 적는다.

bulb[bʌlb] 벌브　　signal[signəl] 시그널　　lobster[lɔbstə] 로브스터

빈출 규정

제3항　마찰음([s], [z], [f], [v], [θ], [ð], [ʃ], [ʒ])

1. 어말 또는 자음 앞의 [s], [z], [f], [v], [θ], [ð]는 '으'를 붙여 적는다.

mask[mɑ:sk] 마스크　　jazz[dʒæz] 재즈　　graph[græf] 그래프　　olive[ɔliv] 올리브
thrill[θril] 스릴　　bathe[beið] 베이드

2. 어말의 [ʃ]는 '시'로 적고, 자음 앞의 [ʃ]는 '슈'로, 모음 앞의 [ʃ]는 뒤따르는 모음에 따라 '샤', '섀', '셔', '셰', '쇼', '슈', '시'로 적는다.

flash[flæʃ] 플래시　　shark[ʃɑ:k] 샤크　　shank[ʃæŋk] 섕크　　fashion[fæʃən] 패션
sheriff[ʃerif] 셰리프　　shoe[ʃu:] 슈　　shim[ʃim] 심

3. 어말 또는 자음 앞의 [ʒ]는 '지'로 적고, 모음 앞의 [ʒ]는 'ㅈ'으로 적는다.

mirage[mirɑ:ʒ] 미라지　　vision[viʒən] 비전

제8항 중모음([ai], [au], [ei], [ɔi], [ou], [auə])
중모음은 각 단모음의 음가를 살려서 적되, [ou]는 '오'로 [auə]는 '아워'로 적는다.
time[taim] 타임 house[haus] 하우스 boat[bout] 보트 tower[tauə] 타워

◉ 자주 출제되는 나라 및 도시 이름 표기

규슈(Kyûsyû[九州])	도쿄(Tôkyô[東京])	말레이시아 (Malaysia)
베네수엘라(Venezuela)	라스베이거스(Las Vegas)	싱가포르(Singapore)
아랍에미리트(Arab Emirates)	에티오피아(Ethiopia)	조지아(Georgia)
콜롬비아(Colombia)	쿠알라룸푸르(Kuala Lumpur)	타이베이(Taipei[臺北])
포르투갈(Portugal)	푸껫(Phuket)	후쿠오카(Fukuoka[福岡])

◉ 주의해야 할 외래어 표기

외래어	바른 표기(○)	틀린 표기(×)
accent	악센트	액센트
accessory	액세서리	악세사리
ad lib	애드리브	애드립
air conditioner	에어컨	에어콘
elevator	엘리베이터	엘레베이터
ambulance	앰뷸런스	앰브런스
analogue	아날로그	아나로그
badge	배지	뱃지
barbecue	바비큐	바베큐
battery	배터리	빠떼리, 빳데리, 밧데리
biscuit	비스킷	비스켓
block	블록	블럭
body	보디	바디
buffet(프랑스어)	뷔페	부페
business	비즈니스	비지니스
counseling	카운슬링	카운셀링
cardigan	카디건	가디건
castella	카스텔라	카스테라
catalog	카탈로그	카다로그
caramel	캐러멜	카라멜
carpet	카펫	카페트
color	컬러	칼라
compact	콤팩트	컴팩트
compass	컴퍼스	콤파스
contents	콘텐츠	컨텐츠
cunning	커닝	컨닝
curtain	커튼	커텐
data	데이터	데이타

외래어	바른 표기(○)	틀린 표기(×)
freesia	프리지어	후리지아, 프리지아
frypan	프라이팬	후라이팬
giant	자이언트	자이안트, 쟈이언트
Gips	깁스	기브스
Hollywood	할리우드	헐리우드, 헐리웃
license	라이선스	라이센스
Inca	잉카	인카
Kuala Lumpur	쿠알라룸푸르	쿠알라룸프르
Las Vegas	라스베이거스	라스베가스
Machu Picchu	마추픽추	마추피추
Malacca	말라카	몰라카
Malaysia	말레이시아	말레이지아
mania	마니아	매니아
massage	마사지	맛사지
Netherlands	네덜란드	네델란드
nonsense	난센스	넌센스
nylon	나일론	나이론
outlet	아웃렛	아울렛
pamphlet	팸플릿	팜플렛
panda	판다	팬더
Peru	페루	패루
placard	플래카드	플랜카드, 플랭카드
plastic	플라스틱	프라스틱
Portugal	포르투갈	포르투칼
radar	레이더	레이다
royal	로열	로얄
rheumatism	류머티즘	류마티스
sash	새시	샤시, 샷시

digital	디지털	디지탈
encore(프랑스어)	앙코르	앵콜
enquete(프랑스어)	앙케트	앙케이트
family	패밀리	패미리, 훼미리
flash	플래시	후레시, 후레쉬
flute	플루트	플룻
fiber	파이버	화이바, 화이버
soup	수프	스프
special	스페셜	스페샬
staff	스태프	스탭, 스탶
sunglasses	선글라스	썬그라스
supermarket	슈퍼마켓	수퍼마켓, 수퍼마켙
symbol	심벌	심볼

sausage	소시지	소세지
service	서비스	써비스
Seine	센 강	세느 강
set	세트	셋트, 셑
shutter	셔터	샷다, 샷타
Singapore	싱가포르	싱가폴
sofa	소파	쇼파
talent	탤런트	탈렌트
total	토털	토탈
Valentine Day	밸런타인데이	발렌타인데이
violin	바이올린	바이얼린
workshop	워크숍	워크샵

2. 로마자 표기법

로마자 표기법은 우리말을 로마자로 표기하는 것으로, 로마자 표기의 기본 원칙은 국어의 표준 발음법에 따라 옮겨 적는 것이다. 즉, 우리말의 표준 발음에 따라 소리 나는 대로 표기하는 것이다. 이는 한국어를 모국어로 사용하는 사람들보다는 한국에 있는 외국인들이 우리나라 사람들과의 소통에 용이하도록 배려한 것이다. 또한 종전에 사용되었던 반달점(˘)이나 어깻점(') 등은 사용하지 않고, 새로운 표기 방식에 따라 로마자로만 적는다.

제1장 표기의 기본 원칙

제1항 국어의 로마자 표기는 국어의 표준 발음법에 따라 적는 것을 원칙으로 한다.

제2항 로마자 이외의 부호는 되도록 사용하지 않는다.

제2장 표기 일람

제1항 모음은 다음 각호와 같이 적는다.

〈단모음과 이중 모음〉

단모음	ㅏ	ㅓ	ㅗ	ㅜ	ㅡ	ㅣ	ㅐ	ㅔ	ㅚ	ㅟ	
	a	eo	o	u	eu	i	ae	e	oe	wi	
이중 모음	ㅑ	ㅕ	ㅛ	ㅠ	ㅒ	ㅖ	ㅘ	ㅙ	ㅝ	ㅞ	ㅢ
	ya	yeo	yo	yu	yae	ye	wa	wae	wo	we	ui

[붙임 1] 'ㅢ'는 'ㅣ'로 소리 나더라도 'ui'로 적는다.

광희문 Gwanghuimun

[붙임 2] 장모음의 표기는 따로 하지 않는다.

제2항 자음은 다음 각 호와 같이 적는다.

1. 파열음

ㄱ	ㄲ	ㅋ	ㄷ	ㄸ	ㅌ	ㅂ	ㅃ	ㅍ
g, k	kk	k	d, t	tt	t	b, p	pp	p

2. 파찰음

ㅈ	ㅉ	ㅊ
j	jj	ch

3. 마찰음

ㅅ	ㅆ	ㅎ
s	ss	h

4. 비음

ㄴ	ㅁ	ㅇ
n	m	ng

5. 유음

ㄹ
r, l

[붙임 1] 'ㄱ, ㄷ, ㅂ'은 모음 앞에서는 'g, d, b'로, 자음 앞이나 어말에서는 'k, t, p'로 적는다.
백암 Baegam 옥천 Okcheon 호법 Hobeop 월곶[월곧] Wolgot

[붙임 2] 'ㄹ'은 모음 앞에서는 'r'로, 자음 앞이나 어말에서는 'l'로 적는다. 단, 'ㄹㄹ'은 'll'로 적는다.
설악 Seorak 칠곡 Chilgok 임실 Imsil 울릉 Ulleung

제3장 표기상의 유의점

제1항 음운 변화가 일어날 때에는 변화의 결과에 따라 다음 각호와 같이 적는다.

1. 자음 사이에서 동화 작용이 일어나는 경우
백마[뱅마] Baengma 종로[종노] Jongno

2. 'ㄴ, ㄹ'이 덧나는 경우
학여울[항녀울] Hangnyeoul 알약[알략] allyak

3. 구개음화가 되는 경우
해돋이[해도지] haedoji 같이[가치] gachi

4. 'ㄱ, ㄷ, ㅂ, ㅈ'이 'ㅎ'과 합하여 거센소리로 소리 나는 경우
좋고[조코] joko 놓다[노타] nota

다만, 체언에서 'ㄱ, ㄷ, ㅂ' 뒤에 'ㅎ'이 따를 때에는 'ㅎ'을 밝혀 적는다.

묵호(Mukho)　　집현전(Jiphyeonjeon)

[붙임]　된소리되기는 표기에 반영하지 않는다.

압구정 Apgujeong　　죽변 Jukbyeon　　팔당 Paldang　　샛별 saetbyeol

제2항　발음상 혼동의 우려가 있을 때에는 음절 사이에 붙임표(-)를 쓸 수 있다.

중앙 Jung-ang　　반구대 Ban-gudae

제3항　고유 명사는 첫 글자를 대문자로 적는다.

부산 Busan　　세종 Sejong

제4항　인명은 성과 이름 순서로 띄어 쓴다. 이름은 붙여 쓰는 것을 원칙으로 하되 음절 사이에 붙임표(-)를 쓰는 것을 허용한다.[(　) 안의 표기를 허용함.]

민용하 Min Yongha(Min Yong-ha)　　송나리 Song Nari(Song Na-ri)

다만, 이름에서 일어나는 음운 변화는 표기에 반영하지 않는다.

한복남 Han Boknam(Han Bok-nam)　　홍빛나 Hong Bitna(Hong Bit-na)

제5항　'도, 시, 군, 구, 읍, 면, 리, 동'의 행정 구역 단위와 '가'는 각각 'do, si, gun, gu, eup, myeon, ri, dong, ga'로 적고, 그 앞에 붙임표(-)를 넣는다. 붙임표(-) 앞뒤에서 일어나는 음운 변화는 표기에 반영하지 않는다.

제주도 Jeju-do　　의정부시 Uijeongbu-si　　삼죽면 Samjuk-myeon

도봉구 Dobong-gu　　봉천1동 Bongcheon 1(il)-dong

[붙임] '시, 군, 읍'의 행정 구역 단위는 생략할 수 있다.

참고　제5항 - 도로명의 로마자 표기 방법

제1항　로마자 표기 원칙

1. 도로명의 로마자 표기는 '국어의 로마자 표기법'에 따라 소리 나는 대로 표기하되, 로마자 표기법의 취지를 벗어나지 않는 범위 안에서 행정안전부 장관이 필요한 사항을 따로 정할 수 있다.
2. 첫 글자는 대문자로 나머지는 소문자로 표기하며, 도로명 전체는 붙여 쓴다.
3. 도로명의 주된 명사와 도로별 구분 기준(대로, 로, 길을 말한다. 이하 같다.) 사이에 붙임표(-)를 넣어 '-daero, -ro, -gil'로 표기한다.

예 강남대로 Gangnam-daero　　가곡로 Gagok-ro　　발산길 Balsan-gil

제6항　자연 지물명, 문화재명, 인공 축조물명은 붙임표(-) 없이 붙여 쓴다.

경복궁 Gyeongbokgung　　금강 Geumgang　　남산 Namsan　　독도 Dokdo
독립문 Dongnimmun　　속리산 Songnisan　　안압지 Anapji　　촉석루 Chokseongnu

제7항　성의 표기와 인명, 회사명 등은 그동안 써 온 표기를 쓸 수 있다.

김진주 Kim Jinjoo　　방만수 Pang Mansoo

제8항　학술 연구 논문 등 특수 분야에서 한글 복원을 전제로 표기할 경우에는 한글 표기를 대상으로 적는다. 이때 글자 대응은 제2장을 따르되 'ㄱ, ㄷ, ㅂ, ㄹ'은 'g, d, b, l'로만 적는다. 음가 없는 'ㅇ'은 붙임표(-)로 표기하되 어두에서는 생략하는 것을 원칙으로 한다. 기타 분절의 필요가 있을 때에도 붙임표(-)를 쓴다.

집 jib　　짚 jip　　밖 bakk　　값 gabs　　붓꽃 buskkoch　　먹는 meogneun
독립 doglib　　문리 munli　　물엿 mul-yeos　　굳이 gud-i　　좋다 johda
없었습니다. eobs-eoss-seubnida

기억률 200% 바로확인 문제

[1~20] 외래어 표기법 | 다음 밑줄 친 말의 외래어 표기로 바른 것에 ○ 하시오.

1 자료를 file[파일 / 화일]로 보내 주세요.

2 나는 ton[豚] kasu[돈가스 / 돈까스] 먹을래.

3 나는 panda[팬더 / 팬다 / 판다] 곰을 좋아한다.

4 주연이는 토마토 juice[쥬스 / 주스]를 싫어한다.

5 오늘의 메뉴는 양송이 soup[수프 / 수푸, 슾]입니다.

6 이따가 coffee shop[커피숍 / 커피숖 / 커피샵]으로 갈게.

7 아저씨는 계란 fry[프라이 / 후라이]를 제일 좋아한단다.

8 윤희는 ketchup[케첩 / 케찹]을 뿌려 먹는 걸 좋아한다.

9 이 부장님, jacket[자켓 / 쟈켓 / 재킷]이 아주 멋있으세요.

10 현아는 김밥을 먹을 때 sausage[소세지 / 소시지]는 빼고 먹는다.

11 chocolate[쵸콜릿 / 쵸코렛 / 초코렛 / 초콜릿 / 초콜렛]은 열량이 높다.

12 재형이는 recreation[레크레이션 / 레크리에이션] 시간을 기다렸다.

13 지원이는 문자 message[메시지 / 메세지]를 보내는 속도가 매우 빠르다.

14 어, 깜박 잊고 gas range[가스렌지 / 가스레인지] 불을 켜 놓고 나왔네.

15 혜수는 그의 humor[유머 / 유모어 / 유우머]가 재미없었다며 yellow card[옐로우카드 / 옐로카드]를 들었다.

16 집에서는 자꾸 sofa[쇼파 / 소파]나 침대 위에 눕게 돼서 공부가 안 돼요.

17 나는 감기 몸살을 심하게 앓아서 병원에서 Ringer[링겔 / 링게르 / 링거]를 맞았다.

18 바쁜 아침, coffee[커피 / 코피 / 커어피] 와 doughnut[도나스 / 도넛 / 도우넛 / 도너스].

19 air conditioner[에어컨 / 에어콘]이나 선풍기는 cover[커버 / 카바]를 씌워 보관하는 게 좋다.

20 요즘 한국 사회에서는 noblesse oblige[노블레스 오블리제 / 노블레스 오블리주] 정신을 찾아보기 힘들다.

정답 [1~20] 1 파일 2 돈가스 3 판다 4 주스 5 수프 6 커피숍 7 프라이 8 케첩 9 재킷 10 소시지 11 초콜릿 12 레크리에이션 13 메시지 14 가스레인지 15 유머, 옐로카드 16 소파 17 링거 18 커피, 도넛 19 에어컨, 커버 20 노블레스 오블리주

[21~30] 로마자 표기법 | ㉠~㉡ 중, 로마자 표기가 옳은 것을 고르시오.

21 대관령 ㉠ Daegwallyeong ㉡ Daegwalyeong

22 극락전 ㉠ Geungnakjeon ㉡ Geuklakjeon

23 샛별 ㉠ saetbbeol ㉡ saetbyeol

24 덕수궁 ㉠ Deokssugung ㉡ Deoksugung

25 신문로 ㉠ Sinmunno ㉡ Sinmunro

26 인왕산 ㉠ Yinwangsan ㉡ Inwangsan

27 왕십리 ㉠ Wangsimni ㉡ Wangsimli

28 놓다 ㉠ nota ㉡ nohta

29 식혜 ㉠ sikhye ㉡ sikye

30 알약 ㉠ alyak ㉡ allyak

[31~40] 로마자 표기법 | 다음 우리말을 로마자로 쓰시오.

31 갈비찜

32 독산동

33 비빔밥

34 장련

35 오죽헌

36 김치

37 양재천

38 속리산

39 을지로2가

40 울릉도

정답
[21~30] 21 ㉠ 22 ㉠ 23 ㉡ 24 ㉡ 25 ㉠ 26 ㉡ 27 ㉠ 28 ㉠ 29 ㉠ 30 ㉡
[31~40] 31 galbijjim 32 Doksan-dong 33 bibimbap 34 Jangnyeon 35 Ojukheon
36 kimchi 37 Yangjaecheon 38 Songnisan 39 Euljiro 2(i)-ga 40 Ulleungdo

03 외래어 / 로마자 표기법

기출변형 문제

정답 P 10

1 다음 밑줄 친 외래어 표기가 바른 것은?

① 본네트(bonnet)에서 연기가 난다.
② 곧 있으면 스노우보드(snowboard)의 계절이다.
③ 그는 이번 여름에 푸켓섬(Phuket Island)에 다녀왔다.
④ 그 사회자는 탁월한 애드립(ad lib) 실력을 인정받고 있다.
⑤ 학생들이 진상 규명을 촉구하는 플래카드(placard)를 들고 서 있다.

2 외래어 표기법에 맞는 것끼리 짝지어진 것은?

① 플룻(flute), 캐러멜(caramel)
② 패밀리(family), 컨닝(cunning)
③ 뎃생(dessin), 앙케이트(enquete)
④ 카탈로그(catalog), 카톨릭(Catholic)
⑤ 쥐라기(Jura紀), 모차렐라(mozzarella)

3 다음 중 외래어 표기법에 어긋나는 것이 들어 있는 것은?

① 프런티어(frontier), 파마(permanent)
② 몽타주(montage), 심포지엄(symposium)
③ 러닝(running), 액셀러레이터(accelerator)
④ 랍스터(lobster), 아이섀도(eye shadow)
⑤ 프리젠테이션(presentation), 마사지(massage)

4 〈보기〉의 외래어 표기법에 따를 때, 표기가 바르지 않은 것은?

> 보 기
>
> **제1항 무성 파열음([p], [t], [k])**
>
> 1. 짧은 모음 다음의 어말 무성 파열음([p], [t], [k])은 받침으로 적는다.
> 2. 짧은 모음과 유음 · 비음([l], [r], [m], [n]) 이외의 자음 사이에 오는 무성 파열음([p], [t], [k])은 받침으로 적는다.
> 3. 위 경우 이외의 어말과 자음 앞의 [p], [t], [k]는 '으'를 붙여 적는다.

① 갭(gap) ② 셋백(setback) ③ 카페트(carpet)
④ 시크니스(sickness) ⑤ 치프멍크(chipmunk)

5 외래어 표기법에 따라 바르게 표기된 것은?

① 그녀는 의외로 자동차 매니아이다.
② 내가 바란 건 국회 의원 뱃지가 아니다.
③ 가게 안으로 들어온 뒤 가게 셔터를 내렸다.
④ 전 세대의 베란다에 샤시를 교체해 줄 예정이다.
⑤ 이전보다 밧데리 수명이 향상돼 더 오랜 시간 사용할 수 있게 되었다.

6 다음 중 로마자 표기법이 바른 것은?

① 낚시(nakksi) ② 독도(Dokdo) ③ 묵호(Muko)
④ 북악(Bukak) ⑤ 신라(Sinla)

7 ‘꽁트’를 검색했을 때 얻게 된 자료들이다. 〈도움말〉에 근거할 때, 외래어 표기가 올바르게 쓰인 것은?

틀린 단어	대치어	도움말
꽁트	콩트	〈한글 맞춤법 오류〉 외래어는 ‘외래어 표기법’에 따라 적습니다. 가. 장음 표기는 따로 하지 않는다. 예 Greece → 그리스(○) / 그리이스(×) 나. 받침에는 ‘ㄱ, ㄴ, ㄹ, ㅁ, ㅂ, ㅅ, ㅇ’만을 쓴다. 예 pocket → 포켓(○) / 포켙(×) 다. 파열음, 파찰음 표기에서 된소리는 쓰지 않음을 원칙으로 한다. 예 cafe → 카페(○) / 까페(×) 라. 이미 굳어진 외래어는 관용을 존중한다. 예 camera → 카메라(○) / 캐머러(×) 마. 어말의 [ʃ]는 ‘시’로 적는다. 예 flash→ 플래시(○) / 플래쉬(×) 바. 중모음 [ou]는 ‘오’로, [auə]는 ‘아워’로 적는다. 예 tower → 타워(○) / 타우어(×)

① 아뜰리에가 잘 꾸며져 있네요.

② 보우트를 타게 되어 정말 기쁘다.

③ 그의 리더쉽이 돋보이는 응원이었습니다.

④ 삼촌은 빨치산 토벌 작전 중에 돌아가셨다.

⑤ 공이 바스켙에 빨려 들어가자 관중들이 일어나 환호하였다.

8 〈보기〉의 로마자 표기법에 따를 때, 잘못 표기한 것은?

> 보기
>
> ‘ㄹ’은 모음 앞에서는 ‘r’로, 자음 앞이나 어말에서는 ‘l’로 적는다. 단, ‘ㄹㄹ’은 ‘ll’로 적는다.

① 구리 Guri ② 설악 Seorak ③ 칠곡 Chilgok

④ 울릉 Ulleung ⑤ 대관령 Daegwanlyeong

9 **〈보기〉의 로마자 표기법에 따를 때, 표기가 바르지 않은 것은?**

> 보기
> 'ㄱ, ㄷ, ㅂ'은 모음 앞에서는 'g, d, b'로, 자음 앞이나 어말에서는 'k, t, p'로 적는다.

① 설악 Seorak ② 합덕 Habdeok ③ 벚꽃 beotkkot
④ 옥천 Okcheon ⑤ 한밭 Hanbat

10 **국어의 로마자 표기법에 대한 설명 중, 규범에 맞지 않는 것은?**

① 샛별: 현실 발음을 따라 적으면 'saetbbyeol'인데 된소리되기는 적용하지 않으므로 'saetbyeol'로 쓴다.
② 묵호: 음운 변화에 따라 [무코]로 소리 나지만, 체언에서 'ㄱ, ㄷ, ㅂ' 뒤에 'ㅎ'이 따를 때에는 'ㅎ'을 밝히어 쓰도록 하였으므로 'Mukho'로 적는다.
③ 강은주: 성(姓)을 규범대로 쓰면 'Gang'인데 이는 외국인들의 오해를 살 수 있다. 성씨의 경우는 관습적으로 써 오던 것도 인정되므로 'Kang'으로 쓴다.
④ 해운대: 본래 발음대로 쓰면 [해운대]이므로 그대로 'Haeundae'이지만, 자칫 '하은대'로 읽힐 우려가 있으므로 붙임표를 써서 'Hae-undae'로 쓸 수 있다.
⑤ 전목련: 인명은 성과 이름 순서로 써서 'Jeon mongnyeon'으로 쓴다. 또한 이름은 음절 사이에 붙임표를 쓰는 것을 허용하므로 'Jeon mong-nyeon'으로 쓸 수 있다.

III 읽기

읽기 영역 출제 비중

44%

읽기 학습 전략

읽기 영역은 국어능력시험 전체 90문항 중 40문항(주관식 1문제 포함, 44%)으로 비중이 매우 크다. 일상생활에서의 국어 능력 강화를 목적으로 하는 시험인 만큼, 실생활에서 접할 수 있는 다양한 영역과 주제가 출제되고, 이는 크게 실용문, 학술문, 문학으로 분류할 수 있다. 주로 시사와 상식, 생활과 관련된 내용이지만, 정보의 양이 많고 서술 방식이 다양하므로 정해진 시간 안에 정확한 독해를 훈련하는 것이 중요하다.

실용문은 안내문, 기사문, 법조문이나 약관과 같이 실생활에서 접할 수 있는 지문으로 출제 비중이 점차 확대되고 있다. 실용문은 상식적인 내용을 주로 다루지만, 구체적 수치나 개별적 상황, 적용 조건 등이 상세히 제시되는 경우가 많다. 또한 표나 그래프가 시각 자료로 첨부되기도 하므로 세부 조건을 정확히 이해하고 적용하는 독해력과 문제 해결력이 필요하다.

학술문은 인문, 사회, 경제, 예술, 정치 등 다양한 분야의 심도 있는 이론이나 정보를 서술한다. 또한 지문의 길이가 긴 편이라 시간 배분을 효율적으로 하는 것이 중요하다. 먼저 문단을 단위로 각 문단의 핵심 내용을 파악하여 글의 흐름을 이해하고, 문제에서 요구하는 세부 정보를 확인할 수 있도록 하는 것이 좋다.

문학은 시대적 특징이나 삶의 방식과 가치관을 시, 소설, 수필이라는 장르의 형식에 맞게 표현한 글이다. 그러므로 평소에 장르의 형식에 따른 각 작품의 표현 방식을 익히고, 이를 활용해 능동적으로 상징적 의미와 주제를 파악해야 한다.

[19~57] 읽기 기출의 패턴을 벗기다

최근기출 2회분 전 문항 한눈에 보기

문항 번호	A회			B회		
	지문	유형/분류	자료/개념	지문	유형/분류	자료/개념
19	실용문 – 안내문	추론 – 상황의 추리(사례와 구체적 상황)	카드 약관 변경	실용문 – 안내문	사실적 이해 – 정보의 파악(세부 정보)	기숙사 입사
20	실용문 – 안내문	사실적 이해 – 정보의 파악(세부 정보)	전자금융서비스 이용약관	실용문 – 안내문	사실적 이해 – 정보의 파악(세부 정보)	렌터카 보험보상 제도
21	실용문 – 설명문	사실적 이해 – 정보의 파악(세부 정보)	올리브유	실용문 – 설명문	추론 – 상황의 추리(사례와 구체적 상황)	비데
22	실용문 – 설명문	사실적 이해 – 정보의 파악(세부 정보)	아파트 임대차 계약서	실용문 – 설명문	사실적 이해 – 정보의 파악(세부 정보)	모유 수유
23	실용문 – 설명문	사실적 이해 – 정보의 파악(세부 정보)	인공호흡법	실용문 – 설명문	사실적 이해 – 정보의 파악(세부 정보)	실업급여
24	실용문 – 설명문	사실적 이해 – 정보의 파악(세부 정보)	메모리카드		추론 – 상황의 추리(사례와 구체적 상황)	
25		추론 – 상황의 추리(사례와 구체적 상황)		학술문 – 예술	사실적 이해 – 정보의 파악(세부 정보)	
26	실용문 – 안내문	사실적 이해 – 정보의 파악(세부 정보)	우수기업인증제		사실적 이해 – 정보의 파악(세부 정보)	
27		추론 – 정보의 추리(생략된 정보)			비판 – 정보의 평가(내용의 적절성)	
28	학술문 – 정치	사실적 이해 – 정보의 파악(세부 정보)		실용문 – 설명문	사실적 이해 – 정보의 파악(세부 정보)	리볼링 서비스
29		비판 – 종합적 분석		학술문 – 문화	사실적 이해 – 정보의 파악(세부 정보)	
30	실용문 – 설명문	사실적 이해 – 정보의 파악(세부 정보)	아토피		비판 – 정보의 평가(근거의 적절성)	
31	학술문 – 사회	사실적 이해 – 정보의 파악(중심 내용)			추론 – 상황의 추리(사례와 구체적 상황)	
32		추론 – 상황의 추리(사례와 구체적 상황)		문학 – 고전산문	작품의 이해와 감상	
33	학술문 – 정치	사실적 이해 – 구조의 파악(논지 전개 양상)			작품의 이해와 감상	
34		추론 – 상황의 추리(사례와 구체적 상황)		실용문 – 설명문	사실적 이해 – 정보의 파악(중심 내용)	시력교정수술
35	학술문 – 예술	사실적 이해 – 정보의 파악(중심 내용)			추론 – 정보의 추리(생략된 정보)	
36		사실적 이해 – 정보의 파악(세부 정보)		학술문 – 인문	사실적 이해 – 정보의 파악(중심 내용)	
37		추론 – 상황의 추리(사례와 구체적 상황)			사실적 이해 – 정보의 파악(세부 정보)	
38	학술문 – 문화	추론 – 상황의 추리(사례와 구체적 상황)			추론 – 상황의 추리(사례와 구체적 상황)	
39		사실적 이해 – 정보의 파악(세부 정보)			비판 – 정보의 평가(근거의 적절성)	
40		비판 – 정보의 평가(근거의 적절성)		학술문 – 사회	사실적 이해 – 구조의 파악(논지 전개 양상)	

기출패턴 정리하기 _ 최근 기출 4회분 총 360문항 전 문항 분석 결과

영역		유형	문항 수	제재
[19~57] 읽기 (출제 비중 44%)	실용문	사실적 이해 – 정보의 파악	8	약관 · 규정, 계약서, 설명서가 자주 출제됨.
		사실적 이해 – 구조의 파악		
		추론 – 정보의 추리		
		추론 – 상황의 추리		
	학술문	사실적 이해 – 정보의 파악	10~13	지문의 길이는 인문 > 과학 > 문화 · 예술 > 정치 · 사회 > 순으로 구성됨.
		사실적 이해 – 구조의 파악		
		추론 – 정보의 추리	6~8	
		추론 – 상황의 추리		
		추론 – 태도와 관점의 추리		
		추론 – 과정의 추리		
		비판 – 종합적 분석	3~4	
		비판 – 정보의 평가		
		비판 – 공감 및 감상		
	현대시	작품의 이해와 감상	3	
		작품 간의 이해와 감상		
		시어의 의미와 기능		
		화자의 정서 및 태도		
	현대소설	작품의 이해와 감상	3	
		사건의 전개 양상		
		인물의 심리 및 태도		
		소재의 의미와 기능		
		서술상의 특징 및 효과		
	수필	작품의 이해와 감상	2	
		소재의 의미와 기능		
		서술상의 특징 및 효과		
		글쓴이의 정서 및 태도		

문항 번호	A회			B회		
	지문	유형/분류	자료/개념	지문	유형/분류	자료/개념
41	문학–현대시–이원, 〈반가사유상〉 / 공광규, 〈손가락염주〉	작품 간의 이해와 감상			추론 – 상황의 추리(사례와 구체적 상황)	
42		작품 간의 이해와 감상		문학 – 현대소설 – 전상국, 〈하늘아래 그 자리〉	작품의 이해와 감상	
43		시어의 의미와 기능			작품의 이해와 감상	
44	문학 – 고전산문 – 박지원, 〈능양시집서〉	작품의 이해와 감상			소재의 의미와 기능	
45		작품의 이해와 감상		학술문 – 과학	사실적 이해 – 정보의 파악(세부 정보)	
46	학술문 – 경제	사실적 이해 – 정보의 파악(세부 정보)			사실적 이해 – 구조의 파악(논지 전개 양상)	
47		추론 – 정보의 추리(생략된 정보)			추론 – 정보의 추리(생략된 정보)	
48	문학 – 희곡 – 이근삼, 〈향교의 손님〉	작품의 이해와 감상		학술문 – 사회	추론 – 정보의 추리(생략된 정보)	
49		작품의 이해와 감상			비판 – 정보의 평가(내용의 적절성)	
50		소재의 의미와 기능		실용문 – 설명문	사실적 이해 – 정보의 파악(세부 정보)	난청
51	학술문 – 과학	사실적 이해 – 정보의 파악(세부 정보)		학술문 – 정치	사실적 이해 – 정보의 파악(세부 정보)	
52		사실적 이해 – 구조의 파악(논지 전개 양상)			추론 – 상황의 추리(사례와 구체적 상황)	
53		추론 – 정보의 추리(생략된 정보)		학술문 – 사회	사실적 이해 – 정보의 파악(세부 정보)	
54	학술문 – 인문	사실적 이해 – 정보의 파악(중심 내용)			추론 – 상황의 추리(사례와 구체적 상황)	
55		사실적 이해 – 정보의 파악(세부 정보)		문학 – 현대시 – 맹문재 〈책을 읽는다고 말하지 않겠다〉 / 최금진, 〈도서관은 없다〉	작품 간의 이해와 감상	
56		추론 – 핵심 정보의 관계 추론			작품 간의 이해와 감상	
57		비판 – 정보의 평가(근거의 적절성)			시어의 의미와 기능	

문항 순서별 고정 유형과 출제된 개념 한눈에 파악하기

- ☑ 실용문은 약관과 계약서, 법령이 매회 빠짐없이 출제된다. 각 항목을 이해하고 구체적인 상황에 적용해야 하는 추론 문제는 체감 난도가 높은 편이다.
- ☑ 학술문은 인문, 과학, 문화 · 예술, 정치 · 사회 등 다양한 분야에서 고루 출제가 된다. 최근에는 인문, 과학, 문화 · 예술의 지문에서 많은 고난도의 정보를 담고 있으므로 정보의 파악과 분석의 난이도가 어려운 편이다.
- ☑ 문학은 현대시와 소설에서 벗어나 고전소설, 희곡, 시나리오 등 다양한 장르의 지문이 출제되고 있다. 작품 속 등장인물, 사건, 배경에 대한 구체적인 정보와 더불어 전반적인 감상과 이해를 묻는 문제가 골고루 출제되고 있다.

고등급 공략

- 실용문은 구체적인 항목과 수치를 명확하게 정리하며 독해를 해야 한다. 특히 적용 조건과 예외 조건 등을 구분하여 정리하면 많은 정보가 담긴 선택지에서 오답을 피하는 데 도움이 될 것이다.
- 최근 학술문은 실용문과 명확히 구분되어 전문적인 개념과 용어를 다루는 경우가 많이 있다. 그러므로 어려운 지문이라도 구조적 정독을 통해 개념을 정리하고, 적용하는 연습이 필요하다.
- 문학은 현대 사회를 반영하는 작품부터 문학사적 의의가 있는 작품까지 출제 범위가 확대되었다. 그러므로 시, 소설, 수필, 희곡의 기본 개념과 구성 요소를 익혀 작품 속 상황과 주제를 파악해야 한다.

01~02 실용문 / 학술문

시험에 나온! 나올!
필수개념

기출복원 문제

기출복원 문제는 출제되는 문제의 유형을 보여 주기 위한 장치로, 지면상 지문은 싣지 않습니다.

사실적 이해: 정보의 파악① – 세부 정보의 파악

다음 글의 내용과 일치하지 않는 것은?

① '어루러기'를 치료하기 위해서는 항진균제가 필요하다.
② '어루러기'에 걸린 남성의 수가 여성에 비해 2배가량 많다.
③ 말라세지아 효모균은 지방 성분이 있는 곳에서 특히 활성화된다.
④ '어루러기'에 걸리면 가려움증이 심해져 발병 사실을 알게 된다.
⑤ '어루러기'는 피부에 저색소 또는 과색소의 반점이 나타나는 질병이다.

유형 익히기 ▶ '세부 정보의 파악'은 지문 속 구체적 정보의 정확한 파악 여부를 묻는 문제이다. 선택지의 내용을 꼼꼼하게 지문과 비교하여 확인해야 한다.

사실적 이해: 정보의 파악② – 핵심 정보의 파악

윗글의 제목으로 적절한 것은?

① 신앙의 자유, 종교 전쟁의 시작과 끝에 대하여
② 차이의 인정, '관용' 개념의 역사적 기원과 의미
③ 관용의 탄생, 프랑스의 종교 전쟁과 낭트 칙령의 의미
④ 의회의 탄생, 영국의 입헌 군주제와 정치와 종교의 분리
⑤ 전쟁 혹은 타협, 16, 17세기 프랑스와 영국의 종교 갈등 양상의 차이

유형 익히기 ▶ '핵심 정보의 파악'은 글의 주제와 글쓴이의 의도를 파악하는 문제이다. 선택지의 내용이 지문의 일부가 아닌 전체를 아우를 수 있는 내용이어야 한다.

사실적 이해: 구조의 파악

윗글의 서술 방식으로 적절한 것은?

① 기존 견해의 문제점을 지적한 후 자신의 견해를 전개하고 있다.
② 근본 원인을 파헤쳐 문제의 본질을 새로운 각도에서 해석하고 있다.
③ 유사한 사례를 충분히 언급하며 귀납적으로 추론하여 논증하고 있다.
④ 생활 속의 경험을 확장하여 대상에 대한 자신의 견해를 밝히고 있다.
⑤ 구체적인 사례를 열거하여 장단점을 비교한 후 자신의 주장을 강화하고 있다.

유형 익히기 ▶ '구조의 파악'은 글쓴이가 주제를 드러내기 위해 사용한 내용의 전개 방식을 묻는 것이다. 그러므로 문단 간 관계를 통해 전체적인 서술 방식을 파악한다.

추론: 정보의 추리① – 세부 정보의 추리

윗글을 바탕으로 추정할 수 있는 ㉠의 내용으로 가장 적절한 것은?

① 국가와 시민 사회는 인권 개선의 주체를 놓고 서로 경쟁해야 한다.
② 시민 사회는 인권 운동의 확대를 위해 국가로 대표되는 정치권력을 견제해야 한다.
③ 시민 사회의 인권 운동은 국가와 초국적 자본의 결탁으로 인한 위해를 극복해야 한다.
④ 국가와 시민 사회는 인권 개선 과정에서 갈등을 겪었으나 앞으로는 협력해야 하는 상황이 되었다.
⑤ 국가는 시민 사회의 인권 운동에 개입했으나, 점차 시민 사회의 인권 운동은 자율성을 보장받아야 한다.

유형 익히기 ▶ '세부 정보의 추리'는 제시된 내용이나 글쓴이의 관점을 통해 구체적 정보의 의미나 특징 등을 추론하는 문제이다. 그러므로 글의 흐름상 유사한 성격의 정보나 글쓴이의 관점을 파악해야 한다.

추론: 정보의 추리② – 생략된 정보의 추리

㉠에 들어갈 내용으로 가장 적절한 것은?

① 정부가 지출을 줄여 자산 가치가 과대평가되지 않도록 해야 한다는 것이다.
② 정부는 빈부 격차를 해결하기 위해 사회 복지 정책을 확대해야 한다는 것이다.
③ 정부가 수요를 증진시켜 공급과 수요의 순환적 축소를 막아야 한다는 것이다.
④ 정부가 노동자들의 임금을 낮추어 기업의 생산 이윤을 증가시켜야 한다는 것이다.
⑤ 정부와 기업가들이 앞장서서 앞으로 경제 상황의 기대 심리를 높여야 한다는 것이다.

유형 익히기 ▶ '생략된 정보의 추리'는 지문의 생략된 부분에 흐름상 적절한 내용을 추론하여 넣는 문제이다. 지문의 내용을 종합하는 내용, 앞뒤의 문맥을 자연스럽게 연결하는 내용, 지문의 주어진 정보와 생략된 부분이 인과 관계를 이루는 내용 등이 주로 출제된다.

추론: 정보의 추리③ – 핵심 정보의 추리

㉠, ㉡, ㉢의 관계에 대한 설명으로 적절한 것은?

① ㉡, ㉢은 ㉠의 문제의식을 심화시키고 있는 개념이다.
② ㉡은 ㉠의 하위 범주에, ㉢은 ㉡의 하위 범주에 속하는 개념이다.
③ ㉡은 ㉠과 유사한 개념인 반면, ㉢은 ㉠과 상반된 의미를 가진 개념이다.
④ ㉡과 ㉢은 똑같이 ㉠에서 분화되어 나왔지만, 서로 상반된 관점을 지닌 개념이다.
⑤ ㉡은 ㉠을 비판하기 위해 고안된 개념이며, ㉢은 ㉡을 비판하기 위해 고안된 개념이다.

유형 익히기 ▶ '핵심 정보의 추리'는 지문의 내용을 바탕으로 둘 이상의 정보를 비교하거나, 관계를 파악하는 문제이다. 어휘의 의미 관계를 파악하는 문제보다는 지문 안에서 내용상 또는 구조상의 관계를 파악하는 문제가 주로 출제된다.

추론: 상황의 추리

윗글에 제시된 '공동체 예술'을 실천한 예술가에 해당하는 것은?

① 화가 박○○은 사람이 떠난 폐가의 벽에 혼자 벽화를 그리는 작업을 시작했다.
② 사진가 오○○은 노숙자의 힘든 삶을 촬영한 사진을 중심으로 단독 전시회를 열었다.
③ 영상 예술가 서○○은 첨단 디지털 미디어를 활용해 제작한 실험적 영상물을 인터넷을 통해 무료로 배포했다.
④ 화가 김○○은 자신의 작품들을 전시하라는 미술관의 요청을 거절하고, 자신의 작품을 마을 사람들의 그림과 함께 마을 회관에 전시하기로 결정했다.
⑤ 행위 예술가 이○○은 원자력 발전소 건설 반대 운동을 벌이는 마을을 찾아가 원자력 발전소 건설 반대를 주제로 하는 집단 퍼포먼스를 마을 주민들과 함께 조직했다.

유형 익히기 ▶ '상황의 추리'는 최근 출제 빈도가 점차 늘고 있는 문제 유형이다. 지문의 내용을 이해하고, 구체적인 사례에 적용하는 것으로 정보와 예시의 조건이나 관점이 대응하는지 확인한다.

추론: 태도와 관점의 추리

㉠에 대한 글쓴이의 입장으로 가장 적절한 것은?

① 전쟁의 수단으로 이용되지 않도록 권리를 보호해 주어야 한다.
② 종교적 차이를 이해할 수 있도록 관용적인 태도를 길러 주어야 한다.
③ 전쟁에 대한 환상을 갖지 않도록 폐해를 정확하게 인식시켜 주어야 한다.
④ 국제 사회의 도움에 의존하지 않고 자립할 수 있도록 지원해 주어야 한다.
⑤ 사회 문제들에 관심을 가지고 객관적으로 사고할 수 있도록 교육해야 한다.

유형 익히기 ▶ '태도와 관점의 추리'는 글쓴이가 대상을 바라보는 관점이나 설명 의도를 파악하는 것이다. 지문 전반에 드러난 대상의 평가, 또는 어조를 통해 추리할 수 있다.

추론: 과정의 추리

윗글과 〈보기〉의 내용을 종합하였을 때 내릴 수 있는 결론으로 가장 타당한 것은?

① 색깔에 대한 관념은 인간의 본능적인 습성에 내재된 것이다.
② 특정 색깔에 대한 관념은 한번 정해지면 쉽게 바뀌지 않는다.
③ 남성이 선호하는 색깔과 여성이 선호하는 색깔에는 서로 차이가 있다.
④ 색깔 자체에 대한 인식이 변화해서 색깔에 대한 관념을 바꾸기도 한다.
⑤ 역사적으로 형성된 색깔에 대한 관념은 사회 문화적으로 더 강화되기도 한다.

유형 익히기 ▶ '과정의 추리'는 근거와 주장(결론)의 추론 과정을 파악하는 문제 유형이다. 지문의 구체적인 정보를 종합하여 결론을 이끌어 낼 수 있어야 한다.

비판: 정보의 평가 – 비판의 적절성 평가

윗글의 ㉡의 한계를 지적한 것으로 적절한 것은?

① 문제를 해결하기 위한 개인들의 실천적 노력에는 주목하지 않는 제도이다.
② 주요 정책 행위자들 간의 네트워크만을 강조하는 차별적 정책 수립 방식이다.
③ 공동의 문제 해결을 위해 개별 정책 행위자에게 협조를 강제할 수 없는 방식이다.
④ 개별 정책 행위자들의 이해관계를 고려하지 않고 국가의 이익만을 추구하는 제도이다.
⑤ 사회적 관심이 중요한 사항임에도 불구하고 적절한 호응을 유도해 낼 수 없는 제도이다.

유형 익히기 ▶ '비판의 적절성 평가'는 글쓴이의 의견이나 관점을 비판적으로 평가하는 문제 유형이다. 질문에서 제시하는 입장과 그에 따른 근거의 타당성을 따져야 한다.

BEST 기출&예상 개념

1. 사실적 이해

(1) 사실적 이해의 개념

사실적 이해는 글의 내용을 객관적으로 파악하는 것을 말한다. 사실적 이해를 할 때는 글의 세부 내용을 확인한 후 문단 간의 관계를 이해하고, 이를 통해 중심 내용을 파악해야 한다. 이때, 지문에 나타난 세부 정보까지 정확하게 파악할 수 있어야 한다.

(2) 사실적 이해의 방법

단어, 문장, 단락 또는 항목에 드러난 정보 확인하기
⬇
각 정보의 관계 파악하기
⬇
화제, 핵심어 파악하기
⬇
화제, 핵심어와 관련된 진술 내용 파악하기
⬇
핵심 문장 파악하기
⬇
단락 간의 관계 파악하기
⬇
중심 내용과 주제 파악하기

(3) 구조의 파악

① 설명적인 글의 구조

- **원인과 결과**: 원인과 결과 또는 결과와 원인의 구조로 내용이 전개된다. 주로 사회, 과학 지문에 많이 드러난다.
- **비교와 대조**: 둘 이상 되는 대상 간의 공통점과 차이점을 제시할 때 쓰인다. 다양한 분야의 지문에서 드러난다.
- **열거**: 어떤 대상이나 그 대상의 특성이 나열될 때 주로 쓰인다. '첫째, 둘째, 셋째' 등과 같은 담화 표지로 확인할 수 있다.
- **예시**: 추상적 개념에 대한 구체적 설명을 나타낸다. 예시는 주로 중심 내용을 쉽게 풀어 설명할 때 쓰인다.

② 의견이 드러난 글의 구조

- 여러 가지 근거를 들어 의견을 뒷받침한다. 주장과 근거는 주로 연역이나 귀납, 문제 해결 관계를 통해 논증된다.
- **연역**: 일반적인 원리를 통해 구체적 사실을 뒷받침하는 논증 방식으로 원리나 개념이 등장하고 이를 바탕으로 구체적인 주장을 내세우는 방식이다.
- **귀납**: 구체적 사실을 바탕으로 일반적 원리를 이끌어 내는 논증 방식으로 구체적 사실을 근거로 주장을 드러내므로, 예시 등을 통해 근거를 전개하는 방식이 자주 접목된다.
- **문제 해결**: 문제를 제시하고 그에 대한 해결 방법을 제시하는 논지 전개 구조이다.

결정적 힌트!

사실적 이해는 단순히 정보의 확인을 요구하지만, 그 정보가 낯설고 구체적이기 때문에 시간이 많이 걸리는 문제 유형입니다. 그러므로 독해를 할 때, 단락을 정확히 나누고 단락별 핵심 내용을 파악한다는 생각으로 주요 단어나 문구를 표시하며 독해하는 것이 도움이 됩니다. 또한 최근에는 선택지의 정보가 전체 지문에 분포되어 있는 경우가 많아, 반드시 전체 단락을 꼼꼼하게 정리해야 합니다.

2. 추론

(1) 정보의 추리

글의 의미를 온전하게 이해하기 위해 글쓴이가 생략한 내용 또는 암시한 내용을 추리하는 것을 말한다. 생략되었거나 암시된 정보를 추리할 때는 지시어, 접속어, 담화 표지, 문맥 등을 활용할 수 있다.

(2) 상황의 추리

글의 의미를 이해하고, 이를 드러내는 구체적 상황을 추리하는 것을 말한다. 일반적 원리나 개념을 통해 구체적 사례를 추리하기 위해서는 원리의 전제와 조건을 파악하는 것이 중요하다.

(3) 태도와 관점의 추리

같은 대상에 대해서도 글쓴이의 관점은 긍정, 부정으로 서로 다르게 드러날 수 있다. 또한 의도와 목적 역시 설명, 설득, 정보 제공 등 다양하다. 독자는 글의 맥락과 구조, 표현, 어조 등을 통해 글쓴이의 태도와 관점을 추론할 수 있다.

(4) 과정의 추리

글의 논지가 드러나는 과정을 통해 결론이나 전제를 추리하는 것을 말한다. 또한 논지 전개 과정을 통해 근거와 주장의 타당성을 추리할 수도 있다.

결정적 힌트!

추론은 주관적 감상이나 의견이 아닌 구체적 근거를 바탕으로 한 논리적 사고입니다. 그러므로 추론 문제를 해결할 때에도 이러한 원리를 적용할 수 있어야 합니다. 밑줄 친 정보에 대한 추론을 할 때에는 앞뒤 문장을 통해 구체적 근거를 찾고, 글쓴이의 태도와 관점을 추론하거나 과정을 추론할 때에도 추론을 뒷받침할 수 있는 구체적인 문장이나 정보를 바탕으로 선택지를 골라야 합니다.

3. 비판

(1) 내용의 타당성 판단

내용의 타당성이란 글에 드러난 의견과 근거의 관계가 합리적이고 일관적인지 판단하는 것이다. 또한 다른 사람의 의견에 반대(비판)하는 의견을 제시할 때 역시 그 타당성을 점검해야 한다.

(2) 자료의 적절성 판단

글쓴이가 주장을 객관화하기 위해 사용한 사진, 삽화, 도표, 조사 자료 등이 글의 내용에 적합한지의 여부를 판단하는 것이다. 우선 자료가 글의 내용을 일관적으로 뒷받침해야 하고, 그 정보의 신뢰성과 공정성이 있어야 한다.

결정적 힌트!

실용문과 학술문은 구체적인 수치가 드러나는 경우가 많습니다. 이러한 수치를 그래프나 도표로 옮긴 것으로 적절한 것을 고르는 문제는 수치들 간의 상관관계를 파악하면 어렵지 않게 풀 수 있습니다. 경제 · 사회 지문에서는 〈보기〉에 지문과 관련된 그래프나 수치가 나오고 이를 해석하는 문제가 자주 출제되는데, 이러한 유형은 자료의 결과가 지문 속 개념이나 현상을 직접적으로 보여 주는 경우가 많으므로 주관적인 해석으로 흘러가지 않도록 주의해야 합니다.

01 실용문

기출변형 문제

정답 P 12

1 안내문 | 다음 글의 내용과 일치하지 않는 것은?

제한 시간: 1분

한라산의 지질은 현무암, 조면암 등으로 되어 있고 대부분의 하천은 평상시에는 물이 흐르지 않는 건천이다. 따라서 한라산에서 식수를 조달하기란 쉽지 않으므로 식수를 반드시 지참하여야 한다.

그리고 한라산은 기상 변화가 심하여 아무리 좋은 날씨라 해도 한두 번의 기상 악화를 예상하여 바람, 비, 눈에 대비한 장비를 갖추어야 한다. 또한 해발 고도에 따라 0.6℃~1.0℃ 안팎의 차이를 보일 만큼 온도 편차가 심할 뿐만 아니라 바람 때문에 체감 온도가 더 내려간다. 한라산은 수시로 안개가 덮이는데 이럴 경우 자칫 길을 잃게 될 수도 있다. 그러므로, 반드시 지정된 탐방로를 이용해 여러 명이 함께 탐방하는 것이 안전하다.

※ 당일 탐방을 원칙으로 하며, 일몰 전에 하산이 완료될 수 있도록 계절별로 입산 시간을 정해 통제하고 있다.

한라산 입산 시간
- 동절기(1~2월, 11~12월): 06:00
- 춘추절기(3~4월, 9~10월): 05:30
- 하절기(5~6월, 7~8월): 05:00

〈탐방 시 유의 사항〉

1) 한라산 국립공원 탐방은 반드시 지정된 탐방로를 이용해야 하며 계절별 탐방로 통제 시간이 정해져 있으므로 탐방 전 확인하시기 바랍니다.
2) 기상청 기상특보(호우, 태풍, 대설주의보 및 경보) 시 탐방이 통제됩니다.
3) 국립공원 구역 내에서 식물, 곤충, 토석 채취 등 일체의 자연 훼손을 금지하며 위반 시 관련법에 의거 처벌됩니다.
4) 탐방 도중 안전사고나 위급한 상황이 발생하면 한라산 국립공원 사무소나 119 구조대로 즉시 신고하시고, 탐방로 주변에 설치된 탐방로 위치표시판의 번호를 확인하여 알려주십시오.
5) 한라산은 날씨의 변화가 심한 지역이므로 비상식량(사탕, 초콜릿, 소금 등)과 여벌옷을 준비해야 하며 겨울철 탐방 시에는 방한복, 아이젠, 장갑, 따뜻한 물 등을 준비하시기 바랍니다.
6) 한라산 국립공원에서 야영과 취사가 가능한 곳은 관음사지구 야영장이며 그 외의 지역은 야영과 취사가 엄격히 금지되고 있습니다.
7) 한라산 국립공원 탐방 시 대중교통수단을 적극적으로 이용해 주시고 공원 내 주차 시에는 귀중품 도난 및 차량 훼손에 각별히 주의하시기 바랍니다.
8) 한라산 국립공원은 세계 자연유산지구이므로 탐방 예절 지키기, 자기 쓰레기 되가져오기 등을 실천하여 탐방문화 정착에 적극적으로 앞장서 주시기 바랍니다.

① 한라산 국립공원은 취사가 가능하기도 하다.
② 한라산 탐방 시, 갑작스러운 기상 악화에 대비할 수 있어야 한다.
③ 한라산 탐방 조건은 기상 여건에 따라 수시로 바뀌므로 반드시 확인해야 한다.
④ 한라산 탐방 시, 물이나 오이 등 수분을 섭취할 수 있는 것을 반드시 준비해야 한다.
⑤ 계절별 일몰 시간을 고려하여 입산 시간을 달리하였기 때문에 탐방할 수 있는 시간은 같다.

2 안내문 | 다음 글을 통해 알 수 있는 내용으로 적절하지 않은 것은?

제한 시간: 1분

자전거 안전교육, 왜 해야 할까요?

[자전거 교통사고 발생 건수 연평균 8.9% 증가] 우리나라의 자전거 교통수단 분담률은 2.1%(2010년 기준)로 자전거 이용자는 늘어난 반면에 자전거 교통사고 발생 건수는 2003년 6,024건에서 2012년 12,970건으로 10년 사이 연평균 8.9%가 증가하였다. 이로 인해 295명이 사망하였고, 13,270명의 부상자가 발생하는 등 자전거 관련 안전사고의 인명 피해가 심각해지고 있다. 특히, 20세 미만의 청소년 및 60세 이상 고령층이 전체 교통사고의 53%를 차지하고 있다.

[자전거 안전교육 및 홍보 활동 중요] 사고 현황을 분석한 결과 인식부족, 교통법규 위반, 이용자 부주의 등이 주요원인으로 나타났다. 이에 안전한 통행방법에 대한 교육 및 홍보 활동이 중요하며 이를 위해서 자전거 안전교육 기반 확보라는 결론을 내렸다.

[초·중학교 및 주민 대상 자전거 교통안전 교육 의무화] 또한, 자전거 안전교육은 법규상 의무화되어 있어 초·중학교 및 지자체에서 하지만, 현재 229개 지자체 중 교육을 실시하고 있는 곳은 41곳(18%)으로 매우 저조한 상황이다.

－어린이 자전거 안전교육 교육개요－

교육 기간: 4～12월(12월은 이론 교육만 가능)
교육 대상: ○○시 초, 중, 고등학생
교육 일자: 협의 후 결정
교육 내용

구분	내용	비고
이론	제목: 자전거 바로 알기 ① 자전거란 무엇일까요 ② 안전하고 올바른 자전거 이용 ③ 반드시 확인해야 할 사항 ④ 자전거의 올바른 통행 방법 ⑤ 안전한 출발과 정지 ⑥ 이렇게 타면 안 돼요(위험한 사례) ⑦ 알아야 할 수신호 ⑧ 반드시 알아야 할 안전표지와 표시	전교생 가능
실기	제목: 안전한 자전거 이용 방법과 습관 가지기 ① 자전거 끌기 ② 타고 내리기 ③ 올바른 브레이크 조작법 ④ 출발하고 멈추기 ⑤ 올바른 페달링과 자세 ⑥ 자전거의 점검 요령 ⑦ 자전거 이용시설의 올바른 통행 방법(실습장 체험)	초등학교 4~6학년 중 1개 학년만 가능

교육 신청 및 장소
- 신청: 각 학교 및 학급별로 공문신청(○○교육지원청 또는 ○○시청)
  ※ 개별 신청 불가
- 장소: 해당 학교
- 문의처: ○○시청 도로과 자전거 문화팀 ☎ 012-345-6789

① 교육은 각 신청 학교에서 이루어진다.
② 자전거 교통사고가 연평균 9%에 가깝게 증가하고 있다.
③ 자전거 교통사고로 인한 위험은 청소년과 고령층에서 높게 나타난다.
④ 자전거 안전교육은 의무이고, 초·중학교, 지방자치단체에서 주관한다.
⑤ 초등학교 4~6학년을 한자리에 모아, 이론 및 실기 교육을 하기 위해서는 4~11월 사이에 교육을 받아야 한다.

[3~4] 안내문 | 다음 글을 읽고, 물음에 답하시오.

제한 시간: 2분

만성피로 증후군이 아니더라도 피로가 심하게 느껴질 경우가 있다. 그때는 다른 질병을 의심해 볼 필요가 있다. 대표적으로 극심한 피로감이 나타나는 질병에는 간 질환이나 갑상선 질환, 수면 무호흡증 등을 꼽을 수 있다.

간에 이상이 생기면 피로감이 강해지고 소화 장애가 나타나며 얼굴색이 누렇게 변하기도 한다. 급성 간염은 소변 색이 샛노랗게 변하며 구역질이 나는 데 비해 만성 간염은 지속적으로 피곤함만 느껴진다.

피로와 함께 몇 달 사이에 체중이 늘고 유난히 추위를 탄다면, 갑상선 기능저하증이 의심된다. 갑상선 이상은 상당히 진행되기 전까지는 특별한 증상이 없어 발견이 더디므로 주의 깊게 체크할 필요가 있다.

코골이가 심할 때 나타나는 수면 무호흡증 역시 잠자는 동안 산소를 충분히 공급받지 못해 숙면을 취할 수 없어 자고 나도 계속 피곤함을 느끼게 된다.

이런 피로는 어떻게 해야 떨쳐 버릴 수 있을까? 일단 휴식을 취해야 한다. 가벼운 운동이나 산보 등으로 긴장된 정신 상태를 풀어 주면 도움이 된다. 특히 충분한 수면을 취하려 할 때는 몰아서 자는 것보다는 규칙적으로 자는 편이 좋다. 또한 단백질, 비타민, 무기질 등의 영양소를 충분히 섭취하고 과음이나 지나친 흡연을 피해야 한다. 비타민C가 풍부한 신선한 음식을 섭취하는 것도 피로 해소에 도움이 된다. 반면 카페인이 함유된 커피를 자주 마시면 도리어 피로감을 높일 수 있다. 정신적 스트레스를 줄이기 위해 잠시 하던 일을 멈추고 맨손 체조나 스트레칭 등을 해 보는 것도 좋다.

〈만성피로 증상〉

아래 8가지 증상 중 4개 이상의 증상이 동시에 발생하거나 6개월 이상 지속 혹은 재발하면 만성피로 증후군이 의심된다.

- 기억력이나 집중력이 현저히 떨어졌다.
- 목 부위에 통증을 느낀다.
- 압통을 동반한 목 혹은 겨드랑이 쪽의 임파선이 붓는다.
- 예전에 없던 원인 불명의 두통으로 괴롭다.
- 과도한 운동을 하지 않았는데도 근육통이나 관절염으로 고통받고 있다.
- 잠을 자도 늘 개운하지 못하다.
- 빠르게 걷기와 같은 가벼운 운동 후에도 권태감이 24시간 동안 지속된다.
- 일하다 보면 이유 없이 미열기가 종종 느껴진다.

3 **다음 중 만성피로 증후군에 대한 설명으로 적절한 것은?**

① 지속적인 피로감, 두통, 근육통, 미열기가 동반된다.
② 몇 달간 극심한 피로감이 느껴졌고, 체중도 급격히 증가하였다.
③ 최근 운동을 시작했는데, 가벼운 운동만 해도 며칠간 피로감이 느껴진다.
④ 피로감과 소화 불량으로 힘들어서인지 안색이 자꾸 누렇게 변하는 것 같다.
⑤ 지속적으로 잠에 들지 못하고, 우울함을 느끼며 원인을 알 수 없는 두통에 시달린다.

4 **만성피로를 극복하기 위한 방법으로 적절하지 않은 것은?**

① 규칙적으로 비타민C 영양제를 챙겨 먹는다.
② 운동할 시간이 없다면 가벼운 스트레칭만으로도 효과를 볼 수 있다.
③ 피로감이 심한 늦은 오후에는 커피를 마시는 대신 잠깐의 산책을 한다.
④ 평소에 수면이 부족하다면 주말에 몰아서 충분히 수면을 취해 부족함을 보충한다.
⑤ 잠자리에 들기 전에 명상과 심호흡을 통해 정신적 긴장을 푸는 습관을 들이도록 한다.

5 기사문 | 다음 글을 통해 알 수 있는 내용이 아닌 것은?

제한 시간: 1분

경기도 드론 전용 비행시험장 유치

제4차 산업혁명의 주역인 드론의 시장은 빠르게 성장하고 있다. 이러한 드론의 경쟁력에 힘입어 경기도 화성시 송산면 일원에 오는 2020년까지 국내 다섯 번째 드론 전용 비행시험장이 조성될 예정이다. 2020년 12월을 목표로 경기도와 화성시, 항공 안전 기술원이 현장 조사를 통해 구체적인 입지를 결정할 것이다.

국토 교통부 항공 안전 기술원은 지난 4일 드론 산업 육성을 위한 드론 전용 비행시험장 대상지로 화성시를 단독 선정했다. 국내에는 현재 강원 영월과 충북 보은, 경남 고성에 전용 비행시험장이 있으며 인천시에는 조성 중이다.

화성시에 조성될 드론 전용 비행장에는 건축 연면적 1,000m^2 규모의 비행통제 운영센터와 길이 2,000m, 폭 20m 규모의 활주로, 정비고, 이착륙장 등이 들어설 예정이다. 비행통제 운영센터 설치에 들어가는 건축비와 시스템 구축비 60억 원은 전액 국비로 지원된다.

이에 따라 드론 시험비행 테스트를 위해 드론 시험비행장을 이용해야 했던 다른 시에서 드론 시범 사업자의 시간적, 경제적 부담이 해소될 전망이다. 또한 '드론 전용 시험비행장' 유치로 300m이내 고고도(高高度) 비행, 야간비행, 비가시권 비행 등을 상시적으로 할 수 있어 규제 완화 효과가 있다. 특히, 전용 비행시험장에는 드론 비행시험 전용 장비가 구축돼 고성능 드론 비가시권, 장거리 비행에 대한 안전한 추적감시가 가능하다.

〈드론 활용 시범 사업 분야〉

- 물품 수송
- 국토조사 및 민생 순찰
- 촬영, 레저, 스포츠, 광고
- 산림보호 및 산림재해 감시
- 해안선 및 접경 지역 관리
- 기타 등
- 시설물 안전진단
- 통신망 활용 무인기 제어

드론 시범 사업자는 지난해 선정된 규제 샌드박스 시범 사업 적용을 받는 기업으로 정부는 8개 분야를 드론 활용 시범 사업 분야로 지정했다. 현재는 74개의 대표사업자와 참여 사업자, 기관이 시범 사업자로 선정돼 드론 전용 시험비행장에서 다양한 시험 운행을 할 수 있다.

드론 전용 비행장이 조성되면 인근에 검인증 센터, 조종 자격 전문교육기관 등 관련 기업과 도내 100여 개의 드론 업체, 시설 등을 한데 모을 수 있는 드론 클러스터를 구축할 계획이다.

① 이미 국내 4개의 드론 전용 비행시험장이 조성되어 있다.
② 비행통제 운영센터 설치에 들어가는 비용은 전액 국비로 지원된다.
③ 고고도(高高度) 비행, 야간비행, 비가시권 비행을 상시적으로 할 수 있게 된다.
④ 드론 활용 시범 사업 분야에는 물품 수송, 산림재해 감시뿐만 아니라 촬영, 광고가 포함되어 있다.
⑤ 드론 전용 비행장을 중심으로 검인증 센터, 조종 자격 전문교육기관 등 100여 개의 드론 업체와 시설 등을 한데 모을 계획이다.

[6~7] 기사문 | 다음 글을 읽고 물음에 답하시오.

제한 시간: 2분

■ **5월에 내리쬐는 햇볕은 '피부 노화'의 주범 …… 자외선에도 종류가 있다?**

우리나라에는 '(Ⓐ)'라는 속담이 있습니다. 그런데 왜 이런 궂은 속담이 나오게 된 걸까요? 그 이유는 '자외선의 종류'와 관련이 있습니다. 자외선은 파장 길이에 따라 A, B, C 세 종류로 나뉩니다. 세 가지 중 가장 위험한 것은 자외선C인데요. 다행히 자외선C는 파장이 짧아 오존층에서 대부분 차단됩니다.

하지만 자외선A와 B는 파장이 길기 때문에 피부까지 도달해 안 좋은 영향을 미칩니다. 7~8월에 주로 나타나는 자외선B는 강도가 세서 살갗을 빨갛게 만들고, 일광 화상을 일으키기도 합니다. 여름철 바닷가에서 장시간 햇볕을 받으면 피부가 타고 껍질이 벗겨지는 이유도 여기에 있습니다.

요즘 같은 5~6월 햇볕에는 자외선A가 집중돼 있습니다. 자외선A는 B보다 강도가 약하지만, 파장이 길다는 특징이 있는데요. 진피층까지 침투해 주름이 생기게 하고 멜라닌 색소를 만드는 등 피부 노화를 유발합니다. 특히 자외선A는 유리창을 투과해 실내까지 들어올 수 있기 때문에 창가에 오래 앉아 있는 경우에도 유의해야 합니다.

■ **'SPF 30, PA++' 종류 다양한 자외선 차단제 …… 어떤 걸 골라야 할까?**

우선 자외선A를 차단하는 정도를 나타내는 차단등급(PA, Protection of UVA)과 자외선B의 차단 정도를 의미하는 자외선 차단 지수(SPF, Sun Protection Factor)를 구별할 필요가 있습니다.

PA는 '+(플러스)'가 많을수록 자외선A의 차단 효과가 커집니다. SPF로 표시된 자외선 차단제는 SPF 뒤에 적혀 있는 숫자를 유념해서 살펴봐야 하는데요. 'SPF30'이라고 쓰여 있는 경우, 자외선의 양을 1로 볼 때 차단제를 바른 뒤 피부에 닿는 자외선의 양이 30분의 1로 줄어든다는 것을 의미합니다.

잠깐 외출을 하거나 간단한 실외 활동을 할 때는 SPF10~30, PA++ 정도의 차단제를 사용하면 됩니다. 주말에 야외에서 간단한 스포츠를 즐길 예정이라면 SPF30, PA++ 이상의 제품을 사용하는 것이 좋습니다. 등산이나 해수욕으로 장시간 해에 노출되는 경우 SPF50+, PA+++ 이상의 자외선 차단제를 바르는 것이 피부에 안전합니다.

외출 30분 전부터 차단제를 바르고, 무조건 많이 사용하는 것보다는 2~3시간 간격으로 덧바르는 것이 자외선 차단에 더 효과적인 방법이라고 전문가들은 조언했습니다.

6 **문맥을 볼 때 Ⓐ에 들어갈 말로 가장 적절한 것은?**

① 칠월 송아지
② 쥐구멍에도 볕 들 날 있다
③ 오뉴월 소나기는 쇠등을 두고 다툰다
④ 장마 끝물의 참외는 거저 줘도 안 먹는다
⑤ 봄볕에 며느리 내보내고, 가을볕에 딸 내보낸다

7 **윗글을 참고할 때, 자외선에 대한 설명으로 적절하지 <u>않은</u> 것은?**

① 자외선C는 피부에 가장 위험하다.
② 자외선B는 일광 화상까지도 일으킬 수 있다.
③ 자외선A는 주름 생성의 원인이 되기도 한다.
④ 자외선 차단제는 PA 등급과 SPF 수치가 높을수록 효과가 좋다.
⑤ 해수욕을 할 때, SPF30, PA++의 차단제를 가지고 있다면 평소의 2배 두께로 바르는 것이 좋다.

[8~9] 기사문 | 다음 글을 읽고 물음에 답하시오.

⏱ 제한 시간: 2분

최근 중국의 재활용 쓰레기 수입 중단 조치로 페트(PET)병과 비닐 같은 일회용품이 그대로 폐기되는 등 한국을 비롯한 세계 각국이 '쓰레기 대란'을 겪고 있다. 이렇게 버려지는 고체 쓰레기의 80% 이상은 분해되지 않는 플라스틱이다. 플라스틱 쓰레기는 바다로 흘러 들어가 생태계를 파괴하는 것은 물론이고 먹이사슬을 타고 다시 식탁으로 돌아와 인체 건강을 위협하고 있다.

롤런드 기어 미국 샌타바버라 캘리포니아대 교수팀이 지난해 7월 국제학술지 〈사이언스 어드밴시스〉에 게재한 연구 결과에 따르면 전 세계에서 한 해 동안 배출되는 플라스틱 쓰레기는 약 630만t(2015년 기준). 이 중 9%만이 재활용되고 12%는 소각 처리된다. 나머지 79%는 그대로 버려지는 셈이다. 기어 교수는 "플라스틱 쓰레기 중 35%는 포장재"라며 "포장재의 수명은 길어야 3일이다. 사용 직후 바로 쓰레기가 되는 셈"이라고 말했다.

플라스틱 쓰레기는 매립하기도 하지만 대체로 강이나 배수구 등을 타고 바다로 흘러 들어간다. 바다 위를 떠다니는 플라스틱 쓰레기만 3,500만t에 이를 정도다. 1950년대(170만t)와 비교하면 그 양이 20배 이상으로 늘었다. 개수로는 5조2,500억 개로 추산된다. 가장 먼저 피해를 입는 건 해양생물이다. 올해 2월 스페인 남부 카보데팔로스 해변에서 몸길이 10m의 고래가 죽은 채로 발견됐다. 이달 4일 공식 발표된 부검 결과에 따르면 이 고래는 플라스틱 쓰레기를 무려 29kg이나 삼킨 것으로 드러났다. 고래 사망 원인은 복막염으로 확인됐다. 고래 위장에선 비닐백과 플라스틱 물병 등이 나왔다. 문제는 플라스틱 쓰레기가 거친 해류와 태양 자외선(UV)에 의해 점점 더 작은 조각으로 쪼개진다는 점이다. 대부분은 5mm 이하의 '미세 플라스틱'이 된다. 엘리차 저마노브 호주 머독대 교수팀이 국제학술지 〈트렌드 인 이콜로지 앤드 에볼루션〉 4월호에 발표한 논문에 따르면 플랑크톤은 물론이고 최근에는 우리가 먹는 천연소금과 생선, 새우, 굴 등에서도 다량의 플라스틱이 검출된 것으로 나타났다. 사람이 버린 쓰레기가 다시 식탁 위로 올라오는 셈이다.

플라스틱에는 DDT, 프탈레이트 등 인체 유해 성분도 다수 포함돼 있다. 한국은 세계적으로 연안에 플라스틱 쓰레기가 가장 많은 지역에 속한다. 특히 서해와 남해에는 1~5mm 크기의 플라스틱 조각이 km^2당 10만 개 이상으로 추정된다. 과학자들은 미생물을 이용해 플라스틱 쓰레기를 분해하기 위한 연구를 진행 중이다. 존 맥기헌 영국 포츠머스대 교수팀은 PET 분해 능력을 기존 대비 20% 이상 높인 새로운 효소를 개발했다고 국제학술지 〈미국국립과학원회보(PNAS)〉 17일자에 발표했다.

다만 이○○ KAIST 생명화학공학과 특훈교수는 "우리가 플라스틱을 소비하는 속도에 비해 (　　㉠　　). 실용화에 이르기까지는 오랜 시간이 걸릴 것"이라고 말했다. 이덕환 서강대 화학과 교수는 "가장 확실한 해법은 덜 쓰고 덜 버리는 것"이라고 강조했다.

8 **이 글의 제목으로 가장 적절한 것은?**

① 21세기 해양 생태계의 실태
② 환경 오염의 실태와 과학적 대처 방안의 한계
③ 중국의 재활용 쓰레기 수입 중단 조치로 인한 폐해
④ 화학 물질로 인한 생태계 파괴와 친환경적 극복 방안
⑤ 생태계를 파괴하고 인간을 위협하는 플라스틱 쓰레기

9 **㉠에 들어갈 말로 가장 적절한 것은?**

① 미생물의 PET 분해 속도가 매우 느리다.
② 효과가 입증되는 데 시간이 오래 걸린다.
③ 대체물질을 개발하는 속도가 매우 느리다.
④ 세계적으로 보급되는 속도가 매우 느리다.
⑤ 처리하기 위해 수집하는 속도가 매우 느리다.

10 **공지 | 다음 글의 내용과 일치하지 <u>않는</u> 것은?**

제한 시간: 1분

한국전력 전기요금 산정 방법 공지

한국전력은 매년 7~8월 중 전기가 가장 많이 소요되는 날짜의 사용 금액으로 1년간 기본요금을 산정합니다.

전기 기본요금을 최대로 낮추기 위해서는 사용자가 에너지 절약의 생활화를 적극적으로 실천해 주시기 바랍니다.

또한 전기요금 부과체계는 계절별, 시간대별로 다르게 책정되므로 아래 표를 참고하시기 바랍니다.

계절별, 시간대별 주택용 전기 전력량 요금(1kWh당)

구분 (적용시간대)	여름철 (6~8월)	봄·가을철 (3~5, 9~10월)	겨울철 (11~2월)
경부하 (23:00~09:00)	56.1원	56.0원	63.1원
중간부하 (09:00~10:00) (12:00~13:00) (17:00~23:00)	109.0원	78.6원	109.2원
최대부하 (10:00~12:00) (13:00~17:00)	191.1원	109.3원	166.7원

2018.05

○○ 관리사무소장

① 봄·가을철은 모든 시간대의 전력량 요금이 가장 낮다.

② 모든 계절에서 경부하 시간대의 전력량 요금이 가장 낮다.

③ 이번 여름에 전기를 절약하면 내년 전기 기본요금이 낮아진다.

④ 가장 높은 전력량 요금은 가장 낮은 전력량 요금보다 4배 이상 비싸다.

⑤ 18시부터 21시에는 겨울철 > 여름철 > 봄·가을철 순서로 전력량 요금이 책정되었다.

11 법령 | 다음 수강료 반환 기준을 참고할 때, 〈보기〉에서 적절한 상황으로 알맞은 것은?

제한 시간: 1분

수강료 반환 기준(제18조 제3항 관련)

구분		반환사유 발생일	반환금액
제18조 제2항 제1호 및 제2호의 반환사유에 의한 경우		교습을 할 수 없거나, 교습 장소를 제공할 수 없게 된 날	이미 납부한 수강료를 일할 계산한 금액
제18조 제2항 제3호의 반환사유에 의한 경우	수강료 징수기간이 1월 이내인 경우	교습 개시 이전	이미 납부한 수강료 전액
		총 교습시간의 1/3 경과 전	이미 납부한 수강료의 2/3 해당액
		총 교습시간의 1/2 경과 전	이미 납부한 수강료의 1/2 해당액
		총 교습시간의 1/2 경과 후	반환하지 아니함
	수강료 징수기간이 1월을 초과하는 경우	교습 개시 이전	이미 납부한 수강료 전액
		교습 개시 이후	반환사유가 발생한 당해 월의 반환 대상 수강료(수강료 징수기간이 1월 이내인 경우에 따라 산출된 수강료를 말한다)와 나머지 월의 수강료 전액을 합산한 금액
비고		총 교습시간은 수강료 징수기간 중의 총 교습시간을 말하며, 반환금액의 산정은 반환사유가 발생한 날까지 경과된 교습시간을 기준으로 한다.	

보기

㉠ 강사가 아파서 월 8회 수업 중 4회 수업을 못 한 학원에 대해 책임을 묻고 한 달 수강료 전액 환불을 요구한 A 씨

㉡ 개인적인 이유로 하루 전에 수강을 취소하고, 수강료 반환을 요구하는 수강생에게 수수료 15%를 제외하고 환불한 B 요리학원

㉢ 3개월에 60만 원인 영어 회화 학원에 등록했는데, 첫 달에 20일 정도 수강하고 40만 원 수강료 환불을 요청한 K 학생

① ㉠　② ㉡　③ ㉢

④ ㉠, ㉡　⑤ ㉡, ㉢

12 약관 | 다음 글을 참고할 때, 청약 철회가 가능하지 않은 경우는?

제한 시간: 1분

제15조 (청약 철회 등)

① "A 쇼핑몰"과 재화 등의 구매에 관한 계약을 체결한 이용자는 전자상거래 등에서의 소비자보호에 관한 법률 제13조 제2항에 따른 계약 내용에 관한 서면을 받은 날(그 서면을 받은 때보다 재화 등의 공급이 늦게 이루어진 경우에는 재화 등을 공급받거나 재화 등의 공급이 시작된 날을 말합니다.)부터 7일 이내에는 청약의 철회를 할 수 있습니다.

② 이용자는 재화 등을 배송받은 경우 다음 각호의 1에 해당하는 경우에는 반품 및 교환을 할 수 없습니다.

1. 이용자에게 책임 있는 사유로 재화 등이 멸실 또는 훼손된 경우(다만, 재화 등의 내용을 확인하기 위하여 포장 등을 훼손한 경우에는 청약 철회를 할 수 있습니다.)
2. 이용자의 사용 또는 일부 소비에 의하여 재화 등의 가치가 현저히 감소한 경우
3. 시간의 경과에 의하여 재판매가 곤란할 정도로 재화 등의 가치가 현저히 감소한 경우
4. 같은 성능을 지닌 재화 등으로 복제가 가능한 경우 그 원본인 재화 등의 포장을 훼손한 경우
5. "A쇼핑몰"이 특정 재화 등에 대하여 청약 철회 시 회복할 수 없는 중대한 피해가 예상되어 사전에 청약 철회 제한에 관하여 고지하고, 이용자의 동의가 이루어진 경우

③ 제2항 제2호 내지 제4호의 경우에 "A쇼핑몰"이 사전에 청약 철회 등이 제한되는 사실을 소비자가 쉽게 알 수 있는 곳에 명기하거나 시용 상품을 제공하는 등의 조치를 하지 않았다면 이용자의 청약 철회 등이 제한되지 않습니다.

④ 이용자는 제1항 및 제2항의 규정에도 불구하고 재화 등의 내용이 표시 · 광고 내용과 다르거나 계약 내용과 다르게 이행된 때에는 당해 재화 등을 공급받은 날부터 3월 이내, 그 사실을 안 날 또는 알 수 있었던 날부터 30일 이내에 청약 철회 등을 할 수 있습니다.

① 6월 7일에 냄비를 주문하여 받은 L씨는 바로 라면을 끓였는데 표면이 벗겨지기 시작해 반품 및 청약 철회를 요청하였다.

② 5월 12일에 구두를 주문하였는데, 약속된 배송 날짜보다 늦어져 5월 18일에 배송이 시작되었고 A씨는 5월 19일에 청약 철회를 요청하였다.

③ 7월 23일 양말 세트를 주문하여 받은 K씨는 7개 중 3개를 신다가 광고와는 다르게 흰 양말이 3개가 아니라 2개라는 사실을 알고 8월 21일에 반품 및 청약 철회를 요청하였다.

④ 4월 17일에 P씨는 그릇을 주문하였고, 4월 19일에 배송받았다. 당일, 생각보다 마음에 들지 않아 반품 및 청약 철회 요청을 하려고 하는데 실수로 그릇 사이사이에 있던 비닐 뽁뽁이를 버렸다는 것을 알게 되었다.

⑤ J씨는 전화로 동화책 전집을 주문할 당시 복제의 가능성이 있으므로 청약 철회가 제한된다는 내용에 동의하였다. 그러나 배송받은 당일 전집의 개별 포장을 벗겨 내용을 보았는데 마음에 들지 않아 바로 반품 및 청약 철회를 요청하였다.

13 **도표 | 다음 글을 읽고, 컬러 레이저 복합기 선택 조건을 비교한 것으로 적절하지 않은 것은?**

⏲ 제한 시간: 1분

컬러 레이저 복합기 선택 기준

구분	M5521	M5021
기본기능	복사, 프린트, 스캔, 팩스	복사, 프린트, 스캔
인쇄 속도	분당 21매	분당 40매
제품 크기	417(W)×429(D)×495(H)mm	390(W)×410(D)×480(H)mm
양면 인쇄	기본지원	기본지원
인터페이스	유선 네트워크/USB 2.0	유선 네트워크/USB 2.0
임대 기간	2년	2년
보증금	150,000원	150,000원
기본 인쇄 조건	컬러, 흑백 포함 1,000장/추가 장당 80원	컬러, 흑백 포함 1,500장/추가 장당 80원
월 임대료	50,000원	55,000원
무상제공	토너, 드럼, 기타 소모품	

① 인쇄의 양과 속도로만 보면 M5021을 선택해야겠어.

② 팩스가 되면서도 임대료가 저렴해야 하니 M5521이 딱이군.

③ 팩스가 필요한데 M5521을 사용하면 팩스를 따로 사지 않아도 되겠네.

④ 월 2,000장 정도는 복사나 프린트를 할 것 같은데, M5521을 2대 임대하는 건 어떨까?

⑤ 회의 중간에 급하게 복사를 해야 하는 경우가 종종 있으니 M5021을 선택하는 것이 좋겠군.

02 학술문

기출변형 문제

정답 P 13

[1~3] 인문 | 다음 글을 읽고 물음에 답하시오.

제한 시간: 3분

'공격 행동'은 19세기 정치이론에 처음 쓰였으며 정당하지 않은 침략전쟁을 뜻하였다. 20세기 초에 들어와서는 오스트리아의 정신의학자 A.아들러가, 1920년대에는 S.프로이트가 그의 정신분석에서 사용하였다. 프로이트는 공격을 긴장을 쌓고 방출하거나 표현해야 하는 선천적인 본능으로 보았다. 즉 바꾸어 표현하거나 방향을 조정할 수는 있으나 어떤 형태로든지 발산해야 하므로, 공격 표현이 방해를 받으면 사람은 파괴적이 될 수 있다고 주장하였다. 이와 같은 입장은 동물행동학자들에게도 나타나는데, 동물의 공격 행동은 먹이 확보, 서열 위치, 영토권 주장, 배우자 선택을 위해서 이루어지며, 이러한 행동은 궁극적으로 먹이를 확보하고 종을 유지하려는 본능 때문인 것으로 추론하였다.

정신분석의 입장에서 공격 행동을 줄이는 방법은 사회가 용인하는 형태, 예를 들어 격렬한 운동에 참여하거나 관전함으로써 공격의 욕구를 ⓐ'승화'시키는 것과 덜 위험한 목표로 공격 충동의 방향을 돌리는 ⓑ'대치'라는 수단으로 나타난다. 극단적인 경우, 억제된 충동이 사회가 수용할 수 있는 방법으로 방출되지 못했을 때는 통제할 수 없는 폭력, 살인, 전쟁 등의 형태로 나타난다고 보았다. K.로렌츠도 공격이 피할 수 없는 것이며 본능적인 충동을 밀어내기 위하여 사회적으로 받아들일 수 있는 방식으로 바꾸어 권장해야 한다고 주장하였다.

이처럼 공격을 억제할 수 없는 본능으로 본 견해와는 달리 ㉠A.반두라는 사회적으로 학습된 행동으로 보았다. 사회가 발달하면서 사람들은 텔레비전, 영화, 가정, 학교, 지역사회 등에서 공격적인 행동을 빠르게 배우고 익힌다. 그의 이론에 따르면 공격은 습득된 것이며 다른 형태의 사회적 행동을 규제하는 것과 같은 과정으로 조정될 수 있다. 흔히 욕구가 좌절되거나 피해를 입은 뒤에 공격이 뒤따른다고 하나 반드시 그렇지는 않으며, 좌절에 대한 적절한 반응을 학습하였을 때는 협력이나 문제 해결 등의 건설적인 반응이 나타난다고 하였다.

공격 충동은 '강화(强化)'를 통해서 실행에 옮겨질 가능성이 많다. 다른 아이를 때리고 나서 친구들로부터 신임을 얻게 되면 공격 행동은 늘어나게 된다. 텔레비전 폭력물 등을 따라 하는 '모방'도 공격을 실행하는 중요 요인이다. 폭력물이 공격성에 미치는 영향에 대해서는 많은 논란이 있으나 폭력물이 쉽게 공격 충동을 일으키게 하며 공격 방법을 모방하도록 하는 것은 확실하다. 이러한 공격 충동의 실행이 자제되는 가장 큰 요인은 처벌에 대한 두려움이다. 처벌이 눈에 보이지 않거나 익명성이 보장될 때 공격은 강화된다. 또한 공격 행동은 옳지 않고 도덕적, 사회적으로 비난과 처벌을 받을 수 있다는 평소의 학습으로 공격 충동의 상당 부분을 억제시킬 수 있다.

1 **윗글의 서술 방식으로 적절한 것은?**

① 특정 이론에 대한 다양한 예시를 소개한다.
② 비유적 표현을 구사하여 독자들의 이해를 돕는다.
③ 특정 행위에 대한 학자들의 다양한 견해를 제시한다.
④ 통념에 대한 의문을 제기하여 호기심을 유발하고 있다.
⑤ 상반된 이론을 비교하여 대안적 관점을 제시하고 있다.

2 〈보기〉는 신문 기사의 일부이다. ㉠의 관점에서 〈보기〉를 이해한 내용으로 적절하지 않은 것은?

보기

○○ 초등학교 A 군은 학교 폭력 가해 학생으로, 자신이 폭력 행동을 한 후 자신을 대하는 주변 친구들의 태도가 달라진 것에 우쭐해져서 자기도 모르게 이런 행동을 자주 하게 되었다고 말하였다. 한편 A 군은 평소 폭력적인 장면이 많이 나오는 영상물과 게임을 즐겼다고 한다. 실제 △△ 청소년 재단이 초등학교 5학년 이상의 학생들 100명을 대상으로 조사한 결과, 폭력은 나쁘다는 것을 배웠기 때문에 현실에서는 폭력을 쓰지 않지만, 자신이 누구인지 드러나지 않는 게임이나 인터넷상에서는 매우 폭력적이 된다는 답변이 많았다.

① A 군의 공격 행동은 반복되면서 억제가 불가능해진다.
② A 군은 평소 공격 행동이 학습되기 쉬운 상황에 있었다고 볼 수 있다.
③ 학교 폭력 가해 학생들이 폭력적인 영상물을 보고 그것을 흉내 내는 것은 공격 행동을 재생한 것이라고 볼 수 있다.
④ 공격 행동이 다시 나타나기 위해서는 강화가 필요한데, 주변 친구들의 태도가 A 군의 공격 행동에 동기를 부여했다고 볼 수 있다.
⑤ 현실에서는 교육과 같은 사회적 행동에 의해 폭력이 규제되었다가 익명성이 보장되는 게임이나 인터넷상에서는 강화된다는 것을 알 수 있다.

3 윗글의 ⓐ와 ⓑ를 나타내는 것으로 가장 적절한 것은?

① ⓐ: 활동성이 강한 아이들이 합기도와 유도를 배움.
ⓑ: 산만하고 공격적인 아이들이 뜨개질을 배움.
② ⓐ: 차분한 음악이나 영상을 지속적으로 접하게 함.
ⓑ: 시끄러운 음악이나 활동적인 영상을 지속적으로 접하게 함.
③ ⓐ: 신나게 야구 경기를 관람하여 대리 만족을 느끼게 함.
ⓑ: 직접 야구 경기에 참여하도록 함.
④ ⓐ: 공격적인 행동이 나오는 영상을 통해 상황을 객관적으로 인식시킴.
ⓑ: 격렬한 스포츠에 참여시킴.
⑤ ⓐ: 공격적인 행동을 하는 아이들에게 태권도나 축구를 시킴.
ⓑ: 동생에 대한 불만을 동생의 인형을 때리는 행동으로 대신함.

[4~6] 인문 | 다음 글을 읽고 물음에 답하시오.

제한 시간: 3분

유학의 정치 이념에 의하면 국가의 경영은 덕과 예를 근본으로 삼고 정령과 형벌은 부차적인 것이어야 한다. 이것이 바로 공자가 표방하는 덕치의 이념이며, 그것은《논어》에서 '도덕제례(道德齊禮)'의 명제로 제시되었다. "정령으로써 이끌고 형벌로써 통제하면 백성들이 형벌을 면하려 하겠지만 내면에는 부끄러움이 없다. 덕으로써 이끌고 예로써 통제하면 내면에 부끄러움이 있고 또한 바르게 된다." 공자의 이와 같은 사고방식은 맹자에 이르러 '심복(心服)'이라는 명제로 계승 발전된다. 맹자는 물리적인 힘으로 굴복시키는 통치 방식을 패도(覇道)라 하고, 치자의 도덕성에 기초하여 자발적인 복종, 곧 마음으로부터의 복종(心服)을 이끌어 내는 왕도(王道)와 대비시켜 비판하고 있다.

법가의 법치는 정령과 형벌을 국가 통치의 주요한 수단으로 삼는 사고방식이다. 특히 전국 시대에 법가 사상을 집대성한 한비자(韓非子)는 군주가 신하를 통제하는 두 가지 핵심적인 수단[二柄]으로 상과 벌을 강조하였다. 이는 군주와 신하를 적대적인 관계로 파악하고 군주의 입장에서 신하들을 효율적으로 제어하는 수단을 강구하려는 의식의 산물이다. 한비자는 발톱과 이빨이 있기 때문에 호랑이가 개를 굴복시킬 수 있다고 하면서, 군주의 상벌과 은덕을 호랑이의 발톱과 이빨에 비유하고 있다. 이는 또한 사람이란 자신의 이익을 추구하기 마련이라는 성악설적인 인간관에 기초한 발상이기도 하다. 한비자는 군주가 신하들을 자신이 원하는 방향으로 유도하고 통제할 수 있는 길은 도덕성이나 이념에 의한 교화 내지 감화가 아니라 이로움을 통한 유도와 위세에 의거한 위협이라고 보았다.

조선 초기에 ㉠조준(趙浚, 1346~1405)은 군주의 도리와 관련하여 경(敬)과 공(公)의 의미를 설명하면서 상벌의 공정한 시행에 초점을 맞추어 공의 실제적인 의미를 논하고 있다. 여기에는 백성의 뜻이 곧 하늘의 뜻이라고 하는 맹자의 민본주의 사상이 바탕에 깔려 있다. 맹자는 군주가 백성의 부모라는 말의 의미를 국가의 중대사, 특히 형벌의 시행에 있어서 백성의 의사에 따라야 한다는 것으로 해석하였다. 조준은 바로 맹자의 이와 같은 민본주의적 사상을 계승하여 상벌의 시행을 인민 대중의 뜻에 따라 시행해야 한다고 강조하고 있다. 이와 같은 조준의 논의는 유학의 전통적인 민본주의 사상을 계승한 것이지만, 상벌의 문제를 군주의 국가 통치에서 공정성과 관련하여 논하는 것은 조선 초기에 유교적 문물제도의 정비를 추구한 조준의 사상적 입장을 반영하는 것이기도 하다.

4 **윗글에 드러난 설명 방법으로 적절하지 않은 것은?**

① 경전의 내용을 인용하여 사상가의 주장을 드러내고 있다.
② 사상가들의 상반되는 주장을 자세히 비교·분석하고 있다.
③ 비유적 방법을 통해 추상적 이론을 구체적으로 드러내고 있다.
④ 두 주장을 절충하여 현실에 적용한 사상가에 대해 설명하고 있다.
⑤ 특정 학술 이론이 시간의 흐름에 따라 변화하는 과정을 보여 주고 있다.

5 윗글에 대한 내용과 일치하지 않는 것은?

① 한비자는 군주의 통제력은 도덕성이나 이념에 의한 교화와는 상관이 없다고 주장하였다.
② 맹자는 왕은 도덕성에 기초한 백성과 신하들의 자발적인 복종을 이끌어 내야 한다고 보았다.
③ 맹자는 한비자의 법가를 패도(霸道)라고 비판하며 왕도(王道)와 대조적인 것으로 보았을 것이다.
④ 공자는 백성들을 정령으로 이끌고 형벌로써 통제하면 그 부끄러움으로 사람답게 살 수 없다고 하였다.
⑤ 조준은 '경(敬)과 공(公)'의 개념으로 군주의 도리를 설명하였으나, 이는 맹자와 한비자의 사상을 이어받은 것이다.

6 〈보기〉를 참고하여, ㉠의 주장을 이해한 것으로 바르지 않은 것은?

보기

조준(趙浚, 1346~1405)

고려 말·조선 초의 문신. 고려 말 전제 개혁을 단행하여 조선 개국의 경제적인 기반을 닦고, 이성계를 추대하여 개국 공신이 되었다. 제1차 왕자의 난 전후로 이방원의 세자 책봉을 주장했으며, 태종을 옹립하였다. 토지 제도에 밝은 학자로 《경제육전(經濟六典)》을 편찬하였다.

① ㉠은 조선 초기 맹자의 민본주의 사상과 한비자의 법치주의 사상을 절충하고자 하였군.
② ㉠이 맹자의 민본 사상을 다른 제도의 바탕에 두고자 한 것은 조선 개국 정신과도 연결되었을 거야.
③ 하지만 ㉠이 상벌 시행을 강조한 것은 결국 백성을 섬기는 것처럼 보일 뿐, 권력을 통한 통제인 것이지.
④ 〈보기〉에 나와 있는 것처럼 ㉠이 맹자와 한비자의 사상을 절충한 것은 백성을 섬기는 조선의 개국 정신과 더불어 당시 치열한 정치적 상황을 반영한 것이 아닐까?
⑤ 맞아. 〈보기〉와 ㉠의 정치사상적 주장을 보니 정치라는 것은 단순히 한 사상가의 주장으로 이해하려 하기보다는 당시 사회적 상황과 관련하여 이해해야 할 것 같아.

[7~9] 정치 | 다음 글을 읽고 물음에 답하시오.

제한 시간: 2분 30초

공산혁명의 위협이 사라진 21세기에 있어서 '자유주의의 목표 달성이냐 아니면 수정주의에 근거한 사회주의적 목표 추구냐'라는 문제는 '현대 미국의 자유주의 내에서 개인의 자유 강조냐 아니면 공동체의 공익 강조냐'라는 문제로도 재해석될 수 있다. 이는 바로 자유주의가 가지고 있는 개인의 자유와 공익이라는 양대 가치의 균형에 관한 문제이기 때문이다. 조금 더 철학적으로 말하면 칸트가 지적하고 있는 개인의 권리 강조 이론과 헤겔이 주장하는 사회적 공동체의 공익 강조 이론이 아직까지 현대 자유주의 내에서 갈등하고 있다고 말할 수 있다.

일반적으로 칸트의 개인적 자유 혹은 권리를 강조하는 이론을 '권리에 기초된 자유주의'라고 부른다. 그리고 헤겔의 공동체 강조 이론을 '공동체주의'라고 부른다. 또한 공동체의 공익 강조와 연결되어 평등의 가치를 존중하는 이론을 '평등주의적 자유주의'라고 말할 수 있다.

현대 자유주의자들 중 일부는 공적인 이익 추구를 내세우는 공리주의란 칸트가 지적한 대로 각 개인의 차별성을 제대로 인식하지 못하고 있다고 비판하면서 전체의 행복이라는 목적 추구보다는 각 개인이 가지고 있는 그 자신의 목적 추구를 존중해야 한다고 주장하고 있다. 한마디로 한 공동체는 하나의 개인으로 이해될 수는 없기 때문에 그 공동체 내의 각 개인이 가지고 있는 차별성이 강조되어야 하는 것이 진정한 자유주의의 목표라는 의미이다.

좀 더 강하게 말하면, 국가나 사회의 이익을 위하여 개인의 자유가 침해되어서는 안 된다는 의미까지를 내포하고 있는 것이 권리에 기초한 자유주의적 사고라고 할 수 있다. 요즈음 흔히 이야기하는 시장주의도 알고 보면 모든 것을 시장의 자율성에 맡긴다는 의미이니 개인의 권리를 강조한 자유주의적 사고와 깊은 연관성을 갖고 있는 것이다. 한마디로 개인의 권리를 강조하는 쪽에서는 정부가 공익을 내세워 여러 가지 규제 정책을 만들려고 하면 경우에 따라서는 개인의 자유를 억압한다는 논리를 내세워 반대의 목소리를 낼 수 있는 것이다.

이에 반하여 헤겔의 주장을 받아들이는 편에서는 칸트적인 개인의 권리 주장을 반박하면서 선보다 우선된 개인의 권리 주장에 의문을 제기하고 있다. 즉, 그들은 플라톤이나 아리스토텔레스 등이 주장하는 인간의 선 혹은 목적 추구의 고전적인 이론에 근거하여 공동적인 목적 없이 정치적 행위를 하는 것은 생각할 수 없는 일이라고 주장하고 있는 것이다. 구체적으로 이들은 현대 사회에서 개인의 자유 혹은 권리 강조에 따른 공동체적인 선 혹은 목적이 상실되고 있음을 안타까워하고 있다고 할 수 있다.

[A] 따라서 현대 자유주의 체제 내에서 개인의 권리 강조냐 아니면 공익 강조냐 하는 문제는 이념적으로 우파 혹은 좌파적 의미로도 해석될 수 있다. 물론 자유주의 내에서의 공동체주의는 근본적으로 자유주의적 가치를 존중하면서 다만 그 해석에 있어서 공익을 강조한다는 의미이기 때문에 수정주의적 입장과 연결된다고 하더라도 사회주의와는 그 의미가 사뭇 다르다고 하겠다. 그러나 공동체주의가 헤겔의 이론에 근거를 두고 있는 한 사회주의적 이념과 완전히 분리될 수는 없기에, 21세기 자유 민주주의 체제 내에서 개인의 권리 강조와 공익의 강조는 이념적으로 우리 사회의 보수와 진보 간의 갈등과도 일맥상통한다고 할 수 있다.

7 **이 글의 제목으로 적절한 것은?**

① 개인의 권리와 공공의 이익이란
② 21세기 자유 민주주의 체제의 완성
③ 보수의 한계와 이를 보완하는 진보
④ 자유주의 체제하에서의 보수와 진보의 갈등
⑤ 진보와 보수의 결합으로 완성되는 21세기 사회

8 **윗글에 대한 설명으로 바르지 않은 것은?**

① 자유주의자들은 공동체와 개인을 분리하여 개인의 자유와 목적 추구를 강조한다.
② '개인의 권리와 공공의 이익' 중 무엇이 먼저인지에 관한 문제는 사회적 균형과 맞물려 있다.
③ 헤겔의 '평등주의적 자유주의'는 공동체주의로서 공공의 이익을 주장하는 사상적 토대가 된다.
④ 칸트의 '권리에 기초한 자유주의'는 개인의 자유 혹은 권리를 강조하는 주장의 사상적 기초가 된다.
⑤ 헤겔의 주장을 받아들이는 편에서는 아리스토텔레스 등이 주장하는 인간의 선 혹은 목적 추구의 고전적인 이론에 반박하여 공동체의 목적을 강조하고 있다.

9 **[A]를 통해 알 수 있는 내용으로 적절한 것은?**

① 이미 자유주의 안에서 공익의 가치를 존중하고 있기 때문에 수정주의로 절충될 수 있다.
② 헤겔의 이론을 근거로 한 공동체주의가 존재하는 이상 사회주의는 절대 사라지지 않을 것이다.
③ 계속해서 개인의 자유와 공공의 이익이 대립한다면 결국 자유주의와 사회주의로 분리될 수밖에 없다.
④ 21세기 자유주의가 완전한 자유주의로서 개인의 자유만을 보장한다면 갈등이 종식될 수 있음을 의미한다.
⑤ 자유주의 체제하에서 개인의 자유와 공공의 이익 간의 대립이 계속되는 한, 각 주장이 근거한 사상적 배경으로 인해 보수와 진보의 갈등은 지속될 것이다.

[10~12] 경제 | 다음 글을 읽고 물음에 답하시오.

제한 시간: 3분

㉠'악화가 양화를 구축한다.'는 16세기 영국의 금융가 토머스 그레셤이 엘리자베스 여왕에게 보낸 편지에서 처음으로 쓴 말이다. 여기서 악화란 액면 가치가 실제 화폐 가치보다 높은 돈을 말하고 양화란 반대로 실제 가치가 액면 가치보다 높은 돈을 말한다. 실제 가치가 높은 화폐와 낮은 화폐가 같은 액면 가치를 지닌 화폐로 동시에 유통되게 되면, 실질가치가 높은 화폐는 사라지고 실질가치가 낮은 화폐만이 계속 유통되는 현상이 나타난다. 이를 '그레셤의 법칙'이라고 하는데, 요즘은 쓰이는 의미가 넓어져서 사회 전반에 걸쳐서 악한 것이 선한 것을, 가치가 낮은 것이 가치가 높은 것을 몰아내는 현상을 '그레셤의 법칙'이라고 한다.

그런데 그레셤의 법칙에서 말하는 현상이 실제로 18세기 영국에서 일어났다. 당시 영국은 중국으로부터 차를 수입하면서 심한 무역적자를 기록했다. 차를 마시는 일이 귀족 문화의 하나로 자리 잡으면서 국내 소비량이 늘었고, 차를 가공하여 유럽 여러 나라에 수출도 했기 때문에 차의 수입량이 자꾸 늘어났다.

은본위제를 채택하고 있었던 중국은 차를 수입한 대금을 모두 은으로 달라고 했고, 이로 인해 영국에서는 많은 양의 은이 중국으로 빠져나가게 되었다. 영국 내에 있는 은의 규모가 줄어들자 은의 가격은 높아졌다. 그러자 금화와 은화가 사용되던 영국에서 은화가 사라졌다. 왜 그런 일이 일어났을까?

예를 들어 은 한 돈의 가격이 1만 원이었지만 이것으로 만든 은화의 액면가격은 2만 원이었다고 하자. 은화의 액면 가치가 실제 가치보다 높으면 은화는 계속 돈으로 사용된다. 그런데 은의 가격이 올라가서 한 돈에 3만 원이 되었다고 하자. 은화의 실제 가치가 액면 가치보다 높아지면 차라리 동전을 녹여서 귀금속으로 사용하는 것이 더 이익이다. 이렇게 되면 더 이상 은화는 시중에 유통이 되지 않는다. 악화는 계속 돈으로 사용되지만 액면 가치보다 실제 가치가 더 높은 양화는 더 이상 돈으로 쓰이지 않고 사라진다.

10 이 글의 서술 방식으로 적절한 것은?

① 특정 이론을 통해 사회적 현상을 비판하고 있다.
② 특정 현상의 변화를 통시적으로 고찰하여 서술하고 있다.
③ 사회적 현상의 원인을 역사적 사건으로 재해석하고 있다.
④ 구체적인 사례를 통해 특정 이론의 원리를 알기 쉽게 설명한다.
⑤ 특정 이론의 발생 원인을 고찰하고, 이를 바탕으로 앞날을 예측한다.

11 **윗글을 읽고 〈보기〉에 대해 보인 반응으로 적절하지 않은 것은?**

> 보기
>
> 지난 15일 ○○군에서 10원짜리 구 동전 40만 개를 녹여 동괴를 만든 일당이 검거되었다. 이들은 시중에 아직 유통되는 구 동전 40만 개를 브로커를 통해 구입해 동괴를 만든 것으로 확인되었다. 구 동전은 구리와 아연 성분의 함유량이 높아, 단가가 높다는 단점을 보완하기 위해 신 동전이 제조되어 시중에 유통되었지만 아직 구 동전이 유통되고 있어 앞으로도 수사는 계속될 것으로 보인다.

① 구 동전 40만 개의 실제 가치는 400만 원 이상이다.
② 〈보기〉는 영국에서 은화가 사라진 현상과 유사하다.
③ 〈보기〉에서 구 동전은 악화, 신 동전은 양화에 해당한다.
④ 구 동전과 신 동전 중 액면 가치가 높은 것은 신 동전이다.
⑤ 신 동전은 제조 단가가 줄어서 화폐의 액면 가치가 올랐을 것이다.

12 **㉠과 유사한 사회적 현상으로 적절하지 않은 것은?**

① 생수 시장이 활성화되면서 수입 생수 유통이 늘어났다.
② 경제 사정이 어려워지자 비싼 밀가루보다 값싼 밀가루의 유통이 더욱 늘어났다.
③ 1인 가구가 늘면서 집밥과 관련된 시장은 축소되고 도시락 시장이 활성화되었다.
④ 합성 섬유의 발명으로 싼 가격에 다양한 의류가 생산되자 천연 섬유 시장이 위축되었다.
⑤ 국내산 배와 사과가 해외에서 선풍적인 인기를 끌자, 국내에서는 가격이 저렴한 수입 과일 시장이 확대되었다.

[13~15] 사회 | 다음 글을 읽고 물음에 답하시오.

제한 시간: 2분

미국 남가주대학교의 경제사학자 리처드 이스털린(Richard Easterlin) 교수는 소득의 크기가 행복의 크기를 결정한다는 경제학의 신념에 근본적인 의문을 제기했다. 그는 1946년부터 1970년에 걸쳐, 공산권, 아랍, 가난한 국가 등을 모두 포함한 전 세계 30여 개의 지역에서 정기적인 설문 조사를 시행했다. 이 설문 조사의 표면적 결과는 우리의 상식적 기대와 크게 다르지 않았다. 즉, 예외 없이 모든 나라, 모든 지역에서 소득수준과 개인이 느끼는 행복이 비례관계에 있는 것으로 나타났다. 이는 소득수준이 높아지면서 생활에 대한 걱정이나 건강에 대한 걱정을 덜 수 있으니 그만큼 더 행복해질 가능성이 높다고 해석하면 이해할 수 있다.

여기까지는 기존의 신념을 재확인시켜 준 결과였지만, 이스털린의 설문에는 소득과 행복의 정비례관계에 대한 다소 모순적인 결과도 포함돼 있었다. 이는 개별 지역 내에서는 소득수준이 높을수록 더 행복해지지만, 사회 전체적인 차원에서는 국민소득이 높다고 해서 행복하게 느끼는 사람의 비율 역시 증가하지는 않는다는 것이다.

그것은 한 나라 안에서 두 시점을 비교해 봐도 마찬가지다. 미국의 경우 1940년대부터 1950년대 후반까지 소득이 늘어나면서 행복도가 증가했다. 하지만 개인 소득이 급속도로 늘어난 1970년대까지는 다시 행복감이 감소했다. 이 조사 이후에 이스털린은 1972년부터 1991년까지 추가 조사를 했는데 스스로 행복하다고 생각하는 사람들의 비율이 감소했다는 사실을 발견했다. 이 시기는 그간의 인플레이션과 세율을 반영한다 하더라도 개인 소득이 이전에 비해 33%나 늘어난 시기이다. 이를 '이스털린의 역설(Easterlin's Paradox)'이라고 부른다.

사람의 욕구 수준이 낮아지면 같은 수준의 소득을 얻더라도 행복감이 더 늘어난다. 반대로 욕구의 수준이 (　ⓐ　) 같은 수준의 소득에서 행복감은 (　ⓑ　). 따라서 소득이 (　ⓒ　) 욕구의 수준 역시 (　ⓓ　) 행복감은 전혀 (　ⓔ　).

이제 실증적 연구 결과를 보자. 소득이 오를수록 더 행복할 것이라는 가정은 여러 선진국의 연구 결과를 통해 오류로 판명되고 있다. 국내총생산은 지난 반세기 동안 지속적으로 증가했고, 그에 따른 개인의 소득도 상승세를 이어 왔지만 사람들이 느끼는 행복의 정도는 전혀 증가하지 않은 것이다.

정치학자 로널드 잉글하트(Ronald Inglehart)가 조사한 바에 따르면, 미국인들이 느끼는 행복감은 최고점을 5로 잡았을 때 3.5다. 반면 한국인들의 행복지수는 1점이 조금 넘는다. 이 조사에서 한국은 1인당 국민소득이 1만 달러가 넘는 나라 중에서 '국민들이 제일 행복하지 못한 나라'다. 우간다는 아프리카 최빈국으로 1인당 국민소득이 1,500달러에 평균수명이 52세가 안 되지만, 국민들이 느끼는 행복과 만족감은 세계 12위 경제 규모를 가진 한국 사람들에 비해 크게 떨어지지 않는다.

빈곤을 막 벗어나는 단계에 있는 나라에서는 소득 증가에 따라 행복을 느끼지만, 1인당 소득이 1~2만 달러에 이르면 그런 비례관계는 사라진다. 그때부터 사람들은 행복에 대해 소득수준 이외의 요소를 고려하며 이전과 다른 정의를 내리기 시작한다는 것이다.

따라서 우리는 단순히 소득만으로 행복의 정도를 가늠하는 전통적인 경제학의 한계를 직접적으로 느낄 수 있으며, 행복 경제학의 의의를 알 수 있다. 소득은 행복과 항상 정비례하지 않기 때문에 전통 경제학은 현실 사회의 많은 부분을 설명하지 못하며, 행복 경제학은 전통 경제학의 이러한 한계를 심리·사회적 요인이 포함된 분석으로 보완해 보다 나은 경제학적 이론을 제시하려는 것이다.

13 **윗글의 글쓰기 전략으로 가장 적절한 것은?**

① 발견된 문제점에 대한 해결 방안을 제시하고 있다.
② 대상의 변화 과정과 그것의 문제점을 언급하고 있다.
③ 화제와 관련한 질문을 통해 독자의 관심을 환기하고 있다.
④ 개념 사이의 장단점을 비교하여 둘 사이의 차이점을 부각하고 있다.
⑤ 이론이 등장하게 된 사회적 배경을 연구를 통해 구체적으로 소개하고 있다.

14 **ⓐ~ⓔ에 들어갈 말로 알맞은 것끼리 짝지어진 것은?**

	ⓐ	ⓑ	ⓒ	ⓓ	ⓔ
①	줄어들면	줄어든다	늘어나도	줄어들면	증가하지 않는다
②	줄어들면	높아진다	줄어들어도	줄어들면	증가하지 않는다
③	높아지면	높아진다	줄어들어도	늘어나면	증가하지 않는다
④	높아지면	줄어든다	늘어나도	늘어나면	증가하지 않는다
⑤	높아지면	줄어든다	늘어나도	줄어들면	줄어들지 않는다

15 **윗글의 '행복 경제학'을 통해 유추할 수 있는 내용으로 옳지 않은 것은?**

① 소득이 높아질수록 각종 경쟁으로 인한 스트레스가 심해진다.
② 소득이 낮으면 '소득의 증가'가 '균형적인 삶'보다 더욱 가치가 있다고 느낀다.
③ 소득이 높아지면 상품의 효용보다는 만족도에 따라 소비를 하게 된다.
④ 경제적 소득이 높아질수록 환경 문제, 복지, 치안 등 사회적 문제에 대한 관심도가 떨어진다.
⑤ 경제적 소득이 높아질수록 이전과 동일한 삶의 조건에 대한 만족도는 오히려 떨어질 수 있다.

[16~17] 사회 | 다음 글을 읽고 물음에 답하시오.

제한 시간: 2분 30초

상호 문화주의(interculturalism)는 문화 다양성의 가치에 대한 인식과 문화 다양성이 가져오는 문화 혼종에 대한 가능성을 매우 긍정적으로 해석한다. 이러한 점은 유럽연합이 문화와 교육 교류정책을 통해 추구하는 바와 서로 맥락을 같이하는 것이다. 유럽연합은 학교와 대학 같은 교육 시스템을 포함한 공공 영역에서 다양한 문화적 배경의 사람들이 서로 섞여 교류하며 생산적이고 창조적으로 상호 작용할 수 있는 장을 만들어 그 실천적 역량을 끌어내려 하고 있다.

문화적 다양성을 다루는 모델은 크게 두 가지가 있는데, 하나는 북미의 다문화주의 모델이고, 다른 하나는 유럽의 상호 문화주의 모델이다.

ⓐ다문화주의는 집단과 개인의 관계에서 집단에 우선권을 부여한다는 특성을 가진다. 다시 말해 집단의 정체성이 개인의 정체성에 앞선다는 점이다. 곧 특정한 집단은 동일시되고 범주화한다. 이러한 특성이 바로 다문화주의의 한계로 지적되고 있으며 여타의 많은 문제들에 중요한 영향을 미치는 핵심 성격이다. 다문화주의의 문제점은 차이의 공간화, 특수하고 정교한 법률 제정, 거부와 배제의 태도, 사회적 유동성의 제한 등이다.

ⓑ상호 문화적 접근 방식은 단자처럼 간주되는 개인이나 문화 자체가 아니라 '관계'를 중시하는 것이다. 이런 점에서 보면 문화적 차이는 정태적 속성을 가지고 객관적으로 주어지는 것이 아니라, 서로 의미를 부여하는 두 실체의 역동적인 관계로 보아야 한다.

이와 더불어 지적해야 할 중요한 점은 이러한 '움직임'이 '쌍방향적'이라는 것이다. 다문화주의는 문화적 다양성의 존중을 강조하며 소수자나 이민자 그룹이 사회에 적응할 수 있도록 교육하는 것을 주요 목적으로 삼고 있다. 한편 상호 문화주의에서는 단지 소수의 이주민 그룹이 이주해 온 나라의 문화뿐만 아니라 이주민을 맞이하는 다수 그룹 역시 이주민 혹은 소수민들의 문화를 역으로 배워야 한다는 점을 강조한다.

도시의 다양성을 어떻게 경영할 것인가? 유럽연합은 이러한 문제에 대답하기 위하여 2008년부터 ㉠상호 문화 도시 프로젝트(Intercultural Cities Project)를 시행하고 있다. 시범 도시를 거쳐 2011년부터 유럽의 여러 도시들로 대상을 확대하고 있다. 도시는 문화 간 대화를 추진하고 지원하는 데 중요한 역할을 한다. 이곳은 문화의 공존이 일상적으로 이루어지기 때문에 수용과 화합이 현실적으로 이루어지는 공간일 수밖에 없는 것이다. 따라서 도시는 소속감과 협력을 극대화해 사회적이고 문화적인 통합의 장으로서 서로의 신념들을 창조적 승화로 이끌어 가야 한다. 이는 일상 속 다양한 생활 공동체 안에서 실현시켜 나가야 한다.

그래서 공공장소, 학교, 집, 일터 등 일상의 공간은 서로 다른 문화적 배경의 사람들이 함께 섞여서 생산적이고 창조적으로 상호 작용할 수 있도록 디자인되어야 한다. 유럽연합은 이 전략을 통해 기존의 정책과 공공장소와 수많은 기관과 공동체들의 관계가 변화해야 한다고 보는 것이다. 예를 들어 전문가들의 자문, 방문 조사, 도시 간 멘토링, 주제별 워크숍, 공공 이벤트 등의 활동을 실천한다. 이를 통해 교육, 주거, 공공 영역, 이웃 등의 세부 영역에서 상보적인 협력을 위한 정책을 실천함으로써 시민 사회의 연대를 지향한다.

16 ⓐ, ⓑ의 특징으로 적절하지 않은 것은?

① ⓐ와 ⓑ는 모두 다양한 문화나 민족이 하나의 사회를 이루게 된 상황을 전제로 한다.
② ⓐ는 이주민, 선주민과 같은 집단의 경계가 명확하므로 정교한 법률적 제정이 가능하다.
③ ⓐ 사회에서는 개인 간 문제가 없으나, 집단의 문제로 인한 개인 간 갈등이 생겨날 수 있다.
④ ⓑ는 '관계'를 중시하기 때문에 이미 고정된 각 집단적 문화로 인해 갈등이 생길 가능성이 적다.
⑤ ⓑ 사회의 구성원들은 새로운 문화의 다양한 사람들과의 만남이 ⓐ 사회의 구성원들에 비해 자연스럽게 느껴질 것이다.

17 ㉠의 입장에서 다음 도시 설계 계획을 보았을 때의 평가로 적절하지 않은 것은?

보기

A시는 '문화인 합동 마을'이라는 프로젝트를 기획하여 다양한 분야의 문화·예술 종사자들이 어우러져 살아갈 수 있는 공동체 사회를 조성하려 한다.

마을 안에는 공동 작업실, 공동 전시관, 공동 쉼터가 만들어져 보다 창의적인 작업이 이루어질 수 있도록 할 계획이다. 아울러 문화인 합동 마을의 구성원들이 '협력 작업'을 할 경우 A시에서 작업에 필요한 경비의 일부를 보조하여 A시의 문화·예술 발전에도 큰 영향을 미칠 수 있을 것이다.

문화계 종사자들은 지금까지의 프로젝트에 대한 포트폴리오를 통해 심사를 하고, 면접을 거치게 되며, 총 30가구가 이곳으로 이주를 하게 된다.

도심에서 멀지 않으나 한적한 곳으로 문화·예술 작업에 심취하기 좋아 최적지로 평가받고 있다.

① 〈보기〉의 '문화인 합동 마을'은 작업, 전시, 휴식 등을 함께 하며 소속감과 협력을 극대화하는 삶의 공간이므로 ㉠의 취지에 맞다.
② 〈보기〉의 '문화인 합동 마을'은 다양한 사람들이 모여 수용과 화합이 일상이 될 수 있는 공간이라는 점에서 ㉠의 성격을 지니고 있다.
③ 〈보기〉의 '문화인 합동 마을'은 다른 마을이나 집단과의 교류를 통해 시민 사회와의 연대를 이루지 못한다는 한계점을 보완해야 한다.
④ 〈보기〉의 '문화인 합동 마을'은 소속감과 협력에 의한 성취감을 통해서 다른 집단과의 차별성을 지닐 수 있으므로 ㉠의 목적에 부합한다.
⑤ 〈보기〉의 '문화인 합동 마을'은 다양한 문화의 사람들이 모여야 하는데, 유사한 분야에서 활동하는 사람들만의 집단을 형성하는 것이므로 ㉠의 성격에 맞지 않는다.

[18~19] 과학/기술 | 다음 글을 읽고 물음에 답하시오.

제한 시간: 2분

어떤 집이 한겨울에도 충분히 따뜻하다면, 우리는 단열이 잘되어서 그럴 것이라고 짐작한다. 단열(斷熱, Insulation), 말 그대로 열의 이동을 차단하여 내부의 온기나 한기를 오래도록 유지한다는 뜻이다. 보온병을 예로 들면 이해하기 쉽다.

차가운 얼음물도 뜨거운 커피도 처음의 온도를 오랫동안 유지할 수 있는 이유는 바로 보온병의 뛰어난 단열 성능 덕분이다. 그런데, 만약 이 보온병을 사람이 살 정도의 큰 공간으로 확장한다면 그 속에서는 어떤 일이 일어날까?

단열이 아주 잘된 방이 하나 있다고 가정해 보자. 남쪽으로는 창문이 나 있고 방 안에서는 한 사람이 조명을 밝힌 채 컴퓨터를 사용하고 있다. 현재의 실내 온도는 20℃이지만 바깥은 영하 10℃의 매서운 한파가 몰아치고 있다. 이때 이 방의 온도는 어떻게 변하게 될까?

먼저, 바깥으로 빠져나가는 에너지에 대해 생각해 보자. 이 방의 단열이 아무리 잘되었더라도 내부의 열은 벽과 창문 등을 통해서 조금씩 빠져나갈 수밖에 없다. 단열이라 함은 열을 100% 가두는 것이 아니라 '열이 전달되는 속도'를 늦추는 개념이기 때문이다. 여기서 '일정한 시간' 동안 밖으로 빠져나가는 열량을 A, 같은 시간 동안 햇빛 등을 통해 집 안으로 공급되는 열량을 B라고 하자.

보통의 집이라면 공급되는 열량 B보다 빠져나가는 열량 A가 훨씬 많아 방 안은 금세 냉골로 변하게 된다. 그런데, 만약 열량 A = 열량 B가 될 때까지 보온병에 가까운 수준으로 단열을 끌어올린다면 어떻게 될까? 창문으로 들어오는 따뜻한 햇빛과 하찮게만 보였던 나의 체온, 그리고 백열전구와 PC에서 나오는 소량의 온기만으로도 방 안의 온도를 유지할 수 있지 않을까?

이처럼 난방 설비를 통한 인위적인 에너지 공급[Active] 없이 건물 그 자체만으로도[Passive] 쾌적한 실내 온도를 유지했으면 하는 바람에서 탄생한 것이 바로 '패시브' 하우스다. 뜨거운 물을 얻기 위해 주전자의 물을 계속 끓여 주어야 하는 것이 ㉠<u>액티브 하우스</u>라면, ㉡<u>패시브 하우스</u>는 보온병에 그저 뜨거운 물을 담아 두기만 하면 되는 것과 같은 이치다.

물론 사람이 사는 주택에서는 주기적인 환기가 필요하다는 현실적인 문제가 있다. 이 과정에서 밖으로 버려지는 에너지의 양도 상당하다. 이를 해결하기 위해서 도입한 것이 바로 열회수형 환기장치이다. 밖으로 배출되는 따뜻한 공기로 실내로 들어오는 차가운 공기를 덥혀 환기로 인한 에너지 손실을 최소화한다. 한 톨의 에너지도 낭비할 수 없는 패시브 하우스에서는 절대로 빼놓을 수 없는 아이템이다.

외부로 배출되는 오염된 실내 공기와 내부로 유입되는 신선한 외기를 서로 섞이지 않도록 접촉시켜 버려지는 열을 회수한다.

한편, 아무리 패시브 하우스라고 해도 실제로는 단열재의 두께를 한없이 키울 수도 없을뿐더러, 날이 흐려 햇빛이 들지 않거나 감당하기 힘든 한파가 몰아치는 경우도 많다. 따라서 약간의 난방 에너지 공급은 불가피하다. 이를 알기 쉽게 정리한 것이 에너지 성능의 평가 지표로도 널리 사용되는 '바닥 면적 $1m^2$당 연간 난방 에너지 요구량'이다.

1988년 패시브를 최초로 주창했던 독일의 패시브 하우스 연구소[PHI, Passive House Institute]에 따르면, 패시브 하우스라는 칭호를 얻기 위해서는 적어도 1.5리터 주택은 되어야 한다. 이는 비교적 최근에 지어진 17리터 주택의 1/10에도 못 미치는 수준이다.

18 **'패시브 하우스'에 대한 설명으로 적절하지 않은 것은?**

① 패시브 하우스 단열재의 두께에도 한계가 있다.

② 연료 공급 없이 난방이 가능한 친환경 주택이다.

③ 외부로 배출되는 공기의 열에너지는 다시 실내로 유입된다.

④ '공급되는 열량 = 빠져나가는 열량'이 완벽한 단열 상태이다.

⑤ 가전제품의 빛도 패시브 하우스에서는 난방의 재료가 될 수 있다.

19 **㉠과 ㉡의 가장 큰 차이점으로 알맞은 것은?**

① ㉠은 경제적인 주택 형식이고, ㉡은 친환경적인 주택 형식이다.

② ㉠은 구시대적인 주택 형식이고, ㉡은 미래 지향적인 주택 형식이다.

③ ㉠은 따로 환기를 할 필요가 없고, ㉡은 환기를 위한 장치를 설치해야 한다.

④ ㉠은 온도가 무한대로 올라가고, ㉡은 온도가 어느 정도 이상 올라가지 않는다.

⑤ ㉠은 온도를 높이기 위해 연료를 계속 가해야 하고, ㉡은 내부의 온도를 유지하기 때문에 연료를 계속 가하지 않아도 된다.

[20~22] 문화/예술 | 다음 글을 읽고 물음에 답하시오.

제한 시간: 3분

개념미술은 형태나 색채 또는 재료 등의 시각적·물질적인 대상을 통해 표현하던 종래의 예술관을 버리고 기호, 사진, 도표 등을 통해 기교와 표현력, 그리고 형식을 갖춘 작품 자체보다도 제작의 아이디어나 제작 과정에 관심을 둔 반(反)미술적인 경향이다.

개념미술은 모더니즘 미술이 누려 온 그 모든 것에 대한 부정과 불신에서 시작되었으며, 그래서 당연하게 여겼던 미술의 대상이라는 것조차 부정하려 했다. 개념미술에 이르러 미술은 '무엇이든 가능한 것'처럼 인식되었지만, 그것은 반대로 이제 미술이란 '무엇으로도 불가능한 것'처럼 여겨지게 되었다.

개념미술은 1970년대 들어 더욱 광범위한 정치 비평적 실천으로 발전해 갔다. 개념미술의 영역에서 개념, 즉 언어의 성격이 강해지면서 그것은 또한 미술이 재현의 영역에서 추상의 영역으로, 다시 의미의 영역으로 변해 가고 있음을 의미하는 것이기도 했다. 즉 미술이 예술성 혹은 그 예술성을 담는 매체(캔버스나 오브제)를 탈피하여 본질적인 미술 영역의 확장을 꾀하는 결과로 나타났다는 것이다. 한편으로는 더욱 분석적이고 언어적인 의미에 바탕을 둔 경향으로, 다른 한편으로는 퍼포먼스 요소를 포함하는 플럭서스의 행위와 유사하게 드러나면서, 개념미술은 예술이 무엇인지, 예술 제도란 무엇인지, 그리고 그 역할은 무엇인지에 대해 의문을 제기했다.

개념미술의 영역은 두 가지 맥락에서 이해된다. 그 하나는 "모든 시각적인 것은 궁극적으로 개념적인 것이다."라는 관점에서 과거의 미술을 새롭게 조명하는 일이고, 다른 하나는 그렇다면 미술이라는 활동은 "개념만으로도 가능하지 않을까?"라는 관점에서 미술의 새로운 방식을 실험하는 일이다. 여러 작가들의 다양한 작업들도 이런 맥락에서 이해될 수 있다.

개념미술 작가들의 주요 활동은 예술적 모더니즘에 대해 더욱 근본적인 문제 제기를 하면서 작업 방식도 더욱 광범위하게 사회·정치적 쟁점을 언급한다. 이러한 개념미술의 대표적인 작가 및 그룹으로는 댄 그레이엄과 조셉 코수스, 영국의 아트 앤드 랭귀지 그룹, 메리 켈리, 마사 로슬러 등의 페미니즘 작가, 요셉 보이스, 다니엘 뷔랭, 일리야 카바코프와 온 카와라, 실도 메이렐리스 등이 있다.

이 중 댄 그레이엄은 자신이 알고 있는 우주와 은하계, 태양계의 가장자리에서부터 워싱턴과 뉴욕의 타임스퀘어, 그레이엄 자신의 집 현관문, 그리고 타자기 위의 종이 한 장, 안경의 렌즈, 자신의 망막의 벽에서부터 각막에 이르는 거리를 표시한 열한 개의 '행'으로 구성된 작품을 발표하는데, 이것이 〈1966년 3월 31일〉라는 개념미술이다.

20 윗글에 대한 설명으로 가장 적절한 것은?

① 개념미술을 바라보는 통념을 비판하고 있다.
② 개념미술을 감상하는 방법을 제안하고 있다.
③ 개념미술과 관련된 기법과 의도를 설명하고 있다.
④ 개념미술이 정치에 끼친 파급 효과를 점검하고 있다.
⑤ 개념미술의 기원에 대한 상반된 입장을 소개하고 있다.

21 **윗글로 미루어 알 수 있는 내용으로 적절하지 않은 것은?**

① 개념미술은 작품 자체보다도 작품 제작의 아이디어나 제작 과정에 관심을 두었다.
② 개념미술의 반(反)미술적인 경향은 광범위한 정치 비평적 실천을 하기도 하였다.
③ 기존의 예술성과 예술의 표현 범위를 탈피하며 더 다양한 메시지를 담아내고자 하였다.
④ 미술이 퍼포먼스가 되면서 예술과 예술 제도, 역할 등을 모두 부정하는 강인한 표현이 된다.
⑤ 개념미술은 과거 미술에 대한 새로운 조망과 표현에 있어서 새로운 방식에 대한 실험으로 이루어지게 된다.

22 **〈보기〉는 개념미술가 조셉 코수스의 작품이다. 윗글을 참고하여 이 작품을 감상할 때 적절하지 않은 것은?**

보 기

〈하나와 세 개의 의자〉(1965)라는 작품으로, 벽에는 사진으로 찍은 의자와 의자에 대한 사전적 정의를 그대로 확대한 종이가 부착되어 있고 가운데에는 실물 의자가 놓여 있다. 전시 이후 이 작품을 소장한 미술관은 이 작품에 대한 보관을 고민하다가 작품의 의의를 살려 의자는 디자인과에, 의자 사진은 사진과에, 의자의 사전적 정의인 복사물은 도서관에 각각 보관했다고 한다.

① 우리 주변의 사물과 현상을 바라볼 때에도 있는 그대로의 모습이 아닌 그것이 지닌 본질적 의미를 다시 한번 생각해 봐야겠다고 느꼈어.
② 우리가 알고 있던 것과는 다른 새로운 방식으로 본질적 질문을 던진다는 측면에서 개념미술은 사회적으로 더 많은 역할을 할 수 있을 것 같아.
③ 세 가지 표현물은 모두 다 '의자'를 나타내는 것이네. 이 작가는 이 셋 중 진짜 '의자'는 무엇이며, '의자'의 본질은 무엇인지 우리에게 질문하고 싶은 것 같아.
④ 이 작품을 소장할 때 의자는 디자인과에, 사진은 사진과에, 복사물은 도서관에 보관하는 것은 각 사물이 가지고 있는 본질적 의미와 가치를 살린 결정인 것 같아.
⑤ 벽에 걸려 있는 의자의 사진과 의자에 대한 사전적 정의를 확대한 복사물, 그 사이에 의자 실물이 놓여 있으니 역삼각형 구도를 이루고 있어 개념미술가들의 역동성이 잘 느껴지는군.

03 문학 – 현대시 / 현대소설 / 수필

시험에 나온! 나올!
필수개념

기출복원 문제

기출복원 문제는 출제되는 문제의 유형을 보여 주기 위한 장치로, 지면상 지문은 싣지 않습니다.

[현대시] 사실적 이해 – 정보/구조의 파악

(나)의 ㉠~㉤ 중 의미가 가장 이질적인 시어는?

① ㉠　② ㉡　③ ㉢
④ ㉣　⑤ ㉤

유형 익히기 ▶ 현대시에서 '사실적 이해'는 개별적 시어의 의미를 파악하거나, 성격에 따라 시어를 분류하는 문제 유형이 출제된다. 개별적 시어의 의미는 해당 시의 구체적 문맥을 고려하여 의미를 이해해야 한다. 반면 시어의 성격은 보통 긍정적인 이미지와 부정적인 이미지로 구분할 수 있다. 예를 들어 희망–절망, 과거–미래, 사랑–이별 등으로 성격을 나누어 볼 수 있다.

[현대시] 추론 – 정보/상황/태도와 관점의 추리

(가)와 (나)의 시적 화자와 '거미'의 관계에 대한 설명으로 적절한 것은?

① (가)의 시적 화자는 '거미'의 삶을 변화시키기 위해 적극적으로 노력하고 있다.
② (나)의 시적 화자는 '거미' 가족을 청자로 삼아 자신의 감정을 고백하고자 한다.
③ (가)와 (나)의 시적 화자는 모두 '거미'를 통해 현실 개혁의 의지를 표명하고 있다.
④ (가)의 시적 화자가 일정한 거리를 두고 '거미'를 관찰하는 존재인 반면, (나)의 시적 화자는 '거미'의 삶에 직접 개입하는 존재이다.
⑤ (가)의 시적 화자가 '거미'와 자신을 동일시하고 있는 반면, (나)의 시적 화자는 '거미'와의 대조를 통해 자신의 모습을 성찰하고자 한다.

유형 익히기 ▶ 현대시에서 '추론'은 시적 화자의 태도, 시적 상황, 시에 드러나지 않은 정보 등에 대해 묻는 유형이 출제된다. 그중 시적 화자의 태도를 묻는 문제의 출제 빈도가 높은데, 이는 정서와는 구분되는 것으로 대상에 대해 화자가 보이는 모습을 파악해야 한다. '이별'이라는 상황이 같더라도 기다림, 체념, 수용, 극복 의지 등 다양한 태도를 보일 수 있다.

[현대시] 비판 – 종합적 분석/공감 및 감상

(가)와 (나)의 공통점에 대한 설명으로 적절한 것은?

① 색채 이미지의 병치와 대조를 통해 주제를 명확히 전달하고 있다.
② 역설적인 표현을 사용하여 대상이 지닌 역사적 의의를 드러내고 있다.
③ 우회적인 표현법을 사용하여 대상의 부정적인 면모를 드러내고 있다.
④ 동일한 시행의 반복을 통해 일상에 매몰된 현대인의 삶을 풍자하고 있다.
⑤ 주변에서 쉽게 관찰할 수 있는 소재에 주목하여 독자의 공감을 이끌어 내고 있다.

유형 익히기 ▶ 시를 감상하는 관점은 다양하다. 작가, 시대적 상황이나 배경, 다양한 표현적 특징, 독자에게 미치는 영향 등이 감상의 기준이 될 수 있다. 특히, 둘 이상의 현대시를 비교하고 분석하는 문제 유형이 자주 출제 되는데, 선택지를 기준으로 해당 분석 내용을 각 시에서 찾아 확인하는 방법으로 문제를 푸는 것이 도움이 된다.

[현대소설] 사실적 이해 – 정보/구조의 파악

윗글의 ㉠의 의미로 적절한 것은?

① 다시 되돌릴 수 없는 지난 추억에 대한 아쉬움을 나타낸다.
② 사람들 간의 불신과 갈등을 만들어 낸 지나친 경쟁심을 경고한다.
③ 어른들의 욕심으로 인해 무너져 버린 어린 시절의 우정을 상징한다.
④ 서로 협동하지 않은 사회는 결국 발전할 수 없다는 교훈을 나타낸다.
⑤ 눈에 보이는 결과를 중시하며 실적을 과장하려는 태도를 보여 준다.

유형 익히기 ▶ 현대소설의 '사실적 이해'는 문제에서 지시하는 부분의 구체적인 의미를 파악하는 것으로, 문맥을 먼저 확인하고 해당 부분이 사건 전개나 인물의 처지 · 상황, 그리고 주제 형성에 어떤 의미를 갖는지를 고려해야 한다.

[현대소설] 추론 – 정보/상황/태도와 관점의 추리

윗글의 내용으로 미루어 알 수 없는 것은?

① 정애는 과거 희서를 좋아했었던 적이 있다.
② 희서와 경해는 학보사에서 같이 일을 했었다.
③ 문이로와 정애는 십여 년 만에 만난 친구 사이이다.
④ 정애는 두고 나온 아이들 때문에 불안해하고 있다.
⑤ 경해는 대학 시절 친구들을 이끌어 주었던 선배였다.

유형 익히기 ▶ 인물 간의 관계, 주인공의 태도, 사건 전개의 상황 등에 관한 추론 문제가 주로 출제된다. 이러한 정보를 추론하기 위해서는 사건의 흐름에 따른 인물의 정서와 태도, 사건 전개의 구체적 상황 등을 꼼꼼하게 파악하며 감상을 해야 한다. 인물의 성격은 서술자에 의한 직접적 제시와 인물의 말과 행동을 통해 예측하는 간접적 제시를 통해 알 수 있다.

[현대소설] 비판 – 종합적 분석/공감 및 감상

〈보기〉는 윗글에 대한 감상평이다. 이를 바탕으로 할 때, ㉠~㉤을 잘못 이해한 것은?

① ㉠: 아내의 높아진 목소리를 듣고 남편은 새로 이사한 동네에서 아내가 무슨 일을 당한 것은 아닌지 염려했다.
② ㉡: 아내는 그날의 소동이 이사한 동네의 사람들의 삶의 방식에 어울리지 않는 것이었기 때문에 티타임을 통해 자신들을 염탐하러 오는 것은 아닐까 걱정한다.
③ ㉢: 남편은 그날의 소동으로 인해 아내가 곤혹을 겪지는 않았을지 혹은 이사한 동네의 사람들과 아내가 잘 어울렸을지 궁금증을 안고 있다.
④ ㉣: 아내는 사람들이 그날의 소동에 대해 알면서도 모르는 척을 하고 티타임을 끝내고 간 것을 예의 없는 행동으로 생각한다.
⑤ ㉤: 남편은 별다른 소동 없이 끝난 티타임에 안도하면서도 아내가 느꼈을 복합적인 감정에 공감하고 있다.

유형 익히기 ▶ 소설의 감상과 종합적 분석 문제 유형은 소설의 주제, 사건을 바라보는 관점, 등장인물의 정서 등에 대한 감상을 주로 묻는다. 이때 주어진 〈보기〉, 주제, 맥락과 같은 감상 기준을 적용하여 감상한 내용을 정확히 파악해야 한다.

[수필] 사실적 이해 – 정보/구조의 파악

윗글의 서술 방식으로 적절한 것은?

① 기존 견해의 문제점을 지적한 후 자신의 견해를 전개하고 있다.
② 근본 원인을 파헤쳐 문제의 본질을 새로운 각도에서 해석하고 있다.
③ 유사한 사례를 충분히 언급하며 귀납적으로 추론하여 논증하고 있다.
④ 생활 속의 경험을 확장하여 대상에 대한 자신의 견해를 밝히고 있다.
⑤ 구체적인 사례를 열거하여 장단점을 비교한 후 자신의 주장을 강화하고 있다.

유형 익히기 ▶ 수필의 사실적 이해는 주로 서술 방식이나 글에 사용된 표현 방식을 묻는 문제 유형으로 출제된다. 개성적인 표현을 통해 글쓴이의 가치관을 드러내는 만큼 평이한 주제라 할지라도 해당 지문의 개성적인 표현을 꼼꼼하게 분석하며 글을 감상해야 한다.

[수필] 추론 – 정보/상황/태도/관점의 추리

윗글을 통해 글쓴이가 말하고자 하는 바로 가장 적절한 것은?

① 자기 자신을 희생함으로써 평화적으로 남과 북이 공존할 수 있는 길을 찾을 수 있을 것이다.
② 사랑을 통해 민족의 분단이 극복될 수 있으며, 그것을 위해 먼저 스스로 노력해야 할 것이다.
③ 우리 앞에 놓인 과제는 전쟁을 피하는 것이며, 이를 위해 자신이 적극적으로 나서야 할 것이다.
④ 자신의 주장을 고집스럽게 내세우는 것은 '봄의 과제'를 해결하는 데 큰 도움이 되지 않을 것이다.
⑤ 시간이 지남에 따라 계절이 바뀌듯이, 우리가 지닌 사회적인 문제도 자연스럽게 해결될 수 있도록 지켜보아야 할 것이다.

유형 익히기 ▶ 수필에서 글쓴이의 태도나 관점에 관한 추리 문제 유형은 가장 자주 출제되는 것이다. 글의 중심 소재나 특정 사건에 대한 글쓴이의 태도와 관점은 글을 통해 글쓴이가 하고자 하는 말로서 단순히 긍정 · 부정의 이미지로 나누는 것이 아니라 구체적으로 파악해야 한다.

[수필] 비판 – 종합적 분석/공감 및 감상

〈보기〉를 참조하여 윗글에 대해 설명한 내용으로 적절한 것은?

① 세상에 대해 열린 시각을 가진 자만이 참된 지식을 쉽게 구별할 수 있겠군.
② 초상화를 그린 '화공'은 자신의 감각 기관이 불완전할 수 있다는 사실을 스스로 인식하고 있군.
③ '의원'은 숨어 있는 대상을 분별한다는 점에서 감각 기관의 한계를 확장하는 인물이라고 할 수 있겠군.
④ '큰 선비'는 스스로 뛰어나다고 자부하는 자들의 문장을 꾸짖고 비판함으로써 깨달음을 얻을 수 있도록 하겠군.
⑤ '화공'은 겉으로 드러나는 대상을 다루는 반면 '의원'과 '큰 선비'는 눈에 보이지 않는 대상을 다룬다는 점에서 근본적인 차이가 있다고 볼 수 있겠군.

유형 익히기 ▶ 수필의 종합적 분석과 감상은 주로 〈보기〉와 함께 출제된다. 〈보기〉는 지문의 수필과 중심 소재는 같으나 그것에 대한 글쓴이의 태도에 차이가 있는 것 또는 같은 대상을 표현하는 방식의 차이를 보이는 것 등을 묻기 때문에 〈보기〉와 지문의 공통점과 차이점을 비교하며 문제를 풀어야 한다.

BEST 기출&예상 개념

1. 현대시

(1) 소통 구조

① 화자

- 시인과 화자: '화자'는 작품 안에서 말하는 사람을 뜻한다. 화자는 소설의 서술자와 마찬가지로 작가가 창조한 인물이므로 시인과 구별하여 감상해야 한다.
- 표면에 드러난 화자, 드러나지 않은 화자: 시에 '나' 또는 '우리' 등의 1인칭 대명사가 있으면 표면에 드러난 화자이고, 그렇지 않으면 표면에 드러나지 않은 화자이다. 시에서 화자가 없는 경우는 없다.

② 독백체와 대화체

시에서 화자가 자신의 정서를 독자나 특정 대상에게 말하는 방식을 말한다. '대화체'는 두 사람 이상이 말을 주고받는 형식을 뜻하므로 시에 '너', '당신' 등의 '청자'가 드러나야 한다. 반면 '독백체'는 청자를 염두하지 않은 혼잣말로 청자가 존재하지 않는다.

(2) 화자의 태도

① 대상에 대한 긍정적 태도

- 예찬: 대상의 훌륭하고 아름다운 속성을 강조하며 찬양하는 태도이다.
- 지향: 대상의 긍정적 속성이나 태도를 화자 자신이나 사회가 추구해야 할 가치로 설정하는 것이다.
- 애정(사랑): 이성 간의 태도뿐만 아니라, 대상에 대한 긍정적 관심을 드러낸다.

② 부정적 상황에 대한 태도

- 갈등과 고뇌: 갈등은 부정적 상황에 대하여 느끼는 번뇌나 고민을 말하며 고뇌는 이러한 내적 갈등으로 인한 괴로움을 말한다.
- 비판 · 초월 · 극복의 의지: 부정적 상황에 대한 인식을 넘어 보이는 화자의 의지적 태도를 나타낸다.
- 비판적 태도: 현실에 대한 부정적 속성을 꼬집어 따지는 태도를 말한다.
- 초월적 태도: 부정적 현실에 대해 슬퍼하거나 분노하지 않고 그것의 한계를 뛰어넘는 태도를 말한다.
- 극복 의지: 부정적 현실에 절망하지 않고 이겨 내려고 노력하는 태도를 말한다.

③ 성찰적 태도

'성찰'이란 자신의 마음이나 삶을 되돌아보고 반성하는 것을 말한다. 화자는 성찰적 태도를 통해 부정적 상황을 인식하고 그것을 극복하려는 의지 등을 깨닫게 된다. 또한 화자는 성찰적 태도를 통해 지향해야 할 삶의 가치를 찾기도 한다.

④ 관조적 태도

'관조'란 고요한 마음으로 사물을 지켜보는 태도를 말한다. 시적 상황을 인식하지만 적극적으로 개입하지 않고 대상을 관찰하면서 자신의 마음을 비춰 보는 태도를 보인다. 그러므로 화자는 감정을 절제하고, 진지한 태도로 대상을 바라보게 된다.

(3) 주제의 형상화

'형상화'란 시의 주제나 화자의 정서 등을 구체화하는 문학적 장치를 뜻한다. 형상화는 심상, 비유 등의 다양한 표현법을 통해 나타낼 수 있다.

① 심상: 마음속에 그려지는 감각적 이미지를 뜻한다.

구분	예
시각적 심상	뒷산은 청청 / 풀 잎사귀 푸르고
청각적 심상	아버지의 침상 없는 최후의 밤은 풀벌레 소리 가득 차 있었다.
후각적 심상	방 안에서는 새 옷의 내음새가 나고 또 인절미, 송구떡, 콩가루차떡의 내음새도 나고
촉각적 심상	젊은 아버지의 서느런 옷자락에 열로 상기한 볼을 말없이 부비는 것이었다.
미각적 심상	흡사 정처럼 옮아오는 막걸리 맛
공감각적 심상	분수처럼 흩어지는 푸른 종소리

② 비유

구분	예
직유법	구름에 달 가듯이 가는 나그네
은유법	나는 나룻배 / 당신은 행인
의인법	풀은 눕고 / 드디어 울었다.
대유법	한라에서 백두까지 향그러운 흙 가슴만 남고 / 그, 모오든 쇠붙이는 가라.

③ 강조

구분	예
반복법	산에는 꽃 피네 꽃이 피네
대조법	아! 강낭콩꽃보다도 더 푸른 / 그 물결 위에 양귀비꽃보다도 더 붉은 / 그 마음 흘러라
점층법	눈은 살아 있다 / 떨어진 눈은 살아 있다 마당 위에 떨어진 눈은 살아 있다.

④ 변화

구분	예
역설법	님은 갔지마는 나는 님을 보내지 아니하였습니다.
반어법	먼 훗날 당신이 찾으시면 그때에 내 말이 "잊었노라"
도치법	아아 누구던가 / 이렇게 슬프고도 애달픈 마음을 공중에 달 줄을 안 그는
설의법	가난하다고 해서 외로움을 모르겠는가

(4) 시상 전개 방식

시상은 시에 나타난 사상이나 감정을 말한다. 시인이 다양한 소재와 표현법 등을 이용하여 자신이 말하고자 하는 바를 전개해 나가는데, 이것을 시상 전개 방식이라고 한다.

① 시간의 변화

시에서 시간은 과거에서 현재로 흐르기도 하며, 현재에서 과거로 거슬러 올라가기도 한다. 전자를 순행적 구성, 후자를 역행적 구성이라고 하는데, 역행적 구성은 '회상'을 통해 이루어지기도 한다.

② 공간의 변화/시선의 이동

공간의 변화는 화자가 위치하는 공간이 변하거나 화자의 정서가 공간의 이동에 따라 전개되는 것을 말한다. 시선의 이동은 위에서 아래, 가까운 곳에서 먼 곳 등으로 화자의 시선의 이동에 따라 시상을 전개하는 것을 말한다.

③ 선경후정

'선경후정(先景後情)'은 먼저 경치에 관한 묘사를 제시하고 뒷부분에 그와 관련된 정서적인 부분을 드러내는 시상 전개 방식이다. 풍경을 묘사하다가 그로 인해 촉발된 정서를 드러내는 방식이기 때문에 시상이 외부에서 내면으로 전환된다고 볼 수도 있다.

④ 시상의 전환

시상이 전개되는 도중, 시의 분위기나 시상의 내용, 즉 정서 · 어조 · 태도가 다르게 변화하는 경우를 말한다. '그런데', '그러나'와 같은 표지를 통해 많이 드러나므로 이러한 접속어가 등장했을 때는 접속어를 중심으로 앞부분과 뒷부분의 시의 분위기나 화자의 태도에 변화가 있는지 살펴야 한다.

결정적 힌트!

현대시에서 가장 출제 빈도가 높은 개념은 화자의 정서 · 태도와 표현법입니다. 낯선 시가 출제되더라도 화자를 중심으로 시적 상황을 파악하고, 이에 대한 화자의 태도를 분석해야 합니다. 화자의 태도 및 정서는 시어의 성격과 이미지, 화자의 어조를 통해 파악할 수 있습니다. 다양한 표현법을 예시와 함께 충분히 익히는 것이 중요하지만, 그중에서도 '반어법'과 '역설법'은 주제나 화자의 정서를 돋보이게 할 수 있는 것이므로 항상 염두에 두어야 합니다.

2. 현대소설

(1) 시점

① 개념: 서술자가 인물이나 사건을 어떻게 바라보면서 전달하느냐에 따른 서술자의 위치를 뜻한다.

② 종류

구분		내용
1인칭	주인공 시점	작품 속 주인공인 '나'가 자신의 이야기를 직접 전달함 예 김유정, 〈동백꽃〉
	관찰자 시점	작품 속의 '나'가 다른 인물(주인공)을 관찰하여 전달함 예 주요섭, 〈사랑손님과 어머니〉
3인칭	작가 관찰자 시점	서술자가 작품 밖에서 인물의 행동이나 말 등을 관찰하여 객관적으로 전달함 예 황순원, 〈소나기〉
	전지적 작가 시점	작가가 인물과 사건에 대해 모든 것을 아는 전지전능한 관점에서 서술함 예 허균, 〈홍길동전〉

(2) 인물의 성격 제시 방법

① 말하기(telling)

서술자가 인물의 내면까지 파악하여 성격이나 심리를 직접 드러내는 서술 방식을 뜻한다. 직접적 제시라고도 하는데, 제시된 정보를 종합 · 정리하여 인물의 성격이나 심리를 파악할 수 있다.

② 보여 주기(showing)

서술자가 직접 인물의 성격이나 심리를 서술하지 않고, 인물의 대화나 행동 또는 외양 묘사를 통해 간접적으로 드러내는 방식을 뜻한다. 간접적 제시라고도 하는데, 인물의 대화나 행동, 상황에 대응하는 방식 등을 통해 인물의 성격이나 심리를 추리할 수 있다.

(3) 인물의 유형

① 역할에 따라

주동 인물	사건을 이끌어 가는 중심인물
반동 인물	주동 인물과 대립하며 갈등을 빚는 인물

② 성격 변화에 따라

평면적 인물	성격이 처음부터 끝까지 변하지 않는 인물
입체적 인물	사건의 전개에 따라 성격이 변하는 인물

③ 집단의 대표성에 따라

전형적 인물	특정 집단이나 계층을 대표하는 인물
개성적 인물	한 개인만의 독특한 성격이 드러나는 인물

(4) 갈등

① 개념: 등장인물이 겪게 되는 내면적 혼란이나, 그를 둘러싼 외부 요소가 대립되어 서로 복잡하게 얽혀 있는 상태를 뜻한다.

② 종류

구분		내용
내적 갈등		인물의 내면에서 일어나는 심리적 갈등
외적 갈등	개인과 개인의 갈등	등장인물과 인물 사이에서 일어나는 갈등
	개인과 사회의 갈등	개인이 현실에 속해 있는 사회적 환경 때문에 겪는 갈등
	개인과 운명의 갈등	개인이 타고난 운명 때문에 겪는 갈등
	집단과 집단의 갈등	서로 다른 입장과 가치관을 지닌 집단 사이에서 일어나는 갈등

결정적 힌트!

소설 지문을 독해할 때 위에 주어진 개념을 적용하여 포인트를 파악하는 것도 중요하지만, 사건 전개를 꼼꼼하게 파악하는 것이 중요합니다. 소설의 지문이 비교적 길기 때문에 문제를 풀면서 사건 전개의 세부 내용을 파악하려면 시간이 많이 걸릴 수 있고, 또한 문맥을 고려하지 않아 실수를 할 수 있기 때문입니다.

서술적 특징을 묻는 문제는 인물의 성격 제시 방법, 시간의 순서, 내용 전개 방식, 시점 등을 복합적으로 물을 수 있으므로 소설의 전체 문항 수는 3문항이지만, 다양한 개념을 잘 이해하고 적용할 수 있어야 합니다.

3. 수필

(1) 수필의 개념

① 인생에 대한 작자의 관조(觀照)와 체험을 개성적인 문체로 표현하여 붓 가는 대로 자연스럽게 쓴 글이다.

② 정해진 형식 없이 작자 자신을 진실하게 드러내면서 멋과 운치를 곁들이는 산문 문학의 한 갈래이다.

(2) 수필의 특징

① 자기 고백을 통한 개성의 문학

작자의 체험, 생활 태도, 성격, 인생관 및 세계관 등 개성적인 면모를 솔직하게 표현하는 주관적, 고백적 문학이다.

② 자유로운 형식의 문학

수필은 '무형식의 형식'이라는 말로 나타내기도 하는데, 이는 형식을 무시한다는 말이 아니라, 다양한 형식으로 표현될 수 있다는 것을 말한다.

③ 비전문적인 문학

일기, 편지, 수기, 회고록, 기행문이나 감상문 등에 이르기까지 다양한 글들이 수필이 될 수 있듯이, 누구나 쓸 수 있는 대중적인 문학의 갈래이다.

④ 제재가 다양한 문학

수필은 작자의 개성에 따라 자신의 체험을 통한 깨달음, 인생에 대한 성찰, 사회나 역사에 대한 인식, 자연에 대한 감상 등 어떠한 것이든 제재가 될 수 있다.

결정적 힌트!

수필은 개념 그대로 다양한 소재와 개성적인 표현을 바탕으로 작가의 가치관을 느낄 수 있습니다. 문제 유형 역시 수필에 사용된 표현과 작가의 의도나 가치관을 묻는 문제가 주로 출제됩니다. 그러므로 내용은 쉬운 글이더라도 글의 세부적인 표현을 이해하고, 글쓴이의 의도를 정확하게 추리하는 요령이 필요합니다.

03 문학 – 현대시 / 현대소설 / 수필 기출변형 문제

정답 P 16

[1~3] 현대시 | 다음 글을 읽고 물음에 답하시오.

제한 시간: 2분 30초

(가) 사랑한다는 것은

열매가 맺지 않는 과목은 뿌리째 뽑고
그 뿌리를 썩힌 흙 속의 해충은 모조리 잡고
그리고 새 묘목을 심기 위해서
깊이 파헤쳐 내 두 손의 땀을 섞은 흙
그 흙을 깨끗하게 실하게 하는 일이다.

그리고
아무리 모진 비바람이 삼킨 어둠이어도
바위 속보다도 어두운 밤이어도
그 어둠 그 밤을 새워서 지키는 일이다.
훤한 새벽 햇살이 퍼질 때까지
그 햇살을 뚫고 마침내 새 과목이
샘물 같은 그런 빛 뿌리면서 솟을 때까지
지키는 일이다. 지켜보는 일이다.

사랑한다는 것은.

– 전봉건, 〈사랑〉

(나) –사랑하는 것은
사랑을 받느니보다 행복하나니라
오늘도 나는
㉠에메랄드 빛 하늘이 훤히 내다뵈는
우체국 창문 앞에 와서 너에게 편지를 쓴다

행길을 향한 문으로 숱한 사람들이
제각기 한 가지씩 생각에 족한 얼굴로 와선
총총히 우표를 사고 전보지를 받고
㉡먼 고향으로 또는 그리운 사람께로
슬프고 즐겁고 다정한 사연들을 보내나니

㉢세상의 고달픈 바람결에 시달리고 나부끼어
더욱더 의지 삼고 피어 헝클어진 ㉣인정의 꽃밭에서
너와 나의 애틋한 연분도
한 망울 연연한 ㉤진홍빛 양귀비꽃인지도 모른다

–사랑하는 것은

사랑을 받느니보다 행복하나니라
오늘도 나는 너에게 편지를 쓰나니

-그리운 이여 그러면 안녕
설령 이것이 이 세상 마지막 인사가 될지라도
사랑하였으므로 나는 진정 행복하였네라

– 유치환, 〈행복〉

1 **(가)와 (나)의 공통점으로 알맞은 것은?**

① 대화체를 통해 친근감을 느낄 수 있다.
② 화자의 경험에 대한 정서를 노래하고 있다.
③ 이별을 통해 진정한 사랑의 가치를 깨닫고 있다.
④ 사랑을 받기보다는 주는 것에 더욱 가치를 두고 있다.
⑤ 사랑의 결실보다는 사랑하는 과정을 중요하게 생각하고 있다.

2 **(가)의 표현상 특징으로 적절하지 <u>않은</u> 것은?**

① 수미상관으로 운율을 형성하고 있다.
② 동일한 시구의 반복으로 시상을 강조하고 있다.
③ 역설적 표현을 통해 주제 의식을 강조하고 있다.
④ 일상의 평이한 시어를 통해 주제를 형상화하고 있다.
⑤ 말하고자 하는 내용을 자연물에 빗대어 표현하고 있다.

3 **(나)의 ㉠~㉤의 의미로 적절하지 <u>않은</u> 것은?**

① ㉠: 화자의 행복한 심정을 시각적으로 드러낸다.
② ㉡: 우체국에 온 사람들이 사랑하는 대상들이다.
③ ㉢: 사람들의 고달픈 현실과 삶을 의미한다.
④ ㉣: 이 시의 공간적 배경이 되는 곳을 말한다.
⑤ ㉤: '나'와 '너'의 사랑의 결실을 의미한다.

[4~6] 현대시 | 다음 글을 읽고 물음에 답하시오.

제한 시간: 2분 30초

(가) 가을 햇볕에 공기에 / 익는 벼에
눈부신 것 천지인데, / 그런데,
아, 들판이 적막하다— / 메뚜기가 없다!

오 이 불길한 고요—
생명의 황금 고리가 끊어졌느니……

– 정현종, 〈들판이 적막하다〉

(나) 달 호텔에서 지구를 보면 우편엽서 한 장 같다. 나뭇잎 한 장 같다. 훅 불면 날아가 버릴 것 같은. 연약하기 짝이 없는 저 별이 아직은 은하계의 오아시스인 모양이다. 우주의 샘물인 모양이다. 지구 여관에 깃들어 잠을 청하는 사람들이 만원이다. 방이 없어 떠나는 새 · 나무 · 파도 · 두꺼비 · 호랑이 · 표범 · 돌고래 · 청개구리 · 콩새 · 사탕단풍나무 · 바람꽃 · 무지개 · 우렁이 · 가재 · 반딧불이……많기도 하다. 달 호텔 테라스에서 턱을 괴고 쳐다본 지구는 쓸 수 있는 말만 적을 수 있는 엽서 한 잎 같다.

– 박용하, 〈지구〉

4 (가)의 시적 화자에 대한 설명으로 적절하지 않은 것은?

① 눈부시게 벼가 익은 가을 정경을 바라보고 있다.
② 메뚜기가 사라진 현실을 생명체의 고리가 끊어졌다고 여긴다.
③ 자연을 바라본 화자가 자연 속에 담긴 이면의 의미를 고찰하고 있다.
④ 가을 들판의 달라진 모습을 발견하며 화자의 정서가 급격히 바뀌고 있다.
⑤ 화자는 메뚜기가 사라진 것에 충격받을 만큼 곤충에 대한 남다른 애정을 갖고 있다.

5 (나)의 표현상 특징으로 적절하지 않은 것은?

① 문답법을 통해 주제 의식을 강화하고 있다.
② 열거법을 통해 대상의 속성을 강조하고 있다.
③ 말줄임표를 통해 화자의 정서를 환기하고 있다.
④ 대조법을 통해 대상의 특징을 강조하고 있다.
⑤ 직유법을 통해 대상을 생동감 있게 드러내고 있다.

6 (가)와 (나)에서 공통적으로 비판하는 대상으로 가장 적절한 것은?

① 부귀영화를 추구하는 세속적인 인간
② 자연과 생명의 가치를 무시하는 인간
③ 권력을 통해 민중을 억압하는 독재 정권
④ 여성들의 삶을 억압하는 남성 중심의 사회
⑤ 인간보다 물질을 더 중시하는 황금만능주의

[7~9] 현대시 | 다음 글을 읽고 물음에 답하시오.

제한 시간: 2분 30초

(가) 숲을 멀리서 바라보고 있을 때는 몰랐다
㉠나무와 나무가 모여
어깨와 어깨를 대고
숲을 이루는 줄 알았다
나무와 나무 사이
넓거나 좁은 간격이 있다는 걸
생각하지 못했다
㉡벌어질 대로 최대한 벌어진,
한데 붙으면 도저히 안 되는,
기어이 떨어져 서 있어야 하는,
나무와 나무 사이
그 간격과 간격이 모여
울울창창 숲을 이룬다는 것을
산불이 휩쓸고 지나간
㉢숲에 들어가 보고서야 알았다

– 안도현, 〈간격〉

(나) 숲에 가 보니 나무들은
제가끔 서 있더군
제가끔 서 있어도 나무들은
숲이었어
㉣광화문 지하도를 지나며
숱한 사람들이 만나지만
왜 그들은 숲이 아닌가
이 메마른 땅을 외롭게 지나치며
낯선 그대와 만날 때
그대와 나는 왜
㉤숲이 아닌가

– 정희성, 〈숲〉

7 **(가)와 (나)의 공통점으로 적절한 것은?**

① 시적 화자가 시에 드러나 있다.
② 공동체를 위한 희생정신을 강조하고 있다.
③ 자연물을 통해 얻은 깨달음을 표현하고 있다.
④ 대화체를 사용하여 독자들이 친근감을 느낄 수 있다.
⑤ 사회 현실에 대한 비판적이고 참여적인 태도가 보인다.

8 **㉠~㉤에 대한 설명으로 적절하지 않은 것은?**

① ㉠: 개인과 개인이 모여 공동체를 이룬다는 것을 의미한다.
② ㉡: 나무와 나무 사이에 간격이 필요함을 나타낸다.
③ ㉢: 숲에 들어간 경험을 통해 깨달음을 얻은 상태를 말한다.
④ ㉣: 화자가 숲에 도달하는 과정을 말한다.
⑤ ㉤: 공동체적 삶을 살지 못하는 안타까움이 드러나 있다.

9 **(가)와 (나)의 화자가 추구하는 바람직한 삶의 모습을 짝지은 것으로 알맞은 것은?**

① 자연을 보호하는 삶 – 자연과 하나가 되는 삶
② 속세와 거리를 두는 삶 – 자연과 거리를 두는 삶
③ 이웃에게 연민을 느끼는 삶 – 이웃을 위해 희생하는 삶
④ 정신적 가치를 추구하는 삶 – 물질적 가치를 추구하는 삶
⑤ 인간과 인간이 간격을 이루는 삶 – 인간과 인간이 연대하는 삶

[10~12] 현대소설 | 다음 글을 읽고 물음에 답하시오.

제한 시간: 3분

혼인한 첫 무렵에는 매년 정초가 되면 사랑의 ㉠바람벽에 문장을 한 줄씩 써 놓는 습관이 그에게 있었다. 언젠가 설명하기를 그해 자신의 나이와 그 나이에 성현이 이룬 업적을 쓴 것인데, 그것으로 한 해 동안 자신을 경계한다 하였다. 그리하여 나는 남편의 뜻이 결코 작지 아니함을 알았다. 혹 지나치게 오만하여, 자칫 자신을 과대평가할까 저어하긴 하였으나 어쨌든 뛰어난 남편을 자랑으로 여겼었다. 남편은 공부하는 덴 주야를 가리지 않을 정도로 열심이었다.

그러나 스물두 살이 되던 해부터 남편은 바람벽에 아무것도 쓰지 않았다. 궁금해서 물었더니 예의 그 오만한 웃음을 띠며 대답했다.

"이미 갈 길이 정해졌는데, 더 무슨 경계가 필요하겠소. 다만 힘쓸 뿐이오."

"십 년을 기약하고 독서하기로 하였소."

그 말을 듣고 남편이 과거를 포기했다는 것을 짐작했어야 했을 것이다. ㉡난 눈치도 없이 그가 앞으로 무엇인가를 경영하려니 믿고 있었다. 중이나 도사가 아닌 터에 독서로써 인생을 시종일관하리라곤 생각할 수 없었기 때문이다.

아버님이 돌아가셨다. 맏상주인 동생 윤복이는 가산을 정리하고 선산이 있는 청안에 논밭을 장만하여 떠났다. 은신하던 그늘이 갑자기 사라지자 우리 살림은 말이 아니었다. 나는 삯바느질로 호구지책을 삼았다. ㉢남편은 변함없이 독서에 골몰하여 굶든지 먹든지 눈 하나 깜빡하지 않았다.

〈중략〉

차차 참을성을 잃어 갔다. 그러나 감히 대놓고 불평하지는 못했다. 단 한 번뿐이었다.

양식이 없어 하루 종일 굶은 다음 날이었다. 수를 놓고 있었는데, 흉배 앞뒤 짝을 완성해야 삯을 받을 터였으므로 마음이 급했다. ㉣현기증도 나고 눈이 자꾸 침침해져 학의 부리를 번번이 고쳐 새로 놓아야 했다. 약 오르는 일이었다. 울화가 쌓이는데, 나중엔 뭐하러 말도 못하고 지내랴 폭발하였다. 어차피 앞도 뒤도 캄캄할 뿐이 아닌가?

"당신은 밤낮없이 글을 읽는데, 과거에 응시하지 않으니 어찌된 것입니까?"

남편은 여전히 책에 시선을 둔 채 가볍게 대꾸했다.

"공부가 미숙한 때문이오."

"그럼 장사라도 하여 먹고 살아야지요."

"장사는 밑천이 없는데 어찌하겠소."

"그럼 공장이 일이라도 하시지요."

"공장이는 기술이 없으니 어찌하겠고.

〈중략〉

그러고는 집을 나가 돌아오지 않았다.

사람들은 남편이 뛰어난 인재라고 했다. 능히 천하를 경영할 재주가 있다고 하는 이도 있었다. 그러나 남편이 죽는지 사는지 아내가 모르고, 아내가 죽는지 사는지 남편이 몰라야만 뛰어난 인재가 되는 거라면 ㉤그 뛰어난 인재라는 말은 분명 이 세상에서 쓸모없는 존재라는 뜻이리라. 이 세상이 돌아가는 법칙이란 성현들이 주장하는 것처럼 그렇게 복잡하고 어려운 것은 아닐 것이다. 사람이 행복하게 살며, 자식을 낳고, 그 자식에게 보다 좋은 세상을 살도록 해 주는 것, 그것 말고 무엇이 있을 수 있겠는가?

– 이남희, 〈허생의 처〉

10 **이 글은 고전소설 〈허생전〉을 모티프로 한 작품이다. 이 글에 대한 설명으로 적절한 것은?**

① 시대적 배경을 현대로 설정하여 창작하였다.
② '허생의 처'를 서술자로 설정하여 새로운 시각을 제시했다.
③ 당대 지배 계층의 문제점을 현대적으로 재해석하여 제시했다.
④ 허생의 성격을 입체적으로 설정하여 독자들이 흥미를 느끼게 하였다.
⑤ 이 글의 '허생의 처'는 순종적인 인물로 전형적인 전통 여인의 모습이다.

11 **〈보기〉를 참고할 때, 이 글에 대해 보일 수 있는 반응으로 가장 적절한 것은?**

보기

1980년대 한국 사회의 특징 가운데 하나는 여성 운동이 큰 활기를 띠었다는 사실이다. 양성 불평등의 현실을 비판하고 양성평등의 이념을 실현하고자 하는 운동이 활발하게 전개되었다. 이 작품은 그러한 사회·문화적 맥락 속에서 창작되었다.

① 허생을 통해 현대의 학력 우선주의를 비판하는군.
② 작품의 배경이 된 당시에도 여성 운동이 활발했겠군.
③ 작가는 작품을 통해 여성 운동의 한계를 드러내고 있군.
④ 양성평등을 실현하고자 하는 1980년대 현실 인식이 작품에 반영되었군.
⑤ 작품을 통해 현대의 여성 인권이 소설 속 배경이 된 시대보다 낙후되었음을 비판하는군.

12 **㉠~㉤과 관련된 설명으로 적절하지 않은 것은?**

① ㉠: 허생은 성현의 업적을 통해 자신을 경계하고자 하였다.
② ㉡: 허생의 처는 허생의 계획에 대한 믿음이 있었다.
③ ㉢: 허생에게는 현실의 어려움을 독서로 이겨 내려는 굳은 의지가 있었다.
④ ㉣: 허생의 처는 굶주림의 고통에 시달리고 있다.
⑤ ㉤: 허생의 처는 허생의 무책임한 태도를 비판하고 있다.

[13~15] 현대소설 | 다음 글을 읽고 물음에 답하시오.

제한 시간: 2분 30초

(가) 죽기 며칠 전, 어머니가 건넨 탕약 대접을 본체만체 '석류가 먹고 싶네.' 했을 때는 눈물부터 훔쳤다. '이 한겨울에 어디 가서' 했을지언정 어머니는 그 걸음으로 당장 대문을 나섰다. 그날은 허탕을 쳐 빈손으로 돌아왔으나 다음 날은 어디를 어떻게 뒤졌는지 검붉게 말라비틀어진 석류 두 알을, 말라빠지기는 매한가지인 누이 손에 쥐어 주었다. 숙진이는 고맙다고 힘없이 웃고, 어머니는 목이 메는가, 침을 꿀꺽 삼켰다. 그뿐이었다. 둘 다 석류 껍질 벗길 염을 내지 못했다. 손톱마저 안 들어갈 정도로 굳은 것을 한눈에 뻔히 알아차렸기 때문일 게다. 아마도 한약방 약재로나 쓰던 걸 사 왔으리라.

(나) "그토록 탐내던 것을 지금 아이들은 거들떠보기나 합니까, 바나나에 도롭뿌스는 안 그런가요. 사라질 만해서 사라지고 나타날 만해서 나타나는 걸 누가 말릴까마는, 그 곡절이 하도 요상하고 잦아 정신이 없어요. 조상들 역시 해마다 다른 제사상 앞에서 하품이 나올걸."

"걱정 마십쇼. 조상들이라고 눈이 없고 귀가 없겠습니까. 천리안으로 투시하고, 날이면 날마다 들어오는 신참들의 입을 통해 얻어듣는 견문이 어련할라구요."

"몰라…… 나가 들어가면 알게 되겠지만 생소한 음식에 항상 조심스러운 것이 혀니까요."

"그게 곧 혀의 보수성인데, 결국 얘기가 원점으로 돌아온 셈이네요. 간사할 때 간사하더라도 필시 제자리를 찾지 않고는 못 배기는 혀의 기억력이 어디 가겠습니까. 돌고 도는 음식 문화의 특성이 아닌가 싶어요. ㉠<u>주린 배 채우기에 급급하다가 형편이 펴지면서 다양한 먹거리에 흠뻑 빠지고,</u> 그것에도 호기심이 가시자 다시 원초적 식성을 그리워하되 반드시 사람을 입회시켜 회상에 기름을 발라요. 조강지처도 좋고 친구도 좋고 헤어진 첫사랑도 좋다구요. 가난이나 곤경을 함께 치른 사람을 끼워 넣지 않으면 이야기가 안 돼요."

"그래도 조강지처부터 챙기고 앞세우는 심사, 내가 다 고맙네요. 생각나세요?"

"얼라, 벌써 열 시가 넘었네. 형수님 말씀에 홀려 시간 가는 줄 몰랐군요."

(다) 형광등 빛에 반사된 창백하고 쪼글쪼글 바스러진 모습에 스친 데스마스크의 전율 못지않게, 떼낸 석류 조각의 시뻘건 더미와 씹어 뱉은 알맹이 찌꺼기가 깊은 밤의 적요를 마구 흩뜨려 가슴이 오싹했다.

"세상 참 좋아졌더구나. 이 겨울에 석류가 어디냐. 크기는 또 얼마나 크다고. 칠렌가 찔렌가 하는 나라에서 수입한 거라는데 맛도 괜찮다. 너도 와서 먹어."

"그렇다고 한밤중에 자실 것 없잖아요."

"아무 때 먹으면 어때. 잠도 안 오고……. 나라도 대신 먹고 가야 숙진이 고것한테 할 말이 있지."

기어이 저승의 소리 같은 말씀을 뇌신다. 그게 그토록 절실했던가. 석류 한 알의 회한이.

– 최일남, 〈석류〉

13 이 글을 통해 알 수 있는 사실이 <u>아닌</u> 것은?

① 어머니는 숙진이에 대한 깊은 그리움을 지니고 있다.
② 작은아버지는 사별한 작은어머니 이야기가 나오자 딴청을 부린다.
③ 어머니는 급변하는 음식 문화에 대한 부정적인 인식을 드러내고 있다.
④ 나는 어머니의 괴기스러운 모습을 보고 어머니에게 불만스러운 심정을 드러낸다.
⑤ 어머니는 죽어 가는 숙진이에게 석류를 먹이지 못한 것에 대해 한스럽게 생각하고 있다.

14 〈보기〉와 ㉠을 종합하여 추론한 내용으로 적절한 것은?

보기

부대찌개

부대고기를 넣어서 끓인 찌개. 해방 직후 미군이 우리나라에 주둔하기 시작하면서 미군들에게 보급되는 물자가 민간으로 많이 유출되었다. 식재료가 부족했던 당시, 미군 부대에서 먹다 남거나 몰래 빼낸 고기를 부대고기라고 불렀는데, 그 부대고기로 끓인 찌개를 부대찌개라고 한다.

① 음식 문화의 형성 원인은 사회 제도의 변화에서 기인한다.
② 음식 문화는 사람들의 삶의 형편과 밀접하게 관련되어 있다.
③ 음식 문화의 발달은 그 사회의 문화적 저력을 바탕으로 한다.
④ 음식 문화에 대한 평가는 시대와 사회에 따라 달라질 수 있다.
⑤ 음식 문화의 특성은 그 사회 구성원들의 가치관이 반영된 것이다.

15 이 글에서 어머니가 석류를 먹는 이유로 적절한 것은?

① 겨울에 구한 석류가 신기해서
② 전통 음식에 대한 그리움 때문에
③ 작은아버지가 가시고 난 후의 허전함 때문에
④ 패스트푸드에 익숙해진 현대인의 삶에 대한 불만 때문에
⑤ 죽은 딸 숙진에게 석류를 먹일 수 없었던 안타까움과 회한을 달래기 위해서

[16~18] 수필 | 다음 글을 읽고 물음에 답하시오.

제한 시간: 2분 30초

'말은 은(銀)이요, 침묵은 금(金)이다.'라는 격언이 있다. 그러나 침묵은 말의 준비 기간이요, 쉬는 기간이요, 바보들이 체면(體面)을 유지하는 기간이다. 좋은 말을 하기 위해 침묵을 필요로 한다. 때로는 긴 침묵을 필요로 한다. 말을 잘 한다는 것은 말을 많이 한다는 것이 아니요, 농도 진한 말을 아껴서 한다는 말이다. 말은 은같이 명료할 수도 있고, 알루미늄같이 가벼울 수도 있다. 침묵은 금같이 참을성 있을 수 있고, 납같이 무겁고 구리같이 답답하기도 하다. 그러나 금강석 같은 말은 있어도 그렇게 찬란한 침묵은 있을 수 없다. 클레오파트라의 사랑은 말로 이루어지고 말로 깨어졌다.

나는 이야기를 좋아한다. 초대를 받았을 때 우선 그 주인과 거기에 나타날 손님을 미루어 보아 그 좌석에서 전개될 이야기를 상상한다. 좋은 이야기가 나올 법한 곳이면 아무리 바쁜 때라도 가고, 그렇지 않을 것 같으면 비록 성찬(盛饌)이 기다리고 있다 하더라도 아니 가기로 한다. 피란 시절에 ⓐ음식을 따라다니던 것은 슬픈 기억의 하나다. 나는 ⓑ이야기가 하고 싶어서 추운 날 먼 길을 간 일이 있고, 밤을 새우는 것도 예사이다. 차 주전자에 물이 끓고 방이 더우면 온 세상이 우리의 것인 것 같았다. 한밤중에 구워 먹을 인절미라도 있으면 방이 어두워 손을 데이더라도 거기서 더 기쁜 일은 없었을 것이다. 눈 오는 날 다리 저는 당나귀를 타고 친구를 만나러 가는 그림이 있다. 만나서 즐거운 것은 청담(淸談)이리라. 〈중략〉

우리는 이야기를 하고 산다. 그리고 모든 경험은 이야기로 되어 버린다. 아무리 슬픈 현실도, 아픈 고생도, 애끊는 이별도 남에게는 한 이야기에 지나지 않을 것이다. 그리고 세월이 흐르면 당사자들에게도 한낱 이야기가 되어 버리는 것이다. 그 날의 일기도, 훗날의 전기도, 치열했던 전쟁도, 유구한 역사도 다 이야기에 지나지 아니한다.

– 피천득, 〈이야기〉

16 이 글의 주제로 가장 알맞은 것은?

① 화법의 어려움
② 말과 이야기의 가치
③ 침묵이 강요된 슬픔
④ 허구적 언어의 필요성
⑤ 좋은 의사소통의 효용성

17 윗글의 내용을 고려할 때, ⓐ와 ⓑ의 의미 관계로 적절한 것은?

① 개인적 욕구 – 집단적 욕구
② 이기적 차원 – 이타적 차원
③ 인간적인 차원 – 동물적인 차원
④ 과거 지향적 삶 – 미래 지향적 삶
⑤ 삶의 기본적 욕구 – 삶의 정신적 욕구

18 이 글의 표현 방법으로 적절하지 않은 것은?

① 열거법을 통해 대상들의 속성을 강조하고 있다.
② 격언을 인용하여 독자의 주의 집중을 유도한다.
③ 비유법을 통해 대상을 인상적으로 표현하고 있다.
④ 자신의 경험을 예로 들어 주제를 친근하게 전달한다.
⑤ 독자에게 질문을 던지고 이에 대한 자신의 생각을 전달한다.

[19~20] 수필 | 다음 글을 읽고 물음에 답하시오.

제한 시간: 2분

옛날 학교 시절에 몇 번 가 본 일이 있는 가매못 앞에서 두 시간 후에 나를 데리러 오라 하고, 나는 천천히 가매못 옆에 있는 농가길을 따라 저만큼 보이는 언덕 위에 나란히 두 개 있는 무덤을 향해 걸어갔다. 어떻게 길을 잘못 들어 가파로운 벼랑을 기어올라 무덤에 이르렀을 때, 아침 안개는 다 걷혀지고 가매못 너머 넓은 수전 지대(水田地帶)와 남강 너머 대숲이 바라보였다. 그리고 아침 햇볕이 뿌옇게, 마치 비눗물처럼 번지고 있는 것을 볼 수 있었다.

나는 우두커니 혼자 앉아서 허겁지겁 달려온 자기 자신의 변덕을 웃으며, 그러면서도 작품 생각을 하고 있었다. 얼마 동안을 그러고 앉았다가 뒤통수를 치는 듯한 고독감에 나는 쫓기듯 산에서 내려오고 논둑길을 걸어오는데,

"장판 사려어-."

외치는 소리에 고개를 드니, 바로 앞에 장판지를 말아서 짊어진 할머니가 다시 '장판 사려.' 하고 외친다. 나는 그의 뒤로 바싹 붙어서 따라가다가,

"할머니?"

하고 불렀다. 할머니는 돌아보지도 않고 대답을 했다.

"이러고 다니면 장판지가 더러 팔려요?"

"사는 사람이 있으니께 팔리니께 댕기지."

"많이 남아요?"

"물밥 사 묵고 댕기믄 남는 것 없지. 친척집에서 잠은 자고……."

노파는 다시 외친다. 집이래야 눈에 띄는 농가가, 박 덩굴 올라간 초가지붕이 몇 채도 안 되는데, 뒤따라가는 내 생각으론 한 장도 팔릴 것 같지가 않다. 그래도 노파는 유유히 목청을 돋우어 장판 사라고 외치다가, 그것도 그만두고 노래를 부르기 시작한다. 연못 속의 금붕어가 어쨌다는 그런 노래였는데 너무 구슬프게 들려 나도 모르게 귀를 기울이다가, 여기도 또한 거리의 악사가 있구나 하고, ㉠어쩌면 이런 사람들이 진짜로 예술가인지 모르겠다는 묘한 생각을 하다가, 그 노파는 윗마을로 가고 나는 가매못 곁에 와서 우두커니 낚시질을 하고 있는 아이들 옆에 서서 구경을 한다. 부평초가 가득히 깔려 있는 호수에 바람이 불어 그 부평초가 나부끼고 연꽃 비슷하기는 하나 아주 작고 노오란 빛깔의 꽃이 흔들린다.

– 박경리, 〈거리의 악사〉

19 이 글에서 알 수 있는 '할머니'의 성격은?

① 삶을 관찰하고 성찰하는 관조적 성격
② 재치 있는 표현으로 즐거움을 주는 해학적 성격
③ 타인에 대한 경계심이 강하여 남을 적대시하는 배타적 성격
④ 고단한 삶 속에서도 스스로 흥을 돋우고 즐기는 낙천적 성격
⑤ 자신이 꺼리는 일이 있거나 하고 싶은 말이 있어도 참는 내성적 성격

20 ㉠으로 볼 때, 예술에 대한 작자의 관점으로 가장 적절한 것은?

① 예술은 작자의 뛰어난 창의력에 의해 결정된다.
② 예술은 작자의 명상과 사색을 통해서 탄생된다.
③ 예술은 일상의 삶에서 우러나는 진솔한 감정이다.
④ 예술은 인간 사이의 경쟁과 갈등 속에서 나타난다.
⑤ 예술은 작자의 성실도와 근면성에 따라 가치가 달라진다.

[21~23] 희곡 | 다음 글을 읽고 물음에 답하시오.

제한 시간: 2분 30초

(가)

아미: 네, 저예요. 그분이요? 경리 보는 김상범 씨예요. 네? 지금이요? 아직 사장님도 계시는데…… 알겠어요. 그리로요? 혼자서 기다리게 하지 마세요. 네.

상범: (관객에게) 팔 개월 전에 죽은 남편을 잊을 수가 없다던 저 여자입니다. 박 전무가 전화를 하니까 대낮에 나갈 생각입니다. 내 상식으로는 도저히 생각을 할 수가 없습니다. 저도 저런 친구들의 상식, 즉 내가 '새 상식'이라고 부르는 상식으로 살아갈 생각입니다.

(나)

(㉠아미가 나와 핸드백을 들고 무대 밖으로 나간다. 상범은 ㉡총구를 그의 등에 겨눈다. 문이 열리며 사장이 나온다. 상범은 몸을 돌려 뜻하지 않게 이번에는 사장에게 총구를 들이댄다.)

사장: 에이크, 이 사람아!

상범: 아이, 미안합니다. 손질을 하고 났더니 갑자기 한번 쏘고 싶어서…….

사장: (총을 받으며) 응, 수고했어. 경리 과장은 어디 갔나?

상범: 네, 배 과장님은 돈 오천 원을 가지고 요 앞에 있는 '바구니' 다방으로 가셨습니다.

사장: 오천 원? 회사 돈을……? 〈중략〉

사장: 배 과장이 쓰는 돈을 잘 알아 두도록 해.

상범: 네,…… ㉢계산을 해 놓겠습니다.

사장: 그 다방에 있는 여자가 술집 여자인가?

상범: 모르겠습니다. 하기야…….

사장: 하기야……?

상범: 배 과장님이 약주를 참 좋아하십니다. 점심때도 가끔 한 잔씩 하시긴 합니다.

사장: 회사의 돈을 맡고 있는 사람이……!

상범: 사장님, 저…… 제가 이런 말씀을 올렸다고…… 저는 사장님을 존경하고…… 회사의 발전을 무엇보다도 기뻐하기 때문에…… 그래서 이런 말씀을 올렸습니다. 교회에서 사장님의 지도를 받고…….

사장: 알았어. 자네의 심정은 이해할 수 있네. ⓐ잘 해 보도록 해.

(다)

상범: 그럼…… ㉣아까 다방에서 전화하신 분이…… 사모님이신가요?

영민: 그래. 여편네들이 자꾸 남편의 직장까지 찾아오면 곤란해. 재수가 없어, 재수가!

상범: (관객에게) 네, ㉤재수가 없죠. 재수가 없습니다. 그 후 한 달 있다가 경리 과장은 강원도 지사로 발령을 받아 전출했고, 저는 경리 과장이 되었습니다. 회사에서는 저의 출세가 이렇게 빠른 것을 보고 깜짝 놀랐습니다. 내가 아는 상식을 버리고 새 상식에 의해 행동한 첫 효과였습니다. 제가 할 일이 또 하나 있습니다. 사장의 며느리요, 과부요, 또한 비서인 성아미와 박 전무의 관계를 적당히 이용하는 겁니다. 이리하여 모든 가능한 출세의 문을 내 손으로, 내 이 두 발로 젖히고 차서 활짝 여는 겁니다.

– 이근삼, 〈국물 있사옵니다〉

21 **김상범이 '새 상식'으로 살아가게 되었음을 나타내는 것을 ㉠~㉤ 중 적절하게 짝지은 것은?**

① ㉠ ② ㉠, ㉡ ③ ㉡, ㉢
④ ㉢, ㉤ ⑤ ㉣, ㉤

22 **위 글을 고려할 때 제목인 〈국물 있사옵니다〉의 뜻으로 적절한 것은?**

① 주인공에게 삶의 여유와 인정이 남아 있다는 뜻이다.
② 사회의 부조리함에서 흘러나온 썩은 양심의 국물을 나타내는 것이다.
③ 높은 권력에 있는 사람들에게 아부를 하기 위해 '뭐든지 할 수 있습니다.'라는 의미이다.
④ '국물도 없다.'라는 관용 표현을 차용하여 아직은 '자존심과 삶을 살아갈 배짱'이 있다는 뜻이다.
⑤ '국물도 없다.'라는 관용 표현을 변형하여, 자신을 무시했던 사람들에게 자신을 무시하지 말라는 뜻이다.

23 **이 글을 통해 추리할 수 있는 내용으로 적절하지 않은 것은?**

① 상범은 사장에게 아부를 해서 출세를 하고자 한다.
② 사장은 상범을 신뢰하고, 상범의 행동을 격려하고 있다.
③ 상범은 이전과는 정반대의 가치관으로 삶을 살아가고자 한다.
④ 배 과장은 다방에서 술집 여자와 술을 마신 것 때문에 강원도 지사로 전출되었다.
⑤ 상범은 자신의 행동에 대한 만족감을 드러내고 있고, 앞으로 비슷한 사건이 벌어질 것임을 암시하고 있다.

내를 건너서 숲으로
고개를 넘어서 마을로

어제도 가고 오늘도 갈
나의 길 새로운 길

– 윤동주, '새로운 길'

Ⅳ. 듣기(1～13)

Ⅴ. 어법(14～18)

Ⅵ. 쓰기(19～23)

IV 듣기

듣기 출제 비중

17%

듣기 학습 전략

국어능력인증시험에서 듣기는 강연, 뉴스, 토론 등 다양한 유형의 텍스트를 다루는 영역이다. 여러 장르를 바탕으로 ① 내용을 사실적으로 이해하기, ② 이해한 내용을 바탕으로 추론하기, ③ 이해한 내용을 바탕으로 비판하기, ④ 들은 내용에 대해 창의적으로 생각하여 글쓰기 등의 유형이 출제된다. 아울러 들은 내용을 요약하여 쓰거나, 해당 글에 대한 자신의 입장을 쓰는 주관식 쓰기 유형이 연계되어 있는 점이 특징이다.

사실적인 이해 능력을 파악하는 문항은 쉽게 출제되지만, 추론하기를 요구하는 문항과 비판하는 유형의 문항은 난도가 높은 편이다. 특히 '비판하기'의 경우 듣기의 내용 안에서 화자가 범하는 오류가 무엇인지를 정확하게 파악하고 이에 반론을 제기하는 선택지를 잘 골라내야 한다.

[1~13] 듣기 기출의 패턴을 벗기다

최근기출 4회분 전 문항 한눈에 보기

문항 번호	A회		B회		C회		D회	
	자료/개념	유형/분류	자료/개념	유형/분류	자료/개념	유형/분류	자료/개념	유형/분류
1	강연	사실적 이해 – 내용 파악(중심 내용)	강연	사실적 이해 – 내용 파악(중심 내용)	강연	사실적 이해 – 내용 파악(중심 내용)	강연	사실적 이해 – 내용 파악(중심 내용)
2	강연	추론 – 발화 의도 및 상황 파악	강연	추론 – 발화 의도 및 상황 파악	강연	추론 – 의도 및 상황 파악	대화	추론 – 의도 및 상황 파악
3	강연	사실적 이해 – 내용 파악(중심 내용)	강연	사실적 이해 – 내용 파악(중심 내용)	대화	사실적 이해 – 내용 파악(세부 내용)	강연	사실적 이해 – 내용 파악(중심 내용)
4	대화	비판 – 정보의 평가(근거의 적절성)	대화	비판 – 정보의 평가(근거의 적절성)	강연	비판 – 정보의 평가(근거의 적절성)	대화	비판 – 정보의 평가(근거의 적절성)
5	대화	사실적 이해 – 내용 파악(발화 상황)	강연	사실적 이해 – 내용 파악(중심 내용)	강연	사실적 이해 – 내용 파악(중심 내용)	토론	사실적 이해 – 내용 파악(세부 내용)
6	강연	추론 – 상황의 추리(사례와 구체적 상황)	강연	추론 – 상황의 추리(사례와 구체적 상황)	대화	사실적 이해 – 내용 파악(세부 내용)	대화	사실적 이해 – 내용 파악(세부 내용)
7	대화	비판 – 정보의 평가(내용의 적절성)	대화	사실적 이해 – 내용 파악(발화 상황)	대화	비판 – 정보의 평가(내용의 적절성)	대화	추론 – 정보의 추리(생략된 정보)
8	대화	추론 – 정보의 추리(생략된 정보)	토론	추론 – 발화 의도 및 상황 파악	방송	추론 – 상황의 추리(사례와 구체적 상황)	대화	비판 – 정보의 평가(내용의 적절성)
9	대화	사실적 이해 – 내용 파악(발화 상황)	대화	비판 – 정보의 평가(내용의 적절성)	토론	추론 – 상황의 추리(사례와 구체적 상황)	강연	추론 – 구체적 상황 적용
10	강연	사실적 이해 – 내용 파악(중심 내용)	강연	사실적 이해 – 내용 파악(중심 내용)	강연	사실적 이해 – 내용 파악(중심 내용)	강연	사실적 이해 – 내용 파악(중심 내용)
11		추론 – 과정의 추리(전제와 결론)		추론 – 과정의 추리(전제와 결론)		추론 – 과정의 추리(전제와 결론)		추론 – 과정의 추리(전제와 결론)
12	대화	사실적 이해 – 내용 파악(발화 상황)	강연	사실적 이해 – 내용 파악(발화 상황)	대화	사실적 이해 – 내용 파악(세부 내용)	대화	사실적 이해 – 내용 파악(발화 상황)
13		비판 – 정보의 평가(근거의 적절성)		비판 – 정보의 평가(근거의 적절성)		비판 – 정보의 평가(내용의 적절성)		추론 – 구체적 상황 적용

문항 순서별 고정 유형과 출제된 개념 한눈에 파악하기

기출패턴 정리하기 _ 최근기출 4회분 총 360문항 전 문항 분석 결과

영역	유형	문항 수	세부 유형	제재
[1~13] 듣기 (출제 비중 17%)	사실적 이해	6~9	내용 파악, 구조의 파악	불규칙적이나, 대화 > 강연 > 토론 · 뉴스 · 인터뷰 순으로 많음
	추론	2~5	전제와 결론, 생략된 정보 추론, 구체적 상황에 적용하기	
	비판	1~3	내용의 적절성 평가, 근거의 적절성 평가	

BEST 기출&예상 개념

듣기 객관식 문항은 총 13문항이 출제되며, 하나의 듣기 대본에 하나의 문제가 출제되는 단독 문제와 하나의 듣기 대본에 두 문제가 출제되는 통합 문제로 출제된다. 단독 문제는 다시 문제와 선택지까지 듣고 푸는 문제와 대본만 듣고 문제와 선택지는 시험지를 보고 푸는 문제로 나뉜다. 듣기 문제로는 주로 내용을 사실적으로 이해하거나 추론하는 문제가 출제된다.

◉ 듣기 주요 기출 주제

- '수화' 대신 '수어' 사용 정착되기를
- '착한 사마리아인'
- 9시 등교제의 장단점
- SNS 중독의 위험성
- 나와 다른 가치를 인정하기
- 남성 육아 참여 활성화
- 대체 휴일제의 장단점
- 동물 병원 진료비 개선 필요
- 빈집 문제와 전세난 문제 해결 방안
- 야구는 '과학'이 아닌 '예술'
- 올바른 독서의 목적
- 자전거 출퇴근과 자동차 속도 제한 규정
- 장애인의 일자리 현황과 개선 방안
- 학생 인권 조례
- 호모 텔레포니쿠스

◉ 듣기 학습 전략

- 듣기 문항의 지문은 다른 국어 시험에 비해 실제적이며 일상적인 내용을 담고 있다.
- 구체적인 내용 파악을 해야 하는 문항을 풀기 위해서는 신조어나 용어 설명 등에 집중하여 듣는 것이 좋고, 대화를 듣는 경우 화자들의 감정보다 대화의 내용에 중점을 두고 듣는 것이 적절하다.
- 설명, 강연 등을 듣고 구체적인 상황에 적용하는 문항에서는 듣기의 내용에 나온 문장 그대로를 〈보기〉에 제시하지 않는다. 설명, 강연 등에서 학습한 내용을 활용하는 구체적인 내용을 잘 찾을 수 있어야 한다.
- 생략된 정보를 추론하는 문항을 풀기 위해서는 담화 표지(담화의 내용이 어떠한 방향으로 흘러갈지 알려 주는 접속 부사 등)를 잘 듣고, 문장과 문장이나 단락의 연결 관계가 어떠한지를 파악할 필요가 있다.

☑ 사실적 이해를 묻는 유형의 문제는 상대적으로 쉬운 편이다.
☑ 세부 내용을 묻는 문제는 대체로 쉬운 편이지만 한 번만 듣고 모든 것을 기억할 수 없어 정답을 고를 때 까다롭다.
☑ 대화, 토론을 듣고 추론하거나 비판하는 문항은 대체적으로 난도가 높다.

고등급 공략

- 강연, 인터뷰, 토론, 뉴스, 대화(경쟁적 분위기의 대화, 협력적 분위기의 대화)의 기본적인 특성을 파악해 두자.
- 지문의 내용과 일치하지 않는 것은 세밀하게 선택지를 보고 답을 찾아내자.
- 내용을 듣고 비판하고자 할 때에는, 들은 내용의 오류가 어디에 있는지 포인트를 찾자.

01 사실적 이해 / 추론 / 비판 [단독 문제]

기출변형 문제

홈페이지(book.eduwill.net)에서 듣기 MP3 파일을 무료로 다운받으세요.

정답 P 18

❖ 1번부터 4번까지는 문제와 선택지를 듣고 푸는 문항입니다. 잘 듣고 물음에 답하시오.

1

① ② ③
④ ⑤

2

① ② ③
④ ⑤

3

① ② ③
④ ⑤

4

① ② ③
④ ⑤

❖ **5번부터 9번까지는 내용을 들은 후, 시험지에 인쇄된 문제와 선택지를 보고 푸는 문항입니다. 잘 듣고 물음에 답하시오.**

5 **인터뷰 내용에 이어질 수 있는 리포터의 말로 적절한 것은?**

① 무조건 네거티브 칼로리 음식만을 고집하는 것은 옳지 않은 것이군요.
② 네거티브 칼로리 음식들의 영양소 불균형이 아주 큰 문제가 되겠군요.
③ 차라리 평소에 먹던 음식들을 양만 줄여서 섭취하는 것이 나은 셈이네요.
④ 고기를 전혀 섭취하지 않고 채식 위주로 섭취하는 것은 역시 좋지 않군요.
⑤ 네거티브 칼로리 음식들이 각광을 받고 있다는 것은 과장된 보도일 수 있겠네요.

6 **수필에 대한 설명으로 적절하지 않은 것은?**

① 수필에는 멋과 운치가 있다.
② 수필은 비판 정신이 담긴 문학이다.
③ 수필에서는 필자의 개성이 묻어난다.
④ 수필은 특정한 형식을 지니지 않는다.
⑤ 수필은 다양한 제재를 활용하여 쓰인다.

7 **남자의 주장에 대한 여자의 반론으로 적절하지 않은 것은?**

① 내가 일의 능률이 좋은 시간에 일하는 게 낫지 않겠니?
② 좀 늦게 일어나기는 하지만 운동도 충분히 하고 건강한데?
③ 다른 사람과 일하는 시간이 다를 뿐이지 게으르지는 않아.
④ 늦게 자기는 하지만 늦게 일어나서 잠자는 시간은 충분해.
⑤ 나는 낮보다 밤에 일할 때 오히려 동기 부여가 더 잘되던데?

8 **뉴스 내용과 일치하지 않는 것은?**

① 하품처럼 스트레스도 전염이 될 수 있다.
② 연설과 수학 문제 암산 등은 스트레스를 준다.
③ 스트레스는 다양한 경로로 전염이 될 수 있다.
④ 나의 스트레스가 타인의 스트레스가 될 수 있다.
⑤ 스트레스는 다른 사람의 행동을 따라하면서 발생된다.

9 **강연에서 언급한 '사람의 욕구로 인한 착시 현상'에 해당하는 것은?**

① 연속적으로 움직이는 물체의 잔상
② 거리에 따라 다르게 느껴지는 달의 크기
③ 사막에 있지도 않은 오아시스가 보이는 현상
④ 그리는 방법에 따라 길이가 달라 보이는 화살표
⑤ 사진을 찍을 때 뒤에서 찍으면 얼굴이 작아 보이는 현상

02 사실적 이해 / 추론 / 비판 [통합 문제] 기출변형 문제

홈페이지(book.eduwill.net)에서 듣기 MP3 파일을 무료로 다운받으세요.

정답 P 22

1 뉴스의 내용과 일치하지 않는 것은?

① 화병은 한국에만 있는 특이한 질병이다.
② 화병과 우울증은 발병 과정과 증상에서 상이함이 있다.
③ 화병은 가벼운 화로 생각하고 방치하면 위험해질 수 있다.
④ 화병은 개인의 기본적인 성향과 관계없이 발병하는 질병이다.
⑤ 화병은 심리적인 문제가 신체적인 증상으로 나타나는 질병이다.

2 화병에 걸리지 않게 스트레스를 푸는 방법으로 적절하지 않은 것은?

① 가벼운 운동으로 마음의 안정을 찾는다.
② 화가 나면 참지 말고 즉시 표출하여 해결한다.
③ 가족들과 얼굴을 보고 얘기하는 시간을 자주 갖는다.
④ 자신이 원하는 것을 말하는 적절한 표현법을 발견하여 사용해야 한다.
⑤ 자신의 힘으로 무거운 마음이 풀리지 않을 때는 전문가의 상담을 받는다.

3 토론의 내용과 일치하지 않는 것은?

① 전자 담배가 덜 유해하다는 것은 확실하지 않다.
② 전자 담배를 많이 피워도 일반 담배보다는 덜 유해하다.
③ 전자 담배는 타는 냄새가 없어 주변 사람들에게 피해를 덜 끼친다.
④ 니코틴은 소량이든 다량이든 태아의 뇌 성장에 악영향을 미칠 수 있다.
⑤ 전자 담배는 불연소 방식이기 때문에 흡수하는 니코틴의 양이 일반 담배보다 적다.

4 토론 내용에 대한 설명으로 적절하지 않은 것은?

① 남자는 전자 담배의 규제가 금연자들에게 부정적인 영향을 끼칠 것이라고 본다.
② 여자는 전자 담배에 유해 물질의 양이 적더라도 규제할 필요가 있다고 생각한다.
③ 여자는 전자 담배가 일반 담배보다 덜 유해하다는 주장에 대해 동의하고 있지 않다.
④ 남자는 소량의 니코틴은 태아의 뇌 성장에 아무런 영향을 미치지 않는다고 생각한다.
⑤ 남자와 여자 모두 전자 담배에 유해 물질이 있고 건강에 위험성이 있어 해롭다는 것을 알고 있다.

V

어법 영역 출제 비중

5.5%

어법 학습 전략

국어능력인증시험에서 어법 영역은 ① 문장 표현, ② 높임법 유형 5문항이 고정적으로 출제된다. 일반적인 선택지의 형태로 제시되는 문장 표현 유형은 난도가 낮은 데 비해 문장을 수정한 사항들이 올바른지 묻는 유형은 난도가 높고 복잡한 편이다. 호응, 중의성, 중복 표현, 사이시옷 표기 등 어법의 전 영역이 혼합되어 출제되는 경우가 많으므로 그에 맞는 학습이 필요하다.

어법 영역에서 단기간의 암기로 해결할 수 있는 부분은 제한적이다. 특히 문장의 호응에 대한 부분은 평소에 올바르고 좋은 문장을 자주 접해야 문제점을 정확히 파악하고 수정한 내용의 적절성 여부를 판가름할 수 있다. 짧은 시간 내에 어법을 해결하고자 한다면, 우선 용언의 규칙 활용, 불규칙 활용의 형태와 높임법의 어휘 부분에 집중을 하는 것이 현명한 선택이 될 수 있다.

[14~18] 어법 기출의 패턴을 벗기다

최근기출 4회분 전 문항 한눈에 보기

문항 번호	A회		B회		C회		D회	
	유형/분류	자료/개념	유형/분류	자료/개념	유형/분류	자료/개념	유형/분류	자료/개념
14	문장 – 피사동/시제/경어	께서	문장 – 피동/사동	피동접미사: -이-, -기-, -히-, -리-, 사동접미사: -우-	높임법		높임법	
15	문장 – 호응		문장 – 호응		문장 – 호응		문장 – 호응	
16	문장 – 중의성		문장 – 중의성		문장 – 중의성		문장 – 중의성	
17	문장 – 성분의 생략		문장 – 성분의 생략		문장 – 성분의 생략		문장 – 성분의 생략	
18	조사	격 조사 '의'	문장 – 종결법		조사	을, 와, 에다, 에, 까지	조사	에, 의

문항 순서별 고정 유형과 출제된 개념 한눈에 파악하기

기출패턴 정리하기 _ 최근기출 4회분 총 360문항 전 문항 분석 결과

영역	유형	문항 수	세부 유형
[14~18] 어법 (출제 비중 5.5%)	문장 표현	4~5	피동/사동, 호응, 중의성, 성분의 생략
	높임법	0~1	

01 문장 표현

시험에 나온! 나올!
필수개념

기출복원 문제

문장 성분 간의 호응

문장 성분 간의 호응이 적절한 것은?

① 유익한 주말이 되십시오.
② 설마 그가 잘못을 저질렀다.
③ 나의 살던 고향은 꽃피는 산골
④ 그는 결코 그녀를 잊지 못했다.
⑤ 학생은 모름지기 열심히 공부한다.

유형 익히기 ▶ 주어-서술어 호응, 부사어-서술어 호응, 목적어-서술어 호응 등이 제대로 이루어지고 있는지를 파악해야 하는 유형이다.
① '유익한 주말 보내시기 바랍니다.'로 수정하는 것이 적절하다. ② '설마 그가 잘못을 저질렀을까?'와 같이 '설마'와 서술어의 호응이 적절하도록 수정해야 한다. ③ '내가 살던 고향은 ~'으로 수정하는 것이 적절하다. ⑤ '학생은 모름지기 열심히 공부해야 한다.'로 수정해야 한다.

문장 성분의 생략 / 중복

중복된 표현이 <u>없는</u> 문장은?

① 그는 홀로 외로이 고군분투하며 살았다.
② 그녀는 어려운 난관에 부딪혀 울고 말았다.
③ 벌써 월드컵 경기 입장권이 전부 매진되었다.
④ 황사가 있을 때는 공기를 자주 환기해야 한다.
⑤ 그는 남들에게는 온유하지만 자신에게는 엄격한 성격이다.

유형 익히기 ▶ 문장 안에서 필수적으로 있어야 할 문장 성분이 생략되거나, 똑같은 의미가 다른 표현으로 중복되어 나타나는 비문을 판단하고 고칠 수 있는지를 묻는 유형이다. 의미상 중복 표현은 특히 고유어와 한자어 어휘가 나란히 있는 경우 많이 나타나지만 실생활에서 발화할 때는 미처 느끼지 못하는 부분들이 출제되므로, 한자어의 의미를 정확하게 파악해 두면 도움이 된다.
① '고군분투'는 '남의 도움을 받지 않고 벅찬 일을 잘해 나가는 것'을 의미하므로 '홀로 외로이'를 생략하는 것이 적절하다. ② '난관'은 '어려운 고비'라는 뜻이므로 '어려운 난관'은 중복된 표현이고, ③ '매진'에는 이미 모두 팔렸다는 의미가 담겨 있으므로 '전부'를 생략하는 것이 적절하다. ④ '공기', '환기'에서 의미의 중복이 일어났다.

☑ 문장 성분 간의 호응, 문장의 중의성, 높임법 관련 문제가 출제되는데 각각 단독으로 출제되기도 하지만, 문장 표현과 관련된 모든 요소가 종합적으로 출제되는 비율이 높다.
☑ 중의적 표현은 각각 단독 문제로 출제된다.
☑ 문장 성분 간 호응의 출제율이 가장 높다. 종합적으로 묻는 문제에서 호응은 2가지 이상 포함되어 출제되는 경우가 많다.
☑ 어법의 출제 영역 중 '문장의 표현 종합, 중의성, 경어법'에 대해 묻는 문항이 고난도로 출제된다.

고등급 공략

- 평소의 어법 기초 실력이 고득점을 좌우한다. 외우고 또 외우자.
- 문장 성분 간의 호응은 평소 우리가 자연스럽게 사용하는 것들이다. 집중하면 보인다.
- 중복의 요소를 묻는 문항이 가장 쉽게 출제된다. 한자어에 내재된 의미를 파악해 보자.
- 중복 표현은 자주 출제되는 중복 표현 내에서 나올 가능성이 크므로, 대표적인 중복 표현을 외워 두는 것이 좋다.
- 경어법은 문법적인 것보다 어휘적인 부분에서 많이 출제된다. 높임을 드러내는 어휘를 대상에 맞게 사용하는 방법을 기억하자.

문장의 중의성

문장이 두 가지 의미로 풀이될 가능성이 가장 적은 것은?

① 어려운 처지에 있던 할머니의 아들은 끝내 돌아오지 않았다.
② 영희는 권장 도서 목록 선정이 너무 주관적이라며 불만을 드러냈다.
③ 가장 심각한 문제는 우리 회사의 국제 경쟁력이 떨어진다는 것이다.
④ 잘 웃고 언제나 표정이 밝은 그의 동생은 다른 사람들에게 인기가 많다.
⑤ 요즘 같은 때에도 한결같이 어려운 이웃을 돕는 착한 사람들이 많이 있습니다.

유형 익히기 ▶ 문장이 두 가지 이상의 의미로 해석될 수 있는 중의성을 판단하고 해소하는 능력이 있는지 평가하는 유형이다. ① 어려운 처지에 있는 것이 할머니인지 아들인지 명확하지 않다. ② 도서 목록을 선정하는 일이 주관적인 것인지, 선정된 도서 목록의 내용이 주관적이라는 것인지 알 수 없다. ④ '잘 웃고 언제나 표정이 밝은, 그의 동생은 ~'으로 수정하여 주어가 명확하게 드러나게 한다. ⑤ '한결같다'가 '어려운 이웃'을 수식하는 것인지, '어려운 이웃을 돕는 착한 사람들'을 수식하는 것인지 애매하므로, '요즘 같은 때에도 어려운 이웃을 한결같이 돕는 ~'으로 수정한다.

그 외 문장 표현의 오류

다음 표현을 수정한 것으로 적절하지 않은 것은?

① 우리 커피가 식어지기 전에 빨리 마시자. → '식어지기'보다는 '식기'가 바른 표현이다.
② 이미 무더운 날씨에 길들였는지 아무도 덥다는 말을 하지 않았다. → '길들었는지'라고 해야 한다.
③ 소중한 삼림이 급격히 파괴되어지고 있다. → '파괴되어지다'는 이중 피동이므로 '파괴되고 있다'로 고쳐야 한다.
④ 그가 나에게서 불만이 전혀 없었던 것은 아닐 거야. → '나에게서'를 '나에게'로 바꿔 주어야 문장의 의미가 명확해진다.
⑤ 응시 원서의 기재 잘못으로 인한 불이익은 응시자의 감수입니다. → 문장의 호응이 적절하지 않으므로 '응시 원서를 잘못 기재하여 발생한 불이익은 응시자의 감수입니다.'로 수정한다.

유형 익히기 ▶ 이중 피동, 번역 투, 관형화와 명사화의 남용 등 다양한 문장의 오류를 발견하고, 이를 바른 표현으로 바꿀 수 있는지를 평가하는 유형이다. ⑤ 명사화 남용으로 인한 오류이므로 '응시 원서를 잘못 기재하여 발생한 불이익은 응시자가 감수해야 합니다.'로 수정해야 한다.

BEST 기출&예상 개념

1. 문장 성분 간의 호응

(1) 주성분 간의 호응

◉ **주어와 서술어의 호응**

- 수도의 바람직한 모습은 이 도시의 행정, 문화, 교육 분야의 중심 기능을 담당해야 한다.
  → 수도의 바람직한 모습은 이 도시의 행정, 문화, 교육 분야의 중심 기능을 담당해야 한다는 것이다.

- 해외여행이나 좋은 영화나 뮤지컬 등은 빼놓지 않고 관람하는 것이 이른바 골드 미스의 전형적인 생활 양식이다.
  → 해외여행을 즐기고, 좋은 영화나 뮤지컬 등은 빼놓지 않고 관람하는 것이 이른바 골드 미스의 전형적인 생활 양식이다.
- 2년 전 당산의 나무를 훼손한 이 마을 사람 하나는 산사태로 목숨을 잃었고, 올해는 교통사고를 당했다.
  → 2년 전 당산의 나무를 훼손한 이 마을 사람 하나는 산사태로 목숨을 잃었고, 또 하나는 올해에 교통사고를 당했다.

◉ 목적어와 서술어의 호응

- 이 기계는 그을음과 열효율을 높이기 위하여 개발한 난로이다.
  → 이 기계는 그을음을 없애고 열효율을 높이기 위하여 개발한 난로이다.
- 이곳은 모든 시대와 나라에서 형성된 가장 심오한 진리 탐구와 인문 정신을 배양하는 대학입니다.
  → 이곳은 모든 시대와 나라에서 형성된 가장 심오한 진리를 탐구하고 인문 정신을 배양하는 대학입니다.
- 어린이집에서는 유아들의 건강과 쾌적한 교육 환경을 조성하기 위하여 공기 청정기를 설치하기로 했다.
  → 어린이집에서는 유아들의 건강을 유지하고 쾌적한 교육 환경을 조성하기 위하여 공기 청정기를 설치하기로 했다.

(2) 주성분과 부속 성분 간의 호응

◉ 부사어와 서술어의 호응

- 그녀는 여간 즐거웠다.
  → 그녀는 여간 즐겁지 않았다.
- 우리는 내년에 반드시 이곳을 떠난다.
  → 우리는 내년에 반드시 이곳을 떠나야 한다.
- 설마 비가 왔다.
  → 설마 비가 왔을까?
- 그 사람은 마치 자신이 최고라고 말한다.
  그 사람은 마치 자신이 최고인 것처럼 말한다.
- 결코 기대가 좌절되었다고 할지라도 나는 포기하지 않을 것이다.
  → 비록 기대가 좌절되었다고 할지라도 나는 포기하지 않을 것이다.

참고 부사어와 서술어의 호응

- 긍정적 호응: 과연 ~하다
- 부정적 호응: 여간 ~지 않다, 전혀 ~이/가(~은/는 것이) 아니다, 차마 ~ 수 없다, 거의 ~지 않다
- 추측적 호응: 아마 ~(으)ㄹ 것이다
- 가정적 호응: 설마 ~(으)랴?
- 역접적 호응: 비록 ~ㄹ지라도(~지만, ~더라도, ~어도)
- 당위적 호응: 당연히(모름지기, 기필코) ~해야 한다
- 비교적 호응: 마치 ~처럼(~같이)

◉ **조사와 서술어의 호응**

- 최 이사는 발등의 불이 떨어지자 수습안을 마련하기 시작했다.
  → 최 이사는 발등에 불이 떨어지자 수습안을 마련하기 시작했다.
- 시민 각자가 미세먼지 정보에 대해 접근할 수 있고 환경 보호에 대해 참여할 수 있는 기회를 갖도록 해야 한다.
  → 시민 각자가 미세먼지 정보에 접근할 수 있고 환경 보호에 참여할 수 있는 기회를 갖도록 해야 한다.
- 국회는 교과서 왜곡에 대하여 일본에게 강력하게 항의하였다.
  → 국회는 교과서 왜곡에 대하여 일본에 강력하게 항의하였다.
- 시민 단체들은 영세민들의 삶을 파괴하는 정비 계획을 전면 폐기할 것을 정부에게 강력히 요구했다.
  → 시민 단체들은 영세민들의 삶을 파괴하는 정비 계획을 전면 폐기할 것을 정부에 강력히 요구했다.
- 나무도 양초와 같이 고체가 액체나 기체로 변하나요?
  → 나무도 양초와 같이 고체에서 액체나 기체로 변하나요?
- 이 역사적 대사건이 나는 정말 숨이 막힌다.
  → 이 역사적 대사건에 나는 정말 숨이 막힌다.
- 그는 폭넓은 독서와 부지런히 운동을 하는 멋진 사람이야.
  → 그는 폭넓게 독서하고 부지런히 운동을 하는 멋진 사람이야.
- 그는 아직 입사한 지 2개월밖에 되지 않은 초보치고 적응을 잘하지 못한다.
  → 그는 아직 입사한 지 2개월밖에 되지 않은 초보라서 적응을 잘하지 못한다.

참고 **조사의 정확한 사용**

① 주격 조사 '이/가'와 보조사 '은/는'

원시 시대부터 인간은 삶의 문제를 해결하기 위해 고민하면서 창의적인 사고를 하게 된 것은 분명한 사실이다.
→ 인간이

② '에게'와 '에'

- 정부는 이 문제를 미국에게 여러 번 건의하였다. → 미국에
- 엄마는 날마다 민수에 고기를 구워 주었다. → 민수에게

③ 목적격 조사

우리 대학이 이웃 대학에 크게 이겼다. → 대학을

2. 필요한 문장 성분의 생략

(1) 주어의 생략

- 본격적인 공사가 언제 시작되고, 언제 개통될지 모른다.
  → 본격적인 공사가 언제 시작되고, 도로가 언제 개통될지 모른다.
- 자기가 세운 목표는 반드시 이루겠다는 의지와 그 의지를 뒷받침할 수 있는 체력이다.
  → 지금 나에게 필요한 것은 자기가 세운 목표는 반드시 이루겠다는 의지와 그 의지를 뒷받침할 수 있는 체력이다.

(2) **필수 부사어의 생략**

- 친구가 취업한 것은 기쁨이 되었다. → 친구가 취업한 것은 나에게 기쁨이 되었다.
- 채은이는 비슷하다. → 채은이는 엄마와 비슷하다.

(3) **목적어의 생략**

- 나는 근래에 계속해서 컴퓨터로만 글을 써 왔는데, 오랜만에 써 보려니 쉽지 않다.
  → 나는 근래에 계속해서 컴퓨터로만 글을 써 왔는데, 오랜만에 손글씨를 써 보려니 쉽지 않다.

3. 의미상 중복 표현

- 휴가 기간 동안 운동을 실컷 했다.
  → 휴가 기간에 운동을 실컷 했다.
- 이번 안건은 과반수 이상이 찬성하여야 통과됩니다.
  → 이번 안건은 반수 이상이 찬성하여야 통과됩니다.
- 요즘 같은 때에는 공기를 자주 환기해야 감기에 안 걸리는 거야.
  → 요즘 같은 때에는 자주 환기해야 감기에 안 걸리는 거야.
- 그의 사상이 밖으로 표출되어 있는 것이 바로 이 책이다.
  → 그의 사상이 표출되어 있는 것이 바로 이 책이다.
- 저 회사 앞에서는 항상 끊임없이 공사한다.
  → 저 회사 앞에서는 항상 공사한다.
- 참고 인내하면서 이 시기를 잘 극복해야 한다.
  → 인내하면서 이 시기를 잘 극복해야 한다
- 나라를 사랑하는 애국정신이 필요한 시국입니다.
  → 나라를 사랑하는 정신이 필요한 시국입니다.
- 이미 가지고 있던 기존의 사고방식을 바꾸지 않으면 안 됩니다.
  → 이미 가지고 있던 사고방식을 바꾸지 않으면 안 됩니다.
- 불필요한 내용은 삭제하여 빼 주시고 내일 다시 보내 주십시오.
  → 불필요한 내용은 삭제하여 주시고 내일 다시 보내 주십시오.
- 돌이켜 회고해 보건대 지난 시대의 삶은 고통의 연속이었습니다.
  → 돌이켜 보건대 지난 시대의 삶은 고통의 연속이었습니다.
- 개교기념일 날이면 대학생들은 오래간만에 학업에 지친 마음을 잠시 쉬곤 한다.
  → 개교기념일이면 대학생들은 오래간만에 학업에 지친 마음을 잠시 쉬곤 한다.

참고 **한자어와 의미상 중복 표현**

좋은 호평(好評)	벌레 살충제(殺蟲劑)	결실(結實)을 맺다
남은 여생(餘生)	신문지(新聞紙) 종이	즉(卽), 다시 말해서
다시 재고(再考)하다	빼어난 수재(秀才)	물에 침수(侵水)되다
미리 예상(豫想)하다	시끄러운 소음(騷音)	간단히 요약(要約)하다
피해(被害)를 입다	유산(遺産)을 물려주다	둘 사이에 개입(介入)하다
넓은 광장(廣場)	범행(犯行)을 저지르다	해결하기 어려운 난제(難題)

4. 문장의 중의성

(1) 중의성

하나의 언어 표현이 둘 이상의 해석을 가능하게 하는 언어적 속성을 말한다.

① 어휘적 중의성

- 길이 있다.(길: 도로, 방법, 지혜, 도리)
- 나도 그 정도 힘은 있다.(힘: 근력, 역량)
- 우리 집은 시내에서 멀지 않습니다.(시내: 조그마한 개울, 도시의 안쪽)
- 영이가 차를 준비했습니다.(차: 마시는 차, 타는 차)

② 구조적 중의성

- 노란 모자를 쓴 아버지와 딸이 다정하게 걸어간다.
  (㉠ 노란 모자를 쓴 사람 - 아버지/㉡ 노란 모자를 쓴 사람 - 아버지와 딸)
- 김 박사가 박 간호사와 입원 환자를 둘러보았다.
  (㉠ 회진을 하는 주체 - 김 박사/㉡ 회진을 하는 주체 - 김 박사와 박 간호사)
- 동원은 울면서 떠나는 주영에게 손을 흔들었다.
  (㉠ '울면서'의 주체 - 동원/㉡ '울면서'의 주체 - 주영)

③ '의'의 중의성

- 다섯 명의 사냥꾼이 두 마리의 새를 총으로 쏘았다.
  (㉠ 다섯 명의 사냥꾼이 각각 두 마리씩 쏘았다. /㉡ 다섯 명의 사냥꾼이 특정의 두 마리를 쏘았다.)

(2) 모호성

의미하는 바가 명료하지 않아 무엇을 말하는지 분명하게 알 수 없는 언어적 속성을 말한다.

① 비교 구문의 모호성

- 아내는 나보다 드라마 보는 것을 더 좋아한다.
  → 아내는 내가 드라마 보는 것을 좋아하는 것보다 더 드라마 보는 것을 좋아한다.(아내와 나를 비교)
  → 아내는 나를 좋아하기보다는 드라마 보는 것을 더 좋아한다.(나와 드라마 보기를 비교)

② 병렬 구문의 모호성

- 할머니께서 사과와 딸기 두 개를 주셨다.
  → 할머니께서 사과 두 개와 딸기 두 개를 주셨다.(각각 2개)
  할머니께서 사과 한 개와 딸기 한 개를 주셨다.(총 2개)
- 영준과 자은은 결혼했다.
  → 영준과 자은은 결혼하여 부부가 되었다.(누가 누구와 결혼했는지 명확하게 함)
- 푸른 물과 안개가 감도는 백록담은 한 폭의 그림 같았다.
  → 푸른 물이 흐르고 안개가 감도는 백록담은 한 폭의 그림 같았다.(서술어가 걸려 있는 대상을 명확하게 함)

③ 의존 명사 구문의 모호성

- 그가 공을 차는 것이 이상하다.
  → 그가 공을 차는 사실이 이상하다.
  → 그가 공을 차는 모양이 이상하다.

④ 부정 구문의 모호성
- 아이들이 다 오지 않았다.
  → 아이들이 다 오지는 않았다.(부분 부정)
  → 아이들이 아무도 오지 않았다.(전체 부정)

5. 기타 문장 표현의 오류

(1) 잘못된 사동 표현
- 진수가 진태를 벽 뒤에 숨었다. → 진수가 진태를 벽 뒤에 숨겼다.
- 자꾸 거짓말 시키지 마! → 자꾸 거짓말하지 마!
- 자라 보고 놀랜 가슴 솥뚜껑 보고도 놀랜다고 하더니!
  → 자라 보고 놀란 가슴 솥뚜껑 보고도 놀란다고 하더니!
- 직접 운전해서 주차시키느라 애를 먹었다.
  → 직접 운전해서 주차하느라 애를 먹었다.
- 입학 원서를 접수시키느라 긴 시간 줄을 서서 대기해야 했다.
  → 입학 원서를 제출하느라/내느라 긴 시간 줄을 서서 대기해야 했다.

(2) 지나친 피동 표현(이중 피동)
① '-되어지다', '-지게 되다'
- 그는 남자라고 생각되어진다. → 생각된다.
- 그 신부는 결혼을 앞두고 더욱 아름다워지게 되었다. → 아름다워졌다.

② '피동사'에 '-어지다'를 결합한 경우
그 영화의 내용이 실화라는 사실이 믿겨지지 않았다. → 믿어지지 않았다.

(3) 번역 투 문장(우리말답지 않은 표현)
① 일본어식 표현
- ~에 다름 아니다 → ~이나 다름없다, ~라 할 만하다, ~일 뿐이다
- ~ 주목에 값하다 → ~ 주목할 만하다
- ~에 대하여 관심을 갖다 → ~에 관심을 갖다
- ~로서의 책임 → ~의 책임
- ~에 있어서 → ~에서/에

② 영어식 표현
- 아무리 ~ 해도 지나치지 않다 → ~은/는 매우 중요하다
- ~으로부터 → ~에게서
- ~할 필요가 있다, ~을 필요로 하다 → ~이/가 필요하다
- ~할 예정으로 있다 → ~할 예정이다, ~할 것이다, ~할 참이다

(4) 잘못된 시제 표현
- 기차가 아직 도착하고 있지 않습니다. → 기차가 아직 도착하지 않았습니다.
- 나는 아직도 그를 믿는 중이다. → 나는 아직도 그를 믿고 있다.
- 한 개에 만 원 되겠습니다. → 한 개에 만 원입니다.

기억률 200% 바로확인 문제

[1~10] 문장 성분 간의 호응 | 다음 문장이 어법에 맞으면 ○, 맞지 않으면 ×를 하시오.

1 입사 시험에 합격하신 것을 축하드립니다. (○ / ×)

2 선생님께서는 제게 초심을 잊지 말라고 당부하셨습니다. (○ / ×)

3 선생님, 제 말씀부터 들어 주시면 좋겠습니다. (○ / ×)

4 그도 연약한 사람이기에 그 순간 감정이 이끌렸다. (○ / ×)

5 이 물건은 후보 공천 시점에 보낸 것인지도 모른다. (○ / ×)

6 인간은 자연을 지배하기도 하고 복종하기도 한다. (○ / ×)

7 페인트칠을 새로 했기 때문에 공기를 자주 환기해야 한다. (○ / ×)

8 국가 경쟁력을 높이는 것은 인문학적 상상력이다. (○ / ×)

9 아직 학교에 도착하지 않았습니다. (○ / ×)

10 문제는 회사가 먼 장소로 이동되었다. (○ / ×)

[11~18] 중의성 | 다음 문장이 어법에 맞으면 ○, 맞지 않으면 ×를 하시오.

11 나는 어제 서울에 온 현규와 밥을 먹었다. (○ / ×)

12 아름다운 그녀의 동생은 결국 연예인으로 데뷔를 했다. (○ / ×)

13 내가 좋아하는 순이의 여동생을 도서관에서 만났다. (○ / ×)

14 김 박사가 최 간호사와 입원 환자를 돌보았다. (○ / ×)

15 어머니는 아버지보다 딸을 더 사랑한다. (○ / ×)

16 영수를 보고 싶어하는 고향 친구들이 많다. (○ / ×)

17 영호는 배를 그리고, 철수는 비행기를 그렸다. (○ / ×)

18 오늘 열린 학교 행사에 학생들이 모두 오지는 않았다. (○ / ×)

정답
[1~10] 1 ○ 2 ○ 3 ○ 4 × 5 ○ 6 × 7 × 8 ○ 9 ○ 10 ×
[11~18] 11 × 12 × 13 × 14 × 15 × 16 ○ 17 ○ 18 ○

[19~34] 기타 오류 | 다음 문장이 어법에 맞으면 ○, 맞지 않으면 ×를 하시오.

19 친구가 소개시켜 준 학교는 유명한 학교가 아니었다. (○ / ×)

20 그는 이 문제에 대해 가능한 충실히 논의해 왔다. (○ / ×)

21 그 토의에서 궁극적으로 받아들여진 것이 결국 뭐지? (○ / ×)

22 연예인을 보니 그렇게 좋던? (○ / ×)

23 닫혀진 마음을 열 길이 없다. (○ / ×)

24 화장실을 깨끗이 사용합시다. (○ / ×)

25 김 팀장의 노고로 회사가 꾸려지는 것에 다름 아니다. (○ / ×)

26 성격이 둥글은 사람은 친구도 많다. (○ / ×)

27 날으는 새에게 여기 앉아라 저기 앉아라 할 수 없다. (○ / ×)

28 그것이 합리적이다라는 생각이 들더군요. (○ / ×)

29 내년에는 부동산 투기 억제를 강력히 추진해야 한다. (○ / ×)

30 앞으로 호전될 것으로 예상되겠습니다. (○ / ×)

31 검찰은 오늘 새벽 군산에 검찰 수사 고관을 급파하여 범인을 구속했다. (○ / ×)

32 재료는 70%까지만 충전하게 되었으므로 무리하게 충전하지 않도록 하십시오. (○ / ×)

33 어린이날 행사와 관련하여 어제 오후 4시에 회의를 했습니다. 이때 다양한 의견이 오갔습니다. (○ / ×)

34 1등 수상자는 앞으로 나와 주시기 바라겠습니다. 축하합니다. 소감 한마디 부탁드리겠습니다. (○ / ×)

정답 [19~34] 19 × 20 × 21 ○ 22 ○ 23 × 24 ○ 25 × 26 × 27 × 28 × 29 ○ 30 × 31 ○ 32 × 33 ○ 34 ×

01 문장 표현

기출변형 문제

정답 P 23

1 필요한 문장 성분을 갖추어 어법을 제대로 지키고 있는 문장은?

① 나는 학교에 갔다 오는 길에서 마주쳤다.
② 어머니께서는 나에게 용돈을 많이 주셨다.
③ 이제 처음으로 돌아가서 해결하는 데 집중해야 한다.
④ 결혼식 후 하객들이 음식점으로 떠났을 때 시작되었다.
⑤ 경기 지역에 급증하는 생활용수를 원활하게 공급하기 위해 시행하는 사업이다.

2 꼭 필요한 문장 성분을 모두 갖추어 어법상 자연스러운 문장은?

① 그는 노래를 부르고 춤을 추었다.
② 나는 그를 좋아했고, 그 또한 사랑했다.
③ 만약 가정하여 예비해 두는 자세가 필요하다.
④ 이 청소기는 소음과 내구성을 높인 제품입니다.
⑤ 서로 마주보고 인사함으로써 이루어지게 되었다.

3 문장 성분 간의 호응이 적절한 것은?

① 결코 그는 성실하다.
② 나는 요즘 여간 바쁘다.
③ 설마 선생님께서 잘못 알려 주셨다.
④ 올해 무역 적자가 20억 달러를 넘었습니다.
⑤ 영미는 영준이가 미련하게도 미남이라는 것을 모른다.

4 문장 성분 간의 호응이 적절한 것은?

① 그는 마치 자신이 전문가라고 한참을 말하고 있다.
② 그는 발등에 불이 떨어지자 급히 대책을 마련하였다.
③ 예전에 나를 떠나간 사람의 목소리가 귓전에 울렸다.
④ 그 문제는 제가 아닌 별도의 담당자에게 상의하십시오.
⑤ 내가 진심으로 하고 싶은 말은 너희가 성실하고 정직하기 바란다.

5 **문장이 두 가지 의미로 풀이될 가능성이 가장 적은 것은?**

① 내가 어젯밤의 일을 영준에게 말하지 않았다.
② 유 선생님은 누구나 다 좋아할 수 있는 사람이다.
③ 우리 회사에서는 정화시킨 오염 폐수만을 내보낸다.
④ 보내 주신 사진에서 옛날 그대로의 모습을 보고 정말 반가웠습니다.
⑤ 자신의 뜻대로 자식을 살게 한다면, 부모는 바보를 키운 것밖에 안 될 것이다.

6 **다음 중 중의적으로 해석될 가능성이 가장 적은 문장은?**

① 내가 여기 있던 과자를 다 먹지 않았다.
② 이 그림은 내가 중학교 때 그린 그림이다.
③ 이번 수사에서 불법적인 자금의 거래가 포착되었다.
④ 사람들이 많은 도시를 다녀 보면 유쾌한 일을 경험할 수 있다.
⑤ 멀리서 온 소라와 친구들은 허기를 채우기 위해 식당으로 향했다.

7 **문장 표현이 어법에 맞는 것은?**

① 이럴 줄 알고 미리 예비해 두었어요.
② 나는 남편을 보면 여전히 가슴이 설레인다.
③ 학교에서 곧 입시 위원회를 개최할 예정입니다.
④ 저는 이 문제가 굉장히 심각한 것이라고 생각되어집니다.
⑤ 이것이 요즘 학생들에게 많이 읽혀지는 인터넷 소설입니다.

8 **문장 표현이 어법에 맞는 것은?**

① 그 순간 머릿속 뇌리를 스치는 기억이 있었다.
② 미리 자료를 예비하신 분은 이쪽으로 오세요.
③ 요즘 너무 산만해서 원고가 잘 쓰여지지 않는다.
④ 함께 있던 모든 사람들이 집에 갔는데 나만 안 갔다.
⑤ 여름철 수해 방지 대책은 아무리 강조해도 지나치지 않습니다.

9 **다음 중 어법에 맞는 문장은?**

① 그녀가 먼저 시범을 보였다.
② 우리를 싣고 갈 버스가 왔네요.
③ 근래에 체중이 부쩍 늘은 것 같다.
④ 저는 아이들을 건사하며 잘 지냅니다.
⑤ 네가 이렇게 자란 것이 믿겨지지 않는다.

10 **다음 중 어법에 맞는 문장은?**

① 나는 철수로부터 프로포즈를 받았다.
② 이 생선은 가시를 골라내기가 생각처럼 쉽지 않아 먹기 어렵다.
③ 나도 모르게 구덩이에 빠졌던 일이 떠올라서 웃음이 나와 버렸다.
④ 의미 없는 인생을 살아가는 것은 무기력한 인간을 특징짓는 것이다.
⑤ 이 진공청소기는 흡인력이 강하고, 소음이 적어 매우 우수한 제품입니다.

11 **다음 표현에 대한 설명으로 적절하지 않은 것은?**

① 올해 경제 성장률이 드디어 10%를 능가하였다. → '능가하고 있다.'로 수정한다.
② 이 배는 사람이나 짐을 싣고 하루에 다섯 번씩 운행한다. → '사람을 태우거나 짐을 싣고'
③ 모두 법 개정에 관한 걱정스러운 눈으로 지켜보고 있습니다. → '법 개정에 관해'로 수정한다.
④ 인간은 자연에 복종도 하고, 지배도 하며 살아간다. → '인간은 자연에 복종도 하고, 자연을 지배도 하며 살아간다.'로 수정하여 호응이 되도록 한다.
⑤ 영이는 노래를 하고, 순이는 키가 크다. → '영이는 노래를 하고, 순이는 춤을 춘다.', 혹은 '영이는 노래를 하고, 순이는 피아노를 친다.'와 같이 수정해야 한다.

02 높임법

시험에 나온! 나올!
필수개념

기출복원 문제

높임법

높임 표현이 적절한 것은?

① 사장님, 식사 잡수셨습니까?
② 어머님, 방금 그이 퇴근했습니다.
③ 내가 가방을 들어다 드리겠습니다.
④ 할아버지, 어머니께서 밥 드시래요.
⑤ 선생님께 모르는 것을 자주 물어봐도 되겠습니까?

유형 익히기 ▶ 경어법에 대한 이해도를 평가하는 문항이다. 난이도는 중간 정도인데, 현대인의 일상적인 언어 사용과 경어법의 간극을 파악하지 못하면 틀릴 가능성이 높은 문항으로, 압존법을 기억해야 한다. '진지, 드시다' 등 문법이 아닌 어휘로 경어법을 실현하는 층위에 대한 문항이 많이 출제되는 편이다. '과장이 부장에게', '며느리가 시어머니에게' 등 구체적인 상황과 대화 참여자 간의 관계까지 감안해야 하는 문항은 출제되지 않으므로 위의 예시 정도로 간단한 표현들만 기억해 두어도 좋다. ① '식사 → 진지', ③ '내가 → 제가', ④ '어머니께서 → 어머니가' / '밥 → 진지', ⑤ '물어봐도 → 여쭈어 봐도'로 수정해야 한다.

BEST 기출&예상 개념

1. 높임법

화자가 어떤 대상이나 청자에 대하여 그의 높고 낮은 정도에 따라 언어적으로 구별을 하여 표현하는 방식이나 체계를 말한다.

(1) 실현 방법

① 문장 종결 표현
② 선어말 어미 '–(으)시–'
③ 조사 '께, 께서'
④ 특수 어휘 '계시다, 드리다' 등

(2) 종류

◉ 주체 높임법

화자보다 서술어의 주체가 나이나 사회적 지위 등에서 상위자일 때, 서술어의 주체를 높이는 방법으로, 주체 높임 선어말 어미 '–(으)시–'를 통해 실현된다. 부수적으로 주격 조사 '이/가' 대신 '께서'가 쓰이기도 하고 주어 명사에 접사 '–님'이 덧붙기도 한다. 그리고 몇 개의 특수한 어휘 '계시다, 잡수시다,

주무시다, 편찮으시다, 돌아가시다' 등으로 실현이 되기도 한다. 특히 '있다'의 주체 높임 표현은 '-(으)시-'가 붙은 '있으시다'와 특수 어휘 '계시다'의 두 가지가 있는데, 이 둘의 쓰임이 같지 않다. '계시다'는 화자가 주어를 직접 높일 때 사용한다.

예 저기 어머니가 오신다. / 저기 어머니께서 오신다. / 저기 어머님께서 오신다.

결정적 힌트!

주체 높임 선어말 어미 '-(으)시-'

'-(으)시-'는 높여야 할 주체가 주어와 밀접한 관련을 맺는 경우에도 쓰입니다. 아래의 예문에 '타당하십니다', '하시겠습니다'의 주어인 '말씀'은 화자가 높이는 대상인 '선생님'과 밀접한 관계를 맺습니다.

예 • 선생님의 말씀이 타당하십니다.
• 곧 선생님께서 말씀하시겠습니다.

◉ 객체 높임법

목적어나 부사어, 즉 서술어의 객체를 높이는 방법으로, 특수 어휘, 그중 특수한 동사(여쭙다, 모시다, 뵙다, 드리다 등)를 사용한다. 그리고 객체 높임법에서는 조사 '에게' 대신 '께'를 사용하기도 한다.

예 • 나는 동생을 데리고 병원으로 갔다.
→ 나는 아버지를 모시고 병원으로 갔다.
• 나는 친구에게 과일을 주었다.
→ 나는 선생님께 과일을 드렸다.

◉ 상대 높임법

화자가 청자에 대하여 높이거나 낮추어 말하는 방법으로, 크게 격식체와 비격식체로 나뉘며, 문장 종결 표현으로 실현된다.

구분	격식체				비격식체	
	하십시오체	하오체	하게체	해라체	해요체	해체
평서형	-(ㅂ)니다	-오	-네, -ㅁ세	-(는/ㄴ)다	-아요/-어요	-아/-어, -지
의문형	-(ㅂ)니까?	-오?	-(느)ㄴ가?, -나?	-(느)냐?, -니?	-아요/-어요?	-아/-어, -지?
감탄형	-	-(는)구려!	-(는)구먼!	-(는)구나!	-아요/-어요!	-아/-어, -지!
명령형	-(ㅂ)시오	-오, -구려	-게	-아라/-어라, -렴, -려무나	-아요/-어요, -지요	-아/-어, -지
청유형	(-시지요)	-(ㅂ)시다	-세	-자	-아요/-어요	-아/-어, -지

① 격식체의 실현 방법: 하십시오체, 하오체, 하게체, 해라체

예 • 이 얘기를 어째서 계속하여야 하는지 모르겠구려.(하오체)
• 내가 너무 흥분하였던 것 같네.(하게체)
• 가는 대로 편지 보내마.(해라체)

② 비격식체의 실현 방법: 해요체, 해체

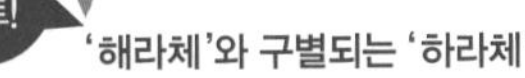

결정적 힌트!

'해라체'와 구별되는 '하라체'

'하라체'는 명령법에서 구호 표현에 제한적으로 쓰인다. 예 동강 댐 건설 계획을 중단하라.

참고 **압존법**

- **개념**: 주어가 화자보다 높고, 청자가 주어보다 높을 경우에는 주어를 높이지 않는다.
  예 할머니, 어머니가 20분 후에 도착한대요.(주어인 어머니가 화자보다는 높지만, 청자인 할머니보다는 낮으므로 '~하신대요.'는 잘못된 표현)
- **직장에서의 압존법**
  직장에서의 압존법은 우리의 전통 언어 예절과는 거리가 멀다. 윗사람 앞에서 그 사람보다 낮은 윗사람을 낮추는 것이 가족 간이나 사제 간처럼 사적인 관계에서는 적용될 수도 있지만 직장에서 쓰는 것은 어색하다.
  예 (직장에서 윗사람을 그보다 윗사람에게 지칭하는 경우) 총무과장님이 이 일을 하셨습니다.

◉ 간접 높임법

높여야 할 대상의 신체 부분, 성품, 심리, 소유물과 같이 주어와 밀접한 관계를 맺고 있는 대상을 통하여 주어를 간접적으로 높이는 '간접 존대'에는 '눈이 크시다.', '걱정이 많으시다.', '선생님, 넥타이가 멋있으시네요.'처럼 '－시－'를 동반한다. 그러나 '주문하신 커피 나오셨습니다.', '문의하신 상품은 품절이십니다.'처럼 '－시－'를 남용하는 것은 바른 경어법이 아니다. '말씀하신 사이즈가 없으십니다.', '(패스트푸드점, 커피 전문점 등에서) 포장이세요?', '품절이십니다.'에서 '사이즈', '포장', '품절'은 청자의 소유물 혹은 청자와 밀접한 관계를 맺고 있는 대상이 아니므로 '사이즈가 없습니다.', '포장해 드릴까요?', '품절입니다.'가 바른 표현이다.

2. 표준 언어 예절

(1) 변경된 표준 언어 예절

기존에 제정되었던 표준 언어 예절은 2011년 11월에 개정되었는데, 기존의 '표준 화법 해설(1992)'과 비교했을 때 달라진 주요 내용 중 국어능력인증시험과 유관한 것을 아래에 제시하였다.
특히 직장 내의 경어법 사용 면에서 달라진 부분이 있어 이를 유념해 두어야 한다.

- 부모 호칭으로 어릴 때에만 '엄마', '아빠'를 쓰도록 하였던 것을 장성한 후에도 격식을 갖추지 않는 상황에서는 '엄마', '아빠'를 쓸 수 있도록 하였다.
- 남자가 여동생의 남편을 호칭하거나 지칭할 때 '매제'를 쓸 수 있도록 하였다.
- 여자가 여동생의 남편을 호칭하거나 지칭할 때 '제부'를 쓸 수 있도록 하였다.
- 남편의 형을 지칭하는 말로 '시숙(媤叔)'을 추가하였다.
- 남편 누나의 남편을 호칭하거나 지칭할 때 '아주버님', '서방님'을 쓸 수 있다고 하였던 것을 '아주버님'만 쓰도록 하였다.
- 아내 오빠의 아내를 지칭하는 말, 아내 남동생의 아내를 호칭, 지칭하는 말로 '처남의 댁'만 있었던 것을 '처남댁'도 가능하다고 보아 추가하였다.
- 직장에서 윗사람에게는 '－시－'를 넣어 말하고 동료나 아래 직원에게는 '－시－'를 넣지 않고 말하도록 했던 것을 직급에 관계없이 '－시－'를 넣어 존대하는 것을 원칙으로 하였다.
- '축하드리다'가 불필요한 공대라 하여 '축하하다'로만 쓰도록 하였던 것을, '축하합니다'와 함께 높임을 더욱 분명히 드러낸 '축하드립니다'도 쓸 수 있는 표현으로 인정하였다.

(2) 경어 사용의 예

① 가정

부모를 조부모께	할머니/할아버지, 어머니/아버지가 진지 잡수시라고 하였습니다. 할머니/할아버지, 어머니/아버지가 진지 잡수시라고 하셨습니다.
부모를 선생님께	저희 어머니/아버지가 이렇게 말씀하셨습니다. 저희 어머니/아버지께서 이렇게 말씀하셨습니다. 우리 어머니/아버지가 이렇게 말씀하셨습니다. 우리 어머니/아버지께서 이렇게 말씀하셨습니다.
남편을 시부모나 손윗사람에게	아범이 아직 안 들어왔습니다. 아비가 아직 안 들어왔습니다. 그이가 어머님/아버님께 말씀드린다고 했습니다.
남편을 시동생이나 손아랫사람에게	형님은 아직 안 들어오셨어요. ○○[자녀] 아버지는 아직 안 들어오셨어요. ○○[자녀] 아버지는 아직 안 들어왔어요.
배우자를 그 밖의 사람에게	그이는/집사람은 아직 안 들어왔습니다. ○○[자녀] 어머니/○○[자녀] 아버지는 아직 안 들어왔습니다.
자녀를 손주에게	○○[손주]야, 어머니/아버지 좀 오라고 해라. ○○[손주]야, 어머니/아버지 좀 오시라고 해라.

② 직장, 사회(공손의 표현)

직급이 높은 사람은 물론이고 직급이 같거나 낮은 사람에게도 직장 사람들에 관해 말할 때에는 '-(으)시-'를 넣어 '김 대리 거래처에 가셨습니까?'처럼 존대하는 것이 바람직하다.

직장에서 윗사람을 그보다 윗사람에게 지칭하는 경우, '총무과장님께서'는 곤란하더라도, '총무과장님이'라고 하고 주체를 높이는 '-(으)시-'를 넣어 '총무과장님이 이 일을 하셨습니다.'처럼 높여 말하는 것이 바람직하다.

공식적인 상황이거나 덜 친밀한 관계에서	거래처에 전화하셨습니까? 거래처에 전화했습니까? 거래처에 전화하십시오. 거래처에 전화하시지요.
비공식적인 상황이거나 친밀한 관계에서	거래처에 전화하셨어요? 거래처에 전화했어요? 거래처에 전화하세요. 거래처에 전화해요.

참고 중간에서 다른 사람을 소개할 때의 순서

① 친소 관계를 따져 자기와 가까운 사람을 먼저 소개한다.
→ 어머니를 선생님에게 먼저 소개함.

② 손아랫사람을 손윗사람에게 먼저 소개한다.
→ 아래 직원을 상사에게 먼저 소개함.

③ 남성을 여성에게 먼저 소개한다.

→ ①, ②, ③의 상황이 섞여 있을 때에는, 위 ①, ②, ③의 원칙을 순서대로 적용한다.

(3) 특정한 때의 인사말

① 생일 축하 인사말

상황		인사말
돌 때	아기 부모에게	축하합니다.
	아기에게	건강하게 자라라.
동년배나 손아랫사람의 생일에	당사자에게	축하한다. 생일 축하한다.
환갑, 고희 등의 생일에	당사자에게	축하합니다. 생신 축하합니다. 내내 건강하시기 바랍니다. 더욱 강녕하시기 바랍니다.
	당사자의 배우자에게	축하합니다.
	당사자의 자녀에게	축하하네. 수고하네.
환갑, 고희 등의 잔치에서 헌수할 때		내내 건강하시기 바랍니다. 만수무강하십시오.

② 문병할 때 하는 말

대상		인사말
환자에게	들어가서	좀 어떠십니까?/좀 어떻습니까? 얼마나 고생이 되십니까?/[불의의 사고일 때] 불행 중 다행입니다.
	나올 때	조리 잘 하십시오./조섭 잘 하십시오. 속히 나으시기 바랍니다./쾌차하시기 바랍니다.
보호자에게	들어가서	좀 어떠십니까?/좀 어떻습니까? 얼마나 걱정이 되십니까?/고생이 많으십니다.
	나올 때	속히 나으시기 바랍니다. 쾌차하시기 바랍니다.

참고 국립국어원, 「우리, 뭐라고 부를까요?」의 주요 정비 내용

정비 내용	적용 예시
'안', '밭(바깥)' 등 성에 따른 구분 표지나 남녀 비대칭적인 구분 표지의 사용을 지양한다.	'안사람', '바깥양반' 등은 '아내'와 '남편'으로 사용함.
남녀 비대칭적인 호칭과 지칭은 대칭적으로 맞춘다.	시부모에 대한 호칭 중 '시아버지'는 '아버님'으로만, '시어머니'는 '어머님/어머니'를 모두 쓸 수 있게 한 것을, 시부모 모두에 대하여 '아버님/아버지', '어머님/어머니'로 쓸 수 있게 함.
남자와 여자의 결혼 이전 친부모의 집을 이르는 말로 '본가'를 사용한다. 단, 여자의 경우는 '친정'도 함께 사용할 수 있다.	남자: 본가 아버지, 본가 누나 여자: 본가/친정아버지, 본가/친정 언니
서열은 아래이지만 나이가 많은 경우, 상대를 존중할 수 있는 장치인 '-님'을 붙여 부르고 이를 수 있다.	여동생의 남편이 나보다 나이가 많을 경우 '매부님', '매제님', 'ㅇ 서방님'과 같이 부를 수 있음.(ㅇ에 성씨를 넣음)
가족 관계에서 서열도 아래이고 나이도 어린 경우, 친근한 가족 관계에서 서로 양해가 되었다면 '△△ 씨'로 부르고 이를 수 있다.	남편의 남동생이나 여동생이 나보다 나이가 어릴 경우 '△△ 씨'로 부를 수 있음.(△△에 이름을 넣음)

기억률 200% 바로확인 문제

[1~13] 높임법 | 다음 문장이 어법에 맞으면 ○, 틀리면 ×를 하시오.

1 철수야, 선생님이 너 교무실로 오시래. (○ / ×)

2 지금부터 주례 선생님께서 말씀하시겠습니다. (○ / ×)

3 참 오랜만이네. 선친께서는 편안하신가? (○ / ×)

4 선생님께서 누추한 우리 집을 몸소 찾아 주셨다. (○ / ×)

5 어머니를 모시고 장에 갔다 오너라. (○ / ×)

6 궁금한 것이 있으시면 저에게 여쭤 보세요. (○ / ×)

7 할아버지, 어머니께서 밥 드시래요. (○ / ×)

8 서울에 가면 김 선생님을 뵙고 와야 한다. (○ / ×)

9 들어가신 분은 여자분이신데요. (○ / ×)

10 저 분이 회장 김덕수님이시다. (○ / ×)

11 어머님께서 요즘 말 못할 고민이 계신 것 같아. (○ / ×)

12 할머니께서 진지를 드시는구나. (○ / ×)

13 정말 한 번 뵙고 싶었습니다. (○ / ×)

정답 [1~13] 1 × 2 ○ 3 × 4 ○ 5 ○ 6 × 7 × 8 ○ 9 ○ 10 × 11 × 12 ○ 13 ○

[14~23] 표준 언어 예절 | 다음 문장이 어법에 맞으면 ○, 틀리면 ×를 하시오.

14 (문상을 가서 상주에게) 삼가 조의를 표합니다. (○ / ×)

15 (아내가 남편에게) 오빠, 외식하러 가요. (○ / ×)

16 (점원이 손님에게) 손님께서 찾으시는 물건은 품절이십니다. (○ / ×)

17 (며느리가 시어머니에게) 어머니, 아범은 아직 안 들어왔어요. (○ / ×)

18 (간호사가 환자에게) 주사 맞게 침대에 누우실게요. (○ / ×)

19 (어르신께) 이쪽으로 앉으세요. (○ / ×)

20 (한국인이 외국인에게) 저희 나라 국민들은 독도 문제에 대해 매우 민감합니다. (○ / ×)

21 (먼저 퇴근하는 상사에게) 안녕히 가십시오. (○ / ×)

22 (손님을 소개할 때) 이 영화의 주인공을 모시겠습니다. (○ / ×)

23 (윗사람에게) 별고 없으셨습니까? (○ / ×)

정답 [14~23] 14 ○ 15 × 16 × 17 ○ 18 × 19 ○ 20 × 21 ○ 22 × 23 ○

02 높임법

기출변형 문제

정답 P 24

1 경어법의 사용이 바르지 <u>않은</u> 것은?

① 할아버지께서 저를 오라셔요.
② 형님, 할아버지께서 오십니다.
③ 할아버지께서 걱정거리가 계십니다.
④ 아버님, 그이가 벌써 출근했어요.
⑤ 할아버지께서는 돈이 많이 있으시다.

2 높임 표현이 바르게 사용된 것은?

① 사장님, 댁에 기사 계시죠?
② 팀장님, 제 말씀 좀 들어 보세요.
③ 다음 주 월요일 사장님실에서 회의가 있습니다.
④ 저희 나라는 다른 나라에 비해 행복지수가 낮습니다.
⑤ 선생님께서 저에게 여쭈셨던 문제를 풀었습니다.

3 경어법의 사용이 바르지 <u>않은</u> 것은?

① 어르신, 안녕히 주무셨습니까?
② 선배님 결혼을 진심으로 축하합니다.
③ 할머니를 데리고 병원을 다녀왔다.
④ 할아버지께서는 요즘도 지팡이를 가지고 다니십니다.
⑤ 은미야, 학교에 가게 되면 김 선생님을 꼭 뵙고 오렴.

4 **경어법의 사용이 바르지 <u>않은</u> 것은?**

① 할머니께서는 치아가 좋지 않으세요.
② 어르신, 오늘도 노고가 많으셨습니다.
③ 선생님께서 말씀하셨던 책이 이것입니까?
④ 이 상품은 이월 상품이어서 20% 할인이 되십니다.
⑤ 할아버지께서는 남들이 당신에 대해 말하는 것을 싫어하십니다.

5 **높임 표현의 사용이 옳은 것은?**

① 할아버지, 아버지가 퇴근했어요.
② 내가 짐을 들어다 드려도 될까요?
③ 어머니는 눈이 좋지 않은 편이에요.
④ 사장님은 두 살 된 아들이 있으시다.
⑤ 할머니는 연세가 많으신데도 귀가 밝다.

6 **경어법의 사용이 바른 것은?**

① 아버님, 방금 그이 들어오셨어요.
② 자네, 이 원고 교정 좀 봐 주겠소?
③ 교수님, 오늘 저녁에 시간이 계십니까?
④ 선생님, 진지 잡수십시오. 저도 들겠습니다.
⑤ 할머니께서는 평소에 당신 생각을 잘 말씀하세요.

VI
쓰기

쓰기 영역 출제 비중

11%

쓰기 학습 전략

국어능력인증시험의 쓰기 영역은 실질적인 글쓰기 능력을 평가하고자 한다. 쓰기 영역은 객관식 5문항, 주관식 5문항으로 구성되어 있다. 쓰기의 과정은 크게 계획하기, 내용 생성하기, 내용 조직하기, 표현하기, 고쳐쓰기의 5단계로 나누어 볼 수 있는데, 국어능력인증시험의 쓰기 평가도 이러한 단계 구분을 바탕으로 주제 설정, 자료의 수집과 정리, 구성 – 개요, 전개, 고쳐쓰기로 쓰기의 평가 요소를 세분하여, 5단계를 단계별로 각기 1문항씩 평가한다. 쓰기 주관식은 고쳐쓰기를 제외한 모든 유형이 고루 출제된다.
쓰기 영역은 평상시 신문 기사를 통해 그래프나 통계 자료 등의 시각 자료를 비교 · 분석하는 연습을 하고, 일반적인 글의 구성과 흐름에 대한 이해를 넓히며 학습을 해 두면 많은 도움이 된다.

[19~23] 쓰기 기출의 패턴을 벗기다

최근기출 4회분 전 문항 한눈에 보기

문항 번호	A회		B회	
	유형/분류	자료/개념	유형/분류	자료/개념
19	전개		고쳐쓰기	
20	자료의 수집과 정리 – 자료의 분석과 활용		자료의 수집과 정리 – 자료의 분석과 활용	
21	고쳐쓰기		고쳐쓰기	
22	주제 설정		전개 – 본론	
23	구성 – 개요		주제 설정	

문항 번호	C회		D회	
	유형/분류	자료/개념	유형/분류	자료/개념
19	자료의 수집과 정리 – 자료의 분석과 활용		자료의 수집과 정리 – 자료의 분석과 활용	
20	자료의 수집과 정리 – 자료의 분석과 활용		고쳐쓰기	
21	고쳐쓰기		고쳐쓰기	
22	구성 – 개요		구성 – 개요	
23	전개 – 본론		전개 – 본론	

문항 순서별 고정 유형과 출제된 개념 한눈에 파악하기

기출패턴 정리하기 _ 최근기출 4회분 총 360문항 전 문항 분석 결과

영역	유형	문항 수	세부 유형
[19~23] 쓰기 (출제 비중 11%)	주제 설정	0~1	
	자료의 수집과 정리	1~2	자료의 선별 분류, 자료 해석, 자료의 보완
	구성 – 개요	0~1	
	전개	0~1	단락의 요건과 구조, 화제문과 뒷받침문, 설명과 논증, 서론과 결론
	고쳐쓰기	1~2	

BEST 기출&예상 개념

(1) 글쓰기의 과정

계획하기 (주제 설정과 연상)	• 글을 쓰는 목적을 구체화하고 독자를 분석함 • 다른 사람과 대화를 통해 생각을 확장시킬 수 있음
내용 생성하기 (자료의 수집과 활용)	• 글의 주제와 관련되거나 주제를 뒷받침하는 자료를 수집함 • 객관적이고 신뢰할 수 있으면서 독자의 관심을 끌 수 있는 자료를 수집함 • 자료를 다양하게 마련할수록 글감이 풍부해짐
내용 조직하기 (개요의 작성과 수정)	• 글의 주제와 목적에 따라 필요한 자료를 선별하고, 자료의 활용을 고려함 • 불필요한 내용은 삭제하고 필요한 내용은 추가함 • 관련 있는 것끼리 묶어서 조직함 • 내용의 중요도와 상하 관계를 살펴 정리함
표현하기(전개)	• 표현이 어색하거나 내용이 구체적이지 않더라도 일단 써 내려감 • 불확실한 내용이나 더 생각난 내용은 중간에 메모해 둠
고쳐쓰기	• 글의 목적, 예상 독자의 요구를 기준으로 내용의 적절성을 판단해 적절하지 않은 부분을 고쳐 씀 • 글의 통일성과 일관성을 고려하여 불필요한 내용은 삭제하거나, 필요한 내용을 첨가할 수 있음 • '글 전체 → 문단 → 문장 → 단어'의 순으로 고쳐 씀

(2) 문장/문단 쓰기의 원리

◉ 문장 쓰기의 원리

① 정확성의 원리(문법, 단어의 호응에 유의)
② 경제성의 원리(필요한 단어만 선택, 문장의 길이 조정)
③ 동어 반복 회피의 원리(지시어, 접속어, 유의어 사용, 성분 생략)

◉ 문단 쓰기의 원리

① 통일성(한 단락은 한 주제에 수렴되고 전체 주제와 통일)
② 완결성(한 단락은 주제문과 뒷받침 문장으로 완결)
③ 일관성(한 단락의 문장들을 긴밀하고 자연스럽게 연결)

☑ 쓰기 영역의 객관식 문항은 '주제 설정, 자료의 수집과 정리, 구성 – 개요, 전개, 고쳐쓰기'에서 각각 1문항씩 출제되는 것이 일반적인 형태이다.

☑ 경우에 따라 모든 영역에서 출제되지 않고 특정 영역에 집중되는 경우가 있는데, 대부분 객관식의 경우 '자료의 수집과 정리, 전개' 영역에 집중되어 출제된다.

고등급 공략

• 쓰기의 단계에 따라 평이한 난이도로 출제된다.
• 대부분 '자료의 수집과 정리'에 해당하는 문항이 상대적으로 고난도 문제로 출제되어 변별력이 있다.
• 평소 신문 기사 등에 등장하는 시각 자료를 눈여겨보며 분석하는 훈련을 해 둘 필요가 있다.

01~02 쓰기

시험에 나온! 나올!
필수개념

기출복원 문제

주제 설정

〈보기〉의 자료를 모두 제시하여 '우리나라의 기부 문화'에 대한 기획 기사를 쓰려고 한다. 표제와 부제로 가장 적절한 것은?

보 기

〈자료 1〉

"얼굴 감춘 산타 기업 늘어"

〈자료 2〉

전 세계적인 경기 침체, 소비 부진 속에서 환경 · 기아 · 빈곤 · 보건 등 사회적 이슈와 기업의 이익 추구를 연결시키는 '코즈 마케팅'이 주목받고 있습니다. 일례로 탐스 슈즈는 신발 한 켤레를 구매하면 아프리카 아이들에게 신발 한 켤레를 선물하는 마케팅 전략을 펼쳤습니다. 그 결과 3년 만에 매출 40배 증가라는 성과를 이뤘습니다. 기부한 신발은 8년 새 총 3500만 켤레에 달합니다.

〈자료 3〉

"적은 돈이지만 공정 무역 제품도 구매하고, 쇼핑한 금액 중 일부가 어려운 사람들을 위해 쓰인다고 하니 제가 선한 사람이 된 것 같네요. 앞으로도 이런 기분 좋은 일에 계속 참여하고 싶어요."

– 어느 주부와의 인터뷰

	표제	부제
①	기부에 인색한 기업 문화	이윤의 사회적 환원 시급하다
②	아름다운 기부 문화 확산	조금만 나누어도 행복합니다
③	기부 문화 이대로 좋은가	기부에 대한 인식 달라져야
④	기부 문화의 활성화 방안	정부 차원의 대책 마련해야
⑤	기부금이 점점 늘고 있다	기업 이미지 제고에 효과 만점

유형 익히기 ▶ 주제와 직접적인 연관성이 있는 논거들을 바탕으로 핵심 주제나 글쓰기의 구체적 방안을 고르는 유형이다. 객관식 문항의 경우, 읽기 영역의 '핵심 정보의 파악'과 유사하여 이 유형은 객관식보다는 주관식으로 출제되는 경향이 있다. '자료 수집과 정리'와 복합적으로 출제되는 경우가 많아 상호 보완적으로 학습해야 한다. 〈자료 1〉은 '얼굴 없는 산타'처럼 남몰래 선행이나 기부를 하는 기업이 늘고 있음을 보여 주는 자료이고, 〈자료 2〉는 기업들의 사회 공헌 금액 규모가 점점 늘어나고 있음을 보여 주는 자료이다. 〈자료 3〉은 쇼핑을 통해서 소액 기부를 하는 주부를 통해 큰돈을 들이지 않고도 기부나 나눔을 할 수 있음을 보여 주고 있다. 이를 종합해 볼 때, 우리 사회에도 기부 문화가 확산되고 있음을 추리할 수 있고, 〈자료 3〉을 통해 작은 나눔의 의의를 강조할 수 있다. 따라서 ②의 표제와 부제가 자료의 내용과 가장 잘 어울린다고 볼 수 있다.

자료의 수집과 정리

'의료 복지 정책 개선 방안'이라는 주제로 글을 쓰고자 한다. 다음의 (가)~(다)를 모두 활용하여 이끌어 낼 수 있는 논지로 가장 적절한 것은?

(가) 기획재정부가 ***의원에게 제출한 의료비와 교육비의 연말정산 신청 결과를 보면 의료비는 296만 명이 총 6조 834억 원을 신청해 평균 205만 원을 지출했고, 교육비는 254만 명이 7조 5,231억 원을 신청해 평균 295만 원을 지출했다. 소득구간별 신청 인원과 평균 신청액을 보면 소득구간별 의료비의 평균 지출액은 소득이 올라갈수록 의료비 신청금액이 급증해 1천만 원 이하 구간에서는 10만 원을 지출한 반면, 4천만 원 이하는 92만 원으로 9배 이상 증가했고, 1억 원 이하는 345만 원으로 34.5배, 그리고 5억 원 이하는 평균 850만 원을 지출해 1천만 원 이하 소득구간에 비해 85배 많은 의료비를 지출한 것으로 나타났다. 이는 계층 간 소득 격차가 의료 서비스 격차의 심화로 이어지고 있음을 의미한다.

– ○○ 일보

(나) 정부가 시급히 시행해야 할 정책은?

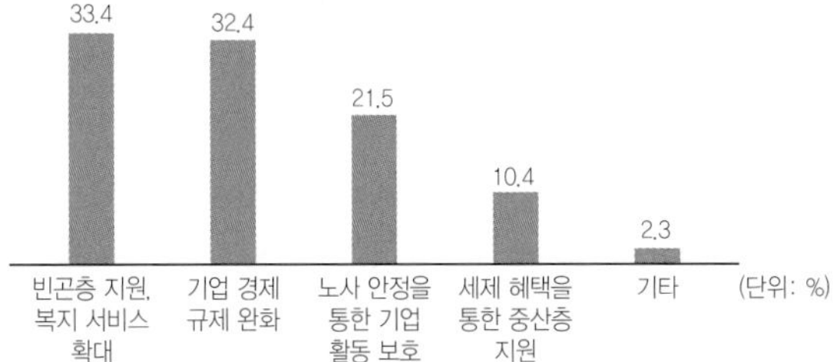

– 한국보건사회연구원(2011)

(다) 암, 백혈병 등 중증 질환자의 진료비 부담이 커 환자의 가족들에게 큰 고통이 되고 있습니다. 이런 환자들은 입원 치료 시 진료비의 20%만 부담하도록 되어 있지만, 보험이 적용되지 않는 진료 과목이 많아 환자들의 실제 의료비 부담률이 50%를 넘어서 발병 시 가정 경제를 무너뜨리는 위험 요소를 안고 있습니다.

– △△ 뉴스 인터뷰 내용

① 계층 간 의료비 지출의 격차가 커지는 현상에 대한 사회적 관심과 인식을 제고해야 한다.
② 저소득층 중증 질환자에 대한 실질적인 의료 혜택을 보장하기 위한 정책을 시급히 마련해야 한다.
③ 계층 간 의료비 지출의 격차를 좁히기 위해서 빈곤층에게 세제 혜택을 주는 것에도 관심을 기울여야 한다.
④ 소득 수준에 따른 적정 의료비 지출액을 산정하여 보험 적용 진료 과목의 범위를 확정할 장기 계획을 수립해야 한다.
⑤ 특정 계층의 의료비 지출 비용의 증가가 중증 질환자에 대한 의료 복지 서비스 확대에 어떤 영향을 미치는지 분석해야 한다.

유형 익히기 ▶ 주제를 뒷받침하거나 논거로 쓸 도표나 그래프 등의 시각 자료, 인터뷰 자료, 신문 기사 등 다양한 자료가 2개 이상 제시되고, 자료에 대한 종합적인 분석 능력을 측정하는 유형이다. 특히 '자료를 해석'하는 유형은 쓰기 영역 가운데 출제 문항 수가 가장 많다. '자료를 선별, 분류'하는 유형은 객관식 문항과 주관식 문항이 엮인 형태로도 출제된다. 제시된 자료를 바탕으로 객관식 문제를 해결하고, 자료 분석을 통한 관점(현상 제시, 문제점 파악, 해결 방안)을 주관식으로 서술하는 형태로 출제된다. (가)에서는 소득 격차가 심화되고 있는 것을, (나)에서는 빈곤층 지원·복지 서비스를 확대할 필요성을, (다)에서는 중증 질환자의 진료비 부담이 큰 실태를 보여 주고 있다. 따라서 ② 저소득층을 위한 복지 서비스(특히, 중증 질환자를 위한 복지)가 확대되어야 한다는 내용이 논지로 가장 적절하다.

구성 – 개요

다음과 같은 글의 개요에서 제목(㉠)과 결론(㉡)에 들어갈 내용으로 가장 적절한 것은?

제목: (㉠)

서론: 텔레비전 방송 내용에 문제가 많다.

본론: 1. 출연자와 방송 대본 등에 문제점이 많다.
2. 계속된 지적에도 개선의 노력이 없다.
3. 시청자의 수준이 향상되어 저질 방송을 외면하고 있다.

결론: (㉡)

① ㉠: 방송사 경영의 문제점
㉡: 방송사는 좋은 프로그램을 방송하여야 한다.

② ㉠: 방송사의 사회적 책임
㉡: 방송사는 사회를 선도적으로 이끌어 나갈 책임이 있다.

③ ㉠: 좋은 방송의 요건
㉡: 방송 프로그램 제작에 시청자의 참여를 확대해야 한다.

④ ㉠: 새로운 텔레비전 방송의 자세
㉡: 텔레비전 방송사는 좋은 방송 보기 운동을 벌여야 한다.

⑤ ㉠: 저질 방송과 고급 시청자
㉡: 내용의 전문화, 충실화로 방송 수준의 질적 향상을 도모해야 한다.

유형 익히기 ▶ 개요를 제시하고 빠진 부분에 들어갈 개요 항목을 고르거나 개요의 문제점을 찾고 이를 수정·보완하는 유형으로, 글감을 전체적으로 통일성 있게 구성할 수 있는지를 평가한다. 개요의 항목은 원인–해결 방안(대책)의 순서로 배치됨에 유의하자. 방송사의 문제점에 대한 개선의 방향이 보이지 않고, 거기다 시청자의 요구 수준이 높아지고 있다는 '본론'을 볼 때, '결론'은 대책을 제시하고, '제목'에서는 이를 아우르는 내용으로 방송 내용과 시청자를 대비하는 ⑤가 적절하다.

전개

주제문과 뒷받침 문장이 긴밀하게 연결되지 않은 문장은?

① 컴퓨터 프로그램의 구조는 그리 단순하지 않다. 컴퓨터 프로그램을 만드는 사람들은 물론 좋아서 그 일을 하겠지만, 그것을 만드는 데는 상당히 많은 지식과 노력이 요구된다.

② 우리는 언어라는 매개를 통해서 자아를 인식한다. 인간은 그의 성격, 도덕적인 인격과 윤리적인 행위, 그리고 감정적인 기호 등을 언어적 해석을 통해서 비로소 분명하게 인식하게 된다.

③ 토의가 없는 사회는 민주 사회가 아니다. 토의는 민주 사회의 필요 요건이다. 오직 명령과 복종만 있고 평등한 처지에서 의견을 나누는 토의가 존재하지 않는다면, 그 사회는 봉건 사회이거나 독재 사회일 것이다.

④ 독서 방법은 자기 자신의 개성과 환경에 맞도록 자기 자신이 터득하는 수밖에 없다. 남의 방법이 좋다고 하여 무조건 따를 것이 아니라, 여러 방법을 써 보아서 어떤 것이 가장 자기에게 맞는지 자신이 스스로 발견하는 것이 가장 좋은 방법이다.

⑤ 도시의 거리에서 복작거리다가도 잠시나마 버드나무 그늘진 시골 논길을 걸어 보고 싶어진다. 명상적이면서도 청청한 노랫가락 같은 한국의 길에서, 우리는 구름과 나무, 하늘과 땅, 인간과 자연과의 친근하고 조화로운 관계를 체험하고, 진정한 의미에서의 마음의 자유를 느끼게 되기 때문이다.

유형 익히기 ▶ 문단 구성의 기본 원리인 '주제문과 뒷받침 문장의 긴밀성'에 대해 평가하는 유형이다. ①은 앞뒤 문장이 서로 연관되지 않는 문단으로, 뒷 문장은 컴퓨터 프로그램의 구조와 상관없는 내용이다.

고쳐쓰기

다음 단락의 통일성을 고려할 때, 삭제해야 할 문장은?

㉠사람의 직업은 대부분 자신이 아닌 다른 사람을 위해서 하는 일이다. ㉡버스 운전기사가 버스를 운행하는 일은 당사자에게는 돈을 벌기 위한 목적이 일차적이지만, 많은 사람들이 그 버스를 타고 편하게 이동하거나 여행을 할 수 있다. ㉢또 농부가 벼를 재배하는 일도 일차적으로는 자신의 생계비를 벌기 위한 일이지만, 이 일도 역시 많은 사람들이 그 쌀을 식량으로 삼아 목숨을 이어 가게 된다. ㉣이렇게 본다면 우리가 직업으로 삼아 하는 일들은 다른 사람들의 편의를 위해서, 더 깊이 생각해 보면 그들의 생명을 유지시키기 위해서 하는 일들이다. ㉤우리는 서로에게서 생명을 몰래 빼앗는 셈이다. 우리도 모르는 사이에 우리는 사회적 활동인 직업을 통해서 다른 사람들을 섬기는 생활을 하고 있는 것이다.

① ㉠ ② ㉡ ③ ㉢ ④ ㉣ ⑤ ㉤

유형 익히기 ▶ 완성된 글을 문법, 어휘, 문장 수준에서부터 단락에 이르기까지 퇴고하는 과정을 평가하는 유형이다. 단락 전체의 흐름상 불필요한 요소를 고를 수 있어야 한다. 이 영역에서는 주관식이 출제되지 않는다. ㉤ 문장은 "우리의 직업은 다른 사람들을 돕고 섬기는 일이다."라는 전체 주제의 내용과는 거리가 멀다.

01 쓰기 1

기출변형 문제

정답 P 25

1 **주제 설정 | 다음 〈보기 1〉과 〈보기 2〉의 내용을 모두 활용하여 글을 쓰고자 할 때, 글의 주제로 가장 적절한 것은?**

보기 1

조선 후기의 문장가 홍길주(洪吉周)가 ≪여인논문서(旅人論文書)≫에서 한 말이다. "이웃의 노인이 건강히 장수하는 것을 보고, '나도 저렇게 하면 장수할 수 있겠구나.' 하여 그 노인처럼 고기를 빻아서 먹고 밥 대신 미음만을 먹었다. 나는 노인의 장수를 얻고 싶어 그가 하는 대로 했는데, 그 결과 내가 얻은 것은 노인의 건강이 아니라, 노인의 늙음이었다."

보기 2

저의 비타민제 광고를 보시고 여러분이 절대 하시면 안 되는 일은 '저도 ○○○가 먹는 그 비타민제 주세요!'라고 하는 거예요. 우리의 몸이 다르면 필요한 비타민제도 다르니까요.

① 남이 하는 것을 편하게 따라 하지 말고, 정성을 기울여 노력해야 한다.
② 자신의 고집을 버리고 융통성 있는 자세로 상황에 따라 알맞게 대응해야 한다.
③ 무엇이든 통하는 것은 없으므로, 조건과 상황을 살펴 적절한 것을 찾아야 한다.
④ 자신이 원하는 것만 하려 하지 말고, 어렵고 험한 일도 필요하다면 도전할 필요가 있다.
⑤ 성공한 요소만 조합하기보다는, 새로운 것을 만들어 내려는 창의적인 자세가 필요하다.

2 **자료의 수집과 정리 | 〈보기〉의 자료를 이용하여 '직업을 선택할 때의 기준'이라는 주제로 글을 쓰고자 한다. 자료의 해석과 활용 및 보완 방향에 대해 말한 것으로 적절하지 <u>않은</u> 것은?**

보기

[자료 1] '직업을 선택할 때 가장 중요한 요소는 무엇인가'에 대하여 구직자에게 설문조사한 결과

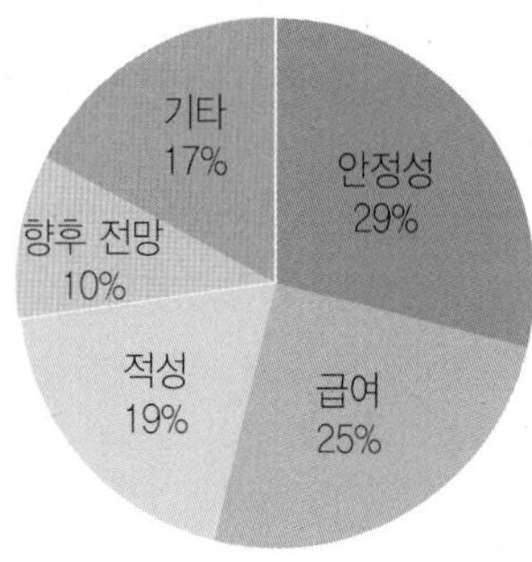

[자료 2]

우리나라 구직자가 직업을 선택할 때 가장 중요하게 생각하는 요소는 안정성(29%)인 것으로 조사되었다. 이어서 급여(25%), 적성(19%), 향후 전망(10%) 순으로 나타났고, 사회적 존경이나 복리 후생 등 다양한 기타 사항(17%)도 조사되었다. 이것은 5년 전에 같은 항목으로 설문조사했을 때 급여(33%)가 1위로 조사된 것과는 다른 결과이다. 이와 같은 변화는 높은 청년 실업률이 보여 주고 있듯이 청년층의 취업난이 심각하고, 점차 고용이 불안정해져 '평생직장'이나 '정년 보장' 등과 같은 개념이 희미해져 가고 있는 사회 현실에 따른 결과이다.

한편, 취업 후 이직을 생각하게 되는 가장 큰 이유는 적성(35%)으로 조사되었으며, 급여(26%), 대인 관계(25%), 업무량(9%), 경력 개발(5%)이 그 뒤를 이었다.

① 구직할 때나 이직할 때나 급여는 여전히 중요한 고려 사항임을 알 수 있어. 최근 5년간 우리나라 일인당 국민 소득의 증가율을 살펴봐야겠어.

② 이직할 때 대인 관계가 중요한 이유가 된다는 점을 들어, 취업 전에 사내 분위기나 인간관계 조직에 대해 미리 알아두면 도움이 된다는 점을 언급해야겠어.

③ 사회의 분위기에 따라서 구직자의 직업 선택 기준이 달라질 수 있다는 것을 확인하기 위해, 5년 전뿐 아니라 더 다양한 시기의 설문조사 자료를 조사해 봐야겠어.

④ 구직 시기에는 직업 선택의 가장 중요한 요인이 아니던 적성이 이직을 할 때는 가장 큰 이유가 된다는 점을 들어, 자신의 적성을 발견하는 것의 중요성을 써야겠어.

⑤ 직업을 선택할 때는 미처 생각해 보지 못한 사항들이 취업 후 이직을 생각하게 할 수 있다는 점을 언급하며, 취업 전에 직업에 대해 신중하게 알아볼 필요가 있다는 내용을 써야겠어.

3 **구성 – 개요 | 〈보기〉와 같은 글의 개요에서, 제목(㉠)과 결론(㉡)에 들어갈 내용으로 가장 적절한 것은?**

> 보 기
>
> **제목**: (㉠)
>
> **서론**: 최근 성적을 비관하여 자살하는 학생이 늘어 가고 있는 등 성적병의 만연이 심각한 사회 문제로 등장하고 있다.
>
> **본론**: 1. 성적병의 만연은 인지적 지능(IQ)을 강조하는 우리의 왜곡된 교육 현실에 그 원인이 있다.
> 2. 우리 인생의 목표는 결국 행복하게 사는 것이다.
> 3. 행복하게 사는 재주인 정서적 지능(EQ)에 대한 논의가 활발해지고 있다.
> 4. 정서적 지능이 높은 사람은 낙천적이며 어려움이 닥쳐도 기가 죽지 않고 모험심과 자신감을 가지고 있다.
>
> **결론**: (㉡)

① ㉠: 정서적 지능과 인지적 지능
㉡: 인지적 지능보다는 정서적 지능이 더욱 중요하게 다루어져야 한다.

② ㉠: 교육 제도의 문제점
㉡: 인성 교육을 강화하여 경쟁 논리가 지배하는 교육 현실을 개선해야 한다.

③ ㉠: 교육 현실과 개인의 삶
㉡: 공동체적 심성을 함양할 수 있는 교육이 곧 개인의 행복한 삶을 위한 교육이 될 수 있다.

④ ㉠: 정서적 지능과 행복한 삶
㉡: 아이들이 행복하게 살 수 있도록 정서적 지능을 함양할 수 있는 교육을 실시해야 한다.

⑤ ㉠: 성적병과 사회적 현실의 관계
㉡: 성적병은 잘못된 사회 현실에 그 원인이 있으므로 성적병을 치유하기 위해서는 우리 사회의 구조적 문제를 해결해야 한다.

4 **전개 | 〈보기〉는 어떤 글의 서론과 결론 부분이다. 본론의 내용으로 적절하지 않은 것은?**

보기

서론: 과학은 생산력과 직결되는 '도구적 이성'으로서의 특성과 그 의미까지 연구할 수 있는 '성찰적 · 비판적 이성'으로서의 성격을 갖는다. 유전자의 구조와 그 속에 담긴 정보를 밝히는 것이 과학의 할 일이지만 그 지식을 어떻게 활용할 것인지를 결정하는 것도 과학의 소임이다.

본론: (   )

결론: 과학 문명이 제어력을 잃고 마침내 인류와 생태계를 파탄시키는 것을 막기 위해 인류는, 그리고 현장의 과학 기술인들은 성찰적 이성을 더욱 갖춰 나가야 할 것이다.

① 과학자는 국민에게 희망을 주고, 기업에 기술을 제공하며, 국가에 미래를 제시하는 역할을 한다. 과학은 국민을 먹여 살리고 건강한 삶을 누릴 수 있게 해야 한다. 이를 위해 기초 과학의 토대를 공고히 하고 소외 분야가 없는지 잘 살펴야 한다.

② 최근 사회적 이슈가 되고 있는 '줄기 세포 연구'가 과학의 '도구적 이성'과 '성찰적, 비판적 이성'이 함께 힘을 발휘해야 하는 분야이다. 과학 기술 자체는 가치 중립적이라 할 수 있겠지만, 기술이 미칠 사회적 영향력을 생각해 본다면 그것이 몰가치적이라 주장하기 어렵다.

③ 과학자는 자신이 하는 일의 사회적 의미와 성격을 어떻게 파악할 수 있는가. 예컨대 체세포 핵치환 기술에 관한 연구가 인간과 사회 통제에 사용될 것을 어떻게 알 수 있을까. 과학자 한 사람으로서는 해결하기 어려운 숙제일지 모른다. 그렇다면 사회적 장치가 마련돼야 한다. 이들 문제는 그 자체가 개인적 차원이 아니라 사회적 차원의 일이기 때문이다.

④ 지금까지는 대부분 도구적 이성으로서의 과학을 가르쳐 왔다. 그러나 이제는 성찰적 과학 기술인에 대한 인식과 처우가 개선되어야 한다. "과학은 공리주의에 바탕을 두어야지 철학을 논하고 있을 수 없다."라거나 "과학자는 기업에 효자 상품을 제공해야 한다."라는 등의 발언을 공공연히 일삼는 과학자가 대단한 인물인 양 받아들여지고 있는 우리 사회에서는 특히 그러하다.

⑤ 도구적 이성으로서의 과학의 힘이 커질수록 성찰적 이성으로서의 과학의 역할은 더욱 중요해진다. 오늘날 과학은 인류와 생태계를 파괴할 수 있는 힘을 갖추게 되었으니 그 힘을 제어할 과학적 이성은 필수적이다. 자신의 좁은 전문 영역에만 관심을 둘 뿐 그 사회적 의미를 파악하지 못하는 과학자는 전문인으로서의 삶에 아무리 충실하더라도 진정한 의미의 과학자라고 할 수 없다.

5 고쳐쓰기 | 다음 〈보기〉의 ㉠~㉤에 대한 고쳐쓰기 방안으로 적절하지 않은 것은?

> 보기
>
> 현대인들이 자주 마시는 커피의 원료, 즉 원두는 가난한 제3세계 국가에서 납니다. 이들 나라에서 커피나무를 재배하는 농민이 1킬로그램의 원두를 팔고 얻는 돈은 100원 ㉠안밖입니다. ㉡결국 힘들게 일한 생산자가 노동의 대가를 충분히 받지 못하는 불공정하고 부당한 현상이 발생하고 있다고 할 수 있습니다. 그런데 런던이나 뉴욕 등 선진국에서 커피의 소비자 가격은 생산자가 받는 것의 200배에 가깝습니다. 이러한 현상은 시장 경제 체제에서 기업이 자기 상품을 더 많이 팔아 큰 이윤을 남기려면 임금을 낮추어 상품 가격을 최대한 낮추어야 하기 ㉢때문입니다. 이 과정에서 자연 생태계가 훼손되기도 하고 노동력 착취나 아동 노동 문제가 발생하기도 합니다. 그래서 이에 대한 대안으로 등장한 것이 '공정 무역'입니다. 공정 무역이란, 제3세계 생산자들이 만든 좋은 물품을 제값에 직거래함으로써 빈곤 문제를 해결하고 삶의 희망을 주려는 운동입니다. 공정 무역의 효과는 무엇일까요? 공정 무역을 통해 가난한 나라의 생산자가 적정한 가격을 받는 정의의 경제 구조를 ㉣실현할 수 있다는 것입니다. 그렇다면 공정 무역의 문제점은 무엇일까요? 공정 무역을 담당하는 사람들이 직거래에서 떨어져 나와 독립된 사업가가 됨으로써 공정 무역의 수혜자가 생산자가 아닌 공정 무역 업체들이 되는 경우가 발생한다는 것입니다. 이로 인해 어떤 이는 공정 무역 체계는 자본주의의 한계에서 벗어날 수 없다고 비판합니다. ㉤물론 자본주의의 한계가 부정적인 것이라고 치부할 수는 없습니다. 하지만 그렇다고 해서 공정 무역 자체가 잘못된 것이라고 할 수는 없습니다. 아무리 작더라도 바른 실천을 통해 '보이지 않는 연대'를 실천하는 길이기 때문입니다. 이제 공정 무역에 대해 조금 아시겠죠? 공정 무역에 대해 더 알아보고 싶은 학생은 [여기]를 누르시면 공정 무역 활동 단체로 연결되어 이에 대한 강의를 들으실 수 있습니다.

① ㉠은 맞춤법을 고려하여 '안팎'으로 바꾼다.
② ㉡은 글의 흐름을 고려하여 바로 뒤의 문장과 순서를 바꾼다.
③ ㉢은 문장의 호응을 고려하여 '때문에 발생합니다'로 수정한다.
④ ㉣은 문맥상 부적절한 어휘이므로 '재현할'로 교체한다.
⑤ ㉤은 글의 통일성을 해치고 있으므로 삭제한다.

02 쓰기 2

기출변형 문제

정답 P 25

1 **주제 설정 | 〈보기〉에 따라 글쓰기 계획을 구체화하였다. 세부 내용으로 적절하지 <u>않은</u> 것은?**

> 보 기
>
> **[문제 인식]**
>
> • 유기(遺棄) 동물(버려지는 동물)들이 증가하면서 사람을 공격하거나 병원균을 옮기는 등 각종 피해 사례가 늘고 있다.
>
> • 유기 동물이 넘쳐나는데도 불구하고 민간단체나 자원봉사단 위주로 어렵게 관리되고 있다.
>
> **[주제]** 유기 동물 증가에 따른 대책 마련 촉구
>
> **[예상 독자]** 정부 관련 부처, 지방 자치 단체

① 독자 분석: 정책을 수립하고 예산을 집행하는 주체이므로 정책 수립에 여론 반영

② 원인 분석: 생명 경시 풍조와 유기 억제를 위한 제도적 장치 미비, 유기 동물 관리 단체에 대한 정부의 지원이 미흡

③ 자료 수집: 유기 동물에 의한 피해 사례, 유기 동물 민간 관리 단체의 운영 현황과 구성 절차에 대한 국내외 사례 조사

④ 내용 선정: 동물 유기를 막기 위한 제도적 장치와 유기 동물 관리 시설 확대와 정부 지원의 필요성 강조

⑤ 전개 방식: 문제 제기 → 원인 분석 → 해결책 제시 → 실행 촉구

2 **자료의 수집과 정리 | 〈보기〉의 자료를 활용하여 '첨단 산업 기술의 해외 유출'에 관한 글을 쓰려고 한다. 자료의 활용 방안으로 적절하지 <u>않은</u> 것은?**

보기

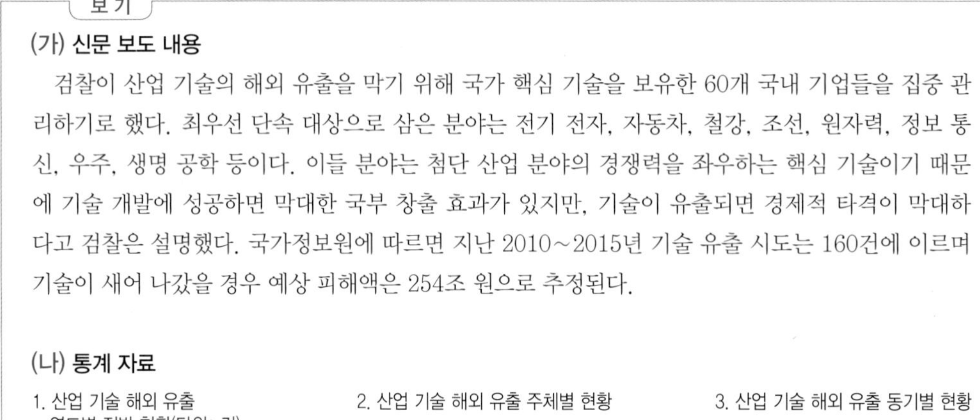

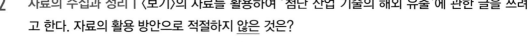

(가) 신문 보도 내용

검찰이 산업 기술의 해외 유출을 막기 위해 국가 핵심 기술을 보유한 60개 국내 기업들을 집중 관리하기로 했다. 최우선 단속 대상으로 삼은 분야는 전기 전자, 자동차, 철강, 조선, 원자력, 정보 통신, 우주, 생명 공학 등이다. 이들 분야는 첨단 산업 분야의 경쟁력을 좌우하는 핵심 기술이기 때문에 기술 개발에 성공하면 막대한 국부 창출 효과가 있지만, 기술이 유출되면 경제적 타격이 막대하다고 검찰은 설명했다. 국가정보원에 따르면 지난 2010~2015년 기술 유출 시도는 160건에 이르며 기술이 새어 나갔을 경우 예상 피해액은 254조 원으로 추정된다.

(나) 통계 자료

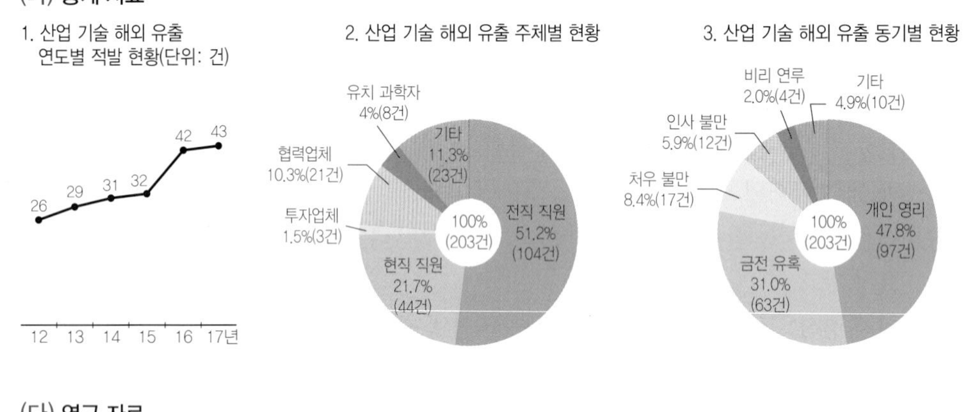

(다) 연구 자료

기술 유출 사범에 대한 처벌은 죄질에 비해 형량이 가벼워 실효성이 낮다는 비판이 제기되어 왔다.

① (가)와 (나)-3을 활용하여, 핵심 기술 취급 인력의 이기적인 행동이 국가 경쟁력의 약화를 초래할 수 있음을 지적한다.

② (나)-1과 (다)를 활용하여, 산업 기술이 해외로 유출되는 것을 막기 위한 법적인 장치를 정비해야 할 필요성을 제기한다.

③ (가)와 (나)-1을 활용하여, 국가 이익에 막대한 손실을 가져올 수 있는 산업 기술 해외 유출이 늘고 있는 상황임을 제시한다.

④ (가)와 (나)-2를 활용하여, 국가 핵심 기술을 지켜 내기 위해서는 외부인의 접근을 근본적으로 차단할 수 있는 신기술의 도입이 시급함을 주장한다.

⑤ (나)-2와 (나)-3을 활용하여, 산업 기술의 해외 유출 방지를 위해 핵심 기술 취급 인력이 투철한 직업 윤리 의식을 가져야 할 뿐 아니라 기업 차원에서의 충분한 보상도 이루어져야 함을 강조한다.

3 **구성 – 개요 | 다음은 '노인들의 사회 참여와 경제적 자립을 통한 고령화 사회의 문제 해결'에 대한 글을 쓰기 위해 수집한 자료와 이를 바탕으로 작성한 개요이다. 물음에 답하시오.**

보기 1

(가) 노인 일자리 창출 및 제공 건수

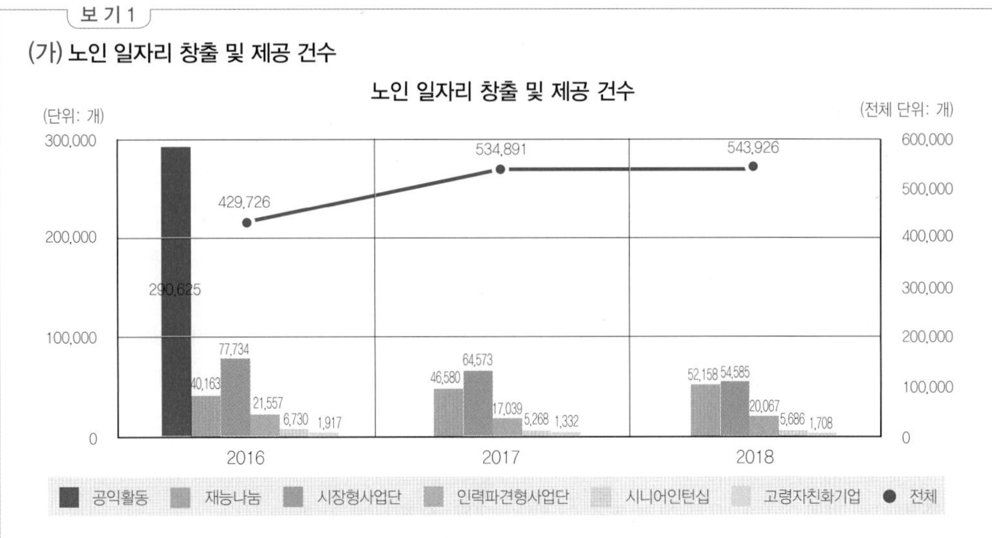

(나) 노인 일자리 관련 연구 결과(○○연구원, 2015)

고령 근로자의 근로 목적	경제적 안정	65%
	사회 참여 및 기타	35%

민간 분야 부진의 주요 요인
• 초기 투자비와 고객 및 수요처 관리비 부담 • 지자체의 전담 기관과 전담 인력 부족 • 소비자가 선입견으로 인해 노인 참여 사업체에서 제공하는 서비스나 제품을 기피하는 현상

(다) 전문가 의견

노인들이 일자리를 갖게 되면 소득 보장과 사회 참여로 인해 건강이 증진되고 자존감이 고취되면서 삶의 질이 향상됩니다. 이는 부양비, 의료비 등으로 인한 사회적 비용과 세대 간 갈등을 줄이는 효과까지 불러올 수 있죠. 그런데 공공 분야의 노인 일자리로는 노인의 경제적 자립을 돕는 데 한계가 있으므로, 노인들이 시장에 진입하여 실질적인 자립을 도모할 수 있도록 민간 분야를 더욱 활성화시켜야 합니다.

보기 2

1. 서론 ··· ㉠

2. 노인 일자리 사업 필요성 ··· ㉡
3. 노인 일자리 사업의 실태
   - 노인 일자리 사업의 유형과 현황 ··· ㉢
   - 노인 일자리 사업의 한계와 시사점 ··· ㉣
4. 노인 일자리 사업의 실효성 증대 방안 ··· ㉤

5. 결론 ··· (가)

객관식 | 〈보기1〉의 자료를 바탕으로, 〈보기2〉의 개요를 구체화하고자 한다. 구체화 방안으로 적절하지 <u>않은</u> 것은?

① ㉠에서는 노인들의 일자리 창출을 위한 노력이 앞으로도 더해져야 함을 언급하며 논의의 배경을 제시해야겠어.

② ㉡에서는 (다)를 활용하여, 노인 개인의 차원과 사회적 차원에서 노인 일자리 사업의 필요성을 제시해야겠어.

③ ㉢에서는 (가)를 활용하여, 노인 일자리 사업이 두 가지 측면에서 추진되고 있으나 불균형을 이루고 있다는 내용을 중심으로 현황을 제시해야겠어.

④ ㉣에서는 (가)와 (나)를 활용하여, 노인 일자리 사업의 한계와 함께 일자리에 대한 노인들의 인식을 생계 수단에서 사회 참여 수단으로 변화시켜야 할 필요성을 제시해야겠어.

⑤ ㉤에서는 (나)와 (다)를 활용하여, 민간 분야 활성화에 초점을 맞춰 관련 사업체에 대한 예산 지원 강화, 전담 기관과 인력 확충, 일반 시민에 대한 광고와 홍보 지원 등을 제시해야겠어.

주관식 | 결론의 (가)에 들어갈 결론의 핵심 내용을 조건에 맞게 쓰시오.

조 건

- 노인 일자리 사업 확대의 의의가 드러나도록 쓸 것
- 명사형으로 종결할 것

⇨

4 전개 | 〈보기〉의 서술 방식과 가장 유사한 것은?

> 보기
>
> 자유 의지론자(自由意志論者)들은 행동의 선택이 전적으로 우리의 의지에 따른 것이며 이 의지는 또한 전적으로 자발적이라고 생각한다. 내 주머니에 짬뽕을 먹기에 충분한 돈이 있을 때, 내가 짬뽕을 먹느냐, 자장면을 먹느냐 하는 것은 순전히 나의 자유로운 선택이 아닌가. 누가 어떤 영화표를 사 오라고 심부름시킨 게 아니라면, 영화관에서 〈트랜스포머〉를 구매할 것인가, 아니면 〈어벤져스〉를 구매할 것인가 하는 선택은 내 맘먹기 나름의 문제이다.

① 힐퍼딩도 오스트리아 출신의 경제학자이다. 그러나 그는 하이에크와 같은 제도권 경제학자가 아니라 마르크스주의 경제학자였다. 제1차 세계 대전 이전부터 독일 사회민주당에서 활동하고, 1920년대에는 바이마르 공화국 재무부 장관을 지내는 등 현실 정치에 깊이 관여했다.

② 예술적 미를 강조하는 입장과 사회적 기여를 강조하는 입장은 각각 타당성과 한계를 지니고 있다. 그리고 그 한계를 서로 보완해 줄 수 있는 관계에 있다. 사회에 해가 되는 예술마저 정당화할 수 있다는 전자의 한계는 사회적 기여를 강조하는 후자의 견해로 보완될 수 있다.

③ 포도주는 제조 방법에 따라 발효하는 도중에 증류주를 첨가하여 알코올 도수를 높인 주정 강화 포도주, 발효를 시킬 때에 과즙이나 약초 등의 향을 첨가하여 향을 좋게 만든 가향(加香) 포도주, 그리고 발효가 끝난 포도주에 설탕과 각종 효모를 첨가하여 재발효를 시켜 병 속에 탄산가스가 생기게 한 발포(發泡) 포도주로 나눌 수 있다.

④ 오늘날만큼 언어가 진리를 은폐하기 위해 오용되고 있는 때는 일찍이 없었다. 동맹(同盟)의 배신이 '유화(宥和)'라고 불리고, 군사적 침략은 공격에 대한 '방위'로 위장되며, 약소 민족의 정복이 '우호 조약'이라는 이름으로 행해지는가 하면, 전체 인민에 대한 잔인한 압박은 '국가사회주의'의 이름 밑에서 자행되고 있다.

⑤ 모스크바의 페트로프스키 농과대학에 다니던 네챠예프가 대학 동창들을 규합하여, 제정(帝政) 러시아의 사회 제도 전복(顚覆)을 기도(企圖)하는 5인조 비밀 결사를 조직했다. 그런데 그중 한 사람인 이바노프가 사상 전환을 이유로 탈퇴를 선언했고, 네챠예프는 밀고의 우려가 있다는 이유로 한밤의 한적한 공원에서 이바노프를 살해하고 말았다.

5 **고쳐쓰기 | ⓐ~ⓔ 중, 단락의 구성 요건상 삭제해야 하는 것은?**

> 어느 전문 직업이나 그 직업인을 구속하는 직업 윤리가 있다. 의사 집단의 의사 윤리, 법조인 집단의 법조인 윤리 등이 그 대표적인 예일 것이다. 윤리 강령은 내부적으로는 회원들을 결속하고 외부적으로는 해당 전문 직업을 대변하는 역할을 담당한다. ⓐ특히 전문 직업 조직은 윤리 강령을 통해 자정 능력이 있다는 점을 보임으로써 사회로부터 가치를 인정받게 되고, 조직의 자율성 강화를 위한 기반을 얻게 된다.
>
> 그러나 이런 윤리 강령에 대해 회의적인 입장을 보이는 이들도 적지 않다. ⓑ우선 도덕적 행위를 하는 주체는 개인이기 때문에 특정한 윤리를 타인에게 강제할 수 없다는 것이다. ⓒ또한 윤리 강령은 매우 추상적이어서 다양한 방식으로 해석될 수 있으므로 오히려 개인의 잘못된 행위를 정당화하는 데 사용될 가능성이 많다는 것도 문제가 된다. ⓓ아울러 윤리 강령은 어떤 직종을 전문 직업으로 판단할 수 있게 하는 중요한 지표로 기능한다. ⓔ게다가 윤리 강령은 사실상 사회의 이익이 아닌 특정한 조직의 이익을 대변하는 경향이 있다.

① ⓐ　　② ⓑ　　③ ⓒ　　④ ⓓ　　⑤ ⓔ

주관식 영역

VII. 주관식

- 듣기(주관식 2문항)
- 쓰기(주관식 5문항)
- 어휘(주관식 2문항)
- 읽기(주관식 1문항)

VII 주관식

주관식 학습 전략

국어능력인증시험의 전체 90문항 중 10문항이 주관식 문제로 출제된다. 주관식 문제의 영역별 출제 문항 수는 듣기 영역에서 2문항, 쓰기 영역에서 5문항, 어휘 영역에서 2문항, 읽기 영역에서 1문항이다.
듣기 주관식 문제는 듣기 음성을 듣고 조건에 맞는 글을 쓰는 유형이 고정되어 출제된다. 쓰기 주관식 문제는 개요 작성 능력과 문단 생성 능력, 주어진 조건에 맞추어 표현하기 능력 등 쓰기 제반의 능력을 직접 서술을 통해 평가한다. 어휘 주관식 문제는 '십자말풀이'와 '짧은 글짓기' 유형이, 읽기 주관식 문제는 글을 읽고 비판적 평가를 하는 유형으로 출제가 된다.
부분 점수를 받을 수 있는 서술형의 경우, 일정 시간 내에 문제에서 요구하는 내용을 정해진 분량만큼 쓰는 것으로, 생각보다 어렵지만 잘 공략하면 고득점을 기대할 수 있다. 평소에 신문 기사를 읽고 난 후 신문 기사의 표제와 부제가 적당한지 판단해 보거나 기사의 주제를 한두 문장으로 요약해 보는 등 글의 내용을 요약하는 연습을 하면 정해진 글의 분량에 따라 유연하게 글을 작성할 수 있는 요령이 생겨 도움이 될 것이다.

[주관식 1~10] 주관식 기출의 패턴을 벗기다

최근기출 4회분 전 문항 한눈에 보기

문항 번호	A회		B회	
	유형/분류	자료/개념	유형/분류	자료/개념
주관식 1	듣기 – 창의 – 중심 내용 요약	강연	듣기 – 창의 – 중심 내용 요약	강연
주관식 2	듣기 – 창의 – 적용 및 대안 탐색	인터뷰	듣기 – 창의 – 적용 및 대안 탐색	뉴스
주관식 3	쓰기 – 자료의 수집과 정리 – 자료의 분석과 활용		쓰기 – 자료의 수집과 정리 – 자료의 분석과 활용	
주관식 4	쓰기 – 구성 – 개요		쓰기 – 짧은 글짓기	
주관식 5	쓰기 – 짧은 글짓기		쓰기 – 전개 – 중심 문장	
주관식 6	쓰기 – 전개 – 뒷받침 문장		쓰기 – 전개 – 뒷받침 문장	
주관식 7	쓰기 – 전개 – 중심 문장		쓰기 – 구성 – 개요	
주관식 8	어휘 – 짧은 글짓기		어휘 – 짧은 글짓기	
주관식 9	어휘 – 십자말풀이		어휘 – 십자말풀이	
주관식 10	읽기 – 짧은 글짓기(찬성/반대)		읽기 – 짧은 글짓기(찬성/반대)	

문항 번호	C회		D회	
	유형/분류	자료/개념	유형/분류	자료/개념
주관식 1	듣기 – 창의 – 중심 내용 요약	강연	듣기 – 창의 – 중심 내용 요약	강연
주관식 2	듣기 – 창의 – 적용 및 대안 탐색	뉴스	듣기 – 창의 – 적용 및 대안 탐색	강연
주관식 3	쓰기 – 자료의 수집과 정리 – 자료의 분석과 활용		쓰기 – 자료의 수집과 정리 – 자료의 분석과 활용	
주관식 4	쓰기 – 구성 – 개요		쓰기 – 전개 – 결론	
주관식 5	쓰기 – 전개 – 뒷받침 문장		쓰기 – 전개 – 결론	
주관식 6	쓰기 – 짧은 글짓기		쓰기 – 구성 – 개요	
주관식 7	쓰기 – 중심 문장		쓰기 – 전개 – 뒷받침 문장	
주관식 8	어휘 – 짧은 글짓기		어휘 – 짧은 글짓기	
주관식 9	어휘 – 십자말풀이		어휘 – 십자말풀이	
주관식 10	읽기 – 짧은 글짓기(찬성/반대)		읽기 – 짧은 글짓기(찬성/반대)	

문항 순서별 고정 유형과 출제된 개념 한눈에 파악하기

기출패턴 정리하기 _ 최근기출 4회분 총 40문항 전 문항 분석 결과

영역	유형	문항 수	세부 유형	제재
[주관식 1~10] 주관식 (출제 비중 11%)	듣기	2	창의 – 중심 내용 요약, 적용 및 대안 탐색	한두 문장 이내로 작성, 주장과 근거 쓰기, 요약하기
	쓰기	5	주제 설정, 자료의 수집과 정리, 구성 – 개요, 전개	
	어휘	2	짧은 글짓기, 십자말풀이	표준어(고유어, 한자어), 한자성어, 속담
	읽기	1	짧은 글짓기(찬성/반대)	

BEST 기출&예상 개념

국어능력인증시험의 주관식 문항은 고정된 유형으로 출제되고, 난도가 그리 높지 않기 때문에 주관식이라고 해서 괜히 겁부터 먹을 필요가 없다. 듣기 주관식의 경우는 한 번만 듣고 〈조건〉에 맞게 서술을 해야 하므로 부담을 갖기 쉽지만, 듣기 속 주요 내용이나 주제를 잘 메모해 두면 문제 풀이가 수월할 것이다. 읽기 주관식의 경우 최근에는 글자 수 제한보다 2문장, 3문장 등으로 조건이 주어져 부담을 덜 가져도 된다.

◉ 듣기 주관식 기출 발문 유형

(1) 강의, 강연(주장과 근거에 초점)

- 다음 강연을 잘 듣고 강연의 주장에 반대하는 입장에서 자신의 주장과 근거를 두 문장 이내로 쓰시오.
- 이번에는 강의를 들려 드립니다. 잘 듣고 이 강연에서 말한 지도에 대한 새로운 견해와 그런 견해가 도출된 이유를 두 문장 이상으로 쓰시오.
- 강연의 중심 내용을 〈보기〉의 조건에 맞게 쓰시오.(주장과 근거 드러낼 것)

(2) 토론(찬성과 반대하는 입장에 초점)

- 다음은 토론의 일부입니다. 여자의 입장에서 비인기 종목 지원에 관한 생각을 한 문장으로 요약하시오.
- 이번에는 두 학자 간의 토론을 들려 드립니다. 잘 듣고 남자의 견해를 반박하는 주장과 근거를 세 문장 이내로 서술하시오.

(3) 인터뷰, 보도, 방송(정보 전달의 내용, 현실의 문제점과 해결 방안에 초점)

- 인터뷰에 이어질 고령화 사회에 대한 대책을 〈보기〉의 조건에 맞게 쓰시오.(인터뷰와 관련된 고령화 사회의 현상이나 문제점 제시, 두 문장 이하로 기술)
- 다음 뉴스를 잘 듣고, 한국 중산층의 문화 향유에 대한 교수의 견해를 두 문장으로 쓰시오.
- 다음 보도를 잘 듣고, 글로벌 이코노미의 입장을 찬성하거나 반대하는 의견을 근거를 들어 세 문장으로 쓰시오.

☑ 듣기 주관식 문항은 내용 요약하기, 주장과 근거 쓰기로 출제된다.
☑ 어휘 주관식 문항은 십자말풀이와 짧은 글짓기로 출제되며, 짧은 글짓기에는 한자성어나 속담이 출제된다.
☑ 주관식 문항은 제시된 조건을 반영해야 하므로 다양한 문제를 통한 훈련이 필요하다.
☑ 주관식 문항에서 자주 제시되는 조건은 '상황에 어울리는 관용 표현의 활용, 비유법, 문장의 형식, 예시 또는 인과의 서술 방식'이므로, 출제자가 의도하는 문장의 구성에 대해 빠르게 파악하고 순발력 있게 대처해야 한다.

고등급 공략

- 듣기를 한 번 듣고 글을 쓰는 것은 쉽지 않다. 주관식 영역을 들을 때에는 말하는 사람이 주장하는 주요 내용이나 주제를 잘 메모해 두어야 한다.
- 주관식 영역은 부분 점수를 받을 수 있어 학습 시간을 투자하는 만큼 점수 획득의 기회가 주어진다. 문항별 글자 수 제한은 거의 사라졌지만, 조건은 더욱 까다로워져 유형을 확실하게 익히고 대비해야 한다. 기본적으로 글이나 문장의 완결성과 실질적인 조건들을 반영하여 글을 쓰는 것이 고득점의 핵심이다.

01~02 주관식

시험에 나온! 나올!
필수개념

기출복원 문제

쓰기 – 주제 설정

다음 글의 (　　)에 들어갈 적절한 중심 문장을 〈보기〉의 조건에 맞게 쓰시오.

산업보안시스템의 가장 중요한 부분은 사람 관리다. 100년이 넘은 세계적 기업 코카콜라와 IBM 등의 기술이 유출된 사례가 단 한 차례도 없는 것은 물리적 투자와 기술 투자보다 인재 관리에 더 우선하여 투자했기 때문이다. 반면 우리나라 기업들은 생산되는 상품에 대한 기술 투자와 자동화 시설에는 힘을 쏟고 있지만 인재 관리를 소홀히 하여 최근 산업 스파이들의 활동으로 인한 첨단 기술 유출 피해가 연간 수십조 원에 이르고 있다. 선진국들의 기업 예산은 인재 관리를 기본으로 하고 전체 예산의 10%에 이르지만, 국내 대기업은 전체 예산의 5%로 선진국 기업의 절반 수준에 겨우 와 있을 뿐이다. 우리나라의 일부 대기업 정도만이 안정적인 산업보안체계를 갖추고 있을 뿐 대부분의 기업들은 걸음마 수준이다. 이는 기술 유출을 방지하기 위해 인력 관리에 투자할 경우 인건비 증가로 이어져 투자에 대비하여 눈에 띄는 결과를 얻지 못한다는 경영자들의 인식 때문이다. 하지만 결과적으로 10년에 걸쳐 축적한 첨단 기술이 체계적인 인력 관리를 무시해 단 10분에 유출될 수 있는 만큼 산업보안에 대한 인력 재배치와 교육 및 컨설팅도 이제 투자로 봐야 할 시점을 맞고 있다. 따라서 (　　　　　　　　　　).

보 기

- 주장에 대한 근거를 함께 쓸 것
- '기업의 경영자들'을 주어로 쓸 것
- 어문 규정에 맞게 한 문장으로 쓸 것

⇨

유형 익히기 ▶ 지문을 제시하고, 그 지문의 핵심이나 주제를 파악하여 제시된 조건에 따라 중심 문장을 작성하는 유형이다. 지문의 내용은 첨단기술의 관리는 인력관리에서부터 시작해야 한다는 것이다. 이에 따라 글의 마무리로 들어갈 중심 문장을 조건에 맞춰 작성하면 된다. 따라서 '첨단기술의 유출은 기업에 막대한 피해를 줄 수 있으므로 기업 경영자들은 인력 관리 투자에 힘써야 한다.' 또는 '첨단기술의 관리는 기업의 경쟁력을 위한 것이므로 기업의 경영자들은 인력 보안에 나서야 한다.' 정도가 적절하다.

쓰기 – 자료의 수집과 정리

〈보기 1〉의 자료들을 활용하여 〈보기 2〉의 조건에 맞게 '보행자 교통사고 예방'에 관한 글을 쓰시오.

보기 1

(가) 보행자 교통사고 사망자 수

(나) 운전하면서 가장 쉽게 위반하는 사항

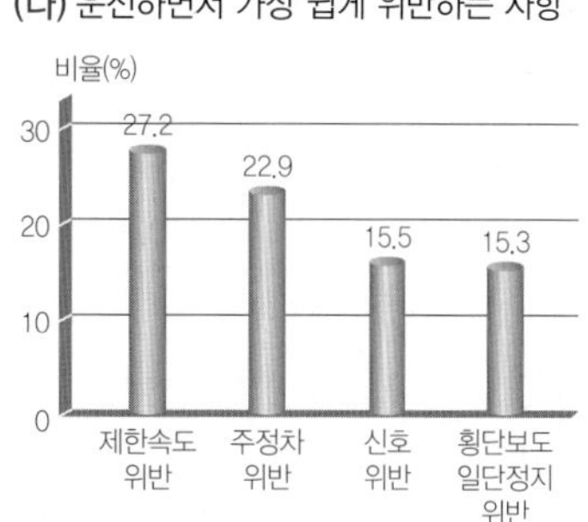

(다) 교통사고 환자와의 인터뷰 내용

무단 횡단을 해서는 안 되고, 신호를 잘 지켜야 한다는 걸 모르는 사람이 어디 있겠습니까? 하지만 횡단보도는 너무 멀고, 육교는 오르내리기가 귀찮아서 저도 모르게 법규를 어기게 되더라고요.

보기 2

- (가)~(다)의 내용을 모두 포괄할 것
- 운전자 입장과 보행자 입장에서의 보행자 교통사고의 원인을 제기할 것
- '인과'의 방법으로 서술할 것

⇨

유형 익히기 ▶ 주어진 자료를 활용하여 조건에 맞는 글을 쓰는 유형으로, 자료에 대한 종합적인 분석 능력 측정과 동시에 글을 쓰는 능력을 측정하는 유형이다. 자료를 선별, 분류하는 유형은 제시된 자료를 바탕으로 객관식 문제를 해결하고, 자료 분석을 통한 관점(현상 제시, 문제점 파악, 해결 방안)을 주관식으로 서술하는 형태로도 출제된다. (가)를 통해 '다른 나라에 비해 우리나라의 보행자 교통사고 사망자 수가 매우 많다.'는 것을 도출할 수 있다. 이는 다른 자료들을 고려할 때, '문제 제기'의 요소가 된다. (나)는 운전자들의 교통 법규 위반에 대한 설문 자료이며, (다)는 보행자의 교통 법규 위반 사항과 관련한 인터뷰 내용으로 (나)와 (다)를 통해 운전자나 보행자가 법규를 함부로 위반함으로써 보행자 교통사고가 발생함을 보여 주는 것이므로 '안전 의식 부재'를 지적하기에 적절하다. 나아가 이를 근거로 보행자와 운전자 양측의 인식 전환을 주장하는 것이 적절하다. 따라서 '우리나라는 일본과 스웨덴과 비교해 보았을 때, 보행자 교통사고 사망자 수가 월등히 많다. 보행자 교통사고 사망자 수가 많은 원인은 운전자가 운전 중 제한 속도 위반, 주정차 위반, 신호 위반 등 교통 법규를 위반하며, 보행자 또한 무단 횡단, 보행자 신호 위반 등 교통 법규를 위반하기 때문이다. 보행자 교통사고 사망자 수를 줄이기 위해서는 운전자와 보행자 모두의 인식 전환이 필요하다.'라고 쓰면 될 것이다.

쓰기 – 구성 – 개요

다음은 '한류의 재도약 방안'을 주제로 열린 토론회의 일부이다. 이를 참고하여 안내문의 빈칸에 들어갈 말을 쓰시오.

A: 그럼 지금까지 논의된 내용을 정리해 보겠습니다. 먼저 우수한 한류의 문화상품을 안정적으로 생산하기 위해서는 한류 콘텐츠의 발전을 도모할 수 있는 시설의 조성이 필요하다는 의견이 나왔습니다.

B: 그리고 현재 대중가요나 텔레비전 드라마에 치우쳐 있는 한류의 콘텐츠를 좀 더 다변화해야 할 것이라는 의견도 있었습니다. 즉, 한류가 한국의 가요나 드라마를 넘어 '한국 문화' 전반에 대한 공감과 소통으로 나아가야 지속적으로 발전해 나갈 수 있다는 것이지요. 스포츠, 음식문화, 건축 등의 분야로 한류 콘텐츠를 확장해 갈 필요가 있을 것입니다.

C: 이제부터 논의해야 할 주제 역시 중요한 부분입니다. 지금까지 한류는 전 세계적으로 큰 인기를 얻어 왔지만 그에 못지않게 한류에 대한 반감도 커져 가고 있는 실정입니다. 특히 최근 중국과의 관계를 살펴보면 정치적 반감이 문화에 대한 반감으로까지 이어지고 있습니다. 이 외에도 한류가 사랑받는 만큼 반감도 커지는 것을 여러 사례를 통해 알 수 있습니다. 따라서 이러한 한류에 대한 반감을 완화시키기 위한 방안도 충분히 고민해야 할 것으로 보입니다.

A: 저도 동의합니다. 한류는 세계와의 소통과 공감을 지향하지만, 다른 나라의 입장에서는 문화적 침식으로 오해될 소지가 있기 때문이지요. 만약 '한국 문화가 가장 훌륭하다.'는 식의 문화적 우월주의가 고개를 들게 되면, 현재의 한류가 반한류나 혐한류로 전환될 수 있습니다. 따라서 이러한 태도를 갖지 않도록 주의해야 합니다.

B: 세계 어디서나 한류에 대한 우호적인 정서를 유지하기 위해서는 쌍방향 문화교류 역시 강화해야 한다고 생각합니다. 일방적으로 문화를 수출하고 전파하는 것보다는, 상호 교류의 형태로 문화를 향유하는 가운데 한국의 문화 역시 자연스럽게 전파되어야 하지 않을까요?

C: 네, 그럼 지금부터 이 논제에 대해 좀 더 구체적인 의견을 나누어 보면 좋겠습니다. ______

'한류의 어제와 오늘, 미래'에 대한 정책토론회

- 일시: 2018년 7월 1일 오후 2시
- 장소: ** 청사 대회의실
- 주최: ◎◎신문사 문화부
- 논제: '지속 가능한 한류'의 모색과 개선방안
  1. 우수한 문화상품의 안정적 생산을 위한 기반 시설 구축
  2. 한류의 확장과 지속을 위한 문화 콘텐츠의 다변화
  3. ______

⇨

유형 익히기 ▶ 최근 주관식 영역에서 개요 문항은 이와 같은 형태로 출제되고 있다. 토론의 내용이나 강연의 내용 등을 제시하고, 이를 개요 형식으로 요약하는 형태이다. 따라서 제시된 지문의 내용 가운데, 개요에 이미 나와 있는 정보를 제외하고, 빈칸에 들어갈 적절한 정보를 찾아 개요의 형식에 맞게 표현해야 한다. 이 문항에서는 지문의 내용에 따라 구체적 대안으로 제시된 내용인 '문화 우월주의 지양'과 '상호 교류를 통한 문화 향유'에 대한 내용이 들어가지 않으면 각각 1점씩 감점될 수 있고, 대안의 목적이 적절하게 드러났는지에 따라 1점, 제시된 안내문의 형식에 따라 명사형 종결을 갖추었는지에 따라 1점으로 평가하여 총 4점 만점 중 답안의 완성도에 따라 부분점수를 받게 된다. 따라서 '한류에 대한 우호적 정서 유지를 위한 문화적 우월주의 지양과 상호 문화적 교류 강화' 정도가 적절하다.

쓰기 – 전개

다음 〈제시문〉을 참조하여 〈보기〉의 조건에 맞는 글을 쓰시오.

제시문

평면상의 대상을 다루는 유클리드 기하학에서 사각형을 그리면서 원근법을 사용하는 것은 잘못이지만, 회화에서는 오히려 입체적인 표현을 하는 데 반드시 원근법을 활용해야 한다. 원근법을 이용한 사각형이 어느 측면에서 이해되느냐에 따라 때로는 맞을 수도 틀릴 수도 있다. 즉 어느 행위나 현상의 옳고 그름은 그 기준이 근거하는 바가 무엇이냐에 따라 정해진다. 무작정 하나의 기준에서 바라보고 결정하는 것은 본인의 시야가 좁음을 증명하는 꼴이 된다. 문화 현상을 바라보는 데에도 이와 같다.

보 기

• 〈제시문〉과 같은 주제로 서론을 쓴다고 가정한다.
• 밑줄 친 부분을 대치할 수 있는 소재를 찾는다.
• 밑줄 친 부분의 서술 형식에 맞도록 쓴다.

⇨

유형 익히기 ▶ 주어진 문단의 도입 부분을 다시 쓰면서 제시된 표현 양식을 반드시 지켜야 한다는 조건적 쓰기에 해당하는 문항이다. 본문은 판단의 기준이 어디에 있느냐에 따라 원근법을 이용한 사각형 그리기가 틀릴 수도, 맞을 수도 있다는 것을 말하고 있다. 대조의 표현 방식을 차용하되, 나머지 글과 이어질 수 있는 소재를 찾아야 한다. 이 문항에서는 서론에 적합한 내용인가를 판별하여 1점, 적절한 소재를 찾아 대치하였는가에 따라 1점, 밑줄과 같이 대조의 서술 방식을 차용하였는가에 따라 1점, 뒤에 이어질 내용과 자연스럽게 연결되며, 어문 규정에 어긋남이 없는가에 따라 1점으로 총 4점으로 평가한다. 따라서 '우리나라에서 침을 뱉는 행위는 상대에게 시비를 거는 의미이지만, 탄자니아의 어느 부족은 반가울수록 침을 많이 뱉는다고 한다. 어느 한 행동의 의미를 파악하기 위해서는 그 문화를 반드시 이해해야 한다.' 정도로 쓰면 될 것이다.

어휘 – 십자말풀이

다음 십자말풀이를 참조해 아래의 (　　)에 맞는 단어를 쓰시오.

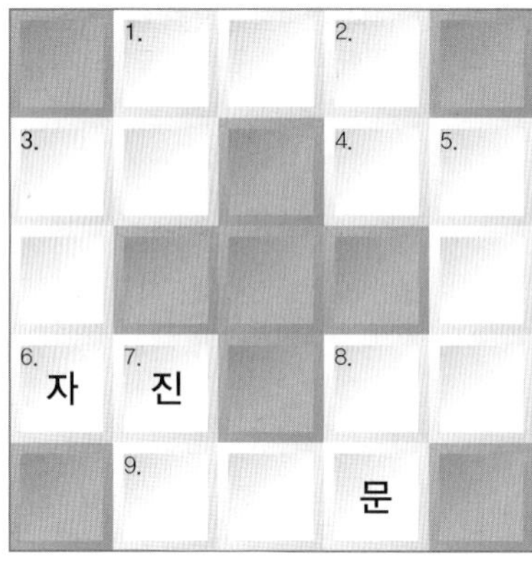

가로 열쇠

1. 국민이 국정에 직접 간접으로 참여하는 권리
3. 더 이상의 양을 수용할 수 없이 가득 참.
4. 어떤 사물이 다른 사물과의 관계에서 가지는 위치나 상태
6. 남이 시키는 것을 기다리지 아니하고 스스로 나섬.
8. 범죄가 생기지 않도록 미리 막음.
9. 여행하면서 보고, 듣고, 느끼고, 겪은 것을 적은 글

세로 열쇠

1. 비참하고 끔찍한 재난이나 변고
2. ① 남을 지휘하거나 통솔하여 따르게 하는 힘
   ② 일정한 분야에서 사회적으로 인정을 받고 영향력을 끼칠 수 있는 위신
3. 다른 동물을 먹이로 하는 동물
5. 같은 범죄 행위를 몇 번이고 되풀이하는 일, 또는 그런 죄를 지은 사람
7. 진귀한 기술
8. 어떤 사람이나 장소를 찾아가서 만나거나 봄.

세로 1. (　　　)　가로 4. (　　　)　세로 7. (　　　)　가로 8. (　　　)

유형 익히기 ▶ 제시된 단어의 사전적 의미를 바탕으로 가로와 세로의 빈칸에 들어갈 단어를 찾는 문제 유형이다. 총 4단어를 쓰도록 출제되고 각 단어별로 1점씩 배점된다. 십자말풀이는 쉬워 보일 수 있지만 평소 어휘력이 부족하거나, 사전적 의미를 해석하지 못하면 다소 까다롭게 느껴질 수 있다. 시사성을 띠는 단어나 한자성어 등도 출제되므로 이에 대한 대비도 필요하다. 가로 열쇠 1번부터 차근차근 푸는 것이 시간을 줄일 수 있는 방법임을 명심하자. '세로 1. 참화, 가로 4. 위상, 세로 7. 진기, 가로 8. 방범'이다.

어휘 – 짧은 글짓기

〈예시〉와 같이 〈보기〉 ①의 빈칸에 들어갈 ㉠ – 한자성어/속담과 〈보기〉 ②의 빈칸에 공통으로 들어갈 ㉡ – 단어를 사용하여 한 문장으로 된 짧은 글을 쓰시오.

예 시

① (안되면 조상 탓)(이)라더니 문제가 생기면 그 원인을 보통 외부에서 찾기 마련이다.

② • 그는 자신이 한 행위에 (책임)을/를 졌다.
 • 교사는 학생을 지도하고 보호할 (책임)이/가 있다.

⇨ 안되면 조상 탓이라는 말처럼 자신의 잘못을 남에게 돌려 책임을 회피하는 태도는 바람직하지 않다.

보 기

① 환경 오염이나 환경 보호에 대한 이야기를 자주 접하게 된다. 산업 활동 때문에 지구 온도가 매년 1도씩 올라가고 있는 것도, 지구에서 매일매일 동물 중 한 종류가 멸종하고 있다는 것도 누구나 한 번쯤 들어 본 적 있는 내용일 것이다. 그러나 이런 이야기를 계속 듣더라도 남의 일처럼 생각하는 것을 자주 볼 수 있다. 나 역시 그래 왔다. 그런데 그 영화를 보고 나서 생각이 변하기 시작했다. 물도 보다 아껴 쓰게 되고 집에서 나갈 때 전기 코드 뽑기나 전자 제품 전원 끄는 것이 나도 모르게 어느새 일상이 되었다. 전기 요금을 아끼려는 것보다 환경 보호에 대한 생각을 가지게 된 것이다. 물론 나 혼자서 지구를 구원할 수 없다. 그러나 '(㉠)'(이)라는 말처럼 우리가 한 명, 한 명씩 우리 자연에 대해 신경을 쓰기 시작하면 더 큰 변화를 이룰 수 있지 않을까 싶다.

② 며칠 동안 피로가 쌓이더니 (㉡) 입술이 부르텄다.
 나는 (㉡) 그의 간청을 뿌리치지 못했다.

⇨

유형 익히기 ▶ 지문의 문맥에 어울리는 단어를 활용하여, 짧은 글짓기를 하는 것이다. 문맥상 ㉠에 들어갈 한자성어나 속담의 의미는 '작은 힘이라도 꾸준히 계속하면 큰일을 이룰 수 있음.'이어야 하고, ㉡은 '일의 마무리에 이르러서.'의 의미를 지닌 부사어가 들어가야 한다. 따라서 ㉠은 '낙숫물이 댓돌을 뚫는다.'가 적절하고 ㉡은 '결국'이 가장 적절한 표현이므로, 이 둘을 활용한 짧은 글짓기를 해야 한다. 예를 들면 '지금 당장 가시적인 성과는 드러나지 않지만, 낙숫물이 댓돌을 뚫는다는 말처럼 결국에는 이 일은 우리의 성공으로 끝날 것이다.'가 정답이 될 수 있겠다.

- ㉠ 느릿느릿 걸어도 황소걸음, 마부위침(磨斧爲針), 우공이산(愚公移山) 등도 정답으로 인정함
- ㉡ 결국에는, 마침내, 끝내 등도 정답으로 인정함

읽기

다음 글을 읽고 '인터넷상에서 잊힐 권리'에 대한 견해를 〈조건〉에 맞게 쓰시오.

(가) 유럽사법재판소가 '인터넷상에서 잊힐 권리'를 인정하는 판결을 내리면서, 국내에서도 이 같은 권리를 인정해야 할 것인지 여부를 둘러싸고 논쟁이 뜨겁다. 유럽사법재판소는 웹상에 게시된 자신의 정보를 삭제해 줄 것을 요구하는 사람의 잊힐 권리를 인정하고 링크를 삭제하라는 결정을 내렸다. 하지만 불법 정보나 사생활 침해가 아닌 정보를 삭제하는 것은 표현의 자유를 위축시킬 수 있다. 이번 판결이 검색 결과를 배제하는 것이라고는 하지만, 검색 결과에서 배제되는 것은 원 정보 삭제 못지않은 검열 효과를 만들어 낸다. 따라서 이번 판결은 정보 감시를 막기 위해 재정된 개인정보보호법의 입법 취지를 망각한 판결이다. 잊힐 권리는 프라이버시와 전혀 무관하게 단순히 자신이 싫어하는 과거를 타인의 기억으로부터 삭제할 수 있는 권리로 확장되고 있다. 게다가 판결에 의하면 웹 사이트 내에서 검색 기능을 제공하는 순간 개인정보 처리자가 되는 것인데 웹 사이트의 검색 기능을 관리하는 사람에게 모든 정보에 대한 관리 의무를 부여한다는 점에서 불가능한 것을 요구한다고 할 수 있다.

(나) '인터넷상에서 잊힐 권리'는 인터넷상에서 과도하게 노출되는 정보로 인해 개인의 사생활이 침해될 수 있다는 점에서 반드시 인정되어야 할 권리이다. 잊힐 권리는 이미 널리 인정되는 정보의 삭제 요구권, 거부권과 같은 맥락에 있다. 이 권리는 개인에게 부여되는 절대적 권리와는 거리가 먼 개념이다. 이러한 권리는 제한된 범위에서 인정될 수밖에 없으므로 대대적인 표현의 자유 제한을 걱정할 필요는 없다. 다만 합법 정보의 합리적 삭제 범위 설정을 위한 논의는 추가로 이루어져야 할 것이다. 사법부가 사회적 합의를 찾고 구현하는 역할을 한다면 불합리한 감시와 제재의 결과를 피할 수 있을 것이다.

조건
- '인터넷상에서 잊힐 권리'에 대한 자신의 견해와 근거를 명확히 밝힐 것
- 윗글에서 자신의 견해에 대한 반대 근거를 찾아 반박할 것
- 어문 규정에 맞게 세 문장으로 작성할 것

⇨

유형 익히기 ▶ 주관식 10번은 서로 상반된 견해를 뒷받침하는 글을 제시하고, 이를 바탕으로 자신의 의견과 근거를 작성하는 문제가 주로 출제된다. 이 문제 역시, '인터넷상에서 잊힐 권리'에 대한 찬성과 반대의 입장을 나타내는 글을 바탕으로 자신의 견해를 제시하라는 문제이다. 〈조건〉에 따르면 자신의 견해에 대한 반대 근거를 찾아 반박하라고 했으므로 '인터넷상에서 잊힐 권리'에 찬성하는 입장이라면 반대하는 입장의 글에서 구체적인 근거를 찾아 제시하고, 이를 반박하여 조건에 맞는 글을 완성할 수 있다.

- 찬성: '인터넷상에서의 잊힐 권리'는 인정되어야 한다. (가)에 따르면 인터넷상에서 정보를 삭제하는 것은 표현의 자유를 위축시킬 수 있다고 하였으나, 이러한 권리는 사회적 합의와 감시에 의한 제한된 범위의 권리이므로 표현의 자유에 큰 영향을 미치지 않는다. 그러므로 정보화 시대에 인터넷상에서 과도하게 노출되는 정보로 인한 개인의 사생활 침해를 보장할 수 있는 '인터넷상에서의 잊힐 권리'는 반드시 인정되어야 한다.

- 반대: '인터넷상에서의 잊힐 권리'는 표현의 자유를 위축시키고, 더 나아가 정보에 대한 검열 효과를 만들어 낼 수 있다. (나)에 따르면 '인터넷상에서의 잊힐 권리'는 제한된 범위에서 인정되는 것으로 정보 삭제에 관한 범위와 기준을 정한다고 하였는데, 정보화 시대에 인터넷상에 존재하는 수많은 정보를 대상으로 공정하고 타당한 삭제의 기준을 정하는 것은 결코 쉬운 일이 아니다. 그러므로 '인터넷상에서 잊힐 권리'는 인정할 수 없다.

01 주관식 1

기출변형 문제

홈페이지(book.eduwill.net)에서 듣기 MP3 파일을 무료로 다운받으세요.

정답 P 26

❖ 다음은 주관식 문제입니다. 잘 듣고 물음에 답하시오.

1 듣기 | '잊힐 권리'에 대한 남자의 견해를 〈보기〉의 조건에 맞게 쓰시오.

보기
- 남자의 '잊힐 권리'에 대한 입장을 드러낼 것
- 어문 규정에 맞게 두 문장으로 작성할 것

⇨

2 듣기 | 강연의 주장을 반대하는 주장과 근거를 〈보기〉의 조건에 맞게 쓰시오.

보기
- '강연에 제시된 연사의 주장'에 대한 반론을 제시할 것
- 반론에 대한 적절한 근거를 제시할 것
- 어문 규정에 맞게 세 문장으로 작성할 것

⇨

❖ **3번부터는 문제지에 인쇄된 내용을 읽고 푸는 문제입니다. 잘 읽고 물음에 답하시오.**

3 쓰기 – 주제 설정 | 다음 글의 (　　) 부분에 들어갈 주제 문장을 〈보기〉의 조건에 맞게 쓰시오.

우리나라의 현실을 살펴보면 제도만 마련해 놓고, 그 제도를 실행하지 않는 경우를 곳곳에서 찾아볼 수 있다. 복지 정책의 일환으로 제정된 장애인 고용 촉진법만 해도 그렇다. 이 법에 따른다면 단위 사업장에서는 전체 고용 정원의 2%를 장애인으로 의무 고용해야 한다. 그러나 이를 지키는 중앙 정부나 자치 단체는 거의 없다. 사기업들도 의무 고용을 회피하는 대신에 얼마 되지 않는 미고용 부담금을 납부하고 있는 실정이다. 장애인을 위한 편의 시설의 경우, 지하철에 휠체어 리프트를 설치한 역도 별로 없으며, 있다 하더라도 실질적으로 장애인들이 이용하기에는 너무나 어려움이 많다. 또한, 장애인 전용 주차장에는 일반 시민의 차량이 버젓이 세워져 있다. 따라서 (　　　　　　　　)

보 기

- 문맥상 자연스럽게 이어지도록 쓸 것
- 완결된 한 문장으로 작성할 것
- '인과'의 방법으로 서술할 것

⇨

4 **쓰기 – 자료의 수집과 정리 | 다음 글의 내용을 참고하여 '현대 혼례 문화의 문제점'을 〈보기〉의 조건에 맞게 쓰시오.**

㉠ 예식 비용에 대한 부담으로 인해 사실혼 관계이나 예식을 올리지 못한 부부가 전국 기준 4.5%(1만 5천여 명)이고, 서울시의 경우 혼인 신고만 하고 살고 있는 가정이 1개 구(區)당 130여 가구가 된다.

㉡ 오늘날의 예식장 분위기는 일제 강점기와 1930년대 구한말 이후 개화기를 거쳐 서구식 혼례가 유행하면서부터 형성됐다. 전문 예식장이 보급되고 예식장 혼례가 보편화된 것은 1960년대쯤이다. 예식장 혼례가 등장하면서 주례를 세우고 결혼식 후 식당에서 잔치를 하는 관습도 이때부터 생겼다.

㉢ 전문 예식장은 피로연 수익 중심의 운영 구조로, 손님 초대가 많지 않은 다문화 가정과 경제적 소외 계층 등은 원하는 시간대에 식장을 선택할 수 없거나 예약조차 할 수 없는 경우가 많다.

보기

- ㉠~㉢의 내용을 모두 포괄할 것
- '현대 혼례 문화의 특징'에 대해 언급할 것
- 글에 나타난 혼례 문화의 문제점을 '인과'의 방법으로 서술할 것

⇨

5 **쓰기 – 구성 – 개요 | 아래의 개요를 작성하다가 〈보기〉의 새로운 글감을 접하였다. 〈보기〉의 내용을 바탕으로 밑줄 친 본론의 4) – (나)에 들어갈 항목을 쓰고, 항목의 내용을 구체적인 한 문장으로 서술하시오.**

• 제목: 청년 실업 문제의 원인과 대책

• 개요

Ⅰ. 서론: 문제 제기

Ⅱ. 본론

1) 청년 실업 문제의 실태

2) 청년 실업 문제의 심각성

(가) 사회적 차원

(나) 개인적 차원

3) 청년 실업 문제의 원인

(가) 장기간에 걸친 경기 불황

(나) 청년 구직자의 비현실적인 눈높이

4) 청년 실업 문제에 대한 대책

(가) 정부에서 할 일

(나) ＿＿＿＿＿＿＿＿

Ⅲ. 결론: 요약 및 제언

보 기

1. 취업난 속에서도 중소기업의 부족 인력이 20만 명을 상회하는 것으로 알려졌다.
2. 대기업의 고용 창출 능력이 한계에 이른 것으로 분석되었다.

⇨

6 쓰기 – 전개 | 다음 글은 '감투'를 주제로 쓴 글이다. 밑줄 친 부분에 들어갈 내용을 〈보기〉의 조건에 맞도록 쓰시오.

사람은 모두 이런저런 사회 집단에 소속되어 사회생활을 하기 마련이지만, 단순히 집단의 한 구성원이었을 때와 집단을 지도하고 대표하는 지위를 가지게 되는 것은 크게 다르다. 전자의 경우에는 집단의 규범이나 규칙을 어기지 않는 한 사적인 존재로서 자유롭게 생활할 수 있지만 후자의 경우에는 집단의 대표로서 모범이 되어야 하므로 몸가짐이나 마음가짐이 모두 조심스러워진다. 즉 감투를 썼다는 것은 사적인 개인으로부터 대중에게 선택되고 지지받으며, 그들을 대표하고 그들을 위해 봉사해야 하는 공적인 존재가 되었다는 의미가 있기 때문에 항상 대중을 의식하면서 사고하고 행동하게 된다는 것이다. 그래서 평소에는 청바지와 티셔츠를 즐겨 입던 사람도 감투를 쓰고 나면 주로 양복을 입게 되고, 평소에는 다소 통속적인 언어를 즐겨 사용하던 사람도 감투를 쓰고 나면 고상하고 점잖은 언어를 주로 사용하게 된다.

공적인 존재로의 변화가 주는 긍정적 효과는 무엇보다도 대중의 지지와 신뢰를 확인함으로써 자신감과 용기가 커지고 그 결과 더 열심히 노력하게 된다는 데 있다. 불량 학생이 우연한 기회에 반장이 된 뒤에 모범생으로 변신하는 경우가 여기에 해당한다. 공적인 존재로의 변화는 또한 책임감과 의무감 등을 높이기 때문에 자기 절제와 통제력이 강화된다. 평소에는 화를 잘 내는 사람이 감투를 쓰고 나서부터는 놀라운 참을성을 발휘하는 경우를 예로 들 수 있다. 이런 것들이 모두 '사회의 인정과 지지'가 주는 긍정적인 효과라고 할 수 있다.

하지만 공적인 존재로의 변화가 항상 긍정적인 효과만 주는 것은 아니다. ____________________
____________________.

보기

- 공적인 존재로의 변화가 갖는 부정적인 영향을 '지나친 책임감' 또는 '높은 지위에서의 추락에 대한 걱정'과 관련지어 서술할 것
- 주장을 뒷받침할 수 있는 예를 하나 이상 제시할 것
- 완결된 세 문장으로 작성할 것

⇨ ____________________

7 **어휘 – 십자말풀이 | 다음 십자말풀이를 참조해 아래의 (　　)에 맞는 단어를 쓰시오.**

가로 열쇠

1. 군대, 학교 따위에서 병사나 학생들이 제각기 물품을 넣어 둘 수 있게 만든 곳
3. 부족한 부분을 보태어 바르게 함.
4. 핑계를 삼을 만한 재료
6. 꼭 필요한 때 알맞게 내리는 비
8. 의논이 일치하지 않고 여러 갈래로 나누어짐.
9. 여럿 가운데 가장 중요하게 여기는. 또는 그런 것

세로 열쇠

1. 일의 형편이나 까닭
2. 입을 다문다는 뜻으로, 말하지 아니함을 이르는 말
3. 보리를 베어 묶어 놓은 단
5. 이러니저러니, 옳으니 그르니 하며 남을 못살게 굴거나 괴롭히는 일
7. 다른 것과 비교할 때 차지하는 중요도
8. 상식으로는 생각할 수 없는 기이한 일

세로 2. (　　　)　가로 3. (　　　)　가로 6. (　　　)　세로 8. (　　　)

8 **어휘 – 짧은 글짓기 | 〈예시〉와 같이 〈보기〉 ①의 빈칸에 들어갈 ㉠ – 한자성어/속담과 〈보기〉 ②의 빈칸에 공통으로 들어갈 ㉡ – 단어를 사용하여 한 문장으로 된 짧은 글을 쓰시오.**

예 시

① (안되면 조상 탓)(이)라더니 문제가 생기면 그 원인을 보통 외부에서 찾기 마련이다.
② • 그는 자신이 한 행위에 (책임)을/를 졌다.
• 교사는 학생을 지도하고 보호할 (책임)이/가 있다.
⇨ 안되면 조상 탓이라는 말처럼 자신의 실수를 남에게 돌려 책임을 회피하는 태도는 바람직하지 않다.

보 기

① 최근 홈페이지를 제작한 김 모 씨는 곤란한 일을 겪었다. 인터넷에 돌아다니던 이미지 소스와 폰트를 활용해 홈페이지를 제작한 점이 문제가 됐기 때문이다. 그는 "겨우 폰트 네 글자를 사용한 것뿐인데 합의금만 200만 원을 지불했다."라며 놀란 심정을 밝혔다. 몇 해 전 A사와 B사의 특허권 분쟁으로 시작된 지적 재산권 관련 이슈가 온라인상에서도 문제로 떠올랐다. 이에 디자인부터 폰트까지 지적 재산권을 놓고 법적 분쟁을 벌이는 경우가 점차 증가하는 추세다. 한 관계자는 "옛말에 (㉠)(이)라는 말이 있다. 뒤늦게 대책을 강구하기보다는 미리 쇼핑몰 또는 개인 홈페이지를 다시 한 번 점검하고, 이미지 소스나 폰트 등을 무료로 배포하는 곳을 이용하는 것이 좋다."라고 말했다.
② (㉡) 웅덩이에라도 빠지면 큰일이다.
눈치를 보니 (㉡) 잘못하면 큰 싸움이 날 것 같다.

⇨

9 **쓰기 – 전개 | 다음 글을 읽고 '현대판 마녀사냥'의 문제점에 대해 〈보기〉의 조건에 맞게 쓰시오.**

오늘날에는 사법적 절차에 의해 형이 집행되어야 할 대상이 여론과 매체에 의해 미리 재단되는 현상을 가리켜 '현대판 마녀사냥'이라고 부른다. 마녀사냥은 이단 심문이라는 종교적 의미로 출발했지만, 그 이후 희생양이라는 주술적인 의미로 바뀌었고 현대에 이르러서는 무고를 가리키는 비유어로 자리 잡았다.

보 기

• 제시글을 참고하여 '현대판 마녀사냥'을 의미하는 핵심어를 활용할 것
• 구체적 상황을 예로 들어 설명할 것
• 어문 규정에 맞게 세 문장으로 작성할 것

⇨

10 읽기 | 다음 글을 읽고, 〈조건〉을 참고하여 자신의 의견을 서술하시오.

바이오 연료, 즉 식물과 식물의 부산물로 만든 연료는 석탄이나 석유, 천연가스 같은 화석 연료에 비해 장점이 있다. 지구의 화석 연료는 공급에 한계가 있지만, 바이오 연료는 재생하여 쓸 수 있다. 즉 바이오 연료가 고갈되면, 사람들은 더 많은 식물을 키워 바이오 연료를 만들 수 있다.

에탄올은 대표적인 바이오 연료이다. 에탄올은 옥수수와 사탕수수로 만든다. 또 다른 바이오 연료인 바이오 디젤은 식물 기름을 이용해 만든다. 잎, 나무껍질, 톱밥, 나뭇조각 그리고 심지어 해조류에 이르기까지 먹을 수 없는 식물도 바이오 연료로 쓰일 수 있다. 매립지에서 썩어 가는 쓰레기도 바이오 연료로 바꿀 수 있다.

전 세계적으로 바이오 연료의 생산과 사용은 점점 증가하고 있다. 미국과 브라질이 전 세계 에탄올 생산의 87퍼센트를 담당하고, 유럽 국가들이 바이오디젤 생산의 65퍼센트를 차지한다. 중국 항공사 에어차이나는 해조로 만든 바이오 연료를 비행기 연료로 사용하고 있다. 미국 유나이티드 에어라인과 알래스카 에어라인도 바이오 연료를 쓰는 항공편을 제공하고 있다.

바이오 연료의 수요가 증가함에 따라 많은 농부들이 식용 농작물 생산을 포기하고 연료로 바꿀 수 있는 옥수수와 사탕수수 같은 작물을 재배하기 시작했다. 여러 해 동안 미국은 에탄올 생산자들에게 세금 감면과 다른 재정적 인센티브를 주었다. 부분적으로는 외국에서 수입하는 석유에 대한 의존도를 줄이기 위해서였다. 그러나 이 방법은 많은 논란을 불러일으켰다. 비판적인 사람들은 세계적으로 수백만 명의 사람들이 먹을 식량도 부족한 마당에 연료를 위한 농작물을 재배하도록 정부가 농부들을 권장해서는 안 된다고 주장했다. 이러한 비판을 받아들여 2011년에 미국 정부는 에탄올 생산자에 대한 지원을 중단했다.

조건

- 식용 농작물 재배와 연료용 농작물 재배 중 더 우선시해야 할 것에 대한 자신의 의견을 제시할 것
- 윗글을 참고하여, 근거를 하나 이상 제시할 것
- 어문 규정에 맞게 세 문장으로 작성할 것

⇨

02 주관식 2

기출변형 문제

홈페이지(book.eduwill.net)에서 듣기 MP3 파일을 무료로 다운받으세요.

정답 P 28

❖ **다음은 주관식 문제입니다. 잘 듣고 물음에 답하시오.**

1 **듣기 | '미국 드라마 자막 제작'에 대한 남자의 견해를 〈보기〉의 조건에 맞게 쓰시오.**

보기

- 개인적인 '미국 드라마 자막 제작'에 대한 남자의 주장과 근거를 드러낼 것
- 어문 규정에 맞게 세 문장으로 작성할 것

⇨

2 **듣기 | 강연의 내용에 반대하는 주장과 근거를 〈보기〉의 조건에 맞게 쓰시오.**

보기

- '강연에 제시된 연사의 주장'에 대한 반론을 제시할 것
- 반론에 대한 적절한 근거를 제시할 것
- 어문 규정에 맞게 두 문장으로 작성할 것

⇨

❖ 3번부터는 문제지에 인쇄된 내용을 읽고 푸는 문제입니다. 잘 읽고 물음에 답하시오.

3 **쓰기 – 주제 설정 | 다음 글의 논리적인 흐름으로 보아 (　　　) 부분에 들어갈 소주제문을 〈보기〉의 조건에 맞게 쓰시오.**

우리 주변에는 소일거리를 찾아 방황하는 노인들이 많다. 가족에게 버림받아 걸식을 하다시피 하는 노인들도 많으며, 심한 경우에는 외로움과 소외감으로 자살하는 노인들도 있다. 이렇게 최소한의 인간적인 삶조차 누리지 못하는 노인들이 급속하게 늘어나고 있는데도 우리 사회는 속수무책(束手無策)이다. 또한 서구 산업 사회의 영향으로 핵가족화가 가속화되고, 개인주의 문화가 팽배하여 경로 효친의 전통적인 가치관이 붕괴됨으로써 노인들이 가정과 사회에서 소외되고 있다. 이렇게 볼 때, 노인 문제의 해결을 위해서는 (　　　　　　　　　　　　　　　　　　)

보 기

- '노인 문제'의 해결 방안을 두 가지 이상 제시할 것
- 한 문장의 완결된 문장으로 작성할 것

⇨

4 **쓰기 – 자료의 수집과 정리 | 다음은 '커피와 차의 카페인 함량'에 대한 자료이다. 이 자료를 보고 아래의 물음에 답하시오.**

커피			차		
식품	용량(ml)	카페인 함량(mg)	식품	용량(ml)	카페인 함량(mg)
인스턴트커피	150	40~108	1분 우려낸 차	150	9~33
원두커피	150	110~150	3분 우려낸 차	150	20~46
디카페인 커피	150	2~5	5분 우려낸 차	150	20~50
캔 커피	175	80	인스턴트 차	150	24~131

객관식 | 위의 자료를 종합하여 한 편의 완성된 글을 쓰고자 할 때, 가장 적절한 주제는?

① 카페인 함량이 가장 낮은 디카페인 커피가 건강에 좋다.
② 커피와 차는 인체에 백해무익하므로 마시지 않는 것이 좋다.
③ 커피보다 차의 카페인 함량이 적으므로 차를 마시는 편이 건강에 좋다.
④ 커피와 차는 조리법에 따라 카페인 차이가 나므로 선별해서 마셔야 한다.
⑤ 인스턴트식품은 카페인 함량이 높으므로 가능하면 마시지 않는 것이 좋다.

주관식 | 차 판매자가 차의 카페인을 염려하는 구매자에게 조언할 만한 말을 〈보기〉의 조건에 맞도록 쓰시오.

보 기

- 차를 우려내는 시간에 따른 카페인 함량을 고려할 것
- 적절한 정보를 제공하여 구매자를 안심시킬 것
- 어문 규정에 맞게 간결한 한 문장으로 작성할 것

⇨

5 **쓰기 – 구성 – 개요 | 다음은 '건전한 댓글 문화 정착'을 주제로 열린 토론회의 일부이다. 이를 참고하여 〈보기〉의 빈칸에 들어갈 말을 쓰시오.**

A: 오늘은 날로 심각해지는 사회 문제인 악성 댓글의 실태에 대해 토론해 보겠습니다. 먼저 악성 댓글의 심각성을 보여 주는, 악성 댓글로 인한 인권 침해 사례부터 살펴볼까요?

B: 최근 사례로 'K 양 사건'을 들 수 있습니다. 재벌 후계자와의 결혼설이 인터넷 공간에 번지면서 형사 고소를 하기에 이르렀고 상당수의 누리꾼이 불구속 입건됐지요. 악의가 있어서가 아니라 재미로 댓글을 즐기는 사람들이 많은 것 같습니다. 댓글의 대상이 되는 사람이 받게 되는 고통에 대해서 무지한 것이죠.

C: 북한 핵실험에 대한 기사가 나오자마자 "잘했다"는 댓글이 올라오고, 이에 대해 "간첩은 북으로 가라"는 식의 비난이 쏟아집니다. 또한 "북한의 이러한 태도에 대해 응징해야 한다"는 댓글에는 "제국주의에 빌붙은 보수꼴통"이라는 비아냥거림이 터져 나옵니다. 댓글끼리 서로 인권을 침해하는 현상입니다. 합리적 토론은커녕 알지 못하는 상대에 대한 인신공격이 난무하고, 서로 편을 나누어 생각이 다른 사람들에게는 욕설을 퍼붓는 등 댓글을 다는 누리꾼들의 이러한 태도는 매우 심각한 수준입니다.

A: 네. 말씀하신 대로 인권 침해는 단순히 비난을 넘어서 사생활 침해로도 이어집니다. 연예인이나 정치인들, 즉 사회적 공인이라 칭하는 이들에 대한 악의적 댓글은 상식의 수준을 넘어서고, 정보 유출로 인한 사생활 침해 문제도 심각합니다. 심지어는 공인이 아닌 일반인들에게도 그렇더군요.

B: 악성 댓글 문제가 날로 심각해지는 줄은 알았지만, 막상 실제 사례들을 접하고 보니 인신공격의 수준과 인권 침해로 인한 피해 정도가 매우 심각하네요. 하루빨리 악성 댓글은 근절해야 할 텐데요, 악성 댓글을 줄이기 위해 시도되는 여러 가지 시행책들이 전반적으로 포털사이트가 갖고 있는 고유의 기능을 잃게 한다는 의견도 적지 않습니다. 악성 댓글은 줄이면서 댓글을 생산적으로 활용하는 방안이 있다면 어떤 것이 있을지 이 부분에 대해서도 함께 이야기를 나눠 보면 좋겠습니다.

C: 최근 포털사이트마다 그 나름의 자구책을 강구한다고 들었습니다. 특정 표현을 걸러 내는 필터링 기능을 개선하고 건전한 댓글 달기 캠페인을 펴는가 하면 실명 가입을 의무화하는 방안도 도입하고 있지요.

A: 악성 댓글 문제의 해결은 근본적으로 누리꾼 스스로가 건전한 댓글 문화 정착을 위한 자정 노력을 기울이는 것에 달려 있다고 할 수 있습니다. 제도적·사회적 시스템에 의해 아무리 차단하려 해도, 매 순간 수만 개씩 쏟아지는 댓글들을 일일이 검열하고 삭제하는 것에도 한계가 있으니까요.

B: 하지만 악성 댓글은 심각한 사회 문제로 개인의 노력만으로는 해결하는 데에 분명한 한계가 있습니다. 특히 누리꾼 스스로가 자정 노력을 한다는 것은 매우 비현실적입니다. 유명인의 자살 등의 충격적인 사회적 문제가 발생하면, 죄의식이 드는지 잠시 수그러들다가도 어느 순간 다시 활개치기 때문입니다. 익명성을 이용하여 악성 댓글을 즐기는 사람도 많기 때문에, 이에 대한 법률 적용 방안 검토가 필요합니다. 또한 가장 많이 거론되고 있는 실명제를 시행하는 방법도 있지만 익명성이 주는 긍정적 기능이 사장될 우려가 있어 조심스럽게 접근할 필요가 있습니다.

C: 그렇군요, 동의합니다. 그렇다면, 대규모 공공 공간에서는 사회적 공익 실현을 위해 실명 인증을 요구하는 대신 소공간에서는 익명을 허용하는 차별화 적용은 어떨까요? 그 외의 구체적인 대안을 좀 더 논의해 보면 좋겠습니다.

보기

건전한 댓글 문화 정착을 위한 토론회

- 일시: 20××년 5월 28일
- 장소: ** 4동 주민센터
- 주최: 악성 댓글 근절 운동본부
- 논제: 악성 댓글의 근절과 건전한 댓글 문화 정착을 위한 방안 마련
  1. 악성 댓글의 인권 침해 실태와 심각성
  2. 악성 댓글 근절을 위한 기업과 개인의 노력과 한계
  3. ______________________

⇨

6 **쓰기 – 전개 | 다음은 '청소년 학교폭력'에 관한 글이다. ㉠에 들어갈 표현을 〈보기〉의 조건에 맞게 작성하시오.**

학교폭력예방센터, 학교폭력피해자가족연대 등은 29일 정부중앙청사 후문에서 기자회견을 열고 "교육과학기술부는 실질적인 학교폭력 대책을 마련하라."고 촉구했다.

이들 단체는 "학교폭력으로 사망한 아이들을 기리면서 다시는 불행한 일이 발생하지 않도록 하자고 촉구하는 기자회견을 했는데 몇 년이 지난 지금 교과부의 탁상행정으로 아이들이 여전히 학교폭력에 노출돼 있다."고 비판했다.

이들은 "(㉠)"라며 "ㅇㅇㅇ 장관은 사퇴하고 교과부 학교문화 정책 담당자들을 전원 교체하라."고 요구했다. 또한 지역교육청에 학교폭력 예방 시민 감사관 제도를 도입하고 학교폭력 예방예산과 지원 단체를 공개하는 한편 학교폭력 예방에 관한 법률에서 가해학생에 대한 조치를 전학에서 강제전학으로 강화하는 등 실질적인 대책을 마련하라고 촉구했다.

보기

- 정부의 학교폭력 대책에 대해 적절한 '관용 표현'을 활용하여 비판할 것
- '~해야 하는데도 불구하고 ~'의 표현을 반드시 포함시킬 것
- 글의 흐름에 부합되는 내용일 것

⇨

7 **어휘 – 십자말풀이 | 다음 십자말풀이를 참조해 아래의 (　　)에 맞는 단어를 쓰시오.**

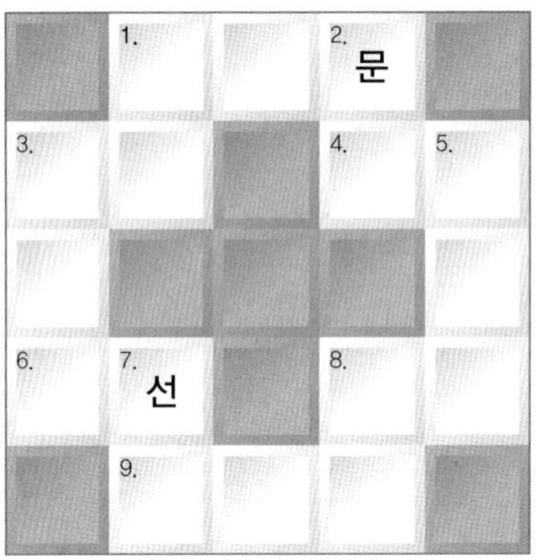

가로 열쇠

1. 어떤 사물이나 현상을 보고 느낀 바를 쓴 글
3. 중심 별의 강한 영향으로 타원 궤도를 그리며 중심 별의 주위를 도는 천체
4. 남의 몸에 상처를 내어 해를 끼침.
6. 모나지 아니하고 부드럽게 굽은 선
8. 남을 대하기에 떳떳한 도리나 얼굴
9. 드나드는 문

세로 열쇠

1. 자극이나 자극의 변화를 느끼는 성질
2. 남의 죽음에 대하여 슬퍼하는 뜻을 드러내어 상주(喪主)를 위문함.
3. 행진할 때에 쓰는 반주용 음악
5. 바닷물의 표면
7. 여럿 가운데서 골라냄. '뽑음'으로 순화
8. 몸의 부피

세로 2. (　　　)　가로 3. (　　　)　세로 7. (　　　)　가로 8. (　　　)

8 **어휘 – 짧은 글짓기 | 〈예시〉와 같이 〈보기〉 ①의 빈칸에 들어갈 ㉠ – 한자성어/속담과 〈보기〉 ②의 빈칸에 공통으로 들어갈 ㉡ – 단어를 사용하여 한 문장으로 된 짧은 글을 쓰시오.**

예 시

① (안되면 조상 탓)(이)라더니 문제가 생기면 그 원인을 보통 외부에서 찾기 마련이다.
② • 그는 자신이 한 행위에 (책임)을/를 졌다.
• 교사는 학생을 지도하고 보호할 (책임)이/가 있다.
⇨ 안되면 조상 탓이라는 말처럼 자신의 잘못을 남에게 돌려 책임을 회피하는 태도는 바람직하지 않다.

보 기

① 관련 업계에 따르면 배달 앱 내에서 용깃값을 별도로 책정하거나 전화 주문 시 포장비를 요구하는 음식점이 점점 증가하고 있다. 비용은 최소 200원에서 최대 2,000원까지 다양하다. ** 소재 한 분식집은 올해부터 포장비를 500원씩 받기 시작했고 배달료도 2,000원을 추가했다. 서울의 한 돈가스집도 지난 7월부터 포장비 1,000원을 추가했다. **구의 곰탕집은 포장 용깃값만 2,000원을 별도로 받고 있다.
용깃값에 대해 소비자 다수는 강한 거부감을 표하고 있다. 소비자들은 "다수의 음식점이 배달료도 수천 원까지 계속 올려 받고 있는데, 용깃값까지 별도로 받으니 간단한 분식 배달받는데도 2만 원이 넘는다."며 "이는 (㉠)"라고 목소리를 높였다.
이에 대해 음식점주들은 "어쩔 수 없는 선택이었다."고 반박했다. 돈가스집 사장 김 씨는 "기본 메뉴에 소스, 장국 등을 포함하면 용깃값 부담이 실제로 너무 크다."며 "마냥 손해 보며 장사할 수는 없는 노릇"이라고 반박했다.

② 도와주겠다더니, 이익을 주기보다는 (㉡) 해만 주었다.
자기가 잘못하고서는 (㉡) 큰소리친다.

⇨

9 쓰기 – 구성 | 다음 기사를 읽고 '지하철 여성 전용 칸 운용'에 대한 자신의 견해를 〈보기〉의 조건에 맞게 쓰시오.

서울메트로와 서울도시철도공사는 지하철 내 경찰인력 부족과 갈수록 심화되는 지하철 성범죄를 방지하기 위한 고육지책(苦肉之策)으로 여성 전용 칸을 운용하겠다고 밝혔다. 하지만 바쁜 출퇴근 시간에 다수의 선량한 남성 시민들을 모두 성범죄자로 모는 것이 아니냐는 부정적인 시각도 만만치 않다.

한 포털사이트가 지난 11월 29일부터 12월 12일까지 최근 여성 전용 칸 운용에 대한 설문조사를 실시한 결과, 총 투표자 3158명 가운데 '찬성'한다고 답한 사람이 1731명(55%), '반대'한다고 답한 사람이 1427명(45%)으로 나타나 찬반 의견이 팽팽히 맞섰다.

한 네티즌은 "이번만큼은 여성 전용 칸이 활성화되어 여성들이 지하철을 마음 놓고 이용할 수 있었으면 좋겠다."며 지지하는 의견을 밝혔다. 또 다른 네티즌도 "빨리 시행했으면 좋겠다. 변태 아저씨들 없는 전철을 타 보고 싶다."며 환영의 뜻을 나타냈다.

반면 한 네티즌은 "출퇴근 시간에 얼마나 치열한 몸싸움이 일어나는지 지하철을 이용해 보지 않은 사람은 모른다."며 "사회 전체를 위해서는 여성 전용 칸을 만들기보다는 장애인이나 노인 전용 칸을 만드는 것이 더 좋은 방안이 될 것"이라고 반대 입장을 밝혔다. 또 다른 네티즌도 "이 같은 정책이 성범죄 예방을 위한 대안으로서 얼마나 실효성이 있겠느냐."며 회의적인 반응을 보였다.

보기

- 찬성과 반대 가운데 하나를 선택하여 명확하게 자신의 입장을 드러낼 것
- 주장을 뒷받침할 수 있는 타당한 근거를 제시할 것
- 어문 규정에 맞게 완성된 한 문단으로 작성할 것

⇨

10 읽기 | 다음 글을 읽고, 〈보기〉의 조건을 참고하여 자신의 의견을 서술하시오.

아동학대를 방지하는 대책 중 하나인 '유치원 내 CCTV 설치'를 놓고 교사와 학부모가 극명한 입장차를 보이고 있다. 학부모의 대부분은 CCTV 설치를 찬성하고 있는 반면, 교사들은 80% 이상이 반대 입장을 보이고 있다. 경기도교육연구원은 '유치원 교실 내 영상정보처리기기 설치·운영에 관한 연구: 아동학대 예방 측면을 중심으로' 연구보고서를 28일 발표했다.

해당 연구보고서에 따르면 유치원 교실 내 CCTV 설치 여부를 묻는 항목에 유치원 교사 중 81.1%가 반대했다. 교사들은 CCTV 설치와 아동학대가 연관성이 없다는 입장이다. 유치원 교사들이 아동학대의 주된 원인으로 꼽은 것은 ▲교사의 직무 스트레스(71.8%·이하 중복응답)와 ▲교사의 부족한 인성(66.1%)이 가장 많았다. CCTV 미설치를 이유로 꼽은 답변은 2.6%에 불과했다. 이와 달리 학부모는 84.3%가 CCTV 설치에 찬성했다. 학부모 역시 아동학대의 주된 원인으로 ▲교사의 부족한 인성(85.3%)과 ▲교사의 직무 스트레스(74.7%)를 꼽았지만 CCTV 미설치를 이유로 꼽은 학부모도 43.2%에 달했다.

교사들은 CCTV 설치 효과에 대해 아동학대 예방에 큰 효과가 없을 것으로 전망했다. 반면, 학부모들은 CCTV 설치가 아동학대를 예방할 수 있는 수단이 될 것으로 판단했다. 대다수 교사들이 CCTV 설치에 대해 부정적인 이유는 학부모의 간섭이 우려되고, 교사의 인권과 교권이 보호받지 못하면서 일상적인 교육 활동이 침해받을 것으로 평가했기 때문이다.

실제로 현재 CCTV가 설치된 유치원에 근무하는 교사 82명 중 19.5%는 CCTV 설치 이후 학부모의 간섭이 심해졌다고 답했다. 또 응답한 교사들 36.4%는 CCTV 설치로 인해 학부모에게 가장 많은 도움이 된다고 응답했다. 반면 23%는 누구에게도 도움이 되지 않는다고 답했다.

이와 달리 학부모의 절반에 해당하는 48.6%는 원생들이 혜택을 본다고 응답하는 등 CCTV 수혜 대상에 대한 양측의 인식도 달랐다.

경기도교육연구원 관계자는 "최근 유치원에도 CCTV 설치를 요구하는 학부모의 목소리가 커지고 있다. 이번 연구 결과 CCTV 설치에 대한 교사와 학부모 간 의견은 대조적이었지만, 양측 모두 아동학대 예방에 대한 근본적인 접근이 필요하다고 보고 있음을 확인했다."고 말했다. 이어 "CCTV 설치에 앞서 교사의 직무 스트레스 해소, 교사의 아동학대 인식 제고 등 다양한 대안이 함께 고려돼야 할 것으로 보인다."고 덧붙였다. 한편, 어린이집은 2015년 5월 「영유아보육법」 개정으로 CCTV 설치가 의무화됐지만, 유치원은 현재 의무설치 대상이 아니다.

보기

- 교사와 학부모의 입장 중 어느 쪽 의견에 동의하는지 쓸 것
- 윗글을 참고하여 하나 이상의 근거를 제시할 것
- 어문 규정에 맞게 세 문장으로 작성할 것

⇨

수준 & 실력점검

모의고사

1교시 수준 & 실력점검 모의고사

제한 시간: 60분

정답 P 31

1 밑줄 친 부분의 의미가 나머지와 다른 것은?

① 민무늬 토기가 발굴되었다.
② 고사리는 대표적인 민꽃 식물이다.
③ 수수한 민얼굴이 더욱 예쁜 그녀였다.
④ 민소매 차림으로는 입장하실 수 없습니다.
⑤ 그의 유연함은 마치 민등뼈동물을 연상케 하는 것이었다.

2 두 단어 간의 관계가 나머지와 다른 것은?

① 경쟁(競爭) : 각축(角逐)
② 기습(奇襲) : 습격(襲擊)
③ 황혼(黃昏) : 여명(黎明)
④ 색인(索引) : 목록(目錄)
⑤ 전래(傳來) : 도래(渡來)

3 〈보기〉의 뜻풀이와 예문의 (　　)에 들어갈 단어로 가장 알맞은 것은?

보기

[뜻풀이] 급격하게 바꾸어 아주 달라지게 함.
[예　문] 터치 기술은 세계 휴대 전화 시장의 일대 (　　　)을/를 주도했다.

① 변형　② 변화　③ 변혁
④ 변이　⑤ 변모

4 〈보기〉의 밑줄 친 단어의 문맥상 의미와 유사한 것은?

보기

눈이 내리고 제법 겨울로 들어서는데도 도무지 그런 기색이 없었다.

① 고려가 망하고 조선 왕조가 들어섰다.
② 그 숲에는 소나무가 울창하게 들어서 있다.
③ 그는 어린 나이에 사업가의 길로 들어섰다.
④ 내가 퇴근해서 집 안에 들어설 때면 보통 6시쯤 된다.
⑤ 내 배 속에 들어선 아이는 앞으로 큰 인물이 될 것이다.

5 〈보기〉의 ㉠~㉢에 들어갈 단어를 바르게 연결한 것은?

보기

• 그들은 자신들의 오줌에서 질산염을 (　㉠　) 한 것으로 생각된다.
• 각 부대에서 (　㉡　)된 병력들이 모두 마을의 눈사태를 치우고 있다.
• 보건당국은 식중독을 일으키는 균이 모든 시료에서 (　㉢　)되었다고 밝혔다.

	㉠	㉡	㉢
①	검출	차출	추출
②	검출	축출	추출
③	추출	색출	검출
④	추출	차출	검출
⑤	추출	공출	검출

6 밑줄 친 단어의 뜻풀이로 바르지 않은 것은?

① 얼굴만 봐서는 그의 나이가 가늠이 안 된다.
→ 사물을 어림잡아 헤아림.
② 그 아이는 자랄수록 산망을 피운다.
→ 하는 짓이 까불까불하고 좀스러움.
③ 그는 상대를 눙치는 솜씨가 상당했다.
→ 마음 따위를 풀어 누그러지게 하다.
④ 그는 밖이 어스름해지자 집을 나섰다.
→ 앞이 보이지 않을 정도의 상태. 또는 그런 때.
⑤ 사흘의 말미를 얻어 친정집에 다녀왔다.
→ 일정한 일 따위에 매인 사람이 다른 일로 얻는 겨를.

7 밑줄 친 속담의 쓰임이 자연스럽지 않은 것은?

① 말로 온 동네 다 겪는다고, 너는 백날 말로만 떠드는구나.
② 병들고 직장까지 잃게 된 그는 이제 끈 떨어진 망석중이다.
③ 그 사람은 가재 물 짐작하듯 주식 투자를 잘해서 큰돈을 벌었다.
④ 만 원에 산 청바지의 수선비가 2만 원이라니, 기둥보다 서까래가 더 굵다.
⑤ 그 맛있는 칼국숫집은 오늘도 대기 손님들이 많지 않아서 입추의 여지가 없었다.

8 〈보기〉의 상황에 어울리는 한자성어로 가장 적절한 것은?

> 보 기
>
> 그는 세상을 피해 산속으로 들어갔지만 그의 학설이 뛰어난 가치를 인정받아, 결국 그의 이름은 온 세상에 널리 알려지게 되었다.

① 괄목상대(刮目相對)
② 낭중지추(囊中之錐)
③ 대기만성(大器晩成)
④ 반면교사(反面敎師)
⑤ 절차탁마(切磋琢磨)

9 다음 중 밑줄 친 관용어의 사전적 의미가 적절하지 않은 것은?

① 소문은 시작은 작아도 금세 가지를 쳐서 커지기 마련이다. → 하나의 근본에서 딴 갈래가 생기다.
② 그는 동네에서는 이제 활개 치며 산다. → 억눌림이나 어려운 지경에서 벗어나 마음을 자유롭게 가지다.
③ 초 치는 소리 그만하고 책이나 봐. → 한창 잘되고 있거나 잘되려는 일에 방해를 놓아서 시들하여지도록 만들다.
④ 그녀는 목적을 달성하기 위해 사람들에게 연막을 치는 게 분명했다. → 어떤 수단을 써서 교묘하게 진의를 숨기다.
⑤ 부분적으로는 노골적이지만, 대체로는 변죽을 치며 말하는 버릇이 있었다. → 바로 집어 말을 하지 않고 둘러서 말을 하다.

10 **밑줄 친 한자어를 다른 표현으로 바꾼 것 중, 적절하지 않은 것은?**

① 나에게 결혼은 아직까지는 요원(遙遠)하게 여겨진다.
→ 아득히 멀게

② 불법 조업을 하던 어선이 해양 경찰에 나포(拿捕)되어 조사 중이다.
→ 사로잡혀

③ 그들은 서로의 사소한 실수도 묵과(默過)하지 못하여 싸움이 잦았다.
→ 알고도 모르는 체하지

④ 그들은 밀린 임금을 지급하는 즉시, 촬영을 속개(續開)하겠다고 주장했다.
→ 다시 계속하겠다고

⑤ 정부에서는 사건의 총책임자를 처벌하고 사건을 유야무야(有耶無耶)로 종결하려는 듯하다.
→ 조용히

11 **밑줄 친 부분의 쓰임이 바르지 않은 것은?**

① 모든 일은 내 부덕의 소치(所致)이다.

② 미래를 위해 지속적인 자기 계발(啓發)이 필요하다.

③ 지난 세월을 반추(反芻)해 보니 후회되는 일이 허다하다.

④ 이번 사고에 대한 문책으로 행안부 장관이 경질(更迭)되었다.

⑤ 모두가 잠든 와중(渦中)에 새벽 공기를 마시며 출근하는 사람들이 있다.

12 **혼동하기 쉬운 단어를 구별하여 사용한 예로 잘못된 것은?**

① 그 계획에 대해 재고(再考)해 달라는 요청을 받았다.
근로자의 근무 의욕을 제고(提高)하기 위한 방책을 강구하다.

② 노사 양측의 견해차를 어떻게 좁히느냐가 초미(焦眉)의 관심사이다.
이번 사건은 초유(初有)의 일이어서 그 근경을 찾아보기가 힘들다.

③ 우리에게는 그 사실을 뒤집을 만한 반증(反證)이 없다.
선생님의 지식을 방증(傍證)하는 듯한 풍부한 예화와 포괄적인 강의이다.

④ 선수들의 정신력이 경기의 승패(勝敗)를 좌우할 수 있다.
회사의 성패(成敗)가 달려 있는 이번 사건에 전 직원은 신경을 곤두세우고 있다.

⑤ 여권 만료 기간이 되어 경신(更新) 받으러 가야 한다.
연일 무더위가 심해져 한낮 최고 기온이 또다시 갱신(更新)되었다.

13 **밑줄 친 외래어 또는 외국어를 바꾸어 쓴 것 중 바르지 않은 것은?**

① 탑승 전 수화물 체크는 간단히 끝났다. → 확인

② 핀트에 어긋나는 이야기만 늘어놓다. → 초점

③ 내달 16일에 대학생 기후변화포럼이 개최된다. → 공개 토론회

④ 생활의 리듬을 되찾는 데에도 꽤 오랜 시간이 걸린다. → 흐름

⑤ 매뉴얼대로만 하면 될 것을 가만히 서서 뭐하는 것이냐? → 설명서

14 다음 중 밑줄 친 단어의 표기가 어문 규정을 제대로 지키고 있는 것은?

① 제발 사람들 앞에서 체신없이 언동하지 말거라.
② 나는 웬지 불안감에 그의 제안을 거절하고 싶었다.
③ 그녀는 전 세계인의 0.01%만이 발병한다는 희귀병에 걸렸다.
④ 생떼같은 자식을 하루아침에 잃은 그 심정이야 오죽할까 싶다.
⑤ 그 일은 애최 불가능한 일이었는데도, 그들은 사람들에게 성공을 장담했던 것이다.

15 〈보기〉의 ㉠~㉣에 들어갈 말로 알맞은 것으로만 짝지어진 것은?

보기
- 약속을 지키는 사람이 (㉠).
- 계획이 물거품이 (㉡) 버릴지도 몰라요.
- 의사가 (㉢) 많은 사람을 도우며 살겠다.
- 어머니께서는 나에게 늘 착한 사람이 (㉣) 하셨다.

	㉠	㉡	㉢	㉣
①	되라	돼	되	되라고
②	돼라	돼	되	되라고
③	돼라	돼	돼	되라고
④	되라	되	돼	돼라고
⑤	돼라	되	되	돼라고

16 다음 밑줄 친 부분이 어문 규정에 어긋난 것은?

① 의자를 창 쪽으로 다가 두어라.
② 엄마를 닮아 머리가 약간 곱슬하다.
③ 여기에 들깨가루를 넣으면 훨씬 맛있겠다.
④ 원체 일들을 잘해서 그런지, 진행 속도가 매우 빠르다.
⑤ 그나마 이 회사가 지금까지 굴러올 수 있었던 것도 여러분 덕분입니다.

17 다음 밑줄 친 단어의 발음이 표준 발음이 아닌 것은?

① 바지가 좀 짧네요. – [짤레요]
② 밭이랑에는 옥수수를 심기로 했다. – [바디랑]
③ 세균성 뇌수막염은 후유증이 남는다. – [뇌수망념]
④ 입학식에서 신입생과 재학생은 상견례를 하였다. – [상견녜]
⑤ 그들은 지위의 고하를 막론(莫論)하고 모두 처벌하였다. – [망논]

18 〈보기〉의 외래어 표기법에 따를 때 잘못 표기한 것은?

보 기

1. 어말 또는 자음 앞의 [s], [z], [f], [v], [θ], [ð]는 '으'를 붙여 적는다.
2. 어말의 [ʃ]는 '시'로 적고, 자음 앞의 [ʃ]는 '슈'로, 모음 앞의 [ʃ]는 뒤따르는 모음에 따라 '샤', '섀', '셔', '셰', '쇼', '슈', '시'로 적는다.
3. 어말 또는 자음 앞의 [ʒ]는 '지'로 적고, 모음 앞의 [ʒ]는 'ㅈ'으로 적는다.

① shark → 샤크
② vision → 비전
③ shrimp → 쉬림프
④ brush → 브러시
⑤ mirage → 미라지

19 다음 글의 내용과 일치하지 않는 것은?

업무나 학업 등으로 주중 수면 시간이 부족한 이들이 많다. 그런데 이렇게 부족한 잠을 주말에라도 잘 보충하면 수면 부족의 악영향을 상쇄할 수 있다는 연구 결과가 나왔다.

스웨덴 스톡홀름대 스트레스 연구소는 스웨덴 성인 남녀 4만 3,880명을 대상으로 13년간 수면 습관과 사망률을 조사·분석했다. 특히 평일과 주말의 수면 습관을 집중 관찰했다. 조사 결과 65세 이하 성인의 경우 평일은 물론 주말까지 평균 수면 시간 5시간 이하인 사람들은 하루 평균 7시간 잠을 자는 사람들에 비해 조기 사망률이 52%나 높았다.

그러나 평일 5시간 이하로 자더라도, 주말에 8~9시간 부족했던 수면을 보충한 사람들은 매일 하루 평균 7시간 잔 사람들과 사망률에서 차이를 보이지 않았다. 흡연, 음주, 커피, 신체 활동량 등의 생활 습관 요인을 고려해도 결과는 동일했다. 단, 65세 이상의 성인에게서는 이런 상관관계가 나타나지 않았다. 스톡홀름대 스트레스 연구소는 "주말의 충분한 수면이 평일의 짧은 수면을 보상하는 것"이라는 결론을 내렸다.

① 평일에 수면이 부족했다면, 주말 늦잠을 통해 상쇄할 수 있다.
② 65세 이하 성인은 평일 수면 시간이 조기 사망률에 영향을 미친다.
③ 건강한 삶을 위해서는 하루에 7시간 정도의 수면 시간을 확보해야 한다.
④ 수면 시간과 사망률의 상관관계는 음료를 통한 카페인 섭취 여부에 영향을 받는다.
⑤ 65세 이상의 경우, 평일 수면 시간이 사망률에 큰 영향을 주지 않는 것으로 나타났다.

20 다음 글을 통해서 알 수 있는 내용이 아닌 것은?

4050 세대 구직자 절반도 '스마트폰'으로 구직 활동

스마트폰이 대중화되면서 취업 사이트 이용 시 대부분 연령대에서 PC보다 스마트폰을 더 많이 이용하고 있는 것으로 나타났다.

A사에서 운영하는 ○○○ 구인구직 서비스가 고객의 니즈를 보다 정확하게 반영하기 위해 2월 자사 온라인, 모바일 서비스를 이용하는 회원 458명을 대상으로 설문조사를 진행했다. 그 결과 응답자의 58.5%가 ○○○ 구인구직 서비스 이용 시 '모바일'을 활용한다고 응답했다.

연령별로는 20대 78.2%, 30대 78%로 이용률이 가장 높았으며, 40대와 50대도 각각 62%, 49.2%로 모바일을 통해 구인구직 서비스를 이용한다고 답했다. 모바일을 통해 일자리를 구하는 60대 이상의 노년층도 25.9%에 달했다.

취업을 희망하는 구직자들이 가장 원하는 서비스로는 '집 근처 일자리 정보(28.6%)'를 1위로 꼽았다. 다음으로 '구직 정보(22%)', '기타(17.4%)', '나이 제한 없는 일자리 정보(8.1%)', '파트타임 정보(7.4%)', '경력 무관한 일자리 정보(7.2%)' 등의 순이었다.

이처럼 이용자들이 ○○○ 구인구직 서비스에 집 근처 일자리, 나이·경력에 무관한 일자리, 파트타임 일자리, 주부 일자리 등의 니즈가 많은 것은 타 취업 사이트에 비해 중장년 이용자가 많으며 '지역밀착 서비스', '생활 밀착형 일자리' 등 맞춤형 서비스를 강화하여 제공해왔기 때문인 것으로 해석된다. 취업을 희망하는 업직종도 역시 생활 밀착 직종이 강세를 보였다.

연령별로 살펴보면 취업난을 경험하고 있는 20대와 기존 경력을 살려 재취업하기 어려운 50대는 다른 업직종에 비해 상대적으로 진입장벽이 낮고 단기 근로가 가능한 '생산·기술·건설'을 선호했다. 왕성한 사회생활을 하는 30대와 40대는 '사무·경리'를, 60대는 단순 노무직의 비중이 높은 '일반서비스·기타'를 첫 번째로 꼽았다.

이번 '우리동네일자리' 서비스 개편을 통해 내 위치를 중심으로 주변의 일자리 목록을 더 자세히 볼 수 있게 하였다. 또한 지도 기반 서비스 사용자를 고려하여 업직종별 아이콘을 지도상에 적용하는 것은 물론 원하는 일자리만 볼 수 있도록 조건 검색 항목을 추가하여 이용자 편의성을 높일 예정이다.

① 20대는 전문 직종의 일자리를 가장 원한다.
② 30대와 40대는 선호하는 일자리의 종류가 같다.
③ 모바일을 통해 가장 많이 구인구직을 하는 연령대는 20대이다.
④ 모바일 구인구직 서비스에 지도 기반 데이터를 활용하면 편의성이 높아질 수 있다.
⑤ 모바일을 통한 구인구직 서비스에서 가장 수요가 높은 것은 '집 근처 일자리 정보'이다.

21 다음 글을 통해서 알 수 있는 내용이 아닌 것은?

〈쓰레기 분리배출 시 주의 사항〉

쓰레기 분리배출은 자원 절약과 환경 보호의 첫걸음입니다. 반드시 잘 읽고 쓰레기를 올바르게 분리배출해 주세요.

구분	배출 요령
	• 만두를 포장했던 코팅된 1회용 용기는 종량제 봉투에 배출 ※ 냉장고 등의 포장용 스티로폼은 재활용 가능
	• 딸기를 담았던 플라스틱 용기는 재활용으로 분리배출 • 딸기 사이에 끼워진 완충재는 종량제 봉투에 배출
	• 생수를 담은 페트병은 재활용으로 분리배출 • 비닐 라벨은 떼어서 분리배출
	• 약을 담았던 포장재는 종량제 봉투에 배출
	• 택배 상자는 재활용으로 분리배출 • 상자에 있는 접착테이프는 떼어서 종량제 봉투에 배출 • 뽁뽁이 비닐은 재활용으로 분리배출
	• 시판용 소스 용기는 씻어서 재활용으로 분리배출 • 용기 비닐 라벨은 떼어서 재활용으로 분리배출
	• 감자를 깎을 때 사용한 흙이 묻은 신문은 흙을 털어서 재활용으로 분리배출 ※ 종이에 기름이 묻은 경우는 종량제 봉투에 배출
	• 물티슈 비닐 팩은 재활용으로 분리배출 • 플라스틱 뚜껑 부분은 떼어서 재활용으로 분리배출

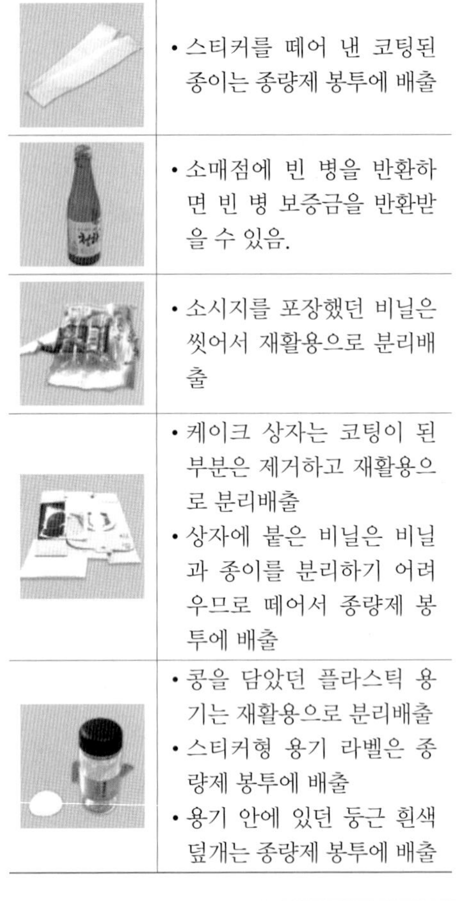

구분	배출 요령
	• 스티커를 떼어 낸 코팅된 종이는 종량제 봉투에 배출
	• 소매점에 빈 병을 반환하면 빈 병 보증금을 반환받을 수 있음.
	• 소시지를 포장했던 비닐은 씻어서 재활용으로 분리배출
	• 케이크 상자는 코팅이 된 부분은 제거하고 재활용으로 분리배출 • 상자에 붙은 비닐은 비닐과 종이를 분리하기 어려우므로 떼어서 종량제 봉투에 배출
	• 콩을 담았던 플라스틱 용기는 재활용으로 분리배출 • 스티커형 용기 라벨은 종량제 봉투에 배출 • 용기 안에 있던 둥근 흰색 덮개는 종량제 봉투에 배출

① 신문지에 흙이 묻으면 털고 재활용한다.
② 만두 포장용 스티로폼 용기는 재활용이 안 된다.
③ 가전제품 보호용 스티로폼은 재활용할 수 있다.
④ 시판용 소스 용기는 내용물이 남지 않도록 씻어서 재활용한다.
⑤ 택배를 받으면 뽁뽁이 비닐과 접착테이프는 비닐류로 재활용하고, 상자는 종이류로 재활용한다.

22 다음 글을 이해한 내용으로 적절하지 않은 것은?

> 환경부는 3월 29일 오후 2시부터 서울 영등포구 국회의원 회관에서 ㅁㅁㅁ 의원실과 함께 발암물질 배출저감제도 도입을 위한 국제 심포지엄을 개최한다고 밝혔다.
>
> 이번 심포지엄은 지난 2017년 11월에 개정된 '화학물질관리법'에 따라 2019년 11월부터 본격적으로 도입되는 '발암물질 저감계획서 공개제도'의 해외 운영사례를 공유하고 바람직한 방향을 모색하기 위해 마련됐다.
>
> '발암물질 저감계획서 공개제도'란 벤젠, 트리클로로에틸렌, 크롬 등 인체 유해성이 매우 큰 발암물질을 일정 기준 이상 배출하는 사업장을 대상으로 매 5년마다 저감계획서를 작성하고 지역사회 등에 공개하여 자발적으로 발암물질을 줄여 나가는 제도이다.
>
> 심포지엄은 1990년부터 독성물질저감법(Toxics Use Reduction Act)을 제정하여 운영하고 있는 미국과 2009년부터 운영 중인 캐나다의 사례를 살펴보는 주제발표와 함께 6명의 전문가 및 관계 기관이 참여하는 지정토론으로 구성된다.
>
> 튜리의 팸 엘리아슨(Pam Eliason) 수석연구원은 미국 독성물질저감법의 제정 배경, 목표, 주요 요소, 감축 성과 등에 대해서 소개한다.
>
> 캐나다 와세프 자밀(Wasef Jamil) 수석환경 컨설턴트는 배출저감계획서 작성에 관한 세부기준 및 사례와 이를 전담하는 '배출저감 플래너' 제도에 대해 소개한다.
>
> 이어지는 패널토의에서는 국내 발암물질 저감사례, 지역사회의 협치(거버넌스) 구축방안 등을 주제로 A대학교 △△△ 교수, B연구소 ◇◇◇ 소장 등 5명의 패널과 참여자들이 열띤 토론을 펼친다.
>
> 환경부 화학안전과장 ○○○은 "발암물질 배출저감계획서 공개제도는 지역단위 협치(거버넌스)를 구현하는 정책의 본보기가 될 것"이라며 "사회적 공감대를 토대로 바람직한 도입방안을 마련하겠다."고 말했다.

① '발암물질 저감제도'에 대한 우리나라 전문가들의 생각도 들어 볼 수 있겠어.

② 이런 자발적인 제도를 우리나라에도 적극적으로 도입하는 것은 바람직한 일이야.

③ 미국과 캐나다는 우리나라보다 훨씬 이전부터 '발암물질 저감제도'를 실시하고 있었군.

④ 이번 심포지엄은 외국의 환경보호제도를 구체적으로 알아볼 수 있는 기회가 되겠군.

⑤ 캐나다가 미국보다 앞서 이 제도를 도입하여 실천하고 있으니, 더 다양한 사례를 접할 수 있겠군.

23 다음 글을 읽고 보일 수 있는 반응으로 적절하지 않은 것은?

〈보험계약 관련 안내문〉

1. 보험계약 관련 유의 사항
 ① 과거 질병 치료 사실 등을 보험회사에 알리지 않을 경우 보험금을 지급받지 못할 수 있습니다.
 ② 전화 등 통신수단을 통해 보험에 가입하는 경우에는 별도의 서면 질의서 없이 안내원의 질문에 답하고 이를 녹음하는 방식으로 계약 전 알릴 의무를 이행하여야 하므로 답변에 특히 신중하여야 합니다.
 ③ 인터넷 홈페이지를 통해 보험에 가입하는 경우에는 인터넷 홈페이지에서 질의서를 본인이 직접 읽고 답하는 방식으로 계약 전 알릴 의무를 이행하여야 하므로 답변에 특히 신중하여야 합니다.
 ④ 이 보험계약은 보험료를 장기간 납입하여야 하기 때문에 보험계약자의 소득을 감안하여 보험료 수준을 결정하여야 하며, 보험가입금액을 감액하는 경우에는 감액 부분만큼 해지로 처리되어 해지 공제금액 상당의 손실이 발생할 수 있습니다.
 ⑤ 이 보험계약은 예금자 보호법에 따라 예금 보험 공사가 보호하되, 보호 한도는 본 보험회사에 있는 귀하의 모든 예금보호 대상 금융상품의 해약환급금(또는 만기 시 보험금이나 사고보험금)에 기타 지급금을 합하여 1인당 "최고 5천만 원"이며, 5천만 원을 초과하는 나머지 금액은 보호하지 않습니다.

2. 해지환급금 관련 유의 사항
 보험계약을 중도에 해지하는 경우 해지환급금은 이미 납입한 보험료보다 적거나 없을 수 있습니다. 그 이유는 납입한 보험료 중 위험 보장을 위한 보험료, 보험회사 운영에 필요한 계약체결비용 및 계약관리비용을 차감한 후 운용·적립되고, 해지할 때에는 적립금에서 이미 지출한 계약체결비용 해당액을 차감하는 경우가 있기 때문입니다.

① 보험을 납부하다가 회사를 그만두고 부담이 되어 해지하려는데, 환급금이 얼마인지 알아봐야겠어.
② 얼마 전 간에 약간의 이상이 생겼다는 진단을 받고, 보험회사에 말하지 않고 얼른 보험에 가입했어.
③ 만기 시까지 내가 낸 보험료가 잘 유지될 수 있을지 걱정이 돼서, 만기 보험금을 5천만 원 이하로 설정했어.
④ 보험을 가입하고 난 후에도 보험 금액을 조절하면 손해를 볼 수 있다고 해서 납입금을 최소로 설정하여 가입했어.
⑤ 홈쇼핑을 보고 전화로 보험에 가입했는데, 상담원과의 질의응답을 녹음한다고 해서 조금 더 신중하게 가입 조건을 생각하게 됐어.

24 다음 글을 읽고, 〈보기〉의 체험 참여 조건에 대한 설명으로 적절한 것은?

> **문화체육관광부가 선정한 대한민국 대표 축제 선정!**
> **세계 4대 겨울축제 선정!**
> **올겨울은 산천어 축제에서 잊지 못할 추억을 만드세요!**
>
> ◎ 기본 사항
> • 인원: 30명~최대 40명
> • 대상: 남녀노소 가능
> • 가격:
> – 성인 75,000원
> – 어린이 70,000원
> – ㅇㅇ자동차 복지 포인트 결제 가능합니다.(포인트 결제 시, 부가세 10% 별도)
> • 준비물: 펜, 편한 복장, 배낭, 간식, 마실 물, 모자 등
>
> ◎ 참가비 중 포함/불포함 사항
> • 포함 사항: 얼음낚시 입장료, 견지 낚시대, 화천사랑상품권(5,000원 상당), 프로그램 기획 및 인솔비, 여행자 보험료, 교통비
> • 불포함 사항: 식사 및 기타 개인 경비
> ※ 식사, 체험 프로그램이 변경될 경우 가격이 변동될 수 있습니다.
>
> ◎ 환불 규정
> ① 당일 취소일 경우
> 8일 전 취소 시 100% 환불, 7~6일 전 70% 환불, 5~3일 전 50% 환불, 2~1일 전&당일 환불 불가
> ② 1박 2일일 경우
> 14일 전 취소 시 100% 환불, 13~9일 전 70% 환불, 8~5일 전 50% 환불, 4~1일 전&당일 환불 불가
> ③ 취소는 업무 시간에만 가능하며 그 시간은 아래와 같습니다.
> (월~금요일: 09:00~19:00 / 토요일, 공휴일: 휴일)
> 업무 시간이 지난 뒤의 취소는 다음 날로 간주합니다.
> ④ 천재지변으로 행사가 취소될 수 있으나, 보슬비 또는 바람이 없는 우천 시에는 출발을 원칙으로 하며, 출발 결정은 담당 선생님이 합니다.
> ⑤ 단, 여행 당사자의 상해로 인한 갑작스러운 취소 시 증빙 서류 첨부 조건 하, 해당자에 한해 100% 환불이 가능합니다. 상해를 입은 본인과 보호자 1인을 제외한 동반인은 취소요금이 그대로 적용됩니다.

> **보기**
> • 참여 인원: 할머니, 할아버지, 이모, 이모부, 사촌 동생(6세), 엄마, 아빠, 나(8세), 누나(10세)
> • 참여 날짜: 12월 24일 금요일
> • 신청 날짜: 12월 9일 목요일

① 체험 당일 점심 도시락이 제공된다.
② 당일 비가 내리면 체험은 자동 취소된다.
③ 참가비는 카드 결제 시, 66만 원에 부가세 10%를 더해야 한다.
④ 12월 10일 저녁 7시 이전에 취소하면 100% 환불받을 수 있다.
⑤ 사촌 동생이 체험 전 다리 골절상을 당했다면, 증빙 서류를 제출하고 체험을 모두 취소할 수 있다.

[25~26] 다음 글을 읽고 물음에 답하시오.

미래에 어떤 직업이 뜨고 질지를 가늠하려면 무엇보다 인구구조와 기술이 어떻게 바뀔지, 세계화[globalization]가 어떤 변화를 불러올지를 살펴야 한다. 특히 기술변화에 주목해야 한다. 정보기술은 동시통역사의 일자리를 뺏을 수도 있고 로봇과 인공지능기술이 외과수술 전문의의 일을 대신할 수도 있다. 외국어 통역사도 대부분 컴퓨터와 로봇에 자리를 비켜 줘야 할 것이다.

하지만 정보혁명 시대에도 스파이가 살아남듯이 시대가 바뀌고 기술이 변해도 오랫동안 살아남을 직업도 많을 것이다. 포브스는 정치인, 매춘부, 장의사, 세무원, 이미용사, 예술가, 종교지도자, 범죄자, 부모, 군인은 먼 미래에도 사라지지 않을 것이라고 보았다. 가디언은 법률가, 정치인, 작가, 예술가와 엔터테이너, 장의사, 매춘부, 세무원, 종교지도자가 오랫동안 살아남을 것으로 내다봤다. 중요한 건 (㉠)

미국의 경제학자 로버트 하일브로너(Robert Heilbroner)는 "우리는 지난 200여 년 동안 기계가 빼앗아 가 버린 일자리를 떠나 그 기계가 창출한 다른 일자리를 찾아 헤매는 거대한 이동을 목격할 것"이라고 밝혔다. 사회사상가인 제러미 리프킨(Jeremy Rifkin)은 산업화 사회는 노예노동의 종말을 이끌었고 접속의 시대[Age of Access]는 대량 임금노동을 끝낼 것으로 보았다. 그는 "자동화되는 세계경제 속에서 전혀 쓸모가 없는 수많은 젊은이들을 어떻게 할 것인가" 물었다.

확실한 건 아무것도 없다. 그러나 미래의 충격을 두려워하며 움츠러들기만 해서는 안 된다. 새로운 기계에 자리를 내주더라도 언제든 새로운 땅을 찾아 떠날 수 있는 지적 유목민(nomad)이 돼야 한다. 추상적인 추론[abstract reasoning], 문제 해결[problem solving], 커뮤니케이션[communication], 협업[collaboration]의 능력을 꾸준히 키워 갈 수 있다면 지식경제의 변화를 즐길 수도 있을 것이다.

25 윗글의 제목으로 가장 적절한 것은?

① 기계화로 인한 대량 실업 예고
② 역사의 흐름에 따른 직업의 변화
③ 인간이 추구해야 할 미래의 직업 가치
④ 과학 기술의 발전이 직업에 미치는 영향
⑤ 기계화 · 자동화 사회에서 방황하는 젊은이들

26 ㉠에 들어갈 내용으로 적절한 것은?

① 인간이 주체라는 점이다.
② 인간만이 할 수 있는 업무라는 점이다.
③ 시대의 흐름과 상관없이 존재했다는 것이다.
④ 일의 형태나 방식보다 노동과 직업의 본질이다.
⑤ 기술 개발 비용보다 인건비가 적게 든다는 것이다.

[27~28] 다음 글을 읽고 물음에 답하시오.

고전파 음악은 어떤 음악인가? 서양 음악의 뿌리는 종교 음악에서 비롯되었다. 바로크 시대까지는 음악이 종교에 예속되어 있었으며, 음악가들 또한 종교를 무시하고는 입지의 여지가 없었다. 고전파는 이렇게 종교에 예속되었던 음악을 종교에서 해방시켜 순수한 음악, 즉 음악을 위한 음악을 정립하려는 예술 운동에서 출발하였다. 따라서 종래의 신을 위한 음악에서 탈피해 형식과 내용의 일체화를 꾀하고 균형 잡힌 절대 음악을 추구하였다. 즉 '신'보다는 '사람'을 위한 음악, '음악'을 위한 음악을 이루어 나가겠다는 굳은 결의를 보여 준 것이다.

또한 고전파 음악은 음악적 형식과 내용의 완숙을 이룬 음악이기도 하다. 이 시기에는 하이든, 모차르트, 베토벤 등 음악의 역사에서 가장 위대한 작곡가들이 배출되기도 하였다. 이때에는 성악이 아닌 기악만으로도 음악이 가능하게 되었으며, 교향곡의 기본을 이루는 소나타 형식이 완성되었다. 특히 옛 그리스나 로마 때처럼 보다 정돈된 형식을 가진 음악을 해 보자고 주장하였기에 ㉠<u>'옛것에서 배우자는 의미의 고전'</u>과 '청정하고 우아하며 흐림 없음, 최고의 예술적 경지에 다다름으로서의 고전'을 모두 지향하게 되었다.

이렇듯 역사적으로 고전파 음악은 종교의 영역에서 음악 자체의 영역을 확보하였으며, 최고 수준의 음악적 내용과 형식을 수립하였다. 고전파 음악이 서양 전통 음악 전체를 대표하게 된 것은 고전파 음악이 이룩한 역사적인 성과에서 비롯된 것일지도 모른다. 따라서 고전 음악의 개념을 이해하기 위해서는 고전파 음악의 성격과 특질에 대한 이해가 선행되어야 할 것이다.

27 윗글에 대한 설명으로 적절하지 <u>않은</u> 것은?

① 바로크 시대의 음악은 종교와 밀접한 관련이 있다.
② 바로크 시대의 음악에 대한 반발로 생겨난 것이 고전파 음악이다.
③ 고전파 음악은 '음악'의 절대적 아름다움을 추구한다.
④ 고전파 음악은 이전 시대의 음악을 배척하고 새로운 시도를 하였다.
⑤ 하이든, 모차르트, 베토벤의 음악은 음악적 형식과 내용의 완숙이 매우 높다.

28 ㉠과 의미가 통하는 예로 적절하지 <u>않은</u> 것은?

① 한복의 곡선을 본뜬 초고층 빌딩
② 한글의 제자 원리를 활용한 정보 통신 기기
③ 장독대와 냉장고의 기능을 결합한 김치 냉장고
④ 외국에서 배추 대신 양배추를 이용해 담근 김치
⑤ 전통 사물놀이를 현대적으로 재해석한 난타 공연

[29~30] 다음 글을 읽고 물음에 답하시오.

의무란 일반적으로 행해야만 할 것, 삼가야만 할 것이지만, 해야만 한다는 이유에서 행해지는 것을 오직 하고 싶다는 이유에서 행해지는 것과 구별하여 전자에 보다 높은 도덕적 가치를 인정하는 것은 칸트도 지적하는 것처럼 상식에 속한다. 그의 시대에는 의무의 개념을 핵심에 놓은 키케로의 윤리학이 볼프와 바움가르텐이 쓴 교과서로 계승되었으며, 또한 경건주의라는 종교운동에서도 이 개념은 중시되었다. 인간의 행위와 동기를 비판철학에서의 감성계와 예지계라는 두 개의 시각 하에서 고찰함으로써 칸트는 의무를 실천철학의 주요개념의 하나로 함과 동시에 이 개념을 중심에 둔 윤리학, 즉 의무론의 전형을 제시하고 있다.

감성계라는 시각에서 보는 한 모든 것은 경험에 의해서 알 수 있는 자연법칙을 따르고 있다. 인간의 행위를 이끄는 동기에 대해서 말하자면, 그것은 자연 또는 문화로부터 주어진, 결국 자기의 행복을 추구하고자 하는 경향성을 따른다. 그러나 예지계라는 시각에서 조망하면, 인간은 행위에 의해서 만들어진 세계를 지배해야만 하는 다른 법칙을 생각할 수 있다. 요컨대 자기에게 갖추어진 이성인 순수 의지가 자기에게 부과하는 도덕법칙을 인정하여 경향성에는 거스르면서도 행위의 준칙이 보편적으로 타당할 것을 요구하는 이 법칙에 따를 수 있는 것이다. 이성을 결여하고 자연법칙에만 따르는 동물에게도, 또한 의지가 그대로 도덕법칙인 신에게도 의무는 있을 수 없다.

양자의 중간에 위치하고 두 가지 시각 하에서 있는 인간만이 그 행위의 동기에서 다른 것으로부터 주어진 행복에의 경향성과 순수 의지의 자율의 긴장관계를 지니며, 스스로가 부과한 도덕법칙을 명령으로서, 즉 정언명법으로서 받아들여 그에 따르는 의무를 지니는 것이다. 거기서 "의무란 법칙에 대한 존경에 기초하여 행위하지 않아서는 안 되는 필연성이다."라고 정의되며, "의지의 자율"이야말로 "도덕법칙과 그에 따르는 의무의 유일한 원리"로 된다.

도덕법칙에 따르는 의무에 관해 칸트는 중요한 구별을 제시한다. 의무에 반하는 행위는 말할 필요도 없지만, '의무에 적합한' 행위에서도 그것만으로는 도덕적이라고 간주될 수 없다. 예를 들면 사람에게 친절하게 한다 하더라도 대가를 기대하는 경향성이 동기가 되는 경우가 그러하다. 도덕적이라고 말할 수 있는 것은 그에 더하여 '의무에서 기인하는' 경우, 결국 일체의 경향을 섞어 넣지 않고 친절을 명령하는 도덕법칙에 따른다는 동기에서만 행위가 이루어지는 경우이다. 그것이 경험 속에서는 발견될 수 없는 이념에 그친다는 것은 칸트 자신이 명확하게 자각하고 있지만, 그의 윤리학이 엄격주의라고 불리며 동기주의라고 특징지어지는 이유가 바로 여기에 있다.

29 이 글의 서술 방식으로 가장 적절한 것은?

① 특정 이론에 대한 여러 학자들의 견해를 비교 제시하고 있다.
② 하나의 이론에 대한 시간의 흐름에 따른 계승 과정을 보여 주고 있다.
③ 일반적 개념에 대한 정의와 구분을 통해 이론을 명확히 제시하고 있다.
④ 일반적인 개념을 바탕으로 구체적인 사례들의 타당성을 검증하는 과정을 증명하고 있다.
⑤ 특정 개념에 대한 대립적인 학자의 견해를 제시하고 이를 절충하여 새로운 이론을 제시한다.

30 윗글의 칸트가 긍정적으로 평가할 수 있는 것은?

① 자신의 이익을 위해 많은 노동자의 취업을 돕는 행위
② 길을 잃은 아이를 보고 걱정이 되어 함께 부모를 찾아 준 행위
③ 국가의 명예를 위해 자신의 이익을 포기하고 올림픽 경기에 참여한 행위
④ 텔레비전에 소개된 아프리카 아이들을 보고 불쌍한 마음이 들어 후원을 시작하는 행위
⑤ 지진이 난 지역의 이웃들을 위해 마땅히 해야 할 일이라고 생각하여 구호 활동에 참여한 행위

[31~32] 다음 글을 읽고 물음에 답하시오.

어찌 옛날 사람들이라고 모두 멋과 풍류로만 살았으랴. 아마 그 시절에도 속되고 추악한 사람들이 있었을 것이다. 그러나 어쩐지 옛날에는 많은 사람들이 여유를 가지고 오늘의 우리보다는 훨씬 멋있는 삶을 살았을 것 같은 생각이 든다.

요즈음도 보기에 따라서는 ⓐ멋있는 사람들이 적지 않다. 어쩌다 일류 호텔의 로비나 번화한 거리를 지나면서 눈여겨보면, 멋있는 여자들과 잘생긴 남자들을 흔히 볼 수 있다.

얼굴이나 체격이 뛰어나게 잘생긴 것도 멋있는 일이요, 유행과 체격에 맞추어 옷을 보기 좋게 입는 것도 멋있는 일이다. 그리고 임기응변하여 재치 있는 말을 잘하는 것도 역시 ⓑ멋있는 일이다.

그러나 겉모양의 멋이나 말솜씨의 멋을 대했을 때, 우리는 가볍고 순간적인 기쁨을 맛볼 뿐 가슴 깊은 감동을 느끼지는 않는다. 세상을 사는 보람을 느낄 정도로 깊은 감동을 주는 것은 역시 마음 깊숙한 곳에서 우러나오는 무형의 멋, 인격 자체에서 풍기는 멋이 아닌가 한다. 바로 그 무형의 멋 또는 인격의 멋을 만나기가 오늘 우리 주변에서는 몹시 어려운 것이다.

ⓒ멋있는 사람을 만나 보고자 밖으로만 시선을 돌릴 것이 아니라 나 스스로 ⓓ멋있는 삶을 살도록 노력하는 편이 더욱 긴요한 일이 아니겠느냐고 뉘우쳐 보기도 한다. 멋있는 사람과 만나는 것도 삶의 맛을 더하는 길이겠지만, 나 자신의 생활 속에 멋이 담겼음을 발견할 수 있다면, 그보다 더 큰 보람이 없을 것이다. 〈중략〉

현실을 암흑에 비유하고 세상을 부정의 눈으로 바라보면서도 결국은, "네 운명을 사랑하라."고 가르친 니체는 멋있는 철학자였다. 어느 시대인들 세상 전체가 멋있게 돌아가기야 했으랴. 사람들이 모여 사는 곳이면 어디를 가나 으레 속물과 속기(俗氣)가 판을 치게 마련이다. 세상이 온통 속기로 가득 차 있기에 간혹 나타나는 ⓔ멋있는 사람들이 더욱 돋보일 것이다.

힘도 없는 주제에 굳이 거창한 목표를 세울 필요는 없을 것이다. 주어진 현실을 주어진 그대로 조용히 바라보며 욕심 없이 살아가는 가운데 때때로 작은 웃음을 즐길 수 있다면, 그것만으로도 삶의 멋이라면 멋이요, 맛이라면 맛이 아닐까.

– 김태길, 〈멋없는 세상, 멋있는 사람〉

31 ⓐ~ⓔ 중, 의미가 유사한 것끼리 묶인 것은?

① ⓐ, ⓑ, ⓒ
② ⓐ, ⓒ, ⓔ
③ ⓑ, ⓒ, ⓓ
④ ⓑ, ⓓ, ⓔ
⑤ ⓒ, ⓓ, ⓔ

32 작가의 가치관으로 보아 가장 긍정적인 인물은?

① 공간과 상황에 맞는 예절로 많은 사람을 즐겁게 하는 사람
② 가난하지만 소박한 행복을 실천하며 상처받고 외로운 삶들의 쉼터가 되어 주는 사람
③ 말재주가 좋아 세계투어 토크 콘서트를 하는 스타 강사
④ 멋진 몸매로 세계 미인 대회 1등이 되어 우리의 아름다움과 덕목을 알리는 사람
⑤ 부모님께 물려받은 큰 집을 게스트 하우스로 변형하여 전 세계 젊은이들과 어울려 살아가는 사람

[33~34] 다음 글을 읽고 물음에 답하시오.

당은 세포의 주 에너지원으로 활용된다. 특히 뇌는 에너지원으로 포도당만을 쓴다. 그런데 뇌는 포도당을 저장하는 공간이 없다. 혈액 속 포도당 농도가 떨어지면 뇌는 즉시 당분을 섭취하도록 지시한다. 두뇌 활동이 많은 학생이나 직장인은 적정 수준의 당을 섭취해야 한다. 당은 '해피푸드'이기도 하다. 당이 보충되면 뇌에서는 행복 호르몬인 세로토닌이 분비된다. 당분을 비롯한 탄수화물을 적게 섭취하게 되면 무기력하고 피곤한 증상이 나타난다.

당은 설탕·꿀뿐 아니라 곡류·과일에도 많다. 이런 당은 흡수·분해 속도에 따라 속도가 빠른 단순당(설탕·꿀·과일·백미·흰빵 등)과 느린 복합당(현미·고구마 등)으로 나뉜다. 단순당은 즉시 에너지원으로 사용된다는 장점이 있다. 피곤하거나 우울할 때 초콜릿이나 꿀물을 먹으면 도움이 되는 건 이런 이유에서다. 또 저혈당인 사람은 간식을 먹어 당을 빨리 높이는 데 활용한다. 다만 단순당은 혈당을 빨리 올리고 이를 조절하기 위한 인슐린 분비를 자극해 다시 당을 빨리 떨어지게 한다. 반면 복합당은 에너지원으로 사용되기까지 시간이 좀 오래 걸리지만 식후 인슐린 분비 시스템을 보다 안정적이고 효율적으로 작동하게 한다.

하지만 몸에 좋은 당과 나쁜 당을 명확히 구분할 순 없다. 가정의학과 박○○ 교수는 "과자·빵에 있는 당이든 과일·고구마에 든 당이든 체내에서는 작은 단위로 분해돼 비슷한 형태로 흡수된다."며 "복합당이나 과일의 당이 좋다고 하는 이유는 당 성분 외에도 비타민과 섬유질 등 다양한 영양소를 섭취할 수 있기 때문"이라고 말했다.

당분과 건강의 관련성에 대해 전문가들은 섭취하는 당의 종류보다 과잉 섭취를 경계해야 한다고 말한다. 박 교수는 "전체 탄수화물 섭취량을 조정하면서 과잉 섭취하지 않는 이상 소량의 초콜릿 등을 먹는 정도는 별문제가 없다."고 말했다. 음료수·초콜릿에 든 당이 해롭다고 말하는 이유는 한번 먹을 때 과하게 당을 섭취할 위험이 크기 때문이다.

가정의학과 강○○ 교수는 "하루 당 섭취 권장량(100g, 2000Kcal 기준) 중 가공식품 등 첨가당 섭취 권장량은 50g 이하로 권고한다."며 "특정 식품에서 당 섭취가 많아지면 총 당 섭취량이 상한선을 넘을 수 있어 문제가 된다."고 말했다.

당류 섭취량을 조절하려면 가공식품과 요리 등에 넣는 첨가당 형태의 당을 줄이려는 노력이 필요하다. 식품의약품안전처에 따르면 우리나라 국민의 총 당류 섭취량은 적정 섭취 기준 이내다. 하지만 3~29세 어린이·청소년·청년층의 가공식품을 통한 섭취량은 기준(총 열량의 10%)을 초과했다. 가공식품 중에서도 음료를 통한 섭취량은 2007년 15%에서 2013년 19%로 증가세다. 단맛은 한번 길들여지면 그 정도를 낮추기가 어렵다. 가공식품을 고를 땐 식품성분표를 확인하는 것이 좋다. 식품성분표를 보면 '탄수화물' 아래 '당류'가 적힌 것을 볼 수 있다. 음식을 만들 때 원재료에 들어 있는 당분 이외에 맛을 내기 위해 추가하는 첨가당으로 설탕이나 액상 과당 등을 뜻한다. 하루 권장 섭취량의 몇 %가 제품에 들어 있는지 확인할 수 있다.

A병원 이○○ 영양팀장은 "음료 섭취는 가급적 줄이고 첨가당이 없거나 적은 제품을 고르는 게 좋다."고 말했다. 요리할 때는 설탕·물엿 대신 과일·양파 등 천연 재료의 단맛을 활용한다. 또한 박 교수는 "우리나라는 주식이 탄수화물이라서 음식에 설탕·올리고당·꿀 등을 과하게 추가하는 건 바람직하지 않다."며 "집에서도 플레인 요구르트를 만들어 꿀을 넣어 먹기보다 과일을 넣는 게 낫다."고 말했다.

33 **'당'에 대한 설명으로 적절하지 않은 것은?**

① 단순당은 혈당을 빠르게 올리고 떨어지게 한다.
② 당 섭취와 인슐린 분비 시스템은 관련성이 있다.
③ 초콜릿을 먹으면 기분이 좋아지는 것은 과학적인 근거가 있다.
④ 갑작스럽게 저혈당 증세가 나타나면 고구마를 천천히 씹어 먹는 것이 좋다.
⑤ 과자에 들어 있는 당과 과일에 들어 있는 당은 모두 비슷한 형태로 우리 몸에 흡수된다.

34 **당을 섭취하는 방법으로 가장 적절한 것은?**

① 당 섭취를 줄이기 위해 한 끼 식사를 넉넉한 과일로 대체한다.

② 설탕의 섭취를 줄이기 위해 부족한 음식의 맛을 소금으로 더한다.

③ 카레를 만들 때, 단맛을 내기 위해 양파를 넉넉하게 볶아 넣고 조리한다.

④ 음식을 조리할 때, 설탕 대신 올리고당을 사용하면 당 섭취량을 줄일 수 있다.

⑤ 당 섭취를 제한해야 하는 당뇨병 환자는 반드시 '설탕 무첨가' 음료를 마셔야 한다.

[35~36] 다음 글을 읽고 물음에 답하시오.

리콜(Recall)이란 소비자에게 제공한 물품 또는 서비스(이하 "물품 등"이라 함)의 결함으로 인해 소비자의 생명 · 신체 또는 재산에 위해(危害)를 끼치거나 끼칠 우려가 있는 경우 사업자가 스스로 또는 강제적으로 물품 등의 위해성을 알리고 해당 물품 등을 수거 · 파기 · 수리 · 교환 · 환급 또는 제조 · 수입 · 판매 · 제공 금지하는 등의 적절한 시정조치를 함으로써 위해요인을 제거하는 소비자 보호조치입니다.

리콜은 물품 등의 위해로 소비자의 안전이 위협받을 때 해당 물품 등을 회수해서 소비자 피해를 예방한다는 점에서 물품 등으로 인해 피해를 입은 소비자에게 개별적으로 보상을 해 주는 '소비자피해보상제도'와 다르고, 소비자 피해 발생의 사전 제거를 목적으로 한다는 점에서 소비자 피해가 발생한 후 개별 손해에 대한 해결을 목적으로 하는 '제조물 책임제도'와는 차이가 있습니다.

리콜은 사업자의 자발적인 리콜과 정부의 강제적인 리콜로 구분됩니다. '자발적 리콜'은 사업자가 자신이 공급하는 물품 등이 소비자의 생명 · 신체 또는 재산상의 안전에 위해를 계속적 · 반복적으로 끼치거나, 끼칠 우려가 있어 스스로 결함을 시정하는 것을 말합니다.

반면, '강제적 리콜'은 정부가 사업자에 대해 소비자의 생명 · 신체 및 재산상의 안전에 현저한 위해를 끼치거나, 끼칠 우려가 있는 물품 등의 수거 · 파기를 강제함에 따라 이루어지는데, 강제적 리콜은 물품 등의 결함과 긴급성의 정도에 따라 '리콜 권고'와 '리콜 명령'으로 구분될 수 있습니다.

■ **우리나라 리콜 관련 규정**

구분	근거 법령	주관 부처	리콜 방법
자동차	대기환경 보전법제 51조	환경부	배출결함 시정
	「자동차관리법」 제31조	국토교통부	제작결함 시정
식품	「식품위생법」 제45조	식약처, 시 · 도지사 시장 · 군수 · 구청장	회수, 폐기, 성분 · 배합 비율 등 변경
	「식품안전 기본법」 제19조	관계중앙 행정기관의 장	회수
	「건강기능 식품에 관한 법률」 제30조	식약처, 시장 · 군수 · 구청	회수, 폐기 처분
먹는물	「먹는물관리법」 제47조	환경부 시 · 도지사	회수, 폐기 처분
축산물	「축산물 위생관리법」 제31조의2 및 제36조	농림축산 식품부	회수, 폐기, 성분 · 배합 비율 등 변경
안전 인증 대상 제품	「전기용품 및 생활용품 안전관리법」 제32조	시 · 도지사	개선, 파기, 수거, 교환, 환불, 수리
제품	「제품안전 기본법」 제10조, 제11조, 제13조	중앙행정 기관의 장	수거 · 파기 · 수리 · 교환 · 환급 · 개선 조치, 제조 · 유통의 금지
의약품	「약사법」 제39조	식약처, 시 · 도지사 시장 · 군수 · 구청장	회수, 폐기
모든 물품 또는 서비스	「소비자기본법」 제48조, 제49조 및 제50조	중앙행정 기관의 장 시 · 도지사	수리, 교환, 환급, 파기, 제공금지

35 윗글에 대한 설명으로 적절하지 않은 것은?

① 자발적 리콜과 강제적 리콜은 주체가 다르다.
② 리콜은 사업자 스스로 또는 강제적으로 실시된다.
③ 강제적 리콜은 결함과 긴급성에 따라 '권고'와 '명령'으로 나뉘어 실시된다.
④ 리콜은 소비자에 대한 위해성이 드러났을 때 대처할 수 있는 소비자 피해 사후조치이다.
⑤ 기업은 제품의 결함으로 인해 지속적인 소비자 피해가 우려되는 경우, 스스로 리콜을 실시할 수 있다.

36 〈보기〉의 질문에 대한 답변으로 적절한 것은?

보기

얼마 전 전신 안마기를 구입했는데, 의자 각도를 바꿀 때 갑자기 멈추는 경우가 있어서 놀랐어요. 이용 후기를 찾아보니 동일 모델에 대하여 같은 불편을 호소하는 소비자들이 많더라고요. 이런 경우에도 리콜이 될 수 있나요?

① 그 피해가 입증되지 않았으므로 리콜을 실시할 수 없습니다.
② 해당 제품의 위해성이 크다면 기업은 무조건 '회수' 조치를 취해야 합니다.
③ 문의 주신 분에 한하여 리콜 제도에 의해 개별 손해 보상을 해 드릴 수 있습니다.
④ 해당 제품의 위해성에 의해 리콜이 실시된다면 군수·구청장이 주관할 수 있습니다.
⑤ 해당 제품이 안전 인증 대상 제품이라면 위해성에 따라 시·도지사에 의해 강제적 리콜을 실시할 수 있습니다.

[37～39] 다음 글을 읽고 물음에 답하시오.

2010년 한국형사정책원 학술대회에서 발표된 논문에 따르면 성범죄 피해자의 공식 범죄율은 10만 명당 58.3명이지만 실제 범죄율은 467.7명으로 8배 더 많았다. 성범죄가 주로 이웃, 친척 등에 의해 저질러져 신고하지 않고 은폐되는 경향이 강하다는 것이다.

범죄학자들은 범죄통계와 실제 범죄 건수의 차이를 암수(暗數·dark figure)라고 부른다. 사회통계에서 이런 암수를 걸러 내지 못하면 실상을 과대 포장하거나 과소 평가하기 쉽다. 물론 실제 성범죄가 8배라는 것도 여성 5,559명의 설문조사 결과인데, 대면조사냐 아니냐에 따라서도 또 달라질 수 있다. 암수는 도덕적 구호가 내포된 질문에서 더욱 커진다. ㉠<u>복지수요에 대한 조사나 이타심을 요구하는 통계에는 거대한 암수가 만들어져 부풀려진다.</u>

설문조사는 '누가' 했느냐에 따라 종종 하늘과 땅 차이가 난다. 대체 휴일제 도입을 놓고 문화체육관광부 산하 문화관광연구원 조사에선 찬성이 76.7%, 경영자총협회 조사에선 반대가 85.3%였다. 정반대 결과가 나온 이유는 단순했다. 문화관광연구원은 휴일이 많을수록 좋은 직장인에게 물었고, 경영자총협회는 휴일이 달갑지 않은 자영업자와 임시직에게 물어본 것이다.

프랑스 경제학자 토마 피케티의 〈21세기 자본〉이 세계적인 선풍을 일으켰지만 '통계자료 보정'이냐 '임의 조작'이냐의 논쟁을 초래했다. 영국 파이낸셜타임즈는 피케티의 조사방법론에 근본적인 의문을 던졌고, 미국 기업연구소는 미국 내 양극화가 심해졌을지 몰라도 지난 30년간 세계 중산층은 크게 늘었다고 비판했다. 피케티의 통계 마사지가 학계에서 용인된 수준인지는 지속적인 검증이 필요하다.

통계의 함정에 빠지지 않으려면 어떻게 해야 할까. 대럴 허프는 〈새빨간 거짓말, 통계〉라는 저서에서 통계 속임수를 피하는 방법으로 누가 발표했는가, 어떤 방법으로 조사했는가, 빠진 데이터나 숨겨진 자료는 없는가, 데이터와 결론 사이에 쟁점 바꿔치기는 없었는가, 상식적으로 말이 되는가 등 5가지를 제시했다.

37 윗글을 통해 알 수 있는 내용으로 적절하지 않은 것은?

① 조사의 주체와 대상에 따라 통계 결과가 달라질 수 있다.
② 공식적인 성범죄 통계에 비해 실제 성범죄 비율은 훨씬 높다.
③ 사회통계에서 올바른 현상을 알기 위해 '암수'를 걸러 내는 것은 중요하다.
④ 토마 피케티의 〈21세기 자본〉은 통계 방식과 그에 따른 결과, 조작된 것이다.
⑤ 통계를 올바르게 파악하기 위해서는 발표의 주체, 조사의 방법 등을 꼼꼼하게 따져 보아야 한다.

38 윗글을 읽고 〈보기〉에 대해 이해한 내용으로 적절하지 않은 것은?

보기

(가) '지난 4년간 대형마트 매출이 9조 2,000억 원 늘어나는 동안 전통 시장은 9조 3,000억 원 줄었다.'라고 주장하는 A국회의원
(나) '지난 4년간 전통 시장의 변화로 매출은 상승, 해외 시장의 규제로 대형마트의 매출은 오히려 감소'라고 대응하는 B국회의원

① A의원은 온라인 쇼핑몰과 홈쇼핑 시장의 성장을 통계에 드러내지 않고 있다.
② A의원은 대형마트를 규제하고 전통 시장 보호 정책을 지지하는 입장을 취할 수 있다.
③ B의원은 대형마트의 매출이 전통 시장의 매출에 큰 영향을 미치지 않는다는 주장을 할 것이다.
④ B의원의 통계는 구체적인 수치가 드러나지 않아, A의원의 통계에 비해 조사 과정에 대한 신뢰성이 떨어진다.
⑤ (가)와 (나) 통계에서 온라인 쇼핑몰과 홈쇼핑 등 다양한 시장 형태가 대형마트와 전통 시장으로 이분화되어 있다.

39 ㉠의 이유로 적절한 것은?

① 복지수요나 이타심을 요구하기 위해 상대방을 통계로 속이는 것이다.
② 복지수요나 이타심은 많은 사람들이 관심을 갖기 때문에 참여도가 높다.
③ 복지나 이타심에 대한 필요성을 설득하기 위해 통계상의 수치를 더욱 극대화하는 것이다.
④ 복지수요나 이타심 요구는 조사 참여도가 낮아 통계 수치와 실제 조사 참여 건수의 차이가 크다.
⑤ 복지나 이타심과 같이 긍정적인 가치와 관련된 통계는 많은 사람들의 관심을 불러일으키기 때문이다.

[40~42] 다음 글을 읽고 물음에 답하시오.

영국 사람들은 주로 홍차를 마시는데 미국 사람들은 홍차 대신 커피를 마신다. 미국인들의 조상은 영국에서 건너온 사람들인데 왜 서로 관습이 다를까?

17세기 전반부터 정치적·종교적 자유를 원하는 청교도들과 신대륙에서 기회를 잡아 부자가 되려는 야망을 가진 사람들이 영국에서 북아메리카 동북부 연안으로 이주했고, 18세기에는 13개 주에 식민지가 건설되었다. 처음에는 영국에서 식민지에 총독을 보내기는 했지만 식민지의 지방의회에 자치권을 주었다.

하지만 18세기 중엽 재정난에 부딪치자 이를 해결하고자 식민지로부터 새로운 세금을 거두어들이려는 시도를 했다. 1765년 모든 문서에 인지를 붙이도록 한 인지세법을 만들었는데, 식민지에서는 그들의 대표가 참석하지 않은 영국 의회에서 결정된 법은 받아들일 수 없다며 '대표 없이 조세 없다.'고 반발하는 반대 운동을 벌였다. 영국은 다음 해 인지세법을 폐지할 수밖에 없었고 그 대신 각종 수입품에 세금을 부과했다. 이것 역시 수입품에 대한 불매운동

으로 효과를 거두지 못하자 1770년 수입품에 대한 세금도 폐지했다. 그러나 차에 대한 세금은 그냥 남겨 두었는데 식민지인들은 이를 억압의 상징으로 받아들였다.

1773년 영국 정부는 동인도회사가 직접 북아메리카에 판매하는 차에 대해서는 세금을 부과하지 않는 법을 통과시켰다. 동인도회사에 차의 독점 판매권을 주기 위한 의도를 알게 된 식민지인들은 불같이 화를 냈다. 1773년 12월 16일 밤 인디언으로 가장한 50명의 식민지인들은 보스턴 항구에 정박한 세 척의 동인도회사 배에 몰래 올라가 차가 든 342개 상자를 모두 바다에 던져 버렸다. 이것이 미국 독립 혁명의 불씨가 된 '보스턴 차 사건'이다. 영국에 대한 분노가 차 사건으로 나타난 것이었고, 이 사건 이후 ㉠미국인들은 차를 마시지 않고 그 대신 커피를 즐기게 되었다고 한다.

40 윗글의 내용 전개 방식으로 가장 적절한 것은?

① 통념에 대한 새로운 관점을 제시하고 있다.
② 두 대상의 공통점과 차이점을 드러내고 있다.
③ 하나의 현상을 해석하는 다양한 시각을 드러낸다.
④ 특정 현상에 대해 역사적 사건을 중심으로 설명하고 있다.
⑤ 역사의 흐름에 따른 생활과 문화의 변화를 시간의 흐름에 따라 설명한다.

41 윗글을 통해 알 수 있는 것으로 적절하지 않은 것은?

① 처음에는 영국에서 식민지의 자치권을 인정해 주었다.
② 영국은 식민지에서 세금을 걷어 재정을 확보하고자 하였다.
③ 식민지인들은 영국의 세금 징수 조치에 적극적으로 대응하였다.
④ 영국은 식민지인들의 반발에 모든 수입품에 대한 세금을 폐지하였다.
⑤ 동인도회사가 얻는 이익은 영국 정부의 이익과 밀접한 관련이 있다.

42 윗글과 〈보기〉를 통해 알 수 있는 것으로 적절한 것은?

보기

러다이트(Luddite) 운동

19세기 초, 1811년에서 1817년 사이에 일어난 기계 파괴 운동을 말한다. 당시 나타나기 시작한 방직기가 노동자의 일거리를 줄인다는 생각으로 직조공들이 비밀 결사를 만들어 대규모 기계 파괴 운동을 벌인 것이다. 러다이트 운동은 단순한 기계 파괴 운동이 아니라 산업 혁명으로 자본주의 시장경제가 자리 잡아 가던 영국에서 노동자들이 자신들의 권익을 요구하면서 일어난 최초의 노동 운동이라는 데 의의가 있다.

① 특정 집단의 문화가 사회 전체의 문화가 되기도 한다.
② 때로는 폭력적이더라도 과감한 시도를 할 필요가 있다.
③ 사회의 큰 흐름을 바꾸는 데에는 값진 희생이 뒤따를 수 있다.
④ 소수의 이익을 위해 다수가 양보를 할 때 사회는 발전할 수 있다.
⑤ 기존의 불합리에 저항하는 상징적인 움직임이 역사의 흐름을 바꾸기도 한다.

[43～45] 다음 시를 읽고 물음에 답하시오.

(가) 동짓달에도 치자꽃이 피는 ⓐ신방에서 신혼 일기를 쓴다 없는 것이 많아 더욱 따뜻한 아랫목은 평강 공주의 꽃밭 색색의 꽃씨를 모으던 흰 봉투 한 무더기 산동네의 맵찬 바람에 떨며 흩날리지만 봉할 수 없는 내용들이 밤이면 비에 젖어 울지만 이제 나는 산동네의 인정에 곱게 물든 한 그루 대추나무 밤마다 서로의 허물을 해진 사랑을 꿰맨다
…가끔…전기가…나가도…좋았다…우리는

새벽녘 우리 낮은 창문가엔 달빛이 언 채로 걸려 있거나 별 두서넛이 다투어 빛나고 있었다 전등의 촉수를 더 낮추어도 좋았을 우리의 사랑방에서 꽃씨 봉지랑 청색 도포랑 한 땀 한 땀 땀흘려 깁고 있지만 우리 사랑 살아서 앞마당 대추나무에 뜨겁게 열리지만 장안의 앉은뱅이저울은 꿈쩍도 않는다 오직 혼수며 가문이며 ⓑ비단 금침만 뒤우뚱거릴 뿐 ㉠공주의 애틋한 사랑은 서울의 산 일번지에 떠도는 옛날이야기 그대 사랑할 온달이 없으므로 더더욱

– 박라연, 〈서울에 사는 평강 공주〉

(나) 흥부 부부가 박덩이를 사이하고
가르기 전에 건넨 웃음살을 헤아려 보라.
금이 문제리. / ⓒ황금 벼이삭이 문제리.
ⓓ웃음의 물살이 반짝이며 정갈하던
그것이 확실히 문제다.

없는 떡방아 소리도 / 있는 듯이 들어 내고
손발 닳은 처지끼리
같이 웃어 비추던 거울면(面)들아.

웃다가 서로 불쌍해 / 서로 구슬을 나누었으리.
그러다 금시
절로 면(面)에 온 구슬까지를 서로 부끄리며
먼 물살이 가다가 소스라쳐 반짝이듯
서로 소스라쳐
본(本) 웃음 물살을 지었다고 헤아려 보라.
그것은 확실히 문제다.

– 박재삼, 〈흥부 부부상〉

43 ⓐ～ⓓ에 대한 설명으로 적절하지 않은 것은?

① ⓐ는 진정한 사랑의 가치를 실현시키는 공간이다.
② ⓑ는 정신적 가치와 대조적인 물질적 가치를 의미한다.
③ ⓒ는 가족 간의 사랑을 완성하는 본질적 가치를 의미한다.
④ ⓓ는 우리가 추구해야 할 진정한 행복을 나타낸다.
⑤ ⓑ와 ⓓ는 대조적인 의미를 지니는 시어이다.

44 (가)와 (나)의 공통점으로 적절하지 않은 것은?

① 물질적 어려움을 사랑으로 극복함
② 부부 사이의 사랑의 본질적 모습을 드러냄
③ 고전에서 모티프를 차용하여 시상을 전개함
④ 대조적인 가치를 통해 긍정적 가치를 강조함
⑤ 순수한 관계 속에서도 세속적 가치를 중시하는 세태 비판

45 (가)의 ㉠의 이유로 가장 적절한 것은?

① 평강 공주는 고구려 시대의 사람이므로
② 공주와 평민의 결혼은 허황된 이야기이므로
③ 평강 공주의 사랑은 끝내 이루어지지 않았으므로
④ 현대 사회는 사랑보다 세속적 가치를 더 중시하므로
⑤ 현대 사회에는 더 이상 공주의 신분이 존재하지 않으므로

[46~48] 다음 글을 읽고 물음에 답하시오.

수소연료전지는 물의 전기 분해를 역방향으로 진행하여 전기를 낼 수 있는 일종의 배터리로서 약 2세기 전부터 알려진 기술인데, 수용액상에서 수소와 산소 사이에 산화-환원 반응을 일으켜 전기를 얻는다. 상당한 기간 동안 선진국에서 집중적으로 이 기술을 연구한 결과 실제 변환 기술이 45~60%를 웃도는 실용화 가능성이 높은 기술로 알려져 있다. 반면 수소 내연 기관의 효율은 15% 정도이다. 또 다른 장점은 연료전지는 자동차나 가정용의 작은 규모에서부터 발전소 같은 큰 규모의 시설에까지 적용할 수 있고, 낮은 전압으로도 전기 생산이 효율적으로 일어난다는 점이다. 그리고 무엇보다 중요한 것은 원료가 수소와 공기 중 산소이므로 화석 연료나 원자력 발전에서 발생하는 오염 문제를 완전히 해결할 수 있는 기술이라는 것이다.

그러나 아직은 몇 가지 해결해야 할 문제점이 있어서 광범위하게 실생활에는 적용하지는 못하고 있다. 그중 가장 먼저 해결해야 할 것은 저장 문제이다. 원료로 쓰이는 수소는 가연성이 있고 가스 상태에서는 밀도가 낮아 용도에 맞도록 저장하기가 어렵다. 압력이나 온도를 극한으로 변화시켜 액체로 저장하기에는 많은 비용이 든다. 현재 저장을 용이하게 하기 위한 연구가 적극적으로 진행되어 금속이나 탄소 등에 흡착시키는 신기술이 개발되고 있는데, 실생활에 적응시키기 위해서는 검증된 연구를 서둘러야 할 것이다. 두 번째 어려움은 연료전지에 사용하는 촉매가 (ⓐ) 금속이라는 것인데, 일정 시간 사용 후에는 교체해 주어야 하므로 전기를 생산하는 가격이 (ⓑ) 되어 경쟁성을 (ⓒ) 된다.

앞에서 설명한 바와 같이 수소생산효소는 미생물 내에서 연료전지와 같은 메커니즘을 갖고 있다. 즉, 수소(H2) ↔ 2 양성자(H+) + 2 전자(e-)와 같은 반응을 가능하게 한다. 그러나 자연계 미생물에서는 인간이 만든 연료전지가 가진 어려움 없이 가동되고 있다. 즉, 자연계 수소생산 미생물은 세포 내에 수소를 저장하지 않는다. 만드는 즉시 에너지원으로 써 버린다. 다시 말하자면 수소는 좋은 연료이지만 다른 형태로 저장되지는 않는다는 것이다. 또한 자연계 수소생산 미생물은 사람이 만든 연료전지에서 쓰는 값비싼 백금을 촉매로 사용하지 않고 철, 니켈과 같은 금속을 코펙터(cofactor)로 사용하여 효소 작용을 돕는다. 그 작용은 보다 복잡하고 세련된 형태로 인간의 기술이 아직은 따라 갈 수 없는 수준으로 진화되어 있다. 사람이 만든 연료전지와 유사한 기능을 갖는 자연계 미생물의 수소생산효소 시스템을 보며 자연의 경이로움을 배우게 된다.

46 이 글의 내용과 일치하지 <u>않는</u> 것은?

① 수소연료전지는 약 2세기 전부터 알려진 기술이다.

② 수소연료전지는 소규모에서 대규모 시설에까지 적용 가능하다.

③ 수소연료전지의 촉매가 값비싸고 교체를 해야 하므로 전기를 생산하는 가격이 높아진다.

④ 수소는 가연성이고 밀도가 낮아 용도에 맞게 저장하기 위한 비용이 많이 든다는 단점이 있다.

⑤ 수소연료전지는 화석 연료나 원자력 발전에 의한 오염 문제를 완전하게 해결하지는 못한다는 한계가 있다.

47 윗글을 읽고 〈보기〉에 대해 보인 반응으로 적절하지 않은 것은?

보기

한국과학기술연구원(KIST) 강릉분원과 연세대 연구팀은 26일 호수와 늪에서 쉽게 찾을 수 있는 광합성 미생물인 미세조류에서 수소생산효소를 발견했다고 밝혔다.

이번에 발견된 미세조류는 국내에서 쉽게 확보할 수 있는 종으로 응용에 유리하다는 점에서 수소화 효소 유전자 규명 등 후속 연구에 활기가 예상된다.

KIST 강릉분원은 또 영동화력발전처에서 배출되는 이산화탄소를 먹이로 하는 미세조류를 배양하고, 이를 바이오 에너지로 활용하는 실증연구 등에도 나설 계획이다.

① 수소생산효소는 오염이 발생하지 않는 에너지로 적극적인 연구를 하고 있군.
② 수소생산효소는 수소연료전지에 비해 경제적인 에너지 생산 시스템이 되겠군.
③ 자연물에서 수소생산효소를 발견하고 실증연구를 거듭한다면 자원 위기를 이겨 낼 수 있겠군.
④ 〈보기〉에서 발견한 미세조류의 수소생산효소가 수소를 저장하는 양이 이번 연구의 관건이 되겠군.
⑤ 〈보기〉와 같이 수소화 효소를 쉽게 확보할 수 있다면 수소생산효소를 통한 에너지 생산에 큰 도움이 되겠어.

48 ⓐ~ⓒ에 들어갈 말로 적절한 것은?

	ⓐ	ⓑ	ⓒ
①	값비싼	높아지게	떨어뜨리게
②	값비싼	낮아지게	높아지게
③	값싼	높아지게	떨어뜨리게
④	값싼	낮아지게	높아지게
⑤	값싼	높아지게	높아지게

[49~51] 다음 글을 읽고 물음에 답하시오.

선거 기간 중 정당과 후보자는 다양한 방법을 이용하여 그 주장을 유권자에게 최대한 소구(訴求)한다. 이 선거 운동에 관한 연구에는 주로 방법과 효과의 각각에 주목한 두 종류가 있다.

선거 운동의 방법은 종래의 노동 집약형인 호별 방문, 후원회 등에서 자본 집약형의 TV 광고, 여론 조사로 발전하고 있다. 당원의 활동보다 전문적인 지식이 요구되는 선거 운동이 당내 집권화로 이어지는 경향은 대부분의 국가에서 볼 수 있다. 그리고 또한 선진국 공통의 고민은 선거 운동이 급속하게 돈을 뿌리고 있다는 것에 있다.

TV를 중심으로 한 선거 운동의 시대가 되었기 때문에 당원 등에 의한 노동 집약형 운동은 이미 효과가 없다는 설에 대해서는 다수의 연구가 이루어졌다. 그 결론은 확실하다. 즉, 선거구별 선거 운동도 무시할 수 없는 효과가 있다.

가장 기본적인 의문은 각 정당이 선거 운동에 능숙해져 서로 유사한 방법을 사용하게 되면 결국 선거 운동이 선거 결과에 별다른 영향을 미치지 않는 것은 아닐까 하는 것이다. 만일 그렇다면 선거는 돈을 뿌려도 효과가 없는 연극에 불과한 것이라고 생각할 수도 있다. 확실히 선거 운동을 잘하느냐 못하느냐의 원인으로 승패가 좌우되었던 정당은 적다. 그러나 선거 운동이 의미가 없다는 것은 아니다. 선거 결과를 좌우하지는 않을지라도 선거 운동에는 적어도 두 가지의 중요한 기능이 있다.

그 하나는 교육 기능이다. 유권자는 일반적으로 정치에 관심이 별로 없으며 가지고 있는 정보의 양도 적다. 그 상태에서는 합리적인 투표 행동을 할 수 없다. 그러한 유권자에게 선거 운동은 무리하게라도 정치에 대해 공부하도록 하는 기능을 한다. 선거 운동이 활발하면 할수록 유권자가 얻을 수 있는 정보의 양이 많아져 합리적인 투표 행동을 하게 된다. 예를 들면 유권자의 경제 정보는 선거 기간 중에 많아져 선거 직후에 가장 많아졌다가 그 후 1년 이내에 원래의 상태로 돌아온다는 경향을 보인다.

다른 하나의 기능은 투표율을 높이는 것이

다. 선거 운동에서 유권자 1명당 소요된 자금은 투표율과 강한 상관관계가 있다. 그 이유로서 두 가지 설이 있다. 하나는 정보설이다. 즉, 선거 운동이 활발해지면 유권자가 얻을 수 있는 정보량이 풍부해져 관심이 생겨난다. 그리고 관심이 있는 유권자는 투표한다고 생각된다. 다른 하나는 동원설이다. 많은 유권자는 선거에 별로 관심이 없지만 투표하는 비용이 저렴하다. 따라서 정당이나 후보자에게 의뢰를 받으면 투표한다. 따라서 선거 운동을 열심히 하면 의뢰를 받을 확률이 높아지기 때문에 투표율이 올라갈 것으로 생각한다.

49 윗글의 서술 방식으로 적절하지 않은 것은?

① 대상을 일정한 기준으로 분류하고 있다.
② 예상되는 독자의 질문에 대한 의견을 서술하고 있다.
③ 구체적인 예를 들어 독자들이 이해하기 쉽게 하고 있다.
④ 사회적 행위의 효과를 분석하여 그것을 이론화하고 있다.
⑤ 사회적 행위의 시간의 흐름에 따른 변화를 서술하고 있다.

50 윗글을 참고할 때, 선거 운동의 유형이 다른 것은?

① 길거리에서 지나가는 시민들을 만나 인사를 한다.
② 집집마다 설문조사 전화를 걸어 특정 후보의 선택을 유도한다.
③ 특정 정당의 유니폼을 입은 가수가 광장에서 미니 콘서트를 한다.
④ 후보들마다 영향력 있는 시간대에 광고를 하기 위해 경쟁이 치열하다.
⑤ 연예인들이 선거용 투표 도장 무늬가 새겨진 티셔츠를 입고 투표를 하자는 광고를 한다.

51 선거 운동에 대한 이해로 적절하지 않은 것은?

① 선거 운동에 승패가 좌우되는 정당은 많지 않다.
② 점차 후보자가 속한 정당이 주체가 되는 선거 운동이 펼쳐지고 있다.
③ 선거를 통해 정보를 접한 유권자는 지속적으로 정치에 관심을 갖게 된다.
④ 선거에 참여할 의지가 없던 사람이 선거 운동을 통해 다양한 정책과 정치 상황을 알게 되어 투표에 참여할 수 있다.
⑤ 선거에 관심은 없지만 선거 운동을 통해 의뢰를 받아 투표를 하는 유권자가 많다면 진정한 유권자의 선택이라고 할 수는 없다.

[52~54] 다음 글을 읽고 물음에 답하시오.

훈민정음은 크게 '예의'와 '해례'로 나누어져 있다. 예의는 세종이 직접 지었는데 한글을 만든 이유와 한글의 사용법을 간략하게 설명한 글이다. 해례는 성삼문, 박팽년 등 세종을 보필하며 한글을 만들었던 집현전 학자들이 한글의 자음과 모음을 만든 원리와 용법을 상세하게 설명한 글이다. 우리가 국어 시간에 배웠던 "나라 말이 중국과 달라……"로 시작되는 문장은 예의의 첫머리에 있는 한문으로 된 서문을 우리말로 바꾸어 놓은 것이다. 흔히 『훈민정음 언해본』이라 부른다.

서문을 포함한 예의 부분은 무척 간략해 『세종실록』과 『월인석보』 등에도 실려 있어 전해져 왔지만, 한글 창제 원리가 밝혀져 있는 해례는 전혀 알려져 있지 않았다. 그런데 예의와 해례가 모두 실려 있는 훈민정음 정본이 1940년에야 발견되었다. 그것이 이 『훈민정음 해례본』이다. 드디어 해례의 실체가 모습을 드러낸 것이다. 이 『훈민정음 해례본』이 대중에게, 그리고 한글학회 간부들에게 공개된 것은 해방 후에 이르러서였다.

한글 학자들도 해례본이 없었기 때문에 창제의 원리를 추측할 수밖에 없었다. 그래서 고대 글자 모방설, 고전(古篆) 기원설, 범자(梵字) 기원설, 몽골 문자 기원설, 심지어는 화장실 창살 모양의 기원설까지 의견이 분분했다. 이런 것들은 일제 강점기의 일본 어용학자들의 주장이었다.

간송 전형필 선생은 1940년대 초기에 이미 우리나라를 넘어 동북아시아에 이름이 알려진 대수장가였다. 간송은 김태준이라는 당시의 가장 영향력 있는 사회주의 국문학자로부터 해례본의 실존 소식을 접한다. 당시 일제는 조선에서 발생하는 민족주의와 사회주의를 타파해야 할 대상으로 인식했다. 『훈민정음 해례본』의 발견은 일제로서는 있어서는 안 되는 사건이었다. 더군다나 간송은 문화적 민족주의의 대명사였고 김태준 역시 일제로서는 위험하기 그지없는 사회주의자였다. 이 둘이 만난다는 것은 너무 눈에 띄는 일이었다. 그럼에도 불구하고 간송은 위험을 무릅쓰고 『훈민정음 해례본』을 찾는 데 사활을 걸었다.

눈물겨운 노력으로 『훈민정음 해례본』의 실체가 간송의 품으로 왔으며 비밀리에 지켜 오다 해방 후 조선어학회 간부들을 불러 한글 연구를 위해 영인본을 만들며 세상에 공개된다. 이 실체는 우리의 언어가 인체 발음 기관을 상형화한 사실을 정확히 알려 주었다. 백성을 위해서 기획적으로 언어를 창제한 인류 역사상 최초의 일이며, 특히 ㉠발음 기관을 본떠 만든 최초의 언어로 기록된다. 언어가 그 ㉡만든 목적과 유래, 사용법, 그리고 ㉢창제의 세계관을 동시에 밝히면서 제작된 인류 역사상 유일무이한 진기록으로 남게 되었다. 1962년 12월 해례본은 국보 제70호로 지정된다. 그리고 1997년 10월 유네스코 세계 기록 유산으로 등재된다.

52 **윗글에서 알 수 있는 언어의 가치로 적절한 것은?**

① 언어는 작은 우주이다.

② 언어는 그 나라의 정신이다.

③ 언어는 인류 발전의 열쇠이다.

④ 언어를 통해 인간의 사회화가 이루어진다.

⑤ 언어는 의사소통의 가장 중요한 수단이다.

53 **㉠~㉢에 해당하는 설명으로 적절하지 않은 것은?**

① ㉠: 'ㄱ'은 혀뿌리가 목구멍을 막는 모양을 본뜬 것이다.

② ㉠: 'ㅁ'은 입술을 본뜬 것이다.

③ ㉡: 문자 생활의 보편화를 위한 것이다.

④ ㉢: 익히고 활용하기 쉬운 글자를 창제한 것으로 보아 실용주의를 엿볼 수 있다.

⑤ ㉢: 신분에 상관없이 모두 문자를 익힐 수 있도록 한 것으로 보아 만민 평등사상을 엿볼 수 있다.

54 **윗글의 내용과 일치하지 않는 것은?**

① 예의는 왕이 작성하고, 해례는 신하들이 작성하였다.

② 전형필보다 김태준이 먼저 해례본의 실존 사실을 알았다.

③ 훈민정음 해례본은 1940년에 한글 학자들에게 먼저 공개되었다.

④ 예의와 해례를 통해 한글을 만든 이유와 사용법, 자음과 모음의 원리 등을 알 수 있다.

⑤ 한글의 기원에 대한 일본의 주장에 적극 대응할 수 없었던 것은 해례본이 없었기 때문이다.

[55~57] 다음 글을 읽고 물음에 답하시오.

훗날 문성현이 어른이 되어서 자신의 기억을 더듬어 올라갔을 때, 가장 어린 날의 광경은 막냇동생 승현의 돌날이었으니 그가 여덟 살이 되었을 때였다. 그때 그는 방 안에 혼자 누워 있었다. 힘겹게 주위를 둘러보았다. 아무도 곁에 없었다. 얼마나 울어 젖혔는지 목이 잔뜩 쉬어 있었다. 사람들은 모두 문 저쪽에 모여 들떠들고 있었다.

"뭘 잡나 보자고. 돈을 잡아 재벌이 되려나, 책을 잡아 학자가 되려나."

"잡는다, 잡아……, 아따따, 활이다 활! 큰 장군이 될라. 좋지 좋아."

사람들의 웃음소리가 왁자하게 들려왔다. 성현은 계속하여 울려고 했다. 그런데 갑자기 울 수가 없었다. 여느 때 같으면 그는 누군가가 나타날 때까지 마구 몸부림을 치며 울었을 것이다. 아무도 자신처럼 번장대며 울지 않는다는 것을 그는 그 순간에 깨달았다. 자신은 다른 이와 너무나 달랐다. 다른 사람들은 말을 사용했다. 그러나 그는 그렇지 못했다.

그날부터 그는 죽은 듯이 조용해졌다. 절대로 울지 않았다. 불가피한 경우를 제외하고는 소리도 지르지 않았다. 그는 말을 잘하지 못했다. 말을 하려 해도 입이 따라 주지 않았다. 답답했다. 그러나 다시는 고함치며 울지 않았다. 자신의 울음소리는 그 누구에게보다도 스스로에게 너무나 끔찍하고 지겨웠다. 그는 벙어리처럼 행동했다. 배가 고파도, 대소변으로 아랫도리를 적셔도 그는 짜증을 내거나 화내지 않았다. 다른 이가 방에 들어올 때까지 그는 다만 참고 견뎌 내었다. 그때부터 그는 슬펐다. 울음을 몸 밖으로 터뜨리지 않으니 몸 안에 눈물이 고였다.

훗날 문성현이 어른이 되어서까지 그의 이부자리 밑에 간직하고 있던 ⓐ<u>장난감 활</u>은 바로 막냇동생 승현의 돌상에 돌잡이로 올렸던 물건이었다. 댓개비를 다듬어 노끈으로 묶은 장난감 활은 그의 어린 시절 희망의 상징이었다. 일부러 누가 그에게 가져다주지는 않았다. 방구석에 놓인 활을 보고 그가 몸을 뒤치어 자신의 요 밑에 집어넣었던 것이다. 우현이 나이가 여섯 살이었으니 아마도 어른들을 피해 성현이 있는 건넌방에 가지고 와서 놀다가 무심코 놓고 갔음이 분명했다.

아따따, 활이다 활! 큰 장군이 될라. 그 작고 조잡한 활에는 사람들의 덕담이 묻어 있었다. 그는 몇 번이고 되풀이했다. 하아, 하, 화, 화아아알, 화아알, 활. 조용해지고부터, 체머리를 흔들지 않고부터, 입을 다물고부터 그는 ⓑ<u>텔레비전</u>을 보기 시작했다. 그 속에는 산과 들, 밀림이 있었다. 몸집이 큰 코끼리, 기린, 갖가지 색깔의 크고 작은 새들이 있었다. 먼 나라에는 이상한 풍습을 가진 이상한 사람들이 있었다. 세상은 볼수록 흥미진진한 것들로 가득 차 있었다. 다른 이처럼 앉지도 서지도 걸어 다닐 수도 없는 그에게는 텔레비전을 통해 보는 다른 이들의 삶이 한편으로는 가슴 떨리는 열망이었으나 또 한편으로는 부숴 버리고 싶은 안타까움이기도 했다.

– 윤영수, 〈착한 사람 문성현〉

55 윗글에 대한 설명으로 가장 적절한 것은?

① 하나의 소재와 관련된 다양한 이야기가 병렬적으로 제시되고 있다.

② 인물 간의 갈등을 통해 주인공의 새로운 면모가 드러난다.

③ 작품 속 인물이 주인공을 관찰하고 자신이 본 느낌을 담담하게 풀어낸다.

④ 인물의 성격을 행동과 대화를 통해 간접적으로 드러내고 있다.

⑤ 작품 밖 서술자가 인물과 사건에 대한 이야기를 담담하게 전달하고 있다.

56 〈보기〉와 이 글을 비교하여 감상한 내용으로 적절하지 않은 것은?

보 기

나는
나는
죽어서
파랑새 되어

푸른 하늘
푸른 들
날아다니며

푸른 노래
푸른 울음
울어 예으리.

나는
나는
죽어서
파랑새 되리.

– 한하운, 〈파랑새〉

① 〈보기〉의 '나'와 이 글의 '성현' 모두 자유로운 존재가 되고자 한다.
② 〈보기〉의 '나'와 이 글의 '성현'은 자신이 처한 현실 상황을 부정적으로 여기고 있다.
③ 이 글의 '성현'과 달리 〈보기〉의 '나'는 현실을 극복하기 위해 많은 노력을 기울이고 있다.
④ 〈보기〉의 '나'와 달리 이 글의 '성현'은 현실에서 소망을 실현할 수 있는 매개체를 찾았다.
⑤ 〈보기〉의 '나'는 '파랑새'가 되고 싶은 소망을, 이 글의 '성현'은 '말을 타고 들판을 가로질러 활시위를 당길 것'에 대한 소망을 드러내고 있다.

57 ⓐ와 ⓑ가 의미하는 것으로 알맞게 짝지어진 것은?

① ⓐ: 어린 시절 성현의 희망
ⓑ: 성현이 세상을 보는 통로
② ⓐ: 승현에 대한 성현의 질투
ⓑ: 성현이 세상과 만나는 통로
③ ⓐ: 현실적으로 불가능한 이상적 삶
ⓑ: 이상적으로 꿈꾸는 삶의 환영
④ ⓐ: 현실에 대한 불만을 투영한 무기
ⓑ: 무기력한 현실을 이겨 내는 도구
⑤ ⓐ: 중증 장애인인 성현과 가족들 간의 괴리감
ⓑ: 중증 장애인인 성현의 고립된 삶

2교시 **수준 & 실력점검** 모의고사 제한 시간: 70분

홈페이지(book.eduwill.net)에서 듣기 MP3 파일을 무료로 다운받으세요.

정답 P 37

❖ 1번부터 4번까지는 문제와 선택지를 듣고 푸는 문항입니다. 잘 듣고 물음에 답하시오.

1

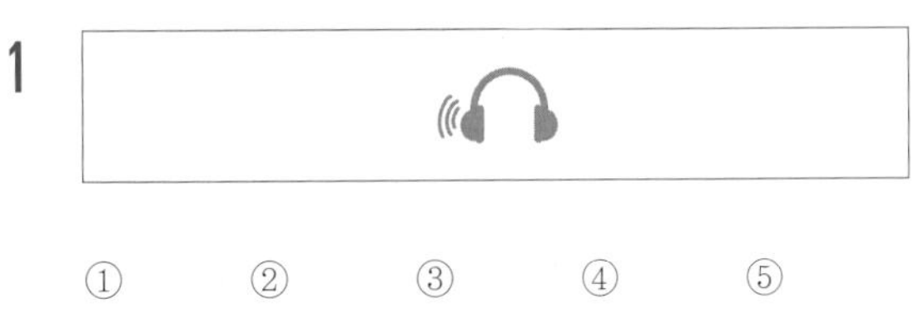

① ② ③ ④ ⑤

2

① ② ③ ④ ⑤

3

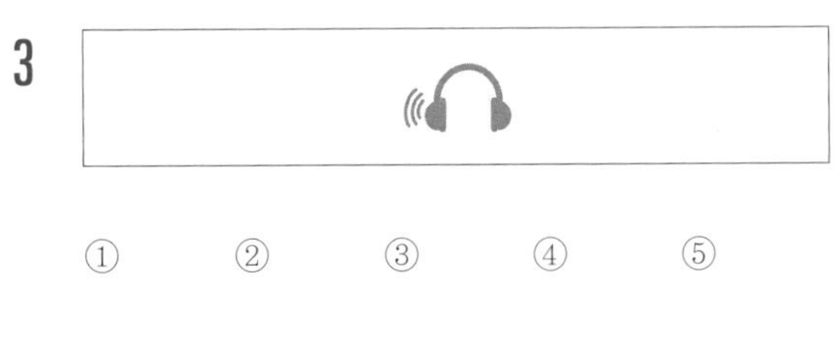

① ② ③ ④ ⑤

4

① ② ③ ④ ⑤

❖ 5번부터 13번까지는 내용을 들은 후, 시험지에 인쇄된 문제와 선택지를 보고 푸는 문항입니다. 잘 듣고 물음에 답하시오.

5 **'기업이 직원의 SNS를 확인하는 것'에 대한 두 사람의 입장으로 적절하지 않은 것은 무엇입니까?**

① 여자는 SNS 공간이 이미 공개된 곳이므로 기업에서 확인하는 것에 무리가 없다고 주장하고 있다.

② 남자는 SNS를 통한 직원 감시나 처벌이 과도하여 직원들에게 문제가 생길 가능성을 염려하고 있다.

③ 남자는 기업에서 SNS로 직원을 감시하고 이를 바탕으로 해고하는 것은 매우 부당한 일이라고 비판하고 있다.

④ 여자는 기업이 자신들의 이익 보호를 위해 직원의 SNS를 눈여겨보는 것은 불가피한 처사라고 생각하고 있다.

⑤ 남자는 직원이 SNS를 통해 기업에 손해를 끼치는 경우에 한해 회사에서 해고하는 것은 바람직하다고 생각한다.

6 **강연에 대한 반론으로 가장 적절한 것은?**

① 연예인도 엄연한 국민의 한 사람이므로 자유롭게 자신의 생각을 표현할 수 있다.

② 대중에 많이 알려진 공인은 사회의 문제에 대한 의견을 적극적으로 표명해야만 한다.

③ 대중은 소셜테이너의 목소리에 귀를 기울이지만 옳고 그름은 스스로 판단할 수 있다.

④ 연예인들이 정치와 사회에 대한 관심을 표현하는 것은 청소년에게 귀감이 될 수 있다.

⑤ 연예인이 어떤 정당이나 정책을 지지하는 것은 개인의 판단이므로 비난할 필요가 없다.

7 **강연의 주장과 일치하지 않는 것은?**

① 리플리 증후군의 명칭은 소설에서 유래되었다.
② 열등감과 피해 의식 등을 많이 느끼는 경우 이 증후군에 걸리기 쉽다.
③ 리플리 증후군은 개인의 상습적이고 반복적인 거짓말이 원인이 된다.
④ 리플리 증후군은 게임에 빠진 청소년들에게서도 나타난다.
⑤ 이 질병은 개인의 거짓말과 사기에서 그치지 않고 사회적으로 영향을 미친다.

8 **강연에서 언급한 '위증죄'에 해당되는 경우로 적절한 것은?**

① 유아나 심신이 미약한 자가 재판 중에 잘못된 증언을 하는 것
② 의도적으로 일부 사실을 말하지 않아 증언에 허위를 가하는 것
③ 경찰 수사 단계에서 수사 과정에 심대한 방해를 끼친 위증을 하는 것
④ 증언의 일부에 위증이 있었으나 이를 신문 완료 전에 시정하는 경우
⑤ 자신이 보았던 것을 사실로 착각하여 사실이 아닌 것을 증언하는 경우

9 **강연의 내용과 일치하지 않는 것은?**

① 과거의 기억이 사실이 아닐 수도 있다.
② 인간은 새로운 기억을 만들어 과거의 기억과 바꾼다.
③ 기억은 언제 어떤 상황에서 입력이 되었는지가 중요하다.
④ 인간의 뇌는 과거의 기억을 현재의 자신의 상황에 맞게 수정한다.
⑤ 기억은 뇌의 특정 부위에 있다가 인출될 때 새로운 경험과 개연성을 가지게 된다.

10 **토론의 내용과 일치하는 것은?**

① 임금 피크제는 특정한 기간에 일하는 근로자에게 임금을 더 주는 제도이다.
② 임금 피크제는 장기적으로 볼 때 근로자의 임금이 감소되는 결과를 초래한다.
③ 임금 피크제는 근로자가 받게 될 퇴직금을 정산할 때 이득이 되지 못하는 제도이다.
④ 임금 피크제는 모든 연령을 기준으로 임금을 조정하고 일정 기간의 고용을 보장한다.
⑤ 임금 피크제는 기업이 여유 자금을 형성하여 숙련된 인력을 재고용할 수 있도록 돕는다.

11 **토론에 대한 설명으로 적절하지 않은 것은?**

① 남자는 정년이 늦어지는 현상을 부정적인 시각으로 바라보고 있다.
② 여자는 근로자의 고용 안전성과 회사의 안정적 운영 면에서 임금 피크제를 반기고 있다.
③ 남자는 임금 피크제가 일자리 창출에 긍정적이라는 여자의 발언에 강하게 반박하고 있다.
④ 여자는 임금 피크제의 단점을 일부 인정하지만, 장점이 더 많음을 강조하여 주장하고 있다.
⑤ 남자와 여자 모두 근로자의 계속 고용을 위한 임금 피크제의 필요성에 대해서는 공감하고 있다.

12 **다음 중 방송 뉴스의 내용과 일치하지 않는 것은?**

① ADHD는 아이들에게만 발생하는 것이 아니다.
② ADHD는 나타나는 증상에 따라 세 가지로 분류할 수 있다.
③ ADHD는 눈에 보이는 증상으로 정확하게 유형을 나눌 수 있다.
④ ADHD는 아이들이 어릴 때 많이 발병하며, 방치하지 말고 치료해야 한다.
⑤ ADHD를 치료하기 위해서는 다양한 분야의 치료 방법이 동원되어야 한다.

13 **다음 중 '과잉 활동-충동형 ADHD'의 사례로 볼 수 없는 것은?**

① 손발을 계속하여 꼼지락거리거나 말이 많고 남의 말에 끼어든다.
② 주의를 유지하기 어렵고 과제를 끝까지 수행하기가 어려운 편이다.
③ 자신의 차례를 기다리지 못하고 다른 사람의 활동을 방해하고 간섭한다.
④ 교우 관계에서 난폭함이 드러나고, 자기 제어를 하지 못한다.
⑤ 상황에 맞지 않는 말을 불쑥 꺼내거나 위험한 행동을 서슴없이 저지르기도 한다.

❖ **다음은 주관식 문제입니다. 잘 듣고 물음에 답하시오.**

주관식

1 **강연의 중심 내용을 〈보기〉의 조건에 맞게 쓰시오.**

보기
- 강연자가 전달하는 강연의 중심 내용을 드러낼 것
- 강연 내용의 문장을 그대로 옮겨 적지 않을 것
- 어문 규정을 지켜 한 문장으로 기술할 것

⇨

주관식

2 **강연의 주장을 반대하는 주장과 근거를 〈보기〉의 조건에 맞게 쓰시오.**

보기
- '강연에 제시된 연사의 주장'에 대한 반론을 제시할 것
- 반론에 대한 적절한 근거를 제시할 것
- 어문 규정을 지켜 두 문장으로 작성할 것

⇨

❖ **14번부터는 문제지에 인쇄된 내용을 읽고 푸는 문제입니다. 잘 읽고 물음에 답하시오.**

14 필요한 문장 성분을 갖추어 어법에 맞게 쓴 문장은?

① 신발 한 켤레가 함께 발굴됐다.
② 그녀는 남에게서는 무척 듣기 싫어하였다.
③ 중요한 것은 너무나도 많이 변해 있었다는 것이다.
④ 인간은 환경을 지배하기도 하고, 때로는 환경에 순응하기도 하면서 살아간다.
⑤ 인용은 자신의 표현으로 바꾸어 놓는 표현인데, 인용에는 간접 인용과 직접 인용이 있다.

15 다음 중 어법에 맞지 않는 문장은?

① 모름지기 사회의 약속을 지키는 일은 중요합니다.
② 경쟁력을 높이는 요소 중 중요한 것은 창의력이다.
③ 교육의 충실화에 중점을 두고 새 교육과정을 만들었다.
④ 연예인을 보니 그렇게 웃음이 날 정도로 기분이 좋던?
⑤ 외국인과 더 많이 소통할 수 있도록 정책을 시행하고 있다.

16 다음 중 어법에 맞지 않는 문장은?

① 빙하가 곧 없어질 것으로 예측된다.
② 제 이야기를 들어 봐 주시기 바랍니다.
③ 비속어의 과도한 사용을 삼가해야 한다.
④ 제가 그 잉어를 직접 봤는데 굉장히 크데요.
⑤ 그녀는 비가 오는 날마다 강우량을 확인한다.

17 문장 성분 간의 호응이 적절한 것은?

① 덕수는 선수라서 공을 잘 찬다.
② 도서관을 가기 위해 막 집을 나섰다.
③ 그녀도 사람이기에 감정이 이끌렸다.
④ 오늘도 변함없이 운동할 생각을 마음먹었다.
⑤ 안내서의 교부는 신청자에 한하여 교부합니다.

18 다음 중 조사의 쓰임이 적절한 문장은?

① 그 일은 담당자에게 상의하십시오.
② 우리 학교의 대표 선수인 영수는 선수치고 체력이 강하다.
③ 그는 어제 술이 취해서 집에 어떻게 갔는지 모른다고 했다.
④ 그에 대해 연구한 논문과 책으로만 보아도 수천 권에 달한다.
⑤ 시민 단체는 일본 정부에 위안부 문제에 대한 사과를 요구했다.

19 〈보기〉의 자료를 활용하여 '청소년 건강'이란 주제로 글을 쓰려고 한다. 토의한 내용으로 적절하지 않은 것은?

보기

(가) 인터뷰 내용

소아청소년기 비만은 성인 비만으로 이어질 확률이 80%나 됩니다. 성인 비만의 경우는 지방 세포가 커지기만 하지만, 소아청소년기의 비만은 세포의 수가 늘고 크기가 커져 문제가 심각해질 수 있습니다.

– ○○병원 소아청소년과 의사

(나) 통계 자료

1. 부모로부터 패스트푸드를 먹지 말라는 충고를 듣는 정도(2017년)

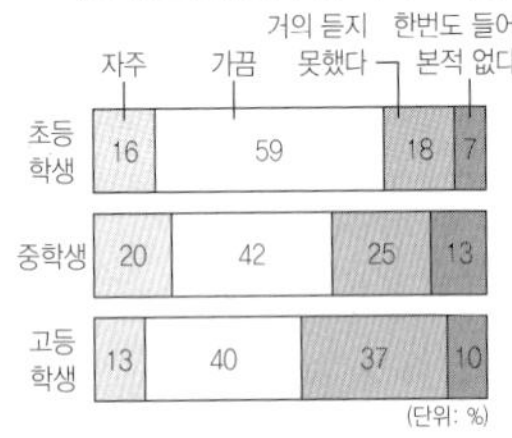

2. 청소년의 비만율

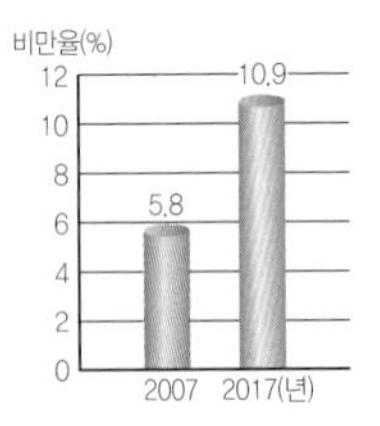

3. 청소년의 여가 활동(2017년) (단위: %)

여행	1
컴퓨터 게임 및 인터넷	27
TV 시청	26
영화 관람	4
스포츠 활동	5
자기 계발	14
휴식	13
사교 활동	10

(다) 언론 보도

청소년이 비만의 주요인인 패스트푸드를 주 1회 이상 섭취하는 비율이 2005년 70%에서 2010년 68%, 2015년 64%, 2017년 51%로 조금씩 감소하고 있는 것으로 나타났다. 이러한 감소세는 2010년부터 학교 내 패스트푸드 판매를 금지한 데 따른 효과인 것으로 분석되는데, 앞으로 청소년 비만율을 떨어뜨리는 데 도움이 될 것으로 기대된다. 이에 교육과학기술부에서는 청소년 비만 예방 조치를 더 강화하기로 하였다.

– ○○ 신문

① (다)를 활용하여, 교육 당국의 적극적인 조치가 청소년 비만을 예방하고 감소시키는 데 효과적일 수 있음을 제시한다.

② (가)와 (나)–2를 활용하여, 성인 비만으로 이어질 수 있는 청소년 비만이 증가 추세에 있음을 지적하며 심각성을 환기한다.

③ (나)–2와 (나)–3을 활용하여, 청소년 비만이 증가하는 원인의 하나로 활동적인 여가 활동이 많이 부족하다는 점을 지적한다.

④ (나)–1과 (나)–3을 활용하여, 부모가 자녀의 패스트푸드 섭취에 대해 점차 무관심해짐에 따라 청소년 비만율도 증가하고 있음을 밝힌다.

⑤ (나)–1과 (다)를 활용하여, 청소년의 패스트푸드 섭취에 대한 관심이 학교와 달리 가정에서 부족함을 지적하면서 가정의 관심과 지도가 필요함을 강조한다.

[20~주관식3] 다음 자료를 바탕으로 물음에 답하시오.

[자료1] 자동차 공회전의 원인

(단위: %)

엔진 보호를 위해서	48
냉난방을 위해서	28
습관적으로	12
연료 절감을 위해서	7
기타	5

[자료2] 인터뷰 내용

자동차 공회전 상태를 1분 이상 줄이면 국가당 연간 6억 3000ℓ의 휘발유를 절약할 수 있고, 이산화탄소를 연간 140만t 줄일 수 있습니다. 실제로 우리가 운전 중 공회전 시간을 5분 줄이면 약 4㎞를 더 운행할 수 있으며 연간 17만 원의 연료비 절감 효과를 볼 수 있습니다. 통념적으로 공회전을 하는 것이 엔진에 좋고, 시동을 껐다 켜는 것보다 에너지 절감에 효과가 있다고 생각하는데, 이는 잘못된 상식입니다.

또한 겨울철에는 특히 운전 전에 반드시 예열을 해야 한다고 알려져 있지만, 1987년 이후 출시된 차량들의 경우 약 30초 정도의 공회전으로도 운행하는 데에는 충분합니다.

[자료3] 신문기사

대기환경보전법 제59조 제3항의 규정에 따라 자동차 공회전 제한 지역에서 5분 이상 공회전을 하는 경우 50만 원 이하의 과태료가 부과되지만, 집중적으로 감시를 하고 있지 않기 때문에 단속이 제대로 이루어지지 않는 실정이다. 그러나 이달부터 서울시에서 자동차 공회전 금지 위반 시 과태료를 5만 원 부과하며, 환경에 민감한 어린이들의 건강 보호를 위해 학교 환경 위생 정화 구역(학교 반경 200m)을 자동차 공회전 제한 구역으로 추가 지정하면서 공회전 제한 구역 내에서의 위반 행위를 집중 단속하기로 했다.

20 **'자동차 공회전의 효과적인 억제 방안'에 관한 글을 쓰고자 할 때, [자료1]~[자료3]의 내용을 모두 고려하여 이끌어 낼 수 있는 논지로 가장 적절한 것은?**

① 자동차 공회전은 환경 오염의 주범이므로 위법 사항에 대한 처벌을 강화해야 한다.

② 자동차 공회전을 할 경우, 국가적 · 사회적으로 경제적 손실이 큰 만큼 운전자들은 자동차 공회전 금지를 생활화해야 한다.

③ 자동차 공회전으로 인한 문제점을 최소화하기 위해서는 운전자의 인식을 개선하고 관련 법규를 엄격히 적용하는 방안이 필요하다.

④ 자동차 공회전 금지 위반 행위에 대한 단속이 허술하여 운전자들이 주의를 기울이지 않는 것이므로 단속을 강화하는 법규를 마련해야 한다.

⑤ 자동차 공회전을 하지 않으면 자동차 엔진에도 좋고, 에너지 절감 효과도 있다는 것을 적극 홍보하여 운전자들의 자발적인 참여를 도와야 한다.

주관식

3 **위에 제시된 [자료1]과 [자료2]를 고려하여 쓴 글의 결론 부분이다. 빈칸에 들어갈 중심 문장을 조건에 맞게 쓰시오.**

> 그러나 한 연구 결과에 따르면, 공회전 상태를 1분 이상 줄이면 국가당 연간 6억 3000ℓ의 휘발유를 절약할 수 있고, 이산화탄소를 연간 140만t 줄일 수 있다. 이렇게 되면 지구온난화도 조금이나마 늦출 수 있다. 따라서 자동차 공회전을 줄이면, ____________________.

조 건

- '자동차 공회전을 줄이면'에 자연스럽게 이어지도록 쓸 것
- 한자성어나 속담을 적절하게 활용할 것
- 30자 내외의 한 문장으로 쓸 것

⇨ ____________________

21 **'장애인 고용 문제'에 관한 글을 쓰기 위해 〈보기〉와 같이 개요를 작성했을 때, 이를 수정하기 위한 의견으로 적절하지 않은 것은?**

보 기

Ⅰ. **서론** : 장애인 고용의 문제점 ········ ㉠
1. 공공 부문과 민간 부문의 장애인 고용 비율
2. 장애인 고용의 감소 추세 및 실태

Ⅱ. **본론**
1. 장애인 고용이 활성화되지 않는 원인
　가. 장애인 의무 고용 정책 ········ ㉡
　나. 장애인 고용에 대한 사업주들의 부정적 인식
　다. 장애인의 직무 수행 능력 개발에 대한 사회적 지원 미흡
2. 장애인 고용을 촉진하기 위한 방안 ········ ㉢
　가. 장애인 고용을 촉진하기 위한 법적 장치 보완
　나. 장애인에 대한 사업주들의 인식 개선을 위한 교육 및 홍보 활동 강화
　다. 장애인의 삶의 수준 향상 ········ ㉣

Ⅲ. **결론** : 장애인 고용 촉진의 효과 및 의의
1. 사회적 약자를 배려하는 공동체 문화 형성
2. 장애인에 대한 고용 차별 철폐를 위한 범사회적 실천 촉구 ········ ㉤

① ㉠은 하위 항목과 어울리지 않으므로 '장애인 고용의 현황'으로 수정하자.
② ㉡은 의미가 분명하게 전달되지 않으므로 '장애인 의무 고용 정책의 필요성에 대한 여론 환기'로 구체화하자.
③ ㉢에 'Ⅱ-1'의 하위 항목과 대응되는 내용이 누락되어 있으므로 '장애인을 위한 직업 교육 기관 확충'이란 하위 항목을 추가하자.
④ ㉣은 'Ⅱ-2'보다 'Ⅲ'의 하위 항목으로 적절하므로 'Ⅲ'의 하위 항목이 되도록 이동시키자.
⑤ ㉤은 'Ⅲ'에 해당하지 않는 내용을 담고 있으므로 삭제하자.

주관식

4 다음은 산행을 한 후 쓴 기행문의 초고이다. ㉮에 들어갈 내용을 〈보기〉의 조건에 맞춰 쓰시오.

> 우리 등산 모임은 지난달 초에 사패산을 찾았다. 사패산은 경기도 의정부에서 양주에 걸쳐 있고, 해발 552m로 그리 높지 않아 어렵지 않게 오를 수 있다. 사패산에는 얽힌 역사도 꽤 많은 편이다. 사패산은 조선 선조의 여섯째 딸인 정휘 옹주가 시집갈 때 선조가 하사했다고 해서 붙은 이름이라고 한다. 사패산은 오르려는 사람을 다 품어 주듯 자태가 부드럽다. 또한 높지 않으면서도 사방이 트여 있어 수려한 주변 산들을 두루 조망(眺望)할 수 있는 개성이 돋보인다. 동쪽으로 수락산, 서남쪽으로는 도봉산이 눈앞이다. 남쪽으로는 북한산의 세 봉우리가 뚜렷하다. 이처럼 부드러운 자태와 돋보이는 개성이 있어 사패산은 상당히 매력이 넘치는 산이다. 사람에게 인격이 있듯이 산에도 품격이란 것이 있다. ______㉮______

보기
- 여행에서 느낀 주관적 감상을 담을 것
- '의인법'을 사용할 것
- 독자에게 등산을 권유하는 내용이 우회적으로 드러나게 할 것

⇨

22 다음 중 주제 문장과 뒷받침 문장이 가장 긴밀하게 연결된 것은?

① 대부분의 어른들은 이른바 신세대를 못마땅하게 여긴다. 요즘 아이들은 버릇이 없다, 어른을 우습게 안다, 도덕 관념이 부족하다는 등 불평을 하면서도 그 원인을 알아보려는 노력은 하지 않는다.

② 사회가 아주 단순했던 원시 시대에는 인간은 물물 교환을 통해 생활했다. 화폐를 매개로 한 교환 방식이 언제부터 정착되었는지는 분명치 않지만, 물물 교환 방식의 한계를 깨달으면서부터가 아닌가 한다.

③ 중소기업을 육성하여 활성화시키지 못하면 전체 경제에도 나쁜 영향을 미치게 된다. 중소기업과 대기업의 불균형 심화로 인해 건전한 산업 구조의 육성이 지연되고, 국가 경제의 대외 경쟁력 또한 크게 저하된다.

④ 의료 기술의 발달은 긍정적 측면과 부정적 측면을 동시에 지니고 있다. 의료 기술이 발달함에 따라 과거에는 불치병으로 치부되었던 각종 질병들이 정복되어 인간의 수명이 길어지게 되었다. 또한 치료 기술의 발달 덕분에 환자가 고통을 덜 받으면서 치료 행위를 계속해 나갈 수 있게 되었다.

⑤ 진정한 민주주의의 공고화는 참여와 대의의 효율적인 결합을 통해 가능하다. 하지만 지금 우리 사회는 참여와 대의가 격렬하리만큼 충돌하고 있는 양상이다. 헌정 사상 초유의 '탄핵'과 '탄핵 후폭풍'은 참여와 대의의 충돌을 단적으로 보여 준 사례였다. 그래서 혹자는 대의의 위기를 말하고, 또 다른 혹자는 참여의 과잉을 주장한다.

주관식

5 다음의 우화를 활용하여 '우리 사회의 바람직한 인간관계'에 대한 글을 작성하고자 할 때, 〈보기〉의 조건에 맞게 주제문을 쓰시오.

> 고슴도치들은 한겨울 추위를 견디기 위해 서로 가까이 붙어 앉아 서로의 온기를 느끼려고 했다. 그러나 날카로운 가시가 서로의 몸을 마구 할퀴었고 결국 떨어져 앉을 수밖에 없었다. 떨어져 있으면 춥고, 붙어 앉으면 따뜻하지만 따가워 어찌할 바를 몰랐다. 그러다가 마침내 서로의 온기를 나누면서도 서로에게 상처를 내지 않을 정도의 최소한의 간격을 찾아냈다.

보기

- 우화의 내용을 토대로 한 '유추'의 방법을 사용할 것
- 어문 규정을 지켜 하나의 완결된 문장으로 작성할 것

⇨

23 다음을 읽고 ㉠~㉤을 고쳐 쓰기 위한 방안으로 적절하지 않은 것은?

> 슈퍼마켓에서 파는 농산물을 보면 오른쪽 그림과 같은 표시를 볼 수 있다. 이 표시는 친환경 농산물 인증 표시 제도에 의한 것인데, 이들이 어떤 차이가 있는지 잘 모른 채 친환경 농산물을 구입하거나 먹는 사람들이 많다.
>
> 친환경 농산물 인증 표시 제도의 도입은 환경 보전과 건강에 대한 사회적 관심이 높아진 데 따른 것이다. 친환경 농산물 소비가 계속 늘고 있는 데 비해 친환경 농산물에 대한 소비자들의 인식은 '농약이나 화학 비료를 적게 사용한 농산물' 정도에 그치고 있다. 이는 소비자들이 친환경 농산물 인증 표시의 종류와 분류 기준에 대해서 잘 모르기 때문이다. 친환경 농산물 인증 표시에는 어떤 종류가 있으며 분류 기준은 무엇일까?
>
> 친환경 농산물과 일반 농산물은 외관상 차이가 없기 때문에 친환경 농산물에 인증 표시가 ㉠부착할 수 있도록 하고 있다. 이 인증 표시는 세 가지로 ㉡나뉘어진다. 유기농 인증 표시는 유기 합성 농약과 화학 비료를 사용하지 않고 생산된 농산물임을 뜻한다. ㉢그러나 무농약 인증 표시는 유기 합성 농약을 사용하지 않고 화학 비료는 권장량의 1/3 이하로 사용하여 생산된 농산물을 가리킨다. 마지막으로 저농약 인증 표시는 유기 합성 농약을 농약관리법에 따른 안전 사용 ㉣기준에 1/2 이하로, 화학 비료는 권장량의 1/2 이내에서 사용하되 제초제는 사용하지 않고 생산된 농산물에 붙인다. 단, 저농약 농산물에 대한 신규 인증은 중단되었고 이미 인증을 받은 농산물에 한해 2015년까지만 유효 기간을 연장해 주었다.
>
> 이러한 친환경 농산물 인증 표시의 종류와 분류 기준에 대해 바르게 알고 소비하는 것이 환경 보전과 건강에 대한 관심을 ㉤실감하는 길이다.

① ㉠: 문장 성분의 호응을 고려하여 '부착될'로 고친다.
② ㉡: 피동 표현이 중복되었으므로 '나뉜다'로 고친다.
③ ㉢: 문장의 연결 관계가 어색하므로 '그런데'로 고친다.
④ ㉣: 조사의 사용이 잘못되었으므로 '기준의'로 고친다.
⑤ ㉤: 문맥상 부적절한 단어이므로 '실천하는'으로 고친다.

주관식

6 **다음은 '청소년 봉사 활동의 의의'에 관한 글이다. 글이 자연스럽게 이어질 수 있도록 ㉠에 적절한 문장을 〈보기〉의 조건에 맞게 완성하시오.**

청소년기는 인간의 가치관이 형성되는 중요한 시기이다. 이 시기에 직접 체험하는 봉사 활동을 통하여 자발적 봉사의 가치를 아는 것은 청소년이 건전한 인격을 갖추는 데 일조할 수 있다. 특히 학교와 학원 등으로 바쁜 일상을 보내는 요즈음 청소년에게 봉사 활동은 이웃의 처지를 한 번쯤 돌아보게 하는 따뜻한 마음을 갖게 하고 사회 현실에 관심을 가질 수 있게 한다. 이에 따라 우리 사회는 수년 전부터 청소년 봉사 활동을 학교에서 제도화하여 지도하고, 일부의 경우에는 봉사 활동 실적을 점수화하여 성적에 반영하고 있다. 실제로 방과 후나 방학 기간을 이용하여 각종 관공서, 병원, 자선 단체 등에서 봉사 활동을 하는 청소년을 자주 볼 수 있다. 그러나 봉사 활동을 점수화하는 것은 학생들이 봉사 활동을 통해 배워야 할 진정한 자발성의 의미를 왜곡할 수 있다는 우려가 있다. 이제는 학교에서 실적보다는 (㉠).

보기

- '봉사 활동'과 '자발적(혹은 자발성)'이라는 단어를 사용하여 긍정적인 방향으로 생각을 이끌어 낼 것
- 구체적인 격언이나 속담을 인용할 것
- '~라는 말과 같이 ~해야 한다.'와 같은 형태로 쓸 것
- 어문 규정을 지켜 40자 내외로 쓸 것

⇨

주관식

7 **다음 십자말풀이를 참조해 아래의 ( )에 맞는 단어를 쓰시오.**

	1. 마		2.	
3.		■	4.	5. 식
부	■	■	■	
6.	7.	■	8.	
■	9.		호	■

가로 열쇠

1. 마음의 바탕
3. 생각하는 것을 털어놓고 말함.
4. 격에 맞는 일정한 방식
6. 사실보다 지나치게 불려서 나타냄.
8. 괘씸하고 얄미움. 또는 그런 짓
9. 고집이 세며 완고하고 우둔하여 말이 도무지 통하지 아니하는 무뚝뚝한 사람

세로 열쇠

1. 사람을 현혹하는, 원인을 알 수 없는 이상한 힘
2. 필요한 자격을 갖추고 있지 못함.
3. 피부에 관한 모든 병을 연구 · 치료하는 의학 분야
5. 음식을 먹은 뒤에 몸이 나른해지고 졸음이 오는 증상
7. 둘 사이의 관계를 순조롭지 못하게 가로막는 장애물
8. 보호하여 줌. 신 또는 부처가 힘을 베풀어 보호하고 도와줌.

세로 2. ( ) 가로 3. ( )
세로 7. ( ) 가로 8. ( )

주관식

8 **〈예시〉와 같이 〈보기〉 ①의 빈칸에 들어갈 ㉠-한자성어/속담과 〈보기〉 ②의 빈칸에 공통으로 들어갈 ㉡-단어를 사용하여 한 문장으로 된 짧은 글을 쓰시오.**

예 시

① (안되면 조상 탓)(이)라더니 문제가 생기면 그 원인을 보통 외부에서 찾기 마련이다.

② • 그는 자신이 한 행위에 (책임)을/를 졌다.
• 교사는 학생을 지도하고 보호할 (책임)이/가 있다.

→ 안되면 조상 탓이라는 말처럼 자신의 잘못을 남에게 돌려 책임을 회피하는 태도는 바람직하지 않다.

보 기

① 전라북도 로컬푸드 직매장이 매년 성장세를 이루고 있다. 전라북도 로컬푸드 직매장이 다른 시·도 로컬푸드 직매장보다 소비자 충성도가 높은 가장 큰 요인은 소비자가 믿고 찾을 수 있는 시스템이 완벽하게 정착된 것으로 보고 있다.
전라북도의 로컬푸드 직매장 관리는 해마다 진화하고 있다. 직매장마다 자체 유해물질 검사와 시·군별 자체 검사를 실시하고 있으며, 도에서는 3중으로 유해물질 검사를 실시하고 있다. 또한, 도지사 인증 제도를 도입하여 직매장의 자긍심을 심어 주고, 인센티브 사업 발굴로 직매장 운영에 관심과 애정을 쏟을 수 있는 환경을 제공한 결과로 풀이된다.
한편, 전라북도는 소비자의 신뢰를 바탕으로 더욱 (㉠)하기 위해 올해부터는 농산물 생산 농장과 가공식품 원료에 대해서도 잔류 농약 검사를 실시하는 사업의 도입을 추진하고 있다.

② • 사업을 하다가 (㉡) 망하다.
• 그는 우산을 잃어버려서 비를 (㉡) 맞고 들어갔다.

⇨ ____________________

주관식

9 **다음은 '다문화 사회 통합'을 주제로 열린 토론회의 일부이다. 이를 참고하여 〈보기〉의 빈칸에 들어갈 말을 쓰시오.**

A: 단일 민족, 백의민족을 자랑스럽게 교육했던 관점들이 재고되어야 한다는 주장이 점차 힘을 얻고 있습니다. 외국인 근로자와 국제결혼 가정의 정체성 혼란뿐만 아니라, 한국인의 정체성에도 혼란이 따를 소지를 안고 있는 것입니다. 또한 한국의 경제적 위상이 커지면서 대두된 세계화와 한류 문화의 열기 속에 국내에 거주하는 외국인 노동자와 국제결혼에 의한 이주 여성 등의 유입이 급증하고 있어 사회 구성원의 변화에 따른 의식의 변화도 필요하다고 생각합니다.

B: 맞습니다. 이러한 사회 현상에 따라 국내에 거주하는 외국인들의 의사소통 문제, 교육 문제, 인권 문제 등이 우리 사회의 큰 관심사가 되고 있습니다. 이러한 현상은 이른바 다문화 가정에 대한 올바른 접근이 우리 사회의 모든 구성원들을 대상으로 거시적이고도 장기적인 안목에서 이루어질 필요가 있음을 시사합니다.

C: 특히 해마다 국제결혼이 증가하면서 다문화 가정이 급속도로 증가하고 있는 추세입니다. 국제결혼을 통한 이민 여성과 한국인 남자, 그리고 2세들로 구성된 가족이 다문화 가정의 대표적인 사례이지요. 자녀들을 초, 중학교에 보낸 만큼 결혼 이민 여성들에게 한국은 제2의 고향이라고도 할 수 있는데, 그들이 살아가기에 현재 우리나라는 단일 민족, 혈연관계 등에 치우쳐 그들을 우리 사회의 구성원으로 수용하는 데 매우 소극적인 태도를 지니고 있습니다.

A: 그렇습니다. 가장 흔히 볼 수 있는 사례로는, 피부색 등에 차이를 보이는 다문화 가정의 자녀들이 친구들 사이에서 놀림의 대상이 되는 것이지요. 단일 민족 국가임을 자랑스럽게 여기던 우리나라가 급격하게 다문화 사회로 이행하게 된 것은 그 가치를 따지기에 앞서서 이미 엄연한 현실이며, 이는 이른바 세계화, 국제화 시대를 맞이하여 세계 다른 나라에서는 일찍이 겪었던 현상이라고 할 수 있습니다. 다만 국가와 민족의 역사와 문화에 따라서 이를 바라보고, 이에 대처하는 관점과 태도, 그리고 이로부터 유도되는 방안이 다를 뿐이지요. 우리나라의 경우, 이러한 사회 현실에 비해 다문화 사회에 대한 태도가 아직 미흡한 실정입니다.

B: 단순히 우리의 태도만이 문제가 아닙니다. 최근 조사결과에 따르면 평균 8~15년 동안 한국에서 살았어도 우리말의 발음과 표현은 아직 서툰 경우가 많다고 합니다. 그래서 자녀 교육에 있어서 이들의 고민 중 하나도 과제 지도 등 자녀의 가정 내 학습에 큰 도움을 줄 수 없다는 점입니다. 이는 다문화 가정을 이루게 된 이주노동자나 이주 여성들이 제대로 한국어에 대한 교육을 받지 못했기 때문입니다. 따라서 이들에 대한 사회적 교육 및 학습 지원 등의 복지제도를 활성화할 필요가 있습니다.

C: 함께 이야기 나눈 내용을 정리해 보면, 다문화 가정의 구성원은 지금 같이 살고 있고, 앞으로도 같이 살아가야 할 이웃이며, 사회의 다양화라는 면에서 중요한 국가적 자산이라는 것이 우리의 현실임을 받아들여야 한다는 것입니다. 따라서 이들의 교육과 생활에 문제가 있다면 이는 한국 사회의 불행이며 손실일 수밖에 없습니다. 단일 민족을 강조하는 사회적 분위기에서 벗어나, 그들을 엄연한 우리 사회의 구성원으로 인정하고, 그들에 대한 처우 및 복지제도 등에 대한 개선을 통한 인권 문제 해결 등이 시급합니다.

보기

다문화 사회 통합을 위한 토론회

• 일시: 20××년 2월 9일
• 장소: **동 IK파크 컨벤션홀
• 주최: 한국다문화사회센터
• 논제
  1. 단일 민족에 대한 관점 재고의 필요성
  2. 다문화 가정 증가로 인한 사회 문제의 해결 방안 필요
  3. ______________________

⇨ ______________________

주관식

10 **다음 글을 참조하여, '노키즈존'에 대한 자신의 견해를 〈조건〉에 맞게 쓰시오.**

(가) 국가인권위원회(이하 '인권위')는 아동의 입장·이용을 제한하는 '노키즈존'이 아동 차별이라고 판단했다. 인권위는 "최대한의 이익 창출을 목표로 하는 상업시설 운영자들에게는 헌법 제15조에 따라 영업의 자유가 보장된다."면서도 "이 같은 자유가 무제한적으로 인정되는 것은 아니다."고 했다. 합리적 이유 없이 나이를 이유로 상업시설에 특정한 사람을 배제하는 것은 평등권 침해라는 논리다. 또한 "공동체 시설에 아동의 출입을 막으면서 이들을 '골칫거리'로 인식하는 것이 우려스럽다."며 "아동을 배제하는 것은 이들이 시민으로 성장하는 데 중대한 영향을 미친다."고 설명했다.
인권위의 권고는 강제성이 없기 때문에 앞

으로 해당 식당을 계속 노키즈존으로 운영하는 데는 문제가 없다. 모든 식당이 어린이를 받지 않는다면 분명한 차별이지만 특정 일부 식당이 영업전략으로 채택하는 것까지 막을 순 없다는 의견도 있다. 양○○ 참여연대 공익법센터장은 "식당에서 어린이 사고가 나면 식당주나 종업원에게 손해배상책임이 있어 영업주로서는 이런 위험을 감수하기 어려운 측면도 있다."며 "차별이라는 인권위 해석이 나와도 이를 법으로 강제하거나 평가하기는 어려울 것"이라고 말했다.

(나) 유아를 동반할 경우 매장 출입을 제한하는 '노키즈존'에 대한 찬반 의견이 부딪치는 가운데 아르바이트생 10명 중 7명은 노키즈존 사업장 확산에 찬성하는 것으로 나타났다.

구인·구직 아르바이트 사이트 ○○○○이 지난 13일부터 20일까지 전국 알바생 1,092명을 대상으로 '노키즈존'에 대한 알바생의 생각을 설문조사한 결과 전체 응답자 중 75.9%가 노키즈존 사업장 확산에 "찬성한다"고 답했다.

찬성하는 이유 1위로는 '매장 내 서비스 질이 높아질 것이라 생각해서(41.9%)'를 꼽았다. 이어 '위험한 상황이 줄어들 것(30.6%)', '다른 손님들의 눈치를 보는 일이 줄어들 것(11.1%)', '까다로운 요구가 줄어들 것(10.3%)'을 찬성 이유로 들었다.

이들은 가장 난처했던 경험으로 '소란 피우는 아이를 부모가 제지하지 않는 상황(60.4%)'을 선택했다. 이 밖에도 '청소를 하기 어려울 정도로 테이블을 더럽힌 상황(14.6%)', '본인의 요청을 들어주지 않았을 때 갑질을 부리는 상황(6.6%)', '그릇·컵 등 실내 제품 및 인테리어를 훼손한 상황(5.4%)', '다른 손님들의 불만이 접수된 상황(5%)', '아이만을 위해 메뉴에 없는 무리한 주문을 하는 상황(4.8%)' 등에 난처했다고 밝혔다.

조건

- 윗글을 참고하여, 근거를 하나 이상 쓸 것
- 찬성과 반대 중 자신의 견해를 밝힐 것
- 어문 규정에 맞게 세 문장으로 작성할 것

⇨

MEMO

끝이 좋아야 시작이 빛난다.

– 마리아노 리베라(Mariano Rivera)

여러분의 작은 소리
에듀윌은 크게 듣겠습니다.

본 교재에 대한 여러분의 목소리를 들려주세요.
공부하시면서 어려웠던 점, 궁금한 점,
칭찬하고 싶은 점, 개선할 점, 어떤 것이라도 좋습니다.

에듀윌은 여러분께서 나누어 주신 의견을
통해 끊임없이 발전하고 있습니다.

에듀윌 도서몰 book.eduwill.net
- 부가학습자료 및 정오표: 에듀윌 도서몰 → 도서자료실
- 교재 문의: 에듀윌 도서몰 → 문의하기 → 교재(내용, 출간) / 주문 및 배송

에듀윌 ToKL국어능력인증시험 2주끝장

발 행 일	2021년 10월 28일 초판 | 2023년 7월 28일 3쇄
저 자	송주연, 김지학, 가혜연
펴 낸 이	김재환
펴 낸 곳	(주)에듀윌
등록번호	제25100-2002-000052호
주 소	08378 서울특별시 구로구 디지털로34길 55 코오롱싸이언스밸리 2차 3층

www.eduwill.net

대표전화 1600-6700

ToKL국어능력시험 / 1교시

응시일자 : 20 년 월 일

수험자 정보

수험번호

⓪	⓪	⓪	⓪	⓪	⓪	⓪	⓪
①	①	①	①	①	①	①	①
②	②	②	②	②	②	②	②
③	③	③	③	③	③	③	③
④	④	④	④	④	④	④	④
⑤	⑤	⑤	⑤	⑤	⑤	⑤	⑤
⑥	⑥	⑥	⑥	⑥	⑥	⑥	⑥
⑦	⑦	⑦	⑦	⑦	⑦	⑦	⑦
⑧	⑧	⑧	⑧	⑧	⑧	⑧	⑧
⑨	⑨	⑨	⑨	⑨	⑨	⑨	⑨

주민등록번호

						–							
⓪	⓪	⓪	⓪	⓪	⓪		⓪	⓪	⓪	⓪	⓪	⓪	⓪
①	①	①	①	①	①		①	①	①	①	①	①	①
②	②	②	②	②	②		②	②	②	②	②	②	②
③	③	③	③	③	③		③	③	③	③	③	③	③
④	④	④	④	④	④	–	④	④	④	④	④	④	④
⑤	⑤	⑤	⑤	⑤	⑤		⑤	⑤	⑤	⑤	⑤	⑤	⑤
⑥	⑥	⑥	⑥	⑥	⑥		⑥	⑥	⑥	⑥	⑥	⑥	⑥
⑦	⑦	⑦	⑦	⑦	⑦		⑦	⑦	⑦	⑦	⑦	⑦	⑦
⑧	⑧	⑧	⑧	⑧	⑧		⑧	⑧	⑧	⑧	⑧	⑧	⑧
⑨	⑨	⑨	⑨	⑨	⑨		⑨	⑨	⑨	⑨	⑨	⑨	⑨

성명(좌측 칸부터 기재)

ㄱ ㅏ ㄱ	ㄱ ㅏ ㄱ	ㄱ ㅏ ㄱ	ㄱ ㅏ ㄱ
ㄴ ㅑ ㄴ	ㄴ ㅑ ㄴ	ㄴ ㅑ ㄴ	ㄴ ㅑ ㄴ
ㄷ ㅓ ㄷ	ㄷ ㅓ ㄷ	ㄷ ㅓ ㄷ	ㄷ ㅓ ㄷ
ㄹ ㅕ ㄹ	ㄹ ㅕ ㄹ	ㄹ ㅕ ㄹ	ㄹ ㅕ ㄹ
ㅁ ㅗ ㅁ	ㅁ ㅗ ㅁ	ㅁ ㅗ ㅁ	ㅁ ㅗ ㅁ
ㅂ ㅛ ㅂ	ㅂ ㅛ ㅂ	ㅂ ㅛ ㅂ	ㅂ ㅛ ㅂ
ㅅ ㅜ ㅅ	ㅅ ㅜ ㅅ	ㅅ ㅜ ㅅ	ㅅ ㅜ ㅅ
ㅇ ㅠ ㅇ	ㅇ ㅠ ㅇ	ㅇ ㅠ ㅇ	ㅇ ㅠ ㅇ
ㅈ ㅡ ㅈ	ㅈ ㅡ ㅈ	ㅈ ㅡ ㅈ	ㅈ ㅡ ㅈ
ㅊ ㅣ ㅊ	ㅊ ㅣ ㅊ	ㅊ ㅣ ㅊ	ㅊ ㅣ ㅊ
ㅋ ㅐ ㅋ	ㅋ ㅐ ㅋ	ㅋ ㅐ ㅋ	ㅋ ㅐ ㅋ
ㅌ ㅒ ㅌ	ㅌ ㅒ ㅌ	ㅌ ㅒ ㅌ	ㅌ ㅒ ㅌ
ㅍ ㅔ ㅍ	ㅍ ㅔ ㅍ	ㅍ ㅔ ㅍ	ㅍ ㅔ ㅍ
ㅎ ㅖ ㅎ	ㅎ ㅖ ㅎ	ㅎ ㅖ ㅎ	ㅎ ㅖ ㅎ
ㅘ ㄲ	ㅘ ㄲ	ㅘ ㄲ	ㅘ ㄲ
ㅙ ㄸ	ㅙ ㄸ	ㅙ ㄸ	ㅙ ㄸ
ㅝ ㅃ	ㅝ ㅃ	ㅝ ㅃ	ㅝ ㅃ
ㅟ ㅆ	ㅟ ㅆ	ㅟ ㅆ	ㅟ ㅆ
ㅢ ㅉ	ㅢ ㅉ	ㅢ ㅉ	ㅢ ㅉ
ㅚ	ㅚ	ㅚ	ㅚ

학력		직업	
무 학	○	초 등 학 생	○
초등학교재학	○	중 학 생	○
초등학교졸업	○	고 등 학 생	○
중학교재학	○	대 학 생	○
중학교졸업	○	대 학 원 생	○
고등학교재학	○	회 사 원	○
고등학교졸업	○	공 무 원	○
대학교재학	○	군인, 경찰	○
대학교졸업	○	언론, 출판	○
대학원재학	○	교사, 강사	○
대학원졸업	○	무 직	○
		기 타	○

※ 학력, 직업 각각 1개씩만 선택

문제지 번 호	

감독관 확인란	

답안지

번호	객관식	번호	객관식	번호	객관식
1	① ② ③ ④ ⑤	21	① ② ③ ④ ⑤	41	① ② ③ ④ ⑤
2	① ② ③ ④ ⑤	22	① ② ③ ④ ⑤	42	① ② ③ ④ ⑤
3	① ② ③ ④ ⑤	23	① ② ③ ④ ⑤	43	① ② ③ ④ ⑤
4	① ② ③ ④ ⑤	24	① ② ③ ④ ⑤	44	① ② ③ ④ ⑤
5	① ② ③ ④ ⑤	25	① ② ③ ④ ⑤	45	① ② ③ ④ ⑤
6	① ② ③ ④ ⑤	26	① ② ③ ④ ⑤	46	① ② ③ ④ ⑤
7	① ② ③ ④ ⑤	27	① ② ③ ④ ⑤	47	① ② ③ ④ ⑤
8	① ② ③ ④ ⑤	28	① ② ③ ④ ⑤	48	① ② ③ ④ ⑤
9	① ② ③ ④ ⑤	29	① ② ③ ④ ⑤	49	① ② ③ ④ ⑤
10	① ② ③ ④ ⑤	30	① ② ③ ④ ⑤	50	① ② ③ ④ ⑤
11	① ② ③ ④ ⑤	31	① ② ③ ④ ⑤	51	① ② ③ ④ ⑤
12	① ② ③ ④ ⑤	32	① ② ③ ④ ⑤	52	① ② ③ ④ ⑤
13	① ② ③ ④ ⑤	33	① ② ③ ④ ⑤	53	① ② ③ ④ ⑤
14	① ② ③ ④ ⑤	34	① ② ③ ④ ⑤	54	① ② ③ ④ ⑤
15	① ② ③ ④ ⑤	35	① ② ③ ④ ⑤	55	① ② ③ ④ ⑤
16	① ② ③ ④ ⑤	36	① ② ③ ④ ⑤	56	① ② ③ ④ ⑤
17	① ② ③ ④ ⑤	37	① ② ③ ④ ⑤	57	① ② ③ ④ ⑤
18	① ② ③ ④ ⑤	38	① ② ③ ④ ⑤		
19	① ② ③ ④ ⑤	39	① ② ③ ④ ⑤		
20	① ② ③ ④ ⑤	40	① ② ③ ④ ⑤		

답안지 표기 방법

바른 방법	바르지 못한 방법
●	✓ ✗ ⊙ ⦶

1. 객관식은 반드시 컴퓨터용 사인펜을 사용하여 바르게 표기해야 하며, 올바른 펜을 사용하지 않은 책임은 본인에게 있습니다.

2. 객관식 답안의 수정은 수정테이프를 사용하시면 됩니다.(수정액 금지)

3. 감독관 확인이 없으면 본 시험은 무효이며, 시험이 끝난 후에는 이 답안지를 문제지와 함께 반드시 제출해야 합니다.

✂ 절취선

ToKL 국어능력시험 / 1교시

시험 시간 안내

교시	시험 시간	내용
시험준비	09 : 00 ~ 09 : 30	수험자 입실
	09 : 30 ~ 09 : 45	감독관 입실, 수험자 주의사항(신분증) 안내
	09 : 45 ~ 10 : 00	1교시 답안지 개인정보 작성, 1교시 문제지 배부
1교시	10 : 00 ~ 11 : 00	어휘, 어문 규정, 읽기, 감독관 – 신분증 확인
시험준비	11 : 00 ~ 11 : 10	2교시 답안지 개인정보 작성, 2교시 문제지 배부
2교시	11 : 10 ~ 12 : 20	듣기, 어법, 쓰기
시험종료	12 : 20 이후	시험 종료, 수험자 퇴실

부정행위 처리 규정

1. 재단법인 한국언어문화연구원은 부정행위를 절대 금지합니다.
2. 부정행위 판별 방법에는 현장 적발과 답안지 대조 작업에 의한 사후 적발이 있습니다.
3. 부정행위가 적발될 때에는 0점 처리되며 1년간 응시자격이 박탈됩니다.
4. 기타 부정행위자, 규칙 위반자 또는 주의 사항이나 감독관의 지시에 따르지 않을 경우에는 즉시 퇴장을 명하며 시험을 무효로 하고 이에 관한 사항은 관례에 따라 처벌됩니다.

수험자 유의 사항

1. 수험자는 휴대폰이나 호출기 등의 전원을 완전히 꺼 주시고 감독관의 지시에 따르십시오.
2. 답안지는 컴퓨터로 일괄 처리됩니다. 컴퓨터용 사인펜을 이용하여 기입하시고, 답안지를 접거나 기재 사항 이외의 불필요한 낙서는 하지 마십시오.
3. 문제지를 받고 인쇄 누락 또는 파본이 있는 경우에는 손을 들어 감독관의 지시를 받으십시오.
4. 1교시 독해 시간에 신분증 확인이 있습니다. 수험자는 신분증과 수험표, 답안지를 책상 위에 올려놓고, 감독관의 확인을 받으시기 바라며, 감독관의 사인이 없는 답안지는 무효 처리됩니다.
5. 시험이 진행되는 동안 수험생은 밖으로 나갈 수 없으며, 문제 풀이가 끝났다 하더라도 시험 종료 시각까지 기다려 주십시오.
6. 시험 시간이 종료하면 감독관에게 문제지와 답안지를 제출하여 주십시오.

신분증 안내

1. 주민등록증 발급자(만 18세 이상)
   – 주민등록증, 운전면허증, 기간 만료 전의 여권, 공무원증, 기간 만료 전의 주민등록증 발급 신청 확인서 중의 한 가지
   ※ 성인의 경우 학생증, 사원증, 각종 자격증, 신용카드, 의료보험증, 등본 등은 신분증으로 인정하지 않습니다.

2. 주민등록증 미발급자(만 18세 미만)
   – 학생증(성명, 사진, 학교명 기재), 청소년증, 기간 만료 전의 여권, 시행 본부가 발급한 신분확인 증명서, 재학증명서나 생활기록부에 응시자 사진을 붙이고 사진 위에 학교장 날인이 된 것 중의 한 가지

3. 군인
   – 장교(또는 부사관) 신분증, 군무원증, 시행 본부가 발급한 신분확인 증명서(병사)
   ※ 위에 해당하는 신분증이 없는 경우 시험에 응시할 수 없습니다.

✂ 절취선

ToKL국어능력시험 / 2교시

응시일자 : 20 년 월 일

수험자 정보

이름	한글	

수험번호

0	0	0	0	0	0	0	0
1	1	1	1	1	1	1	1
2	2	2	2	2	2	2	2
3	3	3	3	3	3	3	3
4	4	4	4	4	4	4	4
5	5	5	5	5	5	5	5
6	6	6	6	6	6	6	6
7	7	7	7	7	7	7	7
8	8	8	8	8	8	8	8
9	9	9	9	9	9	9	9

주민등록번호

						–							
0	0	0	0	0	0		0	0	0	0	0	0	0
1	1	1	1	1	1		1	1	1	1	1	1	1
2	2	2	2	2	2		2	2	2	2	2	2	2
3	3	3	3	3	3		3	3	3	3	3	3	3
4	4	4	4	4	4	–	4	4	4	4	4	4	4
5	5	5	5	5	5		5	5	5	5	5	5	5
6	6	6	6	6	6		6	6	6	6	6	6	6
7	7	7	7	7	7		7	7	7	7	7	7	7
8	8	8	8	8	8		8	8	8	8	8	8	8
9	9	9	9	9	9		9	9	9	9	9	9	9

문제지번호	

감독관 확인란	

답안지

번호	객관식
1	① ② ③ ④ ⑤
2	① ② ③ ④ ⑤
3	① ② ③ ④ ⑤
4	① ② ③ ④ ⑤
5	① ② ③ ④ ⑤
6	① ② ③ ④ ⑤
7	① ② ③ ④ ⑤
8	① ② ③ ④ ⑤
9	① ② ③ ④ ⑤
10	① ② ③ ④ ⑤
11	① ② ③ ④ ⑤
12	① ② ③ ④ ⑤
13	① ② ③ ④ ⑤

번호	객관식
14	① ② ③ ④ ⑤
15	① ② ③ ④ ⑤
16	① ② ③ ④ ⑤
17	① ② ③ ④ ⑤
18	① ② ③ ④ ⑤
19	① ② ③ ④ ⑤
20	① ② ③ ④ ⑤
21	① ② ③ ④ ⑤
22	① ② ③ ④ ⑤
23	① ② ③ ④ ⑤

번호	주관식
1	① ② ③ ④ ⑤
2	① ② ③ ④ ⑤
3	① ② ③ ④ ⑤
4	① ② ③ ④ ⑤
5	① ② ③ ④ ⑤
6	① ② ③ ④ ⑤
7	① ② ③ ④ ⑤
8	① ② ③ ④ ⑤
9	① ② ③ ④ ⑤
10	① ② ③ ④ ⑤

※ 이곳은 기재하지 마시오.

답안지 표기 방법	
바른 방법	바르지 못한 방법
●	∀ ☒ ⊙ ⦶

1. 객관식은 반드시 컴퓨터용 사인펜을 사용하여 바르게 표기해야 하며, 올바른 펜을 사용하지 않은 책임은 본인에게 있습니다.
2. 객관식 답안의 수정은 수정테이프를 사용하시면 됩니다.(수정액 금지)
3. 주관식은 답란에 기입해야 합니다.
4. 감독관 확인이 없으면 본 시험은 무효이며, 시험이 끝난 후에는 이 답안지를 문제지와 함께 반드시 제출해야 합니다.

※ 주관식 3~10번 기재란은 뒷면에 있습니다.

번호	주관식
1	
2	

✂ 절취선

주관식 답안지

ToKL국어능력시험 / 2교시

번호	주관식
3	
4	
5	
6	
7	

번호	주관식
8	
9	
10	

✂ 절취선

1위
20. 6월
에듀윌
ToKL
국어능력인증시험
한권끝장
빈출이론편+기출변형 문제편
eduwill
68개월 베스트셀러 1위
기본+고등급 전략, 한권 올킬!
1위
22. 11월
에듀윌
ToKL
국어능력인증시험
2주끝장
eduwill
82개월 베스트셀러 1위
2주 초단기 고등급 공략!

1위
23. 3월
에듀윌
한국실용글쓰기
2주끝장
78개월 베스트셀러 1위
수험생이 가장 많이 찾은 책
1위
23. 6월
에듀윌 KBS한국어능력시험
한권끝장
26개월 베스트셀러 1위
1위
21. 8월
에듀윌 KBS한국어능력시험
2주끝장
69개월 베스트셀러 1위
목표 등급까지 딱 2주면 끝
1위
21. 3월 2주
에듀윌
KBS
한국어능력시험
더 풀어볼 문제집
한국어능력시험 베스트셀러 1위
등급을 바꾸는 결정적 신의 한 수!
에듀윌 한국어능력시험
한입토픽
TOPIK I
Learning all the question types
& Explanations in 3 languages
Korean, Chinese, English
1위
22. 2월
에듀윌 한국어능력시험
한입토픽
TOPIK II
TOPIK Bestseller
Mastering all the types of
Questions for TOPIK II
에듀윌 한국어능력시험
한입토픽
TOPIK II 쓰기
Improving writing skill
With 3 steps
Comprehend · Practice · Master

에듀윌 ToKL국어능력인증시험

2주끝장

정답과 해설

eduwill

에듀윌 ToKL국어능력인증시험

2주끝장

정답과 해설

answers

정답과 해설

Ⅰ. 어휘

본문 43쪽

01 단어의 의미 관계 기출변형 문제

1	③	2	③	3	④	4	④	5	⑤
6	③	7	④	8	⑤	9	②		

1 ③ 접두사 '개-'는 ⓐ '야생 상태의' 또는 '질이 떨어지는', '흡사하지만 다른', ⓑ '헛된', '쓸데없는', ⓒ '정도가 심한'의 뜻을 더하는 접두사의 의미를 지닌다. 이 가운데 ③ '개꿈'의 '개-'는 ⓑ이고, 나머지는 ⓐ의 뜻을 더하는 접두사이다.

2 ③ '몰-'은 (몇몇 명사 앞에 붙어) '모두 한곳으로 몰린'의 뜻을 더하는 접두사이다. 나머지 ①, ②, ④, ⑤의 '몰(沒)-'은 (일부 명사 앞에 붙어) '그것이 전혀 없음.'의 뜻을 더하는 접두사이다.

3 ④ ①, ②, ③, ⑤는 '한자어 : 동의 고유어'의 관계를 형성하고 있다. 그러나 '노파심(老婆心)'은 한자어이므로 ④는 '한자어 : 한자어'의 관계가 된다. '기우(杞憂)'와 같은 의미의 고유어로는 '군걱정'이 적절하다.

◉ 오답률 줄이는 | **오답풀이** |

⑤ 졸가(拙家): 보잘것없는 허술한 집이란 뜻으로, 자기 집을 겸손하게 이르는 말.

4 ④ '상사(常事)'는 '보통 있는 일'의 '예상사(例常事)'의 준말로, '보통 있는 일'을 의미하는 '예사(例事)'와 같은 의미로 쓰인다. 따라서 이 둘의 관계는 유의 관계이다.

◉ 오답률 줄이는 | **오답풀이** |

② '해체(解體)'는 일반적으로 '단체 따위가 흩어짐. 또는 그것을 흩어지게 함.'으로 쓰이나, '여러 가지 부속으로 맞추어진 기계 따위가 풀어져 흩어짐. 또는 그것을 뜯어서 헤침.'의 의미로도 쓰이므로, '건물이나 배 따위를 설계하여 만듦.'을 의미하는 '건조(建造)'와 반의 관계로 볼 수 있다.

5 ⑤ '감가(減價)'는 '값을 줄임.'을 의미하고, '할증(割增)'은 '일정한 값에 얼마를 더함.'을 의미하므로 이 둘은 반의 관계에 해당한다.

◉ 오답률 줄이는 | **오답풀이** |

① 견지(見地): 어떤 사물을 판단하거나 관찰하는 입장.
관점(觀點): 사물이나 현상을 관찰할 때, 그 사람이 보고 생각하는 태도나 방향 또는 처지.

② 은닉(隱匿): 남의 물건이나 범죄인을 감춤.
은폐(隱蔽): 덮어 감추거나 가리어 숨김.

③ 납득(納得): 다른 사람의 말이나 행동, 형편 따위를 잘 알아서 긍정하고 이해함.
수긍(首肯): 옳다고 인정함. '옳게 여김'으로 순화.

④ 당착(撞着): 말이나 행동 따위의 앞뒤가 맞지 않음.
모순(矛盾): 어떤 사실의 앞뒤, 또는 두 사실이 이치상 어긋나서 서로 맞지 않음을 이르는 말.

6 ③ 〈보기〉의 '손'은 어떤 사람의 영향력이나 권한이 미치는 범위를 뜻한다. 따라서 의미가 가장 유사한 것은 ③이다.

◉ 오답률 줄이는 | **오답풀이** |

①, ④ 어떤 일을 하는 데 드는 사람의 힘이나 노력, 기술.
② 사람의 팔목 끝에 달린 부분.
⑤ 사람의 수완이나 꾀.

7 ④ 〈보기〉와 ④의 '생각'은 가장 기본 의미인 '사물을 헤아리고 판단하는 작용.'을 의미하는 고유어이다.

◉ 오답률 줄이는 | **오답풀이** |

① 어떤 사람이나 일 따위에 대한 기억.
② 어떤 일을 하려고 마음을 먹음. 또는 그런 마음.
③ 사리를 분별함. 또는 그런 일.
⑤ 어떤 일을 하고 싶어 하거나 관심을 가짐. 또는 그런 일.

8 ⑤ 〈보기〉와 ⑤의 '깊다'는 '생각이 듬쑥하고 신중하다.'라는 의미로 쓰였다.

◉ 오답률 줄이는 | **오답풀이** |

① 겉에서 속까지의 거리가 멀다.
② 시간이 오래되다.
③, ④ 수준이 높거나 정도가 심하다.

9 ② 〈보기〉의 '따지다'는 '계획을 세우거나 일을 하는 데에 어떤 것을 특히 중요하게 여겨 검토하다.'의 의미로 쓰였으므로, 같은 쓰임을 보이는 것은 ②이다.

◉ 오답률 줄이는 | **오답풀이** |

①, ④ 문제가 되는 일을 상대에게 캐묻고 분명한 답을 요구하다.
③ 계산, 득실, 관계 따위를 낱낱이 헤아리다.
⑤ 어떤 것을 기준으로 순위, 수량 따위를 헤아리다.

본문 68쪽

02 고유어 기출변형 문제

1	⑤	2	②	3	④	4	③	5	②
6	⑤	7	⑤	8	③	9	⑤		

1 ⑤ '숨겨진 일을 들춰내거나 부풀려 떠벌린다.'라는 뜻의 단어가 들어가야 하므로 '버르집다'가 적절하다.

2 ② ㉠ 실팍하다: 사람이나 물건 따위가 보기에 매우 실하다.
㉡ 쏠쏠하다: 품질이나 수준, 정도 따위가 웬만하여 괜찮거나 기대 이상이다.
㉢ 푼푼하다: 모자람이 없이 넉넉하다.

3 ④ '수더분하다'는 '성질이 까다롭지 아니하여 순하고 무던하다.'는 의미이다.

◉ 오답률 줄이는 | **오답풀이** |
① 곰살궂다: 태도나 성질이 부드럽고 친절하다. 또는 꼼꼼하고 자세하다.
② 사분사분하다: 자꾸 살짝살짝 우스운 소리를 해 가면서 성가시게 굴다. 또는 가볍게 가만가만 행동하거나 지껄이다.
③ 깔밋하다: 모양이나 차림새 따위가 아담하고 깔끔하다. 또는 손끝이 야물다.
⑤ 유순하다: 성질이나 태도, 표정 따위가 부드럽고 순하다.

4 ③ '여우비'는 '볕이 나 있는 날 잠깐 오다가 그치는 비.'로, '번개나 천둥, 강풍 따위를 동반하여 갑자기 세차게 쏟아지다가 곧 그치는 비.'인 '소나기'와는 다르다.

5 ② '스스럽다'는 '서로 사귀는 정분이 두텁지 않아 조심스럽다.'라는 뜻과 '수줍고 부끄러운 느낌이 있다.'라는 뜻을 지닌다. 이 뜻과 가장 거리가 먼 것은 ② '막막하다'이다.

6 ⑤ '앙그러지다'는 '하는 짓이 꼭 어울리고 짜인 맛이 있다. 또는 모양이 어울려서 보기에 좋다.'의 의미로 '서로 잘 어울림.'의 의미를 지닌 ⑤의 '조화(調和)'가 적절한 표현이다.

7 ⑤ 헤식다: 맺고 끊는 데가 없이 싱겁다.

8 ③ '자못'은 '생각보다 매우.'의 의미로, '끊임없이 잇따라.'라는 의미의 '줄곧'과는 쓰임이 다르다.

9 ⑤ '반드레하다'는 '실속 없이 겉모양만 반드르르하다.'의 의미로 '뭐 하나 빠지는 것 없이'와 어울리지 않는다.

◉ 오답률 줄이는 | **오답풀이** |
① 고깝다: 섭섭하고 야속하여 마음이 언짢다.
② 어리다: 어떤 현상, 기운, 추억 따위가 배어 있거나 은근히 드러나다.
③ 곤죽: 일이 엉망진창이 되어서 갈피를 잡기 어렵게 된 상태.
④ 곰살궂다: 태도나 성질이 부드럽고 친절하다.

본문 90쪽

03 한자어

기출변형 문제

1	②	2	⑤	3	③	4	①	5	②
6	⑤	7	②	8	①	9	④	10	③
11	④	12	④						

1 ② '개괄(概括)'은 '중요한 내용이나 줄거리를 대강 추려 냄.'이라는 의미이다.

◉ 오답률 줄이는 | **오답풀이** |
① 개관(槪觀): 전체를 대강 살펴봄. 또는 그런 것.
③ 골자(骨子): 말이나 일의 내용에서 중심이 되는 줄기를 이루는 것.
④ 맹점(盲點): 미처 생각이 미치지 못한, 모순되는 점이나 틈.
⑤ 포괄(包括): 일정한 대상이나 현상을 어떤 범위나 한계 안에 모두 끌어 넣음.

2 ⑤ '유착(癒着)'은 '사람들이 서로 깊은 관계를 가지고 결합하여 있음.'을 의미하며 '엉겨 붙기'로 순화한다.

◉ 오답률 줄이는 | **오답풀이** |
① 결탁(結託): 마음을 결합하여 서로 의탁함. 주로 나쁜 일을 꾸미려고 서로 한통속이 됨. '짬', '서로 짬'으로 순화.
② 담합(談合): 서로 의논하여 합의함. '짬짜미'로 순화. 또는 경쟁 입찰을 할 때에 입찰 참가자가 서로 의논하여 미리 입찰 가격이나 낙찰자 따위를 정하는 일.
③ 상생(相生): 둘 이상이 서로 북돋우며 다 같이 잘 살아감.
④ 연합(聯合): 두 가지 이상의 사물이 서로 합동하여 하나의 조직체를 만듦. 또는 그렇게 만든 조직체.

3 ③ 제시된 문장에서 '서다'는 '나라나 기관 따위가 처음으로 이루어지다.'의 의미로 쓰였다. 따라서 이에 대응할 수 있는 한자어는 ③ '수립(樹立)하다: 국가나 정부, 제도, 계획 따위를 이룩하여 세우다.'로 볼 수 있다.

◉ 오답률 줄이는 | **오답풀이** |
① 기립(起立)하다: 일어나서 서다.
예 그가 등장하자 모두 일제히 기립했다.
② 확립(確立)하다: 체계나 견해, 조직 따위가 굳게 서게 하다.
예 교통질서를 확립하다.
④ 건립(建立)하다: 건물, 기념비, 동상, 탑 따위를 만들어 세우다.
예 기념관을 유적지에 건립하였다.
⑤ 창립(創立)하다: 기관이나 단체 따위를 새로 만들어 세우다.
예 학회를 창립하고 학회지를 창간했다.

4 ① '고찰(考察)'은 '어떤 것을 깊이 생각하고 연구함.'의 의미로 〈보기〉의 어떤 문장과도 어울리지 않는다. ㉠은 상념(想念), ㉡은 의향(意向), ㉢은 기억(記憶), ㉣은 창안(創案)이 어울린다.

5 ② '재연(再演)'의 사전적 의미는 '한 번 하였던 행위나 일을 다시 되풀이함.'이다. '다시 나타남. 또는 다시 나타냄.'은 '재현(再現)'의 사전적 의미에 해당한다.

6 ⑤ '감퇴(減退)'는 '기운이나 세력 따위가 줄어 쇠퇴함.'의 의미로, '붙어 있거나 잇닿은 것을 떨어지게 하다.' 또는 '어떤 것에서 마음이 돌아서다.'의 의미를 갖는 '떼다'는 적절하지 않다.

◉ 오답률 줄이는 | **오답풀이** |

① '분수령(分水嶺)'은 '어떤 사실이나 사태가 발전하는 전환점 또는 어떤 일이 한 단계에서 전혀 다른 단계로 넘어가는 전환점을 비유적으로 이르는 말.'이다.

② '영접(迎接)'은 '손님을 맞아서 대접하는 일.'이다. 따라서 '받다'의 여러 가지 의미 가운데 제시된 문장의 문맥적 의미에 해당하는 '사람을 맞아들이다.'의 의미로 대체할 수 있다.

③ '절멸(絕滅)'의 사전적 의미는 '아주 없어짐. 또는 아주 없앰.'이다.

④ '반추(反芻)'는 '어떤 일을 되풀이하여 음미하거나 생각함.'의 의미로, '지난 일을 다시 떠올려 골똘히 생각하다.'의 '되새기다'로 표현한 것은 바람직하다.

7 ② '교체(交替)'는 '사람이나 사물을 다른 사람이나 사물로 대신함.'의 뜻으로, 문맥상 적합하지 않다. ②의 문맥상 '바로잡아 고침.'을 의미하는 '수정(修正)'이 적절하다.

8 ① '천착(穿鑿)'은 '어떤 원인이나 내용 따위를 따지고 파고들어 알려고 하거나 연구함.'의 의미이다.

◉ 오답률 줄이는 | **오답풀이** |

② '불식(拂拭)'은 '먼지를 떨고 훔친다는 뜻으로, 의심이나 부조리한 점 따위를 말끔히 떨어 없앰을 이르는 말.'로 제시문의 쓰임은 올바르지 않다. 문맥상 '그렇지 아니하다고 단정하거나 옳지 아니하다고 반대함.'의 '부정(否定)'이 적절하다.

③ '창궐(猖獗)'은 '못된 세력이나 전염병 따위가 세차게 일어나 걷잡을 수 없이 퍼짐.'을 뜻하므로 쓰임이 바르지 않다. 제시된 문장의 문맥상 의미로는 '기세가 크게 일어나 잘 뻗어 나감.'을 뜻하는 '창성(昌盛)'으로 써야 한다.

④ '계류(繫留)'는 '어떤 사건이 해결되지 않고 걸려 있음.'을 의미하는데, 제시된 문맥상 적절한 표현은 '의논한 안건을 받아들이지 아니하기로 결정함. 또는 그런 결정.'을 뜻하는 '부결(否決)'이다.

⑤ '비견(比肩)'은 '서로 비슷한 위치에서 견줌. 또는 견주어짐.'의 의미이므로 문맥에 어울리지 않는다.

9 ④ '소명(疏明)'은 '까닭이나 이유를 밝혀 설명함.'의 의미로 문장에서 적절하게 쓰였다.

◉ 오답률 줄이는 | **오답풀이** |

① '착취(搾取)'는 '계급 사회에서 생산 수단을 소유한 사람이 생산 수단을 갖지 않은 직접 생산자로부터 그 노동의 성과를 무상으로 취득함. 또는 그런 일.'을 의미하므로, 문맥상 쓰임이 바르지 않다. 해당 문맥상 '빼앗아 가짐.'의 의미를 나타내는 '탈취(奪取)' 또는 '남의 것을 강제로 빼앗음.'을 의미하는 '갈취(喝取)'가 적절하다.

② '야기(惹起)'는 '일이나 사건 따위를 끌어 일으킴.'의 의미로, 문맥상 '제기(提起)'가 적절하다.

③ '자별히(自別-)'는 '남보다 특별한 친분으로.'의 의미이다.

⑤ '추출(抽出)'은 '전체 속에서 어떤 물건, 생각, 요소 따위를 뽑아냄.'의 의미로, 문맥상 '검출(檢出)'이 적절하다.

10 ③ '빙자(憑藉)'는 '남의 힘을 빌려서 의지함.'의 의미로, ③의 문맥에는 '이름, 직업, 나이, 주소 따위를 거짓으로 속여 이름.'의 뜻을 지닌 '사칭(詐稱)'이 적절하다.

◉ 오답률 줄이는 | **오답풀이** |

① 변조(變造): 이미 이루어진 물체 따위를 다른 모양이나 다른 물건으로 바꾸어 만듦. 또는 권한 없이 기존물의 형상이나 내용에 변경을 가하는 일. 흔히 위조를 쓰지만, 변조도 사용할 수 있다.

② 첨예(尖銳): 상황이나 사태 따위가 날카롭고 격함.

④ 섭렵(涉獵): 많은 책을 널리 읽거나 여기저기 찾아다니며 경험함을 이르는 말.

⑤ 사자후(獅子吼): 사자의 우렁찬 울부짖음이란 뜻으로, 크게 부르짖어 열변을 토하는 연설을 이르는 말.

11 ④ ㉠ 조율(調律): 문제를 어떤 대상에 알맞거나 마땅하도록 조절함을 비유적으로 이르는 말.

㉡ 구명(究明): 사물의 본질, 원인 따위를 깊이 연구하여 밝힘.

㉢ 자성(自省): 자기 자신의 태도나 행동을 스스로 반성함.

◉ 오답률 줄이는 | **오답풀이** |

• 도모(圖謀): 어떤 일을 이루기 위하여 대책과 방법을 세움.
• 규명(糾明): 어떤 사실을 자세히 따져서 바로 밝힘.
• 자각(自覺): 현실을 판단하여 자기의 입장이나 능력 따위를 스스로 깨달음.

12 ④ ㉠ 예단(豫斷): 미리 판단함. 또는 그 판단.

㉡ 독단(獨斷): 남과 상의하지 않고 혼자서 판단하거나 결정함.

㉢ 속단(速斷): 신중을 기하지 아니하고 서둘러 판단함.

㉣ 용단(勇斷): 용기 있게 결단을 내림. 또는 그 결단.

본문 118쪽

04 한자성어 / 속담 / 관용구 기출변형 문제

1	④	2	②	3	①	4	①	5	⑤
6	⑤	7	①	8	②	9	④	10	④

1 ④ '누란지세(累卵之勢)'는 '쌓여 있는 알처럼 매우 위태로운 형세.'를 의미하는 것으로, '조금만 건드려도 폭발할 것 같은 위급한 상태.'를 말하는 '일촉즉발(一觸卽發)'과 유사한 의미이다.

◉ 오답률 줄이는 | **오답풀이** |

① 무위도식(無爲徒食): 하는 것 없이 놀고먹기만 함.

② 고장난명(孤掌難鳴): 혼자의 힘만으로 어떤 일을 이루기 어려움.

③ 침소봉대(針小棒大): 조그마한 일을 크게 불려서 말함.

⑤ 호사다마(好事多魔): 좋은 일에는 흔히 방해되는 일이 많음.

2 ② 제시문의 상황을 보면, 금융감독 당국은 이미 사고가 있었고, 유사한 징후가 발견되어도 미리 대비하지 못하고 뒤늦게 수습하는 모양새다. 따라서 '양을 잃고서 그 우리를 고친다.'는 뜻으로, '실패(失敗)한 후(後)에 일을 대비(對備)함.'을 의미하는 '망양보뢰(亡羊補牢)'가 적절하다.

◉ 오답률 줄이는 | **오답풀이** |

① 경거망동(輕擧妄動): 경솔하여 망령되게 행동함.

③ 단기지계(斷機之戒): 맹자가 학업을 다 마치지 않고 집에 돌아오자 그의 어머니가 짜고 있던 베의 날을 끊어 그를 훈계했다는 데서 유래한 말로, 학문을 중도에서 그만두면 짜던 베의 날을 끊는 것처럼 아무 쓸모없음을 경계한 말.

④ 속수무책(束手無策): 어찌할 도리가 없어 꼼짝 못 함.

⑤ 풍수지탄(風樹之嘆): 효를 행하고자 하나, 부모님은 이미 돌아가신 후임을 후회함.

3 ① 문맥상 '목숨이 경각에 달려 있음.'의 의미가 들어가야 하므로 '명재경각(命在頃刻)'을 써야 한다. '명약관화(明若觀火)'는 '불을 보듯 분명하고 뻔함.'을 의미한다.

◉ 오답률 줄이는 | **오답풀이** |

② 불문곡직(不問曲直): 옳고 그른 것을 따지려 하지 않음.

③ 탁상공론(卓上空論): 전혀 현실성이 없는 헛된 공론.

④ 괄목상대(刮目相對): 눈을 비비고 자세히 본다는 뜻으로, 남의 학식이나 재주가 놀랄 만큼 부쩍 늚을 이르는 말.

⑤ 두문불출(杜門不出): 집에만 박혀 있고 사회나 관직에 나가지 않음.

4 ① '지나가는 불에 밥 익히기'는 '우연한 기회를 잘 잡아 이용함을 비유적으로 이르는 말.'이므로, 상황에 어울리지 않는다. ①의 상황에서는 '나무에서 고기를 찾는다.' 정도가 적절하다.

◉ 오답률 줄이는 | **오답풀이** |

② 새도 가지를 가려서 앉는다: 새조차도 앉을 때 가지를 고르고 가려서 앉는다는 뜻으로, 친구를 사귀거나 직업을 택하는 데에도 신중하게 잘 가려서 택해야 한다는 말.

③ 틈 난 돌이 터지고 태 먹은 독이 깨진다: 앞서 무슨 조짐이 보인 일은 반드시 후에 그대로 나타나고야 만다는 뜻으로, 어떤 탈이 있는 것은 반드시 결과적으로 실패를 가져온다는 말.

④ 처갓집에 송곳 차고 간다: 사위가 처가에 가면 그 대접이 극진하여 밥을 지나치게 꼭꼭 담아서 송곳으로 쑤셔 먹지 않으면 안 된다는 뜻으로, 처갓집에 가면 대접을 잘해 줌을 비유적으로 이르는 말.

⑤ 도끼 가진 놈이 바늘 가진 놈을 못 당한다: 도끼같이 큰 무기를 가지고 있다고 하여 상대편의 사정을 봐주다가는 도리어 바늘을 가지고 있는 사람에게 진다는 말.

5 ⑤ 문맥상 (   ) 안의 의미는, 보기의 첫째 줄에 있는 '언중들의 호응을 얻으면 살아남고 호응을 얻지 못하면 사라지고 만다.'에 부합해야 한다. 따라서 (   ) 안에 들어갈 속담은 '일은 상대가 같이 응하여야지 혼자서만 해서는 잘되는 것이 아님을 비유적으로 이르는 말.'인 '외손뼉이 못 울고, 한 다리로 못 간다.'가 적절하다.

◉ 오답률 줄이는 | **오답풀이** |

① 달도 차면 기운다: 세상의 온갖 것이 한번 번성하면 다시 쇠하기 마련이라는 말.

② 백지장도 맞들면 낫다: 쉬운 일이라도 협력하여 하면 훨씬 쉽다는 말.

③ 배고픈 놈더러 요기시키라 한다: 제 앞가림도 못하는 사람에게 어려운 일을 요구함을 비유적으로 이르는 말.

④ 구슬이 서 말이라도 꿰어야 보배다: 아무리 훌륭하고 좋은 것이라도 다듬고 정리하여 쓸모 있게 만들어 놓아야 값어치가 있음을 비유적으로 이르는 말.

6 ⑤ 강연자의 '빈대 잡으려다 초가삼간 태운다.'는 '손해를 크게 볼 것을 생각지 아니하고 자기에게 마땅치 아니한 것을 없애려고 그저 덤비기만 하는 경우를 비유적으로 이르는 말.'로, 이에 반대되는 표현은 '다소 방해되는 것이 있다 하더라도 마땅히 할 일은 하여야 함을 비유적으로 이르는 말.'인 ⑤ '구더기 무서워 장 못 담글까.'이다.

◉ 오답률 줄이는 | **오답풀이** |

① 한강에 돌 던지기: 지나치게 미미하여 아무런 효과를 미치지 못함을 이르는 말. = 한강투석(漢江投石)

② 말 단 집 장맛 쓰다: 집안에 잔말이 많으면 살림이 잘 안 된다는 말.

③ 망건 쓰고 세수한다: 세수를 하고 머리를 빗고 그 다음에 망건을 쓰는 법인데 망건을 먼저 쓰고 세수를 한다는 뜻으로, 일의 순서를 바꾸어 함을 놀림조로 이르는 말.

④ 쥐 잡으려다가 쌀독 깬다: 적은 이익이나마 얻으려고 한 일이 도리어 큰 손실을 입게 되었음을 비유적으로 이르는 말로, 〈보기〉의 '빈대 잡으려고 초가삼간 태운다.'와 유사한 의미의 속담이다.

7 ① '하룻강아지 범 무서운 줄 모른다.'는 '당랑거철(螳螂拒轍)'과 통하는 표현이다. '묘두현령(猫頭懸鈴)'은 '고양이 목에 방울 단다.'의 의미로, '실행하지 못할 것을 헛되이 논의함을 이르는 말.'이다.

◉ 오답률 줄이는 | **오답풀이** |

② 감나무 밑에 누워도 삿갓 미사리를 대어라: 의당 자기에게 올 기회나 이익이라도 그것을 놓치지 않으려는 노력이 필요함을 이르는 말.

③ 허장성세(虛張聲勢): 실속은 없으면서 큰소리치거나 허세를 부림.

④ 십시일반(十匙一飯): 밥 열 술이 한 그릇이 된다는 뜻으로, 여러 사람이 조금씩 힘을 합하면 한 사람을 돕기 쉬움을 이르는 말.
울력걸음에 봉충다리 걷듯: 여러 사람이 함께 걷는 경우에 절름발이도 덩달아 걸을 수 있다는 뜻.

⑤ 마부위침(磨斧爲針): '도끼를 갈면 바늘이 된다.'는 뜻으로 아무리 어렵고 험난한 일도 계속 하면 이룰 수가 있다는 말.
열 번 찍어 아니 넘어가는 나무 없다: 아무리 뜻이 굳은 사람이라도 여러 번 권하거나 꾀고 달래면 결국은 마음이 변한다는 말.

8 ② '듣고도 들은 체 만 체 하다.'의 의미를 지닌 관용어는 '귓등으로 듣다.'이다. '귀가 질기다.'는 '둔하여 남의 말을 잘 이해하지 못하다. 또는 말을 싹싹하게 듣지 않고 끈덕지다.'의 의미이다.

9 ④ '잘못이나 위험을 미리 경계하여 주의를 환기시키다.'는 '경종을 울리다.'의 뜻이다. '본때를 보이다.'는 '잘못을 다시는 저지르지 아니하거나 교훈이 되도록 따끔한 맛을 보이다.'의 의미이다.

10 ④ '전철(前轍)'은 '앞에 지나간 수레바퀴의 자국.'으로, '전철을 밟다.'는 '이전 사람의 잘못이나 실패를 되풀이하다.'의 뜻이다. 따라서 훌륭한 사람이 되라는 표현과 아버지의 전철을 밟는다는 것은 문맥상 맞지 않다.

◉ 오답률 줄이는 | **오답풀이** |

① 차 떼고 포 떼다: 귀중하고 요긴한 것을 다 빼다.
② 눈을 뒤집다: 주로 좋지 않은 일에 열중하여 제정신을 잃다.
③ 마각을 드러내다: 말의 다리로 분장한 사람이 자기 모습을 드러낸다는 뜻으로, 숨기고 있던 일이나 정체를 드러내다.
⑤ 코가 납작해지다: 몹시 무안을 당하거나 기가 죽어 위신이 뚝 떨어지다.

본문 129쪽

05 혼동하기 쉬운 어휘 기출변형 문제

1	⑤	2	⑤	3	②	4	④	5	⑤

1 ⑤ '일절(一切)'은 '아주, 전혀, 절대로의 뜻으로, 흔히 행위를 그치게 하거나 어떤 일을 하지 않을 때에 쓰는 말.'로 부정 표현과 호응하는 부사이며, '일체(一切)'는 '모든 것.'을 의미하는 명사로 앞에 언급한 것의 전부를 의미할 때 쓰인다. 따라서 문맥상 적절한 표현으로 바꾸어 보면, '그는 자기 가족에 관한 이야기를 어느 누구에게도 일절 하지 않기로 유명했다.'와 '이번 사태를 해결하기 위한 비용 일체를 회사가 부담한다고 공식 발표했다.'이다.

◉ 오답률 줄이는 | **오답풀이** |

① 빌리다: 남의 물건이나 돈 따위를 대가를 갚기로 하고 얼마 동안 쓰다. 또는 어떤 일을 하기 위해 기회를 이용하다.
빌다: 남의 물건을 공짜로 달라고 호소하여 얻다.
② 붓다: 액체나 가루 따위를 다른 곳에 담다.
붇다: 분량이나 수효가 많아지다.
③ 다리다: 옷이나 천 따위의 주름이나 구김을 펴고 줄을 세우기 위하여 다리미로 문지르다.
달이다: 약재 따위에 물을 부어 우러나도록 끓이다.
④ 젖히다: '젖다'의 사동사. '뒤로 기울게 하다.'
제치다: 거치적거리지 않게 처리하다. 경쟁 상대보다 우위에 서다.

2 ⑤ '식별(識別)'은 '분별하여 알아봄.', '분별(分別)'은 '서로 다른 일이나 사물을 구별하여 가름.'을 의미하므로 두 단어를 바꿔 써야 적절한 문장이 된다.

3 ② '곱절'은 '일정한 수나 양이 그 수만큼 거듭됨.'을 이르는 말이며 '갑절'은 '어떤 수나 양을 두 번 합친 것, 배(倍).'를 의미한다. 따라서 '입장료가 갑절로 올랐는데도 관객 수는 오히려 세 곱절로 늘었다.'라고 해야 한다.

4 ④ '겉잡다'는 '겉으로 보고 대강 짐작하여 헤아리다.'의 의미이고, '걷잡다'는 '한 방향으로 치우쳐 흘러가는 형세 따위를 붙들어 잡다.'의 의미이다. 즉, '이미 사건이 걷잡을 수 없을 정도로 벌어져서, 겉잡아 몇 백 명의 부상자가 나올 듯하다.'로 사용하여야 올바르다.

5 ⑤ '메기다'는 '두 편이 노래를 주고받고 할 때 한편이 먼저 부르다.'의 의미이고, '매기다'는 '일정한 기준에 따라 사물의 값이나 등수 따위를 정하다.'의 의미이다. 따라서 문맥상 서로 바꾸어 써야 바른 표현이 된다.

본문 144쪽

06 다양한 어휘 기출변형 문제

1	①	2	②	3	⑤	4	③	5	③
6	①	7	③						

1 ① 굴비를 세는 단위로는 일반적으로 '갓'을 사용한다. 한 갓은 10마리를 의미한다.

- 갓: 굴비, 비웃 따위나 고비, 고사리 따위를 묶어 세는 단위. 한 갓은 굴비·비웃 따위 10마리, 또는 고비·고사리 따위 10모숨을 한 줄로 엮은 것을 이른다.
- 축: 오징어를 묶어 세는 단위. 한 축은 오징어 20마리를 이른다.

◉ 오답률 줄이는 | **오답풀이** |

② 톳: 김을 묶어 세는 단위. 한 톳은 김 100장을 이른다.
③ 두름: 조기 따위의 물고기를 짚으로 한 줄에 10마리씩 두 줄로 엮은 것을 세는 단위.
④ 꿰미: 끈 따위로 꿰어서 다루는 물건을 세는 단위.
⑤ 담불: 곡식이나 나무를 높이 쌓아 놓은 무더기. 벼를 100섬씩 묶어 세는 단위.

2 ② 두루마기와 같은 옷을 세는 단위는 '벌'이다.

- 갓: 굴비 같은 것의 10마리 또는 고사리, 고비 같은 것의 10모숨을 한 줄로 엮은 것.

◉ 오답률 줄이는 | **오답풀이** |

① 타래: 실이나 노끈 따위를 사려 놓은 뭉치를 세는 단위.

③ 축: 오징어 20마리.

④ 제: 한약의 분량을 나타내는 단위. 한 제는 탕약(湯藥) 스무 첩. 또는 그만한 분량으로 지은 환약(丸藥) 따위.

⑤ 바리: 마소의 등에 잔뜩 실은 짐을 세는 단위.

3 ⑤ '춘부장'은 '남의 아버지를 높이는 말'로, 김영중 씨와 김정규 씨는 부자(父子)지간이므로 적절한 지칭어가 아니다. 남에게 자신의 아버지를 칭할 때에는 '가친(家親)' 또는 '엄친(嚴親)'이라 지칭한다.

4 ③ 남편의 미혼인 남동생은 '도련님'이라 부르고, 남편의 기혼인 남동생을 '서방님'이라 부른다.

◉ 오답률 줄이는 | **오답풀이** |

① 남편의 형은 '아주버님'이 맞고, 아내의 오빠는 '형님'이다.

② 누나의 남편은 '매형(妹兄)'이 맞고, 남자의 여동생의 남편은 '매제(妹弟)'이다.

④ 여자의 여동생의 남편은 '제부(弟夫)'가 옳고, 언니의 남편은 '형부(兄夫)'이다.

⑤ 남편의 남동생의 아내는 '동서(同壻)'가 맞고, 남편의 형의 아내는 '형님'이라 부른다.

5 ③ '로고 송(logo song)'은 '상징 노래'로 순화하여 쓴다.

6 ① '마스터 플랜(master plan)'의 순화어는 '기본 설계', '종합 계획'이다.

◉ 오답률 줄이는 | **오답풀이** |

⑤ '패키지 상품(package 商品)'은 '꾸러미 상품' 또는 '기획 상품'으로 순화하여 쓴다.

7 ③ 산수(傘壽): '傘'자가 '八十'을 의미하여 80세를 뜻한다.

◉ 오답률 줄이는 | **오답풀이** |

① 망칠(望七): 일흔을 바라본다는 의미로, 61세를 의미함.

② 졸수(卒壽): '졸(卒)'자를 구와 십의 파자로 해석하여 90세를 의미함.

④ 충년(沖年): 10세 전후의 어린 나이.

⑤ 과년(瓜年): 여자 나이 16세.
방년(芳年): 여자 나이 20세 전후의 꽃다운 나이.

Ⅱ. 어문 규정

본문 165쪽

01 표준어 규정 / 표준 발음법 기출변형 문제

1	①	2	④	3	③	4	②	5	⑤
6	④	7	②	8	④	9	⑤	10	③
11	④	12	①	13	①				

1 ① '볼이 넓고 평평한 발' 또는 '인간관계가 넓은 사람'을 '마당발'이라 표현하는데, 표준어이므로 사용해도 되는 말이다. '서둘다'와 '여쭙다'는 각각 '서두르다', '여쭈다'의 복수 표준어이다.

◉ 오답률 줄이는 | **오답풀이** |

② 괴퍅하다 → 괴팍하다

③ 숫평아리 → 수평아리

④ 알타리무 → 총각무

⑤ 웃도리 → 윗도리, 역스럽다 → 역겹다

2 ④ '예스럽다'가 표준어이다.

◉ 오답률 줄이는 | **오답풀이** |

① 엉터리없다: 정도나 내용이 전혀 이치에 맞지 않다.

② 딴전: 어떤 일을 하는 데 그 일과는 전혀 관계없는 일이나 행동.

③ 메우다: ⓐ 뚫려 있거나 비어 있는 곳을 막거나 채우다.
ⓑ 어떤 장소를 가득 채우다.
ⓒ 부족하거나 모자라는 것을 채우다.(= 메꾸다)
ⓓ 시간을 적당히 또는 그럭저럭 보내다.(= 메꾸다)

⑤ 안절부절못하다: 마음이 초조하고 불안하여 어찌할 바를 모르다.

3 ③ 윷놀이에서 도로 남의 말을 잡을 수 있는 거리나 개로 남의 말을 잡을 수 있는 거리는 별반 차이가 없다는 뜻으로, 조금 낫고 못한 정도의 차이는 있으나 본질적으로는 비슷비슷하여 견주어 볼 필요가 없음을 이르는 말은 '도긴개긴'이다. 본래 각각의 명사로 쓰이던 '도', '긴', '개'가 대중들에게 '도긴개긴'으로 널리 쓰이며 2015년 표준어가 되었다. 비슷한 형태인 '도찐개찐'은 비표준어이다.

◉ 오답률 줄이는 | **오답풀이** |

① 코멘소리: 코가 막힌 사람이 하는 말소리.

② 맨날: 매일같이 계속하여서.

④ 후텁지근하다: 조금 불쾌할 정도로 끈끈하고 무더운 기운이 있다.

⑤ 으스대다: 어울리지 아니하게 우쭐거리며 뽐내다.

4 ② '까탈스럽다'는 '성미나 취향 따위가 원만하지 않고 별스러워 맞춰 주기에 어려운 데가 있다.'의 의미로 2016년 표준어가 되었다.

◉ 오답률 줄이는 | **오답풀이** |

① '여태, 입때'는 표준어이지만, '여직'은 비표준어이다.

③ '미류나무'는 표준어 규정 제10항에 따라 모음이 단순화된 '미루나무'로 사용해야 한다.
④ '초생달'과 '초승달' 중에 '초승달'이 표준어이다.
⑤ '짜깁기'가 올바른 표현이다.

5 ⑤ 흔히 '끝발이 좋다.' 등의 표현을 사용하지만, '노름 따위에서, 좋은 끗수가 잇따라 나오는 기세.' 또는 '아주 당당한 권세나 기세.'를 의미하는 말은 '끗발'이다.

◉ 오답률 줄이는 | **오답풀이** |
① 얌체: 얌치가 없는 사람을 낮잡아 이르는 말.
② 묏자리: 뫼를 쓸 자리. 또는 쓴 자리.
③ 노느다: 여러 몫으로 갈라 나누다.
④ 헹가래: 사람의 몸을 번쩍 들어 자꾸 내밀었다 들이켰다 하는 일. 또는 던져 올렸다 받았다 하는 일. 기쁘고 좋은 일이 있는 사람을 축하하거나, 잘못이 있는 사람을 벌줄 때 한다.

6 ④ 그다지 중요하지 아니하고 허름하여 함부로 쓸 수 있는 물건을 일컬어, '허드레'라 표현한다. 표준어 규정 제11항에 따르면, '다음 단어에서는 모음의 발음 변화를 인정하여, 발음이 바뀌어 굳어진 형태를 표준어로 삼는다.'로 규정하여 '-구려, 나무라다, 주책, 허드레' 등을 바른 표기로 규정하였다.

7 ② '땅 위로 내민 돌멩이의 뾰족한 부분.'은 '돌부리'이다.

◉ 오답률 줄이는 | **오답풀이** |
① '뒤엣것'은 '뒤에 오는 것. 또는 뒤에 있는 것.'을 의미하는 한 단어로 새로이 추가된 표준어이다. 반의어로 '앞엣것'을 사용한다.
④ 표준어 규정 제17항에 따라 '몹시 귀찮게 구는 짓.'은 '등살'이 아닌 '등쌀'만 표준어로 삼는다.

8 ④ '쭉정이'가 옳은 표기이다.

◉ 오답률 줄이는 | **오답풀이** |
⑤ '그러지 않아도'가 줄어든 말은 '그러잖아도'가 표준어이다. '그렇잖아도'는 비표준어이다.

9 ⑤ 표준 발음법 제20항의 예외 규정에 따라 '입원료'는 [이붠뇨]로 발음한다.

◉ 오답률 줄이는 | **오답풀이** |
① 표준 발음법 제12항의 내용에 따라 [달치도]는 적절한 발음이다.
② '문득'의 경우 단일어로, 경음화가 이루어지지 않으므로 [문득]이 표준 발음이다.
③ 2017년 표준어 개정에 따라 일부 표준 발음도 개정되어, '인기척'은 [인기척/인끼척] 모두 표준 발음이다.
④ 표준 발음법 제10항의 예외 규정에 따라 '넓둥글다'는 [넙뚱글다]로 발음한다.

10 ③ 쌓이면[싸이면]이 표준 발음이다. 표준 발음법 제12항 받침 'ㅎ'의 발음과 관련한 규정에서 "4. 'ㅎ(ㄶ, ㅀ)' 뒤에 모음으로 시작된 어미나 접미사가 결합되는 경우에는, 'ㅎ'을 발음하지 않는다."에 따라 [싸이면]으로 발음한다.

◉ 오답률 줄이는 | **오답풀이** |
④ 맛있게[마딛께]: 표준 발음법 제15항 "받침 뒤에 모음 'ㅏ, ㅓ, ㅗ, ㅜ, ㅟ'들로 시작되는 실질 형태소가 연결되는 경우에는, 대표음으로 바꾸어서 뒤 음절 첫소리로 옮겨 발음한다."에 따라 원칙상 [마딛께]로 발음한다. 그러나 현실 발음을 고려하여 덧붙인 예외 규정인 "다만, '맛있다, 멋있다'는 [마싣따], [머싣따]로도 발음할 수 있다."에 따라, [마싣께]로도 발음될 수 있다.
⑤ 공권력[공꿘녁]: 'ㄴ'과 'ㄹ'이 이어지는 경우 자음 동화에 의해 'ㄹㄹ'로 발음하는 것이 일반적이지만, '공권력'의 경우 예외 단어에 해당한다.

11 ④ 효과[효과/효꽈]: '효과'의 표준 발음은 본래 [효과]만 인정되었으나, 2017년 표준어 개정에서 언중의 호응에 따라 [효꽈]도 인정하기로 하였다. 따라서 [효과/효꽈]로 발음한다.

◉ 오답률 줄이는 | **오답풀이** |
① 선릉[설릉]: 'ㄴ'은 'ㄹ'의 앞이나 뒤에서 [ㄹ]로 발음한다.
② 안팎으로[안파끄로]: 쌍받침이 모음으로 시작된 조사나 어미, 접미사와 결합되는 경우에는, 제 음가대로 뒤 음절 첫소리로 옮겨 발음한다.
③ 설익은[설리근]: 'ㄹ' 받침 뒤에 첨가되는 'ㄴ' 음은 [ㄹ]로 발음한다.
⑤ '낯설다'는 표준 발음법 제9항과 제23항에 따라 [낟썰다]로 발음한다.

12 ① '가져'는 표준 발음법 제5항의 예외 규정 "다만 1. 용언의 활용형에 나타나는 '져, 쪄, 쳐'는 [저, 쩌, 처]로 발음한다."에 따라 [가저]로 발음한다.

◉ 오답률 줄이는 | **오답풀이** |
③ 곧이듣고[고지듣꼬]: 구개음화 관련 조항인 표준 발음법 제17항 "받침 'ㄷ, ㅌ(ㄾ)'이 조사나 접미사의 모음 'ㅣ'와 결합되는 경우에는, [ㅈ, ㅊ]으로 바꾸어서 뒤 음절 첫소리로 옮겨 발음한다."에 따라 [고지듣꼬]로 발음된다.
⑤ 뒷공론[뒫꽁논]: 표준 발음법 제30항 "사이시옷이 붙은 단어는 다음과 같이 발음한다."의 "1. 'ㄱ, ㄷ, ㅂ, ㅅ, ㅈ'으로 시작하는 단어 앞에 사이시옷이 올 때는 이들 자음만을 된소리로 발음하는 것을 원칙으로 하되, 사이시옷을 [ㄷ]으로 발음하는 것도 허용한다."에 따라 [뒤꽁논] 또는 [뒫꽁논]으로 발음할 수 있다.

13 ① 'ㅀ'의 발음과 관련한 규정인, 표준 발음법 제12항의 [붙임] "'ㄶ, ㅀ' 뒤에 'ㄴ'이 결합되는 경우에는, 'ㅎ'을 발음하지 않는다."에 따라 'ㅀ'은 [ㄹ]로 발음되고, 이에 표준 발음법 제20항('ㄴ'은 'ㄹ'의 앞이나 뒤에서 [ㄹ]로 발음한다.)이 더해짐에 따라 [실레요]로 발음하는 것이 옳다.

본문 182쪽

02 한글 맞춤법

기출변형 문제

1	①	2	③	3	④	4	②	5	⑤
6	⑤	7	⑤	8	④	9	③	10	③
11	③	12	②	13	④				

1 ① 하룻날의 발음은 [하룬날]이 맞다.

◉ 오답률 줄이는 | **오답풀이** |

② 어원을 따져 보면 '이틀+날'이지만, 한글 맞춤법 제29항에 따라 소리 나는 대로 '이튿날'로 적는다.

③ '열흘날'은 표준 발음이 [열흘랄]이므로, 표기 그대로 자음 동화가 적용되었다. 따라서 발음과 표기가 일치하므로 그대로 '열흘날'로 적는다.

④ '스물날'은 한글 맞춤법 제28항 "끝소리가 'ㄹ'인 말과 딴 말이 어울릴 적에 'ㄹ' 소리가 나지 아니하는 것은 아니 나는 대로 적는다."에 따라 '따님(딸-님)', '화살(활-살)' 등과 같이 '스무날'로 적는다.

2 ③ 제시된 단어 가운데 올바르게 쓰인 것은 'ⓒ 맹세컨대, ⓔ 범상치 않다, ⓜ 암튼, ⓢ 여닫이'이다.

◉ 오답률 줄이는 | **오답풀이** |

㉠ '구태어'는 '일부러 애써.'를 뜻하는 '구태여'의 잘못이다.

㉡ '뒤치닥거리'는 '접미사 '-거리'와 '뒤치닥'의 결합으로 보아 '뒤치닥거리'로 쓰는 것은 잘못이다. '뒤치다꺼리'로 써야 한다.

㉥ '얼룩이'는 한글 맞춤법 제23항의 [붙임] "'-하다'나 '-거리다'가 붙을 수 없는 어근에 '-이'나 또는 다른 모음으로 시작되는 접미사가 붙어서 명사가 된 것은 그 원형을 밝히어 적지 아니한다."에 따라 '누더기, 두드러기' 등과 같이 '얼루기'로 써야 한다.

㉧ '절대값'은 한글 맞춤법 제30항 사이시옷 규정에 따라 '절댓값'으로 적는다.

3 ④ 말짱히 - 삭이지 - 쩨쩨하게 - 연말연시

㉠ '말짱히'는 한글 맞춤법 제51항 "부사의 끝음절이 분명히 '이'로만 나는 것은 '-이'로 적고, '히'로만 나거나 '이'나 '히'로 나는 것은 '-히'로 적는다."에 따라, '-하다'가 붙는 어근 뒤에서는 흔히 '히'를 붙여 적으므로 '말짱히'로 적는다.

㉡ 문맥상 들어갈 표현의 의미는 '긴장이나 화를 풀어 마음을 가라앉히다.'로 '삭다'의 사동사인 '삭이다'가 들어가는 것이 적절하다. '삭히다'는 '삭다'의 사동사로 '김치나 젓갈 따위의 음식물을 발효시켜 맛이 들게 하다.'의 의미이다.

㉢ '너무 적거나 하찮아서 시시하고 신통치 않다.'의 올바른 표기는 '쩨쩨하다'이다.

㉣ '한 해의 마지막 때와 새해의 첫머리를 아울러 이르는 말.'은 한글 맞춤법 제10항 두음 법칙에 따라 '연말연시(年末年始)'로 적는다.

4 ② 뇌에 혈액 공급이 제대로 되지 않아 손발의 마비, 언어 장애, 호흡 곤란 따위를 일으키는 증상을 일컬어, '뇌졸중(腦卒中)'이라 한다. 흔히 '뇌졸증(腦卒症)'으로 오인(誤認)하여 표현하는 경우가 있지만, 잘못된 표현이다. 또한 거의 절반을 의미하는 단어로 '거진반'을 쓰는 경우가 많은데, 이는 '거지반'의 잘못된 표현이다. 준말의 표기는 '거반'이다.

◉ 오답률 줄이는 | **오답풀이** |

① 끼여들기 → 끼어들기: '끼다'의 활용형으로 '끼어'가 올바르므로, '끼어들기'가 올바르다. '끼여'는 '끼이다'의 활용형이다.

③ 댓가 → 대가(代價): 두 음절로 된 한자어인 '대가(代價)'는 사이시옷 규정에 해당하지 않는다.

삐그덕거리다 → 삐거덕거리다: '크고 단단한 물건이 서로 닿아서 갈리는 소리가 자꾸 나다.'의 표현은 '삐거덕거리다' 또는 '삐거덕대다'이다. 준말은 '삐걱거리다'이다.

④ 서슴치 → 서슴지: '결단을 내리지 못하고 머뭇거리며 망설이다.'의 의미를 가지는 단어는 '서슴하다'가 아니라, '서슴다'이다. 따라서 '서슴+지'의 형태로 쓰여 '서슴지'가 올바르다.

당췌 → 당최: '도무지, 영.'의 뜻을 나타내는 단어로는 '당최'가 올바르다. 이는 '당초에'의 준말이다.

⑤ 초생달 → 초승달: '초생달'은 '초승달'의 잘못된 표현으로, '초승에 뜨는 달.'은 '초승달'이다.

느즈막하다 → 느지막하다: '시간이나 기한이 매우 늦다.'는 '느지막하다'이다.

5 ⑤ '의견이나 일의 성질, 형편, 상태 따위가 어떻게 되어 있든.'을 의미하는 부사 '아뭏든'은 규정에 따라 소리대로 적어 '아무튼'으로 표기하는 것이 올바르다. 비슷한 예로, '결단코, 무심코, 요컨대, 정녕코, 하마터면, 하여튼, 한사코' 등이 더 있다. 준말과 관련된 규범으로는 표준어 규정 제14항~제16항(제14항- 준말이 널리 쓰이고 본말이 잘 쓰이지 않는 경우에는, 준말만을 표준어로 삼는다. 제15항- 준말이 쓰이고 있더라도, 본말이 널리 쓰이고 있으면 본말을 표준어로 삼는다. 제16항- 준말과 본말이 다 같이 널리 쓰이면서 준말의 효용이 뚜렷이 인정되는 것은, 두 가지를 다 표준어로 삼는다.)으로 본질적으로 '효용이 있으면서 널리 쓰이는 것'을 표준어로 규정한 내용이다.

6 ⑤ '-대'는 해할 자리에 쓰여, 어떤 사실을 주어진 것으로 치고 그 사실에 대한 의문을 나타내는 종결 어미이다. 또한 '-다고 해'가 줄어든 말로, 직접 경험한 사실이 아니라 남이 말한 내용을 간접적으로 전달할 때 쓰인다. '-데'는 해할 자리에 쓰여, 과거 어느 때에 직접 경험하여 알게 된 사실을 현재의 말하는 장면에 그대로 옮겨 와서 말함을 나타낼 때 쓰인다.('-더라'와 같은 의미) 따라서 문맥적 의미에 따라 ⑤는 직접 경험에 해당하므로 '거였는데'로 고쳐야 한다.

7 ⑤ '머리+결'은 한글 맞춤법 제30항 사이시옷 규정에 의해 '머릿결'로 적는다.

◉ 오답률 줄이는 | **오답풀이** |

① '유념하도록'의 준말은 한글 맞춤법 제40항에 따라 '유념토록'으로 적는다.

② '피잣집'은 현실 발음상 사이시옷 규정에 해당하는 것으로 여겨질 수 있으나, 외래어와 고유어가 결합한 경우 사이시옷을 쓰지 않는다. 따라서 '피자집'으로 적어야 한다.
③ 한글 맞춤법 제5항의 예외 규정인 "다만, 'ㄱ, ㅂ' 받침 뒤에서 나는 된소리는, 같은 음절이나 비슷한 음절이 겹쳐 나는 경우가 아니면 된소리로 적지 아니한다."에 따라, '싹둑'으로 적어야 한다.
④ '구멍이나 구덩이를 만들다.'의 기본형은 '파다'로 피동형은 '파이다'이다. 이를 활용하면, '파이어'로, 준말로는 '패어' 또는 '파여'로 적어야 올바르다.

8 ④ '희망이나 기대 따위가 마음에 가득하게 되다.'의 의미를 갖는 표현은 '부풀다'로 활용형은 '부풀어, 부푸니, 부푼' 등이다. 따라서 '부풀은'이 아니라 '부푼'이 올바른 표기이다.

◉ 오답률 줄이는 | **오답풀이** |
① '성이 나서 마음이 토라지다.'의 의미로는 '삐치다/삐지다'를 쓴다. 표준어 개정에 따라 '삐지다'도 표준어로 인정되었다. '칼 따위로 물건을 얇고 비스듬하게 잘라 내다.'의 의미로는 '삐지다'를 쓴다.
② '도대체 무슨 심정이냐라는 뜻으로, 무슨 생각으로 그러는지 알 수 없거나 마음속 깊이 맺힌 마음을 이르는 말.'은 '억화심정'이 아니라 '억하심정(抑何心情)'이다.
③ '갈피를 잡을 수 없이 뒤섞여 어수선하다.'는 '착잡하다'이다.
⑤ '들어가기도 하고 나오기도 하여 가지런하지 않은 모양.'을 뜻하는 말은 '들쑥날쑥' 또는 '들쭉날쭉'으로 표기한다.

9 ③ '이러하기도 하고, 저러하기도 하다.'를 뜻하는 연결 어미로 '-니'를 사용해도 된다. 따라서 '가니 마니'도 옳은 표현이다.

10 ③ '괜스레'의 뜻으로 '괜시리'를 쓰는 경우도 있으나 '공연스럽다'의 뜻인 형용사 '괜스럽다'에서 온 부사는 '괜스레'가 옳다.

◉ 오답률 줄이는 | **오답풀이** |
② 한글 맞춤법 제39~40항에 따라 '허송치'로 적는다.
④ 한글 맞춤법 제51항에 따라 부사의 끝음절이 분명히 '이'로만 나는 것은 '-이'로 적고, '히'로만 나거나 '이'나 '히'로 나는 것은 '-히'로 적는다. '틈틈이'는 '이'로 끝나는 경우이므로 '틈틈이'로 적는다.

11 ③ 표준어 개정에 따라 '발목 부근에 안팎으로 둥글게 나온 뼈'는 '복사뼈/복숭아뼈' 둘 다 쓸 수 있다.

◉ 오답률 줄이는 | **오답풀이** |
① 표준어 규정에 따라 '허드레+일'에 한글 맞춤법 제30항에 따라 사이시옷이 적용되어 '허드렛일'로 적는다.
② '뚜렷한 이유 없이'의 의미를 지닌 단어는 '왠지'이다.
④ '아무 탈 없이 멀쩡한'의 의미로 쓰이는 단어는 '생때같은'이다.
⑤ '어느 것이 일어나도 뒤 절의 내용이 성립하는 데 아무런 상관이 없음을 나타내는 연결 어미.'로는 '-든지'를 쓴다. 이 경우 '간에'나 '상관없이' 따위가 뒤따라서 뜻을 분명히 할 때가 있다.

12 ② '글씨나 그림 따위를 아무렇게나 쓰거나 그리다.'의 의미로 쓰는 단어는 '끄적이다/끼적이다' 둘 다 사용할 수 있다.

◉ 오답률 줄이는 | **오답풀이** |
① '일이 어찌 이루어질지 모르는 상태'를 의미하는 단어는 한글 맞춤법 제30항에 따라 사이시옷을 적용하여 '안갯속'으로 적는다.
③ 용언의 활용에서 주의해야 할 표기 중 하나이다. '좋지 못한 상황에 오랫동안 처하여 그 상황에 몹시 익숙해지다.'의 의미로 쓰이는 '찌들다'의 활용형은 '찌든'이다.
④ 한글 맞춤법 제11항의 [붙임]에 따라 '공실률'로 적는다.
⑤ 분량이나 수량을 나타낼 때 사용하는 '량'과 '양'은, 한자어 명사 뒤에서는 '량', 고유어나 외래어 명사 뒤에서는 '양'으로 적는다. 따라서 '구름양'으로 적는다.

13 ④ '-는커녕'은 앞말을 지정하여 어떤 사실을 부정하는 뜻을 강조하는 보조사로, 보조사 '는'에 보조사 '커녕'이 결합한 말이므로 모두 앞말에 붙여 쓴다.

◉ 오답률 줄이는 | **오답풀이** |
① 한글 맞춤법 제46항 '단음절로 된 단어가 연이어 나타날 적에는 붙여 쓸 수 있다.'에 따라 '그때 그곳, 좀더 큰것, 이말 저말' 등과 같이 '한 잎 두 잎'을 '한잎 두잎'으로도 쓸 수 있다.
② 한글 맞춤법 제41항 '조사는 그 앞말에 붙여 쓴다.'에 따라 조사가 둘 이상 겹쳐지거나, 조사가 어미 뒤에 붙는 경우에도 붙여 쓴다.
③ '어떤 일이 있었던 때로부터 지금까지의 동안을 나타내는 말.'인 의존 명사 '지'는 한글 맞춤법 제42항 '의존 명사는 앞말에 띄어 쓴다.'에 따라 띄어 쓰는 것이 올바르다.
⑤ 한글 맞춤법 제48항 '성과 이름, 성과 호 등은 붙여 쓰고, 이에 덧붙는 호칭어, 관직명 등은 띄어 쓴다.'에 따라 올바른 표기이다.

본문 196쪽

03 외래어 / 로마자 표기법 기출변형 문제

1	⑤	2	⑤	3	⑤	4	③	5	③
6	②	7	④	8	⑤	9	②	10	⑤

1 ⑤ '플랜카드'로 쓰는 경우가 많으나, 외래어 표기법에 따라 '플래카드'로 적는 것이 옳다.

◉ 오답률 줄이는 | **오답풀이** |
① 'bonnet'은 원어 발음에 따라 '보닛'으로 적는다.
② 'snowboard'는 외래어 표기법 제3장 제8항 중모음에 관한 규정 '중모음은 각 단모음의 음가를 살려서 적되, [ou]는 '오'로 [auə]는 '아워'로 적는다.'에 따라 '스노보드'로 적는다.
③ 'Phuket'은 '푸껫'으로 적는다.
④ 'ad lib'는 외래어 표기법 제3장 제2항 유성 파열음에 관한 규

정 '어말과 모든 자음 앞에 오는 유성 파열음은 '으'를 붙여 적는다.'에 따라 '애드리브'로 적는다.

2 ⑤ '중생대를 다시 셋으로 나누었을 때 가운데에 해당하는 지질 시대.'를 뜻하는 말은 '쥐라기'로 적는다. 또한 외래어 표기법의 표기의 기본 원칙 제4항 '파열음 표기에는 된소리를 쓰지 않는 것을 원칙으로 한다.'에 따라 '모짜렐라'가 아닌 '모차렐라'로 적는다.

◉ 오답률 줄이는 | **오답풀이** |

① 외래어 표기법 가운데 영어의 표기에서 제1항 무성 파열음([p], [t], [k])에 관한 규정을 따라야 한다. 'flute'의 발음은 [fluːt]로, 긴 모음 뒤의 어말 [t]는 '으'를 붙여 적어야 하므로 '플루트'로 써야 한다.

② '시험을 칠 때 감독자 몰래 미리 준비한 답을 보고 쓰거나 남의 것을 베끼는 일'을 외래어로 '커닝'이라 한다. 실제 발음 [kʌniŋ]을 고려하면 '커닝(cunning)'이 올바른 표기임을 알 수 있다.

③ 군더더기 표기에 주의해야 할 대표적인 단어로 '데생(dessin)', '앙케트(enquete)'가 있다.

④ 외래어 표기법 표기의 원칙 제5항 '이미 굳어진 외래어는 관용을 존중하되, 그 범위와 용례는 따로 정한다.'에 따라, 'Catholic'는 발음대로 하면 '카톨릭'이 되겠지만, 해당 분야에서 '가톨릭'이라고 널리 쓰므로 관용을 존중하여 '가톨릭'으로 적도록 하였다.

3 ⑤ 'presentation[pre−]'과 같은 발음을 기준으로 하여 '프레젠테이션'으로 적는다.

4 ③ 〈보기〉의 '제1항 1. 짧은 모음 다음의 어말 무성 파열음은 받침으로 적는다.'에 따라 '카펫'으로 적는다.

5 '① 마니아, ② 배지, ④ 새시, ⑤ 배터리'가 바른 표기이다.

6 ② 로마자 표기법에서는 표준 발음에 따라 나타나는 음운의 변동을 대부분 적용하지만, 된소리되기는 적용하지 아니하므로 [독또]로 소리나더라도 'Dokdo'로 적는다.

◉ 오답률 줄이는 | **오답풀이** |

'① naksi, ③ Mukho, ④ Bugak, ⑤ Silla'가 바른 표기이다.

7 ④ 'partizan'은 예사소리나 거센소리로 표기한다면 무슨 말인지 잘 알아볼 수도 없을 만큼 이미 된소리로 굳어졌기 때문에 '라'의 '이미 굳어진 외래어는 관용을 존중한다.'에 따라 '빨치산'으로 적는다.

◉ 오답률 줄이는 | **오답풀이** |

① 〈도움말〉 '다'의 '파열음, 파찰음 표기에서 된소리는 쓰지 않음을 원칙으로 한다.'에 따라 '아틀리에'로 적는다.

② 〈도움말〉 '바'의 '중모음 [ou]는 '오'로, [auə]는 '아워'로 적는다.'에 따라 '보트'로 적는다.

③ 〈도움말〉 '마'의 '어말의 [ʃ]는 '시'로 적는다.'에 따라 '리더십'으로 적어야 한다.

⑤ 〈도움말〉 '나'의 '받침에는 'ㄱ, ㄴ, ㄹ, ㅁ, ㅂ, ㅅ, ㅇ'만을 쓴다.'에 따라 '바스켓'으로 적어야 한다.

8 ⑤ 대관령은 [대괄령]으로 발음되므로 'Daegwallyeong'으로 적는 것이 옳다.

9 ② 자음 앞이나 어말의 'ㅂ'은 'p'로 적어야 하기 때문에 'Hapdeok'이 맞는 표기이며, 로마자 표기에서 음운 변화 중 된소리되기는 반영하지 않는다.

10 ⑤ 인명을 성과 이름 순서로 쓰고, 이름의 음절 사이에 붙임표를 쓸 수 있는 것은 맞지만, 이름에서 일어나는 음운 변화는 표기에 반영하지 않으므로 'Jeon mokryeon'으로 쓴다.

Ⅲ. 읽기

본문 210쪽

01 실용문 기출변형 문제

1	⑤	2	⑤	3	①	4	④	5	①
6	⑤	7	⑤	8	⑤	9	①	10	④
11	③	12	⑤	13	④				

1 한라산 국립공원 안전수칙

⑤ 동절기는 입산 시간이 가장 늦지만 일몰 시간은 가장 빠르고, 하절기는 입산 시간이 가장 빠르지만 일몰 시간은 가장 늦다. 이를 통해 탐방 시간이 가장 긴 것은 하절기, 가장 짧은 것은 동절기라는 것을 알 수 있다.

◉ 오답률 줄이는 | **오답풀이** |

① 한라산 국립공원에서는 관음사지구 야영장에서 야영과 취사가 가능하다.

② 한라산은 고도에 따른 온도 편차가 심하고 갑자기 기상이 악화되는 경우도 있다.

③ 한라산의 탐방은 기상청 기상특보에 따라 통제될 수 있다.

④ 한라산에서는 식수를 조달하기 어렵기 때문에 수분을 섭취할 수 있는 음식을 준비해야 한다.

2 경기도 성남시청 어린이 자전거 안전교육

⑤ 실기는 초등학교 4~6학년 중 1개 학년만 가능하므로 고학년을 한자리에 모아 실기 교육을 할 수 없다.

◉ 오답률 줄이는 | **오답풀이** |

① 교육 장소는 해당 학교임을 알 수 있다.

② 1단락을 통해 자전거 교통사고 발생 건수가 연평균 8.9% 증가하였다는 것을 알 수 있다.

③ 1단락을 통해 20세 미만의 청소년 및 60세 이상 고령층이 전체 교통사고의 53%를 차지하고 있다는 것을 알 수 있다.

④ 3단락을 통해 자전거 안전교육은 법규상 의무화되어 있고, 초·중학교 및 지자체에서 하고 있음을 알 수 있다.

[3~4] 종로구 보건소 건강정보

3 ① 만성피로 증상 목록을 보면 지속적인 피로, 두통, 근육통, 미열기가 있고 이러한 증상이 동시에 지속적으로 발생할 경우 만성피로 증후군일 수 있다는 것을 알 수 있다.

◉ 오답률 줄이는 | **오답풀이** |

② 3단락을 통해 극심한 피로와 체중 증가는 갑상선 기능저하증일 수 있음을 알 수 있다.

③ 만성피로 증상은 과도한 운동을 하지 않아도 근육통이나 관절염으로 고통받는 것이며, 권태감이 24시간 동안 지속되기도 한다.

④ 2단락을 통해 소화 불량과 안색이 누렇게 변하는 증상은 간에 이상이 생긴 증상임을 알 수 있다.

⑤ 불면증과 우울감에 관한 병명은 확인할 수 없다.

4 ④ 5단락을 통해 충분한 수면을 취하려 할 때, 몰아서 자는 것보다는 규칙적으로 자는 것이 도움이 된다는 것을 알 수 있다.

◉ 오답률 줄이는 | **오답풀이** |

① 5단락을 통해 비타민C가 풍부한 음식 섭취가 도움이 된다는 것을 알 수 있다.

② 5단락을 통해 정신적 스트레스가 극심할 때는 스트레칭을 하는 것도 도움이 된다는 것을 알 수 있다.

③ 5단락을 통해 카페인이 함유된 커피는 오히려 피로감을 높일 수 있다는 것을 알 수 있다.

⑤ 5단락을 통해 피로를 풀기 위해서는 정신적 긴장과 스트레스를 푸는 것이 도움이 된다는 것을 알 수 있다.

5 경기도청 공식 블로그 내 기사문, 2019. 03. 12.

① 강원 영월과 충북 보은, 경남 고성 세 군데 조성이 되어 있고, 인천시에 조성 중이라고 나와 있으므로 이미 조성이 된 전용 비행시험장은 세 군데이다.

◉ 오답률 줄이는 | **오답풀이** |

② 3단락을 통해 비행통제 운영센터 설치에 들어가는 건축비와 시스템 구축비 60억 원이 전액 국비로 지원된다는 것을 알 수 있다.

③ 4단락에서 '드론 전용 시험비행장' 유치로 300m 이내 고고도(高高度) 비행, 야간비행, 비가시권 비행 등을 상시적으로 할 수 있다는 것을 알 수 있다.

④ 〈드론 활용 시범 사업 분야〉를 통해 사업 분야를 확인할 수 있다.

⑤ 마지막 단락에서 드론 전용 비행장이 조성되면 인근에 검인증 센터, 조종 자격 전문교육기관 등 관련 기업과 도내 100여 개의 드론 업체, 시설 등을 한데 모을 수 있는 드론 클러스터를 구축할 계획이라는 것을 알 수 있다.

[6~7] 송욱, 〈"봄볕에 며느리 내보낸다"…5월 햇볕이 여름만큼 무서운 이유는?〉, SBS 뉴스, 2018. 05. 28.

6 ⑤ 5월 햇볕으로 인한 피부 노화를 우려하는 내용이므로 며느리에게 더 험한 일을 시킨다는 속담인 '봄볕에 며느리 내보내고, 가을볕에 딸 내보낸다'가 가장 적절하다.

◉ 오답률 줄이는 | **오답풀이** |

① 여름 내내 풀을 뜯어 먹어 털이 반지르르한 모습으로 팔자가 늘어진 사람을 빗대어 나타낸다.

② 안 좋은 상황에도 언젠가는 좋은 날이 온다는 것을 의미한다.

③ 소나기가 갑자기 내리는 모습이 쇠등 여기저기 내리는 모습으로 표현된 것이다.

④ 햇볕을 잘 받아야 단맛이 나는데, 장마로 맛이 없어진 과일들을 나타내는 속담이다.

7 ⑤ 마지막 단락을 통해 차단제를 두껍게 많이 바르는 것보다 자주 바르는 것이 더 효과적이라는 것을 알 수 있다.

◉ 오답률 줄이는 | **오답풀이** |

① 1단락을 통해 자외선 중 가장 위험한 것은 자외선C임을 알 수 있다.

② 2단락을 통해 자외선B는 일광 화상도 일으킬 수 있음을 알 수 있다.
③ 3단락을 통해 자외선A는 주름 생성의 원인이 되기도 한다는 것을 알 수 있다.
④ 5단락을 통해 PA는 +가 많을수록, SPF는 수치가 높을수록 자외선 차단 효과가 크다는 것을 알 수 있다.

[8~9] 송경은, 〈플라스틱 쓰레기, 돌고 돌아 결국 식탁까지 위협〉, 동아일보, 2018. 04. 23.

8 ⑤ 이 글에서는 플라스틱 쓰레기로 인한 생태계 파괴와 이로 인한 인간의 미세 플라스틱 섭취로 인한 위험성 등을 설명하고 있다.

9 ① ㉠의 앞뒤 내용을 확인하면 PET 분해 능력이 향상된 효소가 개발되었지만, 우리가 플라스틱을 소비하는 속도와 비교하며 실용화되기까지는 오랜 시간이 걸릴 것이라고 예측하고 있다. 맥락을 보면, PET 분해 능력이 향상되었더라도 우리가 플라스틱을 소비하는 속도를 미생물이 PET를 분해하는 속도가 감당할 수 없다는 것을 알 수 있다.

10 ④ 가장 높은 기본요금은 여름철 최대부하 시간대로 191.1원이고, 가장 낮은 기본요금은 봄·가을철 경부하 시간대로 56.0원이다. 그러므로 최고 요금은 최저 요금의 4배가 되지 않는다.

◉ 오답률 줄이는 | **오답풀이** |
① 봄·가을철은 모든 시간대의 전력량 요금이 다른 계절의 같은 시간대와 비교했을 때 가장 낮다.
② 모든 계절의 경부하 시간대는 전력량 요금이 가장 낮다.
③ 한국전력은 매년 7~8월 중 전기가 가장 많이 소요되는 날짜의 사용 금액으로 다음 1년간 기본요금을 산정하므로 올여름 전기를 아끼면 내년 기본요금이 낮아질 수 있다.
⑤ 18시부터 21시는 중간부하 시간대로, 겨울철 > 여름철 > 봄·가을철 순서로 전력량 요금이 책정되었다.

11 경기도 성남교육지원청(http://www.goesn.kr)

③ 수강료가 3개월에 60만 원이라면 1개월 수강료는 20만 원이다. 첫 달은 1/2 이상 수강을 했으므로 환불이 안 되고 나머지 2개월의 수강료는 전액 환불받을 수 있으므로 40만 원을 환불받을 수 있다.

◉ 오답률 줄이는 | **오답풀이** |
㉠ 교습을 할 수 없어 수강료를 반환할 때는 일할로 계산하므로 4회 수업에 해당하는 수강료를 환불받을 수 있다.
㉡ 수강 전에는 수강료 전액을 환불받을 수 있다.

12 cjmall 이용 약관

⑤ 전화로 동화책 전집을 주문할 당시 청약 철회가 제한된다는 항목에 동의를 하였으므로 반품 및 교환을 할 수 없다.

◉ 오답률 줄이는 | **오답풀이** |
① 이용자의 사용으로 재화의 가치가 현저히 감소하였더라도 시용 상품이 제공되지 않은 경우에는 청약 철회가 가능하다.
② 재화의 공급이 늦게 이루어진 경우에는 재화 공급이 시작된 날로부터 7일 이내에 청약 철회가 가능하다.
③ 재화 등의 내용이 표시·광고 내용과 다르거나 계약 내용과 다르게 이행된 때에는 그 사실을 안 날부터 30일 이내에 청약 철회가 가능하다.
④ 재화의 내용을 확인하기 위해 포장을 훼손한 경우에는 청약 철회를 할 수 있다.

13 ④ 월 2,000장을 복사한다고 가정했을 때, M5521을 두 대 임대하면 보증금 30만 원에 월 임대료가 10만 원이므로, 총 40만 원이 든다. 반면에 M5021을 임대하면 보증금 15만 원에 월 임대료 55,000원이 들고 추가 요금 4만 원(500장×80원)이 더해지므로 245,000원이 든다. 그러므로 M5021을 임대하는 것이 더 경제적이다.

◉ 오답률 줄이는 | **오답풀이** |
① 인쇄 가능 매수가 많고 속도가 빠른 것은 M5021이다.
② 팩스 기능이 있으면서 임대료가 저렴한 것은 M5521이다.
③ M5521에만 팩스 기능이 있다.
⑤ 분당 인쇄 속도가 중요하다면 M5021을 사용해야 한다.

본문 224쪽

02 학술문 기출변형 문제

1	③	2	①	3	⑤	4	⑤	5	④
6	③	7	④	8	⑤	9	⑤	10	④
11	③	12	①	13	⑤	14	④	15	④
16	②	17	④	18	②	19	⑤	20	③
21	④	22	⑤						

[1~3] 두산백과(http://www.doopedia.co.kr)

1 ③ '공격 행동'에 대해서 A.아들러, S.프로이트, K.로렌츠, A.반두라의 학술적 견해를 각각 밝히고 있다.

2 ① A.반두라는 공격 행동은 처벌에 대한 두려움, 도덕적·사회적 비난과 처벌에 의해 상당 부분 억제시킬 수 있다고 말한다.

◉ 오답률 줄이는 | **오답풀이** |
② 공격 행동이 나타나기 위해서는 사회적 학습으로 영상물이나 가정, 학교, 지역사회 등에서 공격 행동을 배우고 익히게 되는데, A 군 역시 '영상물, 게임'과 같은 매체에 주의 집중하는 단계를 통해 공격 행동이 학습된 것이라고 할 수 있다.
③ 폭력물을 '모방'하는 것은 공격을 실행하는 중요 요인이다.
④ A 군이 폭력 행동을 한 후 주변 친구들의 태도가 달라진 것에 우쭐한 것은 A 군의 폭력 행동을 강화시켰다고 할 수 있다.
⑤ 청소년들은 교육으로 인해 폭력을 쓰지 않지만 익명성이 보장되는 게임이나 인터넷상에서 매우 폭력적이 된다는 것을 알 수 있다.

3 ⑤ ⓐ '승화'는 격렬한 운동에 참여하거나 관전함으로써 공격의 욕구를 줄이는 것으로, 공격적인 행동을 하는 아이들에게 태권도나 축구를 통해 공격성을 줄이도록 할 수 있다. ⓑ '대치'는 덜 위험한 목표로 공격 충동의 방향을 돌려 공격성을 대체하는 것으로, 동생에 대한 불만으로 폭력성을 갖게 된 아이가 동생의 인형을 때리는 행동으로 자신의 폭력성을 대신할 수 있다.

[4~6] 강중기, 〈조선 전기 경세론과 불교 비판〉, 서울대학교철학사상연구소, 2004.

4 ⑤ 이 글은 유학의 정치 이념에 대한 사상가들에 따른 주장을 비교하며 소개하고 있는 것으로, 각각 왕도 정치, 법가 정치, 상벌의 공정한 시행에 따른 정치 등을 내세우고 있다. 따라서 하나의 학술 이론이 시간의 흐름에 따라 변화하는 과정을 설명한 것이라 할 수 없다.

◉ 오답률 줄이는 | **오답풀이** |

① 공자의 덕치 이념을 《논어》의 경구를 인용하여 설명하고 있다.
② 공자 · 맹자의 왕도 정치와 한비자의 법가 정치를 대조하여 자세히 설명하고 있다.
③ 한비자의 법가 정치를 설명하면서, 군주의 상벌과 은덕을 호랑이의 발톱과 이빨에 비유하고 있다.
④ 조준은 한비자의 법치 정치에 맹자의 민본주의 사상을 접목하여 조선 현실에 맞게 적용하고자 하였다.

5 ④ 공자는 백성들을 정령으로 이끌고 형벌로써 통제하면 부끄러움이 없어 바르게 되지 않는다고 하였다. 그러나 덕으로써 애쓰고 예로써 통제하면 내면에 스스로 부끄러움이 생겨 바르게 된다고 하였다.

6 **두산백과(http://www.doopedia.co.kr)**
③ 지문에서 '조준'은 공정한 상벌의 시행을 강조하였고, 이러한 공정성은 백성에서 나온다고 하여 맹자의 민본주의 사상을 계승했음을 알 수 있다. 이와 더불어 〈보기〉에 나타난 '조준'의 업적을 보면 조선 초기 사회적 기틀을 다진 업적을 확인할 수 있다. 이렇게 볼 때, 조준이 강조한 상벌의 시행은 백성을 통제하기 위한 것이 아닌 백성을 기반으로 하는 문물을 정비하기 위한 것으로 이해할 수 있다.

◉ 오답률 줄이는 | **오답풀이** |

② 〈보기〉를 통해 '조준'이 개국 공신이라는 것을 알 수 있으므로 '민본 정신'이 유교를 중심으로 한 조선의 개국 정신이었음을 추론할 수 있다.
⑤ 본문과 〈보기〉를 참고할 때, 각 사상가들이 주장한 정치사상을 잘 이해하기 위해서는 그들이 살았던 시대적 배경을 이해할 필요가 있다.

[7~9] 김용신, 〈보수와 진보의 정신분석〉, 살림출판사, 2008.

7 ④ 이 글은 자유주의 체제 안에서도 끊임없이 반복되고 있는 개인의 권리와 공공의 이익 간의 갈등에 관해 설명하고, 21세기 민주주의 체제 내에서 이러한 보수와 진보의 갈등이 어떤 의미를 갖는지에 대해 생각해 보게 한다.

8 ⑤ 헤겔의 주장을 받아들이는 편에서는 아리스토텔레스 등이 주장하는 인간의 선 혹은 목적 추구의 고전적인 이론에 근거하여 공동의 목적 없는 정치 행위를 비판하고 있다.

9 ⑤ 21세기 자유주의에서 보수와 진보의 갈등이 지속되는 이유를 개인의 자유와 공공의 이익이라는 경제적 가치로 설명하고 있다. 이러한 가치의 근거가 바로 칸트와 헤겔이라는 철학자이므로 이는 진보와 보수라는 정치적 이념으로서 그 갈등이 일맥상통한다는 것이다.

◉ 오답률 줄이는 | **오답풀이** |

① 자유주의 내에서 공동체주의는 수정주의적 입장과 연결은 되지만 의미가 다르다.
② 헤겔의 이론을 근거로 한 공동체주의는 자유주의 안에서도 존재하고 있으므로, 사회주의의 존망 여부를 판단할 수 없다.
③ 지문은 자유주의 내에서 보수와 진보의 갈등 현상을 설명하고 있으므로 자유주의와 사회주의 분리에 대해서는 알 수 없다.
④ [A] 단락의 취지는 개인의 자유와 공공의 이익이라는 경제적 가치가 보수와 진보라는 정치적 이념과 일맥상통한다는 것을 말하는 것이므로 중심 내용에서 벗어난다.

[10~12] 석혜원, 〈청소년을 위한 세계경제사〉, 두리미디어, 2013.

10 ④ 이 글은 악화가 양화를 몰아내는 경제 · 사회적 현상을 나타내는 '그레셤의 법칙'에 대해 은의 가치를 예로 들어 자세하게 분석하여 설명하고 있다.

11 ③ 〈보기〉는 구리와 아연 성분이 높은 구 동전의 실제 가치가 높아지면서 시장에서 구 동전의 유통이 사라지는 현상을 보인다. 그러므로 구 동전은 실제 가치가 액면 가치보다 높은 양화, 신 동전은 액면 가치가 실제 가치보다 높은 악화라고 할 수 있다.

◉ 오답률 줄이는 | **오답풀이** |

① 구 동전의 실제 가치가 액면 가치인 400만 원 이상이기 때문에 구 동전이 시중에서 점점 사라지는 것이다.
② 구 동전이 시중에서 사라지는 현상은 영국에서 은화의 실제 가치가 높아지면서 시중에서 사라진 현상과 유사하다.
④ 구 동전과 신 동전 중 신 동전의 액면 가치가 높기 때문에 화폐로서 시장에 활발하게 유통된다.
⑤ 신 동전은 구리와 아연 함유량이 낮아 제조 단가가 줄어서, 실제 가치가 줄게 되며, 반대로 화폐의 액면 가치는 올라가게 된다.

12 ① 실제 가치보다 액면 가치가 높다는 것은 경제성이 높다는 것을 의미한다. 수입 생수는 경제적이라는 조건이 없고, 이렇게 볼 때 수입 생수 유통이 늘어난 것은 생수 시장의 활성화에 따른 제품의 다양화라고 할 수 있다.

◉ 오답률 줄이는 | **오답풀이** |

② 비싼 밀가루는 실제 가치가 높은 양화에 속하고, 값싼 밀가루는 액면 가치가 높은 악화로서 시장의 경제 상황이 어려워질수록 액면 가치가 상승한다.
③ 집밥은 실제 가치가 높은 양화에 속하고, 도시락은 경제적인

재화로서 악화에 속한다.

④ 합성 섬유는 액면 가치가 높은 악화이고, 천연 섬유는 실제 가치가 높은 양화이다.

⑤ 국내 과일 시장에서 사과와 배는 실제 가치가 높은 양화이고, 수입 과일은 액면 가치가 높은 악화이다.

[13~15] 김민주, 〈시장의 흐름이 보이는 경제 법칙 101〉, 위즈덤하우스, 2011.

13 ⑤ 이 글은 '이스털린의 역설'이라는 이론이 등장하게 된 사회적 배경과 이유를 연구를 통해 구체적으로 설명하고 있다.

◉ 오답률 줄이는 | **오답풀이** |

① 연구를 통해 사회적인 문제점을 발견하고 이론을 구축했으나, 그에 대한 해결 방안이 생길 것이라 예측했을 뿐 해결 방안을 제시하지는 않았다.

② 이 글에 나온 시기의 변화는 연구 과정을 나타내는 것이지 나타내고자 하는 주요 대상의 변화라고 할 수 없다.

14 ④ '이스털린의 역설'을 구체적으로 설명하고 있는 문장으로 바로 앞의 문장을 참고하여 생각해 보자.
앞의 문장과 반대의 상황이므로, 욕구의 수준이 높아지면 같은 수준의 소득이어도 행복감은 줄어들게 된다. 따라서 소득이 늘어나도 그만큼 욕구 수준이 늘어나면 행복감은 전혀 증가하지 않는 '이스털린의 역설' 현상이 나타나게 되는 것이다.

◉ 오답률 줄이는 | **오답풀이** |

⑤ '욕구의 수준이 높아지면 행복감은 줄어든다. 그런데 소득이 늘어나도 욕구의 수준 역시 줄어들면 행복감은 전혀 줄어들지 않는다.' 이는 논리적으로는 맞는 설명이나, 문맥을 볼 때, 소득이 늘어난다고 해서 행복감이 정비례하는 것이 아닌 '이스털린의 역설'을 설명하기에 적절하지 않고, 바로 앞의 문장의 상황과 역접의 관계를 이루지도 않는다. 그러므로 적절한 선택지가 될 수 없다.

15 ④ 행복 경제학은 전통 경제학의 한계를 심리 · 사회적 요인이 포함된 분석으로 보완한 것이다. 따라서 경제적 소득이 높아질수록 단순히 소득과 행복이 비례하지 않는 것은 환경, 복지, 치안 등 사회적 문제에 대한 관심도가 높아지고 이에 대한 만족도가 개인의 행복에 영향을 미치기 때문이라고 볼 수 있다.

[16~17] 홍종열, 〈창조경제란 무엇인가〉, 커뮤니케이션북스, 2014.

16 ② 다문화주의는 집단의 범주화와 동일화가 이루어지므로 특수하고 정교한 법률 제정이 어렵다는 한계를 지닌다.

◉ 오답률 줄이는 | **오답풀이** |

① 다문화주의와 상호 문화주의는 모두 문화 다양성과 문화 혼종의 가치를 새롭게 인식한 개념이다.

③ 다문화주의는 집단을 개인과 동일시하므로 집단의 문제를 개인의 문제로 받아들여, 개인 간에는 문제가 없으나 집단 간 문제로 인한 개인 간 갈등이 생길 수 있다.

④ 상호 문화주의는 '관계'를 중시하기 때문에 이미 고정된 집단의 문화로 인한 갈등이 줄어들 수 있다.

⑤ 쌍방향적인 '관계'를 중시하는 상호 문화주의 사회의 구성원들은 다양한 문화의 사람들과 역동적인 관계를 맺는 것이 다문화주의 사회보다 자연스러울 것이다.

17 ④ '문화인 합동 마을'은 소속감과 연대감을 극대화시켜 다양한 성취를 이룰 수는 있으나, 이는 집단의 문화를 특성화시키는 것이지 다양한 문화가 공동체와 생활 속에서 소통하며 점차 시민 사회로 확대되는 것이 아니기 때문에 상호 문화 도시 프로젝트의 목적에서 벗어난다고 할 수 있다.

[18~19] 배성호, 〈패시브 하우스 콘서트〉, 주택문화사, 2014.

18 ② 패시브 하우스라도 단열재 두께의 한계, 감당하기 힘든 한파로 인해 약간의 난방 에너지 공급은 불가피하다. 그러므로 연료 공급 없이 난방이 가능하다는 것은 적절하지 않은 설명이다.

◉ 오답률 줄이는 | **오답풀이** |

① 단열재가 두꺼울수록 단열 효과가 높지만, 단열재를 무한대로 두껍게 할 수 없다는 한계가 있다.

③ 공기가 외부로 배출되면서 유입되는 차가운 공기를 덥혀 환기로 인한 에너지 손실을 줄인다.

④ 공급되는 열량과 빠져나가는 열량이 같을 때 가장 완벽하게 단열이 될 수 있다.

⑤ 패시브 하우스에서는 집 안의 가전제품의 빛과 열, 사람의 체온 등이 모두 난방을 유지할 수 있는 재료가 된다.

19 ⑤ ㉠ 액티브 하우스는 인위적인 에너지 공급을 해야 하는 것으로서 주전자에 물을 계속 끓여 주는 상황에 빗대었고, ㉡ 패시브 하우스는 건물 그 자체만으로도 쾌적한 실내 온도를 유지했으면 하는 바람에서 탄생한 것으로서, 보온병에 담긴 뜨거운 물에 빗대어 표현한 것이다.

[20~22] 도병훈, 〈청소년을 위한 서양미술사〉, 두리미디어, 2014.

20 ③ 이 글은 개념미술의 경향을 소개하고, 표현 기법과 이러한 기법을 통해서 드러내고자 하는 의도가 무엇인지를 설명하고 있다.

21 ④ 이 글에서 말하는 퍼포먼스 요소를 포함하는 플럭서스의 행위와 유사하다는 것은 개념미술을 통한 메시지 전달이 더욱 역동적이고 강렬해졌음을 의미하는 것이다. 또한 이들이 전달한 메시지는 예술과 예술 제도, 예술의 역할의 본질에 대한 의문이므로 이것 모두를 부정하는 것이라고 할 수 없다.

◉ 오답률 줄이는 | **오답풀이** |

① 개념미술은 대상을 표현하던 종래의 예술관을 버리고 작품 자체보다 제작의 아이디어나 제작 과정에 관심을 두었다.

② 개념미술의 반(反)미술적인 경향은 그 모든 것에 대한 부정과 불신에서 시작되어 정치 비평적 실천으로 발전해 갔다.

③ 개념미술은 1970년대 들어 미술이 예술성 또는 예술을 담는 매체를 탈피하여 '본질적인 미술 영역'으로 확장을 꾀하게 된다.
⑤ 개념미술은 과거의 미술을 새롭게 조명하고 미술의 새로운 방식을 실험하는 방식의 두 가지 영역으로 이해할 수 있다.

22 ⑤ 개념미술은 기존의 표현력이나 작품의 형식보다는 아이디어와 제작 과정을 통해 사회적, 정치적, 또는 삶의 본질적 의미를 담아낸다. 그러므로 시각적으로 보이는 작품의 구도를 감상하는 것은 개념미술에 대한 적절한 감상이라고 보기 어렵다.

◉ 오답률 줄이는 | **오답풀이** |
① 이 작품을 통해 특정 사물이나 현상을 바라볼 때의 관점이 더욱 다양해지고 비판적이 될 수 있다.
② 개념미술은 작품 구성의 과정, 아이디어 자체가 모두 작품의 의미를 담아낼 수 있고, 그 의미는 우리가 당연하게 여겼던 것들에 대한 질문이므로, 정치적, 사회적 역할로 확대될 수 있었던 것이다.
③ '의자'의 본질에 대한 질문을 던지고 있는 작품이다.
④ 이 작품을 소장할 때, 실제 의자를 의자 사진과 의자의 정의를 적은 복사물과 따로 보관한 것은 그 자체의 본질을 이해하려는 것으로 작가의 의도에 맞게 보관하고자 하는 미술관의 노력이라고 할 수 있다.

본문 248쪽

03 문학 – 현대시 / 현대소설 / 수필 기출변형 문제

1	④	2	③	3	④	4	⑤	5	①
6	②	7	③	8	④	9	⑤	10	②
11	④	12	③	13	④	14	②	15	⑤
16	②	17	⑤	18	⑤	19	④	20	③
21	③	22	⑤	23	④				

1 ④ (가)에서 사랑은 새 묘목을 심고 과목이 열릴 때까지 희생하며 지켜보는 일이라고 말한다. (나)에서는 사랑하는 것이 사랑받는 것보다 행복하다고 말하고 있다. 이렇게 볼 때 (가), (나) 두 시는 모두 사랑을 주는 것에 더 큰 가치를 두고 있음을 알 수 있다.

2 ③ 이 시에서는 역설적 표현이 나타나지 않는다.

◉ 오답률 줄이는 | **오답풀이** |
① 1연의 내용 '사랑한다는 것은'을 마지막 연에 반복하는 수미상관을 통해 운율을 형성하고 있다.
② '사랑한다는 것은', '~는 일이다'를 반복함으로써 시상을 강조하고 있다.
④ '사랑'이라는 추상적인 개념을 쉬운 시어를 통해 형상화하고 있다.
⑤ 사랑을 위해서는 정성과 보살핌이 필요하다는 주제 의식을 과목을 가꾸는 행위에 빗대어 표현하고 있다.

3 ④ ㉣ '인정의 꽃밭'은 사람들이 서로 의지하며 모여 사는 참된 인정이 피어나는 곳을 의미한다.

4 ⑤ 화자가 가을 들판에 '메뚜기'가 없다는 사실을 발견한 것은 사실이나, 이것이 '메뚜기'에 대한 관심과 애정을 보여 주는 것은 아니다.

◉ 오답률 줄이는 | **오답풀이** |
① 화자는 가을 햇볕과 공기, 익는 벼를 바라보고 있다.
② '생명의 황금 고리'라는 표현을 통해 화자가 생명체들의 상호 관계를 유기적으로 파악하고 있음을 알 수 있다.
③ 화자는 '메뚜기'가 사라졌다는 표면적인 현상을 통해 생태계의 순환 관계가 파괴되었음을 발견하고 있다.
④ 화자는 풍요로운 가을 들판에서 적막함을 발견하는 정서의 변화를 보여 주고 있다.

5 ① 이 시의 화자는 '달 호텔'에서 '지구'를 바라보며 혼자 말하고 있을 뿐, 특정 대상에게 말을 건네고 있지 않다.

◉ 오답률 줄이는 | **오답풀이** |
② 방이 없어 지구를 떠나는 동식물을 나열하고 있다.
③ 지구를 떠나는 동식물들을 나열하다가 말줄임표로 끝을 맺는 것은, 그것이 끝이 아니라 더 많은 동식물이 있다는 것을 나타내는 것이다.
④ '호텔'과 '여관'이라는 서로 대조적인 숙박 시설을 통해 지구의 현재 상황이 매우 부정적임을 강조하고 있다.
⑤ 지구를 '우편엽서'나 '나뭇잎'에 비유하여 조그만 크기나 사라지기 쉬운 특징을 생생하게 나타내고 있다.

6 ② (가)는 메뚜기가 사라진 가을 들판을 통해 생명의 황금 고리가 끊어졌음을 안타까워하고 있다. (나)는 많은 생명체들이 지구를 떠나가고 있음을 열거하고 있다. 이것으로 보아 (가)와 (나)는 모두 자연과 생명의 가치를 무시하는 인간을 비판하고, 황폐화되어 가는 자연에 대한 안타까움을 노래하고 있다고 할 수 있다.

7 ③ (가)의 화자는 숲의 나무들을 통해 타인과의 적절한 '간격'이 중요함을 깨닫고 있다. (나)의 화자는 서로 연대하며 숲을 이루어 살아가는 삶의 중요성을 강조하고 있다. 이렇게 볼 때, (가)와 (나)는 모두 자연물을 통해 인간이 추구해야 할 삶의 가치를 깨닫고 있음을 알 수 있다.

8 ④ ㉣은 '숲'과 대조적인 공간으로, 연대가 상실된 삭막한 현대 사회를 나타낸다. 그러므로 화자가 숲에 도달하는 과정이라는 설명은 적절하지 않다.

9 ⑤ (가)의 화자는 산불이 휩쓸고 지나간 숲에 들어가 보고 울창한 숲을 이루기 위해서는 나무와 나무 사이에 간격이 필요함을 깨닫게 되었다. 이를 통해 화자는 인간과 인간이 간격을 이루는 삶의 중요성을 알게 된 것이다.

(나)의 화자는 숲에 가 보니 나무들이 각자 서 있었고, 각자 서 있는 나무들이 모여 거대한 숲을 이루는 것을 보고, 숲을 이루지 못하는 현대 사회에 대한 안타까움을 드러내고 있다. 그러므로 인간과 인간이 연대하는 삶의 가치를 깨달았다고 할 수 있다.

10 ② 이 소설은 원작과는 달리, 허생의 처를 주인공으로 내세우고 허생의 처가 서술자인 1인칭 주인공 시점으로 허생에 대한 비판적인 시각을 제시하고 있다.

◉ 오답률 줄이는 | **오답풀이** |

① '과거 응시'에 대한 내용으로 보아 시대적 배경을 현대라고 볼 수 없다.

④ 이 글에서 허생은 경제적으로 무능한 가장으로 성격이 크게 변하는 입체적 인물로 볼 수 없다.

11 ④ 1980년대에 양성평등의 문제를 실현하고자 하는 현실 인식이 작품 속 '허생의 처'를 통해 드러나 있다.

◉ 오답률 줄이는 | **오답풀이** |

② 작품의 배경은 조선 후기로, 여성 운동이 활발하지 않았다.

12 ③ ⓒ은 허생이 독서에만 관심을 기울일 뿐 집안 형편에는 무관심했음을 드러내는 것이다. 허생이 독서를 했던 것은 현실의 어려움을 이겨 내기 위해서가 아니라 학문 추구 자체에 목적을 둔 것으로, 이는 당대 양반들의 인식이다.

13 ④ '나'는 밤에 석류를 먹는 어머니의 괴기스러운 모습을 보고 놀라지만, 그것이 어머니에 대한 불만을 드러내는 것은 아니다.

◉ 오답률 줄이는 | **오답풀이** |

① 어머니는 숙진이에 대해 회상하고 석류를 먹으며 숙진이에 대한 그리움을 달래고 있다.

② 어머니의 질문에 대답하지 않고 시간 이야기를 하는 모습을 통해 알 수 있다.

③ 바나나나 사탕이 흔하게 된 세상과 제사상 음식조차 그 모습이 바뀐 것에 대한 부정적인 시각이 드러나 있다.

⑤ "나라도 대신 먹고 가야 숙진이 고것한테 할 말이 있지."라는 어머니의 말을 통해 알 수 있다.

14 ② 〈보기〉의 '부대찌개'는 해방 이후 어려웠던 상황 속에서 만들어진 음식이고, ㉠은 형편이 나아지게 되면서 다양한 먹거리에 빠지게 되었음을 보여 주는 것이다. 따라서 이 둘의 내용을 종합하면 음식 문화는 사람들의 삶의 형편과 밀접한 관련이 있다고 볼 수 있다.

15 ⑤ 어머니가 숙진이를 회상하는 장면을 통해 숙진이가 끝내 어머니가 어렵게 구해 온 석류를 먹지 못하고 죽었음을 알 수 있다. 어머니는 숙진에게 석류를 먹일 수 없었던 회한과 죽은 딸에 대한 그리움을 이제는 흔하게 구할 수 있는 석류를 먹으며 달래고 있는 것이다.

16 ② 이 글은 말이 우리 생활에 얼마나 필요한 것인지, 또 이야기가 얼마나 즐거움을 주며 없어서는 안 되는 것인지에 대한 자신의 생각을 담담하게 펼치고 있다.

17 ⑤ 작가는 피란 시절의 ⓑ '이야기'에 대한 욕구를 ⓐ '음식'에 대한 욕구와 대비하여 설명하고 있다. 이를 통해 볼 때 '이야기'는 보다 인간적이고 즐거움을 추구하는 삶의 정신적 욕구라고 할 수 있다. 반면 '음식'은 본능적인 생존의 욕구로서 삶의 기본적인 욕구라고 할 수 있다.

◉ 오답률 줄이는 | **오답풀이** |

③ ⓐ '음식'은 동물적인 차원이고, ⓑ '이야기'는 인간적인 차원의 문제이다.

18 ⑤ 이 글에는 문답법이 드러나지 않는다.

◉ 오답률 줄이는 | **오답풀이** |

① 일기, 전기, 전쟁, 역사를 열거하여 이와 같은 위대한 기록도 '이야기'에서 비롯되었음을 강조하고 있다.

② '말은 은(銀)이요, 침묵은 금(金)이다.'라는 격언을 인용하고 있다.

③ '말'과 '침묵'을 다양한 보조 관념에 빗대어 설명하고 있다.

④ 피란 시절에도 음식보다는 이야기가 그리웠던 자신의 경험을 예로 들고 있다.

19 ④ 이 글의 할머니는 가난하고 힘든 생활을 하고 있다. 그러나 장판을 팔고 다니는 자신의 생활에서 불편함을 느끼지 않고 노래를 흥얼거리며 즐거워하고 있으므로, 할머니는 낙천적인 성격의 소유자라고 할 수 있다.

20 ③ 할머니와 같이 자신의 삶 속에서 느끼는 감정과 삶 자체를 예술로 표현하는 이들이야말로 진정한 예술가라고 하는 것으로 보아, 작자는 일상생활에서 신명을 찾는 거리의 악사들을 진정한 예술가로 여기고 있는 것이다.

21 ③ 수단과 방법을 가리지 않고 출세를 하고자 하는 상범의 '새 상식'을 나타내는 것은 ㉡과 ㉢이 가장 적절하다.

㉡ 총구: 상식적인 삶을 살아가지 않는 아미를 향하는 것으로 아미를 이용하고자 하는 상범의 '새 상식'을 암시한다.

㉢ 계산을 해 놓겠습니다.: 경리 과장을 대신해 회사의 돈을 잘 계산해 두겠다는 것으로 사장에게 아부를 해서라도 권력을 잡으려는 상범의 '새 상식'을 드러낸다.

◉ 오답률 줄이는 | **오답풀이** |

㉠ 아미가 나와 핸드백을 들고 부대 밖으로 나간다.: 아미가 박 전무와 바람을 피우기 위해 나가는 것으로 상범이 '새 상식'을 갖게 되는 하나의 계기이다.

㉣ 아까 다방에서 전화하신 분이……사모님이신가요?: 경리 과장이 술을 마시러 간 것이 아니라 부인이 찾아왔음이 드러나는 부분이다.

㉤ 재수가 없죠: 경리 과장이 재수가 없어 강원도 지사로 전출을 가게 되었음을 나타낸다.

22 ⑤ 이 글의 상범은 상식을 지키며 살아가는 성실한 인물이었으나, 그럴수록 주변 사람들에게 이용을 당하기만 한다. 또한 주위를 둘러보니 사람들은 자신이 이해할 수 없는 가치관으로 저마다의 삶에서 많은 것을 누리며 살아가고 있다. 상범은 이것을 보고 '새 상식'으로 세상을 살아가겠다고 다짐을 하고 직원들에 대한 고자질을 하며 사장님에게 아부를 하여 놀랄 만한 승진을 한다.
이 희곡의 제목 〈국물 있사옵니다〉는 가치관이 바뀐 상범이 자기 자신도 이제는 만만한 사람으로 살아가지 않겠노라는 의지의 표명이라고 할 수 있다.

23 ④ 배 과장은 아내가 찾아와 다방에 나갔던 것이다. 그러나 상범은 자신이 추측하여 술을 마시러 다방에 갔다고 사장에게 보고한 것이다. 그 결과 배 과장은 지방으로 전출을 가게 되었고, 상범은 경리 과장으로 승진하게 되었다.

◉ 오답률 줄이는 | **오답풀이** |

① 상범은 배 과장을 고자질하고, 계속해서 사장에게 잘 보이려 하고 있다.
② 사장이 상범의 마음을 알아주고, 상범의 행동을 격려하고 있다.
③ 상범이 '새 상식'으로 살아가겠다고 하는 것을 통해 알 수 있다.
⑤ 상범은 자신이 배 과장을 고자질하고 승진한 것에 대해 만족하고 있으며 성아미와 박 전무의 관계를 이용할 것임을 드러내고 있다.

Ⅳ. 듣기

본문 268쪽

01 사실적 이해 / 추론 / 비판[단독 문제] 기출변형 문제

1	②	2	⑤	3	③	4	④	5	①
6	②	7	④	8	⑤	9	③		

1 다음은 강연의 일부입니다. 잘 듣고 물음에 답하세요.

여러분은 어떤 벌레를 가장 싫어하십니까? 많은 사람들이 기피하는 곤충인 바퀴벌레에 대한 흥미로운 연구 결과가 발표되었습니다. 벨기에의 브뤼셀자유대학의 의학 박사팀은 바퀴벌레들이 들어갈 수 있는 3개 정도의 공간을 배치한 후에 50마리의 바퀴벌레를 풀어 주었습니다. 그러자 바퀴벌레들은 우선 더듬이를 이용해 서로 간의 의사소통을 진행하였습니다.

이 과정 속에서, 바퀴벌레는 더듬이를 통해 민감하게 촉각을 느끼며 다른 바퀴벌레가 자신과 같은 집단인지 아닌지를 구분하고 의사를 주고받게 됩니다. 이 실험을 첫 번째로 진행했을 때에는 3개의 공간 중 2곳에 25마리씩이 들어갔으며, 두 번째로 실험을 했을 때에는 모든 바퀴벌레들이 하나의 공간에 들어가는 것을 확인하였습니다. 즉, 바퀴벌레들은 민주적으로 소통하며, 협력과 경쟁이라는 두 요소를 균형 있게 다루어 간다는 것입니다. 이렇게 서로의 소통을 통해 무리를 만드는 습성이 있는 바퀴벌레는 역시 소통을 통해 생식 활동의 기회를 늘리고 음식과 주거 등 생존에 필요한 것들을 공유하는 등 많은 이익을 얻고 있습니다.

잘 들으셨지요? 강연의 내용과 일치하지 않는 것은 무엇입니까?

① 바퀴벌레는 공동으로 생활하는 것을 선호한다.
② 바퀴벌레는 더듬이로 소리를 내어 서로 소통한다.
③ 바퀴벌레는 서로의 소통으로 생존의 도움을 주고받는다.
④ 바퀴벌레는 자신의 집단인지 아닌지를 중요하게 생각한다.
⑤ 바퀴벌레는 특정한 리더의 의견에 따라 움직이지는 않는다.

② 바퀴벌레는 더듬이를 사용하여 청각이 아닌, 촉각을 느끼며 의사소통을 한다고 제시되어 있다.

2 다음은 인터뷰의 일부입니다. 잘 듣고 물음에 답하세요.

여(리포터): 오늘은 한국병원 뇌 건강센터의 김 박사님을 찾아왔습니다. 김 박사님께서는 오랜 기간 동안 치매 치료를 위해 개발된 신약의 효능을 검증하기 위한 연구를 이어 오셨습니다. 그런데 연구 결과, 다양한 신약 중에 효과가 있는 신약의 수는 매우 적은 것으로 나타났다고 합니다. 어떻게 된 일일까요?

남(김 박사): 네. 연구 결과 치매 치료 신약의 임상 시험 실패율은 99%로 암 치료 신약의 실패율 80%에 비하면 훨씬 높은 편입니다. 치료 신약으로 효과가 검증된 약은 수많은 신약 중 단 하나뿐이며, 이 역시 치매를 근본적으로 처리하는 것은 아니며 인지 장애나 착란 등 치매의 증상을 완화시키는 역할을 하는 것에 불과합니다. 효과가 유효할 것으로 예상되는 다른 신약들도 있었지만, 임상 시험에서 실패로 끝나 버렸지요. 안타까운 일입니다.

여(리포터): 그렇군요. 그렇더라도 앞으로 더 많은 신약을 개발해 나간다면 희망이 있지 않을까요?

남(김 박사): 물론 치매 치료의 신약 개발은 계속 이어질 것입니다. 그러나 워낙 실패율이 높아 제약업계가 위축되는 분위기이고, 이 때문에 현재 임상 시험이 진행 중인 치매 신약의 종 수도 몇십 개 정도에 불과합니다. 임상 시험을 거치고 있는 새로운 항암제는 몇백 종에 이르고 있는 것과 비교한다면 너무나 초라한 실정입니다.

여(리포터): 그러나 노인 인구는 급증하고 치매 환자도 계속 늘어나고 있지 않습니까? 앞으로 어떻게 이러한 문제점을 해결해 나갈 수 있을 거라 보십니까?

남(김 박사): 최근 치매 신약이 높은 실패율을 보이는 것은 연구 예산의 부족과도 연관이 되어 있습니다. 단기간의 치료 표적으로 효과를 증명해 내지 못하면 그 연구가 바로 중단되고 있는 실정이지요.

여(리포터): 네. 앞으로 열악한 연구 환경이 개선되어 지속적인 치매 신약 개발이 이루어져야 하겠군요.

잘 들으셨지요? 이 인터뷰에서 알 수 있는 내용이 아닌 것은 무엇입니까?

① 치매 치료 신약은 지속적으로 개발되고 있다.
② 치매 치료 신약의 실패율은 암 치료 신약의 실패율보다 높다.
③ 치매 치료 신약 중 그 효과가 검증된 것은 극소수에 불과하다.
④ 치매 치료 신약 중 임상 시험을 거치고 있는 것이 수십 종이다.
⑤ 치매 치료 신약은 단기간에 많이 판매되지 않으면 곧 연구가 중단된다.

⑤ 치매 치료 신약은 '치료 표적' 즉, 치료의 효과를 빠른 시간 안에 증명해 내지 못하면 연구가 중단된다. 판매와 연구와의 연계성은 언급되지 않았다.

3 다음은 강연의 일부입니다. 잘 듣고 물음에 답하세요.

우리나라에 오는 많은 외국인들이 놀라는 것 중의 하나가 한국의 밤 문화가 활성화되어 있다는 것입니다. 이때 밤 문화라는 용어는 유흥을 좋아하고 술을 늦은 시간까지 즐겨 마시는 회식 문화 등이 포함되어 있어 부정적인 의미도 일부 포함하고 있었습니다. 그러나 이제 어두웠던 밤 문화가 유흥과 소비를 벗어나 문화를 향유하는 새로운 장으로 변모하고 있습니다.

대표적인 예가 고궁의 야간 개장 행사입니다. 창덕궁에서는 매년 4~6월과 8~10월에 달빛 아래에서 창덕궁을 답사할 기회를 제공합니다. 이때 관객들은 달빛 속 궁궐을 거닐며, 이어폰을 통해 해설사가 들려주는 궁궐의 옛이야기를 들으며 차분하게 고궁의 멋을 느낄 수 있습니다. 덕수궁에서는 낮에는 없던 특별한 전통국악공연이 매주 목요일 밤에 벌어집니다.

몇 해 전부터 각 지역의 국립 박물관들이 특정 요일에 야간 프로그램을 운영하고 있는 것도 즐거운 문화 향유의 방법 중 하나입니다. 대표적으로 서울국립중앙박물관, 인천광역시립박물관 등의 박물관에서 여름밤에 박물관 관람을 즐길 수 있습니다.

또한 국립현대미술관과 서울시립미술관에서도 밤늦은 시간까지 전시를 관람할 수 있습니다. 뜨거운 날씨에 지치기 쉬운 여름밤의 밤 문화, 이제는 더 다채롭고 의미 있게 다양한 문화를 향유하는 시간으로 변모하고 있습니다.

잘 들으셨지요? 강연의 내용과 일치하지 않는 것은 무엇입니까?

① 기존의 밤 문화는 유흥에 집중되어 있었다.
② 창덕궁에서 달빛을 느끼며 야간 답사를 할 수 있다.
③ 덕수궁에서는 해설사의 이야기를 들으며 궁궐을 볼 수 있다.
④ 각 지역의 국립 박물관에서 매일 야간 프로그램을 운영하는 것은 아니다.
⑤ 새로운 밤 문화를 고궁, 박물관, 미술관 등 다양한 곳에서 즐길 수 있게 되었다.

③ 해설사의 이야기를 들으며 궁궐을 구경할 수 있는 곳은 덕수궁이 아닌 '창덕궁'이다.

4 다음은 강연의 일부입니다. 잘 듣고 물음에 답하세요.

세계에는 약 6,700여 가지의 언어가 존재합니다. 그러나 이 언어들을 표기할 수 있는 문자가 없는 경우, 자신들의 역사나 문화를 기록할 방법이 없으니 결국 문명 세계로 발전하기가 어려웠습니다.

역사적으로 볼 때, 완벽하지는 않더라도 사람의 소리를 자음과 모음으로 구별하여 적는 데에만 무려 3천 년이 걸렸다고 합니다. 그런데 한글의 경우는 이 작업을 25년 만에 해냈습니다. 한국인의 창의력이 놀라운 결과물을 만들어 낸 것입니다.

한글의 위대성은 헤아릴 수 없이 많습니다. 우선 소리와 발음 기관에 완벽한 연관성이 있다는 점을 들 수 있습니다. 평음과 경음과 격음을 구분하여 적는 것은 한글이 발음에 힘이 드는 정도를 감안하여 표기한 과학적인 문자라는 근거가 됩니다. 이뿐만 아니라 한글은 가로쓰기와 세로쓰기가 모두 가능하며, 배우기 쉽고 쓰기 편해 누구나 편리하게 익혀 읽고 쓸 수 있습니다. 다른 나라의 언어라도 거의 원음에 가깝게 표기가 가능하다는 장점도 지니고 있습니다.

세계화 · 정보화 시대를 맞이하여, 우리는 한글을 전 세계인이 공통적으로 사용하는 문자가 되도록 노력을 기울여야 할 것입니다. 문자가 없는 소수 종족의 언어들을 기록하는 역할을 담당하고, 배우기 어렵고 정보화하기 어려운 문제점이 있는 문자를 쓰는 언어들을 한글로 표기하도록 해야 할 것입니다. 그것이 세계 문자로서 한글의 위상을 지켜 나가는 하나의 방법이 될 것입니다.

잘 들으셨지요? 강연에 대한 반론으로 가장 적절한 것은 무엇입니까?

① 한글의 우수성은 아직 검증되지 않은 바가 많으므로, 각 문자들과 비교하여 그 우수성을 제대로 검증하는 것이 우선이다.
② 다른 문자 중에도 가로쓰기와 세로쓰기 둘 다 가능한 문자가 있으며 자음과 모음을 구분하여 적는 것도 보편적인 현상이었다.
③ 한글이 다른 언어를 '완벽에 가깝게'가 아니라, '완벽하게' 원음대로 표기할 수 있을 때에야 비로소 세계 공통어로 사용될 수 있을 것이다.
④ 한글이 우수한 것은 사실이지만, 각 언어와 문자를 한글로 통일하기보다는 각 나라의 언어가 나름대로의 특성을 지켜 나가는 것이 바람직하다.
⑤ 한글이 우수한 문자인 것은 맞지만, 세계적으로 많이 사용되는 언어가 영어인 만큼 영어의 알파벳을 세계 공통의 문자로 사용하는 것이 적절하다.

④ 이 강연에서 궁극적으로 주장하고자 하는 바는 '한글의 세계 공통의 문자화'이다. 한글의 우수성을 근거로 모든 언어의 표기를 한글로 해야 한다는 주장은 각 나라 언어의 특성을 무시한 과도한 국수주의적 태도이다.

5 다음은 인터뷰의 일부입니다. 잘 듣고 물음에 답하세요.

남(리포터): 요즘 남녀노소에 관계없이 많은 사람들이 다이어트에 큰 관심을 가지고 있습니다. 다이어트 전문가이신 윤연정 씨를 모시고 구체적인 방법을 알아보도록 하겠습니다. 자, 다이어트를 할 때 가장 중요한 점은 무엇보다 적게 먹는 것 아니겠습니까?

여(윤연정): 네, 맞습니다. 그러나 적게 먹는 것보다 적절한 양을 먹는 것이 중요합니다. 고칼로리 음식의 섭취를 피하는 것과 함께 운동 등도 병행이 되어야 합니다.

남(리포터): 요즘 다이어터들 사이에서 네거티브 칼로리 음식이 각광을 받고 있다고 들었습니다. 네거티브 칼로리 음식이란 건 무엇입니까?

여(윤연정): 네거티브 칼로리란, 칼로리에 반한다, 즉, 먹을수록 살이 빠지는 칼로리라는 뜻입니다. 흔히 생각하는 무조건 적게 먹는 방법과는 다른 방법이라고 할 수 있습니다. 이 식품들은 특유의 세포 배치로 인해 체내에서 소화되는 것이 어려워, 이것을 소화시키기 위해서는 이 식품이 지닌 칼로리 이상이 소모됩니다. 따라서 자연스럽게 지방이 연소되는 효과를 얻을 수 있는 것입니다. 분명 체중 관리에 도움이 되지요.

남(리포터): 그렇다면, 네거티브 칼로리 음식에는 어떤 것들이 있는지 몇 가지만 소개를 부탁드려도 될까요?

여(윤연정): 대표적인 네거티브 칼로리 음식으로는 브로콜리, 당근, 마늘, 양상추, 토마토 등의 채소와 딸기, 수박, 사과 등의 과일, 오징어와 닭가슴살 등이 있습니다.

남(리포터): 우리가 쉽게 살 수 있는 것들이네요. 자주 먹을수록 다이어트에 도움이 되겠네요.

여(윤연정): 아무리 네거티브 칼로리 식품이라고 하더라도, 지나치게 섭취하면 위가 늘어나거나 영양소의 불균형 등 부작용이 생길 수 있습니다. 평소 먹는 메뉴의 재료를 이들 식품으로 바꾸어 적절한 양을 섭취하는 것이 건강을 지키는 현명한 방법이라고 할 수 있겠지요.

① 인터뷰에서는 네거티브 칼로리 음식의 긍정적인 효능에 대해 충분히 설명하고, 이것을 실생활에 적용하는 부분에 대해 이야기하고 있다. 마지막 부분에서 아무리 좋은 음식이라고 하더라도 적정량을 섭취해야 한다는 점을 강조하고 있으므로, 네거티브 칼로리 음식만 섭취하는 것은 자제해야 한다는 내용이 이어지는 것이 적절하다.

◉ 오답률 줄이는 | **오답풀이** |
② 네거티브 칼로리 음식들의 영양소 불균형은 과도한 섭취 시 발생하는 문제이며, 적정량 섭취 시에는 문제가 되지 않는다.
③ 평소에 먹던 음식들과 네거티브 칼로리 음식의 지방 연소 효과에 대한 비교 설명이 충분하게 제시되어 있기 때문에 대화 내용과 상반되어 적절하지 않다.
④ 닭가슴살도 네거티브 칼로리 음식에 포함되어 있으므로 적절하지 않다.
⑤ 네거티브 칼로리 음식들이 각광을 받고 있다는 사실을 전제로 두고 전문가와 인터뷰한 것이므로 적절하지 않다.

6 다음은 수필의 일부입니다. 잘 듣고 물음에 답하세요.

수필은 청자연적이다. 수필은 난이요, 학이요, 청초하고 몸맵시 날렵한 여인이다. 수필은 그 여인이 걸어가는 숲속으로 난 평탄하고 고요한 길이다. 수필은 가로수 늘어진 페이브먼트가 될 수도 있다. 그러나 그 길은 깨끗하고 사람이 적게 다니는 주택가에 있다.

수필의 색깔은 황홀 찬란하거나 진하지 아니하며, 검거나 희지 않고 퇴락하여 추하지 않고, 언제나 온아우미하다. 수필의 빛은 비둘기빛이거나 진주빛이다. 수필이 비단이라면 번쩍거리지 않는 바탕에 약간의 무늬가 있는 것이다. 그 무늬는 읽는 사람의 얼굴에 미소를 띠게 한다.

수필은 한가하면서도 나태하지 아니하고, 속박을 벗어나고서도 산만하지 않으며, 찬란하지 않고 우아하며 날카롭지 않으나 산뜻한 문학이다.

수필의 재료는 생활 경험, 자연 관찰, 또는 사회 현상에 대한 새로운 발견, 무엇이나 다 좋을 것이다. 그 제재가 무엇이든지 간에 쓰는 이의 독특한 개성과 그때의 무드에 따라 '누에의 입에서 나오는 액이 고치를 만들듯이' 수필은 써지는 것이다. 수필은 플롯이나 클라이맥스를 필요로 하지 않는다. 가고 싶은 대로 가는 것이 수필의 행로이다. 그러나 차를 마시는 것과 같은 이 문학은 그 방향을 갖지 아니할 때에는 수돗물같이 무의미한 것이 되어 버리는 것이다.

② 수필은 한가하면서 나태하지 않고, 속박을 벗어나면서 산만하지 않고, 찬란하지 않고 우아하고, 날카롭지 않으나 산뜻하다고 표현했다. 비판 정신에 대한 언급은 제시되어 있지 않다.

7 **다음은 대화의 일부입니다. 잘 듣고 물음에 답하세요.**

남: 늦게 일어났어? 잠이 덜 깬 것 같아 보이네.
여: 응, 나 한 시간 전에 일어났거든.
남: 지금이 오후 5시인데, 그럼 4시에 일어났다는 거야?
여: 응, 요즘 새벽 늦게까지 일을 하다가 자는 경우가 많아서, 늦게 자니까 아무래도 늦게 일어나게 돼.
남: 너 많이 게으른 편이구나. 밤에 잠을 자지 않는 올빼미족은 게으르거나 뭔가를 하고자 하는 동기 부여가 잘되지 않는다고 하더라. 일찍 일어나서 일을 하면 되지 왜 새벽까지 일을 하고 늦게 자는 거니?
여: 낮에는 일에 집중을 하려고 해도 잘 안 되더라고. 난 어차피 집에서 일을 많이 하니까 내가 편한 시간에 일하고, 잠을 자고 싶을 때 자는 게 편하고 좋아.
남: 이번에 나온 연구 결과를 보니까 늦은 시간까지 일을 한다고 해서 효율이 높은 것은 아니래. 밤에 잠을 자지 않으면 생체 시계가 불규칙해질 뿐만 아니라 운동을 하지 않아서 병에 걸리기도 쉽다고 하잖아. 네가 요즘에 계속 피곤해 보이는 것도 그것 때문일 거야. 어렵더라도 건강을 위해서 일찍 자는 게 좋지 않을까?
여: ______________________________

④ 남자의 주장은 늦게 자고 늦게 일어나는 올빼미족의 습관이 일의 효율이나 건강에 영향을 미친다는 것이다. 잠을 적게 자고 많이 자는 것에 따른 주장이 아니기 때문에 반론으로 적절하지 않다.

8 **다음은 방송 뉴스의 일부입니다. 잘 듣고 물음에 답하세요.**

여(리포터): 하품이 전염성이 강하다는 말 들어 보셨지요? 젊을수록, 그리고 관계가 친밀할수록 그 전염성이 높다는 연구 결과들이 나온 바 있습니다. 연인 관계에서 한 사람이 하품을 했는데, 연인이 하품을 하지 않는다면 앞으로의 애정 전선에 문제가 예상된다는 흥미로운 결과도 있었습니다. 그런데 혹시 스트레스도 전염이 된다는 이야기를 들어 보신 적이 있으십니까? 이와 관련하여 심리학 연구가이신 심광명 교수님의 이야기를 한번 들어 보도록 하겠습니다.
남(교수): 최근 스트레스의 전염에 대해 미국의 한 대학 심리학 연구팀이 유의미한 결과를 얻어 학회에서 발표가 된 바 있습니다. 이 연구팀에서는 실험 참가자들이 많은 사람들 앞에서 연설을 하게 하거나 수학 문제를 암산하는 방법으로 풀게 했습니다.
이 실험을 실시한 결과, 이 실험에 참가하여 스트레스를 받는 참가자들을 지켜본 관중들에게서 혈중 스트레스 호르몬 농도가 약 30% 정도 짙어진 것을 확인할 수 있었습니다.
연구진은 스트레스가 다양한 방법을 통해 주위에 전파될 수 있다고 주장했는데요. 목소리, 말하는 톤, 표정, 자세, 그리고 냄새를 통해서도 스트레스가 전염될 수 있다고 하였습니다. 놀라운 결과지요.
여(리포터): 가만히 앉아서 스트레스를 받는 사람을 보는 것만으로도 스트레스가 전염된다는 것이 놀랍습니다. 이 외에도 어머니와 자녀를 떼어 놓은 경우에도 어머니의 불안함이 자녀에게 전염된다는 연구 결과도 '간접 스트레스'가 실제로 존재함을 보여 주고 있습니다. 나의 스트레스가 다른 사람에게 전염되어 부정적인 영향을 끼치지 않도록 자신의 스트레스를 잘 관리하고 빨리 해결하는 방법을 찾는 것이 바람직할 것입니다.

⑤ 타인의 행동을 따라하는 것이 아니라 지켜보는 것만으로도 스트레스가 전염됨을 언급하고 있다.

9 **다음은 강연의 일부입니다. 잘 듣고 물음에 답하세요.**

우리는 우리가 보는 것이 모두 진짜, 즉 사실이라고 생각합니다. 그러나 우리의 눈은 사물, 혹은 대상을 있는 그대로 보지 못할 때가 많습니다. 이런 것을 바로 착시 현상이라고 합니다. 착시 현상은 뇌와도 밀접한 연관성이 있습니다.

우리는 대상의 형태나 크기에 대한 정보를 눈의 망막을 통해 보게 되고, 이것은 시신경을 타고 뇌로 전달되어 인식이 됩니다. 이때 이 정보를 어떻게 해석하고 이해하느냐가 관건이 되는데, 심리적인 요인도 영향을 미칩니다.

착시 현상은 같은 대상을 보고도 '예쁘다', '아니다'로 의견이 나뉘는 단순한 현상으로도 확인할 수 있습니다. 이는 개인의 사고 과정과 심리 상태에 따라 일어나는 착시 현상입니다.

다른 착시 현상으로는 멀리 있는 물체일수록 본래의 크기보다 크게 느끼는 거리 착시가 있습니다. 우리가 수평선에 떠 있는 가까운 달이 밤에 중천에 뜬 달보다 훨씬 크다고 생각하는 것이 거리 착시의 예가 됩니다.

이 외에도 사람의 욕구로 착시 현상이 일어날 수도 있습니다. 배가 고픈 순간에 다른 그림을 음식 그림으로 잘못 보는 현상 등이 이에 해당합니다. 이것은 시각과 심리적 요인이 결합돼 일어난 복합적인 오류 중 하나입니다.

③ 물을 찾는 사람의 욕구로 인해 나타나는 착시 현상이다. 나머지는 거리 착시 현상에 속한다.

본문 271쪽

02 사실적 이해 / 추론 / 비판[통합 문제] 기출변형 문제

1	④	2	②	3	②	4	④

[1~2] 다음은 방송 뉴스의 일부입니다. 잘 듣고 물음에 답하세요.

남(기자): 최근 40대의 주부 이 씨는 시도 때도 없이 밀려오는 짜증과 분노로 힘겨운 하루하루를 보내고 있습니다. 특별한 일이 있는 것도 아닌데 주위 사람들에게 예민해지고 소화가 잘 되지 않고 온몸에 열이 나는 등 여러 증상으로 고민하다가 병원을 찾은 이 씨는 '화병'이라는 진단을 받았습니다. 오늘은 한국 사람들에게만 있다고 알려진 '화병'에 대해 정신과 김 교수님의 이야기를 들어 보겠습니다.

여(의사): 화병은 미국의 정신의학회의 정신 질환의 진단 기준에서 우리나라에만 있는 문화 관련 증후군의 하나로 등록된 질병입니다. 화병은 주로 중년 이후의 여성들에게 많이 발생하게 되는데, 배우자나 시부모와의 갈등과 같은 가정적 요인이나 가난과 실패, 좌절과 같은 사회적 요인 등이 주요한 원인으로 작용하고 있습니다.

남(기자): 화병은 우울증과 유사한 질병인 것 같지만, 분명한 차이점이 있다고 합니다.

여(의사): 스트레스로 인해 우울함을 느끼는 면에서는 우울증과 유사하다고 볼 수 있으나, 화병의 경우 자신이 분노하는 감정 등이 사회적으로 용납되지 않아 환자가 이러한 감정을 표출하지 못하고 내면화하면서 억압된 감정이 신체적인 증상으로도 나타난다는 차이점이 있습니다.

화병에 걸리게 되면, 먼저 정신적인 증상이 나타나게 됩니다. 환자들의 대부분은 작은 일에도 예민한 반응을 보이며, 분노와 화를 참지 못하고 공격적인 성향을 보이기도 합니다. 또한 불안과 초조로 인해 불면증을 겪기도 합니다.

이 외에도 소화가 잘 안 되는 느낌이 지속되거나 온몸에 열이 나는 증상이 나타나기도 하는데, 만성적인 분노는 고혈압이나 중풍 등의 발병으로 이어질 우려가 있습니다.

남(기자): 화병을 막기 위해서는 어떤 방법들을 사용해야 할지 이어서 알아보겠습니다.

여(의사): 화병을 겪는 사람들의 유형을 살펴보면, 모든 면에서 참기를 반복하고 자신의 감정을 적절하게 표현하지 못하는 소극적이고 내성적인 성격의 소유자인 경우가 많습니다. 화병을 막기 위해서는 자신의 감정을 잘 표현하는 방법을 익혀 가슴속의 응어리를 풀어 주어야 합니다. 또 화가 난다고 해서 그 즉시 화를 내지 말고 천천히 침착하게 화를 다스리며 풀어야 합니다. 스스로 혹은 가족의 도움으로도 풀기 쉽지 않은 경우에는 정신과 전문의의 도움을 받는 것이 좋고, 간단한 체조나 심호흡을 통해 마음의 안정을 찾는 것도 지혜로운 방법입니다.

남(기자): 쉽게 생각할 수 있지만, 신체적 · 정신적으로 문제를 일으키는 화병. 방치하면 큰 병이 될 수 있습니다. 따라서 이러한 증상이 나타날 경우 방치하지 말고 빠른 시일 내에 전문의를 찾아 상담하는 것이 바람직합니다.

1 ④ 화병은 소극적이고 내성적인 성격의 소유자에게 발병될 확률이 높다고 제시되어 있다.

2 ② 화가 날 때 즉시 표출하기보다는 화를 다스리며 풀어야 한다고 하였으므로, 뉴스의 내용과 상반되는 오답이다.

[3~4] 다음은 토론의 일부입니다. 잘 듣고 물음에 답하세요.

남: 오는 10월 WHO에서 전자 담배를 공공 보건에 대한 위협으로 규정하고 규제하려는 움직임을 보이고 있다고 하는데, 이해하기가 어렵습니다. 전자 담배를 규제하면 금연을 하고자 하는 사람들의 의욕을 꺾어 버릴 수 있는데 말입니다.

여: 저는 그 의견에는 동조하기 어렵습니다. 전자 담배가 덜 유해하다는 사실이 입증된 것도 아니지 않습니까? 전자 담배가 생명을 살리는 도구가 될지, 더 많은 생명을 파괴할지 판단하기 어려운 상황에서는 우선 조심하는 것이 나을 것이라고 봅니다.

남: 흡연자들은 담배를 불에 태워 니코틴을 흡입하면서 타르와 수천 종의 유독 가스, 발암 물질을 들이마십니다. 그러나 전자 담배는 불(不)연소 방식이기 때문에 니코틴을 덜 흡수하게 되어 몸에 덜 해로운 것입니다.

여: 일반 담배보다 소량이라고 하더라도 니코틴을 흡수하게 되는 것은 사실임을 알고 계실 겁니다. 니코틴은 태아의 뇌 성장에 악영향을 미친다는 것이 이미 입증되어 있습니다. 또한 전자 담배는 피우기가 쉬워 오히려 일반 담배보다 흡연량이 많아질 수 있고, 그러다 보면 일반 담배를 피울 때보다 많은 양의 니코틴을 흡입할 수도 있습니다.

남: 일반 담배든, 전자 담배든 그 양을 조절하는 것은 흡연자의 의지에 달려 있는 문제라고 봅니다. 무조건 담배를 끊게 하는 것이 능사가 아니라, 과도한 스트레스를 풀 수 있는 적절한 대책이 필요하고 그중 하나가 전자 담배가 될 수 있다고 봅니다. 특유의 타는 냄새가 없어 주변 사람들에게 주는 불쾌감도 줄일 수 있다는 장점 등도 있으니까요.

여: 앞에서 제가 말씀드린 것처럼 유해 물질이 적더라도 자주 흡입을 하면 일반 담배와 똑같이 몸이 나빠질 수 있습니다. 또, 청소년이 전자 담배를 통해 흡연자가 될 위험성도 배제할 수는 없기 때문에 전자 담배도 일반 담배와 동일하게 규제의 대상이 되는 것이 옳다고 생각합니다.

3 ② 니코틴의 함유량이 소량이어도 피우는 양이 많아지면 일반 담배와 유사하거나 혹은 더 많은 양의 니코틴을 흡입할 수도 있기 때문에 더 위험할 수도 있다.

4 ④ 여자는 소량의 니코틴이 태아의 뇌에 미치는 유해성에 대해 주장하였으나, 남자는 이에 대해 어떠한 의견도 내놓지 않았다.

Ⅴ. 어법

본문 284쪽

01 문장 표현

기출변형 문제

1	②	2	①	3	④	4	②	5	④
6	②	7	③	8	④	9	④	10	⑤
11	①								

1 ◉ 오답률 줄이는 | **오답풀이** |

① 목적어가 생략되었다. '~을/를 마주쳤다.'로 수정한다.

③ '그 문제를' 등의 목적어를 보충해 주어야 한다.

④ '피로연이'와 같은 주어가 들어가야 한다.

⑤ '경기도에서' 등의 주어가 들어가야 한다.

2 ◉ 오답률 줄이는 | **오답풀이** |

② '그 또한 나를 ~'로 목적어가 보충되어야 한다.

③ 목적어가 생략되어 있다. '사고, 일' 등의 어휘를 보충해야 한다.

④ '소음을 줄이고 ~'로 하나의 서술어를 더 넣어 주어야 한다.

⑤ 무엇이 이루어졌는지 주어가 생략되어 있다. '회의가', '상견례가' 등의 주어를 보충해야 맞는 문장이 된다.

3 ◉ 오답률 줄이는 | **오답풀이** |

① '결코'는 부정 표현과 호응하므로, '결코 그는 성실하지 않다.'로 수정해야 한다.

② '여간 ~지 않다.'의 방식으로 호응하므로, '나는 요즘 여간 바쁘지 않다.'로 바꾼다.

③ '설마 선생님께서 잘못 알려 주셨을까?'와 같이 '설마'와 서술어의 호응이 적절하도록 수정한다.

⑤ '미련하게도'와 호응해야 하는 주어가 명확하지 않으므로, '영미는 미련하게도 영준이가 미남이라는 것을 모른다.'로 의미가 명확해지도록 수정한다.

4 ◉ 오답률 줄이는 | **오답풀이** |

① '마치 전문가인 것처럼'으로 수정해야 호응이 적절하다.

③ '귓전에 → 귓전을'로 조사를 바꾸어야 한다.

④ '상의하다'는 조사 '와'와 호응하므로, '담당자와 상의하십시오.'로 수정해야 한다.

⑤ '정직하기 바란다 → 정직하기 바란다는 것이다.'로 수정해야 한다.

5 ◉ 오답률 줄이는 | **오답풀이** |

① 내가 '어젯밤의 일'을 말하지 않은 것인지, '영준에게' 말하지 않은 것인지 불분명하다.

② 누구나 좋아할 대상이 유 선생님인지, 유 선생님이 모든 사람을 좋아할 수 있는 사람인지 명확하지 않다.

③ 이미 정화한 물인데 '오염 폐수'라고 하는 것은 내용상의 모순에 해당한다. 또한 '폐수'가 '오염된 물'을 의미하므로 '오염

폐수'에서 어휘적 중의성을 확인할 수 있다. 따라서 '우리 회사에서는 폐수를 정화하여 내보낸다.'로 수정한다.

⑤ '자신의 뜻'이 자식의 뜻인지, 부모의 뜻인지 명확하지 않으므로 '부모가'를 '자신의 뜻대로' 앞에 넣도록 한다.

6 ◉ 오답률 줄이는 | **오답풀이** |

① '모두 먹지 않았다'와 '일부는 먹고, 일부는 먹지 않았다'의 두 가지 의미로 해석할 수 있다.

③ '불법적인 자금', '자금의 불법적인 거래'의 두 가지 의미로 해석할 수 있다.

④ '사람들이 많은(붐비는) 도시'와 '사람들이' 많은(여러) 도시를'의 두 가지 의미로 해석할 수 있다.

⑤ '소라가 멀리서 온 경우'와 '소라와 친구들이 모두 멀리서 온 경우'의 두 가지로 해석할 수 있다.

7 ◉ 오답률 줄이는 | **오답풀이** |

① '미리', '예비'에서 의미가 중복되었다.

② 사동 표현이 잘못 쓰였다. '설렌다'로 수정하는 것이 적절하다.

④ 이중 피동이 사용되었으므로 '생각되어집니다 → 생각됩니다'와 같이 수정해야 한다.

⑤ '읽혀지는 → 읽히는'으로 수정하거나, '요즘 학생들이 많이 읽는'으로 수정해야 한다.

8 ◉ 오답률 줄이는 | **오답풀이** |

① '머릿속을 스치는', '뇌리를 스치는' 중 하나를 택해 사용한다.

② '미리'와 '예비'의 의미가 중복되므로 '미리 자료를 준비하신' 또는 '자료를 예비하신'으로 수정해야 한다.

③ '쓰여지지 → 쓰이지'로 수정하여 이중 피동을 바로잡는다.

⑤ 영어식 번역 투가 쓰였다. '여름철 수해 방지 대책을 세우는 것은 매우 중요하다.'로 수정하는 것이 적절하다.

9 ◉ 오답률 줄이는 | **오답풀이** |

① '시범'에 이미 '보이다'라는 의미가 들어 있으므로 중복 표현이다.

② '싣고 갈 → 태우고 갈'로 수정해야 한다.

③ '늘은 → 는'으로 수정하는 것이 옳다.

⑤ '믿겨지지 → 믿어지지'로 수정하는 것이 적절하다.

10 ◉ 오답률 줄이는 | **오답풀이** |

① '철수로부터 → 철수에게서'로 수정해야 한다.

② '골라내기가 → 발라내기가'로 수정해야 한다.

③ 의미가 모호한 문장이므로 '나도 모르게, 구덩이에 ~'와 같이 쉼표 등을 이용하여 의미를 명확하게 해 주어야 한다.

④ '인간을 특징짓는 것이다 → 인간의 특징이다'로 수정하는 것이 문장의 호응에 적절하다.

11 ① '능가하다'는 '능력이나 수준 따위가 비교 대상을 훨씬 넘어서다.'라는 의미를 지녀서 명확한 비교 대상이 있어야 하는데 이 문장은 이러한 의미를 지니고 있지 않으므로, '능가하였다 → 초과하였다'로 수정하는 것이 적절하다.

본문 294쪽

02 높임법 기출변형 문제

1	③	2	②	3	③	4	④	5	①
6	⑤								

1 ③ '할아버지께서 걱정거리가 있으십니다.'로 수정해야 간접 높임법의 적용이 적절하다.

2 ② '말씀'은 상대방을 높이기도 하지만, 자신을 낮추는 겸양어이기도 하므로 적절하다.

◉ 오답률 줄이는 | **오답풀이** |

① '계시죠? → 있으시죠?', ③ '사장님실 → 사장실', ④ '저희 나라 → 우리나라', ⑤ '여쭈셨던 → 물으셨던'으로 수정해야 한다.

3 ③ '데리고 → 모시고'로 수정하는 것이 적절하다.

4 ④ '할인이 되십니다 → 할인이 됩니다'로 수정하는 것이 적절하다.

5 ① 가정 안에서의 압존법이 적용된 높임법으로, 적절한 문장이다.

◉ 오답률 줄이는 | **오답풀이** |

② '내가 → 제가', ③ '않은 → 않으신', ④ '사장님은 → 사장님께서는' / '아들 → 아드님', ⑤ 할머니의 신체 부분인 '귀'를 높여서 '귀가 밝으시다'로 바로잡아야 한다.

6 ⑤ 적절한 재귀 대명사, 높임법이 사용된 문장이다.

◉ 오답률 줄이는 | **오답풀이** |

① '들어오셨어요 → 들어왔어요', ② '주겠소? → 주겠나?', ③ '계십니까? → 있으십니까?', ④ '들겠습니다 → 먹겠습니다'로 수정하는 것이 적절하다.

Ⅵ. 쓰기

본문 304쪽

01 쓰기 1 기출변형 문제

1	③	2	①	3	④	4	①	5	④

1 ③ 〈보기 1〉은 '남이 하는 대로 한다고 해서 그와 같은 결과를 얻을 것이라는 것은 잘못된 생각'임을 드러내고, 〈보기 2〉는 '몸이 다르면 필요한 비타민제도 다르다'는 문구를 통해 '조건이나 상황에 따라 선택이 달라야 함'을 일깨우고 있다. 따라서 이 둘을 종합적으로 제시한 것은 ③이다.

2 ① 구직할 때나 이직할 때 '급여'가 1, 2위인 것을 토대로 급여가 중요한 고려 사항이라 보는 것은 맞지만, '최근 5년간 우리나라 일인당 국민 소득의 증가율'은 '글의 주제'나 '주제와 관련된 자료의 보완'으로는 보기 어렵다.

◉ 오답률 줄이는 | **오답풀이** |

② '급여' 못지않게 '대인 관계'를 이직할 때 고려하는 요소로 꼽은 것으로 보아, 적절한 내용이다.

③ 우리나라 구직자가 직업을 선택할 때 가장 중요하게 생각하는 요소가 5년 전과 달라졌다는 내용에서 자료의 보완으로 타당하다는 것을 알 수 있다.

⑤ 직업을 선택할 때의 고려 사항과 이직할 때의 고려 사항에 차이가 있다는 것을 통해 미루어 짐작할 수 있다.

3 ④ 서론에서 성적병의 만연을 화제로 제시한 것은, 우리의 교육 현실이 사회 분위기에 편승하여 인지적 지능을 강조하는 성적 위주로 흐르고 있음을 지적하여 이에 대한 대처 방안으로 정서적 지능이 중요하게 작용해야 함을 말하기 위한 것이다. 따라서 결론에서는 정서적 지능을 함양하기 위한 교육의 역할에 대한 내용이 언급되어야 한다. 제목은 본론과 결론의 내용을 적절히 포괄해야 하므로 ④가 적합하다.

4 ① 서론과 결론을 통해 본론에서 논의될 만한 내용을 추론하는 문제이다. 서론의 논의에서는 과학이 '도구적 이성'과 '비판적 이성'의 두 가지 성격이 있다고 하며 결론에서는 과학 기술인들이 성찰적 이성을 더욱 갖춰 나갈 것을 촉구하고 있다. 그러므로 본론에서는 도구적 이성과 비판적 이성의 성격을 함께 지녀야 하는 과학 기술의 방향과 그 예시 등이 서술되어야 할 것이다. ①은 기초 과학의 토대를 공고히 하자는 주장이므로 이 글의 주제와 거리가 있다.

5 ④ '실현하다'란 '꿈, 기대 따위를 실제로 이룬다.'는 의미이므로, 문맥상 적절하다. 그런데 '재현하다'는 '다시 나타나다. 또는 다시 나타내다.'의 의미를 가지는데, 공정 무역을 통해 정의의 경제 구조가 다시 나타나는 것은 아니므로 '재현할'로 교체하는 것은 적절하지 않다.

◉ 오답률 줄이는 | **오답풀이** |

① 두 말이 서로 어울릴 적에 'ㅂ' 소리나 'ㅎ' 소리가 덧나는 것은 소리 나는 대로 적는 것이 맞춤법 규정이므로 '안팎'이 적절하다.

② 두 문장의 순서를 바꾸면 사례를 제시하고 그에 대한 글쓴이의 평가가 이어지게 되어 글의 흐름이 자연스러워지므로 적절하다.

③ 주어가 '현상은'이므로 '때문에 발생합니다'로 바꾸는 것이 적절하다.

⑤ 자본주의의 한계에 대한 긍정적 입장을 언급한 것이므로 주제와 배치된다고 할 수 있다.

본문 309쪽

02 쓰기 2 기출변형 문제

1	③	2	④	객관식 3	④
주관식 3	예시 답안 참조	4	④	5	④

1 ③ 이 글의 주제는 '유기 동물 증가에 따른 대책 촉구'이며, 그 원인으로는 유기 동물로 인한 피해와 유기 동물 관리가 민간단체 위주로 운영되며 유기 동물 관리 단체에 대한 정부의 지원이 미흡하다는 것이다. 따라서 '민간 관리 단체의 구성 절차에 대한 국내외 사례'는 주제나 해결 방안과는 관련이 없는 자료이다.

◉ 오답률 줄이는 | **오답풀이** |

① 제안하는 대상이 정부 관련 부처나 지방 자치 단체이므로 적절하다.

② 문제 인식에서 유기 동물이 넘쳐나지만, 민간단체나 자원봉사단 위주로 어렵게 운영되고 있다고 언급했으므로 적절하다.

④ 유기 동물로 발생하는 피해 사례가 늘고 있는 근본적인 원인은 동물 유기에 있으므로 적절하다.

⑤ 일반적으로 사회적 문제에 대한 해결 방안과 관련된 글의 경우, '문제 제기(인식) → 원인 분석 → 해결 방안 제시 → 실행 촉구'의 구성으로 쓰이며, 제시된 자료를 통해 보았을 때 이러한 구성은 적절하다.

2 ④ 제시된 각각의 자료들을 보면 (가)는 '첨단 산업 분야의 기술 유출은 막대한 피해를 초래'한다는 것이고, (나)는 '산업 기술 유출의 연도별 빈도와 경로, 동기'를 설명하며, (다)는 '기술 유출 사범에 대한 법적 처벌이 경미'하다는 것이다. 그 가운데 ④ (나)-2를 통해 산업 기술이 유출되는 것은 외부인에 의한 경우보다 내부인에 의한 경우가 압도적으로 많다는 사실을 찾아낼 수 있으므로, 외부인의 접근을 근본

적으로 차단할 수 있는 신기술을 도입해야 한다는 것은 적절하지 않다.

◉ 오답률 줄이는 | **오답풀이** |

① (가)와 (나)-3을 바탕으로 개인의 이익을 위해 산업 기술을 해외로 유출시키는 이기심으로 인해 국가 경제에 막대한 피해를 입힌다는 것을 추론할 수 있으므로 적절하다.

⑤ (나)-3을 통해 '산업 기술 해외 유출 동기'가 주로 '개인 영리'와 '금전 유혹'인 것으로 보아, 개인의 직업 윤리 의식 고취의 필요성을 생각할 수 있다. 또한 '처우 불만'이나 '인사 불만' 등의 이유와 더불어 (나)-2에 나타났듯이 '기술 유출의 주체'가 '기업의 내부인'인 것으로 미루어 볼 때 기업 차원에서의 보상도 중요하다는 것을 생각해 볼 수 있으므로 적절한 답안이다.

객관식 3

④ ㉣에서는 (가)와 (나)를 통해서 현재 노인 일자리 사업이 노인들의 욕구를 충족시켜 주지 못한다는 한계를 지적할 수 있다.

주관식 3

◉ 예시 답안

- 노인들의 경제적 안정을 통해 활기찬 노년의 삶을 살 수 있는 우리 사회의 전망
- 노인들이 일자리를 가지고 더욱 향상된 삶을 꾸려 갈 수 있도록 노인 일자리 사업 확대 촉구

◉ 해설

〈보기1〉의 자료 (나)와 (다)를 통해 '노인 일자리 사업 확대의 의의'가 '삶의 질 향상'과 '경제적 안정'이라는 것을 알 수 있다. 따라서 이에 대한 표현이 드러나야 한다. 또한 개요의 항목 구성에 어울리도록 명사형 종결로 이루어져야 한다.

4 ④ 표현하기 단계에서 필요한 '서술 방식의 이해'와 관련한 문제이다. 〈보기〉의 주제문은 '자유 의지론자(自由意志論者)들은 행동의 선택이 우리의 의지에 따른 것이며, 자발적이라고 생각한다'는 첫 번째 문장이다. 그리고 이 주제문을 뒷받침한 문장들은 실생활에서 쉽게 찾아볼 수 있는 예들로 구성되어, 이 글의 서술 방식은 '예시'에 해당한다.

◉ 오답해설

① '힐퍼딩'에 대한 소개를 하며, 그에 대해 '확인(지정)'하는 서술 방식을 사용하였다.

③ '포도주의 제조 방법'에 따라 포도주의 종류를 '분류'하였다.

5 ④ 단락 전체 구성에서 필요하지 않은 문장을 찾는 문제이다. 지문의 주제문은 셋째 문장 '윤리 강령은 내부적으로는 회원들을 결속하고 외부적으로는 해당 전문 직업을 대변하는 역할을 담당한다.'로 볼 수 있다. 뒤이어 전문 직업에서 윤리 강령이 강한 까닭을 설명하며 이에 대한 부정적인 측면도 제시하고 있다. ⓑ, ⓒ, ⓔ가 바로 이러한 윤리 강령의 부정적인 측면에 대한 논리이다. 윤리 강령이 전문 직업을 판단할 수 있는 중요한 지표라는 ⓓ는 윤리 강령의 긍정적 측면에 대한 내용이며 문맥상 전혀 어울리지 않으므로 삭제해야 한다.

Ⅶ. 주관식

본문 327쪽

01 주관식 1 기출변형 문제

주관식 1	예시 답안 참조	주관식 2	예시 답안 참조
주관식 3	예시 답안 참조	주관식 4	예시 답안 참조
주관식 5	예시 답안 참조	주관식 6	예시 답안 참조
주관식 7	함구, 보정, 단비, 기적		
주관식 8	예시 답안 참조	주관식 9	예시 답안 참조
주관식 10	예시 답안 참조		

주관식 1 **다음은 토론의 일부입니다. 잘 듣고 물음에 답하세요.**

남: 지난 5월 13일 유럽연합(EU)의 최고 법원인 유럽사법재판소가 '잊힐 권리'를 인정했습니다. 잊힐 권리에 대한 이번 유럽사법재판소의 결정은 개인의 사생활을 존중하는 귀중한 판례를 남긴 것이라고 생각합니다. 과거 사진이나 전과 등의 법적 정보, 기업과 관련한 문서, 부당한 댓글 등에 사용자가 삭제를 요청할 수 있는데, 이를 통해 개인의 사생활이 존중될 뿐만 아니라 개인의 존엄과 명예 또한 지킬 수 있게 된 것이죠.

여: 잊힐 권리를 인정하는 것은 무언가를 감추려던 사람에게 악용될 소지가 높다고 볼 수도 있습니다. 범죄 기록 등 자신에게 불리한 정보를 삭제할 수 있는 권리를 인정할 경우 이는 오히려 공익에 해를 끼칠 수도 있습니다. 만약 사기 전과가 있는 사람이 결혼을 앞두고 관련 정보의 삭제를 요청하고 이를 수용한다면 우리 사회는 어떻게 될까요?

남: 그러한 사례는 소수일 거라고 생각합니다. 요즘 유명인이나 정치인부터 일반 시민들에 이르기까지 우리나라의 사생활 침해 수준은 매우 심각한 상황입니다. 특히 유명인뿐만 아니라 일반인에 대한 신상털기로 인한 피해가 극심합니다. 잊힐 권리가 우리나라 포털사이트 등에서도 받아들여진다면 개인이 감추고 싶은 정보들이 감춰져 사생활 침해를 예방할 수 있을 것입니다.

여: 방금 사생활 침해를 예방할 수 있다고 주장을 하셨는데, 잊힐 권리에 대한 판결이 실제로 효용성이 있는지 의문이네요. 법원의 판결에 따라 인터넷 업체들이 개인에 대한 원본 정보를 삭제하더라도 해당 정보가 다른 링크를 통해 복사, 재생산된 경우 이를 완전히 삭제하기는 불가능하다고 봐야 하니까요.

남: 말씀하신 대로 인터넷 시대의 정보는 과거의 기사가 보도된 뒤 상당한 시간이 지나도 언제든지 이를 검색하고 종합적으로 정리해 인터넷을 통해 유포가 가능합니다. 또한 인터넷의 특성상 익명의 아이디를 이용해 타인의 개인 정보나 악의적인 정보를 온라인에 유포시킬 가능성도 존재합니다. 따라서 현실적으로 잊힐 권리가 꼭 필요한 상황인 것입니다.

> 여: 계속해서 유포되는 정보를 찾아 삭제를 해야 한다면, 잊힐 권리를 입법화한 법을 집행할 때 투입 인력과 비용 문제 역시 기업에는 큰 부담이 될 것입니다. 또한 잊힐 권리를 제도화하면 인터넷 개방성이라는 정체성의 근간이 흔들릴 수 있다는 점도 문제가 된다고 생각합니다.

◉ 예시 답안

'잊힐 권리'가 인정되어 개인의 과거 사진이나 전과 등의 법적 정보 등을 삭제 요청할 수 있게 된 것에 찬성한다. 이를 통해 개인의 사생활이 존중되고 개인의 존엄과 명예도 지킬 수 있게 될 것이다.

◉ 정답 기준

(1) '잊힐 권리'에 대한 찬성의 내용을 담고 있는가.
(2) '잊힐 권리'에 대한 찬성의 근거를 담고 있는가.
(3) 글의 분량을 지켜 썼는가.(두 문장)

A	(1), (2), (3)을 모두 만족시킨 경우
B	(1)과 (2)를 모두 만족시켰으나, (3)을 만족시키지 못한 경우
C	(1)과 (2) 중 하나만을 만족시키며, 그 내용이 충실한 경우 (1)과 (2)를 모두 제시하였으나, 일부 내용이 완전하지 못하거나 불분명한 경우
D	(1)과 (2)를 제시하였으나, 전체 내용이 불분명한 경우

주관식 2 다음은 강연의 일부입니다. 잘 듣고 물음에 답하세요.

> 정부가 올해 하반기부터 일반 화물차를 푸드 트럭으로 개조하는 것을 허용하였습니다. 지정된 장소에서 이 푸드 트럭을 이용해 영업도 가능하게 되었습니다. 이는 사회적 혼란을 감안하지 않은 섣부른 결정이 아닐까 우려됩니다.
>
> 푸드 트럭이 허용이 되면, 본래 그 지역에서 영업을 해오던 근처 가게들의 반발이 커질 것은 당연한 일입니다. 게다가 이 가게의 점주들은 월세와 보증금 및 각종 세금을 지불하는데, 푸드 트럭은 이러한 점에서 큰 혜택을 보게 되며 일반적인 노점상 등과의 형평성 문제도 발생할 것입니다.
>
> 정부에서는 푸드 트럭을 350여 개의 놀이공원과 유원지에만 허용한다고 밝혔으나, 이미 놀이공원 등에는 자체적으로 운영하고 있는 간이 음식점들이 있어 푸드 트럭이 자리를 잡기는 매우 어려울 것으로 예상이 됩니다. 따라서 현실성이 없는 규제 개혁안이며, 푸드 트럭이 청년 창업가들에게 기회가 될 것이라는 주장은 빛 좋은 개살구 식의 발언일 뿐입니다. 실제로 유원지 등에 들어가기 위해서는 자릿세를 비롯하여 추가적인 비용이 많이 들어 청년 창업가와 자영업자에게 큰 부담으로 작용하게 될 것이기 때문입니다.
>
> 또한 여러 장소를 옮겨 다니며 영업을 하게 되는 푸드 트럭은 식품 안전 및 위생의 관리 문제에서도 자유로울 수 없는 것이 사실입니다. 게다가 푸드 트럭에 사용되는 화물차들은 1급 발암 물질인 디젤 가스를 사용하며, 각종 배출 가스에 미세 먼지의 원인이 되어 시민의 건강을 해칠 우려가 크다고 봅니다.

◉ 예시 답안

푸드 트럭은 다른 창업에 비해 소규모 자본으로 쉽게 창업이 가능해, 청년층에게 일자리와 다양한 창업 기회를 제공할 수 있다. 또한 푸드 트럭 개조를 통해, 나아가 자동차 개조 산업 분야의 활성화를 기대해 볼 수도 있다. 젊은 층의 신선한 아이디어는 개성 있는 창업 아이템을 등장시켜 다양한 먹거리 문화를 선도할 것이다.

◉ 정답 기준

(1) '강연에 제시된 연사의 주장'에 대한 반론이 제시되어 있는가.
  – 강연과의 연관성 고려 필요
(2) 주장에 대한 근거가 제시되어 있는가.
(3) 주장과 근거가 논리적이고 긴밀한가.
(4) 글의 분량을 지켜 썼는가.(세 문장)

A	(1), (2), (3), (4)를 모두 만족시킨 경우
B	(1)과 (2)를 모두 만족시켰으나, (3) 혹은 (4) 조건만 만족시키지 못한 경우
C	연사의 주장을 푸드 트럭 사업의 개념에 초점을 맞춰 쓴 경우 (1)과 (2)의 조건을 충분히 만족시키지 못한 경우
D	연사의 주장 중 부차적인 부분에 대한 비판에만 치중한 경우 비논리적인 내용으로 답안을 작성한 경우

주관식 3

◉ 예시 답안

대부분의 사람들이 장애인 복지법이 제정되어 있는 것을 알면서도 지키지 않는 것이 문제이므로, 준법 정신을 강화하도록 노력해야 한다.(준법 정신 강화를 위한 홍보나 캠페인 등을 활성화해야 한다.)

◉ 해설

첫 문장에서 제도만 마련해 놓고 실행하지 못하는 현실에 대해 문제를 제기하고 있다. 그리고 이에 대한 구체적인 예를 들고 있다. 또한 '장애인 미고용 부담금을 납부'하거나 '장애인 전용 주차장을 이용'하는 등 알면서도 지키지 않는 것이 문제임을 지적하고 있다. 이 모든 것을 포괄할 수 있는 주제는 '법은 정해져 있으나 그것을 지키지 않는 것이 문제'라는 것으로, 준법 정신을 강조하는 내용이 주제문이어야 한다.

주관식 4

◉ 예시 답안

1960년대 이후, 전문 예식장이 보급되면서 예식장 혼례가 보편화된 오늘날의 혼례 문화는 지나친 비용 부담이 발생한다. 이로 인해 결혼식을 치르지 못하게 되는 사람들이 늘고, 결혼식을 치르더라도 예식장의 운영 구조 때문에 원하는 시간대에 식장을 선택할 수 없는 등의 불이익을 초래한다.

◉ 해설

㉠을 통해 '예식 비용에 대한 부담으로 예식을 올리지 못한 부부들이 많다'는 문제점을 지적해 볼 수 있고, ㉡에서는 '오늘날의 혼례 문화가 형성된 배경'을, ㉢에서는 '오늘날 혼례 문화의 특징과 문제점'을 찾아볼 수 있다.

주관식 5

◉ 예시 답안

청년 구직자들이 할 일-청년 구직자들은 눈높이를 낮추어 중소 기업으로 관심을 돌려야 한다.

◉ 해설

제시된 개요에서 쓸 부분은 '청년 실업 문제에 대한 대책'으로 (가)에 '정부에서 할 일'이라는 항목이 있으므로, (나)에는 '3) 청년 실업 문제의 원인' 중 '(나) 청년 구직자의 비현실적인 눈높이'를 고려하여 '청년 구직자들이 할 일'이 들어가야 한다. 또한 그에 대한 구체적인 내용은 〈보기〉의 내용을 바탕으로 청년 실업 문제의 원인인 '청년 구직자들의 비현실적인 눈높이'와 연계하여 쓸 수 있다.

주관식 6

◉ 예시 답안

감투를 쓰게 되면 지나친 책임감이나 성공에 대한 집착으로 인해 커다란 심적 부담감을 느끼게 될 수 있다. 또한 공적인 존재는 어느 정도 지위가 상승해 있는 상태에 있으므로 추락에 대한 걱정이 뒤따르기가 쉽다. 올림픽에서 금메달을 땄던 사람이 다음 올림픽에 마음 편하게 출전하지 못하는 것도 마찬가지 이유에서이다.

◉ 해설

뒤에 이어질 내용을 조건에 맞게 쓰는 문항이다. 공적인 존재로의 변화로 인해 발생할 수 있는 부정적인 영향과 이에 대한 사례를 들어 완성된 문단을 구성해야 한다. '지나친 책임감'이나 '높은 지위에서의 추락에 대한 걱정'이 드러나지 않으면 -1점, 예시가 적절하지 않으면 -1점, 완결된 세 문장으로 작성하지 않으면 -1점, 그리고 어문 규정을 지키지 않거나 글의 흐름에 부합하지 않으면 -1점이 될 수 있다.

주관식 7

[가로 열쇠] 1. 사물함 3. 보정 4. 구실 6. 단비 8. 기이 9. 중점적
[세로 열쇠] 1. 사정 2. 함구 3. 보릿단 5. 실랑이 7. 비중 8. 기적

주관식 8

◉ 예시 답안

자칫 준비를 소홀히 하다가 소 잃고 외양간 고치는 결과를 불러올 수도 있다.

◉ 해설

㉠ 소 잃고 외양간 고친다, 쏘아 놓은 살이요 엎지른 물이다, 망양보뢰(亡羊補牢), 사후약방문(死後藥方文) 등
㉡ 자칫, 까딱하면 등

주관식 9

◉ 예시 답안

한 여자가 어린아이와 부딪히며, 아이에게 뜨거운 국물을 쏟은 사건이 있었다. 그러나 사건의 정황이나 진실과는 무관하게 그녀는 인터넷 상에서 '국물녀'라 불리며 대중으로부터 무차별적인 비난을 받았고 개인의 신상 정보가 인터넷을 통해 유출되었다. 이처럼 잘잘못을 가리기도 전에 여론과 매체에 의해 비난의 대상이 되고 피해를 입는 '현대판 마녀사냥'은 엉뚱한 사람을 고통으로 몰아넣는 야만적 여론몰이로 무고의 형태를 띠고 있다.

◉ 해설

지문을 읽고 제시된 조건에 따라 글을 쓰는 조건을 반영한 글쓰기 문항이다. 조건에서 제시한 현대판 마녀사냥의 핵심어는 '무고'이므로, '무고'를 적절하게 활용하여 서술하지 않으면 -1점, 예로 제시된 구체적 상황이 적절하지 않으면 -1점, 어문 규정에 맞고 세 문장으로 작성하지 않으면 -1점, 문제에서 요구한 '현대판 마녀사냥의 문제점'에 대하여 적절하게 서술하지 않으면 -1점이 될 수 있다.

주관식 10

◉ 예시 답안 1

[식용 농작물 재배를 우선시하는 입장] 현재 지구에는 많은 사람들이 굶주리고 있다. 그럼에도 불구하고 정부가 재정적인 뒷받침을 해서까지 연료용 농작물 생산을 장려하는 것은 적절하지 않다. 그러므로 식용 농작물 재배에 더욱 힘써야 한다.

◉ 예시 답안 2

[바이오 연료용 농작물 재배를 우선시하는 입장] 바이오 연료는 재생하여 쓸 수 있다. 또한 외국에서 수입하는 연료에 대한 의존도도 줄일 수 있다. 그러므로 바이오 연료용 농작물 재배를 활성화해야 한다.

◉ 해설

지문에 제시된 쟁점을 파악하고 자신의 의견과 이를 뒷받침할 근거를 밝히는 문항이다. 이 글에서는 농작물 재배에 있어 바이오 연료의 원료가 되는 농작물을 재배하는 데 중점을 두는 것과 식용 농작물 재배를 통해 식량을 확보하는 것에 대한 의견을 제시하고 있다. 두 쟁점 중 자신의 의견을 명확히 밝히고, 본문에 나와 있는 근거 중 타당한 근거를 들어 글을 완성해야 한다. 논지에서 벗어난 의견일 경우 -1점, 의견과 근거의 타당성이 떨어질 경우 -1점, 본문에 제시된 근거가 아닐 경우 -1점, 어문 규정을 지키지 않으면 -1점이 될 수 있다.

본문 335쪽

02 주관식 2 기출변형 문제

주관식 1	예시 답안 참조	주관식 2	예시 답안 참조
주관식 3	예시 답안 참조	객관식 4	④
주관식 4	예시 답안 참조	주관식 5	예시 답안 참조
주관식 6	예시 답안 참조	주관식 7	문상, 행성, 선출, 체면
주관식 8	예시 답안 참조	주관식 9	예시 답안 참조
주관식 10	예시 답안 참조		

주관식 1 다음은 토론의 일부입니다. 잘 듣고 물음에 답하세요.

여: 워너브라더스 등 미국 주요 방송사 6곳이 미국 드라마 자막을 개인적으로 제작한 15명의 자막 제작자들을 고소하는 사건이 벌어져 현재 이들이 불구속 입건된 상태인데 참으로 안타까운 상황이라고 생각합니다. 국내에서 미국 드라마의 높은 인기는 바로 자막 제작자들 때문에 가능했던 것입니다. 그런데 고소라니 너무한 처사라는 생각이 듭니다.

남: 불법에 대한 고소는 당연하지 않나요? 미국 드라마의 자막 유포는 어디까지나 불법적인 영역이며 저작권을 소유한 미국 주요 방송사들의 동의 없이 이루어진 일입니다. 불법을 당연하게 생각하는 태도 자체를 바꿔야 합니다.

여: 미국 주요 방송사들은 미국 드라마 자막 제작자들의 존재를 알았음에도 불구하고 이제야 고소를 했습니다. 이것은 앞뒤가 맞지 않는 처사입니다. 국내 미국 드라마 도입기 시기에는 잠잠하다가 미국 드라마의 인기로 인해 높은 가격으로 판권 계약을 계속하는 상황에서 고소하는 것은 다소 갑작스러운 일이기도 하고요.

남: 그렇다면 최근 국내에서 큰 인기를 끌었던 드라마들이 중국 내 정식 판권 수출도 계약하지 않은 상황에서 중국에 불법 자막이 유포되어 방송사에 막대한 손해를 끼친 것도 당연히 있을 수 있는 일이라고 보시는 건가요? 판권 계약을 통해 얻을 수 있었던 수익을 이미 볼 만한 사람은 다 본 상황에서 계약하는 경우가 남발되고 있으니 이는 분명 잘못된 처사입니다.

여: 이제 이러한 일들은 하나의 문화 현상으로 바라봐야 하지 않을까요? 실제로 자막으로 인해 누구나 쉽게 미국 드라마를 통해 미국의 패션과 식문화 등이 국내에 엄청난 파급 효과를 불러일으켰고 이는 미국의 패션업계 및 식음료업계, 관광업계에까지 큰 반향을 불러일으켰습니다. 최근 큰 인기를 끌었던 드라마도 자막 등이 불법적으로 유포되었지만, 다른 방식들로 이미 크나큰 경제적 이익을 거두었다고 알고 있습니다.

남: 국내 방송사 이외에도 다양한 방법으로 미드를 합법적으로 볼 수 있는 채널이 이미 다양하게 존재를 하는 상황에서 굳이 불법적인 행위를 택할 필요는 없다고 봅니다. 케이블 TV 등에서 고객들의 미드 선호 요구에 맞추기 위해 다양한 미드 전문 채널을 만드는 추세입니다. 또한 다양한 모바일 애플리케이션과 합법적인 유료 인터넷 사이트 등을 운영하는 등 더 많은 미드 채널을 구축해 가는 것이 옳을 것입니다.

◉ 예시 답안

미국 드라마의 자막을 임의로 제작하여 유포하는 것은 분명한 불법이다. 우리나라의 드라마가 반대의 입장이 되는 경우도 고려해 봐야 한다. 자막을 불법으로 제작하기보다 미국 드라마를 합법적으로 볼 수 있는 방법들을 찾는 것이 바람직하다.

◉ 정답 기준

(1) '개인적인 미국 드라마 자막 제작'에 대한 반대의 내용을 담고 있는가.

(2) '개인적인 미국 드라마 자막 제작'에 대한 반대의 근거를 담고 있는가.

(3) 글의 분량을 지켜 썼는가.(세 문장)

A	(1), (2), (3)을 모두 만족시킨 경우
B	(1)과 (2)를 모두 만족시켰으나, (3)을 만족시키지 못한 경우
C	(1)과 (2) 중 하나만을 만족시키며, 그 내용이 충실한 경우 (1)과 (2)를 모두 제시하였으나, 일부 내용이 완전하지 못하거나 불분명한 경우
D	(1)과 (2)를 제시하였으나, 전체 내용이 불분명한 경우

주관식 2 다음은 강연의 일부입니다. 잘 듣고 물음에 답하세요.

최근 가창력을 겨루는 각종 오디션 프로그램이 인기를 끌고 있습니다. 반면 가요계에서는 립싱크나 녹음된 연주를 실제 연주하듯이 보여 주는 핸드싱크를 하는 가수들이 부지기수입니다.

과거 가요 프로그램에서는 발라드, 댄스, 트로트 등 다양한 장르의 가요를 들을 수 있었지만, 최근 가요 프로그램에서는 댄스 그룹 중심의 아이돌 가수들밖에 볼 수 없습니다. 이러한 장르의 편중 현상은 결국 가창력보다는 비주얼과 퍼포먼스에만 신경을 쓰는 가수들을 양산해 냈습니다.

돈을 내고 보는 공연에서 관객에게 사전 고지를 하지 않은 상태에서 립싱크를 하는 것은 관객에 대한 기만이며 사기입니다. 한 예로 외국의 유명 가수를 초대해 고가의 비용으로 입장권을 구입했던 관객들은 이 공연에서 가수가 립싱크로 일관하자 항의한 일이 있었습니다. 그러나 이에 대한 제재 방법이 딱히 없는 실정입니다. 가수들이 행사에서 입만 벙긋거리고 거액의 돈을 받아 가는 것은 말이 안 됩니다.

근래에 오디션 프로그램이 인기를 얻고 있는 이유도 춤과 외모 위주의 가수들에 식상해진 대중이 진짜로 노래를 잘하는 가수들을 원하고 있다는 방증일 것입니다. 따라서 립싱크 금지법이 마련되어 가요계가 외모와 퍼포먼스보다 가창력으로 승부하는 곳으로 바뀌는 것이 바람직할 것입니다.

◉ 예시 답안

립싱크와 핸드싱크는 음향 시설이 제대로 갖추어지지 않은 현장, 또는 건강상의 이유로 가수들이 어쩔 수 없이 선택하는 임시방편이다. 또한 옛날과 달리 가수를 평가하는 기준이 가창력, 퍼포먼스, 비주얼로 다양해진 만큼 립싱크 금지법은 오늘날의 다양해진 음악 환경과 변화하는 가요계를 반영하지 못한 편협한 시각이라고 볼 수 있다.

◉ 정답 기준

(1) '강연에 제시된 연사의 주장'에 대한 반론이 제시되어 있는가.
  – 강연과의 연관성 고려 필요

(2) 주장에 대한 근거가 제시되어 있는가.

(3) 주장과 근거가 논리적이고 긴밀한가.

(4) 어문 규정을 지켜 두 문장으로 썼는가.

A	(1), (2), (3), (4)를 모두 만족시킨 경우
B	(1)과 (2)를 모두 만족시켰으나, (3) 혹은 (4) 조건만 만족시키지 못한 경우
C	(1)과 (2)의 조건을 충분히 만족시키지 못한 경우
D	연사의 주장 중 부차적인 부분에 대한 비판에만 치중한 경우 비논리적인 내용으로 답안을 작성한 경우

주관식 3

◉ 예시 답안

노인들에 대한 경제적 지원 및 복지 시설의 확충과 함께 전통적 가치관 회복을 위한 노력이 필요하다.

◉ 해설

제시된 글은 '노인 문제의 심각성'을 주제로 하고 있다. 이에 대한 원인을 '고령 인구의 증가에 대비한 복지 정책 미비와 전통적인 가치관 붕괴'로 보고 있으며, 이로 인해 '노인 계층이 가정과 사회에서 소외된다'는 것을 부각하고 있다. 그러므로 '이렇게 볼 때, 노인 문제의 해결을 위해서는'의 뒤에 이어질 내용으로는 앞서 언급한 원인 두 가지를 모두 포함할 수 있어야 한다.

객관식 4

④ 자료를 바탕으로 글을 쓰기 위해 관련 주제를 설정하는 것에 대해 묻는 문항이다. 이를 해결하기 위해서는 자료 전체를 종합하고 포괄적으로 전달할 수 있는 주제를 찾아야 한다.

주관식 4

◉ 예시 답안

차를 1분간만 우려내면 카페인 걱정 없이 마실 수 있습니다.

◉ 해설

자료를 분석하여, 문제에서 요구하는 내용을 조건에 맞게 작성하는 유형이다. 조건이 여러 가지인 만큼 답안 작성 시 주의해야 한다. 자료를 토대로 카페인 함량이 가장 낮은 '1분간 우려내기'에 대해 언급이 없으면 −1점, 적절한 정보 제공을 위해 표에 나타난 구체적인 시간을 언급하지 않았고 모호한 표현('너무 오래 우려내면' 혹은 '오래 우려내면' 등)을 사용했으면 −1점, 구매자를 '안심시킬 수 있는' 정보를 제공하는 표현 대신 '건강에 해롭다' 혹은 '중독될 수 있다'와 같은 경고성 메시지가 있으면 −1점, 어문 규정을 지키지 않거나 한 문장으로 쓰지 않으면 −1점으로 평가할 수 있다.

주관식 5

◉ 예시 답안

익명성의 기능을 고려한 익명성 차별화 적용 등 악성 댓글 근절을 위한 구체적인 대안 마련

◉ 해설

지문은 악성 댓글 근절을 위한 토론회에서 각각의 토론자들의 의견을 정리한 내용이다. 〈보기〉의 빈칸에는 주어진 내용과 같이 지문의 내용을 요약, 정리하면 된다. '익명성 차별화 적용'의 내용이 악성 댓글 근절에 대한 구체적인 해결 방안으로 제시된 만큼, 이에 대한 서술이 필요하다. 또한 제시문의 형식에 맞게 작성하여야 하므로 문장 형식으로 작성하거나, 이미 정리된 내용을 불필요하게 서술해서는 안 된다.

주관식 6

◉ 예시 답안

학교폭력은 예방이 우선시되어야 함에도 불구하고 현재 정부의 대책은 '소 잃고 외양간 고치기' 식에 불과하다.

주관식 7

[가로 열쇠] 1. 감상문 3. 행성 4. 상해 6. 곡선 8. 체면 9. 출입구
[세로 열쇠] 1. 감성 2. 문상 3. 행진곡 5. 해수면 7. 선출 8. 체구

주관식 8

◉ 예시 답안

휴대 전화를 새로 사는 가격보다도 비싼 수리비가 요구되는 배보다 배꼽이 더 큰 상황에서도, 직원은 되레 큰소리를 치며 수리비를 요구했다.

◉ 해설

㉠: 배보다 배꼽이 더 크다.
㉡: 오히려, 도리어, 되레 등
①의 지문과 ②의 문장에 문맥상 적절한 표현을 찾고, 이를 사용하여 짧은 글을 짓는 문항이다. 능동적 어휘력과 창의력을 평가할 수 있다. ㉠이나 ㉡이 적절하지 않으면 −1점, 완성한 문장의 어휘가 적절한 의미로 표현되지 않았으면 −1점, 문맥이 자연스럽지 않으면 −1점으로 평가할 수 있다.

주관식 9

◉ 예시 답안 1

[찬성] 여성들이 성추행 걱정 없이 지하철을 이용할 수 있도록 지하철 여성 전용 칸 운용에 대해 찬성한다. 성범죄는 날로 그 심각성을 더해가고 있고 예방이 더 중요한 만큼, 여성 전용 칸을 운용하여 범죄가 발생 가능한 환경을 차단하면 범죄를 예방하는 효과가 있을 것이기 때문이다.

◉ 예시 답안 2

[반대] 지하철 성추행 범죄 예방에 대한 실효성이 명확하지 않은 여성 전용 칸 운용에 대해 반대한다. 범죄의 예방 효과도 확실하지 않은데 지하철 혼잡 시간에 더 큰 혼잡을 초래할 것이 분명하기 때문이다.

◉ 해설

여성 전용 칸 운용을 주장하는 논거로는 성추행 범죄 예방을 통한 여성 보호에 있으며, 이를 반대하는 근거로는 출퇴근 혼잡 및 실제 효과에 대한 의문, 사회적 위화감 등의 부작용 우려를 꼽을 수 있다. 따라서 지하철 여성 전용 칸 운용에 대한 자신의 견해를 찬성 또는 반대로 명확하게 드러내지 않으면 −1점, 보편 타당한 근거를 제시하지 못하면 −1점, 어문 규정에 맞고 문단 구성의 원리에 따라 주제 문장 한 문장과 뒷받침 문장으로 구성되었는가에 따라 1점으로 평가할 수 있다.

주관식 10

◉ 예시 답안 1

[교사 입장] 유치원 교실 내 CCTV 설치는 교사의 인권과 교권을 침해할 수 있다. 또한 학부모의 간섭이 우려될 수도 있다. 그러므로 유치원 교실 내에 CCTV를 설치해서는 안 된다.

◉ 예시 답안 2

[학부모 입장] 유치원 교실 내 CCTV를 설치하면 아동학대를 예방할 수 있다. 또한 원생들이 안전에 관한 혜택을 받을 수도 있다. 그러므로 유치원 교실 내에 CCTV를 설치해야 한다.

◉ 해설

지문을 통해 쟁점을 파악하고, 유치원 교사 측과 학부모 측의 입장을 구분하여 근거를 제시해야 하는 문항이다. 이 글의 '학부모 측'은 CCTV 설치를 통해 아동학대를 예방하고 위험으로부터 아동을 보호하는 등 학생들이 혜택을 보게 된다고 주장하고 있다. 반면 '유치원 교사 측'은 CCTV 설치로 학부모의 간섭, 교사의 인권과 교권 침해, 교육 활동 침해 등을 우려하며 CCTV의 설치는 학부모에게 혜택이 돌아가는 것이라고 주장하고 있다. 결국 '학부모 측'은 유치원에 CCTV를 설치하는 것에 대해 찬성하는 입장이고, '교사 측'은 반대하는 입장이라는 것을 알 수 있다. 이러한 입장에 따른 주장을 명확히 파악하고 타당한 근거를 제시하여 답안을 작성해야 한다. 입장과 주장이 적절하지 않을 경우 −1점, 주장과 근거의 타당성이 떨어질 경우 −1점, 본문에 제시된 근거가 아닐 경우 −1점, 어문 규정을 지키지 않으면 −1점이 될 수 있다.

본문 346쪽

1교시 수준 & 실력점검 모의고사

1	③	2	③	3	③	4	③	5	④
6	④	7	⑤	8	②	9	②	10	⑤
11	⑤	12	⑤	13	①	14	⑤	15	③
16	③	17	②	18	③	19	④	20	①
21	⑤	22	⑤	23	②	24	④	25	③
26	④	27	④	28	④	29	③	30	⑤
31	⑤	32	②	33	④	34	③	35	④
36	⑤	37	④	38	④	39	③	40	④
41	④	42	⑤	43	③	44	⑤	45	④
46	⑤	47	④	48	①	49	③	50	⑤
51	③	52	②	53	⑤	54	③	55	⑤
56	③	57	①						

1 ③ '민-'은 (일부 명사 앞에 붙어) '꾸미거나 딸린 것이 없는'의 뜻을 더하는 접두사이다. 사용 예시로 '민가락지, 민돗자리, 민얼굴, 민저고리' 등을 들 수 있다.

◉ 오답률 줄이는 | **오답풀이** |

①, ②, ④, ⑤의 '민-'은 (일부 명사 앞에 붙어) '그것이 없음' 또는 '그것이 없는 것'의 뜻을 더하는 접두사이다.

2 ③ '황혼(해가 지고 어스름해질 때. 또는 그때의 어스름한 빛.)'과 '여명(희미하게 날이 밝아 오는 빛. 또는 그런 무렵.)'은 반의 관계이고, 나머지는 유의 관계이다.

3 ③ 변혁: 급격하게 바꾸어 아주 달라지게 함.

◉ 오답률 줄이는 | **오답풀이** |

① 변형: 모양이나 형태가 달라지거나 달라지게 함. 또는 그 달라진 형태.

② 변화: 사물의 성질, 모양, 상태 따위가 바뀌어 달라짐.

④ 변이: 같은 종에서 성별, 나이와 관계없이 모양과 성질이 다른 개체가 존재하는 현상.

⑤ 변모: 모양이나 모습이 달라지거나 바뀜. 또는 그 모양이나 모습.

4 〈보기〉와 ③의 '들어서다'는 '어떤 상태나 시기가 시작되다.'의 뜻으로 쓰였다.

◉ 오답률 줄이는 | **오답풀이** |

① 정부나 왕조, 기관 따위가 처음으로 세워지다.

② 어떤 곳에 자리 잡고 서다.

5 ④ ㉠에는 '추출', ㉡에는 '차출', ㉢에는 '검출'이 들어간다.

㉠ 추출(抽出): 전체 속에서 어떤 생각, 요소 따위를 뽑아냄.

㉡ 차출(差出): 어떤 일을 시키기 위하여 인원을 선발하여 냄.

㉢ 검출(檢出): 검사를 통해 미생물 따위의 존재 유무를 알아내는 일.

◉ 오답률 줄이는 | **오답풀이** |
- 축출(逐出): 쫓아내거나 몰아냄.
- 색출(索出): 샅샅이 뒤져서 찾아냄.
- 공출(供出): 국민이 국가의 수요에 따라 농업 생산물이나 기물 따위를 의무적으로 정부에 내어놓음.

6 ④ 어스름: 조금 어둑한 상태. 또는 그런 때.

7 ⑤ '입추의 여지가 없다'는 '송곳 끝도 세울 수 없을 정도'라는 뜻으로, 발 들여놓을 데가 없을 정도로 많은 사람들이 꽉 들어찬 경우를 비유적으로 이르는 말이다. 따라서 '대기 손님들이 많지 않아서'라는 표현과는 어울리지 않는다.

◉ 오답률 줄이는 | **오답풀이** |
① 말로만 남을 대접하는 체한다는 말.
② 의지할 곳을 잃어버린 처지. = 절영우면(絶纓優面)
③ 무슨 일이든 예측을 잘함.
④ 주(主)가 되는 것과 그에 따르는 것이 뒤바뀌어 사리에 어긋남을 비유적으로 이르는 말.

8 ② 낭중지추(囊中之錐): 주머니 속의 송곳. 재능이 뛰어난 사람은 숨어 있어도 저절로 사람들에게 알려짐.

◉ 오답률 줄이는 | **오답풀이** |
① 괄목상대(刮目相對): 상대의 학식이나 재주가 놀랍게 발전하여 눈을 비비고 다시 봄.
③ 대기만성(大器晩成): 크게 될 사람은 늦게 이루어짐.
④ 반면교사(反面敎師): 상대의 부정적인 면에서 얻는 깨달음이나 가르침.
⑤ 절차탁마(切磋琢磨): 옥이나 돌 따위를 갈고 닦아 빛을 냄. 부지런히 학문과 덕행을 닦음.

9 ② '억눌림이나 어려운 지경에서 벗어나 마음을 자유롭게 가지다.'라는 의미의 관용어는 '기를 펴다'이다. '활개(를) 치다'는 '의기양양하게 행동하다. 또는 제 세상인 듯 함부로 거들먹거리며 행동하다.'의 의미를 지닌다.

10 ⑤ 유야무야(有耶無耶): 있는 듯 없는 듯 흐지부지함.

◉ 오답률 줄이는 | **오답풀이** |
③ '묵과(默過)하다'는 '잘못을 알고도 모르는 체하고 그대로 넘기다.'를 뜻한다.

11 ⑤ 와중(渦中): 일이나 사건 따위가 시끄럽고 복잡한 가운데.

◉ 오답률 줄이는 | **오답풀이** |
① 소치(所致): 어떤 까닭으로 생긴 일. 탓.
② 계발(啓發): 슬기나 재능, 사상 따위를 일깨워 줌.
③ 반추(反芻): 되풀이하여 음미하거나 생각함.
④ 경질(更迭): 어떤 직위에 있는 사람을 다른 사람으로 바꿈.

12 ⑤ 경신(更新): 이미 있던 것을 고쳐 새롭게 함.
갱신(更新): '경신'과 쓰임이 비슷하나 계약 따위를 연장하는 경우 갱신만 쓸 수 있다.
예문에서는 '경신'과 '갱신'이 서로 바뀌어 쓰였다.

◉ 오답률 줄이는 | **오답풀이** |
① 재고(再考): 어떤 일이나 문제 따위에 대하여 다시 생각함.
제고(提高): 수준이나 정도 따위를 끌어올림.
② 초미(焦眉): 눈썹에 불이 난 것같이 매우 급함.
초유(初有): '처음으로 있음.'을 이르는 말.
'노사 양측의 견해차를 어떻게 좁히느냐가 매우 급한 관심사'이며, '이번 사건은 처음으로 있는 일이어서 비슷한 경우를 찾아보기 힘들다.'라는 뜻이 자연스러우므로 두 단어를 적절하게 사용하고 있다.
③ 반증(反證): 어떤 사실이나 주장이 옳지 않음을 그에 반대되는 근거를 들어 증명함.
방증(傍證): 간접적으로 증명에 도움을 주는 증거.
④ 승패(勝敗): 승리와 패배.
성패(成敗): 성공과 실패.

13 ① '체크(check)'는 '대조, 점검'으로 순화한다.

◉ 오답률 줄이는 | **오답풀이** |
③ 포럼(forum)은 보통 '포럼디스커션(고대 로마에서 행하던 토의 방식의 하나)'을 일컫는 표현으로, '공개 토론회'로 순화한다. 이와 달리, 심포지엄(symposium)은 특정한 문제에 대하여 두 사람 이상의 전문가가 서로 다른 각도에서 의견을 발표하고 참석자의 질문에 답하는 형식의 토론회로, '집단 토론 회의', '학술 토론 회의'로 순화한다.
④ '리듬'은 '흐름, 흐름새'로 순화하는 것이 적절하다.

14 ⑤ '애초에'의 준말로 '애최'를 쓴다.

◉ 오답률 줄이는 | **오답풀이** |
① 채신: '처신'을 낮잡아 이르는 말. 세상을 살아가는 데 가져야 할 몸가짐이나 행동.
② 왠지: 왜 그런지 모르게. 또는 뚜렷한 이유 없이.
③ 매우 드물고 적은 병을 의미할 때에는 '희소병'을 쓴다. '희귀(稀貴)'는 '드물어서 특이하거나 매우 귀함.'의 의미로 병에 '희귀'의 표현을 사용하는 것은 적절하지 않다.
④ 생때같다: 공을 많이 들여 매우 소중하다.

15 ③ ㉠은 '되-+-어라'이므로 '돼라'이다.
㉡과 ㉢은 '되-+-어(서)'의 준말이므로 '돼'이다.
㉣은 '되-+-라고'이므로 '되라고'이다.

16 ③ 한글 맞춤법 제30항 사이시옷 규정에 따라 '들깻가루'로 표기하는 것이 올바르다.

◉ 오답률 줄이는 | **오답풀이** |
① '다그다'는 '물건 따위를 어떤 방향으로 가까이 옮기다.'의 의미로 바른 표현이다.
② '곱슬하다'는 2014년 개정 표준어로 올바른 표현이다.
④ '원체'는 '두드러지게 아주.' 또는 '본디부터.'의 의미를 지닌다. 같은 의미로 '워낙'을 사용해도 된다.

⑤ '굴러오다'는 '어떤 곳을 굴러서 오다. 바퀴 달린 탈것 따위가 바퀴를 구르며 옮겨 오다.'의 의미로 표준어로 쓰였다. 또한 표준어 개정으로 '(비유적으로) 집단이나 단체가 계속되거나 운영되어 오다.'라는 의미도 추가되었다.

17 ② '밭이랑'의 경우, '밭'과 '이랑'의 합성어로, 표준 발음법 제29항 "합성어 및 파생어에서, 앞 단어나 접두사의 끝이 자음이고 뒤 단어나 접미사의 첫음절이 '이, 야, 여, 요, 유'인 경우에는, 'ㄴ' 음을 첨가하여 [니, 냐, 녀, 뇨, 뉴]로 발음한다."에 해당한다. 따라서 [반니랑]으로 발음해야 한다.

◉ 오답률 줄이는 | **오답풀이** |

① 겹받침 'ㄼ'의 대표음은 [ㄹ]이므로, 받침 [ㄹ]과 뒷음절의 첫소리 'ㄴ'은 표준 발음법 제20항 "'ㄴ'은 'ㄹ'의 앞이나 뒤에서 [ㄹ]로 발음한다."에 따라 [짤레요]로 발음한다.

④ '상견례'의 경우, 표준 발음법 제20항의 예외 규정인 "다만, 다음과 같은 단어들은 'ㄹ'을 [ㄴ]으로 발음한다."에 해당한다. 따라서 [상견녜]로 발음한다.

⑤ '막론(莫論)'은 표준 발음법 제19항의 [붙임]에 따라 [망논]으로 발음한다.

18 ③ 자음 앞의 [ʃ]는 '슈'로 적어야 하므로, '슈림프'가 올바른 표기이다.

19 윤미란, 〈주말 늦잠이 조기 사망 위험 낮춘다? 평일 모자란 잠 주말에 보충하세요〉, 맘스매거진, 2018. 06. 01.

④ 3단락을 통해 수면 시간과 사망률의 상관관계는 흡연, 음주, 커피 등에 영향을 받지 않는다는 것을 알 수 있다.

◉ 오답률 줄이는 | **오답풀이** |

① 3단락을 통해 평일 부족한 수면 시간을 주말에 보충하면 평균 7시간 잔 사람들과 사망률에서 차이가 없음을 알 수 있다.

② 2단락을 통해 평일 평균 수면 시간이 5시간인 사람이 7시간인 사람보다 조기 사망률이 높다는 것을 알 수 있다.

③ 2단락을 통해 확인할 수 있다.

⑤ 3단락을 통해 65세 이상의 성인은 평균 수면 시간과 조기 사망률의 상관관계가 나타나지 않음을 알 수 있다.

20 한영준, 〈4050 세대 구직자 절반도 '스마트폰'으로 구직 활동〉, 파이낸셜뉴스, 2018. 03. 29.

① 6단락에서 취업난을 경험하고 있는 20대는 진입 장벽이 낮고 단기 근로가 가능한 '생산 · 기술 · 건설'을 선호한다는 점을 알 수 있다.

◉ 오답률 줄이는 | **오답풀이** |

② 6단락에서 왕성한 사회생활을 하는 30대와 40대는 '사무 · 경리' 업종을 선호한다고 하였다.

③ 3단락에서 모바일을 통해 가장 많이 구인구직을 하는 연령대는 20대로, 78.2%를 차지하는 것을 알 수 있다.

④ 마지막 단락을 보면, 지도 기반 서비스 사용자를 고려하여 업직종별 아이콘을 지도상에 적용하는 등의 서비스를 통해 편의성을 높일 예정이라는 내용이 나와 있다.

⑤ 4단락을 보면 구직자들이 가장 원하는 서비스 1위는 '집 근처 일자리 정보'로, 28.6%를 차지하는 것으로 나와 있다.

21 ⑤ 택배의 접착테이프는 종량제 봉투에 버려야 한다.

22 한익재, 〈환경부, 발암물질 배출저감제도 도입 위한 국제 심포지엄 개최〉, 녹색경제, 2018. 03. 28.

⑤ 미국은 1990년부터, 캐나다는 2009년부터 독성물질저감법을 제정하여 운영하였으므로 미국이 캐나다보다 먼저 이 제도를 시행하였음을 알 수 있다.

◉ 오답률 줄이는 | **오답풀이** |

① 심포지엄에 이어지는 패널토의에서는 우리나라의 5명의 전문가들의 생각을 들어 볼 수 있다.

② 3단락을 보면, '발암물질 저감계획서 공개제도'는 발암물질을 일정 기준 이상 배출하는 사업장을 대상으로 매 5년마다 저감계획서를 작성하고 지역사회 등에 공개하여 자발적으로 발암물질을 줄여 나가는 제도로서 '자발적 제도'라고 할 수 있다.

③ 미국은 1990년부터, 캐나다는 2009년부터 '발암물질 저감제도'를 실시하고 있다.

④ 이번 심포지엄은 '발암물질 저감계획서 공개제도' 도입을 위한 것으로, 환경보호제도의 일종에 관한 것이다.

23 ② 보험계약 관련 유의 사항 1항을 보면, 과거 질병 치료 사실 등을 보험회사에 알리지 않을 경우 보험금을 지급받지 못할 수 있다.

◉ 오답률 줄이는 | **오답풀이** |

① 해지환급금 관련 유의 사항을 통해 보험계약을 중도에 해지하는 경우 해지환급금은 납입한 보험료보다 적거나 없을 수 있다는 것을 알 수 있다.

③ 보험계약 관련 유의 사항 5항을 통해 보호 한도는 1인당 최고 5천만 원이라는 것을 알 수 있다.

④ 보험계약 관련 유의 사항 4항을 통해 보험가입금액을 감액하는 경우에는 해지 공제금액 상당의 손실이 발생할 수 있음을 알 수 있다.

⑤ 보험계약 관련 유의 사항 2항을 통해 전화 등 통신수단을 통해 가입하는 경우에는 안내원과의 질의응답이 녹음될 수 있음을 알 수 있다.

24 ④ 예약을 하고 1박 2일이 된 경우 14일 전 취소 시 100% 환불이 가능하므로 참여 날짜(12월 24일) 14일 전인 12월 10일 저녁 7시 이전에 취소하면 100% 환불된다.

◉ 오답률 줄이는 | **오답풀이** |

① 식사는 불포함 사항이다.

② 우천 시 출발 결정은 담당 선생님이 하게 된다.

③ 부가세는 포인트로 결제 시에만 별도로 낸다.

⑤ 상해로 인한 갑작스러운 취소 시에는 증빙 서류를 제출하면 상해를 입은 본인과 보호자 1인만 100% 환불된다.

[25~26] 장경덕, 〈내 직업의 미래는 어떤 모습일까?〉, 정글경제의 원리, 네이버캐스트, 2011. 01. 16.

25 ③ 이 글은 기술변화에 따른 미래의 직업 변화에 대하여 추상

적인 추론, 문제 해결, 커뮤니케이션, 협업 능력 등을 갖춘 다면 변화를 즐길 수 있다는 주제를 전달하고 있다.

26 ④ ㉠의 앞부분에는 미래에도 사라지지 않을 직업으로 법률가, 정치인, 작가, 예술가 등을 열거하고 있다. 이러한 직업의 공통적 본질은 일의 효율성보다는 인간의 노동과 직업적 가치라는 점이다. 그러므로 ㉠에 들어갈 내용으로는 '일의 형태나 방식보다 노동과 직업의 본질이다.'가 적절하다.

◉ 오답률 줄이는 | **오답풀이** |

① 현재의 많은 직업 역시 인간이 주체가 되므로 앞으로 살아남을 직업만의 특징이라고 볼 수 없다.

② 열거한 직업 중 컴퓨터나 기계로 대체할 수 있는 일이 있는지는 알 수 없다.

③ 각각의 직업의 역사는 알 수 없다.

⑤ 기술 개발 비용과 인건비를 비교한 내용은 나와 있지 않다.

[27~28] 최영옥, 〈클래식, 아는 만큼 들린다.〉, 문예마당, 2000.

27 ④ 2단락을 통해 고전파 음악이 그리스나 로마 때처럼 보다 정돈된 형식을 가진 음악을 해 보자고 주장하였음을 알 수 있다. 따라서 고전파 음악이 이전 시대의 음악을 배척했다는 것은 적절하지 않다.

◉ 오답률 줄이는 | **오답풀이** |

① 1단락을 통해 바로크 시대의 음악은 종교에 예속되어 있었음을 알 수 있다.

② 1단락을 통해 고전파 음악은 신을 위한 음악에서 탈피해 형식과 내용의 일체화를 추구했음을 알 수 있다.

③ 2단락을 통해 고전파 음악은 음악 자체의 내용과 형식이 최고의 예술적 경지를 추구했음을 알 수 있다.

⑤ 2단락을 통해 고전파 음악의 대표적인 작곡가로 하이든, 모차르트, 베토벤 등이 있음을 알 수 있다.

28 ④ '옛것에서 배우자는 의미의 고전'은 옛것을 배워 고전의 정신을 살려 현대적으로 재해석한 것으로 볼 수 있다. 그러나 외국에서 배추 대신 양배추를 이용해 담근 김치는 다른 나라의 상황에 맞는 재료를 활용하여 새로운 김치를 만든 것이므로 고전을 현대적으로 재해석했다고 할 수 없다.

◉ 오답률 줄이는 | **오답풀이** |

① 한복의 곡선은 전통적 아름다움으로, 이를 초고층 빌딩에 접목한 것은 고전의 현대적 재해석으로 볼 수 있다.

② 한글의 제자 원리는 전통적인 가치로, 이를 활용한 정보 통신 기기는 고전의 현대적 재해석으로 볼 수 있다.

③ 장독대의 기능은 전통적인 것으로, 이를 이용해 만든 김치 냉장고는 고전의 현대적 재해석으로 볼 수 있다.

⑤ 난타 공연은 전통 사물놀이를 재해석한 것으로, 고전의 현대적 재해석으로 볼 수 있다.

[29~30] 마키노 애이지, 〈칸트사전〉, 도서출판 b, 2009.

29 ③ 이 글은 '의무'라는 일반적인 개념에 대한 '칸트'의 철학적 개념을 설명하기 위해, '의무'에 대한 정의를 제시하고 도덕법칙에 따라 의무를 구별하여 설명하고 있다.

30 ⑤ 이 글에 따르면 칸트는 의무란 법칙에 대한 존경에 기초하여 행위하지 않아서는 안 되는 필연성이라고 정의한다. 이는 어떠한 의도나 목적도 그 행위에 개입해서는 안 된다는 것이다.
아울러 도덕적이라고 말할 수 있는 것은 일체의 경향을 섞어 넣지 않고 친절을 명령하는 도덕법칙에 따른다는 동기에서만 행위가 이루어지는 경우이다. 따라서 칸트의 입장에서 긍정적으로 평가할 수 있는 것은 '인간으로서 당연한 의무'로 여긴 도덕적 행위인 ⑤가 가장 적절하다.

◉ 오답률 줄이는 | **오답풀이** |

① '자신의 이익'이 동기가 되었다.

② '걱정되는 마음'이 동기가 되었다.

③ '국가의 명예'가 동기가 되었다.

④ '불쌍한 마음'이 동기가 되었다.

31 ⑤ ⓐ와 ⓑ는 겉모양의 멋이나 말솜씨의 멋, 즉 외형적인 멋이다. 반면 ⓒ, ⓓ, ⓔ는 무형의 멋, 인격의 멋, 내면의 멋으로 분류할 수 있다.

32 ② 이 글에서 진정한 멋으로 제시하고 있는 것은 '외형의 멋'이 아닌 '내면의 멋', '인격의 멋'이다. 아울러 가난하더라도 주어진 삶을 욕심 없이 살며 웃을 수 있는 인물을 진정으로 멋있는 인물이라고 하였다. ②의 인물은 가난하지만 소박한 행복을 실천하는 삶이 사람들에게 편안함을 줌으로써 그 멋스러움이 느껴진다고 할 수 있다.

[33~34] 이민영, 〈단맛은 죄 없어요, 과일이든 초콜릿이든 많이 먹는 게 문제〉, 중앙일보, 2018.05.28.

33 ④ 고구마는 흡수 · 분해 속도가 느린 복합당이다. 그러므로 갑작스런 저혈당 증세에는 복합당인 고구마보다 단순당인 설탕, 꿀, 과일, 백미, 흰빵 등을 섭취해야 한다.

◉ 오답률 줄이는 | **오답풀이** |

① 2단락을 통해 확인할 수 있다.

② 당 섭취는 혈당과 인슐린 분비와 연쇄적인 관련성을 갖는다.

③ 당이 보충되면 뇌에서 행복 호르몬인 세로토닌이 분비된다.

⑤ 3단락을 통해 과자 · 빵에 든 당이든 과일 · 고구마에 든 당이든 작은 단위로 분해돼 비슷한 형태로 흡수된다는 것을 알 수 있다.

34 ③ 7단락을 통해 요리할 때 과일 · 양파 등 천연 재료의 단맛을 활용하면 당 섭취를 줄일 수 있다는 것을 알 수 있다.

◉ 오답률 줄이는 | **오답풀이** |

① 과일에도 당이 포함되어 있으므로 적절하지 않다.

② 설탕의 섭취를 소금으로 대체할 수 있는지는 알 수 없다.

④ 설탕과 올리고당은 모두 첨가당으로, 어떤 것이 더 당 섭취를 줄일 수 있는지는 확인할 수 없다.

⑤ 설탕 외에도 다른 첨가당이나 과일 고유의 당이 높을 수 있으므로 주의해야 한다.

35 ④ 리콜은 위해 요인을 제거하는 소비자 보호조치이다. 소비자 피해에 대한 사후조치로는 '소비자 피해보상제도'와 '제조물 책임제도'가 있다.

◉ 오답률 줄이는 | **오답풀이** |

① 자발적 리콜은 사업자에 의한 것이고, 강제적 리콜은 정부에 의한 것이다.

② 리콜은 사업자의 자발적 리콜과 정부의 강제적 리콜이 있다.

③ 리콜 권고와 리콜 명령에 대한 설명이다.

⑤ 자발적 리콜에 대한 설명이다.

36 ⑤ 전신 안마기가 안전 인증 대상 제품이라면 리콜을 받을 수 있다. 이때는 시·도지사가 강제적 리콜을 실시할 수 있다.

◉ 오답률 줄이는 | **오답풀이** |

① 리콜은 제품으로 인한 피해가 발생되지 않고, 우려가 있는 물품에 대해서도 이루어질 수 있다.

② 안전 인증 대상 제품의 리콜 방법 중 '회수'는 없다.

③ 리콜은 소비자 전반에 걸친 조치이다. 개별 손해 보상에 해당하는 것은 '소비자 피해보상제도'과 '제조물 책임제도'가 있다.

④ 군수·구청장에 의해 주관되는 리콜은 식품, 의약품이다.

[37~39] 한국경제신문 논설위원실, 〈시대의 질문에 답하다〉, 한국경제신문, 2016.

37 ④ 토마 피케티의 〈21세기 자본〉은 통계 결과의 해석과 조사 방식 등 조사 방법론에 대한 많은 논란을 일으켰지만, 통계 결과가 조작된 것인지는 이 글에 드러나지 않았다.

◉ 오답률 줄이는 | **오답풀이** |

① '대체 휴일제'에 대한 설문조사의 예와 같이 누가 조사 주체가 되고, 대상이 되는지에 따라 결과가 달라질 수 있다.

② 공식적인 성범죄 비율에 비해 실제 범죄율이 8배 많다.

③ 통계와 실제 수치의 차이인 '암수'를 잘 걸러 내야 실상을 제대로 파악할 수 있다.

⑤ 통계의 함정에 빠지지 않기 위해 누가 발표했는가, 어떤 방법으로 조사했는가, 빠진 데이터나 숨겨진 자료는 없는가, 데이터와 결론 사이에 쟁점 바꿔치기는 없었는가, 상식적으로 말이 되는가 등 5가지를 고려해야 한다.

38 ④ (가)와 (나)는 같은 시기 대형마트와 전통 시장의 매출에 관련된 것으로서, 대립되는 통계 결과를 보여 주고 있다. 이는 통계 주체와 의도, 대형마트와 전통 시장에 대한 개념과 범위에 따라 달라질 수 있으므로 결과만으로 신뢰성을 판단할 수 없다.

39 ③ 암수는 통계 수치와 실제 수치의 차이로서, 이를 통해 현상이 과대 포장되거나 과소 평가될 수 있다. 이 글에서는 복지수요나 이타심을 요구하는 통계에서는 암수가 만들어져 부풀려진다고 하였는데, 이는 실제 통계에 수치가 더해져 결과가 더 커지는 것으로서, 복지와 이타심에 대한 수요가 암수로 인해 과대 포장되는 것을 의미한다.

[40~42] 석혜원, 〈청소년을 위한 세계경제사〉, 두리미디어, 2013.

40 ④ 미국인들이 차를 마시지 않고 커피를 즐기게 된 이유를 미국 독립 혁명의 시작이 된 '보스턴 차 사건'을 통해 설명하고 있다.

41 ④ 3단락을 통해, 영국은 북아메리카 식민지인들의 반발로, 1770년 수입품에 대한 세금을 폐지했으나 차에 대한 세금은 그냥 남겨 두었다는 것을 알 수 있다.

◉ 오답률 줄이는 | **오답풀이** |

① 2단락을 통해, 18세기에는 식민지의 지방의회에 자치권을 주었음을 알 수 있다.

② 3단락을 통해, 18세기 중엽 재정난에 부딪힌 영국은 식민지로부터 세금을 거두어들이려는 시도를 했음을 알 수 있다.

③ 3, 4단락을 통해, 식민지인들은 영국의 세금 부과 조치에 대해 불매운동을 하는 등 적극적인 대응을 했음을 알 수 있다.

⑤ 4단락을 통해, 영국 정부는 동인도회사에 독점 판매권을 주기 위해 북아메리카에 판매하는 차에 대해서는 세금을 부과하지 않았음을 알 수 있다.

42 ⑤ '보스턴 차 사건'은 식민지에 대한 억압에 식민지인들이 저항한 상징적 움직임으로, 미국 독립 혁명의 씨앗이 되었다. '러다이트 운동'은 산업 혁명으로 인한 노동자들에 대한 불합리한 조건과 대규모 해고 등에 저항한 노동자들의 상징적인 저항 운동으로, 최초의 노동 운동이라는 의의를 지닌다.

◉ 오답률 줄이는 | **오답풀이** |

① 본문과 〈보기〉의 저항 운동은 문화라고 할 수 없다.

② 본문과 〈보기〉의 저항 운동의 핵심을 폭력적인 시도라고 할 수 없다.

③ 본문과 〈보기〉에서는 희생의 내용을 확인할 수 없다.

④ 본문과 〈보기〉에서 다수의 양보를 확인할 수 없다.

43 ③ '황금 벼이삭'은 물질적 가치관으로, 이 시의 화자가 추구하는 삶의 본질적 태도와 거리가 멀다.

◉ 오답률 줄이는 | **오답풀이** |

① '신방'은 '평강 공주'가 가난하지만 진정한 사랑을 이룬 공간이다.

② '비단 금침'은 현대 사회의 도시에서 중시하는 물질적 가치를 상징한다.

④ '웃음의 물살'은 가난해도 서로를 위하는 가족 간의 사랑으로, 진정한 행복을 나타낸다.

⑤ '비단 금침'은 물질적 가치관, '웃음의 물살'은 진정한 행복을 나타내는 것으로 의미의 대조를 이룬다.

44 ⑤ (가)에는 '혼수, 가문, 비단 금침' 등을 강조하는 도시의 사랑과 '온달'이 없는 현실을 통해 세속적 가치를 중시하는 세태를 비판하지만, (나)에는 그러한 내용이 나타나지 않는다.

◉ 오답률 줄이는 | **오답풀이** |

① (가)는 산동네의 삶이, (나)는 박덩이를 타야 사는 가난한 삶이

나오지만 모두 사랑으로 극복하고 있다.

② (가)에서는 신혼부부의 진실한 사랑이, (나)에서는 흥부 부부의 진실한 사랑이 강조되고 있다.

③ (가)에서는 평강 공주를 (나)에서는 흥부 부부를 차용하고 있다.

④ (가)에서는 사랑과 '혼수, 가문, 비단 금침'이 대조되고 있고, (나)에서는 웃음과 '황금'이 대조되고 있다.

45 ④ (가)에서 화자는 평강 공주의 사랑 이야기가 현재의 이야기가 아니라, 과거의 이야기라고 말한다. 이는 더 이상 현대 사회가 순수한 사랑에 관심을 갖지 않고 세속적 가치를 중시하기 때문에 '평강 공주와 온달' 같은 사랑은 존재하지 않는다는 것이다.

[46~48] 김미선, 〈수소 혁명의 시대〉, 살림출판사, 2005.

46 ⑤ 수소연료전지는 수소와 산소를 원료로 하므로 오염 문제를 완전히 해결할 수 있다.

47 ④ 수소생산효소는 세포 내에 수소를 저장하지 않고 즉시 에너지원으로 사용하기 때문에 저장하기 위한 비용이 들지 않는다.

◉ 오답률 줄이는 | **오답풀이** |

① 수소생산효소는 수소를 원료로 하기 때문에 오염이 전혀 없다.

② 수소생산효소는 수소를 저장하지 않아도 되고, 비싼 촉매를 사용하지 않기 때문에 수소연료전지에 비해 경제적이다.

③ 국내 하천에서 쉽게 구할 수 있는 광합성 미생물을 통해 에너지를 생산할 수 있다면 석탄 에너지의 고갈 위기에서 벗어날 수 있을 것이다.

⑤ 수소화 효소는 수소생산효소를 통한 에너지 생산의 주요 원료이다.

48 ① 연료전지의 촉매는 단점 중 하나이다. 그러므로 가격이 비싸다는 것을 알 수 있고, 또한 일정 시간 사용 후에는 교체를 해야 한다면 전기 생산 가격은 높아지게 되며 이에 따라 경쟁성이 떨어지게 된다.

[49~51] 정치학대사전편찬위원회, 〈21세기 정치학대사전〉, 한국사전연구사.

49 ③ 선거 운동과 그 효과에 대한 구체적인 예시는 드러나지 않는다.

◉ 오답률 줄이는 | **오답풀이** |

① 선거 운동에 관한 연구를 방법에 주목한 것과 효과에 주목한 것으로 분류하였다.

② '정당 중심의 유사한 선거 운동이 결과에 영향을 미치지 않는 것은 아닐까'라는 독자들의 질문을 예상하여 자신의 의견을 서술하고 있다.

④ 선거 운동의 효과를 분석하고 이것을 '정보설', '동원설' 등으로 이론화하고 있다.

⑤ 선거 운동이 과거의 노동 집약형에서 점차 자본 집약형으로 변화했음을 설명하고 있다.

50 ⑤ 연예인들이 선거용 투표 도장 무늬가 새겨진 티셔츠를 입고 투표를 하자는 광고는 특정 정당이나 후보를 홍보하는 것이 아니라 투표 참여를 독려하는 것이므로 성격이 다르다.

◉ 오답률 줄이는 | **오답풀이** |

① 시민들을 일일이 만나는 것은 노동 집약형 선거 운동이다.

② 설문조사를 통한 선거 운동은 자본 집약형 선거 운동이다.

③ 특정 정당의 유니폼을 입은 가수를 통한 선거 운동은 자본 집약형 선거 운동이다.

④ TV 광고를 통한 선거 운동은 자본 집약형 선거 운동이다.

51 ③ 5단락을 통해 선거의 교육 기능은 지속적이지 않음을 알 수 있다.

◉ 오답률 줄이는 | **오답풀이** |

① 4단락을 통해 선거 운동을 통해 승패가 좌우되는 정당이 적다는 것을 알 수 있다.

② 2단락을 통해 점차 자본 집약형 선거 운동이 되면서 당내 집권화가 된다는 것을 알 수 있다.

④ 5단락을 통해 선거에는 교육적 기능이 있고, 이를 통해 투표 참여율이 높아진다는 것을 알 수 있다.

⑤ 6단락을 통해 선거 운동을 통해 투표율이 높아질 수는 있지만 정당이나 후보자에게 의뢰를 받을 수도 있음을 알 수 있다.

[52~54] 이진명, 〈훈민정음 해례본 – 한글의 창제 목적과 원리를 밝히다〉, 위대한 문화유산, 네이버캐스트, 2014.01.24.

52 ② 일제 강점기 한글의 기원설을 폄훼하면서 우리의 민족 정신을 말살하려는 일제의 모습과 눈물겨운 노력으로 훈민정음 해례본을 지켜 낸 간송의 모습으로 볼 때, 언어는 곧 민족 정신이라고 할 수 있다.

53 ⑤ 훈민정음은 백성들이 쉽게 글을 익히고 쓸 수 있도록 만든 글이지만, 신분제를 부정하거나 신분에 상관없이 평등한 기준을 제시한 것은 아니므로 만민 평등사상이 드러났다고 추론하기 어렵다.

54 ③ 2단락과 5단락을 통해 1940년에 발견된 훈민정음 정본이 간송 전형필의 품에 있다가 해방 후 공개되었음을 알 수 있다.

◉ 오답률 줄이는 | **오답풀이** |

① 1단락을 통해 '예의'는 세종대왕, '해례'는 집현전 학자들에 의해 작성되었음을 알 수 있다.

② 김태준이 먼저 『훈민정음 해례본』의 존재를 알았고, 이후 눈물겨운 노력으로 간송 전형필의 품으로 오게 되었다.

④ 1단락을 통해 '예의'에는 한글을 만든 이유와 한글 사용법이 설명되어 있고, '해례'에는 자음과 모음을 만든 원리와 용법이 상세하게 설명되어 있다는 것을 알 수 있다.

⑤ 3단락을 통해 한글 학자들도 해례본이 없어 일본의 한글 기원설에 대해 적극 대응할 수 없었음을 알 수 있다.

55 ⑤ 이 글은 작품 밖 서술자가 중증 장애를 가진 주인공 문성현의 삶과 생각을 담담하게 서술하고 있는 전지적 작가 시점

의 소설이다.

◉ 오답률 줄이는 | **오답풀이** |

① 이 글은 문성현의 삶과 내면을 나타내는 것으로 하나의 소재와 관련된 이야기가 나열되는 구성을 드러내지 않는다.

② 중증 장애인인 문성현이 느꼈던 외로움을 통해 문성현이 성장하는 과정을 나타내고 있으므로 '인물 간의 갈등'을 통해 새로운 면모를 드러낸다고 볼 수 없다.

③ 이 글은 전지적 작가 시점으로 작품 밖 서술자가 등장인물에 대해 서술한다.

④ 주로 서술자가 등장인물의 심리와 성격을 서술하므로 직접 제시라고 할 수 있다.

56 ③ 〈보기〉의 '나'는 죽은 이후에 '파랑새'가 되고자 하는 소망을 드러내는 반면, '성현'은 현재의 삶 속에서 텔레비전을 보며 좀 더 자유로운 삶을 살 수 있기를 꿈꾸고 있다.

57 ① '장난감 활'은 동생 승현의 돌잡이 물건으로 어른들이 승현이에게 덕담을 해 주는 것을 들으며 성현도 넓은 들을 달리며 활을 쏘는 장군이 되겠다는 희망을 갖게 된다. '텔레비전'은 성현이 세상을 접하게 되고 자유로운 삶에 대한 열망을 갖게 되는 통로의 역할을 하게 된다.

본문 372쪽

2교시 수준 & 실력점검 모의고사

1	③	2	⑤	3	②	4	⑤	5	⑤
6	③	7	③	8	②	9	③	10	③
11	⑤	12	③	13	②				
주관식 1		예시 답안 참조			주관식 2	예시 답안 참조			
14	④	15	①	16	③	17	①	18	⑤
19	④	20	③	주관식 3		예시 답안 참조			
21	②	주관식 4		예시 답안 참조					
22	③	주관식 5		예시 답안 참조					
23	③	주관식 6		예시 답안 참조					
주관식 7		결격, 피력, 장벽, 가증							
주관식 8		예시 답안 참조			주관식 9	예시 답안 참조			
주관식 10		예시 답안 참조							

1 다음은 강연의 일부입니다. 잘 듣고 물음에 답하세요.

흔히 혈액형 A형은 소심하고, O형은 원만하다. B형 남자는 바람둥이라고 말합니다. 즉, 혈액형과 사람의 성격에 긴밀한 상관관계가 있다고 보는 것입니다.

사람의 혈액형을 구분하는 것은 의학적인 관점에서 볼 때는 적절한 수혈과 장기 이식을 위해 굉장히 중요한 부분을 차지합니다. 그래서 에이비오 혈액형을 발견한 란트슈타이너는 지대한 공을 인정받아 1930년에 노벨상을 수상했을 정도입니다. 그리고 그 다음 해에 일본의 한 학자가 혈액형과 성격의 관련성에 대한 연구 결과를 발표하였습니다.

이 연구 결과가 우리나라에도 확산되면서 지금까지 혈액형과 성격을 연결 짓는 것이 일반화되고 개그나 만화의 소재가 되기도 한 것입니다. 그러나 만약 이 이론대로라면, 서로 다른 혈액형을 수혈받는 경우 성격이 바뀌어야 하지만 실제로 그런 일은 일어나지 않습니다. 특히 골수 이식의 경우에는 골수를 이식받게 되면 그 사람의 혈액형이 골수 기증자의 것과 동일하게 바뀌게 되지만 이로 인해 성격이 전반적으로 바뀌거나 하지는 않는 것입니다.

과학적 근거가 없으나 그럼에도 불구하고 많은 사람들이 혈액형과 성격을 관련지어 말하는 것은, 모호하지만 성격을 분류하여 제대로 설명이 되는 듯한 느낌을 주기 때문일 것입니다. 한편으로는 자꾸 이야기하면서 그것이 사실처럼 인식되는 경우도 많습니다. 물론 재미로 두 가지를 관련지어 이야기하는 정도라면 큰 문제가 되지는 않겠지만, 분명한 것은 과학적인 근거가 있는 것은 아니라는 점입니다.

잘 들으셨지요? 강연의 내용과 일치하지 않는 것은 무엇입니까?

① 에이비오 혈액형을 발견한 학자는 란트슈타이너이다.

② 혈액형과 성격을 관련지어 말하는 것은 과학적이지 않다.

③ 혈액형과 성격의 연관성을 밝힌 학자는 노벨상을 수상하였다.

④ 서로 다른 혈액형을 수혈받는다고 해도 성격은 변하지 않는다.

⑤ 골수를 기증받게 되면, 기증자의 혈액형과 동일한 혈액형이 된다.

③ 란트슈타이너는 혈액형을 발견한 공을 인정받아 노벨상을 수상하였다. 혈액형과 성격의 연관성을 밝힌 것은 일본의 한 학자로 노벨상과는 무관하다.

2 다음은 인터뷰의 일부입니다. 잘 듣고 물음에 답하세요.

남: 요즘 휴가철을 맞이하여 해외여행을 즐기는 분들이 많습니다. 오늘은 해외여행 시 알아 두면 좋은 금융 상식 하나를 알려 드리도록 하겠습니다. 어떤 점들을 알아 두어야 좋을까요?

여: 네, 우선 해외여행 보험을 반드시 가입해 두시는 것이 좋습니다. 예상치 않은 일들이 갑자기 발생했을 때 말도 잘 통하지 않는 곳에서 대처하기 어려우실 수 있기 때문입니다. 또한 외화 중 국내에서 거래가 많은 달러화나 유로화, 엔화 등은 은행의 인터넷 환전 서비스를 이용하시면 수수료를 절약할 수 있습니다. 국내에서 거래가 많지 않은 외화의 경우에는 여행국 현지에서 필요한 만큼만 환전해서 다 사용하고 오시는 것이 바람직합니다.

남: 해외에서 쇼핑을 하는 등 카드 결제를 할 때 원화로 결

제하는 것이 좋을까요, 현지 통화로 결제를 하는 것이 좋을까요?

여: 해외에서 신용카드를 쓸 때 원화, 혹은 현지 통화 중 어느 것으로 결제를 할지 결정을 해야 하는데 이때는 현지 통화를 택하는 것이 유리합니다. 원화로 결제를 할 경우 실제 물품과 서비스의 가격에 3~8%에 달하는 수수료가 추가로 부가되기 때문입니다.

남: 그렇군요. 이 외에도 준비해야 하는 사항이 있다면 어떤 것들이 있을까요?

여: 간혹 여행을 다녀온 뒤 자신도 모르는 사이에 해외에서 신용카드를 분실하여 큰 피해를 입는 경우가 있습니다. 이런 경우에는 체류 중인 국가의 '긴급 대체 카드' 서비스를 이용하시면 1~3일 이내에 새 카드를 발급받을 수 있습니다. 미리 신용카드사 분실신고센터 전화번호 등을 메모해 두시는 것도 좋은 방법입니다.

잘 들으셨지요? 이 인터뷰에서 알 수 있는 내용이 아닌 것은 무엇입니까?

① 해외에서 신용카드 분실 후 현지에서 재발급받을 수 있다.
② 국내에서 거래가 많은 외화는 국내에서 환전하는 것이 좋다.
③ 국내에서 거래가 많지 않은 외화는 현지에서 환전하는 것이 좋다.
④ 해외에서 결제를 할 때는 현지 통화로 결제를 하는 것이 유리하다.
⑤ 해외에서 신용카드로 결제를 할 때는 무조건 3~8%의 수수료가 부가된다.

⑤ 해외에서 원화로 신용카드 결제를 할 경우 수수료가 부가된다.

3 다음은 인터뷰의 일부입니다. 잘 듣고 물음에 답하세요.

여: 대부분의 시민들은 몇만 원짜리 범칙금도 부담스럽지만 성실하게 납부를 합니다. 그러나 1억 원 이상의 고액 벌금 및 추징금 미납 규모는 우리의 예상을 훨씬 상회하고 있습니다. 이에 대해 대검찰청에서는 '재산 집중 추적집행팀'을 설치 운영하여 고액 벌금 및 추징금을 적극 환수하기로 하였습니다. 이와 관련한 구체적인 사항을 알아보도록 하겠습니다.

남: 우선 고액 벌금 및 추징금 선고가 예상되는 사건에 대해 미리 집행 계획까지 세워 두는 사전적 조치를 제대로 해 나갈 예정입니다. 이러한 사건이 발생하는 경우 우선 범죄자의 재산을 추적하고 형 집행을 위한 기초 수사를 적극 실시하고 고액 벌금 및 추징금 관리 카드를 철저히 작성하도록 할 것입니다. 또한 기소를 하기 전이라도 범죄자가 재산을 빼돌리지 못하도록 재판부에 청구하는 방안을 적극 검토하고 있습니다.

여: 벌금형이 선고된 사건에 대해 집행력을 높여 지금의 미납 사태를 시급하게 바로잡는 것이 필요한데요. 사전적 조치만큼 중요한 사후적 조치 방안에 대해서도 들어 보겠습니다.

남: 우선 벌금 및 추징금 미납자의 소재 파악을 신속하게 하고, 동산과 부동산뿐 아니라 채권과 주식 등의 보유 내역도 확인을 할 것입니다. 과거 재산 보유 내역까지도 파악하여 금전적인 의무를 회피하기 위해 재산을 빼돌리는 행위가 있을 경우 이를 취소하는 소송도 적극 제기할 것입니다.

여: 이 외에도 함께 병행되는 조치들에는 어떤 것이 있을까요?

남: 수사로 파악된 재산에 대해서는 체납 처분 등을 신속하게 강제 집행하고, 국외 도피 우려가 있는 미납자의 경우 적극적으로 출국 금지 조치를 내릴 것입니다.

잘 들으셨지요? 다음 중 벌금 및 추징금 미납에 대한 사후적 조치에 해당하지 않는 것은?

① 벌금 및 추징금 미납자의 신속한 소재 파악
② 고액 벌금 및 추징금 관리 카드의 철저한 작성
③ 동산, 부동산 및 채권과 주식의 보유 내역 확인
④ 벌금 및 추징금 미납자의 과거 재산 보유 내역 파악
⑤ 국외 도피 우려가 있는 미납자를 대상으로 한 출국 금지 조치

②는 벌금 및 추징금 미납을 막기 위한 사전적인 조치 내용에 해당된다.

4 다음은 강연의 일부입니다. 잘 듣고 물음에 답하세요.

여행을 가면 너나 할 것 없이 '남는 것은 사진뿐이다.'라며 사진 찍기 삼매경에 빠지는 경우가 많습니다. 그런데 최근 미국 한 대학의 연구에서 사진을 찍으면 머릿속에는 당시 상황이 제대로 기억되지 않는 것으로 나타났습니다.

이 실험에서는 28명의 대학생에게 대학 미술관을 관람하도록 했고, 이들은 총 30점의 예술 작품을 보았습니다. 그 중 15점은 사진을 찍고 나머지는 찍지 않도록 했고요. 다음 날 학생들에게 각 작품의 이름과 특징을 묻는 시험을 치렀습니다. 그 결과 사진을 찍은 작품보다 사진을 찍지 않은 작품을 더 잘 기억했다고 합니다. 많은 사람들은 사진을 찍을 때 사진기가 자신을 대신해 기억해 줄 것으로 기대하지만, 막상 사진만 많이 찍게 되면 기계에 의존하다 보니 세세한 부분까지 기억하기는 힘들어지는 것입니다.

이러한 기억력의 감퇴는 스마트폰의 사용과도 상관관계가 있습니다. 모든 내용을 필요할 때 바로바로 검색하여 보며, 자신의 기억을 디지털 기기에 의존하기 때문입니다.

이렇게 휴대 전화 등의 디지털 기기에 지나치게 의존한 나머지 기억력과 계산 능력이 크게 떨어지는 상태를 '디지털 치매'라고 부릅니다. 전화번호부나 생년월일 등의 정보를 기억하는 사람들이 줄어들고 있는 것은 더 이상 신기한 일이 아닙니다. 한 설문조사 결과 전날 저녁 식사 메뉴를 바로 기억하지 못하는 사람이 30%이며, 노래의 전체 가사를 외우지 못한다는 사람들도 45%나 되었습니다. 언뜻 보면 기억력이 감소하므로 치매가 쉽게 찾아오는 것이 아닐까 생각할 수 있지만, 디지털 치매는 뇌에서 기억을 저장하는 메커니즘이 약해져 발생한다고 알려져 있습니다. 즉, 뇌세

포가 손상되는 노인성 치매와는 발병 원인 자체가 상이합니다. 그러나 지속적으로 디지털 의존도가 높아지면, 기억력이 지속적으로 약해져 진짜 치매로 이어질 수 있습니다.

잘 들으셨지요? 이 강연에서 이야기하는 '디지털 치매'와 관련이 없는 내용은 무엇입니까?

① 전날 먹은 메뉴가 생각나지 않는다.
② 노래의 전체 가사를 외우지 못한다.
③ 계산기가 없으면 암산을 하기가 어렵다.
④ 절친한 사람들의 전화번호를 대부분 외우지 못한다.
⑤ 자동차의 내비게이션을 보면서 가도 목적지를 쉽게 찾지 못한다.

⑤는 공간을 지각하는 능력이 부족하여 발생하는 문제이지, 디지털 기기에 의존하여서 부정적인 현상이 일어난 것이라고 보기는 어렵다.

5 다음은 토론의 일부입니다. 잘 듣고 물음에 답하세요.

남: 모바일 시대에 SNS 활동이 폭발적으로 늘어나고 있습니다. 사람들이 자신을 더 적극적으로 표현하고 소통하고자 만든 이런 소셜 네트워크 서비스가 기업이 직원의 사생활을 엿보고 판단하는 용도로 사용되는 현실이 안타까울 따름입니다.

여: SNS는 일기처럼 혼자만 보는 글이 아니라, 누군가가 볼 것을 알고 올리는 글입니다. 모두가 보는 공간에 글을 올린다면 회사가 그것을 보는 것도 당연한 일이 아닐까요? 글을 쓸 때 타인을 의식하는 SNS의 영역은 공적인 부분을 필연적으로 지니고 있는 것입니다.

남: 그러나 기업이 회사를 벗어난, 즉 업무와 무관한 문제에 대해 직원들이 부정적인 글을 남겼다고 해서 해고를 한다는 것은 불합리한 일이 아닐 수 없습니다. 다른 방법으로 경고를 하거나 징계를 해도 충분할 것입니다. 한 예로 미국에서는 술을 먹고 있는 사진을 SNS에 올려 여교사가 해고된 일이 있었습니다. 이런 일은 월권 행위지요.

여: 기업이나 해당 기관도 스스로를 지키기 위해 불가피하게 택한 방법이 아닐까요? 여론에 민감한 제품 또는 서비스와 관련된 기업일수록 회사 직원의 개인적인 의견이 드러나는 것이 회사에 악영향을 끼치거나 손해를 끼치는 행위가 될 수도 있으니 말입니다. 고의든 실수든 기업의 비밀 등을 올리는 것을 방지하기 위해서라도 기업은 직원의 SNS를 눈여겨볼 이유가 있다고 봅니다.

남: 개인의 SNS는 어디까지나 사적인 영역입니다. 업무와 무관한 개인의 정보를 수집한다는 것 자체가 문제의 소지가 되는 것입니다. 개인의 정보와 의견은 그 자체로 존중이 되어야 합니다. 만약 이에 대한 규정 등이 만들어지지 않는다면, 기업이 직원을 과도하게 처벌해도 직원은 아무런 대응도 할 수 없지 않겠습니까?

여: 현재든, 향후든 회사에 안 좋은 영향을 끼칠 가능성이 높은 부적절한 의도를 지닌 지원자를 사전에 걸러 내는 것은 타당한 처사입니다.

⑤ 남자는 개인의 정보를 그대로 존중해 주어야 한다고 주장하고 있으며, 회사의 기밀이 유출되는 경우에도 해고 이외의 다른 방법을 활용할 것을 주장하고 있다.

6 다음은 강연의 일부입니다. 잘 듣고 물음에 답하세요.

연예인들이 사회적으로 민감한 문제에 대해 자신의 입장을 밝히거나 시위 현장을 직접 방문하는 등 연예인들의 정치 참여가 부쩍 늘고 있습니다. 이뿐만 아니라 트위터와 페이스북 같은 소셜 미디어를 활용해 정치 · 사회적 이슈에 적극적으로 개입하는 연예인들이 많아지면서 사회 참여 연예인이라는 의미의 '소셜테이너'라는 신조어가 생기기도 했습니다.

정치 · 사회적 사안에 대해 자신의 의사를 표명하고 행동하는 것은 개인의 자유임에 틀림이 없습니다. 그러나 대중문화 예술인은 사회적 영향력이 큰 일부 청소년들의 무조건적인 추종을 불러올 수도 있기 때문에 주의가 필요합니다. 활발한 사회 참여를 하는 연예인이라고 하더라도 사회 · 정치적인 전문성도 없이 특정 이슈에 대해 개인적 견해를 밝히는 것은 일반인이 개인의 견해를 밝히는 것과는 파급력이 사뭇 다르기 때문입니다.

연예인의 주장은 언론의 스포트라이트를 받고 곧바로 확산이 되기 때문에 어떤 사안에 대한 전문 지식도 없으면서 그저 한마디 한 것이 사실처럼 대중에게 받아들여지는 경우 진실이 밝혀져도 여론은 그 진실을 외면하는 경우가 많습니다. 게다가 판단 능력이 부족한 청소년이 무조건 이런 견해에 동조할 수도 있습니다.

외국의 연예인들도 우리 연예인들처럼 정치와 사회 분야에 참여를 하고 있지만, 우리나라처럼 다양한 분야에 참여하기보다는 한 분야에서 오랫동안 준전문가적 시각으로 참여하는 경우가 많습니다. 우리나라는 아직 그 수준에 미치지는 못하고 있다고 봅니다.

소셜테이너의 활동에 대해 반대하는 주된 이유가 그들의 발언에 대한 파급력이므로, ③의 내용이 반론으로 가장 적절하다.

7 다음은 강연의 일부입니다. 잘 듣고 물음에 답하세요.

출세와 성공을 원하지만 출신 배경의 차이 등으로 사회적인 꿈을 실현하기 어려울 때 어떤 사람들의 경우 현실에 없는 가공의 세계를 만들어 그곳을 현실로 인식하며 살게 됩니다. 이런 유형의 인격 장애를 '리플리 증후군'이라고 하는데요. 패트리샤 하이스미스의 〈재능 있는 리플리 씨〉라는 소설의 주인공 이름이 그 유래입니다. 호텔 종업원으로 일하던 주인공이 재벌의 아들인 친구를 죽이고서 죽은 친구로 신분을 속여 그의 인생을 대신 살아가는 이야기이지요.

이처럼 리플리 증후군은 성취 욕구가 강한 무능력한 개인이 마음속으로 강렬하게 원하는 것을 사회 구조적 문제에 직면하여 이루기 어렵다고 여길 때 발생하게 됩니다. 우리나라에서도 리플리 증후군의 사례가 있었습니다. 한 학생이 대학에 가지 못하게 되자 자기 스스로의 열망과 부모에 대한 죄책감 때문에 거짓 대학생 행세를 한 것입니다. 처음에는 가상의 학생 정도에 머물렀지만 후에는 실제 한 명문대 학생의 신분을 도용하고, 그 학생에게 학교에 나오지 말라고 협박 문자를 보내는 등 불법적인 방법을 사용하여 한 사람의 삶을 자신의 것으로 바꾸어 버렸습니다. 학력 위조와 권력형 비리 사건들 역시 리플리 증후군과 관계가 있다고 볼 수 있습니다.

근래에는 게임과 같은 사이버 세상의 도구에 중독되는 청소년들이 늘면서 이 증후군 증상을 보이는 사례가 늘어나고 있습니다. 게임 세계 속에서 능력 있고, 외모도 멋진 존재로 남고자 하며 현실 세계의 자신의 모습을 부정하고자 하는 마음이 들게 되는 것입니다. 이 증후군에 한번 걸리게 되면 자신이 원하는 대상이 되기 위해 상상 이상의 치밀한 과정을 감내하게 되며, 자신이 만든 거짓을 인정하는 것이 두려워 망상 속의 세계에 더욱 몰입하게 됩니다.

리플리 증후군은 전문의와의 상담과 약물 치료 등을 받을 수는 있으나 치료에 오랜 시간이 걸리고 완치 여부도 아직까지는 불분명하기 때문에 심각한 사회적 질병으로 여겨집니다. 따라서 자신의 현실을 인정하고 감사하며, 자신의 자존감을 형성해 나가고 긍정적으로 삶을 대하는 태도를 가지는 것이 바람직하겠습니다.

③ 리플리 증후군은 지나친 성취 욕구로 인해 사소한 거짓말과 망상으로 시작해 타인의 삶과 자신의 삶을 바꾸는 행동까지 하게 되는 인격 장애이다. 거짓말이 그 원인이 되는 것은 아니다.

8 다음은 강연의 일부입니다. 잘 듣고 물음에 답하세요.

법정이나 의회의 청문회 등에서 진실만을 말하겠다고 선서한 증인이 허위의 진술을 하는 것을 위증이라고 합니다. 그리고 위증을 함으로써 성립되는 죄를 '위증죄'라고 합니다. 여기에서 '허위의 진술'의 의미는 객관적 사실에 반대되는 진술을 한 것을 뜻하는 것이 아니라, 증인이 자신이 알고 있는 기억과 다른 내용을 진술한 것을 말합니다.

이때 이것이 허위 진술인지 아닌지를 판단하기 위해서는 증인이 사실을 말할 때 나쁜 의도가 있었는지 여부를 명확하게 가려야 합니다. 즉, 증인이 비의도적으로 사실이 아닌 것을 증언하는 경우는 위증죄에 해당하지 않습니다. 무조건 사실이 아닌 것을 말했다고 해서 위증죄가 성립되는 것은 아니라는 것입니다.

만약 선서의 의미를 이해할 수 없는 사람이 증언을 한다면 이들이 잘못된 증언을 했더라도 그것이 악의를 가졌다고 판단하기는 어려울 것입니다. 또한 재판장의 증인 선서 이전에 위증을 하는 것은 위증죄에는 해당하지 않으며, 수사에 방해를 끼친 경우 '수사 방해죄'가 적용될 수 있습니다. 그리고 위증죄의 여부는 증언 전체를 가지고 판단하기 때문에 신문이 끝나기 전에 발언한 증언을 시정하거나 철회하는 경우에는 위증죄에 해당하지 않습니다.

위증죄는 증인 진술 시 의도가 있었는지 여부에 의해 결정된다. ② 허위를 가하는 것은 의도성이 있으므로 위증죄에 해당한다.

◉ 오답률 줄이는 **| 오답풀이 |**

① 선서의 의미를 이해할 수 없는 사람의 예에 속한다.

③ 수사 방해죄에 해당하며, 위증죄에 해당하지 않는다.

④ 신문 완료 전에 증언을 시정하면 위증죄가 성립하지 않는다.

⑤ 비의도적으로 사실이 아닌 것을 말하게 된 것은 위증죄에 속하지 않는다.

9 다음은 강연의 일부입니다. 잘 듣고 물음에 답하세요.

우리는 자신이 기억하는 과거가 사실일 거라고 쉽게 단정을 짓는 경우가 많습니다. 그런데 하나의 과거 사건에 대해 여러 사람과 대화를 나누다 보면, 같은 상황이었음에도 불구하고 다른 모습으로 기억하는 경우가 종종 있습니다. 이것은 인간이 과거의 기억을 떠올릴 때 기억 그대로를 떠올리는 것이 아니라 현재의 삶과 좀 더 연관이 있는 방향으로 재구성하기 때문입니다.

미국의 한 대학팀에서는 다음과 같은 실험 연구를 실시하였습니다. 먼저, 실험 참가자들은 컴퓨터 스크린 속 그림 위에 배치된 물체 168개를 확인한 뒤, 새로운 그림을 배경으로 하여 조금 전 확인한 물체 168개를 원래의 위치에 정확하게 배열해야 했습니다. 그 결과, 인간의 뇌가 환경이나 주변의 사람, 물체와 같은 다양한 요소들과 지난 기억들을 새로운 경험과 조합하고 수정한다는 것을 발견했습니다. 과거의 기억들을 끄집어 낼 때 현재의 새로운 정보들과 연결을 지어 현재와 좀 더 관련이 있는 기억으로 편집한다는 이론을 확인한 셈이지요. 그렇게 새로운 기억을 만들어 실제 과거의 기억을 대체하는 것입니다.

또한 기억은 고정된 것이 아니며 조금씩 이동하며 뇌의 특정 부위에 조각조각의 형태로 저장이 됩니다. 마치 컴퓨터 바탕 화면에 여러 개의 폴더가 존재하는 것과 비슷한 방법입니다. 그러다 보니 기억을 입력한 시점보다는 기억을 인출해 내는 때, 상황 등이 중요한 작용을 하며, 연결되지 않은 기억의 조각을 개연성에 따라 재구성하게 되는 것입니다. 이 과정은 해마라는 뇌의 부위가 담당하고 있습니다. 이것은 현재의 삶에 좀 더 잘 적응하고, '현재의 나'를 정당화하며 과거의 기억을 잊기 위한 인간이 자신도 모르는 사이에 거치는 과정이라고 합니다.

③ 입력된 정보를 어느 시점에, 어느 환경과 상황에서 꺼내느냐에 따라 과거의 기억이 구성되는 방법이 달라질 수 있으므로, '입력'이 아닌 '출력(인출)'이 중요하다.

[10~11] 다음은 토론의 일부입니다. 잘 듣고 물음에 답하세요.

여: 근로자의 계속 고용을 위해 일정 연령을 기준으로 임금을 조정하고 일정 기간의 고용을 보장하는 임금 피크제를 도입하면, 기업은 임금을 하향 조정함으로써 해고를 덜 하게 되고 근로자는 고용 안전성이 증대될 수 있습니다.

남: 한 회사에 오래 다녔음에도 불구하고 나이가 많아졌다는 이유 하나만으로 자신의 성과와 노력이 낮은 대우를 받게 되는 것이 과연 근로자들의 노동 의욕을 높일 수 있을까요? 근로자의 노동 의욕이 떨어지고 기업의 이윤 창출에도 큰 도움이 되지 못할 가능성이 더 높습니다.

여: 단기적으로 볼 때는 근로자의 임금이 감소되는 것이 맞습니다. 그러나 더 오랜 기간 일을 할 수 있기 때문에 전체적인 생애 소득은 증대되며, 이에 따라 노후 자금을 마련할 수 있는 기반이 형성됩니다. 사회 보장 비용 부담도 함께 줄어들게 되겠고요.

남: 전체적인 생애 소득이 증대될 수 있다고 하셨는데, 근로자의 퇴직금 정산은 근무 일수와 평균 임금으로 계산을 합니다. 따라서 임금이 삭감되는 임금 피크제를 적용할 경우 퇴직금의 상당 부분을 손해를 보게 됩니다.

여: 그런 부분도 있겠지만 30년 이상 장기적으로 기업을 위해 일한 근로자들은 그 분야에서는 전문가이며 자신의 능력을 계속해서 발휘하고 싶어 할 것입니다. 일찍 퇴직하는 것보다 그 편을 택하지 않을까요? 기업에서는 이러한 숙련된 인력을 재고용하여 회사를 안정적으로 운영할 수 있으며 그 과정에서 아끼게 된 비용으로 새 일자리를 창출하게 됩니다.

남: 재고용으로 인해 절약된 비용을 과연 기업이 일자리 창출에 사용할까요? 정년이 늦어짐에 따라 퇴직자가 감소하면 그만큼 신규 채용이 줄어드는 것이 당연합니다. 신규 채용의 감소로 청년 실업 문제가 야기되고 이것이 세대 간의 갈등을 초래할 것이 불을 보듯 뻔한 일입니다.

10 ③ 퇴직금은 근무 일수와 평균 임금으로 계산을 하는데 임금 피크제를 도입하면 퇴직금의 상당 부분 손해를 보게 된다는 남자의 발언을 통해 알 수 있다.

◉ 오답률 줄이는 | **오답풀이** |

① 일정 연령을 기준으로 임금을 조정하고 일정 기간의 고용을 보장하는 제도이다.
② 단기적으로 볼 때는 근로자의 임금이 감소되지만, 장기적으로 볼 때는 근로자의 임금이 안정적으로 보장된다.
④ 일정 연령의 기준이 있다.
⑤ 숙련된 인력을 재고용하여 절약하는 비용이 발생하는 것으로 선후 관계가 바뀌어 있다.

11 ⑤ 여자는 임금 피크제의 일부 단점을 인정하면서도 장점을 부각하여 발언하고 있지만, 남자는 단점만을 가지고 여자의 의견에 반박하고 있는 등 임금 피크제의 도입에 공감하고 있지 않다.

[12~13] 다음은 방송 뉴스의 일부입니다. 잘 듣고 물음에 답하세요.

주의력 결핍 과잉 행동 장애 즉, ADHD 환자가 최근 지속적으로 증가하고 있습니다. ADHD는 주로 아이들에게 발생하기 때문에 부모의 입장에서는 또래에서 흔히 나타나는 일로 보고 크게 신경을 쓰지 않을 수도 있습니다. 그러나 ADHD를 가지고 있는 아이들을 방치하는 경우 이들이 학교생활에 부적응하게 되며, 학업에 집중할 수 없어 성적이 부진해지고 이에 따라 자존감이 저하되는 등 학교생활에 어려움을 가질 가능성이 높아집니다.

ADHD에도 여러 유형이 있는데, 주의력 결핍형 ADHD는 과격한 행동은 나타나지 않지만 주의력이 많이 낮은 유형입니다. 응용을 해야 하는 고학년의 학습 과정을 따라가기가 어렵습니다.

이에 반해 과잉 활동—충동형 ADHD는 또래에 비해 과격한 행동을 하고 눈치 없는 행동을 많이 하는 유형입니다.

마지막으로 혼합형은 주의력 결핍형과 과잉 행동—충동형의 특징을 모두 가지고 있습니다. 눈에 보이는 특징으로는 과잉 활동—충동형 ADHD와 유사하게 보일 수 있으나, 다른 유형이므로 정확한 진단을 통해 유형을 파악하여 치료를 해야 합니다.

ADHD를 치료하기 위해서는 심리적, 신경학적, 체질적으로 다양한 접근을 해야 합니다. 한 가지의 치료 방법보다는 다양한 접근이 아이의 증상을 개선시키면서 학교에 적응하도록 돕는 것에 효과적이기 때문입니다.

또한 ADHD가 있으면 그로 인해 학교생활에서 스트레스가 증가하고, 그 스트레스는 다시 동반 장애를 악화시키는 악순환에 빠지기 쉽습니다. 그렇기 때문에 ADHD를 치료할 때 동반 장애가 있는지 반드시 면밀하게 살펴서 동반 장애가 진단되면 같이 치료해 주는 것이 중요합니다.

12 ③ 눈에 보이는 증상만으로 구분하기 어려운 경우가 있으므로 정확한 진단이 필요하다고 제시되어 있다.

13 ②는 주의력 결핍형 ADHD의 사례에 속한다.

주관식 1 다음은 강연의 일부입니다. 잘 듣고 물음에 답하세요.

인문학은 '인간의 조건'에 대해 탐구하는 학문입니다. 자연 과학이 객관적인 자연 현상을 다루고, 사회 과학이 경험적인 접근을 주로 사용하는 것과 달리 인문학은 인간의 사상과 문화를 대상으로 비판적이고 사변적이며 분석적인 방법을 사용합니다. 이 인문학은 그리스와 로마를 거쳐 근세에 이르는 동안 고전 교육의 중심이 되었고, 근대 이후 서구 사회에서 교양 과정의 토대를 이루었습니다. 그렇다면 한국 사회에서 왜 갑자기 인문학 열풍이 불고 있는 것일까요?

우리나라는 불과 반세기 만에 전근대적 농업 사회에서 압축적 성장을 통해 산업 사회, 후기 산업 사회로 이행한, 전

세계에서 유일한 국가입니다. 경제 발전이라는 목표 아래 바쁘게 일하며 경제적으로 풍요로움을 누리고 있습니다. 그러나 오늘날 한국인들은 학교와 가정, 직장 등을 바쁘게 오가며 사회적으로 규정된 역할을 수행할 뿐, 자신의 존재 가치나 삶의 의미와 같은 근원적 물음에 대해 성찰하지 못하는 경우가 많습니다. 이러한 현대 사회의 성과주의를 '피로 사회'라고 규정한 학자도 있습니다. 국가를 세우고 통치 구조를 운영하기 위해 법률이 요구되고, 경제 발전을 위해 경제학, 공학 등 실용 학문이 필요한 것과 마찬가지로 인간의 삶을 근원적으로 진단하고 개선하는 단계에서는 인문학의 처방전이 요구되는 것입니다.

◉ 예시 답안

오늘날 인문학 열풍은 성과 위주의 한국 사회에 대한 반성이자, 한국인의 삶의 근원을 되찾고자 하는 노력이다.

◉ 정답 기준

(1) 강연자가 전달하는 강연의 중심 내용을 드러낼 것
(2) 강연 내용의 문장을 그대로 옮겨 적지 않을 것
(3) 글의 분량을 지킬 것(한 문장)

A	(1), (2), (3)을 모두 만족시킨 경우
B	(1)과 (2)를 모두 만족시켰으나, (3)을 만족시키지 못한 경우
C	(1)과 (2) 중 하나만을 만족시키며, 그 내용이 충실한 경우 (1)과 (2)를 모두 만족시켰으나, 일부 내용이 완전하지 못하거나 불분명한 경우
D	(1)과 (2)를 만족시켰으나, 내용이 불분명한 경우

주관식 2 다음은 강연의 일부입니다. 잘 듣고 물음에 답하세요.

3D 프린터란 3D 프린팅, 즉 입체적인 프린팅을 하는 기계입니다. 3차원으로 설계된 데이터를 기반으로 다양한 고유의 소재를 매우 얇게 층층으로 쌓아 올려 입체 형태의 제품을 만들어 내는 것이지요. 이미 1984년에 미국의 한 발명가에 의해 개발이 된 바 있습니다. 이때에는 제품을 만들기 전에 모형이나 견본을 제작해 상품의 문제점을 점검하는 용도로 활용 범위가 좁았습니다.

그러나 현재는 다양한 원료 물질이 개발되고 기술이 발전되어 그 적용 분야가 넓어지고 있습니다. 3D 프린터는 무한한 가능성을 지닌 혁신 기술의 결정체입니다. 우선 3D 프린팅의 소재로는 스테인리스 스틸, 티타늄, 고무, 나일론, 플라스틱 등이 사용되며 만들 수 있는 물건의 종류 또한 무궁무진합니다. 음식은 물론 신체 장기의 출력도 가능하지요.

이뿐만이 아닙니다. 기존에 물건을 가공할 때에는 원재료의 95% 정도가 필요 없는 틀과 같은 부분들로 절삭을 하여 버려지곤 했습니다. 그러나 3D 프린팅 방식은 필요한 부분만 출력해 내므로 원재료 비용을 크게 절감할 수 있습니다. 게다가 실물을 그대로 프린팅을 해내기 때문에 정교하고, 마감 처리도 깔끔하여 별도의 접합도 필요 없는 완전한 형태가 출력이 됩니다. 이러한 기술은 창의성이 필요한 디자인 업계 및 의학계 분야 등 미래 산업에 획기적인 변화를 가져올 것이 분명합니다.

◉ 예시 답안

3D 프린터는 쓰는 사람의 의도에 따라 악용될 소지가 있다. 디자인업, 의학계에 사용된다면 이득이 되겠지만, 총기와 같은 불법적인 용도로 사용된다면 사회에 악영향을 미칠 수 있다.

◉ 정답 기준

(1) '강연에 제시된 연사의 주장'에 대한 반론이 제시되어 있는가.
– 강연과의 연관성 고려 필요
(2) 주장에 대한 근거가 제시되어 있는가.
(3) 주장과 근거가 논리적이고 긴밀한가.
(4) 어문 규정을 지켜 두 문장으로 작성하였는가.

A	위 조건을 모두 만족시킨 경우
B	(1)과 (2)를 모두 만족시켰으나, (3) 혹은 (4)의 조건을 만족시키지 못한 경우
C	(1)과 (2)의 조건을 충분히 만족시키지 못한 경우
D	연사의 주장 중 부차적인 부분에 대한 비판에만 치중한 경우 비논리적인 내용으로 답안을 작성한 경우

14 ◉ 오답률 줄이는 | **오답풀이** |
① '~와/과'의 성분이 보충되어야 한다.
② 무엇을 듣기 싫어한 것인지에 대한 목적어가 생략되어 있다. '~다는 말을' 정도의 성분이 보충되어야 한다.
③ '~이/가'의 주어 성분이 보충되어야 적절하다.
⑤ '다른 사람의 표현을'이 '자신의~' 앞에 삽입되어야, 즉 목적어가 보충되어야 적절하다.

15 ① '모름지기'는 '~야 한다'와 호응한다. '마땅히, 반드시' 등도 이와 활용의 유형이 동일하다.

16 ③ '삼가다'가 기본형이므로 '삼가야'로 고쳐야 한다.

17 ◉ 오답률 줄이는 | **오답풀이** |
② '도서관을 → 도서관으로'로 수정해야 한다.
③ '감정이 이끌렸다 → 감정에 이끌렸다'로 수정해야 한다.
④ '생각을'에 대한 서술어는 '마음먹었다'가 될 수 없고, '했다'가 적합하다.
⑤ '안내서는 신청자에 한하여 교부합니다.'로 수정하여 '교부'가 중복되지 않도록 한다.

18 ⑤ '일본 정부'와 '위안부 문제'는 모두 무정물이므로 '에'를 사용하면 적절하다.

◉ 오답률 줄이는 | **오답풀이** |
① '그 일은 담당자와 상의하십시오.'로 수정하여 '~와 상의하다'의 호응이 맞아야 한다.

② '치고'는 부정어와 호응하는 조사이므로, '선수치고 체력이 강하지 않다.'로 수정해야 한다.
③ '취하다'의 주체는 '그'이고, '술'은 그가 취하게 된 원인, 이유에 해당한다. 따라서 원인, 이유를 나타내는 부사격 조사 '-에'를 사용하여, '그는 어제 술에 취해서 어떻게 갔는지 모른다고 했다.'로 수정해야 한다.
④ '그에 대해 연구한 논문과 책은 수천 권에 달한다.'와 같이 수정하여 문장의 주어를 명확하게 할 필요가 있다.

19 ④ 패스트푸드를 먹지 말라는 부모의 충고와 활동적이지 않은 청소년의 여가 활동을 연관지을 수 없다.
(가)의 인터뷰 내용은 청소년 비만이 성인 비만으로 이어질 수 있다는 점에서 심각한 증상이라는 것을 알려 준다. (나)-1은 자녀가 패스트푸드를 섭취하는 데 대한 부모의 적극적 제지가 부족함을, (나)-2는 청소년 비만율이 증가했음을, (나)-3은 청소년이 여가를 활동적으로 보내지 않고 있음을 보여 준다. 그리고 (다)는 학교 내 패스트푸드 판매 금지에 따라 청소년 비만의 주요인인 패스트푸드의 섭취율이 점차 감소하고 있다는 것을 알 수 있다.

20 ③ [자료2]에서는 '자동차 공회전의 문제점'을 찾을 수 있고, [자료1]과 [자료2]를 통해 '공회전에 대한 운전자의 인식 전환이 필요함'을 알 수 있다. 또한 [자료3]은 '관련 법규 엄격 적용과 구체적 방침'에 대한 내용이다.

주관식 3

◉ 예시 답안
- 고비용의 에너지를 아끼고 환경도 살릴 수 있어 일석이조(一石二鳥)이다.
- 에너지 낭비를 막을 수 있고, 지구온난화를 늦출 수 있으므로 일거양득(一擧兩得)이다.
- 에너지 절감 효과를 볼 수 있고, 환경 보호에도 기여할 수 있어 '꿩 먹고 알 먹고'이다.

◉ 해설
'자동차 공회전을 줄였을 때의 효과'에 대한 내용을 서술해야 한다. 자동차 공회전은 연료를 낭비하게 하고, 환경 오염을 초래한다고 하였으므로 공회전 줄이기의 효과를 기술하면 된다.

21 ② 장애인 고용이 활성화되지 않는 원인으로 ㉡ '장애인 의무 고용 정책'이라고만 제시하면 정책의 어떤 점이 문제인지 알 수 없다. 의미가 구체적으로 드러나지 않고 있는 것이다. 이러한 문제점을 수정하기 위해서는 '장애인 의무 고용 정책을 강제하기 위한 법적 장치 미비' 등과 같이 수정해야 한다. '장애인 의무 고용 정책의 필요성에 대한 여론 환기'는 장애인 고용이 활성화되지 않는 원인으로 적절하지 않다.

주관식 4

◉ 예시 답안 1
사패산의 품격으로 아직은 부족한 내 인격을 채울 수 있어 좋았다. 사패산이 다정스레 불러 주지 않아도 이만하면 누구든 그를 찾을 가치가 충분할 것이다.

◉ 예시 답안 2
사패산에는 품격이 있고 내게는 인격이 있기에 사패산은 고스란히 나와 통한다. 다음에 또 오를 때에 너는 더 높은 품격으로 나를 맞이해 주렴. 사패산에 올라 그 품격을 자신의 인격에 담아 보자.

◉ 해설
제시된 글을 보면, 사패산 등산의 동기와 이름의 유래, 견문과 감상이 드러난다. 답안으로 쓸 부분은 앞 문장에 자연스럽게 이어져야 하므로, '사패산의 품격'에 관한 내용이어야 한다. 글자 수나 문장 형식에 대한 제한은 없으나, 제시된 조건이 매우 까다로우므로 각 조건을 각각의 문장으로 작성하는 것도 좋은 방법이다.

22 주제문과 뒷받침 문장이 긴밀하게 연결된 단락을 고르는 문제이다. ③은 주제문과 뒷받침 문장의 관계가 일반적 진술과 이에 따른 구체적 진술로 유기적으로 결합되어 있다.

◉ 오답률 줄이는 | **오답풀이** |
① '그 원인을 알아보려는 노력은 하지 않는다.'는 주제문의 내용에서 벗어난 것이다.
② 뒷문장에는 물물 교환의 구체적 사례가 와야 하는데 화폐에 의한 교환 방식의 기원에 대해 말하고 있어 통일성을 깨뜨리고 있다.
④ 의학 기술 발달의 부정적인 측면이 뒷받침 문장에 서술되어 있지 않으므로 주제문에 불충분한 뒷받침 문장이다.
⑤ 주제문과 뒷받침 문장 뒤에 또 다른 주제문이 나오고 있다.

주관식 5

◉ 예시 답안
우리 사회의 바람직한 인간관계 형성을 위해서는, 서로의 온기를 나누면서도 서로에게 상처를 입히지 않기 위해 적당한 거리가 필요했던 고슴도치처럼 우리도 너무 가까이 다가가서 상처를 입히거나 지나치게 간섭하기보다는 서로를 이해하고 배려할 수 있는 '최적의 거리'를 찾아내기 위해 노력해야 한다.

◉ 정답 기준
'쇼펜하우어의 고슴도치 딜레마'와 관련된 문제이다. '고슴도치가 찾아낸 최소한의 간격'은 '서로에 대한 이해와 배려가 유지되는 거리'인 것이다. 따라서 '유추'의 방식을 사용하여 완결성을 갖춘 한 문장으로 작성한다. 문장이 길어질수록 어문 규정에 어긋나고 문맥이 흐트러질 위험이 있으므로 주의해야 한다.

23 ③ '그런데'는 화제를 앞의 내용과 관련시키면서 다른 방향으로 이끌어 나갈 때, 앞의 내용과 상반되는 내용을 이끌 때 쓰는 접속 부사이다. '유기농'과 '무농약'은 다른 방향의 내용도, 상반되는 내용도 아니다.

주관식 6

◉ 예시 답안 1
'오른손이 하는 일을 왼손이 모르게 하라.'라는 말과 같이, 진정한 봉사의 가치를 배우는 자발적인 봉사 활동이 이루어지도록 지도해야 한다.

◉ 예시 답안 2

진정한 봉사의 의미를 배우는 자발적인 봉사 활동이 이루어지도록 '새 술은 새 부대에 담아라.'라는 말과 같이 무의미한 봉사 활동 점수제를 폐지해야 한다.

◉ 정답 기준

제시문은 현행 청소년 봉사 활동의 문제점을 제기하고, 자발적 봉사 활동의 의미에 대해 서술하고 있다. 따라서 문맥의 흐름상 어긋나지 않고, 〈보기〉의 조건을 충족시키도록 해야 한다.

주관식 7

[가로 열쇠] 1. 마음결 3. 피력 4. 격식 6. 과장 8. 가증 9. 벽창호

[세로 열쇠] 1. 마력 2. 결격 3. 피부과 5. 식곤증 7. 장벽 8. 가호

주관식 8

◉ 예시 답안

유진이는 저번 시험을 쫄딱 망해서 힘들어했는데, 요즘 열심히 하더니 나날이 발전하며 일취월장(日就月將) 하고 있다.

㉠ 〈한자성어〉 일취월장(日就月將): 나날이 다달이 자라거나 발전함.
승승장구(乘勝長驅): 싸움에서 이긴 형세를 타고 계속 몰아침.

㉡ 〈단어〉 쫄딱: 더할 나위 없이 아주.
죄다: 남김없이 모조리.

◉ 해설

①의 지문과 ②의 문장에 문맥상 적절한 표현을 찾고, 이들을 사용하여 짧은 글을 짓는 문항이다. 능동적 어휘력과 창의력을 평가할 수 있다. ㉠이나 ㉡이 적절하지 않으면 −1점, 완성한 문장의 어휘가 적절한 의미로 표현되지 않았으면 −1점, 문맥이 자연스럽지 않으면 −1점으로 평가할 수 있다.

주관식 9

◉ 예시 답안 1

다문화의 가치에 대한 재인식을 통해 다문화 가정의 문제를 사회적, 제도적 차원에서 해결

◉ 예시 답안 2

사회의 다양화라는 측면에서 우리 사회 구성원으로 인정하고, 그에 준하는 사회 제도방안으로 개선

◉ 해설

이 토론에서는 다문화 가정의 의사소통, 교육 문제, 인권 문제를 제기하였으며, 그 이유로 국제결혼에 따른 다문화 가정의 증가, 다문화의 가치에 대한 재인식 등을 제시하였다. 글의 흐름에 따라 해결 방안과 관련한 내용을 요약한다.

주관식 10

(가) 이현진, 〈"학습권 · 영업권보다 인권이 더 중요"… 인권위 '일방 질주'에 사회 곳곳 '아우성'〉, 한국경제, 2017. 11. 24.

(나) 이가영, 〈'아이 · 부모에 힘든 알바생들'…10명 중 7명 "노키즈존 찬성"〉, 중앙일보, 2017. 10. 25.

◉ 예시 답안 1

[찬성] 노키즈존을 운영하면 매장 내 서비스의 질이 높아질 수 있다. 또한 위험한 상황도 줄어들 수 있다. 그러므로 노키즈존 사업장은 확산되어야 한다.

◉ 예시 답안 2

[반대] 노키즈존은 아동을 사회적 '골칫거리'로 인식하는 편견을 불러일으킬 수 있다. 또한 아동이 시민으로 성장하는 데 안 좋은 영향을 미칠 수 있다. 그러므로 노키즈존 사업장이 확산되어서는 안 된다.

◉ 해설

지문의 쟁점을 파악하고, 주장하고자 하는 입장과 이에 타당한 근거를 제시해야 하는 문항이다. 글 (가)는 '노키즈존'에 대해 아동에 대한 부정적 인식 제고, 차별적 대우가 우려된다는 인권위의 입장을 인용하여 노키즈존에 대한 반대 입장을 드러내고 있으나, 이를 법적으로 강제할 수 없다는 한계를 지적하고 있다. 글 (나)는 노키즈존에 대한 아르바이트생들의 설문을 근거로 노키즈존 운영과 확산에 찬성하는 입장을 드러내고 있다. 즉 '노키즈존 운영'에 대한 자신의 입장을 명확히 밝히고, 글 (가)와 (나)를 통해 타당한 근거를 제시하여 답안을 작성해야 한다. 자신의 입장이 쟁점에서 벗어난 경우 −1점, 주장과 근거의 타당성이 떨어질 경우 −1점, 본문에 제시된 근거가 아닐 경우 −1점, 어문 규정을 지키지 않으면 −1점이 될 수 있다.

정답과 해설

에듀윌 ToKL국어능력인증시험

2주끝장

고객의 꿈, 직원의 꿈, 지역사회의 꿈을 실현한다

펴낸곳 (주)에듀윌 **펴낸이** 김재환 **출판총괄** 오용철
개발책임 김기임, 박호진 **개발** 최성혜
주소 서울시 구로구 디지털로34길 55 코오롱싸이언스밸리 2차 3층
대표번호 1600-6700 **등록번호** 제25100-2002-000052호

에듀윌 도서몰 book.eduwill.net
- 부가학습자료 및 정오표: 에듀윌 도서몰 → 도서자료실
- 교재 문의: 에듀윌 도서몰 → 문의하기 → 교재(내용, 출간) / 주문 및 배송

업계 최초 대통령상 3관왕, 정부기관상 19관왕 달성!

2010 대통령상

2019 대통령상

2019 대통령상

대한민국 브랜드대상 국무총리상

국무총리상

문화체육관광부 장관상

농림축산식품부 장관상

과학기술정보통신부 장관상

여성가족부장관상

서울특별시장상

과학기술부장관상

정보통신부장관상

산업자원부장관상

고용노동부장관상

미래창조과학부장관상

법무부장관상

- 2004
  서울특별시장상 우수벤처기업 대상
- 2006
  부총리 겸 과학기술부장관 표창 국가 과학 기술 발전 유공
- 2007
  정보통신부장관상 디지털콘텐츠 대상
  산업자원부장관 표창 대한민국 e비즈니스대상
- 2010
  대통령 표창 대한민국 IT 이노베이션 대상
- 2013
  고용노동부장관 표창 일자리 창출 공로
- 2014
  미래창조과학부장관 표창 ICT Innovation 대상
- 2015
  법무부장관 표창 사회공헌 유공
- 2017
  여성가족부장관상 사회공헌 유공
  2016 합격자 수 최고 기록 KRI 한국기록원 공식 인증
- 2018
  2017 합격자 수 최고 기록 KRI 한국기록원 공식 인증
- 2019
  대통령 표창 범죄예방대상
  대통령 표창 일자리 창출 유공
  과학기술정보통신부장관상 대한민국 ICT 대상
- 2020
  국무총리상 대한민국 브랜드대상
  2019 합격자 수 최고 기록 KRI 한국기록원 공식 인증
- 2021
  고용노동부장관상 일·생활 균형 우수 기업 공모전 대상
  문화체육관광부장관 표창 근로자휴가지원사업 우수 참여 기업
  농림축산식품부장관상 대한민국 사회공헌 대상
  문화체육관광부장관 표창 여가친화기업 인증 우수 기업
- 2022
  국무총리 표창 일자리 창출 유공
  농림축산식품부장관상 대한민국 ESG 대상

에듀윌 ToKL국어능력인증시험

2주끝장

기출패턴 분석과 영역별 학습으로
빠르게 합격한다!

YES24 국어 외국어 사전 ToKL/국어능력인증시험 베스트셀러 1위
(2016년 1월~12월, 2017년 1월~12월, 2018년 1월~9월, 12월, 2019년 1월~3월, 5월~12월, 2020년 1월~5월, 7월~12월, 2021년 1월~12월, 2022년 1월~2월, 4월~12월, 2023년 3월~5월 월별 베스트)

2023 대한민국 브랜드만족도 ToKL 교육 1위
(한경비즈니스)

고객의 꿈, 직원의 꿈, 지역사회의 꿈을 실현한다

펴낸곳 (주)에듀윌 **펴낸이** 김재환 **출판총괄** 오용철
개발책임 김기임, 박호진 **개발** 최성혜
주소 서울시 구로구 디지털로34길 55 코오롱싸이언스밸리 2차 3층
대표번호 1600-6700 **등록번호** 제25100-2002-000052호

에듀윌 도서몰 book.eduwill.net
- 부가학습자료 및 정오표: 에듀윌 도서몰 → 도서자료실
- 교재 문의: 에듀윌 도서몰 → 문의하기 → 교재(내용, 출간) / 주문 및 배송

값 20,000원
13710
9 791136 012562
ISBN 979-11-360-1256-2

에듀윌 ToKL국어능력인증시험

2주끝장

필수 암기
(어휘+어문규정+어법)

주관식 유형별 문항
(어휘+읽기+쓰기)

1분 1초가 아까운

수험생을 위한 학습 전략!

PART 1 어휘

PART 2 어문 규정

PART 3 어법

PART 4 주관식

01 단어의 의미 관계

본문 22쪽

1 자주 출제되는 접두사 / 접미사

01 접두사

구분	의미	예
개-	야생 상태의, 질이 떨어지는, 흡사하지만 다른	개꿀, 개떡, 개머루, 개살구
	헛된, 쓸데없는	개꿈, 개나발, 개죽음
	정도가 심한	개꼴, 개망신, 개망나니, 개판
날-	말리거나 익히거나 가공하지 않은	날것, 날고기, 날기와, 날김치, 날장작
	지독한	날강도, 날건달, 날도둑
뒤-	마구, 몹시, 온통	뒤꼬다, 뒤끓다, 뒤덮다, 뒤섞다, 뒤엉키다, 뒤흔들다
	반대로, 뒤집어	뒤바꾸다, 뒤엎다, 뒤받다
들-	야생으로 자라는	들개, 들국화, 들소, 들장미, 들쥐
	무리하게 힘을 들여, 마구, 몹시	들끓다, 들볶다, 들쑤시다
민-	꾸미거나 딸린 것이 없는	민가락지, 민낯, 민저고리
	그것이 없음, 그것이 없는 것	민꽃, 민등뼈, 민무늬, 민소매
	미리 치른, 미리 데려온	민값, 민며느리
알-	겉을 덮어 싼 것이나 딸린 것을 다 제거한	알곡, 알몸, 알바늘, 알토란
	작은	알바가지, 알요강, 알항아리
	진짜, 알짜	알가난, 알거지, 알건달, 알부자
암-	새끼를 배거나 열매를 맺는	암꽃, 암노루, 암놈, 암컷, 암탉, 암탕나귀
	오목한 형태를 가진, 상대적으로 약한	암나사, 암단추, 암키와, 암톨쩌귀
풋-	덜 익은, 처음 나온	풋고추, 풋콩, 풋사과, 풋가지, 풋과일, 풋나물
	미숙한, 깊지 않은	풋내기, 풋솜씨, 풋사랑, 풋잠
한-	바로, 정확한, 한창인	한가운데, 한복판, 한겨울, 한낮
	큰	한걱정, 한길, 한밑천, 한시름, 한아름
	바깥	한데, 한뎃잠
휘-	마구, 매우 심하게	휘갈기다, 휘날리다, 휘말다, 휘몰아치다, 휘젓다
	매우	휘넓다, 휘둥그렇다, 휘둥글다

02 접미사

구분	의미	예
-꾼	어떤 일을 전문적으로 하거나 잘하는 사람	살림꾼, 소리꾼
	어떤 일을 습관적으로 하거나 즐겨 하는 사람	낚시꾼, 난봉꾼
	어떤 일 때문에 모인 사람	구경꾼, 일꾼, 장꾼
-발	기세, 힘	끗발, 말발
	효과	약발, 화장발
	그 시간에 떠남, 그곳에서 떠남	세 시발, 런던발, 서울발
-배기	그 나이를 먹은 아이	두 살배기, 다섯 살배기
	그것이 들어 있거나 차 있음	나이배기
	그런 물건	공짜배기, 대짜배기, 진짜배기
-보	그것을 특성으로 지닌 사람	꾀보, 잠보, 털보
	그러한 행위를 특성으로 지닌 사람	먹보, 울보, 째보
	그러한 특징을 지닌 사람	땅딸보, 뚱뚱보
	그것이 쌓여 모인 것	심술보, 울음보, 웃음보
-붙이	같은 겨레	살붙이, 피붙이, 일가붙이
	어떤 물건에 딸린 같은 종류	쇠붙이, 금붙이, 고기붙이
-화	그렇게 만들거나 됨	기계화, 대중화, 자동화, 전문화
	그림	수채화, 정물화, 풍경화
	신발	숙녀화, 신사화, 운동화

2 유의 / 반의 / 상하 관계

01 유의(類義) 관계

둘 이상의 단어가 서로 음성(音聲)은 다르지만 의미가 거의 같거나 비슷한 관계를 유의 관계라 하고, 이러한 관계에 해당하는 어휘를 유의어라고 한다.

- 물고기 : 생선
- 아버지 : 부친
- 부치다 : 보내다
- 치밀 : 세밀
- 눈 : 안목
- 농후하다 : 짙다

02 반의(反義) 관계

둘 이상의 단어에서 의미가 서로 대립되는 관계를 반의 관계라 하며, 이러한 관계에 놓인 어휘들을 반의어라 한다.

• 열다 : 닫다, 막다, 잠그다	• 벗다 : 입다(옷), 신다(신발), 쓰다(모자), 끼다(장갑)

03 상하(上下) 관계

둘 이상의 단어의 관계에서 한 단어의 의미가 다른 단어에 포함될 때의 관계를 상하 관계라 하며, 이를 포함 관계라고 하기도 한다.

• 나무 : 소나무, 잣나무, 오동나무	• 예술 : 문학, 음악, 미술

3 빈출 다의어 / 동음이의어

01 가다01

① 한곳에서 다른 곳으로 장소를 이동하다.
예 아버지는 아침 일찍 서울로 가셨다.

② 직업이나 학업, 복무 따위로 해서 다른 곳으로 옮기다.
예 군대에 가다.

③ 물건이나 권리 따위가 누구에게 옮겨지다.
예 니한테는 세 개가 있는데, 니에게는 다섯 개가 갔구나.

④ 관심이나 눈길 따위가 쏠리다.
예 자꾸 눈길이 가다.

⑤ 말이나 소식 따위가 알려지거나 전하여지다.
예 기별이 가다.

02 갈다01

① 이미 있는 사물을 다른 것으로 바꾸다.
예 고장 난 전등을 빼고 새것으로 갈아 끼웠다.

② 어떤 직책에 있는 사람을 다른 사람으로 바꾸다.
예 임원을 새 인물로 갈다.

갈다02

① 날카롭게 날을 세우거나 표면을 매끄럽게 하기 위하여 다른 물건에 대고 문지르다.
예 칼을 갈다.

② 잘게 부수기 위하여 단단한 물건에 대고 문지르거나 단단한 물건 사이에 넣어 으깨다.
예 녹두를 갈다.

③ 먹을 풀기 위하여 벼루에 대고 문지르다.
예 벼루에 먹을 갈다.

03 나다01

① 신체 표면이나 땅 위에 솟아나다.
예 여드름이 나다. / 새싹이 나다.

② 어떤 현상이나 사건이 일어나다.
예 화재가 나다.

③ 인물이 배출되다.
예 우리 고장에서 학자가 많이 났다.

④ 흥미, 짜증, 용기 따위의 감정이 일어나다.
예 화가 나다.

⑤ 생명체가 태어나다.
예 나는 부산에서 나서 서울에서 자랐다.

⑥ 생각, 기억 따위가 일다.
예 생각이 나다.

04 다루다

① 일거리를 처리하다.

예 무역 업무를 다루다.

② 어떤 물건을 사고파는 일을 하다.

예 이 상점은 주로 전자 제품만을 다룬다.

③ 기계나 기구 따위를 사용하다.

예 악기를 다루다.

④ 가죽 따위를 매만져서 부드럽게 하다.

예 짐승의 가죽을 다루어서 옷 따위를 만드는 일은 주로 여자들이 맡아 하였다.

⑤ 어떤 물건이나 일거리 따위를 어떤 성격을 가진 대상 혹은 어떤 방법으로 취급하다.

예 농부들은 농산물을 자식처럼 다룬다.

05 들다01

① 밖에서 속이나 안으로 향해 가거나 오거나 하다.

예 숲속에 드니 공기가 훨씬 맑았다.

② 빛, 볕, 물 따위가 안으로 들어오다.

예 이 방에는 볕이 잘 든다.

③ 방이나 집 따위에 있거나 거처를 정해 머무르게 되다.

예 새집에 들다.

④ 길을 택하여 가거나 오다.

예 컴컴한 골목길에 들고부터는 그녀의 발걸음이 빨라졌다.

⑤ 수면을 취하기 위한 장소에 가거나 오다.

예 이불 속에 들다.

06 보다01

① 눈으로 대상의 존재나 형태적 특징을 알다.

예 날아가는 새를 보다.

② 눈으로 대상을 즐기거나 감상하다.

예 영화를 보다.

③ 대상의 내용이나 상태를 알기 위하여 살피다.

예 현미경을 보다.

④ 맡아서 보살피거나 지키다.

예 아이를 보다. / 집을 보다.

⑤ 어떤 일을 맡아 하다.

예 친목회의 일을 보다.

07 타다01

① 불씨나 높은 열로 불이 붙어 번지거나 불꽃이 일어나다.

예 벽난로에서 장작이 활활 타고 있었다.

② 피부가 햇볕을 오래 쬐어 검은색으로 변하다.

예 땡볕에 얼굴이 새까맣게 탔다.

③ 뜨거운 열을 받아 검은색으로 변할 정도로 지나치게 익다.

예 다른 일을 하는 사이에 밥이 타 버렸다.

④ 마음이 몹시 달다.

예 그리움으로 속이 타다.

⑤ 물기가 없어 바싹 마르다.

예 오랜 가뭄으로 농작물이 다 타 버렸다.

타다07

① 먼지나 때 따위가 쉽게 달라붙는 성질을 가지다.

예 이 옷은 때를 잘 탄다.

② 몸에 독한 기운 따위의 자극을 쉽게 받다.

예 옻을 타다.

③ 부끄럼이나 노여움 따위의 감정이나 간지럼 따위의 육체적 느낌을 쉽게 느끼다.

예 노여움을 타다. / 간지럼을 타다. / 부끄럼을 타다.

④ 계절이나 기후의 영향을 쉽게 받다.

예 계절을 타다. / 추위를 타다.

02 고유어

본문 46쪽

01 가늠

① 목표나 기준에 맞고 안 맞음을 헤아려 봄. 또는 헤아려 보는 목표나 기준.

예 떡 반죽은 가늠을 알맞게 해야 송편을 빚기가 좋다.

② 사물을 어림잡아 헤아림.

예 막연한 가늠으로 사업을 하다가는 실패하기 쉽다.

02 가탈

① 일이 순조롭게 나아가는 것을 방해하는 조건.

예 처음 하는 일이라 여기저기서 가탈이 많이 생긴다.

② 이리저리 트집을 잡아 까다롭게 구는 일.

예 내 동생은 음식 가탈이 너무 심하다.

빈출 03 결딴나다

① 어떤 일이나 물건 따위가 아주 망가져서 도무지 손을 쓸 수 없는 상태가 되다.

예 아이가 장난감을 집어 던져 결딴났다.

② 살림이 망하여 거덜 나다.

예 사업 실패로 집안이 완전히 결딴났어.

빈출 04 곰삭다

① 옷 따위가 오래되어서 올이 삭고 질이 약해지다.

예 곰삭아 너덜너덜해진 옷.

② 젓갈 따위가 오래되어서 푹 삭다.

예 새우젓은 곰삭아야 제맛이 난다.

05 곰살궂다

태도나 성질이 부드럽고 친절하다.

예 경민이는 날카로운 외모에 비해 성격이 정이 많고 곰살궂다.

빈출 06 깜냥

스스로 일을 헤아림. 또는 헤아릴 수 있는 능력.

예 이 일은 내 깜냥으로는 너무 벅차다.

빈출 07 너절하다

허름하고 지저분하다.

예 사내는 수염도 깎지 않은 너절한 차림으로 대문을 열고 들어섰다.

빈출 08 넌더리

지긋지긋하게 몹시 싫은 생각.

예 어릴 때 익사할 뻔한 기억 때문인지 그는 수영이라는 말만 꺼내도 넌더리를 쳤다.

빈출 09 뇌까리다

① 아무렇게나 되는대로 마구 지껄이다.

예 그는 말도 안 되는 소리를 뇌까렸다.

② 불쾌하다고 생각되는 상대편의 말이나 행동, 태도에 대하여 불쾌하다는 뜻을 담은 말을 거듭해서 자꾸 말하다.

예 정희는 만나는 사람마다 불평을 늘어놓으며 똑같은 말을 뇌까리기도 했다.

10 다락같다

① 물건값이 매우 비싸다.

② 덩치나 규모 정도가 매우 크고 심하다.

예 하루하루 물가가 오르는 것이 다락같아 살 수가 없다.

빈출 11 데면데면하다

사람을 대하는 태도가 친밀감이 없이 예사롭다.

예 그들의 시선은 서로 전혀 모르는 사이처럼 데면데면하다.

빈출 12 마뜩하다

(주로 '않다', '못하다'와 함께 쓰여) 제법 마음에 들 만하다.

예 나는 그의 행동이 마뜩하지 않다.

빈출 13 맵자하다

모양이 제격에 어울려서 맞다.

예 그 옷을 입으니 맵자하니 예쁘다.

빈출 14 몽니

받고자 하는 대우를 받지 못할 때 내는 심술.

관용어 몽니가 사납다

빈출 15 무람없다

예의를 지키지 않으며 삼가고 조심하는 것이 없다.

예 우리 아이의 행동이 버릇없고 무람없었다면 용서하십시오.

16 바투

① 두 대상이나 물체의 사이가 썩 가깝게.

예 말에서 떨어지지 않으려면 고삐를 바투 잡아라.

② 시간이나 길이가 아주 짧게.

예 날짜를 너무 바투 잡은 거 아니니?

17 사달

사고나 탈.

예 조마조마하더니만 결국 사달이 났구나.

18 삭정이

살아 있는 나무에 붙어 있는, 말라 죽은 가지.

예 산에 가서 땔감으로 쓸 삭정이 좀 주워 오너라.

19 설멍하다

옷이 몸에 맞지 않고 짧다.

예 그 배우가 입은 바지가 아무리 유행이라고 해도 내 눈에 설멍해 보일 뿐이다.

빈출 20 성기다(= 성글다)

① 물건의 사이가 뜨다.

예 곡식은 일부러라도 성기게 심어야 한다.

② 반복되는 횟수나 도수(度數)가 뜨다.

예 매일같이 만나던 두 사람이 요즘 들어서는 만남이 성기다.

③ 관계가 깊지 않고 서먹하다.

예 그렇게 붙어 다니더니 요즘 둘 사이가 성긴 것 같다.

21 실팍하다

사람이나 물건 따위가 보기에 매우 실하다.

예 그는 실팍한 몸집인데도 팔씨름 한번을 못 이겼다.

22 애오라지

① '겨우'를 강조하여 이르는 말.

예 주머니에 애오라지 500원밖에 없어.

② '오로지'를 강조하여 이르는 말.

예 제가 원하는 것은 애오라지 천 원짜리 한 장입니다.

23 어줍다

① 말이나 행동이 익숙지 않아 서투르고 어설프다.

예 아이들은 고사리 같은 손을 모아 어줍은 몸짓으로 절을 했다.

② 몸의 일부가 자유롭지 못하여 움직임이 자연스럽지 않다.

예 입이 얼어 발음이 어줍다.

③ 어쩔 줄을 몰라 겸연쩍거나 어색하다.

예 그는 나에게 어줍은 자세로 손을 내밀었다.

24 열없다

좀 겸연쩍고 부끄럽다.

예 그는 가만히 앉아 있기가 열없어서 잔심부름이라도 할까 싶어 서성거렸다.

빈출 25 우수리

① 물건값을 제하고 거슬러 받는 잔돈.

예 우수리는 심부름값으로 줄 테니, 아이스크림이라도 사 먹으렴.

② 일정한 수나 수량에 차고 남는 수나 수량.

예 한 사람 앞에 2개씩 주었더니 우수리가 3개가 되었다.

26 종요롭다

없어서는 안 될 정도로 매우 긴요하다.

예 이번 사안은 우리 회사를 키우는 데 종요로운 일이므로 모두의 적극적인 협조를 바랍니다.

빈출 27 지분거리다

짓궂은 말이나 행동 따위로 자꾸 남을 귀찮게 하다.

예 아내는 딸한테 지분거리는 사내를 경찰에 신고했다.

빈출 28 짐짓

마음으로는 그렇지 않으나 일부러 그렇게.

예 그녀는 짐짓 범인을 모른 척하고 있다.

빈출 29 짬짜미

남모르게 자기들끼리만 짜고 하는 약속이나 수작.

예 저희들끼리 짬짜미를 하고 나에게 술래를 시키려는 요량이 분명했다.

빈출 30 추레하다

① 겉모양이 깨끗하지 못하고 생기가 없다.

예 옷차림이 영 추레하다.

② 태도 따위가 너절하고 고상하지 못하다.

예 추레한 몰골이며 태도를 보면 부잣집 아들처럼 보이지는 않는다.

31 하릴없이

① 달리 어떻게 할 도리가 없이.

예 학교 일진의 협박에 하릴없이 돈을 뜯겼다.

② 조금도 틀림이 없이.

빈출 32 함초롬하다

젖거나 서려 있는 모습이 가지런하고 차분하다.

예 풀잎이 이슬에 함초롬하게 젖어 있다.

빈출 33 해사하다

① 얼굴이 희고 곱다랗다.

예 그는 곱게 자라서 그런지 해사한 얼굴이다.

② 표정, 웃음소리 따위가 맑고 깨끗하다.

예 내 이상형은 해사하게 웃는 여자이다.

③ 옷차림, 자태 따위가 말끔하고 깨끗하다.

예 나이는 어린 듯하나 해사한 맵시가 무척 아름다웠다.

빈출 34 해쓱하다

얼굴에 핏기나 생기가 없어 파리하다.

예 오랜만에 만난 그는 부모님의 오랜 병구완에 지쳤는지 얼굴이 해쓱했다.

35 희나리

채 마르지 아니한 장작.

예 희나리가 타면서 내는 탁탁거리는 소리는 분위기를 무르익게 했다.

03 한자어

본문 72쪽

1 빈출 한자어 / 중요 한자어

빈출 **01 가공(架空)**

① 어떤 시설물을 공중에 가설함.
② 이유나 근거가 없이 꾸며 냄. 또는 사실이 아니고 거짓이나 상상으로 꾸며 냄.
예 해태는 가공의 동물이다.

빈출 **02 각설(却說)**

말이나 글 따위에서, 이제까지 다루던 내용을 그만두고 화제를 다른 쪽으로 돌림.
예 이제 그만 각설하고, 당신의 계획이나 들어 봅시다.

03 개재(介在)

어떤 것들 사이에 끼여 있음. '끼어듦', '끼여 있음'으로 순화.
예 판단에 편견이 개재되다.
참고 **게재(揭載)** 글이나 그림 따위를 신문이나 잡지 따위에 실음.
예 그는 논문을 유명 학술지에 게재하였다.

04 계발(啓發)

슬기나 재능, 사상 따위를 일깨워 줌.
예 좋은 성적을 거두는 것만큼 자신의 소질 계발도 중요하다.

빈출 **05 고견(高見)**

① 뛰어난 의견이나 생각.
② 남의 의견을 높여 이르는 말.
예 이번 안건에 대한 선생님의 고견을 듣고 싶습니다.

06 구명(究明)

사물의 본질, 원인 따위를 깊이 연구하여 밝힘.
예 아직 구명되지 않은 문제가 있다.

07 구연(口演)

① 동화, 야담, 만담 따위를 여러 사람 앞에서 말로써 재미있게 이야기함.
예 동화 구연 대회.
② 문서에 의하지 않고 입으로 사연을 말함.

08 구현(具現/具顯)

어떤 내용이 구체적인 사실로 나타나게 함.
예 희곡은 무대에서 구현되는 문학이다.

09 규명(糾明)

어떤 사실을 자세히 따져서 바로 밝힘.
예 책임을 규명하다.

10 논박(論駁)

어떤 주장이나 의견에 대하여 그 잘못된 점을 조리 있게 공격하여 말함.
예 당시 그들의 주장은 기존 학계의 논박의 대상이 되었다.

빈출 **11 눌변(訥辯)**

더듬거리는 서툰 말솜씨.
반의어 **달변(達辯)** 능숙하여 막힘이 없는 말.

빈출 **12 단견(短見)**

① 짧은 생각이나 의견. = 국견(局見)
예 내 생각이 단견이 아닌가 하고 그분 앞에서는 주눅이 들곤 했다.
② 자기의 생각이나 의견을 겸손하게 이르는 말.
예 그럼 저의 단견을 말씀드리겠습니다.

빈출 **13 대처(對處)**

어떤 정세나 사건에 대하여 알맞은 조치를 취함.
예 미온적인 대처 방안.

14 대항(對抗)

굽히거나 지지 않으려고 맞서서 버티거나 항거함. '맞서 싸움'으로 순화.
예 그들은 송전탑 공사를 진행하려는 정부와 한전에 거세게 대항했다.

빈출 **15 막후(幕後)**

① 막의 뒤.

② 겉으로 드러나지 않은 뒷면.

예 그는 막후에서 실질적인 영향력을 행사하는 사람이었다.

유의어 **배후(背後)** 등의 뒤. 어떤 일의 드러나지 않은 이면.

참고 **흑막(黑幕)** 검은 장막(帳幕). 겉으로 드러나지 아니한 음흉한 내막을 비유적으로 이르는 말.

16 모색(摸索)

일이나 사건 따위를 해결할 수 있는 방법이나 실마리를 더듬어 찾음.

예 외국 진출을 모색하다.

빈출 **17 몰각01(沒却)**

아주 없애 버림.

예 그것은 인정이 몰각한 사회의 단면이다.

몰각03(沒覺) 깨달아 인식하지 못함.

18 미답(未踏)

아직 아무도 밟지 않음.

예 이 분야는 아직 우리나라에서도 개척되지 않은 미답의 땅이다.

19 미봉책(彌縫策)

눈가림만 하는 일시적인 계책(計策).

빈출 **20 미증유(未曾有)**

지금까지 한 번도 있어 본 적이 없음.

예 역사 이래 미증유의 사건.

유의어 **초유(初有)** 처음으로 있음.

빈출 **21 반추(反芻)**

① 한번 삼킨 먹이를 다시 게워 내어 씹음.

예 소는 그 큰 입을 오물오물 반추만 일삼고 있었다.

② 어떤 일을 되풀이하여 음미하거나 생각함. 또는 그런 일.

예 그 일로 인한 회한은 더 깊어지고 곰곰 반추에 반추를 거듭해야 할 것이다.

빈출 **22 방증(傍證)**

사실을 직접 증명할 수 있는 증거가 되지는 않지만, 주변의 상황을 밝힘으로써 간접적으로 증명에 도움을 줌. 또는 그 증거.

참고 **반증(反證)** 어떤 사실이나 주장이 옳지 아니함을 그에 반대되는 근거를 들어 증명함. 또는 그런 증거.

예 우리에겐 그 사실을 뒤집을 만한 반증이 없다.

23 백미(白眉)

흰 눈썹이라는 뜻으로, 여럿 가운데에서 가장 뛰어난 사람이나 훌륭한 물건을 비유적으로 이르는 말.

예 이번 연주회의 백미는 단연 피아노 독주였다.

24 변질(變質)

성질이 달라지거나 물질의 질이 변함. 또는 그런 성질이나 물질(주로 부정적 의미로 쓰임).

예 식료품의 변질을 막기 위해서는 개봉 즉시 섭취하시고, 재냉동하지 마십시오.

25 변천(變遷)

세월의 흐름에 따라 바뀌고 변함.

예 시대가 변천하면서 연상 연하 커플이 많아졌다.

유의어 **변이(變移)**

빈출 **26 비견(比肩)**

서로 비슷한 위치에서 견줌. 또는 견주어짐.

예 그와 비견할 만한 사람이 없다.

27 섭렵(涉獵)

물을 건너 찾아다닌다는 뜻으로, 많은 책을 널리 읽거나 여기저기 찾아다니며 경험함을 이르는 말.

예 그는 이미 고대사 문헌을 섭렵했다.

28 쇠퇴(衰退/衰頹)

기세나 상태가 쇠하여 전보다 못하여 감.

예 나이가 들면 기억력의 쇠퇴가 오기 마련이다.

유의어 **감퇴(減退)**

예 시력 감퇴.

빈출 **29 식언(食言)**

한번 입 밖에 낸 말을 도로 입 속에 넣는다는 뜻으로, 약속한 말대로 지키지 아니함을 이르는 말.

예 그는 식언하기를 밥 먹듯 해서 친구들 사이에 신의를 잃은 지 오래다.

빈출 **30 알력(軋轢)**

수레바퀴가 삐걱거린다는 뜻으로, 서로 의견이 맞지 아니하여 사이가 안 좋거나 충돌하는 것을 이르는 말.

예 보수파와 개혁파 사이에 알력이 심하다.

31 역설01(力說)

자기의 뜻을 힘주어 말함. 또는 그런 말.

역설02(逆說) 어떤 주의나 주장에 반대되는 이론이나 말.

예 영어 공부를 하면 할수록 역설적으로 우리말을 공부해야겠다는 생각이 더 든다.

빈출 **32 작금(昨今)**

① 어제와 오늘을 아울러 이르는 말.

② 요즈음(바로 얼마 전부터 이제까지의 무렵).

예 고향 사람 하나는, 상경하고 이십여 년 동안 갖은 고생을 다 하고 작금에도 근근이 입에 풀칠이나 하는 처지이다.

33 전락(轉落)

① 아래로 굴러떨어짐.

② 나쁜 상태나 타락한 상태에 빠짐.

예 그는 급기야 천덕꾸러기로 전락하고 말았다.

34 제재(制裁)

일정한 규칙이나 관습의 위반에 대하여 제한하거나 금지함. 또는 그런 조치.

예 여론(輿論)의 제재를 받다.

35 차출(差出)

어떤 일을 시키기 위하여 인원을 선발하여 냄. '뽑아냄'으로 순화.

예 이번 사태를 수습하기 위해 마을에서 필요한 인원을 차출했다.

빈출 **36 척결(剔抉)**

① 살을 도려내고 뼈를 발라냄.

② 나쁜 부분이나 요소들을 깨끗이 없애 버림.

예 비리의 척결. / 부정부패 척결.

37 초연하다(超然一一)

① 어떤 현실 속에서 벗어나 그 현실에 아랑곳하지 않고 의젓하다.

예 암 말기 선고를 받고서도 그는 죽음에 대해 초연한 듯 보였다.

② 보통 수준보다 훨씬 뛰어나다.

빈출 **38 타개(打開)**

매우 어렵거나 막힌 일을 잘 처리하여 해결의 길을 엶.

예 경제 불황 타개를 위한 각종 대안이 제시되고 있다.

39 파급(波及)

어떤 일의 여파나 영향이 차차 다른 데로 미침.

예 불매 운동이 전국적으로 파급되었다.

빈출 **40 편력(遍歷)**

① 이곳저곳을 널리 돌아다님.

유의어 편답(遍踏)

② 여러 가지 경험을 함.

예 이런 시기에 여러 곳의 직장을 편력하는 것은 도움이 되지 않을 수 있다.

41 피력(披瀝)

생각하는 것을 털어놓고 말함.

예 그는 자신의 견해를 역설적으로 피력했다.

42 혼돈(混沌/渾沌)

마구 뒤섞여 있어 갈피를 잡을 수 없음. 또는 그런 상태.

예 외래문화의 무분별한 수입은 가치관의 혼돈을 초래하였다.

43 혼동(混同)

구별하지 못하고 뒤섞어서 생각함.

예 잠이 다 깨지 않았는지 그는 현실과 꿈 사이에서 혼동을 일으켰다.

빈출 **44 회자(膾炙)**

회와 구운 고기라는 뜻으로, 칭찬을 받으며 사람의 입에 자주 오르내림을 이르는 말.

예 그 노래는 오늘날까지 많은 사람 사이에 널리 회자되고 있다.

2 혼동하기 쉬운 한자어

가시(可視)	(주로 일부 명사 앞에 쓰여) 눈으로 볼 수 있는 것. 예 가시 현상.
응시(凝視)	눈길을 모아 한 곳을 똑바로 바라봄. 예 그녀는 한참 동안 천장의 한 곳을 응시만 하고 있었다.
좌시(坐視)	참견하지 아니하고 앉아서 보기만 함. '그냥 보고만 있음', '보고만 있음'으로 순화. 예 민재의 태도를 더 이상 좌시할 수는 없다.
직시(直視)	① 정신을 집중하여 어떤 대상을 똑바로 봄. 예 그는 나의 얼굴을 뚫어져라 직시하고 있다. ② 사물의 진실을 바로 봄. 예 현실을 직시하라.
투시(透視)	막힌 물체를 환히 꿰뚫어 봄. 또는 대상의 내포된 의미까지 봄. 예 그는 정세를 파악하고 투시하는 능력이 뛰어나다.

가장(假裝)	① 태도를 거짓으로 꾸밈. 예 그는 우연을 가장하여 나에게 접근했다. ② 얼굴이나 몸차림 따위를 알아보지 못하게 바꾸어 꾸밈. 예 손님으로 가장하다.
변장(變裝)	본래의 모습을 알아볼 수 없게 하기 위하여 옷차림이나 얼굴, 머리 모양 따위를 다르게 바꿈. 예 변장에 능하다.
분장(扮裝)	『연기』 등장인물의 성격, 나이, 특징 따위에 맞게 배우를 꾸밈. 또는 그런 차림새. 예 나는 노인으로 분장하고 무대에 올라갔다.
위장(僞裝)	본래의 정체나 모습이 드러나지 않도록 거짓으로 꾸밈. 또는 그런 수단이나 방법. 예 위장 결혼.
치장(治粧)	잘 매만져 곱게 꾸밈. 예 봄을 맞아 집을 새롭게 치장했다.

감수(甘受)	책망이나 괴로움 따위를 달갑게 받아들임. 예 전체를 위해서 개인의 희생이 감수될 수 있다는 생각은 옳지 않다.
고수(固守)	차지한 물건이나 형세 따위를 굳게 지킴. 예 강경 노선 고수.
사수(死守)	죽음을 무릅쓰고 지킴. 예 고지 사수.
엄수(嚴守)	명령이나 약속 따위를 어김없이 지킴. '꼭 지킴'으로 순화. 예 교칙 엄수.
준수(遵守)	전례나 규칙, 명령 따위를 그대로 좇아서 지킴. 예 안전 수칙 준수.

부지(扶持/扶支)	상당히 어렵게 보존하거나 유지하여 나감. 예 목숨이 부지되다.
유지(維持)	어떤 상태나 상황을 그대로 보존하거나 변함없이 계속하여 지탱함. 예 질서 유지.
의지(依支)	① 다른 것에 몸을 기댐. 또는 그렇게 하는 대상. 예 벽을 의지로 삼아 간신히 서 있다. ② 다른 것에 마음을 기대어 도움을 받음. 또는 그렇게 하는 대상. 예 항상 의지가 되는 사람.
지지(支持)	어떤 사람이나 단체 따위의 주의 · 정책 · 의견 따위에 찬동하여 이를 위하여 힘을 씀. 또는 그 원조. 예 그는 대중의 전폭적인 지지를 얻었다.
지탱(支口)	오래 버티거나 배겨 냄. 예 산소 호흡기로 목숨이 지탱되다.

시야(視野)	① 시력이 미치는 범위. 예 시야가 탁 트이다. ② 현미경, 망원경, 사진기 따위의 렌즈로 볼 수 있는 범위. 예 망원경으로 시야가 닿는 수평선 안의 해면을 보았다. ③ 사물에 대한 식견이나 사려가 미치는 범위. 예 그는 여러 곳을 다니며 시야를 넓혔다.
식견(識見)	학식과 견문이라는 뜻으로, 사물을 분별할 수 있는 능력을 이르는 말. 예 식견이 높다.
심미안(審美眼)	아름다움을 살펴 찾는 안목.
안목(眼目)	사물을 보고 분별하는 견식. 예 안목이 있다.
혜안(慧眼)	사물을 꿰뚫어 보는 안목과 식견. 예 아마도 형은 앞날을 내다볼 줄 아는 혜안을 갖고 있었던 것 같았다.

절박(切迫)	어떤 일이나 때가 가까이 닥쳐서 몹시 급하다. 예 절박한 사태.
촉박(促迫)	기한이 바싹 닥쳐와서 가까움. 예 차 시간이 촉박하다.
육박(肉薄)	바싹 가까이 다가붙음. 예 5만 명에 육박한 관중들.

04 한자성어 / 속담 / 관용구

본문 94쪽

1 중요 한자성어

01 가담항설(街談巷說)

길거리나 항간에 떠도는 소문. '뜬소문'으로 순화.

02 가렴주구(苛斂誅求)

세금을 가혹하게 거두어들이고, 무리하게 재물을 빼앗음.

03 각골난망(刻骨難忘)

남에게 입은 은혜가 뼈에 새길 만큼 커서 잊히지 아니함.

04 각주구검(刻舟求劍)

융통성 없이 현실에 맞지 않는 낡은 생각을 고집하는 어리석음을 이르는 말.

05 견강부회(牽强附會)

이치에 맞지 않는 말을 억지로 만들어 붙여서 자기에게 유리하게 함.

06 고식지계(姑息之計)

우선 당장 편한 것만을 택하는 꾀나 방법.

07 교각살우(矯角殺牛)

소의 뿔을 바로잡으려다가 소를 죽인다는 뜻으로, 잘못된 점을 고치려다 오히려 일을 그르침을 이르는 말.

08 노승발검(怒蠅拔劍)

성가시게 구는 파리를 보고 성내어 칼을 뺀다는 뜻으로, 사소한 일에 화를 내거나 또는 작은 일에 어울리지 않게 커다란 대책을 세움을 이르는 말.

09 다기망양(多岐亡羊)

갈림길이 많아 잃어버린 양을 찾지 못한다는 뜻으로, 두루 섭렵하기만 하고 전공하는 바가 없어 끝내 성취하지 못함을 이르는 말.

10 등고자비(登高自卑)

높은 곳에 오르려면 낮은 데서부터 시작하는 것처럼 무슨 일이든 순서를 따라서 해야 한다는 말.

11 등화가친(燈火可親)

등잔불을 가까이할 만하다는 뜻으로, 서늘한 가을밤은 등불을 가까이 하여 글 읽기에 좋음을 이르는 말.

12 망양보뢰(亡羊補牢)

양을 잃고 우리를 고친다는 뜻으로, 어떤 일을 실패한 뒤에 뉘우쳐도 아무 소용이 없음을 이르는 말.

13 망양지탄(亡羊之歎/亡羊之嘆)

갈림길이 매우 많아 잃어버린 양을 찾을 길이 없음을 탄식한다는 뜻으로, 학문의 길이 여러 갈래여서 한 갈래의 진리도 얻기 어려움을 이르는 말.

14 목불식정(目不識丁)

아주 간단한 글자인 '丁' 자를 보고도 그것이 '고무래'인 줄을 알지 못한다는 뜻으로, 아주 까막눈임을 이르는 말.

15 발본색원(拔本塞源)

좋지 않은 일의 근원이 되는 요소를 완전히 없애 버려서 다시는 그러한 일이 생길 수 없도록 함. 뿌리를 뽑고 원천을 막아 버림.

16 백척간두(百尺竿頭)

백 자나 되는 높은 장대 위에 올라섰다는 뜻으로, 몹시 어렵고 위태로운 지경.

17 부화뇌동(附和雷同)

줏대 없이 남의 말에 따라 움직임.

18 사면초가(四面楚歌)

아무에게도 도움을 받지 못하는, 외롭고 곤란한 지경에 빠진 형편을 이르는 말.

19 상전벽해(桑田碧海)

뽕나무밭이 푸른 바다가 되듯이 세상일의 변천이 심함을 비유적으로 이르는 말.

20 수주대토(守株待兎)

한 가지 일에만 얽매여 발전을 모르는 어리석은 사람을 비유적으로 이르는 말.

21 순망치한(脣亡齒寒)

입술이 없어지면 이가 시리다는 뜻으로, 둘 중에 하나가 없어지면 다른 하나도 온전치 못하게 됨.

22 아전인수(我田引水)

자기 논에 물 대기. 자기에게 이로운 대로만 함.

23 양두구육(羊頭狗肉)

양의 머리를 걸어 놓고 개고기를 판다는 뜻으로, 겉으로는 훌륭한 것을 내세우지만 속은 변변하지 않음을 이르는 말.

24 연목구어(緣木求魚)

나무에 올라가서 물고기를 구한다는 뜻으로, 공연히 되지 않을 일을 무리하게 하려 함을 비유한 말.

25 와신상담(臥薪嘗膽)

불편한 섶에 몸을 눕히고 쓸개를 맛본다는 뜻으로, 마음먹은 일을 이루려고 괴로움과 어려움을 참고 견딤을 이르는 말.

26 자가당착(自家撞着)

같은 사람의 말이나 행동이 앞뒤가 서로 맞지 아니하고 모순됨.

27 주마가편(走馬加鞭)

달리는 말에 채찍질을 한다는 뜻으로, 부지런하고 성실한 사람을 더 격려함을 이르는 말.

28 주마간산(走馬看山)

말을 타고 달리며 산천을 구경한다는 뜻으로, 자세히 살피지 아니하고 대충대충 보고 지나감을 이르는 말.

29 침소봉대(針小棒大)

조그마한 일을 크게 불려서 말함.

30 타산지석(他山之石)

다른 산의 나쁜 돌일지라도 자신의 산의 옥돌을 가는 데에 쓸 수 있다는 뜻으로, 본이 되지 않은 남의 말이나 행동도 자신의 지식과 인격을 수양하는 데에 도움이 될 수 있음을 비유적으로 이르는 말.

31 토사구팽(兎死狗烹)

토끼를 다 잡으면 사냥개를 삶는다는 뜻으로, 요긴한 때는 소중히 여기다가도 쓸모가 없게 되면 버리는 것을 이르는 말.

32 풍수지탄(風樹之歎/風樹之嘆)

나무는 고요하게 있고자 하나 바람이 그쳐 주지 않는다는 탄식으로, 효도를 다하지 못한 채 어버이를 여읜 자식의 슬픔을 이르는 말.

33 하석상대(下石上臺)

아랫돌 빼서 윗돌 괴고 윗돌 빼서 아랫돌 괸다는 뜻으로, 임시변통으로 이리저리 둘러맞춤을 이르는 말.

34 호사다마(好事多魔)

좋은 일에는 방해가 되는 일이 많음.

2 중요 속담

01 가게 기둥에 입춘

보잘것없는 가겟집 기둥에 '입춘대길(立春大吉)'이라 써 붙인다는 뜻으로, 옷이나 지닌 물건이 제격에 맞지 않아 어울리지 않는다는 말.

02 개 발에 (주석) 편자

옷차림이나 지닌 물건이 제격에 맞지 않아 도리어 흉할 때를 이르는 말.

03 기둥보다 서까래가 더 굵다

주(主)가 되는 것과 그것에 따른 것이 뒤바뀌어 사리에 어긋남을 비유적으로 이르는 말.

04 까마귀 날자 배 떨어진다

아무 관계없이 한 일이 공교롭게도 때가 같아 어떤 관계가 있는 것처럼 의심을 받게 됨을 비유적으로 이르는 말.

05 남의 잔치[제사]에 감 놓아라 배 놓아라 한다

쓸데없이 남의 일에 참견함을 이르는 말.

06 달도 차면 기운다

세상의 모든 것이 한번 성하면 쇠퇴해짐을 이름.

07 도랑 치고 가재 잡는다

① 한 번의 노력으로 두 가지 소득을 얻는다는 말.
② 일의 순서가 뒤바뀌었기 때문에 애쓴 보람이 나타나지 않음.

08 두부 먹다 이 빠진다

① 마음 놓은 데서 실수가 생기는 것이니 항상 조심하라는 뜻.
② 틀림없는 데서 뜻밖의 실수를 하였다는 말.

09 말 타면 경마 잡히고 싶다

사람의 욕심이란 한이 없다는 말.

10 모로 가도 서울만 가면 된다

무슨 방법으로라도 처음의 목적을 이루면 된다는 말.

11 밑 빠진 독에 물 붓기

① 아무리 애써 하더라도 아무 보람이 없는 경우를 이르는 말.
② 아무리 벌어도 쓸 곳이 많아 항상 모자라는 경우를 이르는 말.

12 백지장도 맞들면 낫다

아무리 쉬운 일이라도 혼자 하는 것보다 서로 힘을 합쳐서 하면 더 쉽다는 뜻.

13 빈대 잡으려고 초가삼간 태운다

손해를 크게 볼 것을 생각지 않고 자기에게 마땅치 않은 것을 없애려고 덤빈다는 뜻.

14 사공이 많으면 배가 산으로 간다

주관하는 사람, 참견하는 사람이 많으면 일을 이루기가 어렵다는 말.

15 소문난 잔치에 먹을 것 없다

세상 소문은 실제와 일치하지 않는 경우가 많아 좋다고 소문난 것이 오히려 대단치 않은 편이 더 많다는 말.

16 외손뼉이 소리 날까

① 상대 없는 분쟁은 없다는 뜻.
② 일은 혼자서만 해서는 잘되는 것이 아니라는 뜻.

17 우물에 가 숭늉을 찾는다

일의 순서도 모르고 성급히 덤빈다는 뜻.

18 주머니에 들어간 송곳이라

재능이 뛰어난 사람은 숨어 있어도 저절로 사람들에게 알려짐을 이르는 말.

19 책력(冊曆) 보아 가며 밥 먹는다

밥을 매일 먹을 수 없어 길일(吉日)을 택하여 밥을 먹는다는 것으로, 가난하여 끼니를 자주 굶는다는 말.

20 콩 심은 데 콩 나고 팥 심은 데 팥 난다

모든 일은 원인에 따라 결과가 생긴다는 말.

21 큰 고기는 깊은 물속에 있다

훌륭한 인물은 많은 사람들 속에 섞여 있어 잘 드러나지 않는다는 말.

22 태산을 넘으면 평지를 본다

고생을 이겨 내면 즐거운 일이 생긴다는 말.

23 티끌 모아 태산

아무리 적은 것이라도 모이면 큰 것이 될 수 있다는 말.

24 한번 엎지른 물은 주워 담지 못한다

한번 저지른 잘못을 아무리 돌이키려 해도 다시 고쳐 회복할 수 없다는 뜻.

25 호랑이도 제 말 하면 온다

어떤 자리에서, 마침 이야기에 오른 바로 그 사람이 나타났을 때에 이르는 말.

26 황소 뒷걸음치다가 쥐 잡는다

① 어리석은 사람이 미련한 행동을 하다가 뜻밖에 좋은 성과를 얻었을 때 하는 말.
② 이따금 우연히 알아맞히거나 일을 이루었을 때 하는 말.

3 의미가 통하는 한자성어와 속담

한자성어	속담
감탄고토(甘呑苦吐)	달면 삼키고 쓰면 뱉는다
고식지계(姑息之計) =동족방뇨(凍足放尿)	언 발에 오줌 누기
고장난명(孤掌難鳴)	두 손뼉이 맞아야 소리가 난다
교각살우(矯角殺牛)	빈대 잡으려고 초가삼간 태운다. 쇠뿔 잡다가 소 죽인다
권불십년(權不十年)	달도 차면 기운다
낭중지추(囊中之錐)	주머니에 들어간 송곳이라
당구풍월(堂狗風月)	서당 개 삼 년에 풍월을 읊는다
당랑거철(螳螂拒轍)	하룻강아지 범 무서운 줄 모른다
동가홍상(同價紅裳)	같은 값이면 다홍치마
득롱망촉(得□望蜀)	말 타면 경마 잡히고 싶다
등고자비(登高自卑)	천 리 길도 한 걸음부터
망양보뢰(亡羊補牢)	소 잃고 외양간 고친다
백문불여일견 (百聞不如一見)	열 번 듣는 것이 한 번 보는 것만 못하다
부화뇌동(附和雷同)	숭어가 뛰니까 망둥이도 뛴다
설상가상(雪上加霜)	하품에 딸꾹질

한자성어	속담
순망치한(脣亡齒寒)	입술이 없으면 이가 시리다
십시일반(十匙一飯)	열의 한 술 밥이 한 그릇 푼푼하다. 열이 어울러 밥 찬 한 그릇
아전인수(我田引水)	제 논에 물 대기
오비삼척(吾鼻三尺)	내 코가 석 자
오비이락(烏飛梨落)	까마귀 날자 배 떨어진다
욕속부달(欲速不達)	우물에 가 숭늉 찾는다
정저지와(井底之蛙)	우물 안 개구리
종과득과(種瓜得瓜) =종두득두(種豆得豆)	콩 심은 데 콩 나고 팥 심은 데 팥 난다
주마가편(走馬加鞭)	달리는 말에 채찍질, 가는 말에 채찍질
주마간산(走馬看山)	수박 겉 핥기
표리부동(表裏不同)	겉 다르고 속 다르다
풍전등화(風前燈火)	바람 앞의 등불
하석상대(下石上臺)	아랫돌 빼서 윗돌 괴고 윗돌 빼서 아랫돌 괴기
호가호위(狐假虎威)	원님 덕에 나팔 분다

4 중요 관용구

01 가닥을 잡다
분위기, 상황, 생각 따위를 이치나 논리에 따라 바로잡다.

02 간담이 서늘하다
몹시 놀라서 섬뜩하다.

03 간장을 녹이다
① 감언이설, 아양 따위로 상대편의 환심을 사다.
② 몹시 애타게 하다.

04 귀에 못이 박히다
같은 말을 여러 번 듣다.

05 눈 뜨고 볼 수 없다
눈앞의 광경이 참혹하거나 민망할 정도로 아니꼬워 차마 볼 수 없다.

06 눈 밖에 나다
신임을 잃고 미움을 받게 되다.

07 눈에 불을 켜다
① 몹시 욕심을 내거나 관심을 기울이다.
② 화가 나서 눈을 부릅뜨다.

08 눈이 높다
① 정도 이상의 좋은 것만 찾는 버릇이 있다.
② 안목이 높다.

09 눈코 뜰 사이[새] 없다
정신 못 차리게 몹시 바쁘다.

10 눈 하나 깜짝 안 하다
태도나 기색이 아무렇지도 않은 듯이 예사롭게 굴다.

11 다리를 놓다
상대편과 관련을 짓기 위하여 중간에 다른 사람을 넣다.

12 떡 주무르듯 하다
저 하고 싶은 대로 마음대로 다루다.

13 머리를 굴리다
머리를 써서 생각해 내다.

14 머리를 맞대다
어떤 일을 의논하거나 결정하기 위하여 서로 마주 대하다.

15 목구멍에 풀칠하다
굶지 않고 겨우 살아가다.

16 목에 힘을 주다
거드름을 피우거나 남을 깔보는 듯한 태도를 취하다.

17 바가지를 쓰다
① 요금이나 물건값을 실제 값보다 비싸게 지불하다.
② 어떤 일에 부당한 책임을 억울하게 지게 되다.

18 발 디딜 틈이 없다
복작거리어 혼잡스럽다.

19 발을 뻗다[펴다]
걱정되거나 애쓰던 일이 끝나 마음을 놓다.

20 발이 넓다
사귀어 아는 사람이 많아 활동하는 범위가 넓다.

21 발이 손이 되도록 빌다
손만으로는 부족하여 발까지 동원할 정도로 간절히 빌다.

22 빈손 털다
① 들인 재물이나 노력이 허사로 되어 아무것도 얻은 것이 없이 되다.
② 가지고 있던 것을 몽땅 털어 내다.

23 뼈도 못 추리다

상대와 싸움의 적수가 안 되어 손실만 보고 전혀 남는 것이 없다.

24 뼈에 사무치다

원한이나 고통 따위가 뼛속에 파고들 정도로 깊고 강하다.

25 산통을 깨다

다 잘되어 가던 일을 이루지 못하게 뒤틀다.

26 손바닥을 뒤집듯

① 태도를 갑자기 또는 노골적으로 바꾸기를 아주 쉽게.
② 일하기를 매우 쉽게.

27 손에 땀을 쥐다

아슬아슬하여 마음이 조마조마하도록 몹시 애달다.

28 손을 씻다

부정적인 일에 대하여 관계를 청산하다.

29 시치미를 떼다

자기가 하고도 하지 아니한 체하거나 알고 있으면서도 모르는 체하다.

30 어깨가 올라가다

칭찬을 받거나 하여 기분이 으쓱해지다.

31 어깨를 견주다 = 어깨를 겨누다[겨루다]

서로 비슷한 지위나 힘을 가지다.

32 입에 침이 마르다 = 침이 마르다

다른 사람이나 물건에 대하여 거듭해서 말하다.

33 제 눈에 안경

보잘것없는 물건이라도 제 마음에 들면 좋게 보인다는 말.

34 죽을 쑤다

어떤 일을 망치거나 실패하다.

35 찬물을 끼얹다

좋은 분위기에 끼어들어 분위기를 망치거나 흐리게 하다.

36 코가 꿰이다

약점이 잡히다.

37 코가 빠지다

근심에 싸여 기가 죽고 맥이 빠지다.

38 코 큰 소리

잘난 체하는 소리.

39 탈을 벗다

거짓으로 꾸민 모습을 버리고 본래의 모습을 드러내다.

40 피가 거꾸로 솟다

피가 머리로 모인다는 뜻으로, 매우 흥분한 상태.

41 핏대를 세우다[내다 / 돋우다 / 올리다]

목의 핏대에 피가 몰려 얼굴이 붉어지도록 화를 내거나 흥분하다.

42 하늘을 찌르다

① 매우 높이 솟다.
② 기세가 몹시 세차다.

43 하늘이 노랗다

① 지나친 과로나 상심으로 기력이 몹시 쇠하다.
② 큰 충격을 받아 정신이 아찔하다. = 하늘이 캄캄하다

05 혼동하기 쉬운 어휘

본문 122쪽

가늠	목표나 기준에 맞고 안 맞음을 헤아려 봄. 또는 헤아려 보는 목표나 기준. 어림잡아 헤아림. 예 이번 성적을 가늠해 보아라. / 사무실의 면적을 먼저 가늠해 보고 들일 물건을 배치해야 한다.
가름	승부나 등수 따위를 정하는 일. 나누거나 쪼개어 따로 갈라놓음. 예 지역에 따라 편을 가름하는 일은 그만두어라.
갈음	다른 것으로 바꾸어 대신함. 예 그는 웃음으로 답변을 갈음했다.

가없다	끝이 없다. 예 저 멀리 펼쳐진 옥색 바다는 가없어 보였다.
가엾다	마음이 아플 만큼 안되고 처연하다. 예 그는 세상에 의지할 곳 없는 가엾은 존재이다.

갑절	어떤 수나 양을 두 번 합한 만큼. 예 집값이 전보다 두 배, 딱 갑절만큼 올랐다.
곱절	배수(倍數)를 세는 단위. 일정 수나 양이 어떤 수만큼 거듭됨. 예 새로운 기술을 도입하면 연간 소득이 지금보다 몇 곱절 높아진다.

곤욕(困辱)	참기 힘든 심한 모욕. 그런 일. 예 그 여배우는 이번에도 근거 없는 열애설 때문에 곤욕을 당했다며 억울함을 토로했다.
곤혹(困惑)	뜻밖의 곤란한 일을 당해 어찌할 바를 모름. 예 나는 그녀의 갑작스런 질문에 곤혹을 느꼈다.

느리다	어떤 일이 이루어지는 과정이나 기간이 길다. 동작을 하는 데 걸리는 시간이 길다. 예 그 사람은 행동이 너무 느려서 일의 진행이 더디다.
늘이다	본디보다 더 길게 하다. 예 그는 기분이 언짢은 듯 말의 꼬리를 길게 늘였다.
늘리다	'늘다(수나 분량, 시간 따위가 본디보다 많아지다.)'의 사동사. 예 그는 수업의 수강생 수를 늘리기 위해 노력했다.

-대	남의 말을 전달할 때 쓰는 종결 어미. '-다고 해'가 줄어든 말. 예 사람들 말로는 그 여자 벌써 결혼했대.
-데	예전에 직접 경험한 내용을 현재에 전달할 때 쓰는 종결 어미. 예 그 아이는 투정 없이 음식을 참 잘 먹데.

띠다	직책, 사명 따위를 지니다. 빛깔이나 색채를 가지다. 감정이나 기운 따위를 나타내다. 예 그는 사명감을 띠고 업무에 임했다. / 태희는 부끄러운 듯 뺨에 홍조를 띠었다. / 그는 미소를 띠며 말했다.
띄다	'뜨이다(눈에 보이다, 남보다 훨씬 두드러지다.)'의 준말. '띄우다(사이를 뜨게 하다.)'의 준말 예 그녀는 어디에서나 눈에 띄었다. / 한글 맞춤법에 따라 띄어 쓰도록 해라.

받히다	'받다(세게 부딪치다.)'의 피동사. 예 길가에 서 있던 은혜는 과속 차량에 받혀 중상을 입었다.
받치다	어떤 물건의 밑이나 옆에 다른 물체를 올리거나 대다. 예 공책에 책받침을 받치고 쓰면 글씨가 더 잘 써진다.
밭치다	'밭다(액체에 건더기가 있는 것을 체나 거르는 장치로 액체만을 따로 걸러내다.)'를 강조하는 말. 예 젓국을 밭쳐 국물만 따로 얻었다.

보전(保全)	온전하게 보호하여 유지함. 예 우리는 문화 유적 보전에 힘써야 한다.
보존(保存)	잘 간수하여 상하지 않게 남김. 예 현장은 행정 담당자가 올 때까지 다행히 잘 보존되어 있었다.

왠지	왜 그러한지 모르게. 또는 뚜렷한 이유 없이. 예 그는 가게를 찾는 손님이 많아지자 왠지 오히려 불길한 느낌이 들었다.
웬	어찌 된. 어떠한. 예 마른하늘에 날벼락이라더니 이게 웬 난리래? / 문밖에 웬 놈이 서 있다.

일절(一切)	아주, 전혀, 절대로의 의미로 행위나 사물에 대한 금지, 부정의 의미로 쓰는 말. 예 그는 자신의 가족에 대한 이야기는 일절 하지 않았다.
일체(一切)	모든 것, 전부, 통틀어. 예 박 부장은 그 사건에 대한 일체의 책임을 지기로 나와 약속했다. / 부식(副食) 일체 준비되어 있습니다.

-째	'그대로', '전부'의 뜻을 더함. 예 송미는 배가 많이 고팠는지 그릇째로 먹을 기세였다.
채	이미 있는 상태 그대로 있음. 예 그 사람은 신발도 벗지 않은 채 마루에 올라섰다.

혼돈(混沌/渾沌)	마구 뒤섞여 구별을 할 수 없음. 또는 그런 상태. 예 가치관 혼돈의 시대에 살고 있다.
혼동(混同)	구별하지 못하고 뒤섞어 생각함. 예 잠이 채 깨지 않아서 현실과 꿈이 혼동되었다.

06 다양한 어휘

본문 131쪽

1 단위어

01 거리

오이, 가지 따위의 50개를 한 단위로 이르는 말. 따라서 두 거리가 한 접이 된다.

02 담불

벼를 100섬씩 묶어 세는 단위.

03 두름

물고기를 짚으로 한 줄에 열 마리씩 두 줄로 엮은 것. 또는 산나물을 열 모숨 정도로 엮은 것.

예 청어 한 두름.

04 모숨

가늘고 긴 물건이 한 줌 안에 들 만한 분량.

05 뭇

① 장작이나 채소 따위의 한 묶음을 이르는 단위.
  예 장작 한 뭇.
② 볏단을 세는 단위.
③ 한 뭇은 생선 10마리, 미역 10장.

06 섬

곡식, 액체의 부피를 나타내는 단위. 한 섬은 약 180리터.

07 손

한 손에 잡을 만한 분량. 조기, 고등어 따위 생선 2마리. 배추는 2통. 미나리, 파 따위는 한 줌.

08 쌈

① 바늘을 묶어 세는 단위. 한 쌈은 바늘 24개.
  예 바늘 한 쌈.
② 금의 무게를 나타내는 단위. 금 100냥쭝.

09 자[척(尺)]

길이의 단위. 한 자는 한 치의 10배로 약 30.3cm.

10 접

감, 마늘, 무, 배추와 같은 채소나 과일을 세는 단위. 100개.

11 제(劑)

한방약 20첩.

12 첩(貼)

약봉지에 싼 약의 뭉치를 세는 단위.

13 축

오징어 20마리.

14 쾌

① 북어 20마리를 한 단위로 세는 말.
  예 북어 한 쾌.
② 엽전 10냥을 한 단위로 셀 때 쓰는 말.

15 톳

김 100장을 한 묶음으로 세는 단위.

16 푼

비율을 나타내는 단위. 1푼은 전체 수량의 100분의 1로, 1할의 10분의 1.

2 형제자매의 배우자에 대한 호칭어 / 지칭어

아주머니	형의 아내를 직접 부를 때
아지미, 형수	형의 아내를 집안 어른에게 말할 때
형수씨	형의 아내를 남에게 말할 때
존형수씨	남에게 그의 형수를 말할 때
제수씨 · 수씨	동생의 아내를 직접 부를 때
제수	집안 어른에게 제수를 말할 때
제수씨	제수를 남에게 말할 때
영제수씨	남에게 그의 제수를 말할 때
올케, 새댁, 자네	시누이가 남동생의 아내를 부를 때
매부	아래위 누이의 남편을 통틀어 말할 때
자형, 매형	손위 누이의 남편을 말할 때
매제	손아래 누이의 남편을 말할 때

3 순화어

순화 대상어	순화어
내비게이션	길 도우미, 길 안내기
네티즌	누리꾼
레시피	조리법
로밍	어울통신
론칭 쇼	신제품 발표회
리메이크	(원작) 재구성
리콜	결함 보상, 결함 보상제
멀티탭	모둠꽂이
무빙워크	자동길
박스오피스	흥행 수익
발레파킹	대리 주차

순화 대상어	순화어
벤치마킹	본따르기
뷰파인더	보기 창
블랙 컨슈머	악덕 소비자
블루 오션	대안 시장
선루프	지붕창
스크린 도어	안전문
패셔니스타	맵시꾼
풀 옵션	모두 갖춤
핫이슈	주요 쟁점
힐링	치유

4 나이를 일컫는 한자어

나이	한자어	의미
15세	계년(笄年)	여자 15세. 여자가 처음 비녀를 꽂던 나이.
15세	지학(志學)	15세가 되어야 학문에 뜻을 둔다는 뜻. ※ 육척(六尺): 주(周)나라의 척도에 1척(尺)은 두 살 반 나이의 아이 키를 의미하여 6척은 15세를 뜻함.
16세	과년(瓜年)	결혼 적령기의 여자아이. 과(瓜) 자를 파자(破字)하면 '八八'이 되므로 여자 나이 16세를 나타내고 결혼 적령기를 의미함.
20세	약관(弱冠)	남자는 스무 살에 관례를 치르어 성인이 된다는 뜻.
20세	방년(芳年)	여자 20세 전후의 한창 젊은 꽃다운 나이.
30세	이립(而立)	서른 살쯤에 가정과 사회에 모든 기반을 닦는다는 뜻.
40세	불혹(不惑)	공자가 40세가 되어서야 세상일에 미혹함이 없었다는 데서 나온 말.
50세	지천명(知天命)	쉰 살에 드디어 천명(天命)을 알게 된다는 뜻.
60세	이순(耳順)	육순(六順). 《논어》에서 나온 말로 나이 예순에는 생각하는 모든 것이 원만하여 무슨 일이든 들으면 곧 이해가 된다는 뜻.
60세	하수(下壽)	60세의 나이. 또는 그 나이가 된 노인. 장수한 것을 상·중·하로 나누었을 때 가장 적은 나이를 이르는 말.
61세	환갑(還甲)	만 60세. 회갑(回甲). 즉 61세가 되는 해의 생일.
62세	진갑(進甲)	회갑 이듬해. 만 61세. 즉 62세가 되는 해의 생일.
70세	고희(古稀)	두보의 〈곡강시〉에 나오는 '인생칠십고래희(人生七十古來稀, 사람이 일흔 살까지 살기란 예로부터 드문 일)'에서 유래한 말.
70세	종심(從心)	일흔 살을 달리 이르는 말. 공자가 '칠십이종심소욕불유구(七十而從心所欲不踰矩, 일흔에 마음이 하고자 하는 바를 따라 행동해도 법도를 넘지 않았다)'라고 한 것에서 유래된 말.
77세	희수(喜壽)	오래 살아 기쁘다는 뜻. '喜'자의 약자가 '七'자로 이루어져 77을 뜻함.
88세	미수(米壽)	여든여덟 살의 생일. '米'자는 '八十八'로 이루어진 말임.
90세	졸수(卒壽)	'졸(卒)' 자를 구와 십의 파자로 해석[= 구질(九秩): 아흔 살을 이르는 말].
91세	망백(望百)	백(百)을 바라본다는 뜻으로, 나이 아흔한 살을 이르는 말.
99세	백수(白壽)	아흔아홉 살. '百'에서 '一'을 빼면 99가 되고 '白'자가 되는 데서 유래된 말.
100세	상수(上壽)	나이가 보통 사람보다 썩 많음. 또는 그 나이. 100세의 나이. 또는 그 나이가 된 노인. 장수한 것을 상·중·하로 나누었을 때 가장 많은 나이를 이르는 말.
100세	기이지수(期頤之壽)	백 살의 나이. 또는 그 나이의 사람. 몸이 늙어 기거를 마음대로 할 수 없어 다른 사람에게 의탁한다는 뜻.

PART 2
어문 규정

01 표준어 규정 / 표준 발음법

본문 150쪽

1 표준어 규정

01 자음에 관한 규정

제3항 다음 단어들은 거센소리를 가진 형태를 표준어로 삼는다.

끄나풀, 나팔꽃, 동녘(들녘, 새벽녘, 동틀 녘), 살쾡이, 칸

제5항 어원에서 멀어진 형태로 굳어져서 널리 쓰이는 것은, 그것을 표준어로 삼는다.

강낭콩(강남콩×), 고삿(고샅×), 사글세(= 월세 / 삭월세×)

제6항 다음 단어들은 의미를 구별함이 없이, 한 가지 형태만을 표준어로 삼는다.

돌(돐×), 둘째(두째×), 셋째(세째×), 빌리다('빌려주다'의 의미○, 빌다×)

제7항 수컷을 이르는 접두사는 '수-'로 통일한다.

수꿩, 수놈, 수소, 수은행나무

- 다음 단어에서는 접두사 다음에서 나는 거센소리를 인정한다. 접두사 '암-'이 결합되는 경우에도 이에 준한다.

  수캉아지, 수탉, 수탕나귀, 수퇘지, 수평아리 / 암캉아지, 암탉, 암탕나귀, 암퇘지, 암평아리

- 다음 단어의 접두사는 '숫-'으로 한다.

  숫양, 숫염소, 숫쥐

02 모음에 관한 규정

제8항 양성 모음이 음성 모음으로 바뀌어 굳어진 다음 단어는 음성 모음 형태를 표준어로 삼는다.

깡충깡충, -둥이, 발가숭이, 뻗정다리, 오뚝이, 주추(기둥 밑에 괴는 돌 따위의 물건)

- 어원 의식이 강하게 작용하는 다음 단어에서는 양성 모음 형태를 그대로 표준어로 삼는다.

  부조(扶助), 사돈(査頓), 삼촌(三寸)

제9항 'ㅣ' 역행 동화 현상에 의한 발음은 원칙적으로 표준 발음으로 인정하지 아니하되, 다만 다음 단어들은 그러한 동화가 적용된 형태를 표준어로 삼는다.

-내기(시골내기, 풋내기), 냄비, 동댕이치다

[붙임2] 기술자에게는 '-장이', 그 외에는 '-쟁이'가 붙는 형태를 표준어로 삼는다.

미장이, 유기장이, 담쟁이덩굴, 멋쟁이, 소금쟁이

제10항 다음 단어는 모음이 단순화한 형태를 표준어로 삼는다.

괴팍하다, 미루나무, 으레, 케케묵다, 허우대, 허우적허우적(허위적허위적×)

제11항 다음 단어는 모음의 발음 변화를 인정하여, 발음이 바뀌어 굳어진 형태를 표준어로 삼는다.

~구료(×) → ~구려(○) 나무래다(×) → 나무라다(○) 바래다(×) → 바라다(○) 상치(×) → 상추(○) 허드래(×) → 허드레(○)

03 준말에 관한 규정

제14항 준말이 널리 쓰이고 본말이 잘 쓰이지 않는 경우에는, 준말만을 표준어로 삼는다.

또아리(×) → 똬리(○) 무우(×) → 무(○) 새앙쥐(×) → 생쥐(○) 소리개(×) → 솔개(○) 온가지(×) → 온갖(○)

제15항 준말이 쓰이고 있더라도, 본말이 널리 쓰이고 있으면 본말을 표준어로 삼는다.

귀개(×) → 귀이개(○) 낌(×) → 낌새(○) 뒝박(×) → 뒤웅박(○) 막잡이(×) → 마구잡이(○) 부럼(×) → 부스럼(○)

제16항 준말과 본말이 다 같이 널리 쓰이면서 준말의 효용이 뚜렷이 인정되는 것은, 두 가지를 다 표준어로 삼는다.

거짓부리 - 거짓불 노을 - 놀 막대기 - 막대 머무르다 - 머물다 서두르다 - 서둘다 오누이 - 오뉘/오누 외우다 - 외다 이기죽거리다 - 이죽거리다 찌꺼기 - 찌끼(찌꺽지×)

04 발음 변화에 따른 단수 / 복수 표준어

제17항 비슷한 발음의 몇 형태가 쓰일 때, 그 의미에 아무런 차이가 없고, 그중 하나가 더 널리 쓰이면, 그 한 형태만을 표준어로 삼는다.

구워박다(×) → 구어박다(○) 꼭둑각시(×) → 꼭두각시(○) 얌냠거리다(×) → 냠냠거리다(○) 대싸리(×) → 댑싸리(○) 봉숭화(×) → 봉숭아/봉선화(○) 짓물다(×) → 짓무르다(○) 천정(×) → 천장(○)

제18항 다음 단어는 ㄱ을 원칙으로 하고, ㄴ도 허용한다.

ㄱ	ㄴ
네	예
쇠고기	소고기
쐬다	쏘이다
죄다	조이다

제19항 어감의 차이를 나타내는 단어 또는 발음이 비슷한 단어들이 다 같이 널리 쓰이는 경우에는, 그 모두를 표준어로 삼는다.

거슴츠레하다 – 게슴츠레하다 고까 – 꼬까 고린내 – 코린내 꺼림하다 – 께름하다 나부랭이 – 너부렁이

05 어휘 선택에 관한 규정

◉ 고어

제20항 사어(死語)가 되어 쓰이지 않게 된 단어는 고어로 처리하고, 현재 널리 사용되는 단어를 표준어로 삼는다.

설겆다(×) → 설거지하다(○) 머귀나무(×) → 오동나무(○) 애닯다(×) → 애달프다(○)

◉ 한자어

제21항 고유어 계열의 단어가 널리 쓰이고 그에 대응되는 한자어 계열의 단어가 용도를 잃게 된 것은, 고유어 계열의 단어만을 표준어로 삼는다.

노닥다리(×) → 늙다리(○) 말약(×) → 가루약(○) 맹눈(×) → 까막눈(○) 백말/부루말(×) → 흰말(○) 잎초(×) → 잎담배(○) 화곽(×) → 성냥(○)

제22항 고유어 계열의 단어가 생명력을 잃고 그에 대응되는 한자어 계열의 단어가 널리 쓰이면, 한자어 계열의 단어를 표준어로 삼는다.

개다리밥상(×) → 개다리소반(○) 둥근파(×) → 양파(○) 맞상(×) → 겸상(○) 민주스럽다(×) → 민망스럽다/면구스럽다(○) 알타리무/알무(×) → 총각무(○) 잇솔(×) → 칫솔(○)

◉ 방언

제23항 방언이던 단어가 표준어보다 더 널리 쓰이게 된 것은, 그것을 표준어로 삼는다. 이 경우, 원래의 표준어는 그대로 표준어로 남겨 두는 것을 원칙으로 한다.

멍게 – 우렁쉥이 물방개 – 선두리 애순 – 어린순

제24항 방언이던 단어가 널리 쓰이게 됨에 따라 표준어이던 단어가 안 쓰이게 된 것은, 방언이던 단어를 표준어로 삼는다.

귓머리(×) → 귀밑머리(○) 빈자떡(×) → 빈대떡(○) 역스럽다(×) → 역겹다(○) 코보(×) → 코주부(○)

06 어휘 선택에 따른 단수 / 복수 표준어

제25항 의미가 똑같은 형태가 몇 가지 있을 경우, 그중 어느 하나가 압도적으로 널리 쓰이면, 그 단어만을 표준어로 삼는다.

길앞잡이(×) → 길잡이/길라잡이(○) 낫우다(×) → 고치다(○) 뒤꼭지치다(×) → 뒤통수치다(○) 등칡(×) → 등나무(○) 새벽별(×) → 샛별(○) 안절부절하다(×) → 안절부절못하다(○) 어린벌레(×) → 애벌레(○) 우미다(×) → 매만지다(○) 쪽밤(×) → 쌍동밤(○)

제26항 한 가지 의미를 나타내는 형태 몇 가지가 널리 쓰이며 표준어 규정에 맞으면, 그 모두를 표준어로 삼는다.

가락엿/가래엿 가뭄/가물 가엾다/가엽다 고깃간/푸줏간 넝쿨/덩굴 녘/쪽 되우/된통/되게 뒷갈망/뒷감당 딴전/딴청 – 뜨리다/ – 트리다(깨– /떨어– /쏟–) 마파람/앞바람 멀찌감치/멀찌가니/멀찍이 모쪼록/아무쪼록 벌레/버러지 보조개/볼우물 보통내기/여간내기/예사내기 살쾡이/삵 서럽다/섧다 성글다/성기다 –(으)세요/ –(으)셔요 아무튼/어떻든/어쨌든/하여튼/여하튼 언덕바지/언덕배기 여쭈다/여쭙다 여태/입때(여직×) 여태껏/이제껏/입때껏(여직껏×) 역성들다/역성하다 우레/천둥 의심스럽다/의심쩍다 – 이에요/ – 이어요 좀처럼/좀체 쪽/편(오른~/왼~) 척/체(모르는 ~/잘난 ~)

2 새로 추가된 주요 표준어

추가 표준어	기존 표준어
걸판지다	거방지다
겉울음	건울음
까탈스럽다	까다롭다
실뭉치	실몽당이
엘랑	에는
주책이다	주책없다
마실	마을
이쁘다	예쁘다
찰지다	차지다
-고프다	-고 싶다
꼬리연	가오리연
의론	의논
이크	이키
잎새	잎사귀
푸르르다	푸르다
구안와사	구안괘사
굽신	굽실
눈두덩이	눈두덩
삐지다	삐치다
개기다	개개다
꼬시다	꾀다
놀잇감	장난감
딴지	딴죽

3 표준 발음법

표준 발음법 총칙

제1항 표준 발음법은 표준어의 실제 발음을 따르되, 국어의 전통성과 합리성을 고려하여 정함을 원칙으로 한다.

01 자음과 모음

제2항 표준어의 자음은 다음 19개로 한다.

ㄱ ㄲ ㄴ ㄷ ㄸ ㄹ ㅁ ㅂ ㅃ ㅅ ㅆ ㅇ ㅈ ㅉ ㅊ ㅋ ㅌ ㅍ ㅎ

제3항 표준어의 모음은 다음 21개로 한다.

ㅏ ㅐ ㅑ ㅒ ㅓ ㅔ ㅕ ㅖ ㅗ ㅘ ㅙ ㅚ ㅛ ㅜ ㅝ ㅞ ㅟ ㅠ ㅡ ㅢ ㅣ

제4항 'ㅏ, ㅐ, ㅓ, ㅔ, ㅗ, ㅚ, ㅜ, ㅟ, ㅡ, ㅣ'는 단모음으로 발음한다.

[붙임] 'ㅚ, ㅟ'는 이중 모음으로 발음할 수 있다.

제5항 'ㅑ, ㅒ, ㅕ, ㅖ, ㅘ, ㅙ, ㅛ, ㅝ, ㅞ, ㅠ, ㅢ'는 이중 모음으로 발음한다.

- 용언의 활용형에 나타나는 '져, 쪄, 쳐'는 [저, 쩌, 처]로 발음한다.
  가지어 → 가져[가저] 찌어 → 쪄[쩌] 다치어 → 다쳐[다처]
- '예, 례' 이외의 'ㅖ'는 [ㅔ]로도 발음한다.
  계시다[계:시다/게:시다] 개폐[개폐/개페](開閉)
  혜택[혜:택/헤:택](惠澤) 지혜[지혜/지헤](智慧)
- 자음을 첫소리로 가지고 있는 음절의 'ㅢ'는 [ㅣ]로 발음한다.
  무늬[무니] 띄어쓰기[띠어쓰기] 희망[히망] 유희[유히]
- 단어의 첫음절 이외의 '의'는 [ㅣ], 조사 '의'는 [ㅔ]로 발음함도 허용한다.
  주의[주의/주이] 우리의[우리의/우리에] 강의의[강:의의/강:이에]

02 음절의 끝소리 규칙

제8항 받침소리로는 'ㄱ, ㄴ, ㄷ, ㄹ, ㅁ, ㅂ, ㅇ'의 7개 자음만 발음한다.

03 연음 현상

제13항 홑받침이나 쌍받침이 모음으로 시작된 조사나 어미, 접미사와 결합되는 경우에는, 제 음가대로 뒤 음절 첫소리로 옮겨 발음한다.

깎아[까까] 있어[이써] 낮이[나지] 꽂을[꼬즐] 밭에[바테] 앞으로[아프로]

04 구개음화 현상

제17항 받침 'ㄷ, ㅌ(ㄾ)'이 조사나 접미사의 모음 'ㅣ'와 결합되는 경우에는, [ㅈ, ㅊ]으로 바꾸어서 뒤 음절 첫소리로 옮겨 발음한다.

곧이듣다[고지듣따] 굳이[구지] 땀받이[땀바지] 밭이[바치]

05 자음 동화 현상

제18항 받침 'ㄱ(ㄲ, ㅋ, ㄳ, ㄺ), ㄷ(ㅅ, ㅆ, ㅈ, ㅊ, ㅌ, ㅎ), ㅂ(ㅍ, ㄼ, ㄿ, ㅄ)'은 'ㄴ, ㅁ' 앞에서 [ㅇ, ㄴ, ㅁ]으로 발음한다.

국물[궁물] 긁는[긍는] 붙는[분는] 밟는[밤:는] 읊는[음는]

06 경음화(된소리되기)

제23항 받침 'ㄱ(ㄲ, ㅋ, ㄳ, ㄺ), ㄷ(ㅅ, ㅆ, ㅈ, ㅊ, ㅌ), ㅂ(ㅍ, ㄼ, ㄿ, ㅄ)' 뒤에 연결되는 'ㄱ, ㄷ, ㅂ, ㅅ, ㅈ'은 된소리로 발음한다.

국밥[국빱] 넋받이[넉빠지] 닭장[닥짱] 있던[읻떤] 낯설다[낟썰다] 덮개[덥깨] 값지다[갑찌다]

07 음의 첨가 – 'ㄴ' 첨가 현상

제29항 합성어 및 파생어에서, 앞 단어나 접두사의 끝이 자음이고 뒤 단어나 접미사의 첫음절이 '이, 야, 여, 요, 유'인 경우에는, 'ㄴ' 음을 첨가하여 [니, 냐, 녀, 뇨, 뉴]로 발음한다.

꽃–잎[꼰닙] 내복–약[내:봉냑] 늑막–염[능망념] 막–일[망닐] 백분–율[백뿐뉼] 색–연필[생년필]

02 한글 맞춤법

본문 168쪽

1 한글 맞춤법 규정

01 된소리

제5항 한 단어 안에서 뚜렷한 까닭 없이 나는 된소리는 다음 음절의 첫소리를 된소리로 적는다.

• 두 모음 사이에서 나는 된소리: 가끔, 소쩍새, 어깨, 으뜸, 기쁘다, 해쓱하다

• 'ㄴ, ㄹ, ㅁ, ㅇ' 받침 뒤에서 나는 된소리: 움찔, 몽땅, 살짝, 잔뜩, 훨씬, 산뜻하다

– 'ㄱ, ㅂ' 받침 뒤에서 나는 된소리는, 같은 음절이나 비슷한 음절이 겹쳐 나는 경우가 아니면 된소리로 적지 아니한다.

국수, 깍두기, 딱지, 색시, 싹둑(~싹둑), 몹시, 법석, 뚝배기

02 구개음화

제6항 'ㄷ, ㅌ' 받침 뒤에 종속적 관계를 가진 '– 이(–)'나 '–히–'가 올 적에는, 그 'ㄷ, ㅌ'이 'ㅈ, ㅊ'으로 소리 나더라도 'ㄷ, ㅌ'으로 적는다.

굳이[구지], 맏이[마지], 같이[가치], 닫히다[다치다], 핥이다[할치다]

03 두음 법칙

제10항 한자음 '녀, 뇨, 뉴, 니'가 단어 첫머리에 올 적에는, 두음 법칙에 따라 '여, 요, 유, 이'로 적는다.

녀자(女子) → 여자, 뉴대(紐帶) → 유대, 닉명(匿名) → 익명

제11항 한자음 '랴, 려, 례, 료, 류, 리'가 단어의 첫머리에 올 적에는, 두음 법칙에 따라 '야, 여, 예, 요, 유, 이'로 적는다.

량심(良心) → 양심, 류행(流行) → 유행, 례의(禮儀) → 예의

04 첩어(疊語)의 표기

제13항 한 단어 안에서 같은 음절이나 비슷한 음절이 겹쳐 나는 부분은 같은 글자로 적는다.

꼿꼿하다, 눅눅하다, 똑딱똑딱, 싹싹하다, 쓱싹쓱싹, 씁쓸하다, 짭짤하다 연연불망(戀戀不忘), 유유상종(類類相從)

• 그 밖의 경우는 (제2음절 이하에서) 본음대로 적는 것이 원칙이다.

낭랑(朗朗)하다, 냉랭(冷冷)하다, 녹록(錄錄)하다, 역력(歷歷)하다, 연년(年年生)생

05 종결 어미와 연결 어미

제15항 [붙임 2] 종결형에서 사용되는 어미 '–오'는 '요'로 소리 나는 경우가 있더라도 그 원형을 밝혀 '오'로 적는다.

이것은 책이오.(책이요×) / 이리로 오시오.(오시요×)

[붙임 3] 연결형에서 사용되는 '이요'는 '이요'로 적는다.

이것은 책이요, 저것은 붓이요, 또 저것은 먹이다.

06 음운의 변동 – 'ㄹ' 탈락과 'ㄷ' 받침

제28항 끝소리가 'ㄹ'인 말과 딴 말이 어울릴 적에 'ㄹ' 소리가 나지 아니하는 것은 아니 나는 대로 적는다.

다달이(달–달–이), 따님(딸–님), 마소(말–소), 무자위(물–자위), 바느질(바늘–질), 싸전(쌀–전), 우짖다(울–짖다), 화살(활–살)

제29항 끝소리가 'ㄹ'인 말과 딴 말이 어울릴 적에 'ㄹ' 소리가 'ㄷ' 소리로 나는 것은 'ㄷ'으로 적는다.

반짇고리(바느질~), 이튿날(이틀~), 사흗날(사흘~), 섣달(설~), 숟가락(술~), 섣부르다(설~), 잗다랗다(잘~)

07 음운의 첨가 – 사이시옷 규정

제30항 사이시옷은 다음과 같은 경우에 받치어 적는다.

• 순우리말로 된 합성어로서 앞말이 모음으로 끝난 경우

– 뒷말의 첫소리가 된소리로 나는 것

귓밥, 나뭇가지, 냇가, 맷돌, 머릿기름, 바닷가, 선짓국, 쇳조각, 조갯살, 핏대

– 뒷말의 첫소리 'ㄴ, ㅁ' 앞에서 'ㄴ' 소리가 덧나는 것

멧나물, 아랫니, 잇몸, 냇물, 빗물, 아랫마을, 뒷머리, 깻묵, 텃마당

– 뒷말의 첫소리 모음 앞에서 'ㄴㄴ' 소리가 덧나는 것

뒷일, 뒷입맛, 베갯잇, 나뭇잎, 깻잎, 댓잎, 두렛일

• 순우리말과 한자어로 된 합성어로서 앞말이 모음으로 끝난 경우

– 뒷말의 첫소리가 된소리로 나는 것

귓병, 아랫방, 자릿세, 전셋집, 찻잔, 탯줄, 텃세, 핏기, 햇수, 뱃병, 콧병

– 뒷말의 첫소리 'ㄴ, ㅁ' 앞에서 'ㄴ' 소리가 덧나는 것

곗날, 제삿날, 훗날, 툇마루, 양칫물

– 뒷말의 첫소리 모음 앞에서 'ㄴㄴ' 소리가 덧나는 것

예삿일, 훗일, 가욋일, 사삿일

• 두 음절로 된 다음 한자어

곳간(庫間), 셋방(貰房), 숫자(數字), 찻간(車間), 툇간(退間), 횟수(回數)

08 모음의 탈락과 축약

제32항 단어의 끝모음이 줄어지고 자음만 남은 것은 그 앞의 음절에 받침으로 적는다.

기러기야–기럭아, 어제저녁–엊저녁, 디디고–딛고, 가지지–갖지

제37항 'ㅏ, ㅕ, ㅗ, ㅜ, ㅡ'로 끝난 어간에 '–이–'가 와서 각각 'ㅐ, ㅖ, ㅚ, ㅟ, ㅢ'로 줄 적에는 준 대로 적는다.

싸이다–쌔다, 누이다–뉘다, 펴이다–폐다, 뜨이다–띄다, 보이다–뵈다, 쓰이다–씌다

제38항 'ㅏ, ㅗ, ㅜ, ㅡ' 뒤에 '–이어'가 어울려 줄어질 적에는 준 대로 적는다.

누이어–뉘어/누여, 뜨이어–띄어/뜨여, 쏘이어–쐬어/쏘여, 트이어–틔어/트여

참고 '뜨이어'의 경우, '간격을 뜨이어'의 의미인 경우 '띄어'로만 준다.

제39항 어미 '–지' 뒤에 '않–'이 어울려 '–잖–'이 될 적과 '–하지' 뒤에 '않–'이 어울려 '–찮–'이 될 적에는 준 대로 적는다.

그렇지 않은–그렇잖은, 적지 않은–적잖은, 만만하지 않다–만만찮다, 변변하지 않다–변변찮다

제40항 어간의 끝음절 '하'의 'ㅏ'가 줄고 'ㅎ'이 다음 음절의 첫소리와 어울려 거센소리로 될 적에는 거센 소리로 적는다.

간편하게–간편케, 연구하도록–연구토록, 정결하다–정결타, 흔하다–흔타

[붙임 2] 어간의 끝음절 '하'가 아주 줄 적에는 준 대로 적는다.

거북하지–거북지, 생각하건대–생각건대, 못하지 않다–못지않다, 생각하다 못해–생각다 못해, 익숙하지 않다–익숙지 않다

09 부사의 끝음절 '이'와 '히'

제51항 부사의 끝음절이 분명히 '이'로만 나는 것은 '–이'로 적고, '히'로만 나거나 '이'나 '히'로 나는 것은 '–히'로 적는다.

• '이'로만 나는 것

가붓이, 깨끗이, 나붓이, 느긋이, 둥긋이, 따뜻이, 반듯이, 버젓이, 산뜻이, 의젓이, 날카로이, 대수로이, 번거로이, 적이, 헛되이, 겹겹이, 번번이, 일일이, 틈틈이

• '히'로만 나는 것

극히, 급히, 딱히, 속히, 작히, 족히, 특히, 엄격히, 정확히

• '이, 히'로 나는 것

솔직히, 가만히, 간편히, 각별히, 소홀히, 쓸쓸히, 정결히, 과감히, 꼼꼼히, 심히, 열심히, 급급히, 답답히, 능히, 당당히, 분명히, 상당히, 조용히, 간소히, 도저히

10 '– 던'과 '– 든'의 표기

제56항 '– 더라, – 던'과 '–든지'는 다음과 같이 적는다.

• 지난 일을 나타내는 어미는 '–더라, –던'으로 적는다.

지난겨울은 몹시 춥더라. / 그 사람 말 잘하던데! / 그때는 얼마나 놀랐던지.

• 물건이나 일의 내용을 가리지 아니하는 뜻을 나타내는 조사와 어미는 '(–)든지'로 적는다.

배든지 사과든지 마음대로 먹어라. / 가든지 오든지 마음대로 해라.

2 띄어쓰기 규정

01 조사

제41항 조사는 그 앞말에 붙여 쓴다.

꽃이, 꽃밖에, 꽃마저, 꽃입니다, 꽃에서부터

02 의존 명사

제42항 의존 명사는 띄어 쓴다.

아는 것이 힘이다. 나도 할 수 있다. 먹을 만큼 먹어라.

03 단위성 의존 명사

제43항 단위를 나타내는 명사는 띄어 쓴다.

차 한 대, 소 한 마리, 옷 한 벌, 연필 한 자루, 집 한 채

- 순서를 나타내는 경우나 숫자와 어울리어 쓰이는 경우에는 붙여 쓸 수 있다.

  삼학년 오백원 16동 502호 1446년 10월 9일 80초

- 수효를 나타내는 '개년, 개월, 일(간), 시간' 등은 붙여 쓰지 않는다.

  삼 (개)년 육 개월 이십 일(간) 체류하였다.

  아라비아 숫자 뒤에 붙는 의존 명사는 모두 붙여 쓸 수 있다.

  26그램 3년 6개월 20일간 8시간

04 숫자의 표기

제44항 수를 적을 적에는 '만(萬)' 단위로 띄어 쓴다.

십이억 삼천사백오십육만 칠천팔백구십팔 / 12억 3456만 7898(1,234,567,898)

05 열거하는 말

제45항 두 말을 이어 주거나 열거할 적에 쓰이는 다음의 말들은 띄어 쓴다.

국장 겸 과장 열 내지 스물 청군 대 백군 책상, 걸상 등

제46항 단음절로 된 단어가 연이어 나타날 적에는 붙여 쓸 수 있다.

그때 그곳 좀더 큰것 이말 저말 한잎 두잎

06 이름의 표기

제48항 성과 이름, 성과 호 등은 붙여 쓰고, 이에 덧붙는 호칭어, 관직명 등은 띄어 쓴다.

서화담(徐花潭) 채영신 씨 최치원 선생 충무공 이순신 장군

제49항 성명 이외의 고유 명사는 단어별로 띄어 씀을 원칙으로 하되, 단위별로 띄어 쓸 수 있다.

대한 중학교(대한중학교) 한국 대학교 사범 대학(한국대학교 사범대학)

07 전문 용어

제50항 전문 용어는 단어별로 띄어 씀을 원칙으로 하되, 붙여 쓸 수 있다.

만성 골수성 백혈병(만성골수성백혈병) 손해 배상 청구(손해배상청구) 여름 채소 가꾸기(여름채소가꾸기)

- 관형사형이 체언을 꾸며 주는 구조, 두 개 이상의 체언이 조사로 연결되는 구조의 전문 용어도 붙여 쓸 수 있다.

  따뜻한 구름(따뜻한구름) 강조의 허위(강조의허위)

- 두 개 이상의 전문 용어가 접속 조사로 이어지는 경우는 전문 용어 단위로 붙여 쓸 수 있다.

  자음 동화와 모음 동화(자음동화와 모음동화)

3 주의해야 할 표기(한글 맞춤법 제6장 그 밖의 것)

바른 표기	틀린 표기
가르마	가리마
(날씨가) 개다	개이다
거친	거칠은
겸연쩍다	겸연적다
고깔	꼬깔
고이	고히
구레나룻	구렛나루
금세	금새
눈살	눈쌀
닦달하다	닥달하다
덤터기	덤테기
-(으)ㄹ걸	-(으)ㄹ껄
-(으)ㄹ게	-(으)ㄹ께
-(으)- ㄹ는지	-(으)ㄹ런지
머리말	머릿말
메밀	모밀

바른 표기	틀린 표기
며칠 동안	몇일 동안
번번이	번번히
부조금	부주금
삼가다	삼가하다
서슴지(~않다)	서슴치(~않다)
설레다	설레이다
안절부절못하다	안절부절하다
어떡해	어떻해
예부터	옛부터
오랜만	오랫만
웬일이니	왠일이니
잠갔다	잠궜다
절체절명	절대절명
짜깁기	짜집기
하마터면	하마트면
해코지	해꼬지

PART 2
어문 규정

03 외래어 / 로마자 표기법

본문 186쪽

1 외래어 표기법

01 자주 출제되는 나라 및 도시 이름 표기

규슈(Kyûsyû[九州])
베네수엘라(Venezuela)
아랍에미리트(Arab Emirates)
콜롬비아(Colombia)
포르투갈(Portugal)
도쿄(Tôkyô[東京])
라스베이거스(Las Vegas)
에티오피아(Ethiopia)
쿠알라룸푸르(Kuala Lumpur)
푸껫(Phuket)
말레이시아(Malaysia)
싱가포르(Singapore)
조지아(Georgia)
타이베이(Taipei[臺北])
후쿠오카(Fukuoka[福岡])

02 주의해야 할 외래어 표기

바른 표기	틀린 표기
악센트	액센트
액세서리	악세사리
애드리브	애드립
에어컨	에어콘
엘리베이터	엘레베이터
앰뷸런스	앰브런스
배지	뱃지
바비큐	바베큐
배터리	빠떼리, 빳데리, 밧데리
비스킷	비스켓
블록	블럭
보디	바디
뷔페	부페
비즈니스	비지니스
카운슬링	카운셀링
카디건	가디건
카스텔라	카스테라
캐러멜	카라멜
카펫	카페트
컬러	칼라
콤팩트	컴팩트
콘텐츠	컨텐츠

바른 표기	틀린 표기
커닝	컨닝
커튼	커텐
앙코르	앵콜
앙케트	앙케이트
플래시	후레시, 후레쉬
플루트	플롯
프라이팬	후라이팬
깁스	기브스
라이선스	라이센스
마추픽추	마추피추
마니아	매니아
마사지	맛사지
난센스	넌센스
아웃렛	아울렛
팸플릿	팜플렛
판다	팬더
새시	샤시, 샷시
소시지	소세지
세트	셋트
셔터	샷다, 샷타
싱가포르	싱가폴
소파	쇼파

2 로마자 표기법

01 표기의 기본 원칙

제1항 국어의 로마자 표기는 국어의 표준 발음법에 따라 적는 것을 원칙으로 한다.

제2항 로마자 이외의 부호는 되도록 사용하지 않는다.

02 표기 일람

제1항 모음은 다음 각호와 같이 적는다.

〈단모음과 이중 모음〉

단모음	ㅏ	ㅓ	ㅗ	ㅜ	ㅡ	ㅣ	ㅐ	ㅔ	ㅚ	ㅟ	
	a	eo	o	u	eu	i	ae	e	oe	wi	
이중 모음	ㅑ	ㅕ	ㅛ	ㅠ	ㅒ	ㅖ	ㅘ	ㅙ	ㅝ	ㅞ	ㅢ
	ya	yeo	yo	yu	yae	ye	wa	wae	wo	we	ui

[붙임 1] 'ㅢ'는 'ㅣ'로 소리 나더라도 'ui'로 적는다.

광희문 Gwanghuimun

[붙임 2] 장모음의 표기는 따로 하지 않는다.

제2항 자음은 다음 각 호와 같이 적는다.

• 파열음

ㄱ	ㄲ	ㅋ	ㄷ	ㄸ	ㅌ	ㅂ	ㅃ	ㅍ
g, k	kk	k	d, t	tt	t	b, p	pp	p

• 파찰음

ㅈ	ㅉ	ㅊ
j	jj	ch

• 마찰음

ㅅ	ㅆ	ㅎ
s	ss	h

• 비음

ㄴ	ㅁ	ㅇ
n	m	ng

• 유음

ㄹ
r, l

[붙임 1] 'ㄱ, ㄷ, ㅂ'은 모음 앞에서는 'g, d, b'로, 자음 앞이나 어말에서는 'k, t, p'로 적는다.

백암 Baegam 옥천 Okcheon 호법 Hobeop 월곶[월곧] Wolgot

[붙임 2] 'ㄹ'은 모음 앞에서는 'r'로, 자음 앞이나 어말에서는 'l'로 적는다. 단, 'ㄹㄹ'은 'll'로 적는다.

설악 Seorak 칠곡 Chilgok 임실 Imsil 울릉 Ulleung

03 표기상의 유의점

제1항 음운 변화가 일어날 때에는 변화의 결과에 따라 다음 각호와 같이 적는다.

- **자음 사이에서 동화 작용이 일어나는 경우**

  백마[뱅마] Baengma 종로[종노] Jongno

- **'ㄴ, ㄹ'이 덧나는 경우**

  학여울[항녀울] Hangnyeoul 알약[알략] allyak

- **구개음화가 되는 경우**

  해돋이[해도지] haedoji 같이[가치] gachi

- **'ㄱ, ㄷ, ㅂ, ㅈ'이 'ㅎ'과 합하여 거센소리로 소리 나는 경우**

  좋고[조코] joko 놓다[노타] nota

  – 체언에서 'ㄱ, ㄷ, ㅂ' 뒤에 'ㅎ'이 따를 때에는 'ㅎ'을 밝혀 적는다.

  묵호(Mukho) 집현전(Jiphyeonjeon)

[붙임] 된소리되기는 표기에 반영하지 않는다.

압구정 Apgujeong 죽변 Jukbyeon 팔당 Paldang 샛별 saetbyeol

제2항 발음상 혼동의 우려가 있을 때에는 음절 사이에 붙임표(–)를 쓸 수 있다.

중앙 Jung – ang 반구대 Ban – gudae

제3항 고유 명사는 첫 글자를 대문자로 적는다.

부산 Busan 세종 Sejong

제4항 인명은 성과 이름 순서로 띄어 쓴다. 이름은 붙여 쓰는 것을 원칙으로 하되 음절 사이에 붙임표(–)를 쓰는 것을 허용한다.[( ) 안의 표기를 허용함.]

민용하 Min Yongha(Min Yong – ha) 송나리 Song Nari(Song Na – ri)

다만, 이름에서 일어나는 음운 변화는 표기에 반영하지 않는다.

한복남 Han Boknam(Han Bok – nam) 홍빛나 Hong Bitna(Hong Bit – na)

제5항 '도, 시, 군, 구, 읍, 면, 리, 동'의 행정 구역 단위와 '가'는 각각 'do, si, gun, gu, eup, myeon, ri, dong, ga'로 적고, 그 앞에 붙임표(–)를 넣는다. 붙임표(–) 앞뒤에서 일어나는 음운 변화는 표기에 반영하지 않는다.

제주도 Jeju – do 의정부시 Uijeongbu – si 삼죽면 Samjuk – myeon 도봉구 Dobong – gu 봉천1동 Bongcheon 1(il) – dong

[붙임] '시, 군, 읍'의 행정 구역 단위는 생략할 수 있다.

참고 제5항 – 도로명의 로마자 표기 방법

제1항 로마자 표기 원칙

1. 도로명의 로마자 표기는 '국어의 로마자 표기법'에 따라 소리 나는 대로 표기하되, 로마자 표기법의 취지를 벗어나지 않는 범위 안에서 행정안전부 장관이 필요한 사항을 따로 정할 수 있다.
2. 첫 글자는 대문자로 나머지는 소문자로 표기하며, 도로명 전체는 붙여 쓴다.
3. 도로명의 주된 명사와 도로별 구분 기준(대로, 로, 길을 말한다. 이하 같다.) 사이에 붙임표(–)를 넣어 '– daero, – ro, – gil'로 표기한다.

예 강남대로 Gangnam – daero 가곡로 Gagok – ro 발산길 Balsan – gil

제7항 성의 표기와 인명, 회사명, 단체명 등은 그동안 써 온 표기를 쓸 수 있다.

김진주 Kim Jinjoo 방만수 Pang Mansoo

01 문장 표현

본문 275쪽

1 문장 성분 간의 호응

01 주성분 간의 호응

① **주어와 서술어의 호응**

수도의 바람직한 모습은 이 도시의 행정, 문화, 교육 분야의 중심 기능을 담당해야 한다.

→ 수도의 바람직한 모습은 이 도시의 행정, 문화, 교육 분야의 중심 기능을 담당해야 한다는 것이다.

② **목적어와 서술어의 호응**

이곳은 모든 시대와 나라에서 형성된 가장 심오한 진리 탐구와 인문 정신을 배양하는 대학입니다.

→ 이곳은 모든 시대와 나라에서 형성된 가장 심오한 진리를 탐구하고 인문 정신을 배양하는 대학입니다.

02 주성분과 부속 성분 간의 호응

① **부사어와 서술어의 호응**

그녀는 여간 즐거웠다. → 그녀는 여간 즐겁지 않았다.

② **조사와 서술어의 호응**

시민 각자가 미세먼지 정보에 대해 접근할 수 있고 환경 보호에 대해 참여할 수 있는 기회를 갖도록 해야 한다.

→ 시민 각자가 미세먼지 정보에 접근할 수 있고 환경 보호에 참여할 수 있는 기회를 갖도록 해야 한다.

2 필요한 문장 성분의 생략

01 주어의 생략

자기가 세운 목표는 반드시 이루겠다는 의지와 그 의지를 뒷받침할 수 있는 체력이다.

→ 지금 나에게 필요한 것은 자기가 세운 목표는 반드시 이루겠다는 의지와 그 의지를 뒷받침할 수 있는 체력이다.

02 필수 부사어의 생략

친구가 취업한 것은 기쁨이 되었다. → 친구가 취업한 것은 나에게 기쁨이 되었다.

03 목적어의 생략

나는 근래에 계속해서 컴퓨터로만 글을 써 왔는데, 오랜만에 써 보려니 쉽지 않다.

→ 나는 근래에 계속해서 컴퓨터로만 글을 써 왔는데, 오랜만에 손글씨를 써 보려니 쉽지 않다.

3 의미상 중복 표현

이번 안건은 과반수 이상이 찬성하여야 통과됩니다.
→ 이번 안건은 반수 이상이 찬성하여야 통과됩니다.

4 문장의 중의성

01 중의성

하나의 언어 표현이 둘 이상의 해석을 가능하게 하는 언어적 속성을 말한다.

① **어휘적 중의성**

나도 그 정도 힘은 있다.(힘: 근력, 역량)

② **구조적 중의성**

김 박사가 박 간호사와 입원 환자를 둘러보았다.
(㉠ 회진을 하는 주체 - 김 박사 / ㉡ 회진을 하는 주체 - 김 박사와 박 간호사)

③ **'의'의 중의성**

다섯 명의 사냥꾼이 두 마리의 새를 총으로 쏘았다.
(㉠ 다섯 명의 사냥꾼이 각각 두 마리씩 쏘았다. / ㉡ 다섯 명의 사냥꾼이 특정의 두 마리를 쏘았다.)

02 모호성

의미하는 바가 명료하지 않아 무엇을 말하는지 분명하게 알 수 없는 언어적 속성을 말한다.

① **비교 구문의 모호성**

아내는 나보다 드라마 보는 것을 더 좋아한다.
→ 아내는 내가 드라마 보는 것을 좋아하는 것보다 더 드라마 보는 것을 좋아한다.(아내와 나를 비교)
→ 아내는 나를 좋아하기보다는 드라마 보는 것을 더 좋아한다.(나와 드라마 보기를 비교)

② **병렬 구문의 모호성**

할머니께서 사과와 딸기 두 개를 주셨다.
→ 할머니께서 사과 두 개와 딸기 두 개를 주셨다.(각각 2개)
→ 할머니께서 사과 한 개와 딸기 한 개를 주셨다.(총 2개)

③ **의존 명사 구문의 모호성**

그가 공을 차는 것이 이상하다.
→ 그가 공을 차는 사실이 이상하다.
→ 그가 공을 차는 모양이 이상하다.

④ **부정 구문의 모호성**

아이들이 다 오지 않았다.
→ 아이들이 다 오지는 않았다.(부분 부정)
→ 아이들이 아무도 오지 않았다.(전체 부정)

5 기타 문장 표현의 오류

01 잘못된 사동 표현

- 진수가 진태를 벽 뒤에 숨었다.
  → 진수가 진태를 벽 뒤에 숨겼다.
- 자꾸 거짓말 시키지 마!
  → 자꾸 거짓말하지 마!
- 자라 보고 놀랜 가슴 솥뚜껑 보고도 놀랜다고 하더니!
  → 자라 보고 놀란 가슴 솥뚜껑 보고고 놀란다고 하더니!
- 직접 운전해서 주차시키느라 애를 먹었다.
  → 직접 운전해서 주차하느라 애를 먹었다.
- 입학 원서를 접수시키느라 긴 시간 줄을 서서 대기해야 했다.
  → 입학 원서를 제출하느라/내느라 긴 시간 줄을 서서 대기해야 했다.

02 지나친 피동 표현(이중 피동)

① **'-되어지다', '-지게 되다'**
- 그는 남자라고 생각되어진다. → 생각된다.
- 그 신부는 결혼을 앞두고 더욱 아름다워지게 되었다. → 아름다워졌다.

② **'피동사'에 '-어지다'를 결합한 경우**
그 영화의 내용이 실화라는 사실이 믿겨지지 않았다. → 믿어지지 않았다.

03 번역 투 문장(우리말답지 않은 표현)

① **일본어식 표현**
- ~에 다름 아니다 → ~이나 다름없다, ~라 할 만하다, ~일 뿐이다
- ~ 주목에 값하다 → ~할 가치가 있다
- ~에 대하여 관심을 갖다 → ~에 관심을 갖다
- ~로서의 책임 → ~의 책임
- ~에 있어서 → ~에서/에

② **영어식 표현**
- 아무리 ~ 해도 지나치지 않다 → ~은/는 매우 중요하다
- ~으로부터 → ~에게서
- ~할 필요가 있다, ~을 필요로 하다 → 매우 ~하다
- ~할 예정으로 있다 → ~할 예정이다, ~할 것이다, ~할 참이다

04 잘못된 시제 표현

- 기차가 아직 도착하고 있지 않습니다.
  → 기차가 아직 도착하지 않았습니다.
- 나는 아직도 그를 믿는 중이다.
  → 나는 아직도 그를 믿고 있다.
- 한 개에 만 원 되겠습니다.
  → 한 개에 만 원입니다.

02 높임법

본문 287쪽

1 높임법

01 주체 높임법

화자보다 서술어의 주체가 나이나 사회적 지위 등에서 상위자일 때, 서술어의 주체를 높이는 방법을 말한다.

- 주체 높임 선어말 어미 '-(으)시-'
- 주격 조사 '이 / 가' 대신 '께서'
- 주어 명사 + 접사 '-님'
- 몇 개의 특수한 어휘: '계시다, 잡수시다, 주무시다, 편찮으시다, 돌아가시다' 등

예 저기 어머니가 오신다. / 저기 어머니께서 오신다. / 저기 어머님께서 오신다.

02 객체 높임법

목적어나 부사어, 즉 서술어의 객체를 높이는 방법으로 특수 어휘, 그중 특수한 동사(여쭙다, 모시다, 뵙다, 드리다 등)를 사용한다. 그리고 객체 높임법에서는 조사 '에게' 대신 '께'를 사용하기도 한다.

예 나는 동생을 데리고 병원으로 갔다. → 나는 아버지를 모시고 병원으로 갔다.
나는 친구에게 과일을 주었다. → 나는 선생님께 과일을 드렸다.

03 상대 높임법

구분	격식체				비격식체	
	하십시오체	하오체	하게체	해라체	해요체	해체
평서형	-(ㅂ)니다	-오	-네, -ㅁ세	-(는/ㄴ)다	-아요/-어요	-아/-어, -지
의문형	-(ㅂ)니까?	-오?	-(느)ㄴ가?, -나?	-(느)냐?, -니?	-아요/-어요?	-아/-어, -지?
감탄형	-	-(는)구려!	-(는)구먼!	-(는)구나!	-아요/-어요!	-아/-어, -지!
명령형	-(ㅂ)시오	-오, -구려	-게	-아라/-어라, -렴, -려무나	-아요/-어요, -지요	-아/-어, -지
청유형	(-시지요)	-(ㅂ)시다	-세	-자	-아요/-어요	-아/-어, -지

2 표준 언어 예절

01 변경된 표준 언어 예절

- 부모 호칭으로 어릴 때에만 '엄마', '아빠'를 쓰도록 하였던 것을 장성한 후에도 격식을 갖추지 않는 상황에서는 '엄마', '아빠'를 쓸 수 있도록 하였다.
- 남자가 여동생의 남편을 호칭하거나 지칭할 때 '매제'를 쓸 수 있도록 하였다.
- 여자가 여동생의 남편을 호칭하거나 지칭할 때 '제부'를 쓸 수 있도록 하였다.
- 남편의 형을 지칭하는 말로 '시숙(媤叔)'을 추가하였다.
- 남편 누나의 남편을 호칭하거나 지칭할 때 '아주버님', '서방님'을 쓸 수 있다고 하였던 것을 '아주버님'만 쓰도록 하였다.
- 아내 오빠의 아내를 지칭하는 말, 아내 남동생의 아내를 호칭, 지칭하는 말로 '처남의 댁'만 있었던 것을 '처남댁'도 가능하다고 보아 추가하였다.
- 직장에서 윗사람에게는 '–시–'를 넣어 말하고 동료나 아래 직원에게는 '–시–'를 넣지 않고 말하도록 했던 것을 직급에 관계없이 '–시–'를 넣어 존대하는 것을 원칙으로 하였다.
- '축하드리다'가 불필요한 공대라 하여 '축하하다'로만 쓰도록 하였던 것을, '축하합니다'와 함께 높임을 더욱 분명히 드러낸 '축하드립니다'도 쓸 수 있는 표현으로 인정하였다.

참고 국립국어원, 「우리, 뭐라고 부를까요?」의 주요 정비 내용

정비 내용	적용
'안', '밭(바깥)' 등 성에 따른 구분 표지나 남녀 비대칭적인 구분 표지의 사용을 지양한다.	예 '안사람', '바깥양반' 등은 '아내'와 '남편'으로 사용함.
남녀 비대칭적인 호칭과 지칭은 대칭적으로 맞춘다.	예 시부모에 대한 호칭 중 '시아버지'는 '아버님'으로만, '시어머니'는 '어머님/어머니'를 모두 쓸 수 있게 한 것을, 시부모 모두에 대하여 '아버님/아버지', '어머님/어머니'로 쓸 수 있게 함.
남자와 여자의 결혼 이전 친부모의 집을 이르는 말로 '본가'를 사용한다. 단, 여자의 경우는 '친정'도 함께 사용할 수 있다.	예 남자: 본가 아버지, 본가 누나 여자: 본가/친정아버지, 본가/친정 언니
서열은 아래이지만 나이가 많은 경우, 상대를 존중할 수 있는 장치인 '–님'을 붙여 부르고 이를 수 있다.	예 여동생의 남편이 나보다 나이가 많을 경우 '매부님', '매제님', '○ 서방님'과 같이 부를 수 있음.(○에 성씨를 넣음)
가족 관계에서 서열도 아래이고 나이도 어린 경우, 친근한 가족 관계에서 서로 양해가 되었다면 '△△ 씨'로 부르고 이를 수 있다.	예 남편의 남동생이나 여동생이 나보다 나이가 어릴 경우 '△△ 씨'로 부를 수 있음.(△△에 이름을 넣음)

01 쓰기

본문 320쪽

쓰기 – 주제 설정

다음 글을 읽고 ㉮에 들어갈 중심 문장을 〈보기〉의 조건에 맞게 쓰시오.

> 갈등은 개인과 전체 사회 사이에서만 일어나는 것이 아니다. 개인이 속한 다양한 공동체 간에도 갈등은 존재한다. 가족 공동체를 중시하는 사고가 이웃에게 불편을 끼칠 수 있으며, 자기 지역에 대한 애향심이 지나칠 경우 지역 간의 이해 대립으로 인한 소모적인 논쟁이 계속될 수도 있다. 또 자국의 안전과 번영을 중시하는 사고가 다른 나라에 대한 배타적인 태도로 나타나고 국제 평화를 위협하는 요인이 될 수도 있다. 그러므로 (㉮   )

보기

- 다양한 공동체 간의 갈등에 대해 필요한 시각에 초점을 맞춰 쓸 것
- 정책 명제 '~해야 한다'의 형태로 쓸 것
- 어문 규정에 맞게 간결한 한 문장으로 쓸 것

➡ ______________________________

____

| 예시 답안 |

공동체의 수준이 확대된 만큼 다양한 공동체 간의 갈등에 대해 균형 있는 태도를 유지하는 것이 필요하다.

| 해설 |

주제 설정과 관련한 주관식 문항은 대부분 간략한 조건을 바탕으로 제시문의 내용을 요약하거나 적합한 주제 문장을 작성하는 것으로 출제된다.

| 정답 기준 |

- '공동체 간 갈등에 대해 균형 있는 태도'에 대한 내용이 서술되었는가.
- '~해야 한다'와 같은 정책 명제의 형태로 문장을 구성했는가.
- 어문 규정을 지켜 간결하고 완결된 문장으로 썼는가.

쓰기 – 자료의 수집과 정리

다음의 〈보기 1〉과 〈보기 2〉의 내용을 모두 활용하여 글을 쓰고자 할 때, 글의 주제 문장을 작성하시오.

보기 1

조선 후기의 문장가 홍길주(洪吉周)가 『여인논문서(旅人論文書)』에서 한 말이다. "이웃의 노인이 건강히 장수하는 것을 보고, 나도 저렇게 하면 장수할 수 있겠구나."하여 그 노인처럼 고기를 빻아서 먹고 밥 대신 미음만을 먹었다. 나는 노인의 장수를 얻고 싶어 그가 하는 대로 했는데, 그 결과 내가 얻은 것은 노인의 건강이 아니라, 노인의 늙음이었다. 노인의 건강을 얻고 싶으면 노인이 하는 대로 해서는 안 된다.

보기 2

저의 비타민제 광고를 보시고 여러분이 절대 하시면 안 되는 일은 '저도 ○○○가 먹는 그 비타민제 주세요!' 라고 하는 거예요. 우리의 몸이 다르면 필요한 비타민제도 다르니까요.

(△△제약, 비타민제 광고)

➡ ______________________________

____

| 예시 답안 |

무엇이든 통하는 것은 없으므로, 조건과 상황을 살펴 적절한 것을 찾아야 한다.

| 해설 |

〈보기 1〉은 무턱대고 노인의 장수법을 따르다가 건강을 잃은 사례를, 〈보기 2〉는 몸에 따라 필요한 비타민도 다름을 전하고 있다. 노인의 장수법은 누구에게나 통하지 않으며, 비타민 또한 누구에게나 똑같이 적용되지 않는다는 사실을 통해 공통적으로 도출할 수 있는 내용을 쓰면 된다.

| 정답 기준 |

- 〈보기 1〉과 〈보기 2〉의 내용이 모두 반영되었는가.
- 다름을 이해하고 바르게 적용하자는 주제를 드러내기에 적절한 표현인가.
- 어문 규정을 지켜 간결하고 완결된 문장으로 썼는가.

쓰기 – 구성 – 개요

다음은 '새로운 광고 기법에 대한 이해'를 주제로 열린 토의의 일부이다. 〈보기〉의 토의 내용을 바탕으로 빈칸에 들어갈 말을 쓰시오.

'새로운 광고 기법에 대한 이해'에 대한 토의

- 일시: 2019년 2월 1일 오후 2시
- 장소: ** 센터 대회의실
- 주최: 소비자 보호센터
- 논제: 새로운 광고 기법에 대한 이해
    1. 새로운 광고 기법의 등장 배경
    2. 새로운 광고 기법의 유형
    3. 새로운 광고 기법의 문제점
    4. ____________________

보기

A: 우리는 인터넷, 신문, 잡지 등의 다양한 매체를 이용하면서 수많은 광고에 노출되고 있습니다. 이러한 광고는 다양한 매체에서 여러 유형으로 나타나는데, 이는 매체 발달에 따라 매체별 광고 기법도 다양해졌기 때문입니다. 하지만 매체 이용자들은 이러한 광고를 불필요한 정보로 판단해 회피하기도 하지요.

B: 그렇습니다. 그래서 기업들은 이렇게 광고를 회피하는 이용자들에 대응하여, 매체 이용자들이 거부감 없이 광고를 수용하도록 하는 새로운 광고 기법을 개발하여 접근하고 있습니다. 대표적으로는 검색 광고를 예로 들 수 있습니다. 검색 광고는 인터넷에서 이용자들의 눈길을 끄는 광고 기법으로, 검색창에 검색어를 입력하면 검색 결과와 함께 검색어와 관련된 다양한 광고가 노출되도록 하는 광고입니다. 검색 광고는 불특정 다수에게 노출되는 기존 인터넷 광고와 달리 특정 대상에게만 노출되지만, 검색 결과와 비슷한 형태로 제시되므로 이용자들에게 마치 유용한 정보인 것 같은 착각을 일으킨다는 장점을 갖고 있습니다.

C: 네. 실제로 최근의 광고는 홍보를 목적으로 하여 이용자들을 현혹하기보다는 이용자들에게 정보로 여겨지도록 접근하는 특징을 갖습니다. 기사형 광고도 이와 유사합니다. 신문이나 잡지 등에서 새롭게 사용되는 광고 기법으로, 형식이나 내용이 기사와 확연히 구분되었던 기존 광고와 달리 기사처럼 보이는 것이지요. 기사형 광고는 기사처럼 보이기 위해 제목에서 특정 제품명을 드러내지 않으며, 전문가 인터뷰나 연구 자료 인용을 통해 유용한 정보를 제공하는 것처럼 꾸며 독자의 관심을 유발합니다. 그러면서 가격, 출시일 등의 제품 정보를 삽입하여 독자의 소비 심리를 자극하게 되지요. 하지만 이러한 점 때문에 독자들이 기사형 광고를 기사로 오인할 수 있으므로 '특집', '기획' 등의 표지를 사용하는 것이 제한되어 있습니다. 또한 기자가 작성한 글로 착각하지 않도록 글 말미에 '글 ○○○ 기자'와 같은 표현도 사용하지 못하도록 되어 있습니다.

A: 그렇지만, 독자들은 기사와 광고를 구별하기 위한 규제까지는 정확히 알지 못하기 때문에 기사형 광고는 독자들에게 기사처럼 여겨져 독자들이 착각하도록 하는 것이 문제이지요. 검색 광고의 경우도 실사용자의 후기를 통해 사실적인 정보를 얻고자 하는 이용자에게, 의도된 홍보용 후기나 관련 업체의 지원으로 게시된 글들이 우선적으로 노출되기 때문에 정보와 광고의 경계가 모호한 경우가 많습니다.

B: 그렇습니다. 실제로 새로운 광고 기법으로 인해 혼란이 가중되기도 합니다. 그렇다면 정보와 광고 사이에서 매체 이용자들은 어떻게 해야 할까요?

C: 우선, 광고를 접할 때 매체 이용자들은 이러한 광고 기법들의 문제점을 정확히 인식할 필요가 있습니다. 검색 광고와 기사형 광고는 모두 광고를 유용한 정보인 것처럼 오인하게 만들어 매체 이용자들에게 착각을 유도한다는 점을 기억해야 합니다. 따라서 매체 이용자들은 검색 광고의 경우, 기업으로부터 제공받은 물품에 대한 후기인지, 실제 구매자의 후기인지 등에 대한 판별을 할 수 있어야 하고, 신문 독자들의 경우도 '특집', '기획' 등의 표지가 있는지, 글 말미에 '글 ○○○ 기자'와 같은 표현이 있는지 등을 통해 필요한 정보와 광고를 구별할 수 있는 비판적 안목을 기를 필요가 있습니다.

➡ ______________________________

| 예시 답안 |

새로운 광고 기법에 대한 매체 이용자들의 비판적 인식 촉구

| 해설 |

제시문의 구성상, 빈칸에 들어갈 내용은 마지막 C의 발언 부분을 요약해야 한다. B의 질문을 통해, '매체 이용자들의 태도'에 대한 것이 핵심이므로 이를 중심으로 하여 C의 발언 내용을 요약하면, '새로운 광고 기법에 대한 매체 이용자들의 문제점 인식과 정보와 광고를 구별하는 비판적 안목이 요구된다.'는 것을 알 수 있다. 따라서 토의 안내문의 형식과 다른 항목의 표현에 따라 명사형 종결로 재구성하여 작성하면 된다.

| 정답 기준 |

- 새로운 광고 기법의 문제점을 매체 이용자들의 인식과 관련하여 서술하였는가.
- 매체 이용자들의 '비판적' 태도나 인식에 대해 표현하였는가.
- 다른 항목의 표현과 균등하도록 명사형 종결로 표현하였는가.
- 간결하고 명확한 표현으로 어법에 어긋남이 없는가.

쓰기 – 전개

다음 제시문을 보고 밑줄 친 부분을 대치할 만한 글을 〈보기〉의 조건에 맞게 쓰시오.

> 사회가 발전하여 근로 시간이 줄고, 시간을 절약해 주는 문명의 이기가 늘었음에도 오늘날에는 40년 전보다 식사 시간이나 잠자는 시간이 줄어들고, 문화생활이나 가족생활에 투자하는 시간도 더 줄어들었다. 이 얼마나 역설적인 현상인가? 사회는 점점 발전하는데 이 발전이 무엇을 위한 것인지, 누구를 위한 것인지 대답해 주는 사람은 없다. '행복'이라는 화두는 모든 인간이 추구하는 목표인데, 물질이 풍요로워질수록, 생활이 더욱 편리해질수록 인생의 행복은 점점 멀어지고 있다.

보기

- 〈제시문〉과 같은 주제로 서론을 쓴다고 가정할 것
- 밑줄 친 부분을 대체할 수 있는 소재를 활용하여 쓸 것
- 밑줄 친 부분의 표현 형식을 활용할 것

| 예시 답안 |

기술이 발전하여 달나라에도 가고, 고층 아파트가 하늘 높은 줄 모르고 뻗어 가는데도 우리 주변에는 집 없는 사람들이 많다.

| 해설 |

제시문의 밑줄 친 부분은 사회의 발전에 따라 시간을 절약해 주고 생활을 편리하게 해 주는 문명의 이기가 마련되었지만, 사람들의 생활은 오히려 각박한 생활 양상을 보이는 역설적인 상황에 대한 내용이다. 따라서 이와 비슷한 답으로는 산업 발전에 따라 사회적으로 생성되는 역설적인 현상을 짚는 내용이 적합하겠다.

| 정답 기준 |

- 산업 발전에 따라 사회적으로 생성되는 역설적인 현상을 짚는 내용인가.
- 밑줄 친 부분을 대치할 수 있는 적절한 소재를 활용하였는가.
- '~고, ~함에도 ~하게 되었다.'의 문장 표현이 드러나는가.

02 어휘

본문 324쪽

어휘 – 십자말풀이

다음 십자말풀이를 참조해 아래 ( )에 맞는 단어를 쓰시오.

	1.	1.		
3.		2.	2.	
3.	4.			5.
	4.			

가로 열쇠

1. 탄력이 있는 물체가 퉁겨져 일어남.
2. 내용이나 뜻을 분명하게 드러내 보이는, 또는 그런 것
3. 법률, 명령, 약속 따위를 지키지 않고 어김.
4. 일이나 형편이 시간의 경과에 따라 변하여 나감. 또는 그런 경향

세로 열쇠

1. 아직까지 없던 기술이나 물건을 새로 생각하여 만들어 냄.
2. 그 당시에 일어난 여러 가지 사회적 사건
3. 가능한 모든 영역에 걸침을 이르는 말
4. 어떤 일을 되풀이하며 음미하거나 생각함. 또는 그런 일
5. 시대에 따라 변하는 세태

| 예시 답안 |

가로 2. (명시적) 세로 1. (발명) 가로 4. (추이) 세로 4. (반추)

| 해설 |

[가로 열쇠] 1. 반발, 2. 명시적, 3. 위반, 4. 추이
[세로 열쇠] 1. 발명, 2. 시사, 3. 전방위, 4. 반추, 5. 풍조

| 정답 기준 |

제시된 단어의 사전적 의미를 바탕으로 가로와 세로의 빈칸에 들어갈 단어를 찾는 문항이다. 총 4개의 단어를 쓰도록 출제되며 각 단어별로 1점씩 배점된다. 십자말풀이는 서로 다른 단어들을 풀이하여 그것을 도움말 삼아 다른 단어를 풀어낼 수 있어야 한다. 따라서 4개의 단어에 대한 답을 먼저 찾기보다는 가로 열쇠 1번부터 차근차근 푸는 것이 시간을 줄이는 길임을 명심해야 한다.

▌어휘 – 짧은 글짓기

〈예시〉와 같이 〈보기〉 ①의 빈칸에 들어갈 ㉠ – 속담과 〈보기〉 ②의 빈칸에 공통으로 들어갈 ㉡ – 단어를 사용하여 한 문장으로 된 짧은 글을 쓰시오.

예시

① (안되면 조상 탓)(이)라더니 문제가 생기면 그 원인을 보통 외부에서 찾기 마련이다.

② • 그는 자신이 한 행위에 (책임)을/를 졌다.
• 교사는 학생을 지도하고 보호할 (책임)이/가 있다.

⇨ 안되면 조상 탓이라는 말처럼 자신의 잘못을 남에게 돌려 책임을 회피하는 태도는 바람직하지 않다.

보기

① 몇 십 년 전만 해도 해외여행을 가는 것은 경제적으로 여유가 있는 일부 사람들의 전유물처럼 여겨졌으나 최근에는 대학생부터 중년층에 이르기까지 여러 연령대의 사람들이 수시로 해외여행을 즐긴다. 그런데 단체로 패키지여행을 갈 경우 안전과 가격의 면에서 장점이 있으나 단점도 존재한다. 여러 명소를 일주일 내외의 짧은 시간 동안 이동하며 여행을 하기 때문에 대부분의 관광객은 각 지역의 문화를 깊게 보거나 여유 있게 만끽하지 못하고 (㉠)(으)로 그 장소들을 지나쳐 버린다. 일주일 동안 보통 3개의 나라, 4~5개 이상의 도시를 여행하는 한국의 패키지여행은 외국인들에게는 신기한 문화로 비치기도 한다.

② • 우리는 독서를 통하여 많은 (㉡)와/과 그 이름을 배운다.
• 서로 다른 학풍을 따르던 그들이었지만 (㉡)을/를 보는 관점이 서로 같은 때도 있었다.

➡

| 예시 답안 |

(수박 겉 핥기)(이)라는 말처럼 (사물)의 속 내용은 모르고 겉만 건드리는 태도로 일하면 좋은 성과를 기대하기 어렵다.

| 정답 기준 |

지문의 문맥에 따라 빈칸에 들어갈 적절한 속담 및 단어를 활용하여 짧은 글짓기를 하는 문항이다. 문맥상 ㉠에 들어갈 속담은 '수박 겉 핥기'이며 ㉡에 들어갈 적절한 단어는 '사물'이다. 따라서 이 둘을 활용하여 짧은 글짓기를 하면 '수박 겉 핥기라는 말처럼 사물의 속 내용은 모르고 겉만 건드리는 태도로 일하면 좋은 성과를 기대하기 어렵다.'가 정답이 될 수 있겠다.

03 읽기

본문 326쪽

읽기

다음 글을 읽고 '인터넷상에서 잊힐 권리'에 대한 견해를 〈조건〉에 맞게 쓰시오.

(가) 29일 '게임 질병코드 도입 반대를 위한 ○○○준비위원회(가칭)'는 단체 설립 소식을 전하면서 게임 산업에 대한 잘못된 접근과 인식을 바로잡고 올바른 게임 창작물에 표현의 자유를 지키고자 단체를 설립한다고 밝혔다. 특히, ○○○준비위원회는 WHO(세계보건기구)와 관련해 국내에도 게임 질병코드를 도입하려는 정부 당국의 행보를 강력히 반대하겠다고 강조하였다. WHO는 지난해 6월, 국제질병분류(IDC) 11차 개정안에 게임 장애(Gaming Disorder)를 포함시키고 내달 세계 보건총회에서 이를 발표할 계획이다. WHO의 게임 장애가 최종 승인된다면 회원국들에게 오는 2022년 1월부터 적용을 권고하게 된다.

게임업계는 WHO의 기존 결정이 번복될 가능성은 낮지만 글로벌 게임 시장에서 한국의 게임 산업이 차지하는 비중을 감안한다면 정부의 합리적 수용과 판단이 나와야 한다고 주장한다. 이에, 박○○ 보건복지부 장관은 지난해 국회 국정감사에서 "WHO가 게임 장애를 질병으로 최종 확정하면 이를 받아들이겠다."라고 밝힌 바 있다. 다만, 박○○ 장관은 지난달 장관 후보자 청문회에서 "게임의 중독성은 객관적인 사실 규명이 필요하고 사회적 합의가 이뤄져야 한다."라며 포괄적인 접근을 예고한 바 있다.

(나) 게임 중독을 질병으로 규정하도록 권고한 WHO의 결정을 두고 정부 부처가 다른 목소리를 내고 있다. 보건복지부는 민관 협의체를 구성해 합의점을 도출하겠다는 방침이지만, 문화체육관광부는 거부 의사를 밝히며 강경한 태도를 이어 가고 있다.

그러나 복지부는 민관 협의체 참가 요청 공문을 보내며 문체부를 설득할 방침이다. 보건당국은 WHO 결정에 따라 게임 중독을 질병으로 분류하더라도 진단 기준을 명확하게 규정하면, 모호한 기준으로 생길 수 있는 불필요한 불안과 걱정을 덜 수 있어 오히려 게임 산업 발전에 도움이 된다고 설명했다. 또한 역학조사를 통해 게임 중독 실태를 파악하여 게임 중독을 예방하고 치료할 수 있는 계획을 세워 실천할 것이라고 강조하였다.

조건

- (가)와 (나)를 참고하여 '게임 중독 질병 규정'에 관한 자신의 의견과 근거를 분명히 밝힐 것
- 자신의 의견을 타당하게 뒷받침할 수 있는 근거를 한 개 이상 제시할 것
- 어문 규정에 맞게 세 문장 이내로 작성할 것

➡ ______________________________

____

예시 답안

[찬성] 게임 중독 질병 규정에 찬성한다. 진단 기준을 명확하게 규정하면, 모호한 기준으로 생길 수 있는 불안과 걱정을 덜 수 있기 때문이다.

[반대] 게임 중독 질병 규정에 반대한다. 게임 산업에 대한 잘못된 인식을 가져올 수 있으며 게임 중독성에 대한 객관적 사실 규명을 위한 기준이 필요하기 때문이다.

해설

지문을 통해 파악할 수 있는 논제는 '게임 중독을 질병으로 규정할 것인가'이다. 따라서 논제에 대한 찬성 또는 반대의 입장을 밝히고, 지문에서 이를 뒷받침할 수 있는 근거를 제시할 수 있어야 한다.

출처

WHO 게임 중독 질병 규정, 반대 단체 출범, CBC 뉴스, 2019. 05. 02.